J. RIZZI

DER BROCKHAUS IN FÜNFZEHN BÄNDEN

DER BROCKHAUS

in fünfzehn Bänden

Vierter Band

Eis – Fra

F.A. BROCKHAUS
Leipzig · Mannheim

Redaktionelle Leitung: Marianne Strzysch, Dr. Joachim Weiß

In Band 15 ist die Redaktion vollständig genannt.

Einbandgestaltung: James Rizzi

Einbandtypographie: Jürgen Sauerhöfer

Herstellung: Günter Schwab

Typographische Konzeption: Norbert Wessel

Satz: Bibliographisches Institut & F. A. Brockhaus AG
(PageOne Siemens Nixdorf)
und Mannheimer Morgen Großdruckerei
und Verlag GmbH

Druck: Neue Stalling GmbH, Oldenburg

Bindearbeit: Großbuchbinderei Lachenmaier, Reutlingen

Papier: 120 g/m² holzfrei, mattgestrichen, chlorfrei
der Papierfabrik Aconda Paper S. A., Spanien

Die Deutsche Bibliothek – CIP-Einheitsaufnahme
Der **Brockhaus**: in 15 Bänden /
[red. Leitung: Marianne Strzysch; Joachim Weiß]. –
Leipzig; Mannheim: Brockhaus.
Bd. 4. Eis – Fra. – 1999
ISBN 3-7653-2354-3

ISBN für das Gesamtwerk 3-7653-2350-0
Band 4: 3-7653-2354-3

Printed in Germany

Namen und Kennzeichen, die als Marken bekannt sind und entsprechenden Schutz genießen, sind beim fett gedruckten Stichwort durch das Zeichen ® gekennzeichnet. Handelsnamen ohne Markencharakter sind nicht gekennzeichnet. Aus dem Fehlen des Zeichens ® darf im Einzelfall nicht geschlossen werden, dass ein Name oder Zeichen frei ist. Eine Haftung für ein etwaiges Fehlen des Zeichens ® wird ausgeschlossen.

Eis

Eis, *Musik:* das um einen Halbton erhöhte E (E mit ♯).

Eis, 1) *Lebensmittel:* das → Speiseeis.

2) *Physik:* durch Gefrieren entstehende feste Form von Wasser; es bildet sich bei 273,15 K (0 °C) und $1{,}01325 \cdot 10^5$ Pa (Eispunkt) in verschiedenen Kristallformen. Gewöhnl. E. (E. I) ist leichter als Wasser (Dichte 0,91674 g/cm^3), die Modifikationen E. II bis E. VIII unterscheiden sich durch Dichte, Härte und elektr. Eigenschaften. – Beim Gefrieren dehnt sich das Wasser aus (etwa um 9 %) und sprengt daher Boden- und Felsspalten und unterstützt die Erosion. Bei stehenden Gewässern bildet sich das E. zuerst an der Oberfläche, bei fließenden am Grund. In der Atmosphäre, bes. in vielen Wolkenformen, ist E. als Graupel und Hagel enthalten, abgelagert als Reif.

Eisack *der* (italien. Isarco), linker Nebenfluss der Etsch in Südtirol, Italien, 95 km, entspringt westlich oberhalb des Brenners, mündet unterhalb von Bozen. Durch das tief eingeschnittene, meist enge und waldreiche E.-Tal führen Brennerstraße, -autobahn und -bahn.

Eisbahn, ebene Eisfläche, für (internat.) Wettkämpfe werden Kunst-E. mit kältetechn. Anlagen hergestellt. Auf E. werden verschiedene Sportarten wie Eishockey, -kunstlauf, -schnelllauf, -stockschießen u.a. ausgeübt.

Eisbär, Art der → Bären.

Eisbarri|ere, mauerartiger Rand des z.T. in das Meer vorgeschobenen Inlandeises im Südpolargebiet.

Eisberg, im Meer schwimmende große Eismasse, entstanden durch Abbrechen **(Kalben)** ins Meer vorgeschobener Gletscherzungen oder des Inlandeises, auch durch Auftürmen von Packeis. E. gefährden die Schifffahrt (internat. Überwachung), zumal nur ein Fünftel bis ein Achtel ihrer Masse über die Meeresoberfläche aufragt. E. vom antarkt. Eisschild gleichen riesigen Tafeln **(Tafeleisberg).** BILD S. 6

Eisbeutel (Eisblase), mit Eisstücken gefüllter Gummibeutel zur Zusatzbehandlung akuter Entzündungen, z.B. Gallenblasenentzündung, oder zur Hemmung von Blutungen und entzündlichen Schwellungszuständen nach Operationen.

Eisblink, Widerschein des Polareises am Horizont.

Eisblume, Eisniederschläge an Glasscheiben.

Eisbrecher, kräftiges, mit starker Antriebsanlage und besonderer Vorschiffsform versehenes Spezialschiff zum Aufbrechen und Freihalten von Fahrrinnen, Seewegen, Flüssen und Häfen bei Eisgang. **Hochsee-E.** werden in der nördl. Ostsee und im Nordpolarmeer eingesetzt. **Binnen-** und **Hafen-E.** haben nur Schleppergröße. Antrieb meist dieselelektrisch; die sehr großen russ. E. im Nordpolarmeer werden durch Kernenergie angetrieben. E. haben einen schrägen Vorsteven, der das Vorschiff anhebt und das Eis nach unten wegbrechen lässt. Die Stömung der Antriebsschrauben in der Nähe des Stevens unterstützt das Eisbrechen, indem sie die Eisdecke unterspült. Bei Binnen-E. bringen umlaufende Umwuchtgewichte den E. in

Eisberg: Schematische Darstellung, die deutlich macht, dass nur ein kleiner Teil des Eisberges über die Meeresoberfläche aufragt

Eis

Um runde achtzig Meter stiege der Meeresspiegel, würde sämtliches Eis der Erde schmelzen. So jedenfalls haben die Wissenschaftler gerechnet, und sie sagen uns auch, dass 78 % des Süßwassers in Form von Eis vorliegen. Zu solchem gefriert reines Wasser bei 0 °C. Sind aber Salze oder andere Stoffe darin gelöst, so sinkt der Gefrierpunkt ab. Deshalb streut man Salz, um Glatteis zu verhindern. Und deshalb sind die riesigen Eisberge auch kein gefrorenes Meerwasser, sondern Bruchstücke riesiger Inlandgletscher, die sich ins Meer schieben und dort kalben. Übrigens schwimmt nur etwa ein Achtel bis ein Fünftel dieser Eisberge über Wasser, der große Rest aber darunter. Das hat mit einer weiteren Merkwürdigkeit des Wassers zu tun, das sich nämlich beim Gefrieren ausdehnt, ganz im Gegensatz zu anderen Flüssigkeiten. Dabei vergrößert es seinen Rauminhalt um 9 %, das Eis hat also eine geringere Dichte als das Wasser und schwimmt deshalb obenauf. Der gleiche Effekt kann geschlossene Gefäße zum Springen bringen, wenn in diesen Wasser gefriert. Gefrorene Wasserleitungen im Winter sind dafür ein besonders unangenehmes Beispiel.

Eisberg in der Nähe von Jakobahavn, Westgrönland

Stampfschwingungen, um so die Brechtätigkeit durch Massenbeschleunigung zu fördern und ein Festklemmen im Eis zu verhindern. Neuere Hochsee-E. schneiden mit scharfen Kanten am Pontonsteven das Eis ab, das vom Rumpf zerteilt und von Wasserstrahldüsen seitwärts unter das Festeis gedrückt wird. Die Schollen können so nicht wieder aufschwimmen, und das aufgebrochene Fahrwasser friert langsamer wieder zu.

Eisdienst, *Schifffahrt:* Überwachung und Bekanntgabe der Lage schifffahrtsgefährdender Eisvorkommen über Funk.

Eiselen, Ernst Wilhelm Bernhard, Pädagoge, *Berlin 27. 9. 1793, †Misdroy (heute Międzyzdroje) 28. 8. 1846; Anhänger F. L. Jahns, gründete 1825 die 1. Turnanstalt für orthopäd. Turnen, 1832 in Berlin die erste Turnanstalt für Mädchen.

Eisen [ahd. isarn »das feste Metall«] (lat. Ferrum), Symbol **Fe,** metall. Element aus der 8. Nebengruppe und 4. Periode des Periodensystems; wichtigstes Gebrauchsmetall. Ordnungszahl 26, relative Atommasse 55,847, Dichte 7,874 g/cm³, Schmelzpunkt 1538 °C, Siedepunkt 2861 °C. – Reines E. ist bläulich weiß, polierbar und so dehnbar, dass es sich zu feinstem Draht ausziehen lässt. Die elektr. und Wärmeleitfähigkeit betragen $^1/_5$ bis $^1/_6$ von der des Kupfers. E. ist bes. gut magnetisierbar (unter 769 °C). In trockener Luft, in konzentrierter Salpeter- und Schwefelsäure hält sich E. unverändert; in feuchter Luft bildet sich an der Oberfläche Rost (E.-Hydroxid). Das unedle Metall wird von versch. verdünnten Säuren gelöst.

Eisbrecher: Der russische Eisbrecher »Murmansk« in der Karasee, Nördliches Eismeer

Verbindungen: E. tritt in seinen Verbindungen v.a. in den Oxidationsstufen zwei, drei und sechs auf. **Eisen(II)oxid,** FeO (mit leichtem O-Überschuss; $Fe_{0,90-0,95}O$), kommt als Mineral **Wüstit** vor. **Eisen(III)oxid,** Fe_2O_3, entsteht beim Erhitzen von Eisen(III)hydroxid und kommt in der Natur z.B. als E.-Glanz und als Braun-E. vor. Das geglühte reine Fe_2O_3 wird als Poliermittel sowie als Pigment (→ Eisenpigmente) benutzt. Durch starkes Glühen von Fe_2O_3 sowie bei der Verbrennung von E. entsteht schwarzes magnetisches Fe_3O_4 (= FeO · Fe_2O_3), ein **Eisen(II,III)oxid (Hammerschlag),** das in der Natur als Magnetit vorkommt. Eisen(II)salzlösungen, mit Lauge versetzt, ergeben weißes **Eisen(II)hydroxid,** $Fe(OH)_2$, das an der Luft und bei Einwirkung von Oxidationsmitteln in braunes **Eisen(III)hydroxid,** $Fe(OH)_3$, übergeht. Die bei Zusatz von Lauge zu Eisen(III)salzlösungen ausfallenden braunen, wasserhaltigen Eisen(III)hydroxide gehen beim Trocknen und Erhitzen in Hämatit über. Beim Rosten des E. entsteht **Eisen(II)oxidhydrat,** FeO(OH). Beim Erhitzen von elementarem E. in Chlorwasserstoffgas entsteht weißes **Eisen(II)chlorid,** $FeCl_2$. Das beim Lösen von E. in verdünnter Salzsäure gebildete Eisen(II)chlorid kristallisiert aus der Lösung als $FeCl_2 \cdot 6\ H_2O$, das zur Herstellung von Farbstoffen und als Reduktionsmittel dient. Wird E. im Chlorstrom erhitzt, so entsteht **Eisen(III)chlorid,** $FeCl_3$, das u.a. als Oxidations- und Kondensationsmittel, Farbbeize und als Flockungs- und Fällungsmittel in der Wasseraufbereitung dient. **Eisen(II)sulfid,** FeS, fällt aus Eisen(II)salzlösungen mit Ammoniumsulfid als grünlich schwarzer, in Säure lösl. Niederschlag aus. Technisch wird es durch Zusammenschmelzen von E. und Schwefel hergestellt; es dient zur Schwefelwasserstofferzeugung im Labor. Der wichtige **Eisenkies,** FeS_2, dient zur Schwefelsäuregewinnung und E.-Herstellung. **Eisen(II)sulfat,** $FeSO_4$, entsteht beim Lösen von E.-Abfällen in Schwefelsäure und kristallisiert als hellgrünes, an der Luft unbeständiges **Eisenvitriol,** $FeSO_4 \cdot 7H_2O$, aus. Das technisch wichtige E.-Salz wird z.B. zur Herstellung von Tinten, in der Färberei und Gerberei, im Pflanzenschutz, in der Tierheilkunde und zur Holzkonservierung genutzt. – **Eisen(II)carbonat,** $FeCO_3$, kommt in der Natur als **Eisenspat** vor. In kohlensäurehaltigen Wässern löst es sich unter Bildung von **Eisen(II)hydrogencarbonat,** $Fe(HCO_3)_2$, das auch Bestandteil von Trinkwasser und mancher Mineralwässer **(E.-Säuerlinge)** ist. Lufteinwirkung führt zu Abscheidung von **Eisen(III)oxidhydrat (Ocker).** Das hellgrüne **Eisen(II)nitrat,** $Fe(NO_3)_2 \cdot 6H_2O$, und das fast farblose **Eisen(III)nitrat,** $Fe(NO_3)_3 \cdot 6$ (oder 9) H_2O, sind Salze des E. mit Salpetersäure. **Eisen(II)phosphat** kommt als Mineral **Vivianit** vor. Die E.-Salze der Kieselsäure sind im Gemisch mit anderen Silikaten als gesteinsbildende Minerale weit verbreitet. Durch besondere Beständigkeit zeichnen sich viele Komplexverbindungen des zwei- und dreiwertigen E. aus (→Blutlaugensalz).

Vorkommen: Die Erde enthält etwa 40 Gewichts-% E.; für den Erdkern werden rd. 90 Gewichts-% angenommen, an der zugängl. Erdkruste ist E. mit etwa 4,7 Gewichts-% beteiligt. Die wichtigsten E.-Erze sind Pyrit, Magnetit, Hämatit, Brauneisenstein und Eisenspat.

Gewinnung: E. wird gewonnen als chemisch reines Pulver (Rein-E.) durch Reduktion von E.-Oxid mit Wasserstoff bei niedriger Temperatur, als Carbonyl-E., Elektrolyt-E., als Reinst-E. durch Zonenschmelzen und als techn. E. durch Verhüttung von E.-Erzen, E.-Schlacken, Kiesabbränden, Gichtstaub und durch Umschmelzen von Alt-E. und Legierungen. Das Ausschmelzen des E. aus den Erzen geschieht in einem **Hochofen.** Der Ofenraum wird schichtweise mit Erz, Zuschlägen und Hüttenkoks gefüllt. Die Zuschläge (hauptsächlich Kalkstein) sollen die in jedem E.-Erz enthaltenen erdigen und kieseligen Stoffe (taube Gangarten) sowie die Koksasche in eine leicht schmelzbare Schlacke überführen. Nach der Inbetriebnahme (Anblasen) bleibt ein Hochofen eine Ofenreise (zehn Jahre und länger) ununterbrochen in Betrieb. Durch große Gebläsemaschinen wird heiße Luft (Heißwind) durch Düsen (Blasformen) unter der Rast eingeblasen. Der Koks verbrennt zu Kohlendioxid, das durch unverbrannten Koks im Überschuss zu Kohlenoxid umgewandelt wird. Durch dieses werden im Schacht 40–70% des Erzes zu festem **Schwamm-E.** reduziert **(indirekte Reduktion).** Dem restl. Erz in der Schmelzmasse, die sich in der Rast und im Gestell ansammelt, wird durch glühenden festen Kohlenstoff der Sauerstoff entzogen **(direkte Reduktion).** Das flüssige **Roh-E.** setzt sich unter der leichteren Schlacke ab und wird alle 3–6 Stunden zus. mit der Schlacke abgestochen. Dabei rinnt das Roh-E. durch Sandrinnen in eine Masselgießmaschine oder – in »gemischten« Hüttenwerken mit Hochofen, Stahl- und Walzwerken – in fahrbare Pfannen, aus denen es in große trommelartige Sammel-

Förderung von Eisenerz (Eisengehalt in Mio. t)

Land	1970	1980	1988	1992
UdSSR	106,1	132,9	137,0	97,2*)
Brasilien	24,7	95,0	98,6	94,7
Australien	28,7	61,3	61,5	69,8
China	24,0	56,3	49,5	68,6
USA	53,3	44,6	36,5	34,7
Indien	19,7	26,4	31,2	34,7
Kanada	29,2	30,2	24,5	21,8
Republik Südafrika	5,9	16,5	15,9	18,5
Schweden	19,8	17,2	13,5	12,7
Liberia	14,4	12,0	7,9	1,1
Welt	418,2	554,2	534,4	505,3

*) ehemalige UdSSR

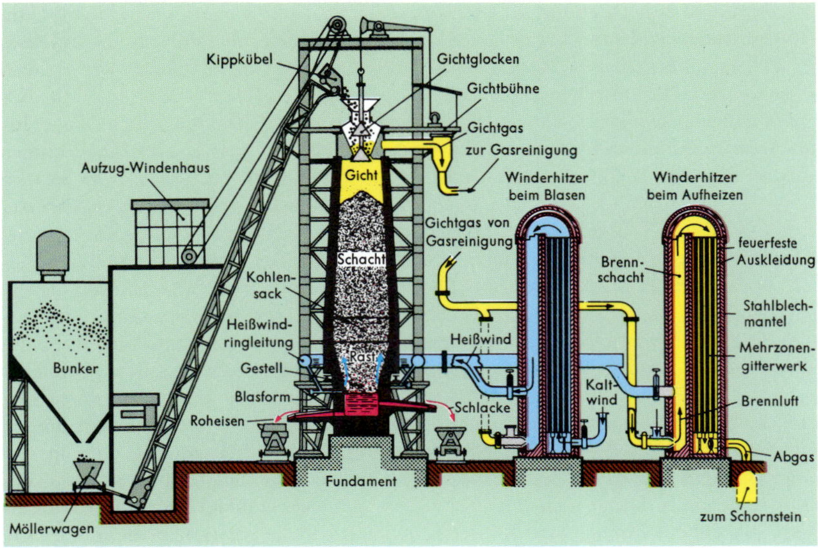

Eisen: Schematischer Querschnitt einer Hochofenanlage

behälter (Mischer) gekippt wird. Die Schlacke wird vom Roh-E. getrennt und fließt in eine eigene Pfanne. Die oben entweichenden →Gichtgase erwärmen v.a. die Verbrennungsluft. Dazu werden sie in hohe Türme (Winderhitzer, Cowperapparate) geleitet, wo sie verbrennen und ein Gitterwerk aus feuerfesten Steinen erhitzen (Mehrzonengitterwerk). Nach der Heizperiode wird auf eine einstündige Windperiode umgeschaltet, in der der Wind im Gegenstrom durch den Winderhitzer geleitet und auf etwa 1250 °C erwärmt wird. Wegen dieser period. Betriebsweise sind für jeden Hochofen stets mehrere Winderhitzer notwendig. Moderne Hochöfen erzeugen täglich über 11 000 t Roheisen.

Im Elektrohochofen wird der Heizkoks durch elektr. Strom ersetzt (rd. 2400 kWh je t Roh-E.). Den Reduktionskohlenstoff liefert Holzkohle. Im Niederschachtofen wird auch synthet. Roh-E. aus Alt-E. und Kohlungsmitteln erschmolzen.

Roh-E. lässt sich wegen seines über 1,5 % liegenden Kohlenstoffgehaltes nicht schmieden, walzen, hämmern oder pressen. **Graues Roh-E.** (nach der Farbe des Bruches) enthält den Kohlenstoff zum größten Teil als Graphit und dient zur Erschmelzung von **Grauguss,** der nicht sehr spröde ist. **Weißes Roh-E.,** in dem der Kohlenstoff vorwiegend als E.-Carbid vorliegt, ist hart und spröde; aus ihm wird **Hartguss** und **Temperguss** hergestellt. Eine scharfe Grenze zw. Roh- oder Guss-E. und Stahl besteht nicht; der nichtschmiedbare Zustand geht allmählich in den schmiedbaren über. Über das Frischen des Roh-E. zu Stahl →Stahl. – Die in den letzten Jahren zunehmend angewendeten **Direktreduktionsverfahren** führen ohne ein vom Enderzeugnis stark abweichendes Zwischenprodukt zu Stahl. Betriebsreife erlangt haben nur die **Tieftemperatur-Reduktionsverfahren,** bei denen Stückerz oder Pellets unmittelbar in Reaktionskammern, Schacht- und Drehrohröfen von einem aus Erdgas gewonnenen Gasstrom reduziert werden. Beim Tunnelofenverfahren werden pulvrige E.-Erzkonzentrate zus. mit Kalkstein und Koksstaub erhitzt.

Wirtschaftliches: 955,1 Mio. t E.-Erz wurden 1994 weltweit gefördert (wichtigste Förderländer vgl. ÜBERSICHT). E.-Erz ist nach Erdöl das zweithäufigste Welthandelsgut. Die Nachfrage danach ist an die Nachfrage nach Stahl gebunden. Weltweit wurde 1994 rund 509,7 Mio. t. Roheisen erzeugt.

Physiologie: E. gehört zu den lebenswichtigen →Spurenelementen; es ist Bestandteil des roten Blutfarbstoffs (Hämoglobin) und vieler Enzyme des intrazellulären Stoffwechsels. Um einem E.-Mangel vorzubeugen, braucht der Mensch täglich etwa 15 mg E.; der Bedarf erhöht sich bei größeren Blutverlusten und in der Schwangerschaft. Der E.-Gesamtbestand des Körpers beträgt 3,5–5 g.

Geschichte: E. wurde in vorgeschichtl. Zeit (→Eisenzeit) erst gewonnen und verarbeitet, nachdem Bronze (→Bronzezeit) bereits bekannt war. Die E.-Erzeugung erfolgte bis ins 14. Jh. im Allg. nur nach dem Rennfeuerverfahren meist in Gruben oder einfachen Schachtöfen. Später begann man E. in kleinen »Hochöfen« zu erzeugen, doch erst seit dem 16. Jh. kann man vom eigentl. Hochofen sprechen. 1735 beschickte A. Darby d. J. erstmals einen Hochofen ausschl. mit Koks als Reduktionsmittel.

📖 *E. u. Stahl. Texte u. Bilder zu einem Leitsektor menschl. Arbeit u. dessen Überlieferung, hg. v.* W. BUSCHMANN. *Essen 1989.* – OETERS, F.: *Metallurgie der Stahlherstellung. Berlin u. a. 1989.*

Eisen [ɛ'zɛn], Charles, frz. Zeichner, Maler, *Valenciennes 17. 8. 1720, †Brüssel 4. 1. 1778; einer der erfindungsreichsten Illustrations- und Vignettenkünstler des 18. Jh.; schuf Blätter und Dekorationsentwürfe in feinster Rokokomanier.

Eisenach
Stadtwappen

Eisenach, kreisfreie Stadt in Thür., an den nordwestl. Ausläufern des Thüringer Waldes, im Tal der Hörsel, 45 100 Ew.; Sitz des Landesbischofs der Evang.-luther. Kirche in Thüringen; Lutherhaus (Ende 15. Jh.), Bachhaus (Bau des 17./18. Jh.; Bachmuseum), Fritz-Reuter- und Richard-Wagner-Museum, Thüringer Museum; Automobil- und Maschinenbau, elektrotechn. und Textilindustrie. – Die Altstadt hat ihr altes Gepräge bewahrt. Am Markt befinden sich das barocke Stadtschloss (1742–51; der Marstall heute mit einer Abt. des Thüringer Museums), die Pfarrkirche St. Georg (1515 begonnen), das Residenzhaus (wohl 1507), das Rathaus (1508, 1564 umgebaut, nach dem Stadtbrand von 1636 wieder aufgebaut) und die Predigerkirche (13. Jh., Samml. mittelalterl. Plastik). Die roman. Nikolaikirche (um 1200) ist mit dem Nikolaitor, einem Rest der Stadtbefestigung, verbunden. – Um 1150 unterhalb der →Wartburg, dem Sitz der Landgrafen von Thüringen, gegründet, 1283 Stadtrechtsbestätigung; fiel 1264 an die Wettiner (1485 an die Ernestiner); 1572–1638, 1640–44 und 1672–1741 Residenz des Herzogtums Sachsen-E., danach gehörte es zu Sachsen-Weimar. Bis 1. 1. 1998 eine der Kreisstädte des Wartburgkreises.

📖 HUMBERT, E.: *E. u. die Wartburg, hg. v.* G. BERGMANN. *A. d. Frz. Eisenach 1995.*

Eisenbahn, Bez. für Schienenbahnen mit Ausnahme der Straßenbahnen und Bahnen besonderer Art (z. B. Schwebe-, Hoch- oder Untergrundbahnen). Fahrzeuge sind zu Zügen gekuppelte Eisenbahnwagen mit einer Lokomotive oder einem Triebwagen, bei dem Antriebsmaschine und Nutzraum eine Wageneinheit bilden. Die Vorteile der E. liegen v. a. in der geringen Rollreibung zwischen Rad und Schiene, sodass nur geringe Zugkräfte für hohe Anhängelasten nötig sind. E. werden nach der Spurweite in **Regelspurbahnen** (auch **Normal-** oder **Vollspur**), **Breitspurbahnen** und **Schmalspurbahnen** (→Eisenbahnbau) unterschieden. Nach Beschaffenheit und techn. Ausstattung unterscheidet man **Haupt-** und **Nebenbahnen,** wobei Letztere nicht schneller als 100 km/h fahren dürfen. Es gibt **Staats-** und **Privatbahnen,** die wiederum nach E. des öffentl. Verkehrs (für jedermann zugänglich) und des nichtöffentl. Verkehrs (Werk- und Industriebahnen) unterschieden werden. In Dtl. entstand 1994 aus der Dt. Bundesbahn und der Dt. Reichsbahn die →Deutsche Bahn AG.

Zuggattungen: In Europa verkehren im Personenverkehr u. a. seit 1987 der **EuroCity (EC),** im Nachtreiseverkehr seit 1993 der **EuroNight (EN)** und seit 1995 der **EuroNightLine.** Im dt. Binnenverkehr bestehen ein Fernzugnetz mit **InterCity-Express (ICE)** (seit 1991), **InterCity (IC), InterRegio (IR)** und nachts **InterCityNight (ICN)** und ein Nahverkehrsnetz in den Regionen mit **StadtExpress (SE), RegionalExpress (RE)** und **RegionalBahn (RB,** mit Halt auf allen Stationen) sowie S-Bahn-Netze im Bereich von Großstädten und Ballungsgebieten. Güterzüge werden im →kombinierten Verkehr innerhalb Dtl.s als **InterKombiExpress (IKE)** im Direktverkehr zwischen Wirtschaftszentren, als **InterKombi (IK)** mit Austausch von Wagengruppen auf Zwischenbahnhöfen und als **InterKombiLogistik (IKL)** im Logistikverkehr bezeichnet.

Schnellverkehr: Ein wesentl. Ziel europ. E.-Verwaltungen ist der Ausbau ihrer Netze für den Schnellverkehr, um höhere Geschwindigkeiten und kürzere Fahrzeiten erreichen zu können. Dafür müssen E.-Strecken z. T. neu trassiert oder ausgebaut und mit modernen Signal- und Transportsteuereinrichtungen versehen werden. Fast ausnahmslos wird die elektr. Zugförderung vorgesehen. Die Höchstgeschwindigkeit des ICE beträgt 280 km/h, des IC und IR 200 km/h. Die schnellsten Züge der Welt (Frankreich, Spanien) fahren fahrplanmäßig mit 300 km/h, der Geschwindigkeitsrekord liegt bei 515,3 km/h, erreicht vom »TGV-Atlantique« (Frankreich). – Die *Eisenbahnforschung* untersucht die technisch-physikal. Bedingungen des Rad-Schiene-Systems einschließlich Fahrweg, Fahrzeuge, Energieversorgung, Betriebsleittechnik und Umweltschutz.

Geschichte: 1801 erteilte das engl. Parlament die Konzession für die erste öffentl. Pferde-E. von Wandsworth nach Croydon, die jeder mit eigenem Fuhrwerk benutzen konnte. Die erste von G. Stephenson gebaute Lokomotive zog 1825 die erste öffentl. Dampf-E. (zunächst nur für Güter) Stockton–Darlington. Die erste Personen-Dampf-E. verkehrte seit 1830 zw. Liverpool und Manchester (Weiteres →Lokomotive). Die erste Dampf-E. Dtl.s fuhr am 7. 12. 1835 von Nürnberg nach Fürth. 1837–39 wurde die Strecke Leipzig–Dresden gebaut (116 km). Zw. 1870 und 1910 wurden im Dt. Reich die meisten E.-Strecken gebaut. Erste elektr. E. fuhren ab 1895. Ab 1914 setzte sich der Dieselmotor als Verbrennungskraftmaschine für E. durch. Der Dampfbetrieb endete bei der Dt. Bundesbahn 1977. BILDER S. 10/11

📖 *Lexikon der E., hg. v.* G. ADLER *u. a. Berlin* ^{8}*1990.* – FIEDLER, J.: *Grundlagen der Bahntechnik. Düsseldorf* ^{3}*1991.* – ROSSBERG, R. R.: *Grenzen der dt. Schienen 1945–1990. Freiburg im Breisgau* ^{2}*1991.*

Eisenbahn

Als der englische Eisenbahnpionier George Stephenson eine Lizenz für die erste öffentliche Eisenbahnstrecke von Stockton-on-Tee nach Darlington beantragte, stieß er bei den Behörden auf große Schwierigkeiten. Sie verlangten von ihm, die Spurweite der Postkutschen zu übernehmen.
20 Jahre zuvor war eine Konzession für eine erste Pferdeeisenbahn erteilt worden, deren Spurweite 4 Fuß betrug.
Das aber stellte Stephenson vor technische Probleme, und er erreichte in zähen Verhandlungen eine Verbreiterung auf 4 Fuß 8½ Inches, also 1,435 m. Da auf dem Kontinent die ersten Eisenbahnen mit Stephenson-Lokomotiven fuhren, wurde diese Spurweite übernommen.

Eisenbahnbau, Planung, Bau und Unterhaltung der ortsfesten Eisenbahnanlagen. Der **Bahnkörper** hat einen Unter- und Oberbau. Der **Unterbau** besteht aus dem Erdkörper (Damm, Einschnitt oder Anschnitt) mit den zugehörigen Kunstbauten (z. B. Brücken, Tunnel), die den **Oberbau** aus dem Schotterbett oder einer festen Fahrbahn, den Querschwellen und den Schienen tragen. Das **Schotterbett** aus wetterfestem Hartgestein (z. B. Basalt) soll die Gleisanlagen entwässern und als deren elast. Unterlage einen ruhigen Lauf der Fahrzeuge gewährleisten. Für den Hochgeschwindigkeitsverkehr wird zunehmend ein Oberbau mit fester Fahrbahn (z. B. aus Beton oder Asphalt) in unterschiedl. Bauformen genutzt. Die **Schwellen** übertragen den Druck der Schienen auf

Eisenbahn

Die längste völlig kurvenfreie Eisenbahnstrecke gibt es im südlichen Australien. Dort durchquert die Eisenbahn zwischen Kalgoorlie westlich von Perth und dem nördlich von Adelaide am Spencer-Golf gelegenen Port Augusta die Nullarbor Plain. Die Ebene zwischen der Großen Australischen Bucht und der Großen Victoriawüste dehnt sich landeinwärts 400 km aus und hat eine Breite von 1200 km. Hier verläuft die transkontinentale Bahnstrecke ohne jede Kurve 530 km schnurgerade durch ein menschenleeres, baumloses Gebiet.

die Bettung; sie werden aus teergetränktem Kiefern- oder Buchenholz (selten Eiche) oder Stahlbeton hergestellt. Als **Schienen** werden heute Breitfußschienen in lückenlos geschweißten Gleisen verlegt. Auftretende Wärme- und Kältespannungen werden über die Schienenbefestigungsmittel (meist Schrauben) und den Schwellenrost in den Untergrund abgeleitet, ohne dass es zu wesentlichen Lageveränderungen des steifen Gleisrahmens kommt. Die **Spurweite,** d.h. der Abstand der oberen Innenkanten der beiden Schienenstränge (die zusammen das **Gleis** bilden), beträgt bei Regelspurbahnen (auch Normal- oder Vollspurbahn gen.) 1435 mm, bei Breitspurbahnen über 1435 mm (z.B. Russland u.a. Republiken der GUS 1520 mm) und bei Schmalspurbahnen unter 1435 mm (z.B. Japan Kapspur 1067 mm). Mit Rücksicht auf die kon. Radreifen werden die Schienen mit einer Neigung von 1:20 bzw. 1:40 nach innen verlegt.

Eisenbahn-Blockeinrichtungen, →Signaltechnik.

Eisenbahnbremsen, Bremssysteme, die einen fahrenden Zug durch Energieumwandlung anhalten bzw. mit verringerter Geschwindigkeit befördern sollen. Man unterscheidet nach der Art der Kraftwirkung Rad-, Schienen- und Triebwerksbremsen. Bei **Radbremsen** werden die Reibungskräfte über Bremsklötze auf die Radreifen (Klotzbremse) oder über Bremsbacken auf besondere, an den Achsen befestigte Bremskörper (Trommel- oder Scheibenbremse) ausgeübt. Sie sind meist als Druckluft- oder Saugluftbremsen ausgeführt. Bei **Schienenbremsen** wirken die Bremskräfte unmittelbar auf die Schienen ein (z.B. bei Magnetschienenbremsen) und bei **Triebwerksbremsen** werden durch die Bewegung im Triebwerk Kräfte erzeugt, die den normalen Antriebskräften entgegengerichtet sind (»Kraftbremsen«, hydrodynam.

Eisenbahn

1

2

3

4

| **1** Nachbau der 1835 von der Firma Stephenson gelieferten Lokomotive »Adler«, die auf der ersten deutschen Eisenbahnlinie von Nürnberg nach Fürth eingesetzt wurde | **2** Eröffnung der Eisenbahnlinie Nürnberg – Fürth, der Ludwigsbahn, am 7. 12. 1835 (Gemälde) | **3** Elektronisches Stellwerk Orxhausen; von hier erfolgt die Stellung der 171 Haupt- und Vorsignale sowie der 85 Weichen auf dem 70 km langen Streckenabschnitt Hannover – Wülfel bis Edesheim (Neubaustrecke Hannover – Würzburg) | **4** ICE auf einer Talbrücke der Neubaustrecke zwischen Fulda und Kassel

oder elektrodynam. Bremsen). Die Wirkung von **Induktionsbremsen** beruht auf elektromagnet. Streuung in den Schienen (Wirbelstrombremse). Handbremsen dienen als Feststellbremsen zum Sichern abgestellter Fahrzeuge; Spindelhandbremsen werden mit Muskelkraft betätigt, in Federspeicherbremsen erzeugt eine Speicherfeder die Bremskraft.

Eisenbahnhaftpflicht, →Haftpflicht.

Eisenbahnkrankheit, →Kinetose.

Eisenbahnkupplungen, Vorrichtungen an beiden Stirnseiten von Eisenbahnfahrzeugen zur Übertragung der Zugkräfte zwischen Triebfahrzeug und Wagen und zwischen den Wagen. Die zwischen den Puffern angeordnete **Schraubenkupplung** besteht aus einem Zughaken, einer damit schwenkbar verbundenen Kupplungslasche, einer Spindel mit Kupplungsschwengel und einem Kupplungsbügel. Die **automat. Kupplung** verbindet selbsttätig zwei aneinander stoßende Fahrzeuge; oft ist mit ihr gleichzeitig die selbsttätige Verbindung der Bremsluftleitung und der elektr. Anschlüsse möglich.

| **5**

| **6**

| **5** Dampflokomotive der Baureihe 03 (Schnellzuglokomotive), Baujahr 1930–37) | **6** Elektrischer Schnelltriebzug aus Frankreich »TGV 527« (»train à grande vitesse«)

Eisenbahnrecht, Gesamtheit der sich auf Eisenbahnen beziehenden Rechtsnormen. Das E. gehört überwiegend zum öffentl. Recht; u.a. regelt es die Eingriffsmöglichkeiten in fremdes Eigentum, den strafrechtl. Schutz der Bahnanlagen, die Haftpflicht, das Tarifwesen. Das Bundesbahn-Ges. vom 13. 12. 1951 wurde nach der zum 1. 1. 1994 wirksam gewordenen Neuordnung des Bahnwesens weitgehend aufgehoben. Im Zuge dieser Neuordnung, aus der die Deutsche Bahn AG als Zusammenfassung von Bundesbahn und Reichsbahn hervorging, wurde das Ges. zur Zusammenführung und Neugliederung der Bundeseisenbahnen vom 27. 12. 1993 erlassen. Von Bedeutung für das E. geblieben sind das Allg. Eisenbahn-Ges. vom 29. 3. 1951, das Strafgesetzbuch, die Eisenbahn-Verkehrs-Ordnung vom 8. 9. 1938, die Eisenbahn-Bau- und -Betriebsordnung vom 8. 5. 1967, das Haftpflicht-Ges. vom 4. 1. 1978.

Eisenbahnsignale, sicht- und hörbare Zeichen zur Sicherung des Eisenbahnverkehrs. Art und Bedeutung der dt. E. sind in der Eisenbahn-Signalordnung (ESO) gesetzlich verankert und werden im Signalbuch ausführlich dargestellt. Haupt- und Vorsignale stehen als **Form-** oder oft als elektr. **Lichtsignale** bei rechts fahrenden Bahnen (Dtl.) meist rechts, bei links fahrenden Bahnen (Schweiz, Belgien, Großbritannien, Italien, Frankreich) meist links vom Gleis. **Hauptsignale** (Einfahr-, Ausfahr-, Zwischen-, Deckungs- oder Blocksignale) sind meist Flügelsignale, die anzeigen, ob das Gleis bis zum nächsten Hauptsignal befahren werden darf (→Signaltechnik). Vor dem Hauptsignal steht das **Vorsignal** und kündigt an, welches Signalbild das folgende Hauptsignal zeigt (auf Nebenbahnen in 400 m, auf Hauptbahnen in 700 m oder 1000 m Entfernung). **Weichensignale** zeigen an einem würfelförmigen Kasten mit seitl. Zeichen die Weichenstellung an, **Langsamfahrsignale** kündigen Anfang und Ende der Langsamfahrstrecke an, **Gleissperrsignale** geben beim Rangieren Weisung für Halt oder Fahrt, **Fahrleitungssignale** kennzeichnen wichtige Abschnitte der elektr. Fahrleitung, und **Zugsignale** zeigen die Zugspitze und den Zugschluss an.

Die Deutsche Bahn AG hat 1994 ein einheitl. System von Kombinationssignalen eingeführt, die Fahrterlaubnis- und Geschwindigkeitssignalisierung trennen. Auf Neubaustrecken soll künftig völlig auf ortsfeste E. verzichtet werden. Die erforderl. Informationen werden ununterbrochen über Linienleiter oder Funk zwischen Zug und Steuerstellen der Strecke ausgetauscht und im Führerpult angezeigt, aber auch für die automat.

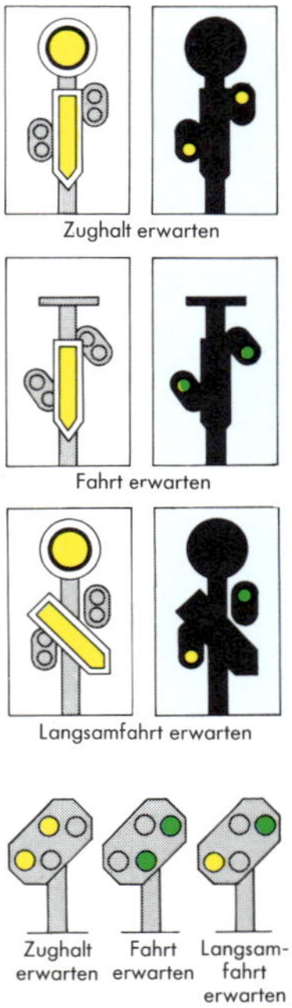

Eisenbahnsignale: Vorsignale: Oben Formsignal (links bei Tag, rechts bei Nacht); unten Lichtsignal

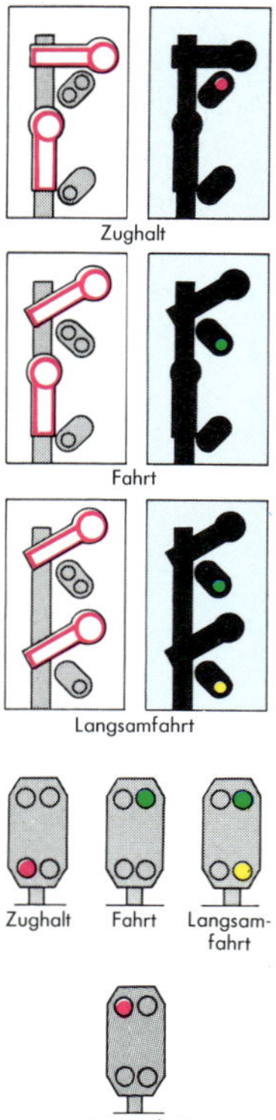

Eisenbahnsignale: Hauptsignale: Oben Formsignal (links bei Tag, rechts bei Nacht); unten Lichtsignal

Fahr- und Bremssteuerung (AFB) zu vollautomat. Betrieb genutzt.

Eisenbahntarife, Verzeichnisse der für die Benutzung der Eisenbahnen zu entrichtenden Preise. Nach Art der Beförderungsgegenstände werden unterschieden: Personen-, Gepäck-, Expressgut-, Intercity-, Kurierdienst-, Güter- und Tiertarife; nach der Art der Berechnung: Entfernungstarife als Kilometertarife oder Staffeltarife. Bei Zonentarifen wächst der Preis sprunghaft, da die Stationen in Entfernungszonen gleichen Preises zusammengefasst sind. Nach Geltungsbereich unterscheidet man Binnentarife und Tarife für den internat. Verkehr; nach Art ihrer Festsetzung Regel- oder Normaltarife und Ausnahmetarife bzw. Fahrpreisermäßigungen.

Eisenbahnwagen, schienengebundene, nicht selbstfahrende Fahrzeuge zur Beförderung von Personen, Gepäck und Gütern aller Art. Sie bestehen aus Wagenkasten, Untergestell mit Zug- und Stoßvorrichtungen (Eisenbahnkupplungen, Puffer) und Bremseinrichtung sowie dem Laufwerk mit Radsätzen, Achslagern und Tragfedern. Der Wagenaufbau (der Wagenkasten) besteht aus dem stählernen Kastengerippe und der Verschalung aus Stahlblech oder Leichtmetall.

Reisezugwagen sind Personenwagen (unterteilt nach Abteil- und Durchgangswagen, Liegewagen, Speise-, Bistro-, Gesellschafts-, Salon-, Liege- und Schlafwagen), Reisezuggepäckwagen und Autoreisezugwagen. Vierachsige Drehgestellwagen mit Seiten- oder Mittelgang und (im Hochgeschwindigkeitsverkehr druckdichten) Übergängen zwischen den Wagen sind heute die Regel. Für Bauart und Ausstattung gibt es bei Personenwagen versch. Komfortstufen, die jeweils noch in 1.- und 2.-Klasse-Wagen unterschieden werden. E. im Fernverkehr haben einen höheren Komfort (Klimaanlage, Komfortsitze, Speisewagen), im Nahverkehr haben sie ein hohes Platzangebot (Doppelstockwagen) und ermöglichen einen schnellen Fahrgastwechsel (mehr und breitere Türen).

Güterwagen sind offen (E-Wagen) oder geschlossen (gedeckt, G-Wagen). Besondere Arten der offenen Wagen sind Rungenwagen für Rohre und Langholz, Schienenwagen für Schienen, Eisen- und Betonträger, Holz- und Containertrag-

Eisenbahnwagen: Vierachsiger offener Güterwagen

wagen sowie Behälterwagen für staubförmige Güter, Säure, Öl und Gas, Tiefladewagen für hohe Güter, Selbstentladewagen für Erz und Kohle. Gedeckte Wagen der klass. Bauart werden allmählich durch vielseitiger verwendbare großräumige Schiebewandwagen mit Festdach und Schiebewand-/Schiebedachwagen ersetzt. Eine Sonderbauart geschlossener Wagen sind Universal-Kühlwagen. Güterwagen werden künftig mit elektronischen Steuerungen, automat. Kupplungen u.Ä. ausgerüstet. Besondere E. sind **Bahndienstwagen,** z.B. Hilfszugwagen, Eichwagen, Prüf-, Mess- und Unterrichtswagen, Kranwagen, Sprengwagen und Schneeschleudern.

Eisenbakterien, i.e.S. Bakterien, die in sauren, eisenhaltigen Wässern leben und CO_2 in organ. Verbindungen überführen, indem sie die dazu notwendige Energie aus der Oxidation von Fe^{++} in Fe^{+++} gewinnen. I.w.S. Bez. für Bakterien (z.B. Brunnenfaden), in deren Kapseln oder Scheiden sich Eisenhydroxidniederschläge bilden können, die aus einer spontanen Oxidation von Eisen (in neutralen und alkal. Wässern) herrühren.

Eisenbarth, Johannes Andreas, urkundl. Eysenbarth, Heilkundiger (Augen- und Wundarzt), *Oberviechtach 27. 3. 1663, †Hann. Münden 11. 11. 1727; bekannt durch sein marktschreier. Auftreten (Der Doktor E.). E. besaß als Arzt ein gediegenes Wissen und Können (er führte u. a. Hodenbruch-, Kropf- und Staroperationen aus).

Eisenberg, 1) Krst. des Saale-Holzland-Kreises in Thür., auf einem Sandsteinkegel westlich der Weißen Elster, 11300 Ew.; Möbel-, Metallwaren-, Porzellanind., Klavierbau. – Schloss Christiansburg (1677 begonnen); Rathaus (Renaissancebau, Umbauten 1579 und 1593). – Als Siedlung im frü-

Johannes Andreas Eisenbarth

Der »Doktor Eisenbarth« war, ohne je studiert oder einen Doktortitel erworben zu haben, ein erfolgreicher Operateur. Er verkaufte auch mit großem Erfolg einen »Balsamischen Haupt-, Augen- und Gedächtnisspiritus«, für den man 1716 zwölf Groschen das Lot bezahlen musste. Er half gegen Kopfschmerzen, Ohrensausen, Augenleiden und Schwindel. Zu dieser Zeit inszenierte der Starmediziner auf Jahrmärkten mit 120 Mitarbeitern eine gigantische Heilershow, bei der Spaßmacher, Schauspieler, Musikanten und Akrobaten auftraten.

Aufgrund dieser Werbemethoden wurde er bald als Quacksalber und Kurpfuscher angesehen. So wird er auch in einem bekannten, um 1800 entstandenen Studentenlied verspottet:

»Ich bin der Doktor Eisenbarth,
Kurier' die Leut nach meiner Art,
Kann machen, daß die Blinden gehn,
Und dass die Lahmen wieder sehn.«

hen 12. Jh. entstanden, 1196 erstmals urkundlich erwähnt, 1274 Erweiterung der Stadtrechte.

2) Stadt im Donnersbergkreis, am N-Rand des Pfälzerwaldes, 9500 Ew.; Schaubergwerk (Tongrube), Untertagebergbau auf Eisenberger Ton, Elektroind., Eisengießerei. – Erhielt 1963 Stadtrecht.

Eisenblüte, bes. Form des Minerals →Aragonit.

Eisenerz, Bezirksstadt in der Steiermark, Österreich, 7800 Ew.; Bergdirektion, Bergwerkschule, Bergmuseum, Hüttenwerke. Südöstlich von E. liegt der **Erzberg** (1465 m ü. M.), dessen Spateisenstein schon seit röm. Zeit abgebaut wird; seit 1986 wird nur noch im Tagebau gefördert. – Die got. Kirche St. Oswald (1512 geweiht), wurde im 16. Jh. zur größten Kirchenburg der Steiermark ausgebaut. – E. erhielt 1453 Marktrecht und ist seit 1948 Stadt.

Eisenerz: Der südöstlich der Stadt gelegene Erzberg (Höhe 1465 m ü. M.)

Eisenerze, →Eisen.

Eisenerzer Alpen, Berggruppe in der Grauwackenzone der österr. Ostalpen, zw. Enns-, Mur-, Liesing- und Paltental; im Gößeck 2215 m ü. M.

Eisenfleckigkeit, Viruskrankheit der Kartoffelknollen, die von Nematoden übertragen wird; das Fleisch der Knollen weist rostrote Zonen auf.

Eisenglanz (Hämatit), trigonales Mineral in der chem. Zusammensetzung α-Fe_2O_3, dunkelgraue bis schwarze, metallisch glänzende Kristalle, die in dünnsten Schichten dunkelrot durchscheinen; kommt in derben oder körnigen Aggregaten vor. E. ist ein weit verbreitetes, sehr wichtiges Eisenerz. Varietäten (meist feinkörnig und dicht): **Roteisenstein, Roter Glaskopf, Blutstein,** erdiger **Rötel.**

Eisenholz, 1) (Grey myrtle) das sehr harte und schwer zu bearbeitende, dunkelbraune Holz des bis 10 m hohen austral. Myrtengewächses Backhousia myrtifolia.

2) ungenaue Bez. für sehr harte, dichte und schwere Hölzer verschiedener außereurop. Bäume, z. B. von Argania spinosa.

Eisenhower ['aɪzənhaʊə], Dwight David, 34. Präs. der USA (1953–61), *Denison (Tex.) 14. 10. 1890, †Washington (D. C.) 28. 3. 1969; leitete im 2. Weltkrieg als Oberbefehlshaber der alliierten Streitkräfte die Invasionen in N-Afrika und Sizilien (1943) sowie die Landung in der Normandie (1944). Im Dez. 1944 erhielt er den militär. Rang eines Fünf-Sterne-Generals. Am 7. 5. 1945 erfolgte in seinem Hauptquartier in Reims die Unterzeichnung der bedingungslosen Kapitulation Dtl.s. 1945–48 war er Generalstabschef des Heeres, 1950–52 Oberbefehlshaber der Streitkräfte der NATO. Im Nov. 1952 wurde er als Kandidat der Republikan. Partei zum Präs. gewählt (Nov. 1956 wiedergewählt). Er bemühte sich im Zeichen eines »modern republicanism« um eine liberale innenpolit. Linie (z. B. um die Förderung der Rassenintegration und des Bildungswesens). In der Außenpolitik, die während seiner Amtszeit zunächst stark von J. F. →Dulles geprägt wurde, profilierte sich E. v. a. durch die Beendigung des Koreakriegs (1953), die Unterstützung der UNO gegen Großbritannien und Frankreich in der Suezkrise (1956), die →Eisenhower-Doktrin und die Bemühungen um eine Entspannung im Ost-West-Konflikt (u. a. Gespräche mit N. S. Chruschtschow). In seiner Abschiedsbotschaft warnte er vor dem Einfluss des »militärisch-industriellen Komplexes«. – *Werke:* Crusade in Europe (1948; dt. Kreuzzug in Europa); The White House years, 2 Bde. (1963–65; dt. Die Jahre im Weißen Haus).

📖 EISENHOWER, DAVID: *E. at war, 1943–1945. New York 1986.* – AMBROSE, S. E.: *E. Soldier and president. Neuausg. New York u. a. 1990.*

Dwight D. Eisenhower

Eisenhower-Doktrin ['aɪzənhaʊə-], Erklärung des amerikan. Präs. D. D. Eisenhower an den Kongress vom 5. 1. 1957 und von diesem gebilligt; erklärt die Bereitschaft der USA, die Staaten des Nahen Ostens gegen kommunist. Aggression durch wirtschaftl. und militär. Hilfe, notfalls auch durch Truppenentsendungen, zu unterstützen.

Johannes Eisenbarth

Eisenhut, 1) *Botanik:* (Aconitum) Gattung der Hahnenfußgewächse mit rd. 300 Arten, bes. auf der Nordhalbkugel; die blauen, gelben oder weißen helmförmigen Blüten stehen in endständigen, meist verzweigten Blütentrauben; alle Pflanzenteile giftig, bes. die Wurzelknollen enthalten u. a. das Alkaloid Aconitin. Der geschützte **Blaue E.** (Aconitum napellus) ist auch Zierpflanze.

2) *Militärwesen:* mittelalterlicher eiserner Helm, halbkugelförmig oder mit Grat, mit breiten Rändern, ohne Visier und Nackenschutz.

Eisenhut, höchster Berg der Gurktaler Alpen, zw. Kärnten und Steiermark, Österreich, 2441 m ü. M.

Eisenhutfeh, herald. »Pelzwerk«, das urspr. aus den blauen Rücken- und weißen Bauchfellstücken

Eisenhut 1): Blauer Eisenhut

Eisenkraut: Echtes Eisenkraut

des sibir. Eichhörnchens zusammengesetzt war; die Fellstücke ähneln dem Eisenhut. (→Heraldik)

Eisenhüttenkunde, Metallurgie und Technologie des Eisens und Stahls. Die E. befasst sich mit der Gewinnung von Eisen aus Erzen und Altstoffen (Schrott), der Überführung von Roheisen und Eisenschwamm in Stahl und Gusseisen sowie mit der Formgebung von Eisen und Stahl.

Eisenhüttenstadt, Stadt im Landkreis Oder-Spree, Brandenburg, an der Oder, an der Einmündung des Oder-Spree-Kanals, 47100 Ew.; Stahl-, Walz-, Zementwerk, Anlagenbau, Werft, Kraftwerk; Binnenhafen. – Entstand seit 1950 um das Eisenhüttenkombinat Ost; hieß zunächst **Stalinstadt,** wurde 1961 mit Fürstenberg/Oder vereinigt und in E. umbenannt; E. war bis 1993 Kreisstadt.

Eisenjaspilite, abbauwürdige, feinstkörnige und deutlich fein gebänderte kieselige Eisenerze und eisenschüssige Kieselgesteine in metamorphen präkambr. Gesteinen.

Eisenkerne, in Elektromagneten, Transformatoren u. Ä. den Hohlraum einer Spule ausfüllender magnetisierbarer Eisenkörper (massiv oder aus Blechen) zur Erhöhung der magnet. Induktion.

Eisenkies, häufiges Mineral, →Pyrit.

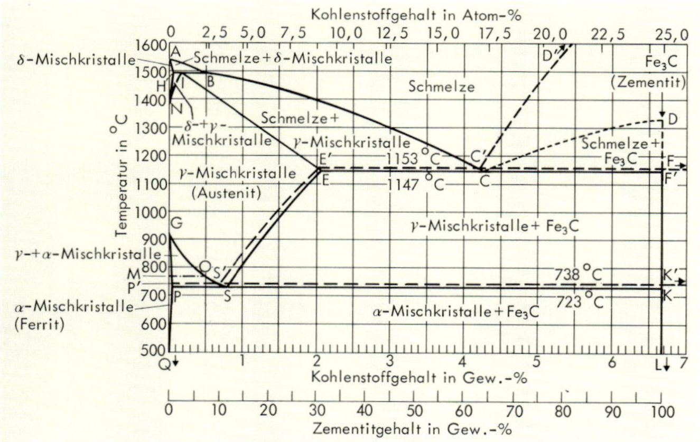

Eisen-Kohlenstoff-Diagramm

Eisen-Kohlenstoff-Diagramm, die grafische Darstellung der Änderungen des Aggregatzustandes (fest–flüssig) und des kristallinen Gefüges von Eisen-Kohlenstoff-Legierungen beim Erstarren, Abkühlen und Erhitzen. Abszisse und Ordinate des E.-K.-D. sind der Kohlenstoffgehalt in Prozent und die Temperatur in Grad Celsius. Es gibt das stabile Gleichgewichtssystem, in dem der Kohlenstoff als Graphit vorliegt, und das techn. bedeutsamere metastabile Gleichgewichtssystem, in dem der Kohlenstoff als Fe_3C (Eisenkarbid oder Zementit) gebunden ist. Weil Kohlenstoff in allen techn. Eisenwerkstoffen auftritt und deren Eigenschaften beeinflusst, sind die aus dem E.-K.-D. ablesbaren Zusammenhänge wichtig. An der vertikalen Achse (°C) sind die Umwandlungstemperaturen des reinen Eisens aufgetragen: 1538 °C Erstarrung zu kubisch-raumzentriertem δ-Eisen, 1401 °C Umwandlung in kubisch-flächenzentriertes γ-Eisen, 906 °C Umwandlung in unmagnet., kubisch-raumzentriertes α-Eisen, 768 °C Umwandlung in ferromagnet. α-Eisen. Mit zunehmendem Kohlenstoffgehalt ändern sich die Umwandlungstemperaturen längs charakterist. Kurven, es kommt auch zu Mischkristallbildungen. Aus dem E.-K.-D. lässt sich ablesen, in welchen Temperatur- und Kohlenstoffbereichen die versch. Gefügearten anzutreffen sind.

Eisenkraut (Verbena), Gatt. der E.-Gewächse mit etwa 230 Arten; in Dtl. nur das **Echte E.** (Verbena officinalis), eine bis 1 m hohe Staude mit kleinen blasslilafarbenen Blüten in Ähren.

Eisenman ['aɪzənmæn], Peter David , amerikan. Architekt, *Newark (N.J.) 11. 8. 1932; Vertreter einer streng geometr. Architektur, die die Funktion den Formen unterordnet; baute u.a. das Eckhaus Friedrichstraße/Kochstraße in Berlin (Beitrag zur IBA 1987), das Wexner Center for the Visual Arts (1982–89) in Columbus (Oh.), das Aronoff Center for Design and Art (1996) in Cincinnati (Oh.). Die Entwürfe E.s gehen meist auf philosoph. Überlegungen zurück, die zu dekonstruktivist. Lösungen führen können. (→Dekonstruktivismus)

Eisenmangelkrankheit (Sideropenie), auf vermindertem Bestand des Organismus an verfügbarem Eisen beruhende Erkrankung, bes. bei Frauen; bedingt durch chron. Eisenverluste, z.B. infolge verstärkter Menstruation, Schwangerschaft und Stillperiode. Kennzeichen sind u.a. Leistungsschwäche, Infektanfälligkeit und Kreislaufstörungen; unbehandelt führt die E. zur Eisenmangelanämie (→Anämie).

Eisennickelkies, Mineral →Pentlandit.

Eisenpigmente, natürl. oder künstl. Pigmente mit Eisengehalt. Die **Eisenoxidpigmente** sind beständig gegen Licht und Witterungseinflüsse, mit allen Bindemitteln verträglich, sehr farbkräftig und verhältnismäßig billig. Natürliche E. sind z.B. Ocker, Terra di Siena, Spanisch- oder Persischrot, künstl. E. z.B. Eisenoxidgelb, -rot, -braun und -schwarz.

Eisenquellen, eisenhaltige Heilquellen mit einem Mindestgehalt von 10 mg Eisen je 1 l Wasser.

eisenschüssig, svw. eisenhaltig, Minerale und Gesteine, die Eisenoxid oder Eisenhydroxide enthalten, z.B. eisenschüssiger Ton, Sandstein.

Eisenschwamm, im Hochofen entstehendes poröses Reduktionsprodukt aus Eisenerzen.

Eisenseiten (engl. Ironsides), aus geharnischten Reitern bestehende Truppe, die Cromwell 1642 aufstellte. Ursprünglich war »Ironside« der Beiname des angelsächs. Königs Edmund II.

Eisenspat (Siderit), trigonales Mineral der chem. Zusammensetzung $FeCO_3$, mit 25–45 % Eisen, oft mit Mangan- und Calciumgehalt. E. ist frisch glas- bis perlmutterglänzend und gelblich braun, matt und undurchsichtig; wichtiges Eisenerz hydrothermaler und sedimentärer Entstehung.

Eisenspeicherkrankheit, die →Hämochromatose.

Eisenstadt, Hptst. des österr. Bundeslandes Burgenland, am SO-Fuß des Leithagebirges, 11 000 Ew.; Sitz der Landesbehörden und eines Bischofs; kultureller Mittelpunkt mit Handelsakademie, Joseph-Haydn-Konservatorium, Haydnmuseum und Landesmuseum; Textil-, chem. Ind.; Weinkellereien. – Spätgot. Domkirche, zahlr. Bürgerhäuser mit spätgotischen und barocken Bauelementen. Im Schloss Esterházy (14. Jh., im 17. Jh. barock umgebaut, um 1800 teilweise klassizistisch umgestaltet) wirkte 1761–90 J. Haydn als Kapellmeister. – Schon in röm. Zeit besiedelt; 1648 wurde E. zur königlich ungar. Freistadt erhoben.

Eisenstaedt, Alfred, amerikan. Bildjournalist dt. Herkunft, *Dirschau (heute Tezew) 6. 12. 1898, †Martha's Vineyard (Mass.) 23. 8. 1995; Wegbereiter des modernen Bildjournalismus; emigrierte 1935 in die USA und veröffentlichte bis 1972 über 2 000 Reportagefotos in der Zeitschrift »Life«.

Eisenstein, →Bayerisch Eisenstein, →Markt Eisenstein.

Eisenstein, Sergei Michailowitsch, russ. Filmregisseur und Schriftsteller, *Riga 23. 1. 1898, †Moskau 11. 2. 1948; sein Revolutionsfilm »Panzerkreuzer Potemkin« (1925) übte größten Einfluss auf die Filmkunst aus; bahnbrechend wirkten E.s Filme bes. durch die Dynamik und Gegensätzlichkeit der Bilder, Kühnheit der Perspektive, die Bildsymbolik und -montage. – *Weitere Filme:* »Zehn Tage, die die Welt erschütterten/Oktober« (1928), »Que viva Mexiko!« (1931, unvollendet), »Alexander Newski« (1938), »Die Beshin-Wiese« (1937, Montage abgebrochen), »Iwan der Schreckliche« (2 Tle., 1944–46, bis 1958 in der Sowjetunion verboten).

Eis|ente (Clangula hyemalis), eine Tauchente mit spießartig verlängerten mittleren Schwanzfedern, weiß und tiefbraun; nördl. Brutvogel an Tundragewässern und in den Bergen Skandinaviens, im Winter an den Ostseeküsten.

Eisen- und Stahlindustrie, →Stahlindustrie.

Eisenvitriol (Melanterit), hellgrünes, monoklines Mineral der chemischen Zusammensetzung $FeSO_4 \cdot 7H_2O$; Verwitterungsprodukt von Pyrit und Magnetkies; wird zur Herstellung von Farben verwendet.

Eisenzeit, nach Stein- und Bronzezeit die dritte große vorgeschichtliche Periode, in der Eisen als

Eisenstadt: Schloss Esterházy, eine ursprünglich mittelalterliche Burg, im 17. Jh. im barocken Stil, um 1800 teilweise klassizistisch umgebaut

Werkstoff für Waffen, Geräte und Schmuck verwendet wird. Eisenschmuck und -prunkwaffen kommen vereinzelt schon in der Bronzezeit und in voreisenzeitl. Kulturen des Alten Orients vor. Als Erfinder der Eisentechnik gelten die Hethiter, die 1400–1200 v. Chr. eine Art Eisenmonopol im Nahen Osten hatten.

Eisenstadt: Stadtwappen

In Europa wird die E. außerhalb des Bereiches der grch. und etrusk. Hochkulturen in einen älteren und einen jüngeren Abschnitt geteilt, wobei als wichtigster Vertreter der älteren Stufe die →Hallstattzeit, der jüngeren die →La-Tène-Zeit gilt. Das Ende der E. wird, dem Einsetzen schriftl. Quellen entsprechend, gebietsweise unterschiedlich datiert. Als »vorröm.« E. werden häufig die von der Hallstattkultur und der La-Tène-Kultur geprägten Perioden zusammengefasst (8.–1. Jh. v. Chr.). Es folgten die Römerzeit (1.–4. Jh. n. Chr.) und die Zeit der Völkerwanderung. In N-Europa bildete die Wikingerzeit den Abschluss der frühgeschichtl. Eisenzeit.

Sergei Eisenstein

Die *Kultur* der älteren E. zeigt zunächst nur geringe Unterschiede gegenüber der vorangegangenen Urnenfelderkultur. Doch werden bald Tendenzen zur Konzentration wirtsch. und polit. Macht bemerkbar, z. B. Salzgewinnung und -vertrieb in Hallstatt und Halle (Saale). Anlagen bewehrter Fürstensitze weisen auf krieger. Kontakte der Stammes- oder Kulturgemeinschaft hin, aber es bestanden auch Handelsbeziehungen. In Osteuropa ist der Beginn der E. durch das Aufkommen des Reiterkriegertums geprägt (Kimmerier, Skythen). Grabfunde (»Fürstengräber«) weisen auf eine deutl. soziale Schichtung der Bevölkerung hin, wobei das Luxusbedürfnis der Herrenschicht die Entstehung einer spezialisierten Handwerkerschaft (Waffen- und Goldschmiede) ebenso wie den Fernhandel begünstigte (grch. Importgüter aus Etrurien seit der Epoche der Hallstattkultur). Verziert wurden Waffen, Hausrat, Schmuck und Kultgeräte aus Bronze, Gold oder Eisen. Aus Eisen wurden v.a. Werkzeuge (Beile, Äxte, Sägen, Zangen, Messer) und landwirtsch. Geräte hergestellt. Die Entwicklung von Sense, Pflugschar und Hacke führte zu einer Intensivierung des Ackerbaus. In der jüngeren E. (etwa seit 500 v.Chr.) waren weite Teile Europas von der La-Tène-Kultur beeinflusst. Als ihre Träger sind kelt. (gall.) Völker bezeugt, die in krieger. Invasionen aus einem Kerngebiet in Süd-Dtl. und O-Frankreich auf N-Italien, Teile der Balkanhalbinsel und Kleinasiens, die Iberische Halbinsel und England sowie Irland ausgriffen. Im nördl. Mittel- und in N-Europa verhinderten german. Völker ein Eindringen der Kelten, gerieten aber kulturell unter deren Einfluss. Seit dem 3. Jh. v.Chr. führten kelt. Stämme nach grch. Vorbild die Geldwirtschaft ein. Es entstanden Wehranlagen (Oppida), die dauernd bewohnt waren (Städte), manche von mehreren Zehntausend Personen.

Eisenzeit: Der bronzene »Kesselwagen von Orăștie« in Siebenbürgen, Achsen aus Eisen; Höhe 10 cm, Länge 17 cm; Gestell und Kessel sind mit stilisierten Wasservögeln verziert (Hallstattzeit; Wien, Naturhistorisches Museum)

Im Vergleich mit den vorangegangenen Perioden wurde die soziale und kulturelle Entwicklung in der E. immer schneller und führte zu staatsähnl. Stammesorganisationen, die gelegentlich die Hochkulturen des Mittelmeerraumes gefährdeten (Skythenzüge nach Mitteleuropa, Kelten-, Kimbern- und Teutoneneinfälle in Italien).

📖 KUTSCHA, G.: *Auf den Spuren der Vorzeit. Sonderausg. Gütersloh 1987.*

Eiserne Front, Zusammenschluss von SPD, freien Gewerkschaften, Reichsbanner und Arbeitersportverbänden, gegr. am 16. 12. 1931 als Gegengewicht zur Harzburger Front; 1933 wurde die E.F. aufgelöst.

Eiserne Krone: Karolingischer Kronreif aus dem 9. Jahrhundert (Dom von Monza)

Eiserne Garde, nationalistisch-antisemit. Bewegung in Rumänien, 1930 hervorgegangen aus der von C. → Codreanu 1927 gegründeten »Legion Erzengel Michael«, erstrebte die nationale Erneuerung u.a. durch Stärkung des Bauernstandes und durch Ausschaltung der nichtrumän. Minderheiten. 1933 wurde die E.G. verboten, 1935 als Partei »Alles für das Vaterland« neu gegründet, jedoch 1938 erneut verboten. Als »Legionärsbewegung« trat sie 1940 der Reg. J. Antonescus bei. Nach einem Putschversuch (1941) wurde sie 1944 endgültig aufgelöst.

eiserne Hochzeit, Fest der 65-jährigen Ehe.

Eiserne Krone, karoling. Kronreif (9. Jh.) im Kirchenschatz des Doms von Monza; besteht aus sechs edelsteinverzierten Goldplatten, an deren Innenseite ein Eisenband (der Legende nach aus einem Nagel vom Kreuz Christi) entlangläuft; urspr. vielleicht Frauen- oder Votivkrone. Mit der E.K. wurden zu Königen von Italien gekrönt: 1530 Karl V., 1805 Napoleon I. und 1838 Ferdinand I. von Österreich.

eiserne Lunge, früher übl. Gerät zur maschinellen Beatmung bei Atemlähmung (→ künstliche Atmung).

Eiserne Maske (Mann mit der E. M.), unbekannter frz. Staatsgefangener Ludwigs XIV., der erst in Pinerolo (südwestlich von Turin), dann auf der Insel Sainte-Marguerite (bei Cannes), seit 1698 in der Bastille gefangen gehalten wurde und hier am 19. 11. 1703 starb; er trug stets eine schwarze Samtmaske (nicht Eisen).

eiserne Ration, beim Militär die bes. zusammengesetzte und verpackte Verpflegung für Notlagen; heutige Bez. meist **Überlebensration.**

eiserner Bestand, *Betriebswirtschaftslehre:* Mindestbestand an Vorräten (z.B. Rohstoffe, Werkzeuge) in einem Lager.

eiserner Hut, bergmänn. Ausdruck für → Oxidationszone.

eiserner Vorhang, feuersicherer und rauchdichter Vorhang, der bei Feuergefahr die Bühne gegen den Zuschauerraum abschließt.

Eiserner Vorhang, von W. Churchill 1946 geprägtes Schlagwort für die von der UdSSR nach dem Ende des 2. Weltkriegs betriebene Abschließung ihres Machtbereichs (bes. in Europa) von der übrigen Welt.

Eisernes Kreuz, Abk. **EK,** Kriegsauszeichnung für alle Dienstgrade, gestiftet 1813 von Friedrich Wilhelm III. von Preußen für die Dauer des Krieges, erneuert 1870, 1914 und 1939 auf Kriegsdauer. Laut Gesetz vom 26. 7. 1957 darf das EK (ohne Hakenkreuz) wieder getragen werden.

Eisernes Kreuz 2. Klasse von 1939; Vorderseite (Gestaltung nach Entfernung des Hakenkreuzes gemäß dem Ordensgesetz von 1957, im Mittelfeld jetzt wieder das vor 1939 übliche dreiblättrige Eichenlaub)

Eisernes Tor, 1) (rumän. Porțile de Fier, serb. Đerdap) Durchbruchstal der Donau zw. den Südkarpaten (Rumänien) und dem Serb. Erzgebirge, 134 km lang. Durch den Bau des Staudammes (1971 als jugoslawisch-rumän. Gemeinschaftsprojekt fertig gestellt) entstand ein 150 km langer Stausee; Kraftwerke an beiden Ufern (je 1068 MW); Schifffahrtsweg für 5000-t-Schiffe bis Belgrad. 1978–85 wurde ein weiteres jugoslawisch-rumän. Stauwerk gebaut.

2) Pass in den Südkarpaten, SW-Rumänien, 699 m ü. M., verbindet das Banat mit Siebenbürgen.

3) Pass in Bulgarien, → Wratnik.

Eisernes Viereck (portugies. Quadrilátero Ferrífero), das bedeutendste Eisenerz-Bergbaugebiet Brasiliens, im S des Staates Minas Gerais, rd. 7000 km² groß, mit reichen Lagerstätten von Eisenerzen mit einem Metallgehalt von mehr als 60 %; Erzbahnen zu den Exporthäfen Tubarão/Vitória und Rio de Janeiro.

Eis|erzeugung, Herstellung von Kunsteis unter Anwendung von Verfahren der → Kältetechnik. Die Produkte der E. sind Wassereis, festes Kohlendioxid (Trockeneis) und Speiseeis (Gefrorenes).

Eis|essig, → Essigsäure.

Eisfuchs, der Polarfuchs, → Hunde.

Eisglas (Craquelé-Glas), Glas mit dichtem Netz von unregelmäßigen Sprüngen, entsteht dadurch, dass das ofenheiße Glas mit Flüssigkeit besprüht oder in diese eingetaucht wird. Der Zusammenhalt wird durch kurzes Anschmelzen in großer Hitze (Verwärmen) wieder hergestellt.

Eisheilige, volkstüml. Bez. für die Kälterückfälle Mitte Mai. In Nord-Dtl. werden die E. vom 11. bis 13. 5. (mit den Tagesheiligen Mamertus, Pankratius, Servatius) erwartet, in Süd-Dtl. vom 12. bis 15. 5. (Pankratius, Servatius, Bonifatius, »Kalte Sophie«).

Eishockey [-hɔkɪ, engl.], auf einer Eisfläche betriebenes Torspiel zweier Mannschaften von je sechs Spielern (ein Torwart, zwei Verteidiger, drei Stürmer) und bis zu 18 ständigen Auswechselspielern. Die Spieler sind mit speziellen Schlittschuhen, 1,47 m langen Stöcken (Schlägern) und (wegen der erlaubten Behinderungen beim Kampf um die Scheibe) besonderer Schutzausrüstung versehen. Das Spielfeld mit den Idealmaßen von 30 m × 60 m ist zwischen den Toren (1,22 m × 1,83 m) in drei gleiche Drittel (Verteidigungs-, neutrale sowie Angriffszone, vom eigenen Tor aus gesehen) eingeteilt und von einer 1,22 m hohen Bande umgeben. Hinter den Toren setzt sich das Spielfeld bis zu 4 m fort. Die 156–170 g schwere Gummischeibe (Puck) von 7,62 cm Durchmesser und 2,54 cm Höhe soll möglichst oft in das gegner. Tor geschlagen werden. Die effektive Spielzeit beträgt 3 × 20 min. Die Regeln sind auf die Eigenheiten des schnellen und harten Spiels abgestimmt; bemerkenswert die versch. Formen der Feldverweise bei Unfairness und des Abseits. Ein Tor gilt nur, wenn es mit dem Stock erzielt wurde. Olympische Sportart seit 1924, Weltmeisterschaften seit 1912, Europameisterschaften seit 1910.

📖 ECKERT, H.: *E.-Lexikon. München 1993.* – ECKERT, H.: *E.-Weltgeschichte. München* ⁴*1993.*

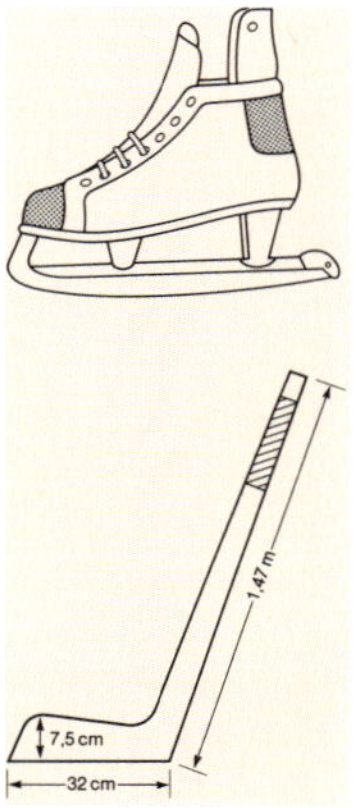

Eishockey: Schlittschuh und Stock

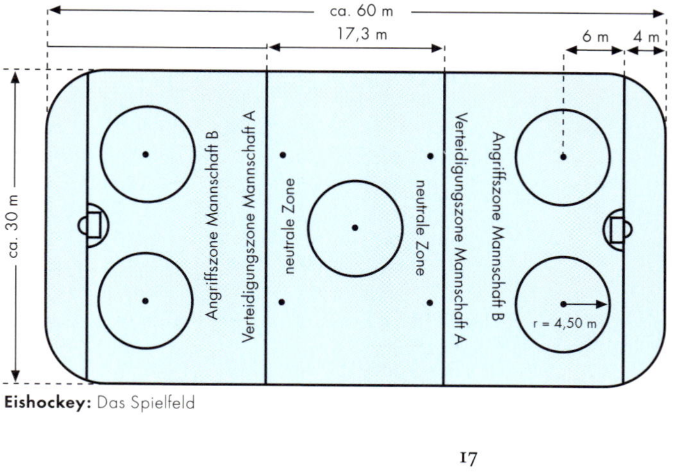

Eishockey: Das Spielfeld

Eishöhle, Naturhöhle mit Höhleneis, → Höhle.

Eiskeil, keilartige Form des Bodeneises in Ostsibirien oder Alaska. Bis 10 m tiefe und 3 m breite E. entstanden während des Eiszeitalters auch in Mitteleuropa. Sie wurden nach Abschmelzen des Eises mit Sand, Kies u. Ä. ausgefüllt und erscheinen als **Bodenkeile.**

Eiskraut, Art der → Mittagsblume.

Eiskunstlauf, nach sportl. und ästhetisch-musikal. Gesichtspunkten gestalteter Lauf mit Schlittschuhen auf Eisflächen. Disziplinen sind Einzel-, Paarlauf und Eistanz. Nach Abschaffung des Pflichtteils (außer beim Eistanz) umfasst der E. jeweils ein Kurzprogramm mit vorgeschriebenen Elementen (in maximal 2:40 min) sowie eine Kür (Herren und Paare 4:30 min, Damen 4 min). Der

Eisleben: Das Sterbehaus Martin Luthers am Andreaskirchplatz (heute Museum)

Hanns Eisler

Kurt Eisner

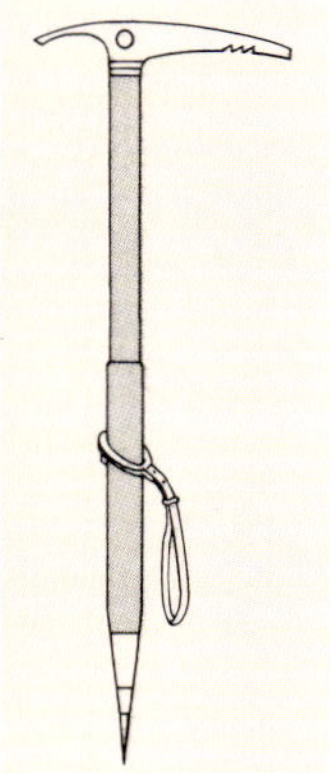

Eispickel

Eistanz umfasst zwei ausgeloste (von 18) Pflichttänze, einen Originaltanz und den Kürtanz (4 min). Die Bewertung erfolgt durch mehrere Preisrichter mit Noten von 0 bis 6 Punkten mit Zehntelunterteilung. Im Originalprogramm, im Originaltanz und in der Kür gibt es jeweils zwei Noten (A-Note techn. Wert, B-Note künstler. Eindruck). Das Resultat wird aus den Platzziffern ermittelt, die sich aufgrund der jeweiligen Noten der einzelnen Preisrichter ergeben und die mit dem für jeden Teil vorgegebenen Faktor (Einzel- und Paarlauf Kurzprogramm 0,5, Kür 1; Eistanz Pflicht 0,4, Originaltanz 0,6, Kür 1) multipliziert werden. Sieger ist derjenige (das Paar) mit dem niedrigsten Gesamtwert. Olymp. Sportart seit 1896 für Männer, seit 1906 für Frauen und seit 1908 für Paare. Europameisterschaften seit 1891 für Männer, seit 1930 für Frauen und Paare. Seit 1908 ist der E. olymp. Sportart, seit 1976 der Eistanz.

Eisleben (Lutherstadt E.), Krst. des Landkr. Mansfelder Land, Sa.-Anh., im östl. Harzvorland, 23 100 Ew.; Fachschule für Technik und Wirtschaft (1798 als Bergschule gegr.); Bau-, Lebensmittel-, Bekleidungsind.; die Kupferhütten sind heute stillgelegt. – Zwei Rathäuser (1519–30 und 1571–89), ehem. Bergamt (1500), Marktkirche St. Andreas (nach 1498), Pfarrkirche St. Nikolai (15. Jh.), St. Peter und Paul (15./16. Jh.); ferner Luthers Geburts- und Sterbehaus (beide Museum). Die Luthergedenkstätten wurden zum UNESCO-Weltkulturerbe erklärt. – Um 800 belegt, erhielt E. um 1180 Stadtrecht; fiel 1780 an Kursachsen, 1815 an Preußen. Seit dem 13. Jh. wurde Erzbergbau betrieben.

Eisler, 1) Georg, österr. Maler und Grafiker, * Wien 20. 4. 1928, Sohn von 2); bes. beeinflusst von O. Kokoschka; malt von sozialkrit. und polit. Engagement geprägte Gruppenbilder sowie Landschaften, Akte, Porträts (A. Hrdlicka, E. Fried).

2) Hanns, Komponist, * Leipzig 6. 7. 1898, † Berlin (Ost) 6. 9. 1962, Vater von 1); Schüler von A. Schönberg und A. Webern, emigrierte 1933 und lebte 1938–48 in den USA, seit 1950 in Berlin (Ost); sein vielseitiges Schaffen umfasst über 600 Lieder (darunter die Nationalhymne der DDR), Balladen, Kantaten, über 80 Film- (»Kuhle Wampe«, 1932) und Bühnenmusiken (u. a. zu B. Brechts »Die Rundköpfe und die Spitzköpfe«, 1936, »Leben des Galilei«, 1947), Orchester- und Kammermusik.

📖 Hennenberg, F.: *H. E. Reinbek 1987.*

Eismeere, volkstüml. Bez. für die Meeresgebiete im Bereich der Arktis und der Antarktis, → Nordpolarmeer, → Südpolarmeer.

Eismeerstraße, 650 km langer Hauptverkehrsweg in N-Finnland, führt von Rovaniemi durch Finnisch-Lappland zum Inarisee.

Eisner, Kurt, Publizist und Politiker, * Berlin 14. 5. 1867, † München 21. 2. 1919; zunächst Anhänger F. Naumanns, dann der SPD, seit 1917 Mitgl. der USPD; proklamierte am 7./8. 11. 1918 den »Freistaat Bayern« und wurde Vors. eines Arbeiter- und Soldatenrates. Als bayer. MinPräs. vertrat er einen eigenen, philosophisch begründeten Sozialismus (»Realpolitik des Idealismus«), wobei er Rätesystem und Parlamentarismus miteinander zu verbinden suchte. E. wurde von A. Graf Arco (* 1897, † 1945) ermordet. Sein Tod wurde zum Signal für die Ausrufung der Räterepublik in Bayern.

Ausgaben: Die halbe Macht den Räten. Ausgewählte Aufsätze u. Reden, eingeleitet u. hg. v. R. Schmolze u. a. (1969).

📖 Beyer, H.: *Von der Novemberrevolution zur Räterepublik in München. Berlin 1957. – Die Regierung E. 1918/19. Ministerratsprotokolle u. Dokumente, eingeleitet u. bearb. v.* F. J. Bauer. *Düsseldorf 1987.*

Eispickel, Spitzhaue mit Schneide (und Schaufel), mit der Stufen in Schnee oder in Eis geschlagen werden können.

Ei|sprung, → Eierstock.

Eispunkt, Gefrierpunkt des Wassers unter Normdruck (273,15 K = 0 °C). Fixpunkt der Celsius-Skala.

Eisriesenwelt, Höhlensystem mit z. T. bizarr geformten Eisbildungen im Tennengebirge bei Salzburg, Österreich; der Hauptgang tritt in 1640 m ü. M. (mit Seilbahn erreichbar) zu Tage; Gesamtlänge rd. 50 km; 1879 entdeckt.

Eissalat (Krachsalat), dickblättrige Form des Kopfsalats.

Eisschnelllauf, Schnelligkeits- und Dauerwettbewerb mit Schlittschuhen auf einer 400 m langen

E.-Bahn, die in zwei Laufbahnen von je 4–5 m Breite aufgeteilt ist. Gegenüber der Startgeraden befindet sich die Wechselgerade, auf der die im Wettkampf paarweise gegeneinander startenden Läufer jeweils die Bahn wechseln müssen. Wettbewerbe werden für Männer über 500, 1 000, 1 500, 5 000 und 10 000 m bzw. über 500, 1 000, 1 500, 3 000 und 5 000 m für Frauen ausgetragen. Es gibt hierbei jeweils nur Sieger über die einzelnen Distanzen. Bei Welt- und Europameisterschaften werden die Punktbesten im →Vierkampf ermittelt. Olymp. Sportart für Männer seit 1924, für Frauen seit 1960; Weltmeisterschaften für Männer seit 1884, für Frauen seit 1936, Europameisterschaften. (→Shorttrack-Rennen)

Eissegeln, auf zugefrorenen Seen mit Segelschlitten ausgetragenes Rennen auf einem gleichseitigen Dreieckskurs von 5 oder 7,5 km Länge oder auf einem Luv-Lee-Kurs von 1 bis 5 km Länge. Die Segelschlitten sind gewöhnlich mit einem Sportler besetzt, laufen auf drei Bronze- oder Stahlkufen und haben meist nur ein Segel. Weltmeisterschaften seit 1973, Europameisterschaften seit 1964.

Eisspeedway [-spi:dweɪ], einem →Speedwayrennen gleichender, auf einer Eisschnelllaufbahn ausgetragener Motorradwettbewerb. Weltmeisterschaften seit 1965.

Eissport, zusammenfassende Bez. für auf dem Eis ausgetragene Sportarten u. a. Curling, Eishockey, Eiskunstlauf, Eisschnelllauf, Eissegeln, Eisstockschießen, Eissurfen. Spitzenorganisation des E. in Dtl. ist der Dt. E.-Verband (DEV), Sitz: München.

Eisstockschießen, Wurf- und Zielspiel auf Eisbahnen (auch Asphaltbahnen u. a.). Ziel ist es, den **Eisstock,** ein pilzartiges Wurfgerät aus Holz-, Metall- oder Kunststoffplatte mit Griff und Laufsohle aus Gummi oder Kunststoff (Durchmesser 27–30 cm, Gewicht 5–5,5 kg), so zu werfen, dass er möglichst nahe an der **Daube** (Gummireifen von 12 cm Durchmesser) zum Stehen kommt oder die »Zielstöcke« trifft. Auf der 30 × 3 m großen Stockschießbahn wird das Zielschießen (Einzel, Mannschaft) ausgetragen. Das Weitschießen (nur für Männer) wird auf abgesteckten Bahnen ausgetragen. Europameisterschaften seit 1951, Weltmeisterschaften seit 1983.

Eissurfen [-sə:fen], Segelsurfen (→Windsurfing) auf dem Eis, wobei an der Unterseite des Surfbretts Kufen angebracht sind.

Eistanz, →Eiskunstlauf.

Eistaucher, Art der →Seetaucher.

Eisversetzung, an einem Hindernis im Fluss zusammengeschobenes und -gefrorenes Treibeis; engt den Abflussquerschnitt stark ein; dadurch kann es zu **Eishochwasser** kommen.

Eisvögel, 1) (Limenitis) Schmetterlinge aus der Familie der Fleckenfalter; schwarz und weiß, als Raupe auf Laubbäumen.

2) (Alcedinidae) Vogelfamilie mit 15 Gattungen und 87 Arten, bes. der Alten Welt; meist Waldbewohner. Der **Europ. E.** (Alcedo atthis) ist oben azurblau, unten rostfarben, hat kleine korallenrote Füße, lebt an fischreichen Gewässern.

Eisweine, Weine, die aus gefrorenen (bei mindestens −7 °C) vollreifen Trauben gekeltert werden, wobei das in den Beeren zu Eis gefrorene Wasser nicht in den Most kommt; daraus resultiert ein sehr hoher Zuckergehalt des Mostes.

Eiszeitalter, ein Abschnitt der Erdgeschichte, der durch mehrfache Abfolge von Kalt- (Eis-) und Warmzeiten geprägt ist. Während einer **Eiszeit** (Glazial) verschlechterte sich das Klima so nachhaltig (Temperaturverminderung), dass sich in weiten Teilen der Erde, v. a. in den höheren Breiten und in Gebirgen der mittleren und niederen Breiten, das Eis ausdehnte und große Gebiete bedeckte. Teilweise drangen große Inlandeismassen bis in mittlere Breiten vor. Auf den Meeren dehnten sich Pack- und Treibeis aus; der Meeresspiegel sank wegen der starken Bindung des Niederschlagswassers in den Eismassen. Die Lage von ehem. Gletschern oder Inlandeis wird aus dem Vorkommen von Moränen, ortsfremden Gesteinsblöcken und Gletscherschliffen erschlossen. Für die Gebiete, in denen während dieser Zeiträume wegen zu geringer Temperatursenkung oder wegen nicht ausreichender Niederschläge keine Vereisung erfolgte, aber vielfach Periglazialerscheinungen auftraten, sollte man für diese Epoche den Begriff **Kaltzeit** verwenden, der sonst gleichbedeutend mit Eiszeit benutzt wird. In niederen Breiten entsprechen den Eiszeiten teilweise Pluvialzeiten. Eine allg. anerkannte Erklärung für das Auftreten von E. gibt es noch nicht. Außer im Quartär gab es E. v. a. während des Paläozoikums, wohl auch im Proterozoikum.

Das **quartäre Eiszeitalter** (früher Diluvium, heute **Pleistozän**) ist die Epoche unmittelbar vor der geolog. Gegenwart (→geologische Systeme). Sein Anfang liegt etwa 2,5 Mio., sein Ende rd. 11 000 Jahre zurück. Es fand eine globale Verschiebung der Klimagürtel statt, verbunden mit der äquatorwärtigen Verlagerung der Luftdruck- und Windgürtel. Die Warmzeiten ähnelten in Klima und Vegetation der Gegenwart. In der Würm-Kaltzeit lag in Mitteleuropa das Januarmittel (auf die damalige Meereshöhe umgerechnet) zwischen −14° und −22 °C und das Julimittel zwischen +10° und +5 °C. Außer Grönland, Spitzbergen und der Antarktis waren auch Nordeuropa, die Alpen, Teile Sibiriens, Nordamerikas und Patagonien vereist. Die Vergletscherung umfasste in der letzten

Eisvögel 2): Europäischer Eisvogel (Länge etwa 17 cm)

Eisschnelllauf: Schlittschuh

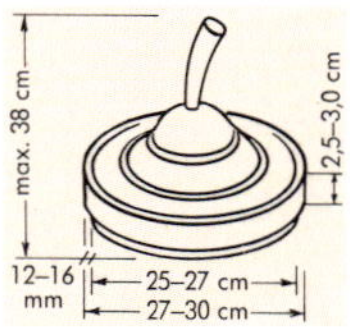

Eisstockschießen: Eisstock

Eiszeitalter

Maximalvergletscherung der letzten Eiszeit (vor etwa 18 000 Jahren)

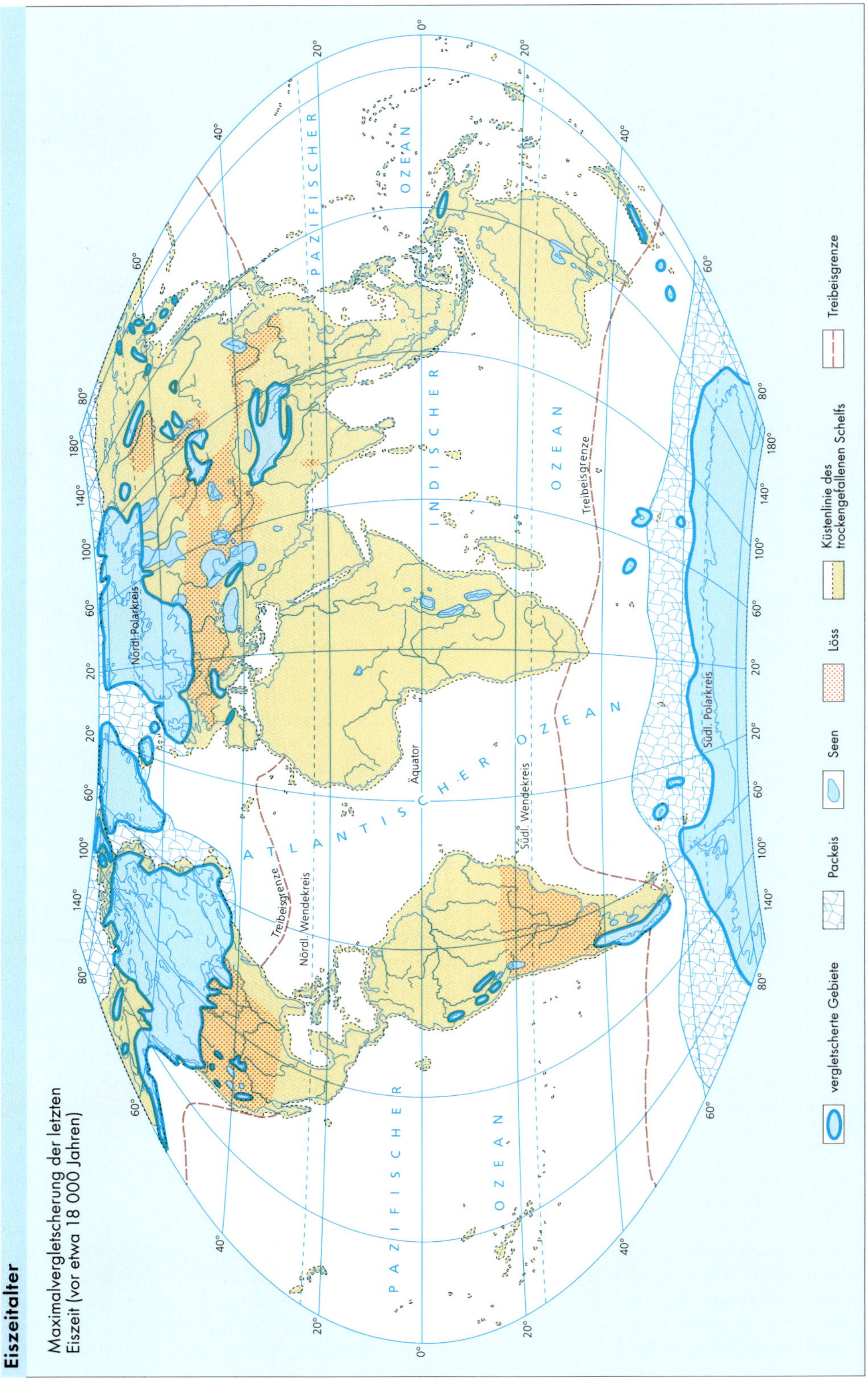

Eiszeitalter: Zeitliche Abfolge der pleistozänen Kalt- und Warmzeiten

Eis- oder Kaltzeiten in blauer, Interglaziale oder Warmzeiten in roter Schrift

	Beginn vor (in 1000 Jahren)		Alpen		nördliches Mitteleuropa
Jungpleistozän	? 70/115	Würm-Eiszeit	Stephanskirchener Stadium Olköfener Stadium Ebersberger Stadium Kirchseeoner Stadium	Weichsel-Eiszeit	Pommersches Stadium Frankfurter Stadium Brandenburger Stadium
	130		Riß-Würm-Interglazial		Eem-Interglazial
Mittelpleistozän	195	Riß-Eiszeit	Jung-Riß Haupt-Riß	Saale-Eiszeit	Warthe-Vereisung
	230		Mindel-Riß-Interglazial		Treene-Warmzeit
Altpleistozän	? 300		Mindel-Eiszeit		Drenthe-Vereisung
	350		Günz-Mindel-Interglazial		Holstein-Interglazial
			Günz-Eiszeit		Elster-Eiszeit
	750		Wechsel von schwächer ausgeprägten Warm- und Kaltphasen	Cromer-Komplex	Cromer-Warmzeit Elbe-Kaltzeit weitere Warm- und Kaltphasen
Ältestpleistozän	900		Jüngere Donau-Eiszeit		Menop-Eiszeit
	1300		Uhlenberg-Warmzeit ?		Waal-Warmzeit
			Ältere Donau-Kaltzeitengruppe		Eburon-Kaltzeit
	1700				Tegelen-Warmzeit
	2500		Biber-Kaltzeitengruppe		Prätegelen-Kaltzeiten (Brüggen-Kaltzeit)
			Pliozän (Tertiär)		

generalisierte Paläotemperaturkurve

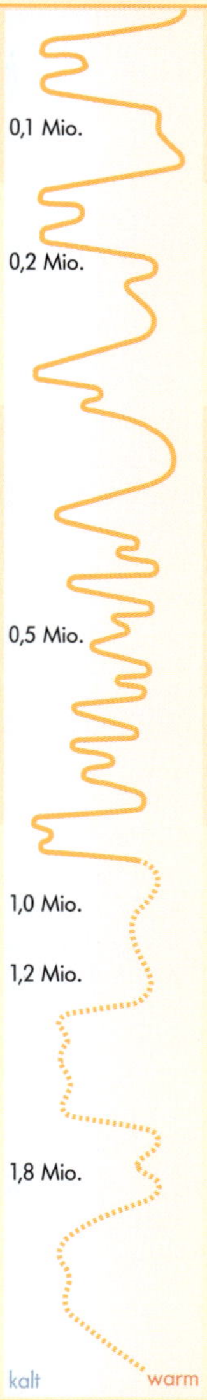

Eiszeit weltweit maximal 42 Mio. km², in der vorletzten bis über 48 Mio. km², d. h. eine dreimal größere Fläche als heute (15,3 Mio. km²).

In Europa reichte das nord. Inlandeis bis an die dt. Mittelgebirge. Die Alpen waren bes. im W vergletschert, die Talgletscher stießen weit ins Vorland hinaus. Lokalvergletscherungen sind in den Vogesen, im Schwarzwald, Harz, Böhmerwald, Riesengebirge sowie in den Pyrenäen und in der Tatra nachgewiesen. In weitem Umkreis um Inlandeis und Gletscher herrschte ein periglazialer Formenschatz vor, z. B. Dauerfrost- und Strukturböden, Frostschutt und Blockmeere. Die nördl. Waldgrenze lag südlich der Alpen. Das eisfreie Gebiet zw. den Alpen und dem Inlandeis wurde von einer Frostschutt- und Lösstundra eingenommen; dort lebten Mammut, Höhlenbär, wollhaariges Nashorn, Wisent, Reh, Eisfuchs, Lemming u. a. Kälte gewohnte Tiere. Mit dem Pleistozän ist auch die Geschichte der Menschheit und ihrer Kulturen

(→Altsteinzeit) aufs Engste verknüpft. Der Rückgang des Eises wurde durch Haltepausen (Interstadiale) mit leichter Klimaverbesserung unterbrochen; neuerliche kurzfristige Eisvorstöße werden Stadialzeiten genannt.

📖 Probst, E.: *Deutschland in der Urzeit. Von der Entstehung des Lebens bis zum Ende der Eiszeit. München 1986.* – Schreiner, A.: *Einführung in die Quartärgeologie. Stuttgart 1992.* – Ehlers, J.: *Allgemeine u. histor. Quartärgeologie. Stuttgart 1994.* – Kahlke, H. D.: *Die Eiszeit. Leipzig u. a. ³1994.* – *Das Quartär Deutschlands, hg. v.* L. Benda. *Berlin u. a. 1995.*

Bengt Gunnar Ekelöf

Eitelberger von Edelberg, Rudolf, österr. Kunsthistoriker, *Olmütz 17. 4. 1817, †Wien 18. 4. 1885; war seit 1852 Prof. an der Univ. Wien und seit 1864 Direktor des von ihm in Wien gegr. Museums für angewandte Kunst. Er gilt als Reformer des Kunstgewerbes; gab 1871–82 die »Quellenschriften für Kunstgeschichte und Kunsttechnik des MA. und der Renaissance« (18 Bde.) heraus.

Vilhelm Ekelund

Eiter (Pus), eine gelbgrünl. oder gelbbräunl. Flüssigkeit, die sich als Reaktion des Körpers im Laufe einer durch Bakterien (E.-Erreger) ausgelösten Entzündung bildet und weiße Blutkörperchen sowie Gewebszellen enthält. E. wird vom Körper zur Isolierung und Vernichtung der eingedrungenen Erreger (→Phagozytose) gebildet.

Eiterbeule, der →Furunkel.

Eiterflechte (Eitergrind), die →Impetigo.

Eiweiß, 1) *allg.:* der den Dotter umgebende helle Bestandteil des Eies.

2) *Biochemie:* (E.-Stoff) →Proteine.

Eiweißharnen, die →Proteinurie.

Konrad Ekhof

Eiweißminimum, die Mindestmenge an Eiweiß (Proteine), die der Organismus zur Erhaltung seines Eiweißbestandes benötigt und die durch keine anderen Nahrungsstoffe ersetzbar ist; beim Menschen etwa 35–50 g je Tag (0,5–0,6 g je kg Körpergewicht).

Eizahn, lanzettförmiger Zwischenkieferzahn bei Embryonen von Eidechsen und Schlangen zum Aufschlitzen der Eischale. Bei Brückenechsen, Krokodilen, Schildkröten und Vögeln bildet sich dafür eine hornige **Eischwiele;** E. und Eischwiele werden nach dem Schlüpfen abgeworfen.

Eizelle, die weibl. Keim- oder Geschlechtszelle, →Ei.

Ejakulation [lat.] *die* (Samenerguss), das Ausspritzen der Samenflüssigkeit aus dem erigierten Penis durch rhythm. Kontraktionen der Muskulatur des Samenleiters, der Samenblase, der Schwellkörper und des Beckenbodens. Spontane, meist nachts auftretende E. wird →Pollution genannt. Vorzeitiger Samenerguss vor Einführung des Gliedes **(Ejaculatio praecox)** und die stark verzögerte E. **(Ejaculatio retarda)** sind psychisch bedingt.

Ejektion [lat.] *die, Geologie:* Auswurf von vulkan. Aschen.

Ejektor *der,* **1)** Dampfstrahlpumpe mit Absaugvorrichtung.

2) Patronenauswerfer bei Schusswaffen.

Eka-Elemente [Sanskrit. eka »eins«], frühere Bez. für die 1871 von D. I. Mendelejew aufgrund von Lücken in seinem Periodensystem vorausgesagten chem. Elemente.

Ekarté, ein Kartenspiel, →Ecarté.

Ekbatana, in der Antike Hptst. des Mederreiches, →Hamadan.

EKD, Abk. für →**E**vangelische **K**irche in **D**eutschland.

Ekelöf, Bengt Gunnar, schwed. Schriftsteller, *Stockholm 15. 9. 1907, †Sigtuna (VerwBez. Stockholm) 16. 3. 1968; war in seinem lyr. Schaffen zunächst vom frz. Surrealismus und der Musik I. Strawinskys geprägt und entwickelte später klarere, intellektuellere und esoterischere Ausdrucksformen; auch Kunst- und Literaturkritiker.

Ekelund, Vilhelm, schwed. Schriftsteller, *Stehag (Schonen) 14. 10. 1880, †Saltsjöbaden (bei Stockholm) 3. 9. 1949; schrieb unter dem Einfluss Hölderlins freie Rhythmen, später Essays und Aphorismen in Auseinandersetzung mit der Philosophie F. Nietzsches.

Ekert-Rotholz, Alice Maria, Schriftstellerin, *Hamburg 5. 9. 1900, †London 17. 6. 1995; lebte lange Zeit in Bangkok; Romane und Erzählungen vor dem Hintergrund der polit. Verhältnisse und Ereignisse im Fernen Osten.

EKG, Abk. für →**E**lektro**k**ardio**g**ramm.

Ekhof, Konrad, Schauspieler, *Hamburg 12. 8. 1720, †Gotha 16. 6. 1778; gilt als »Vater der dt.

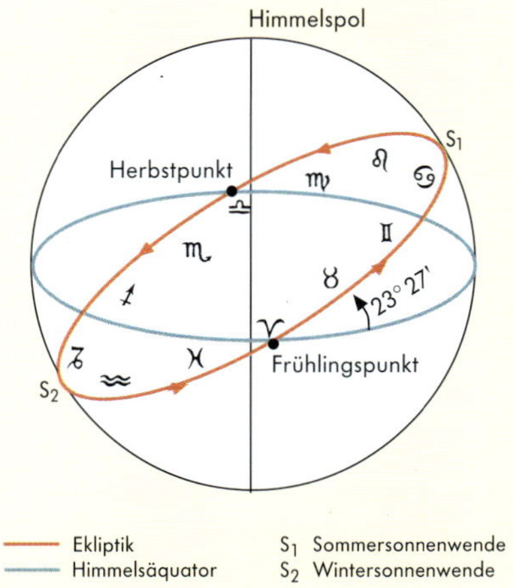

Auf der Ekliptik die Tierkreiszeichen.
Alles bezogen auf die Nordhalbkugel.

Ekliptik

Schauspielkunst«; überwand den pathetischen frz. Spielstil durch gemäßigten Realismus.

Ekibastus, Industriestadt im NO von Kasachstan, 138 900 Ew.; Steinkohlenförderung im Tagebau; Elektroenergieerzeugung (Fernleitung zum Ural, Russland).

Ekkehart (Eckehart), Mönche in St. Gallen: **1) E. I.,** * bei St. Gallen um 910, † 14. 1. 973, Onkel von 2); Stiftsdekan; ihm werden versch. liturgische Dichtungen zugeschrieben (darunter auch das lat. Heldenepos »Waltharius«).

2) E. II., * um 920, † Mainz 23. 4. 990, Neffe von 1); Leiter der Klosterschule in St. Gallen, Dompropst von Mainz, Lehrer der Herzogin Hadwig von Schwaben. Er ist das Vorbild für J. V. von Scheffels Roman »Ekkehard«.

3) E. IV., * nach 980, † 21. 10. um 1060; Schüler des Notker III. Labeo; wurde 1022 Leiter der Domschule in Mainz und wirkte danach wieder in St. Gallen; setzte die von dem alemann. Benediktiner Ratpert (* um 840, † vor 912) begonnenen St.-Gallener Klostergeschichten (»Casus sancti Galli«) bis 971 fort.

Ekklesiologie [grch.] *die,* theolog. Lehre von der → Kirche.

Eklampsie [zu grch. eklámpein »hervorleuchten«] *die,* schwerste Form einer am Ende der Schwangerschaft, während der Geburt oder im Wochenbett auftretenden → Gestose. Die E. ist durch heftige, blitzartige Krämpfe mit Bewusstlosigkeit charakterisiert bei gleichzeitiger Blutdruckerhöhung, Wasseransammlung im Gewebe und Nierenversagen. Es besteht Lebensgefahr für Mutter und Kind.

Eklektizismus [grch.] *der,* **1)** *Kunst:* Ausdrucksweise, die sich in einem selektiven, historisch rückbezogenen Verfahren bereits entwickelter und abgeschlossener Kunstleistungen bedient.

2) *Philosophie:* Denkweise, die ihre Argumente aus Lehrmeinungen und Zitaten anderer Autoren zusammensetzt; bes. in der Spätzeit der grch. und alexandrin. Philosophie.

3) *Religionsgeschichte:* eine Praxis, die Elemente verschiedener Religionen als glaubenswert annimmt (→ Synkretismus).

Ekliptik [grch.] *die,* ein Großkreis am Himmel, in dem die Ebene der Erdbahn um die Sonne die gedachte Himmelskugel schneidet. Die Erdbahnebene, die **ekliptikale Ebene,** ist definiert durch die Verbindungslinie vom Mittelpunkt der Sonne zum Schwerpunkt des Erde-Mond-Systems sowie durch die Bewegungsrichtung dieses Systemschwerpunktes um die Sonne. Durch den jährl. Umlauf der Erde um die Sonne entsteht der Eindruck, als bewege sich die Sonne unter den Sternen der in der Mitte des → Tierkreises liegenden E.; deshalb spricht man auch von der E. als der scheinbaren Sonnenbahn der Sphäre und nennt die von der Sonne durchlaufenen Tierkreissternbilder **ekliptikale Sternbilder.** – Die E. schneidet den Himmelsäquator im Frühlings- und im Herbstpunkt (→ Äquinoktium) unter einem Winkel von 23° 27'; diese sog. **Schiefe der E.** (→ astronomische Koordinaten) verändert sich mit der Zeit leicht durch die → Präzession der Erde. Sie ist verantwortlich für die → Jahreszeiten.

Ekloge [grch. »Ausgewähltes«] *die,* urspr. kleines Gedicht, später Hirtengedicht, bes. bei Vergil.

Eklogit *der,* massiges bis dickschiefriges metamorphes Gestein von hoher Dichte; Hauptbestandteile sind roter Granat und grüner Pyroxen.

Ekman, Kerstin, schwed. Schriftstellerin, * Risinge (VerwBez. Södermanland) 27. 8. 1933; schrieb zunächst Kriminalromane, in ihrer Romantetralogie »Sara und ihre Schwestern« (Obertitel der dt. Übersetzung, 1994) schildert sie das bäuerl. Leben in Södermanland Anfang des 20. Jh. aus Sicht der Frauen.

Kerstin Ekman

Eknomos (lat. Ecnomus mons), antike Bergfeste an der Südküste Siziliens, heute Poggio Sant' Angelo, bei Licata; hier erzwangen 256 v. Chr. im 1. Punischen Krieg die Römer unter den Konsuln Regulus und Vulso in einer der größten Seeschlachten des Altertums die Überfahrt nach Afrika gegen die Karthager.

Ekofisk ['e:ku-], Erdöl- und Erdgasfeld im norweg. Sektor der Nordsee, rd. 300 km vor der südnorweg. Küste, 1969 entdeckt, Förderung seit 1971 (Erdgas seit 1977); Erdölleitung zur engl. Küste, Erdgasleitung zur dt. Küste bei Emden. BILD S. 24

Ekoi, Volksgruppe im Waldland SO-Nigerias, östlich des Cross River bis nach Kamerun hinein. Die E. stellen mit Leder überzogene Masken für den rituellen Tanz her; dieser Brauch geht wohl auf die in dieser Gegend bes. stark verbreitete Kopfjägertradition zurück.

Ekphorie [grch.] *die,* durch einen Reiz ausgelöste Aktivierung von Gedächtnisinhalten und Erinnerungsvorgängen.

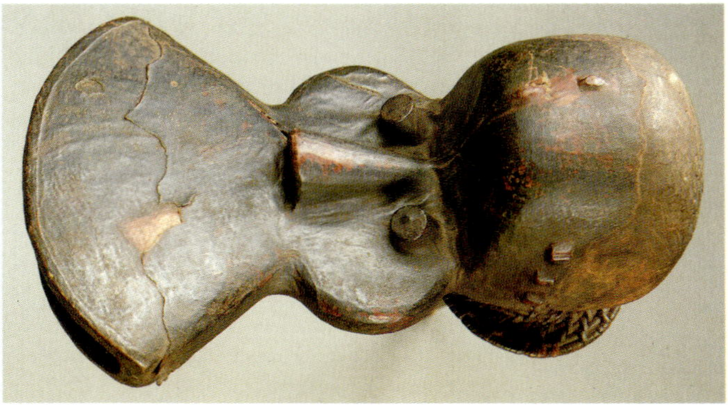

Ekoi: Mit Leder überzogene Holzmaske, Länge 38 cm (Berlin, Museum für Völkerkunde)

Ekstase [grch.] *die,* Entrückung, Verzückung, das Heraustreten des Ich aus seinen Grenzen. – In der *Psychologie* gilt die E. als individuelle Entpersönlichung bei gleichzeitiger starker Gefühlsüberflutung und Entrückung von der Wirklichkeit. E. kann bes. durch asket. Übungen, Musik, Tanz, psych. Ansteckung bei Massenerlebnissen und Drogengenuss hervorgerufen werden oder auch als psychopath. Symptom (Schizophrenie, Epilepsie) auftreten. – Die *Religionswissenschaft* interpretiert den phys. und psych. Ausnahmezustand während der spontanen E. als durch einen Gott oder ein Geistwesen bedingt. Mit bestimmten Techniken kann die E. als Zustand übermenschl. Fähigkeiten systematisch angestrebt werden.

📖 *Der Heilige u. die Verrückte. Religiöse E. u. psych. Grenzerfahrung, Beiträge v.* C. CLÉMENT *u.* S. KAKAR. *München 1993.* – ELIADE, M.: *Schamanismus u. archaische Ekstasetechnik. A. d. Frz. Neuausg. Frankfurt am Main ⁸1994.*

Ektasie [grch.] *die,* Erweiterung von Hohlorganen, z. B. der Luftröhrenäste **(Bronchiektasie),** des Magens **(Gastrektasie).**

Ekthym [grch.] *das,* meist durch Streptokokken hervorgerufenes, lochartig ausgestanztes Geschwür, vorwiegend an den Unterschenkeln.

Ektobiologie [grch.], die →Kosmobiologie.

Ektoderm [grch.] *das* (Ektoblast), äußeres Keimblatt des Embryos (→Entwicklung).

Ektokarp [grch.] *das, Botanik:* →Exokarp.

Ektomie [grch.] *die,* Herausschneiden eines Organs, z. B. des Wurmfortsatzes **(Appendektomie),** der Gaumenmandeln **(Tonsillektomie).**

Ektoparasiten [grch.], auf der Körperoberfläche ihres Wirts lebende Schmarotzer. (→Parasiten)

Ektopie [grch.] *die,* meist angeborene Verlagerung eines Organs nach außen oder innerhalb des Körpers an eine abnorme Stelle, z. B. Verlagerung der Augenlinse.

Ektropium [grch.] *das,* Auswärtskehrung eines Augenlides; Ggs.: Entropium. E. entsteht häufig am Unterlid alter Menschen durch Erschlaffen der Lidhaut und des Lidschließmuskels; ferner infolge Lähmung des Lidschließmuskels bei Fazialislähmung oder durch narbige Verkürzung der Lidhaut, z. B. nach Verbrennungen.

EKU, Abk. für →**E**vangelische **K**irche der **U**nion.

Ekwensi, Cyprian, nigerian. Schriftsteller engl. Sprache, *Minna 26. 9. 1921; schildert in Romanen Stadt- und Landleben im heutigen Nigeria; der Roman »People of the city« (1954) gilt als der erste afrikan. Gegenwartsroman; schrieb außerdem »Survive the Peace« (1976) über den Krieg um Biafra, »Jagua Nana's daughter« (1986), »For a roll of parchment« (1987).

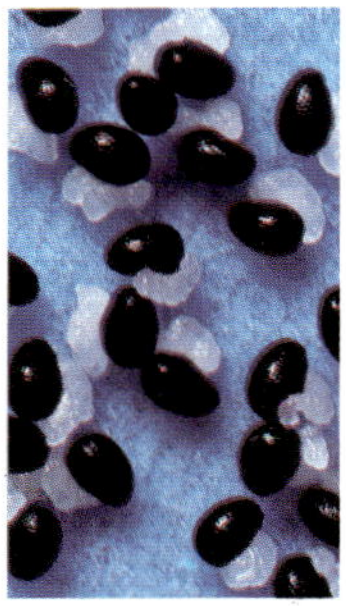

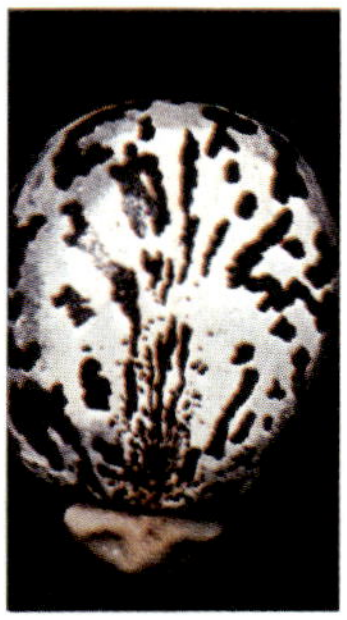

Elaiosom am Schöllkrautsamen (oben) und am Rizinussamen

El Al Israel Airlines Ltd.

Ekofisk: Plattform des Offshorefeldes im norwegischen Sektor der Nordsee

Ekzem [grch.] *das,* häufige, nicht ansteckende, vielgestaltige, akute oder chronisch-entzündliche Hauterkrankung mit oft ausgeprägtem Juckreiz; vorwiegend verursacht durch direkte Einwirkung äußerer Schadfaktoren auf die Haut. Eine Sekundärbesiedlung mit Viren, Bakterien und Hautpilzen ist möglich. Beim **akuten E.** kommt es zu flächenhafter, meist symmetr., nicht eindeutig abgegrenzter Rötung, Knötchen- und Blasenbildung, nach deren Platzen zu Hautnässen (»nässende Flechte«) und Krustenbildung. Beim **chron. E.** stehen Verhornung und Schuppenbildung der Oberhaut im Vordergrund. Nägel und behaarte Kopfhaut können mitbefallen sein.

Behandlung: Ausschalten von schädigenden Substanzen und Allergenen; kühlende oder austrocknende Lotionen oder Salben, zum Stillen des Juckreizes auch Antihistaminika, gegen Entzündungen Corticosteroide.

el, arab. Artikel, →al.

El [hebr.], semit. Gottesbezeichnung, →Elohim.

Elagabal, röm. Kaiser, →Heliogabal.

Ela|idinsäure, Isomer der →Ölsäure.

Elaioplast [grch.] *der,* Fett oder Öl speichernde Form der Leukoplasten; farblose Plastiden in nicht photosynthetisch aktiven Geweben, v. a. bei einkeimblättrigen Pflanzen.

Elaiosom [grch.] *das* (Ölkörper), fett- und proteinreiches Gewebeanhängsel an pflanzl. Samen (z. B. beim Schöllkraut und Rizinus) oder an Nussfrüchten (z. B. beim Buschwindröschen).

El-Alamein, →Alamein.

EL AL Israel Airlines Ltd. [-ˈɪzreɪəl ˈeəlaɪnz ˈlɪmɪtɪd], israel. Luftverkehrsgesellschaft, hervorgegangen 1948 aus der militär. Lufttransportorganisation AVIRON (ÜBERSICHT Luftverkehrsgesellschaften).

Elam (grch. Elymais), altoriental. Reich östlich vom unteren Tigris, im heutigen südiran. Randgebirge. Die Hptst. war Susa. Die Bewohner hießen **Elamier, Elamiter** oder **Elamer.** E. wurde als eine Art Bundesstaat von einem Oberkönig in Susa regiert. Im 4. Jt. war E. Zentrum einer bedeutenden vorgeschichtl. Kultur, die dann unter den Einfluss der sumer. Kultur geriet. Die Geschichte von E. ist eng mit der von Babylonien verknüpft. Die akkad. Könige (22. Jh. v. Chr.) führten Kriege gegen E. Unter den Epartiten (seit 1780) konnte sich E. fast unabhängig halten und erreichte im 13./12. Jh. eine Zeit höchster kultureller Blüte. 1110 v. Chr. eroberte Nebukadnezar I. von Babylon E. Im 8. Jh. bildete sich ein »Neuelam. Reich«, das bis zur assyr. Eroberung von Susa (646 v. Chr.) bestand. E. fiel dann den Persern zu. Eigenständigkeit zeigt die Kunst E.s in der reichen Keramik, Siegelschneidekunst und im Metallguss.

📖 HINZ, W.: *Das Reich E. Stuttgart 1964.*

Elam: Ein Beispiel für die entwickelte Kunst der Elamiter im Metallguss ist dieser 1,29 m hohe Torso einer Bronzestatue aus Susa (um 1250 v. Chr.; Paris, Louvre)

Elamisch (elamische Sprache), die Sprache der elam. Keilinschriften. Man unterscheidet: Alt-E. (etwa 2300–1700 v. Chr.), klass. E. (etwa 1285–1140 v. Chr.), Neu-E. (750–600 v. Chr.) und Achaimenidisch-E. (533–330 v. Chr.); bis ins 10. Jh. n. Chr. belegt ist als letzter Ausläufer des E. das Chusische im SW Irans.

Élan vital [e'lã vi'tal, frz.], in der dem Mechanismus und Materialismus entgegentretenden Philosophie von H. Bergson die dem Leben innewohnende schöpfer. und beseelende Kraft; sie bildet die eigentl. Substanz alles Seienden.

Eläolith [grch. »Ölstein«] *der,* ein Mineral, → Nephelin.

Elara, ein Mond des Planeten Jupiter.

El-Araisch, Stadt in Marokko, → Araisch.

El-Arisch, Stadt in Ägypten, → Arisch.

Elasmobranchii (Elasmobranchier), Unterklasse der → Knorpelfische.

El-Asnam (Ech-Cheliff, früher Orléansville), Stadt in N-Algerien, am Chéliff, 119 000 Ew.; Landwirtschaftszentrum; Handel. – 1954 und 1980 durch Erdbeben stark zerstört.

Elaste, → Kunststoffe.

Elastik *das* oder *die,* Gewebe oder Gewirke mit Gummifäden oder aus Elastomergarnen.

Elastin *das,* Gerüsteiweiß (Skleroprotein) der elast. Fasern in Bindegeweben, Gefäßwandungen und manchen Sehnen.

elastische Fasern, aus Mikrofibrillen und spezif. Glykoproteiden zusammengesetzte zugelast. Bindegewebefasern mit großer chem. Widerstandsfähigkeit; kommen als Fasernetze und gefensterte Membranen in vielen Organen (z. B. Haut, Lunge, Blutgefäße) und Geweben (z. B. Knorpel) vor.

elastische Schwingungen, durch äußere Krafteinwirkung in festen Körpern auftretende Schwingungen der atomaren Bausteine um ihre Ruhelage, die auf dem Zusammenwirken von Trägheits- und elast. Rückstellkräften beruhen. E. S. führen zu → Gitterschwingungen der Atome oder zu makroskop. Dichteschwankungen im Körper. Sie breiten sich in Form **elast. Wellen** im Körper aus. Beispiele für e. S. und Wellen sind neben den Gitterschwingungen und -wellen die Schallschwingungen und -wellen (→ Schall) sowie die Wellen (z. B. Oberflächenwellen) bei → Erdbeben.

Elastizität [grch.], **1)** *Physik:* die Eigenschaft fester Körper, ihre durch äußere Kräfte oder Temperaturunterschiede angenommene Form- oder Volumenänderung (Deformation) nach Beseitigung der Einwirkungen wieder rückgängig zu machen **(Form-** oder **Volumen-E.).** Bei Flüssigkeiten und Gasen, die unter Druck ihr Volumen ändern, spricht man von → Kompressibilität. Sind die äußeren Kräfte, die den mittleren Abstand der Atome verändern, im Gleichgewicht mit den zw. ihnen wirkenden Rückstellkräften, liegt eine reversible **vollkommene E.** oder **elast. Verformung** vor (insbes. bei elast. → Dehnung). Überschreiten die zu den einwirkenden Kräften zugehörigen mechan. Spannungen einen bestimmten stoffabhängigen Wert, die **E.-Grenze,** tritt i. Allg. eine irrever-

Elamisch: Altelamische »Strichschrift«, Steininschrift (etwa Ende des 3. Jt. v. Chr.)

sible **plast. Verformung** (→Plastizität) ein. In einigen Stoffen (z.B. Hochpolymeren) gehen zunächst plast. Verformungen nach gewisser Zeit (teilweise) wieder zurück **(elast. Nachwirkung).**

Bei Metallen, den typ. Stoffen mit linearer E., sind geringe Formänderungen proportional den äußeren Kräften und damit den inneren Spannungen **(hookesches Gesetz, E.-Gesetz).** Es lautet für einachsige Beanspruchung $\sigma = E \cdot \varepsilon$ mit der Normalspannung σ, der Dehnung ε und dem E.-Modul E.

2) *Technik:* Maß für den Drehmomentenanstieg bei verringerter Drehzahl eines Verbrennungsmotors. Die E. bestimmt für ein Kfz die Auslegung des Schaltgetriebes und die Anzahl der erforderl. Schaltgänge.

3) *Volkswirtschaftslehre:* von A. Marshall eingeführter Begriff, der das Verhältnis der relativen Änderung einer wirtsch. Größe zu der sie verursachenden relativen Änderung einer anderen Größe bezeichnet, z.B. Zunahme der Nachfrage um x-% bei Senkung des Preises um 1% (Nachfrage-E.). Die E. ist rechnerisch der Quotient aus diesen relativen Änderungen (Wirkung geteilt durch Ursache). Ist der **E.-Koeffizient** größer als 1, spricht man von elast. Nachfrage. I.d.R. ist die Nachfrage nach lebenswichtigen Gütern unelastisch (E.-Koeffizient <1), die nach Luxusgütern elastisch. Ähnlich werden z.B. Preis-E., Kosten-E., Einkommens-E., Substitutions-E., Produktions-E. und ermittelt.

Elastomere [grch.] (Elaste), →Kunststoffe.

Elbe

Die Elbe markiert seit zwei Jahrtausenden eine wichtige Grenze in Mitteleuropa. So kamen römische Expeditionen nur bis zur unteren Elbe, und später waren Elbe und Saale die Grenze der deutschen Besiedlung von etwa 800 bis um 1134, dem Beginn der deutschen Ostkolonisation. Ab etwa 1500 wurde östlich der Elbe-Saale-Linie die zweite Leibeigenschaft und Gutswirtschaft eingeführt. Damit entstand ein struktureller Gegensatz zu Westeuropa, in Deutschland zwischen Ostelbien und »Westelbien«. Zwischen 1945 und 1989/90 war im Kalten Krieg diese alte Strukturgrenze die Grenze zwischen den beiden Weltmächten USA und Sowjetunion.

Elastomergarne, die aus Natur- oder Kunstkautschuk bestehenden Gummifäden **(Elastodien)** sowie die gummielast. Fäden aus segmentiertem Polyurethan (**Elasthane,** z.B. Lycra). Die Polyurethanfasern finden heute vielseitige Anwendung in der Textilindustrie.

Elat (Elath, Eilath), Hafenstadt in Israel, an der Küste des Golfs von Akaba, 20400 Ew.; Erdölhafen, mit den Raffinerien in Haifa, Ashqelon und Ashdod durch Ölleitungen verbunden; Fischkonservenfabrik, Malachitschleifereien; bed. Fremdenverkehr. – 1948 gegr.; im März 1949 von israel. Truppen besetzt. Im Sinaifeldzug Nov. 1956 erkämpfte sich Israel die Durchfahrt durch die Meerenge von Tiran, den Ausgang des Golfs von Akaba zum Roten Meer. Die Blockierung der Meerenge durch Ägypten führte zum 3. israelisch-arab. Krieg (1967). – Das E. der israel. Königszeit (1.Jt. v.Chr.) lag an der Stelle des jetzigen Akaba.

Elativ [lat.] *der, Sprache:* Steigerungsform der Adjektive, die, oft formgleich mit dem Superlativ, keine Vergleichung enthält (absoluter Superlativ, z.B. »äußerst schlecht«).

Elâzığ [ɛlaːˈziː], Prov.hauptstadt in Ostanatolien, 1020 m ü.M., 211700 Ew.; Univ.; Zement-, Kunstdünger-, Textilindustrie.

Elba, italien. Insel im Mittelmeer, im toskan. Inselarchipel zw. Korsika und dem italien. Festland, von dem sie durch den Kanal von Piombino getrennt ist, Prov. Livorno, 223,5 km² groß, 29100 Einwohner. E. ist sehr gebirgig, hat eine stark gegliederte Küste und ein mildes Klima; Wein-, Oliven-, Obstbau; Fremdenverkehr. Der Abbau von Eisenerzen wurde 1982 eingestellt. Hauptort ist Portoferraio. – E., das röm. **Ilva,** gehörte im MA. zu Pisa, kam 1557 an den Herzog der Toskana, Cosimo I. de' Medici; in den folgenden Jh. umstritten, 1802 zu Frankreich. Vom 3.5.1814 bis 26.2.1815 war es Verbannungsort Napoleons I.; 1815 kam E. an die Toskana, 1860 an das Königreich Italien.

Elbasan, Bezirkshptst. in Albanien, am Shkumbin; 83300 Ew.; metallurg. Ind., Holzverarbeitung, Erdölraffinerie.

Elbe *die* (tschech. Labe), einer der Hauptströme Mitteleuropas und nach dem Rhein der längste und verkehrsreichste Fluss Dtl.s, 1165 km lang. Das gesamte Einzugsgebiet umfasst 144000 km². Die E. entspringt im Riesengebirge (Tschech. Rep.) in rd. 1500 m ü.M. mit zahlreichen Quellbächen, die sich bei Spindlermühle vereinigen. Die E. schneidet sich dann in die S-Abdachung des Riesengebirges ein, durchfließt erst in westl., dann nördl. Richtung das Böhm. Becken, nimmt die Moldau und Eger auf und durchbricht das Böhm. Mittelgebirge und das Elbsandsteingebirge. Dann erreicht sie das Dresdner Becken, durchquert die Lausitzer Granitplatte und das Norddt. Flachland und mündet bei Cuxhaven (hier 15 km breit) in die Nordsee. In Hamburg beginnt der über 100 km lange Mündungstrichter der E., die **Unterelbe,** in der sich die Meeresgezeiten durch die auflaufende Flut flusswärts bis Geesthacht bemerkbar machen. Wichtige Nebenflüsse von links sind Moldau, Eger, Mulde und Saale, von rechts Iser, Schwarze Elster und Havel. Durch die Anlage von Staustufen ist die E. bis Kolín und über die Moldau bis Prag schiffbar; für Seeschiffe ist sie bis Hamburg befahrbar. –

Über die Havel und den Elbe-Havel-Kanal ist sie mit der Spree und den Seen um Berlin, von dort über den Oder-Havel- und Finow-Kanal und Oder-Spree-Kanal mit der Oder verbunden; mit dem Ruhrgebiet und dem Rhein durch den Elbeseitenkanal und den unterhalb Magdeburgs abzweigenden Mittellandkanal, mit der Ostsee durch den Elbe-Lübeck-Kanal. Die E. ist die wichtigste Wasserverbindung zw. Hamburg und seinem Hinterland. Durch Vertrag vom 8. 10. 1990 zw. Dtl., der Tschechoslowakei und der EG wurde eine internat. Elbschutzkommission errichtet. Trotzdem ist die E. ein im Vergleich mit anderen mitteleurop. Flüssen mit Schadstoffen immer noch hoch belastet.

📖 *Die E. Von der Quelle bis zur Mündung, zusgest. v.* W. KOPELKE *u.a. Bonn 1984.* – DAMKOWSKI, W. *u.a.: Rettung eines Flusses. Zur Politik der E.-Sanierung. Opladen 1994.*

Elbe-Elster, Landkr. in Brandenburg, 1890 km², (1996) 136 700 Ew.; Verw.sitz ist Herzberg (Elster).

Elbe-Havel-Kanal, 56,4 km langer Binnenschifffahrtsweg, verbindet die Elbe bei Niegripp (unterhalb von Magdeburg) mit dem Plauer See (Havelsee westlich von Brandenburg/Havel) und ermöglicht so Schiffen bis 1 000 t die Fahrt zw. Mittellandkanal und Berlin.

El-Beida, →Beida.

Elbe-Lübeck-Kanal, 62 km langer Kanal in Schlesw.-Holst., verbindet die Elbe (bei Lauenburg) und die Trave (bei Lübeck), für Schiffe bis 1 000 t.

Elben, →Elfen.

Elberfeld, Stadtteil von →Wuppertal.

Elbeseitenkanal (Nord-Süd-Kanal), Verbindungskanal zw. der Elbe bei Artlenburg und dem Mittellandkanal bei Wolfsburg, 112,5 km lang, 1976 eröffnet. Bei Scharnebeck wird der Höhenunterschied von 61 m gegen die Elbe mit einem Schiffshebewerk überwunden.

Elbherzogtümer, bes. 1848–66 übl. Bez. für die Herzogtümer Schleswig, Holstein und Lauenburg.

Elbing (poln. Elbląg), Hptst. der Wwschaft Elbląg, am Fluss E., zw. Drausensee und Frischem Haff, 127 800 Ew.; Maschinen-, Turbinenbau, Bekleidungs-, Holz-, Lebensmittelind.; Binnenhafen am Oberländ. Kanal. – Die Altstadt, im 2. Weltkrieg zu 60 % zerstört, war reich an Giebelhäusern (15.–18. Jh.); nach 1945 wurden einzelne histor. Bauten wiederhergestellt; bed. u.a. Nikolaikirche (13.–15. Jh.), Marienkirche (13.–14. Jh.), Markttor (14./15. Jh.), St.-Georgs-Kapelle (14.–16. Jh.), Reste der Ordensburg. Auf dem Stadtgebiet wurden vor- und frühchristl. Gräberfelder entdeckt. – 1237 errichtete der Dt. Orden bei einer vorgeschichtl. Siedlung eine Burg, in deren Schutz Lübecker Kaufleute die Stadt anlegten, die 1246 lüb. Stadtrecht erhielt. Bis 1309 war E. Sitz des Landesmeisters des Dt. Ordens und überragte als Hansestadt bis etwa 1370 Danzig an wirtsch. Bedeutung. 1454 löste sich E. vom Orden und wurde 1466 als Freie Stadt polnisch. 1772 fiel es an Preußen und entwickelte sich im 19. Jh. zum größten Ind.zentrum Ostpreußens; kam 1945 zu Polen.

Elbmarschen: Die Haseldorfer Marsch östlich von Stade am Unterlauf der Elbe

Elbingerode (Harz), Stadt im Landkreis Wernigerode, Sa.-Anh., 450–500 m ü. M., im nordwestl. Unterharz, 4 200 Ew.; Kalkind.; Gerätebau, Holzind.; Fremdenverkehr; der Schwefelkiesbergbau wurde 1991 eingestellt. – Entstand im 13. Jh. bei einer Burg der Herren von Elbingerode.

Elbląg [ˈɛlblɔŋk], **1)** Stadt in Polen, →Elbing.

2) Wwschaft in N-Polen, 6 103 km², (1993) 488 300 Einwohner.

Elbmarschen, Flussmarschlandschaft an der Unterelbe; zu ihnen gehören am rechten Ufer die Vier- und Marschlande, die Haseldorfer Marsch, Kremper Marsch und Wilstermarsch, am linken Ufer das Alte Land, Land Kehdingen und Land Hadeln; v.a. bei Hamburg intensiver Obst- und Gemüsebau, Blumenzucht, Baumschulen.

Elbrus *der,* höchster Berg des Kaukasus, in Russland, Vulkan, der bisher als erloschen galt; 1984 wurde aber in den Quellen in Gipfelnähe eine Erwärmung auf 20 °C und eine Zunahme des Chlorgehalts festgestellt, was auf neuerliche vulkan. Aktivität schließen lässt. Westgipfel 5 642 m ü. M., Ostgipfel 5 621 m ü. M.; stark vergletschert. BILD S. 28

Elbsandsteingebirge (tschech. Děčínské stěny), das vorwiegend aus Kreidesandsteinen aufgebaute Bergland zw. Erzgebirge und Lausitzer Bergland, Dtl. und Tschech. Republik. Großbankige Quadersteine ragen als bizarre Felswände und -türme bis 100 m und höher auf (→Bastei). Über dem eingeschnittenen Elbtal breiten sich in rd. 350 m ü. M. z.T. bewaldete Hochflächen (Eben-

Elbrus: Doppelgipfel des Elbrus

heiten) aus, überragt von inselartigen Tafelbergen, z. B. König-, Lilien-, Pfaffenstein und Hoher Schneeberg (mit 721 m ü. M. höchster Berg des E., in Böhmen). Im O treten Basaltkuppen mit Laubwald auf. Das dt. Gebiet beiderseits des Elbdurchbruchs wird **Sächsische Schweiz** gen.; es steht seit 1956 unter Landschaftsschutz und ist seit 1990 Nationalpark; Fremdenverkehrs- und Klettergebiet.

Ẹlbslawen, westslaw. Stämme zw. der unteren und mittleren Elbe und dem Weichseldelta (Abodriten, Liutizen, Sorben u. a.).

Ẹlbtunnel, zwei die Elbe in Hamburg unterquerende Tunnel. Der 1911 erbaute, 448,5 m lange Tunnel (Sohlentiefe 23,5 m) führt von den Sankt-Pauli-Landungsbrücken unter der Norderelbe hindurch zur Hafeninsel Steinwerder; für Kraftfahrzeuge und Fußgänger. 1975 wurde im Zuge der Nord-Süd-Autobahn Schlesw.-Holst.–Niedersachsen ein zweiter E. zw. dem Stadtteil Othmarschen und dem Hafengebiet Waltershof fertig gestellt; er umfasst drei zweispurige Röhren (eine vierte Röhre ist im Bau) und ist 2653 m lang bei einer Sohlentiefe von 27 m.

Elbụrs (pers. Alburz), Gebirge in N-Iran, besteht aus mehreren, parallel zum Kasp. Meer verlaufenden Gebirgsketten, die im →Demawend gipfeln. Klimascheide zw. dem feuchten kasp. Tiefland und dem wüstenhaften iran. Binnenhochland.

Elefanten

Karl der Große erhielt 802 vom Kalifen Harun ar-Raschid einen Elefanten (»Abd ul-Abbas«) zum Geschenk. Aus einem seiner Stoßzähne wurde ein mit Schnitzereien verziertes Hifthorn hergestellt, in dem man kleine Gegenstände des Aachener Domschatzes verwahrte. Der spätere Kaiser Maximilian II. brachte 1552 einen Elefanten von Spanien über Neapel und die Alpen nach Wien. Danach nannten sich viele Gasthäuser am Weg »Zum Elefanten«, zum Beispiel in Brixen, Graz und Ljubljana.

Elcạno (del Cano), Juan Sebastián, span. Seefahrer, *Guetaria (Prov. Guipúzcoa) 1486 oder 1487, †auf dem Pazif. Ozean 4. 8. 1526; vollendete nach dem Tod von F. de Magalhães (27. 4. 1521) als Kapitän der »Victoria« die erste Weltumseglung.

Elch (Elen, Alces alces), größte Art der Hirsche im nördl. Europa, Asien und Nordamerika. E. werden bis 3 m lang, 2,4 m schulterhoch und bis zu 800 kg schwer. Das hochbeinige Tier hat einen sehr langen, schmalen Kopf, eine breite, lange Oberlippe und einen kurzen Hals. Das Fell ist graubraun oder rötlich braun bis schwarz, im Winter aufhellend; die Zehen sind spreizbar. Das Geweih des Männchens ist schaufelförmig (bis zu 20 kg schwer). E. leben in meist sumpfigen Laub- und Mischwäldern, Mooren und Tundren.

Elche [ˈɛltʃə] (katalan. Elx), Stadt im Land Valencia, Prov. Alicante, 188 100 Ew.; Schuh-, Papier-, Nahrungsmittel-, Fruchtkonservenind., Alfagrasverarbeitung; nahebei der Palmenwald von E., die größte Dattelpalmenoase Europas. – Altstadt mit maur. Grundriss; Basilika Santa Maria (17. Jh.; alljährl. Marien-Mysterienspiel). – Die **Dame von E.,** eine 1897 bei E. entdeckte Büste aus Kalkstein, ist wohl ein Werk eines grch. Bildhauers des 4. Jh. v. Chr. (Madrid, Museo Arqueológico Nacional).

Elch (Schulterhöhe bis 2,4 m)

El Chichón [-tʃiˈtʃɔn], Vulkan im Bergland von Chiapas, S-Mexiko, 2225 m ü. M.; seine Eruption im März 1982 (davor 1260 m ü. M.) zählt zu den bisher größten des Jahrhunderts.

Ẹlde *die,* rechter Nebenfluss der Elbe, 220 km lang, entspringt südöstlich des Plauer Sees, mündet bei Dömitz, Unterlauf kanalisiert und schiffbar.

Ẹldena, Stadtteil von Greifswald, Meckl.-Vorp., an der Dänischen Wiek (Ostsee); ehem. Zisterzienserkloster (1199 gegr., 1533 aufgehoben), im 17./18. Jh. verfallen. Die maler. Ruine der Kirche (13.–15. Jh.) wurde mehrfach von C. D. Friedrich dargestellt.

El-Djem [-ˈdʒɛm], Marktstadt in Tunesien, südl. von Sousse, 12 000 Einwohner. – El-D. liegt an der

Stelle der röm. Stadt **Thysdrus,** deren bed. Amphitheater über 30000 Besucher fasste. Die erhaltenen Reste wurden zum UNESCO-Weltkulturerbe erklärt.

Eldorado [span. »der Vergoldete«] (Dorado) *das,* **1)** *allg.:* üppiges, glückliches Land, Traumland, Paradies.

2) legendäres Goldland im nördl. Südamerika. Sage und Name gehen auf einen religiösen Brauch der Muisca in Guatavita (Kolumbien) zurück, wonach ihr Häuptling, am ganzen Körper mit Goldstaub überzogen, auf den heiligen See hinausfuhr, opferte und dann den Goldstaub in einem zeremoniellen Bad abwusch. – Nach dem E. suchten span. Konquistadoren sowie 1535 G. Hohermuth und Philipp von Hutten im Dienste der Welser, 1595 W. Raleigh.

📖 *El Dorado: ein legendäres Land des Goldes. Redaktion:* M. Tölle *u. a. A. d. Engl. Amsterdam 1995.*

Eleaten, Philosophenschule in der antiken grch. Stadt Elea, Unteritalien, gegr. im 6./5. Jh. v. Chr. von Xenophanes; ihm folgten Parmenides, Zenon und Melissos. Gegen Heraklit gewendet, behaupten die E., ein Werden gebe es nicht, allein das in sich ruhende, unbewegte Sein sei wirklich; von bedeutendem Einfluss auf Platon und die spätere Philosophie.

Electronic Banking [ɪlek'trɔnɪk 'bænkɪŋ, engl.] *das,* uneinheitlich gebrauchte Bez. für Bankgeschäfte durch Nutzung moderner Informations- und Kommunikationssysteme (Computer, Terminals, Telekommunikationsnetze). E. B. wird meist als Oberbegriff für kundenbezogene EDV-gestützte Bankdienstleistungen (einschließlich Homebanking, Telebanking und Bankinformationsdienste) verwendet und so von rein bankinternen EDV-Anwendungen abgegrenzt. E. B. soll den Personalaufwand der Banken reduzieren und die Bankkunden von Warte- und Öffnungszeiten unabhängiger machen. Neben der EDV-gestützten Kundenselbstbedienung zur Abwicklung des Zahlungsverkehrs durch Geldausgabeautomaten, Kontoauszugsdrucker und Multifunktionsterminals umfasst E. B. auch v. a. Electronic Cash, Telekontenservice, Finanz- und Informationsdienstleistungen, Cash-Management-Systeme.

Electronic Cash [ɪlek'trɔnɪk 'kæʃ, engl.] *das,* bargeld- und scheckloses Zahlungsverfahren, bei dem Rechnungsbeträge für Einkäufe direkt vom Konto des Kunden abgebucht werden. Der Käufer benötigt dazu eine Eurocheque- (ec-), Kredit- oder sonstige Bankkarte, die von einem ec-Terminal bzw. einer elektron. Kasse gelesen werden kann. Nach Eingabe der **p**ersönl. **I**dentifikations**n**ummer (PIN) des Kunden erfolgt nach einer Autorisierungsprüfung (Legitimation, eventuelle Kartensperre, Zahlungsfähigkeit) die Abbuchung online.

El-Djem: Das dreigeschossige Amphitheater der römischen Stadt Thysdrus (Anfang 3. Jh. n. Chr.)

Elefanten [von grch. eléphas] (Elephantidae), Familie der Rüsseltiere, die größten, schwersten Landsäugetiere. Die Schneidezähne sind zu Stoßzähnen (→ Elfenbein) umgebildet, jede Seite des Unter- und Oberkiefers trägt nur einen großen Backenzahn mit vielen Schmelzfalten. In der tastempfindl. Rüsselspitze liegen die Nasenlöcher. Die 2–4 cm dicke Haut ist fast unbehaart. Die säulenförmigen Beine haben unter den Fußknochen ein mächtiges elast. Polster, wodurch der E. einen weichen und federnden Gang bekommt. Nach einer Tragzeit von 20–22 Monaten wird ein rd. 100 kg schweres Junges geboren, das zwei Jahre lang gesäugt wird. E. werden bis zu 65 Jahre alt.

Elefanten

Schon vor Hannibals Zug über die Alpen fanden Elefanten im Krieg Verwendung. Vor allem die indischen Herrscher setzten sie ein. So auch der mächtige König Poros von Pandschab 326 in seiner Schlacht gegen Alexander den Großen, der allerdings selbst schon über 200 Kriegselefanten verfügte und die Schlacht am Hydaspes (der Fluss heißt heute Dschihlam) gewann. Auch König Pyrrhos von Epiros besiegte mithilfe von zwanzig Elefanten 280 v. Chr. die Römer bei Herakleia. Hannibal führte 37 Elefanten mit sich, von denen allerdings nur acht die Alpen und den norditalienischen Winter überstanden.

Die bekannteste Unterart der **Asiatischen E.** ist der in trop. Regenwaldgebieten Vorder- und Hinterindiens, Indonesiens und Sri Lankas lebende **Indische E.** (Elephas maximus bengalensis). Er wird bis 3 m hoch und 7 m lang (davon 2 m Rüssel und 1,5 m Schwanz); i. Allg. haben nur die Bullen Stoßzähne (bis zu 1,6 m lang und 20 kg schwer); bei einer Unterart auf Sri Lanka fehlen sie ganz. Von den beiden Arten des **Afrikanischen E.** ist der

Elefantenorden: Der dänische Elefantenorden

Steppen-, Großohr- oder **Spitzohr-E.** (Loxodonta africana africana) der größte; er wird häufig bis 4 m hoch und bis zu 7,5 t schwer (Gesamtlänge 8 m); im Ggs. zum Asiat. E. hat der Afrikan. E. größere Stoßzähne, die beide Geschlechter tragen; oft sind sie 2–2,5 m lang und wiegen 30–50, selten 70–90 kg. Beim kleineren **Wald-** oder **Rundohr-E.** (Loxodonta africana cyclotis) gibt es »Zwergformen«, die nur bis zu 2 m hoch werden. – E. sind klug und gelehrig und haben ein gutes Gedächtnis. Sie leben in Herden, in denen die einzelnen Familien geschlossene Verbände bilden. E. ernähren sich von Laub und Zweigen und nehmen gern Wasser- und Schlammbäder. (→Mammut)

Elefanten: Afrikanischer Steppenelefant (Körperhöhe bis 4 m) mit Jungtier

Elefantenbaum (Leberwurstbaum, Kigelia africana), für Westafrika charakterist. Baum mit großen Blüten und grauen, wurstförmigen, ungenießbaren Früchten.

Elefantenfarn (Todea barbara), südafrikanisch-austral. Königsfarn mit baumförmigem, etwa 1 m hohem, dickem Stamm und fast 2 m langen Blättern.

Elefantenfluss, der →Olifants River.

Elefanten: Indische Elefanten (Körperhöhe bis 3 m)

Elefantengras (Pennisetum purpureum), im trop. Afrika vorkommendes, bis 7 m hohes Federborstengras; bildet oft ausgedehnte Dickichte; wird v.a. als Futterpflanze verwendet.

Elefantenohr, die →Blutblume.

Elefantenorden [nach dem Elefanten als Sinnbild der nicht missbrauchten Macht, des weisen Monarchen], 1) höchster dän. Orden, seit 1693, eine Klasse, Band hellblau; 2) Weißer E., thailänd. Orden, gestiftet 1861; fünf Klassen.

Elefantenrobbe, →Seehunde.

Elefantenschildkröten, bis 1,50 m lange und über 200 kg schwere Riesenlandschildkröten auf den Galápagosinseln und auf Aldabra, heute stark dezimiert.

Elefantiasis [grch.] *die* (Elephantiasis), unförmige Verdickung von Haut und Bindegewebe einzelner Körperteile, v.a. im Bereich der Beine, infolge Lymphstauung nach wiederholten Entzündungen der Lymphbahnen, z.B. bei Wundrose und bei Ansiedlung von Filariawürmern **(Elephantiasis tropica).**

Elegie [grch.] *die,* **1)** *Literatur:* bei den Griechen Gedicht beliebigen Inhalts in Distichen (→Distichon). Die ältesten erhaltenen E. der grch. Literatur entstanden im 7. Jh. v. Chr. (Archilochos, Solon). In klass. Zeit wurden Klage und Trauer zu dominierenden Inhalten. Die röm. Dichter (Ovid, Catull, Tibull, Properz u.a.) knüpften an die hellenist. Tradition (Kallimachos: gelehrt-höf. E., Philetas von Kos: E. in individuellem Ton) an. In Dtl. wurde die E. zuerst von M. Opitz aufgenommen und später u.a. von F. G. Klopstock, L. Hölty, Goethe (»Röm. Elegien«), Schiller, J. C. F. Hölderlin, E. Mörike, R. M. Rilke (»Duineser Elegien«) gepflegt.

2) *Musik:* Klagelied, Trauergesang; Titel für Lieder, auch für Instrumentalmusikstücke.

Elektra, *grch. Mythos:* Tochter des Agamemnon und der Klytämnestra, Schwester von Iphigenie und Orest, trieb ihren Bruder zur Rache an Ägisth und Klytämnestra. Trauerspiele von Aischylos, Sophokles, Euripides; J. Giraudoux, G. Hauptmann, E. O'Neill, J. P. Sartre; Oper von R. Strauss (Text von H. von Hofmannsthal).

Elektret [grch.] *der,* ein Dielektrikum mit permanenter dielektr. →Polarisation. Analog einem Permanentmagneten bleibt die z.B. in Harzen in geschmolzenem Zustand durch ein starkes elektr. Feld erzwungene Ausrichtung der molekularen Dipole bestehen, wenn nach der Erstarrung das Feld abgeschaltet wird.

Elektriker, →Elektroberufe.

elektrische Bahnen, durch elektr. Gleich- oder Wechselstrom versch. Spannung und Frequenz betriebene Bahnsysteme, z.B. Straßenbahnen, U-Bahnen, Eisen-, Berg-, Werk-, Grubenbahnen, die ihre elektrische Energie über Oberleitungen, besondere Stromschienen oder aus mitgeführten Batterien beziehen. Straßen- und Überlandbahnen werden über Oberleitungen mit Gleichstrom von 500–750 V Spannung, S- und U-Bahnen über Stromschienen mit Gleichstrom von 750–1500 V betrieben. Elektrifizierte Eisenbahnen **(elektrische Vollbahnen)** werden u. a. in Dtl., Österreich und in der Schweiz mit Einphasenwechselstrom hoher Fahrdrahtspannung (15 kV) und niederer Frequenz ($16\frac{2}{3}$ Hz = $\frac{1}{3}$ von 50 Hz) betrieben (seit 1912). Diese Frequenz wurde gewählt, weil die Konstruktion von 50-Hz-Einphasen-Kommutatormotoren damals noch nicht möglich war, andererseits das Bahnstromsystem sich mit 50-Hz-Umformern der Landesversorgung gut kuppeln lässt. Die elektrische Energie wird über Unterwerke aus einem Bahnstromnetz oder über Umformer- oder Gleichrichterwerke aus dem öffent. Stromnetz bezogen.

Mit Gleichstrom von 1,5 kV Spannung werden umfangreiche Vollbahnnetze in Frankreich, Großbritannien und den Niederlanden und mit 3 kV Spannung in Belgien, Italien, Spanien und Russland betrieben. Einphasenwechselstrom mit einer Frequenz von 50 oder 60 Hz wird beim weiteren Ausbau der elektr. Netze in Großbritannien und im N Frankreichs, bei Neuelektrifizierungen in Portugal, der Tschechischen Republik und der Türkei sowie in verschiedenen außereurop. Ländern, z. B. den USA, verwendet. Bei den europ. Bahnen (ohne Russland und Türkei) werden 44 % der Strecken mit Gleichstrom und 56 % mit Einphasenwechselstrom betrieben.

Neuerdings gibt es Elektrolokomotiven mit elektronisch gesteuerten Drehstrommotoren (kommutatorlose Asynchronmotoren), die mithilfe von Thyristorumrichtern (Pulswechselrichter) mit Drehstrom veränderbarer Frequenz und Spannung versorgt werden können (die elektr. Energie wird wie üblich einer Gleich- oder Wechselstromfahrleitung entnommen). Dieselelektrische Triebfahrzeuge zählen nicht zu den elektrischen Bahnen.

elektrische Energie (Elektroenergie), in Kraftwerken aus Wärmeenergie primärer Energieträger (Kohle, Erdöl, -gas, Kernspaltstoffe) oder aus regenerativen Energiequellen (z. B. Wasser, Wind, Sonne) gewonnener Strom. E. E. kann auch durch direkte chem. (Brennstoffzellen), thermoelektr. und magnetohydrodynam. Energieumwandlungen gewonnen werden. Die e. E. wird infolge ihrer leichten Übertragbarkeit, Steuer- und Regelbarkeit und hohen Betriebssicherheit in allen Wirtschaftsbereichen angewendet.

elektrische Energieübertragung, Übertragung elektr. Energie in speziellen Leitungen, meist in Form von Drehstrom, aber auch von Hochspannungsgleichstrom, vom Erzeuger zum Verbraucher.

elektrische Energieversorgung, → Elektrizitätsversorgung.

elektrische Erregung, die → elektrische Flussdichte.

elektrische Feldenergie, → Energie.

elektrische Feldkonstante, → Dielektrizitätskonstante.

elektrische Feldstärke, → elektrisches Feld, → Elektrizität.

elektrische Fische, die → Zitterfische.

elektrische Flussdichte ([di]elektrische Verschiebung, Verschiebungsfluss[dichte]), elektrische Erregung), vektorielle Größe $\boldsymbol{D}$ zur Beschreibung eines → elektrischen Feldes. In isotropen Medien ist $\boldsymbol{D}$ der elektr. Feldstärke $\boldsymbol{E}$ proportional: $\boldsymbol{D} = \varepsilon_0 \varepsilon_r \boldsymbol{E}$, wobei ε_r die relative → Dielektrizitätskonstante und ε_0 die elektr. Feldkonstante ist; SI-Einheit C/m^2.

elektrische Kapazität, → Elektrizität, → Kapazität, → Kondensator.

elektrische Ladung, Grundbegriff der Physik (→ Ladung, → Elektrizität).

elektrische Leitfähigkeit, → Leitfähigkeit.

elektrische Maschinen, Arten von Energiewandlern, deren Funktion auf den Gesetzen des Elektromagnetismus, bes. der elektromagnet. Induktion, beruht. Zu den e. M. zählen rotierende Maschinen, die mechan. in elektr. Energie (Generator) oder elektr. in mechan. Energie (Elektromotoren) umwandeln sowie solche, die Spannung, Stromstärke, Frequenz und Phasenzahl elektr. Energie verändern (Umformer). I. w. S. gehören auch die Transformatoren (ruhende e. M.) dazu. E. M. werden nach Stromart (Gleich-, Wechsel- und Drehstrommaschinen) sowie Aufbau und Wirkungsweise (unipolare und kommutierende Gleichstrommaschinen, Synchron-, Asynchron- und Kommutatormaschinen) unterschieden. Der Leistungsbereich e. M. reicht von einigen wenigen Watt bis zu mehreren Hundert Megawatt.

📖 Fischer, R.: *E. M.* München u. a. [8]1992. – Müller, Germar: *Grundlagen elektr. Maschinen.* Weinheim u. a. 1994. – Müller, Germar: *Theorie elektr. Maschinen.* Weinheim u. a. 1995.

elektrische Organe, am Rumpf oder Schwanz versch. Fische (→ Zitterfische) vorkommende, aus quer gestreifter Muskulatur hervorgegangene Organe, die aus hintereinander geschalteten und durch gallertiges Bindegewebe getrennten Platten (elektr. Einheiten) bestehen. Ausgeteilte elektr. Schläge (bis 700 V) sollen die Beute lähmen, dienen aber auch der Orientierung und der Kontaktaufnahme mit Artgenossen.

elektrische Polarisation, → Polarisation.

elektrischer Fluss (früher elektrischer Kraft- oder Verschiebungsfluss), im elektrostat. Feld das Flächenintegral der elektr. Flussdichte $\boldsymbol{D}$ über eine beliebige Fläche der Größe A, die von $\boldsymbol{D}$ durchsetzt wird. Ist $\boldsymbol{n}$ der Normaleneinheitsvektor im Flächenelement $\mathrm{d}A$ und $\mathrm{d}\boldsymbol{A} = \boldsymbol{n}\,\mathrm{d}A$, so gilt:

$$\Psi = \int_A D \cdot \mathrm{d}\boldsymbol{A} = \int_A D \cdot \boldsymbol{n}\,\mathrm{d}\boldsymbol{A};$$

umschließt die Fläche A eine elektr. Ladung Q, so ist $\Psi = Q$.

elektrischer Leitwert, Kehrwert des elektr. → Widerstands.

elektrischer Strom, → Elektrizität, → Strom.

elektrischer Stuhl, in einigen Staaten der USA Gerät zur Vollstreckung der Todesstrafe durch einen Gleichstrom hoher Spannung.

elektrischer Widerstand, → Widerstand, → ohmsches Gesetz.

elektrisches Feld, der elektr. Zustand des leeren oder stofferfüllten Raumes, der von ruhenden **(elektrostat. Feld)** oder bewegten elektr. Ladungen und zeitlich veränderlichen magnet. Feldern **(elektromagnet. Feld)** erzeugt wird und durch den jede elektr. Ladung eine ihrer Größe Q proportionale, vom Ort $\boldsymbol{r}$ abhängige Kraft $\boldsymbol{F}(\boldsymbol{r})$ erfährt. In seiner räuml. Verteilung wird das e. F. durch **elektr. Feldlinien (Kraftlinien)** dargestellt, in seiner Stärke durch die **elektr. Feldstärke** $\boldsymbol{E}$, $\boldsymbol{E}(\boldsymbol{r}) = \boldsymbol{F}(\boldsymbol{r})/Q$ (SI-Einheit V/m), und die → elektrische Flussdichte. (→ Elektrizität)

elektrische Sicht, Bez. für Abstandshaltung aufeinander folgender Schienenfahrzeuge (Eisenbahn, U-Bahn, Straßenbahn) mittels elektr. Mess- und Regeleinrichtungen (→ Zugbeeinflussung).

Elektrizität

Wo stand das erste europäische Stromkraftwerk?

In Berlin, genauer gesagt im Keller eines ganz gewöhnlichen Mietshauses in der Friedrichstraße. Am 13. September 1884, zwei Jahre nach Eröffnung der ersten elektrischen Kraftzentrale in Manhattan, nahm die so genannte »Blockzentrale« ihren Betrieb auf und illuminierte zunächst zwei vornehme Restaurants in der Prachtstraße Unter den Linden. Betrieben wurde die Stromversorgung von der »Deutschen Edison-Gesellschaft« (der späteren AEG), die es durch geschickte Verhandlungen mit dem Meister persönlich, Thomas Alva Edison, geschafft hatte, die entsprechenden Patentlizenzen zu erwerben und »Siemens & Halske« aus dem Rennen zu werfen.

elektrisches Klavier, Klavier, bei dem ein Elektromotor eine von einem Lochstreifen gesteuerte pneumat. Apparatur antreibt, die die Tastatur betätigt.

elektrische Spannung (elektrische Potenzialdifferenz), → Elektrizität, → Spannung.

elektrische Stromstärke, → Elektrizität, → Stromstärke.

elektrische Trefferanzeige, *Fechten:* Ausrüstung für die Anzeige von Treffern beim Fechten.

elektrische Trennverfahren, Aufbereitungsverfahren zur Trennung eines Mineralgemisches nach den unterschiedl. Dielektrizitätskonstanten, Ladungen und/oder Leitfähigkeiten im Hochspannungsfeld (30–100 kV).

elektrische Ventile, in Stromrichtern verwendete Bauelemente der Elektrotechnik, die für den elektr. Strom in einer Richtung (Durchlassrichtung) ein verschwindend kleiner und in der anderen (Sperrrichtung) ein sehr hoher Widerstand ist, z. B. Halbleiterdioden, Thyristoren, Triacs. (→ Gleichrichter, → Stromrichter)

elektrische Verschiebung, die → elektrische Flussdichte.

elektrische Zeitmessung, die elektronische → Zeitnahme.

Elektrisiermaschine, Gerät, das zu Demonstrationszwecken hohe elektr. Spannungen durch Ladungstrennung erzeugt. Die Ladungen werden durch Spitzenentladung auf Konduktoren übertragen. Bei der **Reibungs-E.** wird eine drehbare Glasscheibe durch ein Leder positiv aufgeladen; bei der **Influenz-E.** rotieren zwei mit Metallstreifen belegte Hartgummischeiben gegenläufig und influenzieren entgegengesetzte Ladungen; E. erreichen Spannungen bis zu einigen 100 kV. Zu den E. gehört auch der → Bandgenerator.

Elektrisierung, 1) die elektr. Aufladung eines Körpers.

2) das Verhältnis $\boldsymbol{P}/\varepsilon_0$ aus elektr. → Polarisation $\boldsymbol{P}$ und elektr. Feldkonstante ε_0 (→ Dielektrizitätskonstante).

Elektrizität [zu grch. ēlektron »Bernstein« (da Reibungselektrizität zuerst am Bernstein beobachtet wurde)], alle Erscheinungen, die von elektr. → Ladungen und Strömen sowie den damit verbundenen elektr. und magnet. Feldern hervorgerufen werden; i. e. S. die elektr. Ladungen selbst und in der Elektrotechnik bes. die elektr. Energie.

Elektrostatik ist die Lehre von den ruhenden elektr. Ladungen und ihren zeitlich unveränderl. Feldern, die die Wechselwirkungen mit der Umgebung beschreiben. In der Natur finden sich zwei Arten **elektr. Ladungen** (positive und negative Ladungen bzw. E.), die i. d. R. in der Materie gleichmäßig verteilt sind und z. B. in Elektrisiermaschinen voneinander getrennt und gesondert angesammelt werden können. Die zw. elektrisch geladenen Körpern auftretenden elektr. Kräfte bewirken, dass gleichnamige Ladungen abstoßen und sich ungleichnamige anziehen (coulombsches Gesetz); diese Kräfte können mit der → Drehwaage gemessen werden. In der Umgebung einer Ladung besteht ein →elektrisches Feld, in dem jeder Punkt an den unmittelbar benachbarten die Kraftwirkung weitergibt. Die Richtung, in der die Kraft auf eine Probeladung im Feld wirkt, wird durch **Kraftlinien (Feldlinien)** angegeben. Entlang den Kraftlinien ändert sich die elektr. Feldstärke, deren Betrag man durch die Dichte der Kraftlinien darstellt. Orte gleicher Feldstärken liegen auf zusammenhängenden Flächen, auf denen die potenzielle Energie einer Probeladung konstant ist **(Äquipotenzialflächen).** Bei Verschiebung einer Ladung Q ändert sich ihre potenzielle Energie um $W = Q \cdot U$, wobei U die **elektr. Potenzialdifferenz** oder **elektr. Spannung** ist. Misst man die Energiedifferenz in Joule (J), die Ladung in Coulomb (C), so ergibt sich die Spannung in Volt (V).

Ein elektr. Feld lässt sich neben der elektr. Feldstärke auch durch die →elektrische Flussdichte $\boldsymbol{D}$ beschreiben. Bringt man ins Feld zwei sich zunächst berührende Metallplatten (Kondensator) senkrecht zu den Kraftlinien und zieht sie auseinander, so sind sie gleich, aber mit entgegengesetzten Vorzeichen, geladen. Ist A die Fläche einer Platte des Kondensators und Q die auf ihr befindl. Ladung, so gilt $Q/A = D$, d.h. der Betrag D der elektr. Flussdichte ist der Flächenladungsdichte der durch Influenz verschobenen Ladung gleich.

In einem Leiter trennen sich Ladungen durch Influenz so lange, bis in ihm kein elektr. Feld mehr besteht, das weitere Ladungen bewegen könnte, sofern in ihm nicht durch dauernde Energiezufuhr eine Potenzialdifferenz aufrechterhalten wird. Ein mit −Q geladener Leiter hält in einer gegenüberstehenden, leitenden Platte die Ladung +Q fest, die negativen Ladungen fließen ab. Im Endzustand haben Leiter und Platte je ein festes Potenzial. Die Potenzialdifferenz U ist proportional zu Q, es gilt: $Q = C \cdot U$. Die Konstante C, die nur von der geometr. Anordnung der Leiter zueinander abhängt, heißt **elektr. Kapazität** (Einheit: Farad [F]). Ist der Zwischenraum mit einem Dielektrikum der relativen →Dielektrizitätskonstante ε_r ausgefüllt, multipliziert sich die Vakuumkapazität mit ε_r.

Elektrischer Strom: Ein elektr. Strom entsteht durch die Bewegung von Ladungsträgern (Elektronen, Ionen) in metall. Leitern, Halbleitern, Flüssigkeiten (Elektrolyten), Gasen und im Plasma; seine Stärke, die in der Sekunde durch den Leiter fließende Ladungsmenge, wird als **elektr. Stromstärke** I bezeichnet und in Ampere gemessen.

Der elektr. Strom kann durch seine **magnet. Wirkung** (→Magnetismus) gemessen werden: Jede bewegte elektr. Ladung wird außer von ihrem elektr. Feld zusätzlich von einem Magnetfeld ringförmig umgeben. Ein Strom, der von Süden nach Norden über eine Magnetnadel geführt wird, lenkt den Nordpol der Nadel nach Westen ab, wenn man als Stromrichtung die vom positiven Pol der Batterie zum negativen festsetzt **(konventionelle** oder **techn. Stromrichtung).** Durch ihre Magnetfelder üben zwei Strom führende Leiter Kräfte aufeinander aus (→ampèresches Gesetz); dies wird z.B. bei der Definition des Ampere ausgenützt. Ein Zylinder, auf den der Strom führende Draht aufgewickelt ist (→Spule), verhält sich wie ein Magnet. Bei rasch hin- und herschwingenden Ladungen, wie sie einem **Wechselstrom** zugrunde liegen, lassen sich elektr. und magnet. Felder nicht mehr trennen; sie verschmelzen zum **elektromagnet. Feld,** dessen period. Änderungen als →elektromagnetische Wellen erscheinen. – Zur Erzeugung und Aufrechterhaltung elektr. Ströme nutzt man neben elektrochem. Vorgängen (→Akkumulator, →galvanische Elemente), thermo-, pyro- und piezoelektr. Effekten (Thermo-, Pyro-, Piezo-E.) v.a. die Spannung erzeugende Wirkung veränderl. Magnetfelder (→Generator).

Die *Elektrodynamik* ist die Lehre von den zeitlich veränderlichen elektromagnet. Feldern, die mathematisch durch die →maxwellsche Theorie beschrieben werden. Die Grundlage bildet die →Induktion: In einer Leiterschleife wird eine Spannung induziert, wenn sich der die Schleife durchsetzende magnet. Fluss zeitlich ändert. Während die Induktion auch bei langsam veränderl. Feldern beobachtet werden kann, lässt sich die magnet. Wirkung des **Verschiebungsstroms** (die zeitl. Änderung der elektr. Flussdichte) nur in schnell veränderl. Feldern beobachten. Im **Elektromagnetismus** sind die elektr. und magnet. Erscheinungen zusammengefasst.

📖 *Lehrbuch der Experimentalphysik, begr. v.* L. BERGMANN *u.* C. SCHAEFER, *Bd. 2: E. u. Magnetismus. Berlin u. a.* ^{7}*1987.* – PURCELL, E. M.: *E. u. Magnetismus. A. d. Engl. Braunschweig u. a.* ^{4}*1989.*

Elektrizitätsentziehung, die rechtswidrig und in Zueignungsabsicht bewirkte Entziehung von fremder elektr. Energie; gemäß § 248c StGB mit Geld- oder Freiheitsstrafe bedroht.

Elektrizitätsmenge, die elektrische →Ladung (→Elektrizität).

Elektrizitätsversorgung (elektrische Energieversorgung), die Belieferung der Verbraucher mit elektr. Energie. Die E. umfasst alle Einrichtungen zur Erzeugung, Fortleitung und Verteilung elektr. Energie, z.B. Kraftwerke, Umspannstationen und Freileitungen oder Kabel. Der Verbraucher erhält die elektr. Energie durch Verteilungsnetze und -leitungen von den Elektrizitätsversorgungsunternehmen (EVU). Die E. wird heute fast nur mit Drehstrom durchgeführt (Betriebsfrequenz in Europa 50 Hz); Einphasenwechselstrom von $16\frac{2}{3}$ Hz wird teilweise an elektrische Bahnen abgegeben.

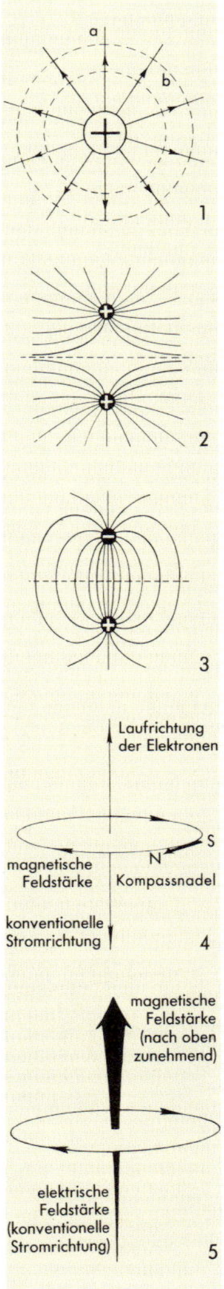

Elektrizität:
1 Elektrisches Feld einer geladenen Kugel, a Kraftlinien, b Äquipotenzialflächen (gestrichelt); Feldverlauf bei zwei gleichnamigen, 3 bei zwei ungleichnamigen Ladungen; 4 Magnetfeld eines Stromes; 5 Elektrisches Feld eines veränderlichen magnetischen Kraftflusses

Elektrizitätsversorgung: Stromerzeugung in Deutschland (in TWh*))

	Westdeutschland				Ost- und Westdeutschland	
Energieträger	1970	1980	1990	1995	1990	1995
Steinkohle	95,3	110,9	140,5	144,5	140,9	146,6
Braunkohle	61,5	94,9	82,6	83,3	170,8	143,3
Kernenergie	6,0	43,7	147,2	154,1	152,5	154,1
Mineralöl	34,5	25,7	9,7	6,2	11,1	7,3
Erdgas	13,1	61,0	35,9	31,4	38,5	38,8
Wasserkraft und Sonstige	40,0	38,3	32,6	44,6	37,2	47,3
insgesamt	250,4	374,5	448,5	464,1	551,0	537,4

*) TWh = Terawattstunde, 1 TWh = 1 Mrd. kWh

In den Kraftwerken wird die elektr. Energie zunächst in den Generatoren mit Spannungen zw. 6 und 20 kV erzeugt, in Transformatoren auf die Übertragungsspannungen (400–750 kV Hochspannung, Gleichstromübertragung noch höher) umgespannt, in den Städten und sonstigen Verbrauchszentren auf 110, 60, 30 oder 10 kV herabgesetzt, verteilt und schließlich mit Niederspannungen von 220 oder 380 Volt den Verbrauchern zugeführt. Lediglich größere Verbraucher (Groß-, Sonderabnehmer) werden direkt aus dem Mittel- oder Hochspannungsnetz beliefert.

📖 *Die Geschichte der Stromversorgung, hg. v.* W. Fischer. *Frankfurt am Main 1992. – Die Zukunft der Stromversorgung, hg. v.* A. Voss. *Frankfurt am Main 1992.*

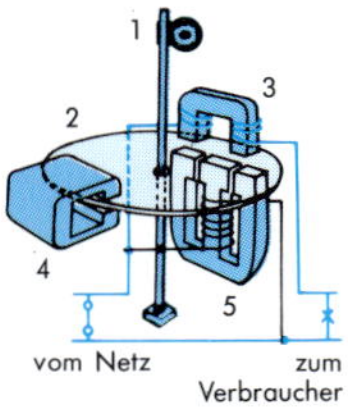

Elektrizitätszähler:
1 Schnecke für das Zählwerk,
2 Läuferscheibe,
3 Stromeisen,
4 Bremsmagnet,
5 Spannungseisen

Elektrizitätszähler (Zähler, Stromzähler), Gerät zum Messen und Registrieren der durch eine elektr. Leitung hindurchfließenden Elektrizitätsmenge oder elektr. Energie. Unterschieden werden E. nach Stromart, Messgröße und Messwerk. Die am meisten verwendeten E. für Wechselstrom sind Induktionszähler, die durch elektromagnet. Induktion eine mit einem Zählwerk verbundene Scheibe (oder Läufer) in Drehung versetzen. E. unterliegen der amtlichen Eich- und Beglaubigungspflicht.

Elektroakustik, Teilgebiet der Elektrotechnik und der techn. Akustik, das sich mit der Umwandlung von Schall (mechan. Energie) in elektr. Signale in Form tonfrequent modulierter elektr. Schwingungen (elektr. Energie) und umgekehrt befasst sowie mit der synthet. Erzeugung, Verstärkung, Übertragung, Speicherung und Wiedergabe akust. Vorgänge. Als Teilgebiet der physikal. Akustik befasst sich die E. mit der Messung von Schallfeldgrößen und der Schallanalyse mit elektroakust. Verfahren und Geräten (z. B. in der Raumakustik). Untersucht wird bes. der für das menschl. Gehör erfassbare Frequenzbereich von etwa 16 Hz bis 16 kHz.

Elektroanalyse (elektrochemische Analyse), auf elektrochem. Vorgängen beruhende analyt. Methoden zur quantitativen Bestimmung einer Substanz, z. B. die Konduktometrie, Potentiometrie und Polarographie. (→ Maßanalyse)

Elektroauto, → Elektrofahrzeug.

Elektroberufe, früher Berufsgruppe »Elektriker«, versch. Ausbildungsberufe der Industrie mit dreieinhalbjähriger Ausbildungsdauer: Elektromaschinenmonteur, Energieelektroniker (Anlagentechnik, Betriebstechnik), Industrieelektroniker (Produktionstechnik, Gerätetechnik) und Kommunikationselektroniker (Informationstechnik, Telekommunikationstechnik, Funktechnik).

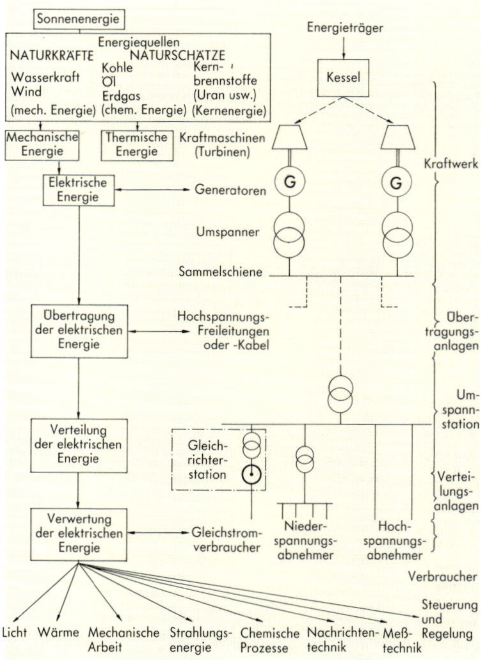

Elektrizitätsversorgung: Grundsätzlicher Aufbau

Elektrochemie, Teilgebiet der physikal. Chemie, das sich mit den Zusammenhängen zwischen elektr. und chem. Vorgängen befasst. Dazu gehören insbesondere 1) das Hervorrufen chem. Reaktionen durch Zufuhr elektr. Energie von außen (→ Elektrolyse) und 2) die Gewinnung elektr. Energie durch freiwillig ablaufende chem. Reaktionen in → Akkumulatoren, → Brennstoffzellen und → galvanischen Elementen. – Die wichtigsten

Elektrizitätsversorgung: Weltstromerzeugung nach Energieträgern (in TWh*))

Energieträger	1970	1980	1990	1995
Kohle	2075	3163	4286	5063
Kernenergie	80	714	1458	2270
Öl	1625	1661	1216	1235
Gas	–	976	1632	2079
Wasserkraft und Sonstige	1175	1802	2212	2559
insgesamt	4955	8316	10804	13207

*) TWh = Terawattstunde, 1 TWh = 1 Mrd. kWh

Grundgesetze der E. wurden von M. Faraday entdeckt. Weitere wesentl. Beiträge leisteten J. W. Hittorf (Theorie der Ionenwanderung), S. Arrhenius (Theorie der elektrolyt. Dissoziation), W. Ostwald (Verdünnungsgesetz) und W. Nernst (Theorie der galvan. Elemente).

📖 ZIRNGIEBL, E.: *Einführung in die angewandte E. Frankfurt am Main u. a. 1993. – Angewandte E., hg. v.* J. GARCHE. *Ulm 1994.*

elektrochemische Elemente, Stromquellen, in denen chem. Energie in elektr. umgewandelt wird. Zu den e. E. gehören die **Primärelemente** (→galvanische Elemente), die nur für eine einmalige Entladung verwendbar sind, die wieder aufladbaren **Sekundärelemente** (→Akkumulator) und die →Brennstoffzellen.

elektrochemisches Abtragen, →Elysieren.

elektrochemisches Äquivalent, →faradaysche Gesetze.

Elektrochirurgie, blutungsarmes Durchtrennen (→Elektrotomie) oder Verkochung (→Elektrokoagulation) des Gewebes mithilfe des Hochfrequenzstroms. Als Vorteile gelten geringe Blutung, gute Asepsis und geringer Nachschmerz.

Elektrochromie *die,* Änderung der opt. Eigenschaften von Molekülen (insbesondere der Lichtabsorption) durch ein äußeres elektr. Feld; wird z. B. bei farbigen Anzeigeelementen ausgenutzt.

Elektrode [grch.] *die,* derjenige Teil eines festen elektr. Stromleiters, der dem Übergang elektr. Ladungsträger in ein anderes leitendes Medium (Flüssigkeit, Elektrolyt, Gas, Vakuum, Festkörper) oder dem Aufbau eines elektr. Feldes dient. Die mit dem positiven Pol einer Spannungsquelle verbundene E. bezeichnet man als →Anode, die negative E. als →Kathode. Zusätzl. Steuer-E. in Elektronenröhren heißen Gitter; bei Transistoren werden die E. Emitter, Basis und Kollektor (bzw. Drain, Source und Gate) genannt.

Elektrodiagnostik, die Anwendung der Elektrizität zur Krankheitserkennung (u. a. →Elektroenzephalogramm, →Elektrokardiogramm, →Elektromyogramm).

Elektrodynamik, die Lehre von den zeitlich veränderl. elektromagnet. Feldern (→Elektrizität).

elektrodynamisches Instrument, Messinstrument für elektr. Gleich- und Wechselströme bzw. -spannungen, bei dem eine stromdurchflossene Spule im Feld einer zweiten (von einem zweiten Strom durchflossenen) fest stehenden Spule ausgelenkt wird; der Ausschlag ist proportional dem Produkt der Ströme in beiden Spulen; Einsatz fast ausschließlich als Standardinstrument zur Messung der Wirkleistung in Wechselstromnetzen.

Elektro|energie, die →elektrische Energie.

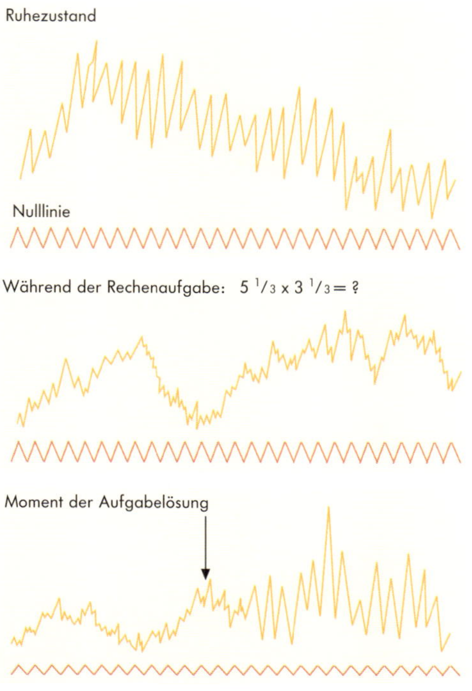

Elektroenzephalogramm

Elektro|enzephalogramm *das,* Abk. **EEG** (Hirnstrombild); Aufzeichnung der vom Gehirn erzeugten elektr. Spannungsschwankungen, die von der Kopfhaut abgeleitet und etwa 10^6fach verstärkt werden **(Elektroenzephalographie).** Das E. dient der Erkennung und Lokalisierung von Funktionsstörungen des Gehirns, bes. bei Verletzungen, Tumoren und Epilepsie sowie bei diffusen Hirnfunktionsbeeinträchtigungen. Das gesunde Gehirn zeigt eine wohlgeordnete rhythm. Eigentätigkeit mit verschiedenen Wellenformen im Wach- und Schlafzustand: Alphawellen (8–13 je s), Betawellen (14–30 je s), Theta- oder Zwischenwellen (4–7 je s) und Deltawellen (0,5–3 je s). Erkrankungen des Gehirns bewirken kennzeichnende Veränderungen im Ablauf dieser Wellen. Das E. wird auch zur Feststellung des Todeszeitpunkts (Hirntod) herangezogen.

Elektroenzephalogramm

Das erste Elektroenzephalogramm (EEG) veröffentlichte 1929 der Psychiater Hans Berger. Während seine Tochter die Aufgabe $5\frac{1}{4} \cdot 3\frac{1}{3}$ im Kopf rechnete, griff er mit Elektroden die elektrischen Veränderungen der Erregungswellen im Gehirn durch die Schädeldecke ab und fixierte sie auf einer einfachen, mit Ruß überzogenen Kymographientrommel, auf der elektromagnetische Nadeln ihre Ausschläge registrierten. Unter den Wellen des EEG ist jeweils die Nulllinie des Gerätes zu sehen.

📖 NEUNDÖRFER, B.: *EEG-Fibel. Stuttgart u. a.* [4]*1995.*

Elektro|erosion, abtragendes Verfahren zur Bearbeitung harter, spröder, schwer zerspanbarer, elektrisch leitfähiger Werkstoffe. Durch kurzzeitige elektr. Entladungen mittels elektr. Lichtbogen oder period. Funkenüberschläge **(Funkenerosion)** zw. Werkzeug und dem in einer dielektr. Flüssigkeit befindl. Werkstück wird das Material verdampft und abgeschmolzen.

Elektrofahrzeug, durch Elektromotoren angetriebenes Kraftfahrzeug. Die benötigte elektr. Energie wird entweder einer Oberleitung (bei Oberleitungsomnibussen) oder meistens einer mitgeführten Akkumulatorenbatterie entnommen oder von einem mitgeführten, durch einen Verbrennungsmotor angetriebenen Generator erzeugt (→ Hybridantrieb). Neuerdings werden auch durch direkte Umwandlung von chem. Energie in einer Brennstoffzelle oder von Sonnenenergie in Solarzellen Elektroantriebe realisiert. Als umweltfreundl. Lösung bietet sich der Elektroantrieb für Stadtfahrzeuge an, da er ohne Abgase, geräuscharm und mit gutem Wirkungsgrad arbeitet. Seine Nachteile v.a. für Personenautos **(Elektroauto)** sind die geringe Reichweite (max. bis zu 120 km), die lange Wiederaufladezeit und die große Masse des Akkumulators. Mit der Entwicklung neuer Batterietypen (Lithium-Ionen-Batterie, Natrium-Schwefel-Batterie) erhofft man Reichweiten von 500 km und mehr realisieren zu können. Mit rasch und einfach auswechselbaren Batterien betriebene Omnibusse werden bereits im Stadtverkehr eingesetzt. Auch als Flurfördermittel (»Elektrokarren«) finden E. bereits Verwendung.

Elektrofilter, zur Luftreinhaltung (Entstaubung) dienende elektrostatische Abscheider. Die in einem hohen Spannungsfeld (30–80 kV) von einer Sprühelektrode (Kathode) ausgesendeten Elektronen ionisieren Gasmoleküle, die wiederum die Staubpartikel negativ aufladen, die dann zur Niederschlagselektrode (Anode) wandern und dort abgeschieden werden. Mit E. lassen sich auch Stäube unter 1 µm abscheiden; sie sind für große Abgasvolumenströme (bis 100 000 m^3/h) und Temperaturen (bis 450 °C) geeignet.

Elektrofischerei, Fischfang mit elektr. Strom, der, ins Wasser geleitet, die Fische veranlasst, sich zur Anode zu bewegen, wo sie betäubt werden. Die E. ist genehmigungspflichtig.

Elektrofotografie (Elektrofax-Verfahren) [Kw. für Elektrofaksimile-Verfahren], fotograf. Verfahren, die photoelektr. und elektrostat. Effekte zur Bilderzeugung benutzen. Als Aufnahmematerial dienen Fotohalbleiterschichten (z. B. Selen, Zinkoxid), die durch Projektions-, Kontakt- oder Reflexbelichtung sensibilisiert werden, wobei sich eine Schicht negativer Ladung ausbildet, die bildmäßig aufgebaut wird. Das Bild wird mit Farbpulver (Toner) entwickelt und mittels Wärme oder Lösungsmittel fixiert.

Elektrogitarre (E-Gitarre), Gitarre, deren Korpus mit elektromagnet. Tonabnehmern bestückt ist; die Schwingungen der (Stahl-)Saiten werden von den Tonabnehmern »abgegriffen« und durch entsprechende Instrumentenverstärker elektrisch verstärkt über Lautsprecher wiedergegeben. Die E. findet in der Pop- und Rockmusik sowie im Jazz Verwendung.

Elektroherd, Küchengerät, das in seiner klass. Form als Standgerät alle zum Kochen und Backen notwendigen Einrichtungen enthält. Die Kochmulde, meist aus emailliertem Stahl, Edelstahl oder Glaskeramik, ist i. d. R. mit vier Kochplatten ausgestattet, die durch eine elektr. Widerstandsheizung oder induktiv erhitzt werden.

elektrokalorischer Effekt, die Umkehrung der → Pyroelektrizität.

Elektrokardiogramm *das,* Abk. **EKG,** die Aufzeichnung des Verlaufs der Aktionsströme des Herzens, die durch Elektroden von Gliedmaßen und Brustwand abgeleitet und meist über Direktschreiber, auch Magnetbandspeicher aufgezeichnet werden **(Elektrokardiographie).** Aus dem Kurvenlauf des E. lassen sich Herzrhythmusstörungen, Schädigungen des Herzmuskels (z. B. Herzinfarkt) u. a. feststellen.

📖 HEINECKER, R. *u.* GONSKA, B.-D.: *EKG in Praxis u. Klinik. Stuttgart u. a.* [13]*1992.* – KLINGE, R. *u.* KLINGE, S.: *Praxis der EKG-Auswertung. Stuttgart u. a.* [4]*1995.*

Elektrokarren, → Flurfördermittel.

Elektrokeramik, Sammelbegriff für Bauteile aus keram. Werkstoffen für die Elektrotechnik (Zusammenschluss von Oxiden, Silikaten und anderen Verbindungen im Sinterprozess).

elektrokinetische Erscheinungen, Bez. für eine Reihe von Erscheinungen, die auf dem Vorhandensein einer elektr. → Doppelschicht an der Grenze zweier Stoffe beruhen und die entweder durch Bewegungsvorgänge entstehen oder in äußeren elektr. Feldern zu solchen führen. Die wichtigste e. E. ist die → Elektrophorese; weitere e. E. sind: 1) in einer Flüssigkeit bewegte oder fallende Körper (Kolloidteilchen, Metallkörner u. a.) erzeugen einen elektr. Strom und elektr. Aufladung; 2) eine durch eine feinporige Substanz (Diaphragma, Kapillare) gepresste Flüssigkeit erzeugt eine elektr. Spannung **(Strömungspotenzial)** und einen elektr. Strom **(Strömungsstrom);** 3) geladene Teilchen in einer Flüssigkeit bewegen sich unter dem Einfluss eines elektr. Feldes durch ein Diaphragma **(Elektroosmose);** 4) die Abhängigkeit der Oberflächenspannung eines Flüssigkeitstropfens vom Ladungszustand **(Elektrokapillarität).**

Elektroklavier (E-Piano), Sammelbez. für elektron. Musikinstrumente mit mechan. Schwingungserzeugung und für spezielle kleinere Elektronenorgeln. Letztere haben die Größe einer Klaviatur; die in ihnen erzeugten Schwingungen werden meist über einen fremden Verstärker wiedergegeben.

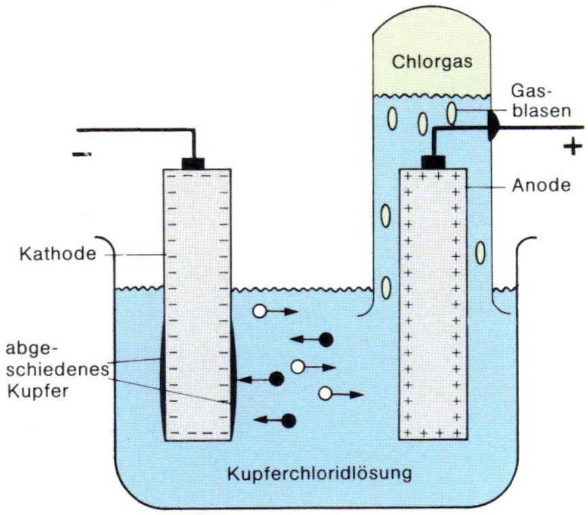

Elektrolyse: Schema der Elektrolyse einer Kupferchloridlösung

Elektrokoagulation (Kaltkaustik), chirurg. Verkochung bzw. Zerstörung von Gewebe mit hochfrequenten Wechselströmen; angewendet z.B. zur Blutstillung, zur Abtragung von Tumoren oder zur Fixierung der Netzhaut bei Netzhautablösung.

Elektrokrampftherapie, die →Elektroschocktherapie.

Elektrolarynx, →Sprechhilfen.

Elektrolumineszenz, Lichtemission von Festkörpern unter Einfluss eines elektr. Feldes. Im Vergleich zu gebräuchl. Lichtquellen ist der Wirkungsgrad der E. groß, die Leuchtdichte jedoch gering. Anwendung z.B. in Lumineszenzdioden (LEDs).

Elektrolyse [grch.] *die,* Umwandlung (meist Zersetzung) eines gelösten oder geschmolzenen →Elektrolyten durch elektr. Strom. Beim Anlegen einer elektr. Spannung wandern die positiv geladenen Ionen (Kationen) zur Kathode, die negativ geladenen Ionen (Anionen) zur Anode; dort entladen sie sich, werden als neutrale Atome (Moleküle) abgeschieden oder gehen neue Reaktionen ein. Die an jeder Elektrode abgeschiedene Stoffmenge ist der transportierten Elektrizitätsmenge proportional (→faradaysche Gesetze). Die E. wird technisch in sog. **E.-Zellen** durchgeführt; Anwendung findet sie bei der Zerlegung von Wasser in Wasserstoff und Sauerstoff, der Abscheidung sehr reiner Metalle (Kupfer, Gold, Silber, Zink) aus den Lösungen ihrer Salze und in der Galvanotechnik.

Elektrolyt *der,* Stoff, der im geschmolzenen Zustand oder in meist wässriger Lösung in seine Ionen zerfällt (elektrolyt. →Dissoziation) und elektrisch leitfähig ist. **Schwache E.** (z.B. organ. Säuren) zerfallen auch in schwachen Konzentrationen nie völlig, **starke E.** sind in höheren Konzentrationen wenig, in schwächeren so gut wie ganz dissoziiert. Der Dissoziationsgrad ist umso größer, je verdünnter die Lösung ist. – In der Medizin dienen **E.-Lösungen** zum Ersatz von E.-Verlusten des Körpers (z.B. bei starken Durchfällen, anhaltendem Erbrechen). Die wichtigsten E. des Blutes sind Chloride, Hydrogencarbonate, Phosphate von Natrium, Kalium, Calcium und Magnesium.

Elektrolythaushalt, das lebensnotwendige Gleichgewicht an Elektrolyten im Organismus. Für die Aufrechterhaltung des E. bedarf dieser außer einer genügenden Wasserzufuhr eines ausgewogenen Bestandes an Elektrolyten. Die übl. Mischkost mit genügend pflanzl. Bestandteilen enthält ausreichend Minerale (Natrium-, Kalium-, Calcium-, Magnesiumsalze), um den Bedarf des Organismus voll zu decken. Weitere unentbehrl. Stoffe sind die →Spurenelemente.

Elektromagnet, eine Spule mit Weicheisenkern. Fließt durch sie ein elektr. Strom, entsteht ein magnet. Feld, das den Eisenkern durchsetzt; dieser nimmt dadurch magnet. Eigenschaften an. Anwendung als Lasthebemagnet und als wesentl. Bestandteil der meisten elektr. Maschinen.

elektromagnetische Pumpe, Anlage zur Förderung flüssiger Metalle, bes. von Quecksilber, Kalium- und Natriumlegierungen, mithilfe eines starken Magnetfeldes.

Elektromagnet: Magnetische Feldlinien (Kraftlinien) in einer von Strom durchflossenen Spule

elektromagnetische Verträglichkeit, Abk. **EMV** oder **EMC** [von engl. **e**lectro**m**agnetic **c**ompatibility], die Fähigkeit elektron. Anlagen und Systeme, bei elektromagnet. Einwirkungen beliebiger Art zufrieden stellend zu funktionieren und ihrerseits keine unzulässigen elektromagnet. Störungen in ihrer Umgebung zu verursachen, v.a. keine anderen elektr. Systeme zu beeinflussen. In Dtl. gilt seit 1. 1. 1997 die Elektrosmog-VO, in der die Grenzwerte für elektromagnet. Emissionen

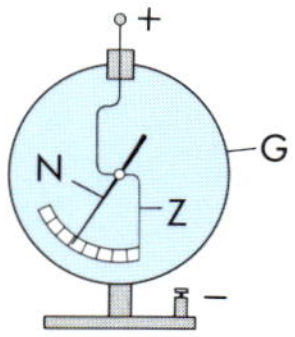

Elektrometer: Schema eines braunschen Elektrometers; Z Spannungszuführung, N elektrisch abgestoßene Nadel, G Gehäuse

festgeschrieben sind. Elektr. und elektron. Geräte, die mit einem Gütesiegel (CE-Zeichen) gekennzeichnet sind, müssen den EMV-Normen entsprechen. Umstritten sind derzeit die möglichen Auswirkungen von elektromagnet. Emissionen (→Elektrosmog).

elektromagnetische Wellen, elektromagnet. Felder, die sich im Raum, in Isolatoren, auf Leitern oder im Vakuum mit der →Lichtgeschwindigkeit des jeweiligen Mediums ausbreiten. E. W. zeigen die vom Licht her bekannten Reflexions-, Brechungs-, Beugungs- und Polarisationserscheinungen. In isotropen Medien sind e. W. Transversalwellen, bei denen elektr. und magnet. Feld senkrecht aufeinander und senkrecht zur Ausbreitungsrichtung stehen. Die Gesamtheit der Frequenzen und Wellenlängen von e. W. bildet das **elektromagnet. Spektrum.** – Bei der Ausbreitung e. W. im erdnahen bzw. -fernen Raum unterscheidet man zw. →Bodenwellen und →Raumwellen . E. W. treten auf, wenn elektr. Ladungsträger (z. B. Elektronen) beschleunigt werden und sich damit elektr. Strom- und Ladungsdichten räumlich und zeitlich ändern. Sie entstehen – als natürl. Schwingungsvorgänge der Ladungsträger in Atomen, Molekülen und Festkörpern – durch Quantensprünge der Elektronen in angeregten atomaren Systemen (Emission von Licht, Infrarot-, Ultraviolett- oder Röntgenstrahlung) oder der Protonen in angeregten Atomkernen (Emission von Gammastrahlung). Technisch erzeugt man e. W. z. B. als Abstrahlung eines hertzschen Dipols, beim Fließen von elektr. Wechselströmen in Antennen und in elektr. →Schwingkreisen sowie durch Abbremsung geladener Teilchenstrahlen (→Bremsstrahlung, →Synchrotronstrahlung).

Elektromagnetismus, die Gesamtheit der Erscheinungen der →Elektrizität und des →Magnetismus mit ihren wechselseitigen Verknüpfungen; i. e. S. auch der technisch mithilfe von elektr. Strömen erzeugte Magnetismus.

Elektromanometrie [grch.] *die, Medizin:* Messung des Drucks innerhalb von Organhöhlen (z. B. Blutdruckmessung in Gefäßen) durch Kanülen mit mechanoelektr. Wandlern.

Elektrometer, empfindl. elektrostatisches Gerät zur Messung elektr. Ladungen, Spannungen und Leistungen bei Gleich- und Wechselströmen sowie zur Frequenzmessung. Ausgenutzt werden die elektrostat. Kraftwirkungen (coulombsches Gesetz) zw. festen und bewegl., elektrisch geladenen Metallelektroden. Das **braunsche E.,** ein Spannungsmesser, nutzt die Kraftwirkung zw. der Spannungszuführung, einer bewegl. Nadel, und dem entgegengesetzt aufgeladenen Gehäuse. E. verwendet man auch als Dosimeter bei Strahlungsmessungen in der Kernphysik.

Elektromotor, eine elektr. Maschine, die elektr. Energie in mechan. Arbeit umwandelt. Die Umwandlung beruht auf der Kraftwirkung, die ein

Elektromagnetische Wellen (Wellenlängen und Frequenzbereiche)

Wellenlängenbereich	*Frequenzbereich*	*deutsche Bez.*	*internationale Bez.*	*Verwendungsgebiete (Beispiele)*
18 000 km	$16^2/_3$ Hz	[techn.]	–	elektr. Bahnen
6 000 km	50 Hz	Wechselstrom	–	allgemeine Energieversorgung
18 800–15 km	16–20 000 Hz	Tonfrequenz	AF	Übertragung von Sprache und Musik
∞–30 000 m	0–10 kHz	Niederfrequenz	–	Regeltechnik, Telegrafie, induktive Heizung
30 000–10 000 m	10–30 kHz	Längstwellen	VLF	Überseetelegrafie, Frequenznormale, Boden-Unterwasser-Verbindungen
10 000–1 000 m	30–300 kHz	Langwellen	LF	Kontinentaltelegrafie, Presse und Wetterdienst, Langwellenrundfunk
1 000–182 m	300–1 650 kHz	Mittelwellen	MF	Rundfunk, Schiffsfunk (SOS), Flugfunk, Polizeifunk
182–100 m	1,650–3 MHz	Grenzwellen	–	Küstenfunk
100–10 m	3–30 MHz	Kurzwellen	HF	Überseetelegrafie und Telefonie, Rundfunk, Flugfunk, Amateurfunk
10–1 m	30–300 MHz	Ultrakurzwellen	VHF	Rundfunk, Fernsehen, Flugfunk, Richtfunk
1 m–1 dm	300–3 000 MHz	Dezimeterwellen*)	UHF	Fernsehen, Satellitensteuerung, Mikrowellenherd
10–1 cm	3–30 GHz	Zentimeterwellen*)	SHF	Richtfunk, Radar, Satellitenfunk, Maser
10–1 mm	30–300 GHz	Millimeterwellen*)	EHF	
1–0,1 mm	300–3 000 GHz	Submillimeterwellen*)	–	
1 mm–0,78 µm	$3 \cdot 10^{11}$–$3{,}8 \cdot 10^{14}$ Hz	Infrarot	IR	Wärmeortung, Infrarot-Nachrichtentechnik, Laser
0,78–0,36 µm	$3{,}8 \cdot 10^{14}$–$7{,}8 \cdot 10^{14}$ Hz	[sichtbares] Licht	–	Lichttelefonie, Lasertechnik, optisch-elektrische
0,36–0,01 µm	$7{,}8 \cdot 10^{14}$–$3 \cdot 10^{16}$ Hz	Ultraviolett	UV	Entfernungsmessung
30–0,1 nm	$3 \cdot 10^{15}$–$3 \cdot 10^{19}$ Hz	Röntgenstrahlen weich		Röntgendiagnostik, -therapie
10^{-2}–10^{-3} nm	$3 \cdot 10^{19}$–$3 \cdot 10^{20}$ Hz	mittel	X	Materialprüfung
10^{-3}–10^{-8} nm	$3 \cdot 10^{20}$–$2 \cdot 10^{25}$ Hz	hart		Kern-, Elementarteilchenreaktionen
0,4–10^{-4} nm	$8 \cdot 10^{17}$–$4{,}7 \cdot 10^{21}$ Hz	Gammastrahlen	γ	Strahlentherapie, Materialuntersuchung

*) diese Wellenlängenbereiche werden auch unter der Bezeichnung Mikrowellen zusammengefasst.

Magnetfeld auf einen stromdurchflossenen Leiter ausübt und den dadurch hervorgerufenen Drehmomenten. E. können mit Gleich-, Dreh- oder Wechselstrom betrieben werden. Das Magnetfeld wird meist von stromdurchflossenen Spulen (Erregerwicklungen) erzeugt. Die Spulen sind um den fest stehenden Ständer oder Stator **(Außenpolmaschine)** oder um den umlaufenden Läufer oder Rotor mit Antriebswelle **(Innenpolmaschine)** angebracht. Der stromdurchflossene Leiter ist um den Anker gewickelt, der bei der Außenpolmaschine der innen umlaufende Rotor, bei der Innenpolmaschine der außen fest stehende Stator ist. Der Kontakt zum Läufer oder Rotor erfolgt mit dem Kollektor über »Bürsten« aus Kohlefasern oder Kupfergewebe.

Bei einem **Gleichstrommotor** wird dem Anker über einen Stromwender (Kommutator) fortlaufend umgepolter Strom zugeführt. Die stromdurchflossene Wicklung wird im Magnetfeld der im Ständer angebrachten Elektromagnete (Feldmagnete) abgelenkt; der Anker dreht sich, die nächste Wicklung erhält Strom usw. Das Drehmoment wirkt dabei stets in gleicher Richtung. Sind Anker- und Erregerwicklung in Reihe geschaltet, hat man einen **Reihen-** oder **Hauptschlussmotor;** er hat gutes Anzugsdrehmoment, die Drehzahl ändert sich aber mit der Belastung. Bei Parallelschaltung von Anker- und Erregerwicklung erhält man einen **Nebenschlussmotor;** er hat gleich bleibende Drehzahl, aber kleines Anzugsdrehmoment. Der **Doppelschlussmotor (Verbund-** oder **Compoundmotor)** hat außer der Nebenschluss- eine zusätzliche Reihenschlusserregerwicklung.

Drehstrom- und **Wechselstrommotoren** werden oft als Käfiganker- oder Kurzschlussläufermotoren gebaut. Bei ihnen induziert das im Ständer erzeugte Drehfeld in der kurzgeschlossenen Wicklung des Läufers einen Strom, der in Wechselwirkung mit dem Drehfeld ein Drehmoment erzeugt (Induktionsmotor); die Drehzahl des Läufers ist etwas geringer als die des Drehfeldes, deshalb heißt er auch **Asynchronmotor.** Werden die Läuferwicklungen an Schleifringe angeschlossen (Schleifringläufer), kann durch Vorschalten von Widerständen die Drehzahl geregelt werden. **Drehstromsynchronmotoren** haben meist von Gleichstrom erregte Magnete (i. Allg. als Innenpolmaschinen). Die Drehzahl des Läufers und des Drehfeldes sind gleich. Der **Reluktanzmotor** ist eine Sonderform des Wechsel- oder Drehstrommotors mit Polansätzen im Läufer. Er hat keine Erregerwicklung, läuft asynchron an und geht selbsttätig in synchronen Lauf über. **Universalmotoren** kleiner Leistung werden mit Gleichstrom oder einphasigem Wechselstrom betrieben.

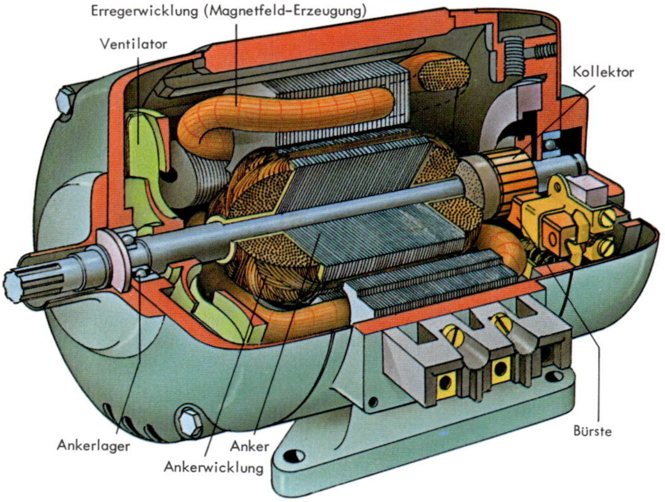

Elektromotor: Schnittzeichnung eines Universalmotors für Gleich- und Wechselstrom in der Ausführung als Außenpolmaschine, bei der der Anker der umlaufende Rotor ist

📖 HANNCKE, W.: *Drehstrom- u. Einphasen-Asynchronmotoren. Heidelberg 1983.* – MOCZALA, H.: *Elektr. Kleinmotoren. Ehningen* [2]*1993.*

elektromotorische Kraft, Abk. **EMK,** historisch bedingte Bez. für die elektr. Spannung zw. den Klemmen einer Stromquelle im stromlosen Zustand, bei kontakt- oder thermoelektr. Erscheinungen sowie bei der elektromagnet. Induktion (besser **Urspannung, Quellenspannung**).

Elektromyogramm [grch.] *das,* Abk. **EMG,** Aufzeichnung des Zeitverlaufs elektr. Potenzialdifferenzen, die der tätige Muskel erzeugt. Bedeutung hat das EMG in der neurolog. Diagnostik und in der Sport- und Arbeitsphysiologie.

Elektron [grch. »Bernstein«] *das,* leichtes, elektrisch negativ geladenes, stabiles Elementarteilchen (physikal. Symbol e^-). Sein Antiteilchen ist das positiv geladene **Positron** (e^+). Das E. ist der wichtigste Vertreter der →Leptonen, da es (neben Proton und Neutron) einer der Bausteine der Materie ist. Es besitzt eine etwa 1836-mal kleinere Masse als das Proton und ist Träger einer negativen Elementarladung. Das E. hat halbzahligen Spin, ist also ein Fermion, d.h., für statist. Gesamtheiten gilt die →Fermi-Dirac-Statistik. Jedes neutrale →Atom enthält in der Hülle so viele E., wie die Ordnungszahl angibt. Beim radioaktiven Zerfall werden energiereiche E. (Betastrahlung) auch aus dem Atomkern emittiert. Im Molekül oder Festkörper ist eine Zuordnung zw. einzelnen E. und Atomen nicht mehr

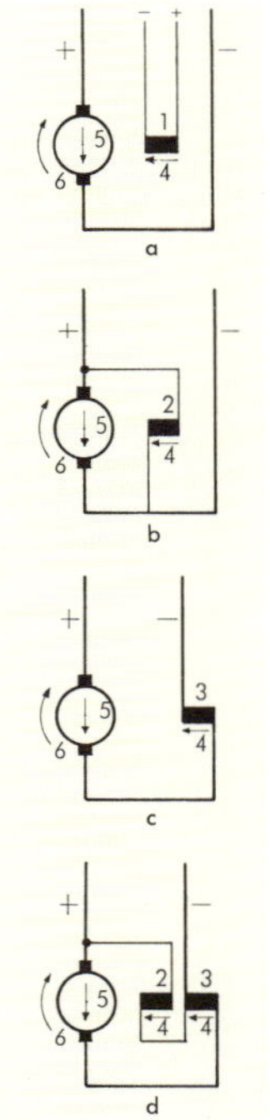

Elektromotor: Schaltungen von Gleichstrommotoren; a Motor mit Fremderregung, b Nebenschlussmotor, c Reihenschlussmotor, d Doppelschlussmotor; 1 Fremderregerwicklung, 2 Nebenschlusserregerwicklung, Reihenschlusserregerwicklung, 4 Richtung des magnetischen Feldes, 5 Richtung der Ankerrückwirkung, 6 Drehrichtung (Die Vorzeichen und Richtungspfeile gelten für rechtsgängige Wicklungen.)

möglich, da sie ständig untereinander ausgetauscht werden. Diese Austauschprozesse sind Ursache für versch. Arten →chemischer Bindung. In Metallen können sich die E. in den Zwischenräumen des Kristallgitters bewegen. Die freie Beweglichkeit der E. ist Ursache der guten elektr. und Wärmeleitfähigkeit. Nach der **E.-Gastheorie** kann man die Leitungs-E. wie ein im Metall eingeschlossenes →Elektronengas behandeln. Um die E. aus ihren gebundenen Zuständen zu befreien, muss ihnen Energie zugeführt werden, die die Ionisierungsenergie (Atome, Moleküle) bzw. die Austrittsarbeit (Metalle) übertrifft. Die Energie kann z.B. durch Temperaturerhöhung **(Glühemission),** Bestrahlung mit Licht oder Röntgenstrahlung **(Photoemission),** Beschuss mit E. **(Sekundäremission)** oder durch Anlegen starker elektr. Felder **(Feldemission)** aufgebracht werden. Freie E. spielen z.B. in Elektronen- und Röntgenröhren, im Elektronenmikroskop sowie in Teilchenbeschleunigern eine bed. Rolle.

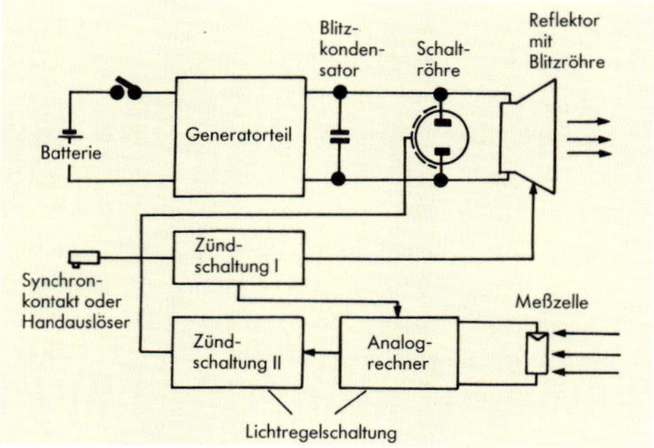

Elektronenblitzgerät: Blockschaltbild eines Computerblitzgerätes, der Synchronkontakt oder Handauslöser zündet über die Zündschaltung I die Blitzröhre und gibt einem Analogrechner entsprechende Informationen weiter; dieser empfängt über eine Messzelle Signale über die Intensität des vom Aufnahmeobjekt reflektierten Lichts und berechnet die Leuchtzeit der Blitzröhre, die über den Zündschalter II und Schaltröhre eingestellt wird.

Das E. zeigt wie alle atomaren Teilchen den Welle-Teilchen-Dualismus (→Dualismus). Die **lorentzsche Elektronentheorie** (1895) stellte die E. als kleine geladene Massenpunkte dar, deren Bewegung in elektromagnet. Feldern aus den Gesetzen der klass. Physik abgeleitet wurde. Während dieses Teilchenbild zur Beschreibung vieler makroskop. Effekte (z.B. Elektronenröhre) ausreicht, versagt es im atomaren Bereich. Bei der Wechselwirkung mit atomaren Systemen zeigen E. ausgeprägte Welleneigenschaften wie Beugungs-, Brechungs- und Interferenzerscheinungen; den E. kann daher in atomaren Dimensionen keine Bahn im klass. Sinne zugeordnet werden. Eine gute Beschreibung des Verhaltens der E. im atomaren Bereich liefert die →Quantentheorie; die Wechselwirkung mit elektromagnet. Strahlungsfeldern ist exakt nur mithilfe der →Quantenelektrodynamik zu berechnen.

📖 GRAY, H. B.: *Elektronen u. chem. Bindung. A. d. Engl. Berlin u. a. 1973.*

Elektronegativität, Maß für die Fähigkeit eines Atoms, innerhalb eines Moleküls Elektronen des bindenden Elektronenpaars anzuziehen. Die E. bestimmt wesentlich den Charakter einer chem. Bindung.

Elektronenaffinität (Elektroaffinität), der Energiebetrag, den ein Atom mit nicht abgeschlossenen Elektronenschalen bei Anlagerung eines Elektrons freisetzt; kennzeichnet die Fähigkeit der Atome, Anionen zu bilden.

Elektronenblitzgerät, *Fotografie:* fotografische Blitzlichtquelle, deren Licht von einer Gasentladungsröhre geliefert wird. Die Blitzröhre wird über den Synchronkontakt (X-Kontakt) des Kameraverschlusses gezündet. E. mit Lichtregelschaltung **(Blitzautomatik, Computerblitz)** messen über eine Photodiode (»Sensor«) oder über die TTL-Messzelle der Kamera das vom Aufnahmeobjekt reflektierte Licht und stimmen die Leuchtzeit auf die eingestellte Blende ab.

Elektroneneinfang, *Physik:* ein →Einfangprozess.

Elektronengas, die ein Fermi-Gas bildende Gesamtheit von Elektronen, insbesondere von Leitungs- oder Valenzelektronen eines Metalls, die nur schwach an die Atome gebunden sind und sich weitgehend frei durch das gesamte Volumen des Metalls bewegen.

Elektronenhülle, →Atom.

Elektronenkanone, das System zur Erzeugung des Elektronenstrahls in einer →Elektronenstrahlröhre.

Elektronenkonfiguration, die Verteilung der Elektronen in der Elektronenhülle; ist ein wichtiges Merkmal der elektron. Struktur eines Atoms im Periodensystem der chem. Elemente.

Elektronenleitung, der Elektrizitätstransport durch Elektronen, →Halbleiter.

Elektronenlinse, →Elektronenoptik.

Elektronenmikroskop, Mikroskop, das anstelle von Licht gebündelte, durch Hochspannung beschleunigte Elektronen im Hochvakuum zur Abbildung und starken Vergrößerung kleinster Objekte verwendet. Da das Auflösungsvermögen eines Mikroskops durch die Wellenlänge der abbildenden Strahlen begrenzt ist, können beim Lichtmikroskop Objektpunkte von geringerem Abstand als $0,4 \cdot 10^{-6}$ m nicht mehr getrennt wahrgenommen werden, bei Verwendung von langwelligem Ultraviolett bis $0,2 \cdot 10^{-6}$ m. Nach L. V. de Broglie (1924) muss einem bewegten materiellen Teilchen mit der Ruhemasse m ein zeitlich und räumlich period. Wellenvorgang zugeordnet werden (→Dualismus, →Materiewellen). Die Wellenlänge λ hängt vom Impuls p bzw. der Energie E des Teilchens ab. Es gilt: $\lambda = h/p = h/\sqrt{2m \cdot E}$ (h = plancksches Wirkungsquantum). Elektronen, die eine Beschleunigungsspannung von 10^5 V durchlaufen haben, ist demnach eine Wellenlänge von rd. $4 \cdot 10^{-12}$ m zuzuordnen. Rechnerisch ergibt sich eine Steigerung des Auflösungsvermögens gegenüber dem Lichtmikroskop um 4–5 Größenordnungen. In der Praxis wird nur eine 100–1000fache Steigerung erreicht, da sich Elektronenlinsen (→Elektronenoptik) nicht für so weit geöffnete Strahlenbündel herstellen lassen wie opt. Glaslinsen. – Als strahlenbrechende, den opt. Linsen entsprechende Elemente werden rotationssymmetrische elektr. und magnet. Felder verwendet, die in ihrer Funktion Kondensor, Objektiv und Okular eines Lichtmikroskops entsprechen.

Beim **Durchstrahlungs-E. (Transmissions-E.,** Abk. **TEM)** konzentriert die als Kondensor wirkende elektr. oder magnet. Linse den von einer Elektronenquelle kommenden Elektronenstrahl auf das Objekt. Je nach Dicke und Dichte des durchstrahlten Präparats werden die Elektronen versch. stark gestreut, sodass eine entsprechende Intensitätsverteilung (z.B. mittels integrierter Elektronenenergiefilter) im Elektronenbild die Objektstruktur wiedergibt. Dieses wird auf einen Leuchtschirm oder eine fotograf. Platte abgebildet. Durchstrahlungs-E. arbeiten mit Nanometerauflösung und können z.B. die lokale chem. Elementverteilung angeben. Durch Anwendung elektronenholograph. Methoden kann die Auflösung bis in den (Sub-)Ångströmbereich gesteigert werden. Beim **Elektronenrastermikroskop (Raster-E.)** wird ein Elektronenstrahl rasterförmig über das Objekt bewegt. Das Signal der rückgestreuten oder in der Oberfläche der Probe ausgelösten Sekundärelektronen wird durch einen Szintillator und einen angekoppelten Photomultiplier verstärkt. – Das **Elektronenemissionsmikroskop** wird zur direkten Abbildung Elektronen emittierender Metalloberflächen genutzt. Die Elektronen

Elektronenmikroskop: Rasterelektronenmikroskopische Aufnahme von Halbleiterchips

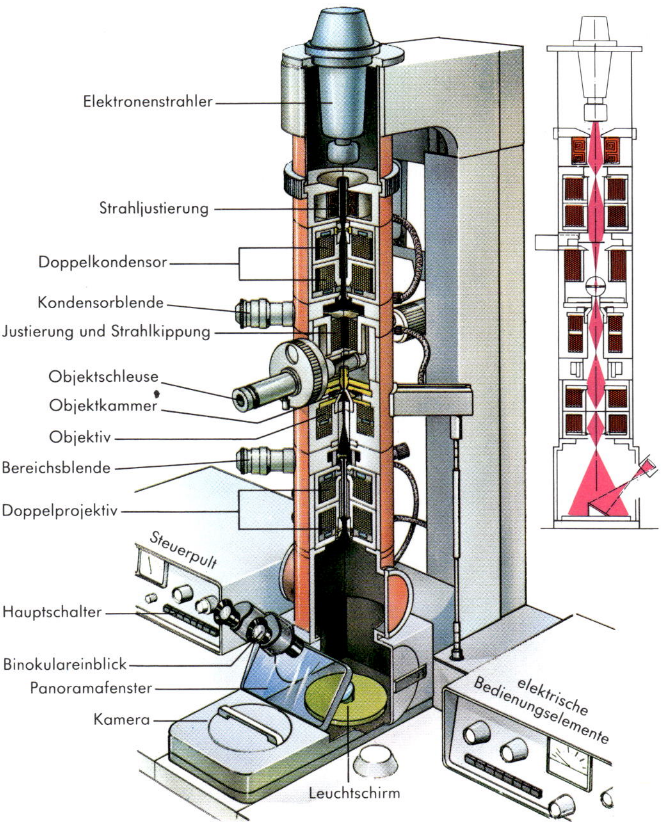

Elektronenmikroskop: Durchstrahlungselektronenmikroskop; links Schnittzeichnung, rechts Strahlengang

werden u.a. durch Aufheizung, Ionenbeschuss oder elektr. Felder aus dem Objektiv herausgelöst und durch das Mikroskoplinsensystem abgebildet. Weitere E. zur Oberflächenuntersuchung sind das linsenlose →Feldionenmikroskop und das →Rastertunnelmikroskop.

Die Entwicklung des E. begann 1931, heute ist es in Physik, Chemie, Technik und v.a. in Zytologie, Mikrobiologie und Virologie wichtiges Hilfsmittel für die Strukturforschung.

📖 FLEGLER, S. L., HECKMAN, J. W.: *Elektronenmikroskopie. Heidelberg 1995.*

Elektronenoptik, Teilgebiet der Physik, das sich mit der Ablenkung von Elektronenstrahlen in elektr. und magnet. Feldern befasst sowie insbesondere mit ihren der Lichtoptik analogen abbildenden Eigenschaften. Entsprechend den Gesetzmäßigkeiten der opt. Abbildung lassen sich Strahlen geladener Teilchen durch Elektronenlinsen, -spiegel und -prismen sammeln, zerstreuen, reflektieren und brechen. Die sammelnde oder zerstreuende Wirkung rotationssymmetr. Felder für achsennahe Elektronenstrahlen wird z.B. bei der **Elektronenlinse** ausgenutzt. Die elektr. Elektronenlinse besteht i. Allg. aus einer Kombination von metall. Lochblenden und/oder Hohlzylindern auf unterschiedlichem elektr. Potenzial. Eine magnet. Elektronenlinse wird von einer stromdurchflossenen Spule gebildet. Als **Elektronenspiegel** dient z. B. eine gegen die Elektronenquelle negativ aufgeladene Flächenelektrode; je nach Krümmung des negativen Potenzialfeldes, in dem die Elektronen reflektiert werden, wirkt sie als Sammel- oder Zerstreuungsspiegel. Als **Elektronenprisma** wirkt ein homogenes elektr. oder magnet. Querfeld, das die Elektronen kontinuierlich ablenkt. Anwendung im Elektronenmikroskop u. a. Elektronengeräten. – Die Gesetze der E. lassen sich mit geringen Abwandlungen auf Ionen übertragen **(Ionenoptik).**

Elektronenpaarbindung, Art der →chemischen Bindung.

Elektronenprisma, →Elektronenoptik.

Elektronenresonanz, die →Elektronenspinresonanz.

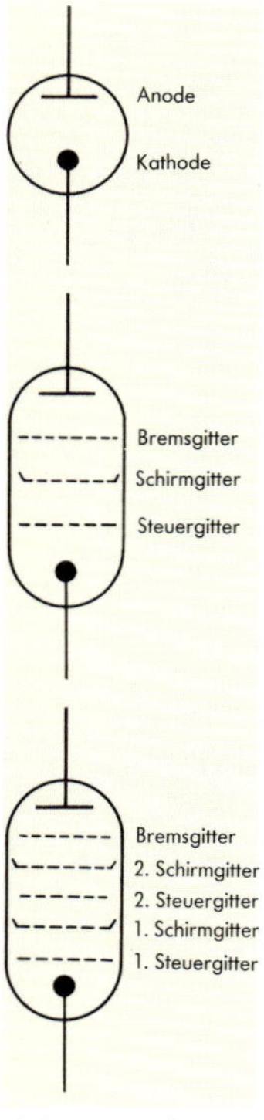

Elektronenröhre (von oben): Diode, Pentode, Heptode

Elektronenröhre (Röhre), hochevakuiertes Glas-, Keramik- oder Metallgefäß, in dem Elektronen Träger des elektr. Stromes zw. den Elektroden sind. Die Elektroden (Kathode, Anode und dazwischenliegende Gitter) werden konstruktiv zum Röhrensystem zusammengefasst und haben herausgeführte Anschlüsse. Die Elektronen treten aus der geheizten Kathode aus und fliegen zur Anode und zu den Gittern, die unter positiver Spannung stehen. Steuer-, Schirm- und Bremsgitter steuern den Elektronenstrom, schirmen die Elektroden ab und bremsen Sekundärelektronen. Bei Empfängerröhren unterscheidet man E. mit 2 (Diode), 3 (Triode), 4 (Tetrode), 5 (Pentode), 6 (Hexode), 7 (Heptode), 8 (Oktode) oder 9 (Enneode) Elektroden sowie Verbundröhren mit zwei oder mehr Systemen. Als Senderöhren werden Trioden oder Tetroden verwendet. Dioden, bestehend aus Kathode und Anode, dienen zur Gleichrichtung oder Demodulation. Trioden, Tetroden und Pentoden, bestehend aus Kathode, Anode und einem oder mehreren Gittern, dienen zur Verstärkung, Erzeugung, Modulation oder Mischung, Hexoden, Heptoden und Oktoden zur Mischung, Enneoden zum Phasenvergleich elektr. Wechselspannungen bzw. -ströme. Größte Verbreitung fand die E. als Empfängerröhre im Rundfunk- und Fernsehempfänger sowie als Senderöhre. Im Mikrowellenbereich werden Scheiben- und Laufzeitröhren eingesetzt.

Die E. bestimmte in der 1. Hälfte des 20. Jh. die Entwicklung der Elektronik und ihrer Anwendungsgebiete, wurde danach durch Halbleiterbauelemente und integrierte Schaltungen aus dem Bereich niedriger und mittlerer Leistungen weitgehend verdrängt, wird aber weiterhin bei hohen

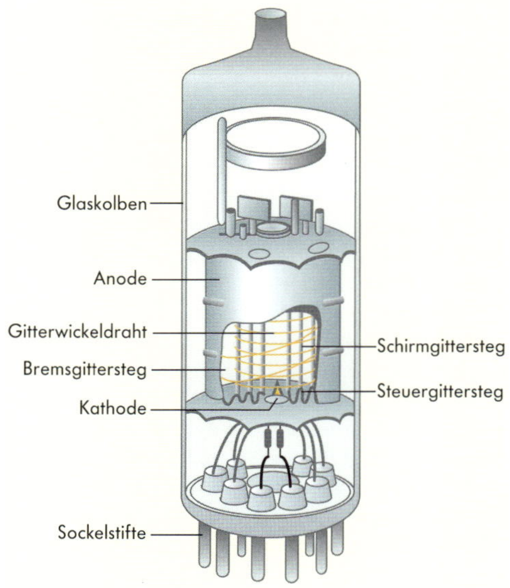

Elektronenröhre: Aufbau einer Pentode

Leistungen (Senderöhren) und hohen Frequenzen (Mikrowellensenderöhren), zur Bildaufnahme und Bildwiedergabe (Fernsehaufnahme- und Bildröhre) sowie zur Signaldarstellung (Elektronenstrahlröhre) verwendet.

Die wichtigsten Röhrendaten sind die Steilheit (→Durchgriff) und der innere Widerstand, deren Produkt immer gleich 1 ist **(barkhausensche Röhrenformel).** Die Steilheit ist das Verhältnis der Anodenstromänderung zur verursachenden Gitterspannungsänderung (bei fester Anodenspannung). Der innere Widerstand der E. ist der Wechselstromwiderstand; er ist gegeben durch das Verhältnis einer Anodenspannungsänderung zur zugehörigen Anodenstromänderung (bei fester Gitterspannung).

📖 *Handbuch der Vakuumelektronik, hg. v.* J. Eichmeier *u.* H. Heynisch. *München u. a. 1989.*

Elektronenspiegel, →Elektronenoptik.

Elektronenspinresonanz, Abk. **ESR,** durch Mikrowellen ausgelöster Übergang zw. zwei Energieniveaus in einem paramagnet. Material, daher auch als **paramagnet. (Elektronen-)Resonanz** (Abk. **EPR**) bezeichnet. Die versch. Energien entsprechen den versch. Einstellungsmöglichkeiten des Spins eines ungepaarten Elektrons des Systems in einem stat. Magnetfeld. Die **E.spektroskopie** (ESR-Spektroskopie) komplizierter Moleküle erlaubt u. a. wichtige Aussagen über Kristall- und Molekülstruktur, Kernmomente und chem. Reaktionen.

Elektronenstrahlbohren, das Herstellen von kleinsten Durchbrüchen in harten, schlecht bearbeitbaren Werkstoffen unter Vakuum mithilfe eines gebündelten Elektronenstrahls. Zur Erzeugung eines ausreichenden Elektronenstrahls sind Spannungen zw. 60 und 175 kV nötig. Der Werkstoff verdampft an der Auftreffstelle des Strahls.

Elektronenstrahlen, freie Elektronen, die sich im Vakuum, in Gasen oder Plasmen strahlenförmig ausbreiten, z. B. Kathoden- und Betastrahlen; durch geeignete elektronenopt. Anordnungen lassen sie sich bündeln.

Elektronenstrahloszilloskop, →Oszilloskop.

Elektronenstrahlröhre (braunsche Röhre, Kathodenstrahlröhre), Elektronenröhre mit Elektronenstrahlerzeuger sowie Ablenksystem zur Ablenkung und Leuchtschirm zum Sichtbarmachen eines Elektronenstrahls. Verwendung vor allem als Bildröhre sowie in Elektronenstrahloszilloskopen (Messtechnik) und Sichtgeräten (Radar- und Computertechnik) zur Darstellung von Signalverläufen, Ortungsbildern und Ausgabedaten.

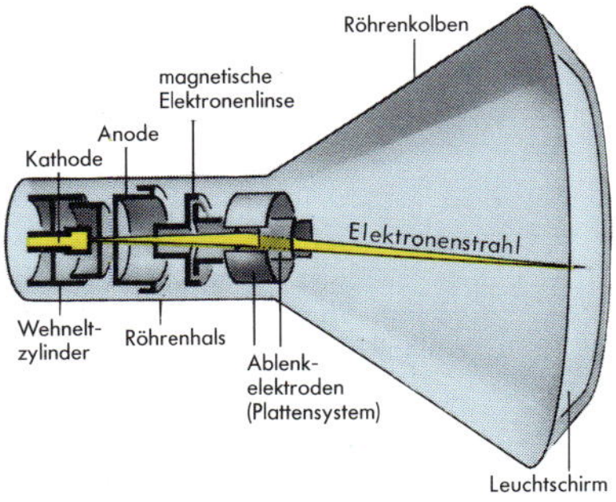

Elektronenstrahlröhre: Schema einer Elektronenstrahlröhre mit Elektronenstrahlerzeuger (Wehnelt-Röhre); Bündelung durch eine magnetische Elektronenlinse und elektrostatischer Ablenkung des Elektronenstrahls

Elektronik [grch.] *die,* Teilgebiet der Elektrotechnik, das sich mit den durch elektr. oder magnet. Felder, durch elektr. Ströme, durch Licht u. a. Strahlen oder durch Wärme beeinflussten physikal. Vorgängen, v. a. der Elektrizitätsleitung von Elektronen (auch von Ionen), im Vakuum, in Gasen, Festkörpern oder Flüssigkeiten (seltener) und Flüssigkristallen befasst und diese (sowie die dabei auftretenden Effekte) in technisch realisierbare Anwendungen umzusetzen sucht. Dafür entwickelt und nutzt die E. unterschiedlich aufgebaute **elektronische Bauelemente,** die sich u. a. durch das Fehlen mechanisch bewegter Teile (Kontakte), durch große Zuverlässigkeit und lange Lebensdauer, große Schaltgeschwindigkeit (d. h. nahezu trägheitslose Informationsverarbeitung) und Signalverstärkung sowie geringen Energie- und Platzbedarf auszeichnen; lassen sie sich an unterschiedl. Aufgaben anpassen und ermöglichen die Realisierung sehr komplexer elektron. Systeme und Geräte (z. B. Computer).

Die E. gründet sich auf die Entwicklung der →Elektronenröhre und umfasste zunächst die dort und in ähnl. Anordnungen (Elektronenstrahl- und Laufzeitröhren, Quecksilberdampfventile, Photozellen u. a.) auftretenden physikal. Erscheinungen, aber auch den Aufbau von Schaltungen und Schaltkreisen mit diesen elektron. Bauelementen. Heute ist die **Halbleiterelektronik** von großer Bedeutung, die sich mit der Untersuchung und Ausnutzung gesteuerter Ströme und Ladungsverteilungen von Elektronen und Defektelektronen (Löchern) in gebietsweise unterschiedlich dotierten Halbleiterkristallen sowie den dort auftretenden Effekten befasst. Ihre wesentl. Aufgabe ist die Entwicklung und Anwendung von Halbleiterbauelementen, integrierten Schaltungen und Mikroprozessoren (→Mikroelektronik). Weitere Teilgebiete der E. sind die →Optoelektronik, die →Quantenelektronik und die →Akustoelektronik. In der Informationselektronik dienen elektrische Ströme als Informationsträger. Die E. wird in der Nachrichten-, Medizin-, Regelungs-, Rechentechnik und elektron. Datenverarbeitung sowie als Unterhaltungs- und Leistungs-E. angewendet.

📖 *Einführung in die E., hg. v.* J. PÜTZ. *Frankfurt am Main 235.–237. Tsd. 1993.* – WEDDIGEN, C. *u.* JÜNGST, W.: *E. Berlin u. a.* ^{2}*1993.*

Elektronikschrott, Sammelbegriff für ausgediente Elektrogeräte (z. B. Fernseher) und elektron. Bauteile (z. B. Computerchips), die aufgrund ihrer Anteile an Schwermetallen und organ. Verbindungen eine sorgfältige Entsorgung erfordern. Beim Recycling von E. müssen die Geräte in alle Bestandteile zerlegt, diese sortiert und getrennt entsorgt werden.

elektronische Datenverarbeitung, Abk. **EDV,** →Datenverarbeitung.

elektronische Geldbörse, eine mit einem Mikrochip ausgestattete Karte, der bestimmte Geldbeträge speichert und beim Bezahlen mit dieser Karte den gespeicherten Geldbetrag um den verbrauchten Betrag reduziert. Wie bei der Telefonkarte kann die als Bargeldersatz dienende e. G. eine Einweg- oder eine Mehrwegkarte sein, bei der der Mikrochip wieder mit einem bestimmten Geldbetrag aufgeladen werden kann. In Dtl. konkurrieren verschiedene Systeme (»P-Card«, »PayCard«, »Geld-Karte«).

elektronische Geräte, alle Geräte, in denen Elektronenröhren, Transistoren u. a. aktive Elemente der Elektronik als schaltende, steuernde, speichernde und anzeigende Bauelemente für die Signal- oder Informationsverarbeitung, die automat. Steuerung, Zählung, Überwachung, Regelung und zur Bild- und Tonübertragung (Fernseh- und Rundfunkgeräte) benutzt werden.

elektronische Kampfführung, Abk. **Eloka,** alle Maßnahmen, mit denen die elektron. Hilfsmittel eines Gegners behindert, gestört oder ausgeschaltet **(elektron. Gegenmaßnahmen)** und die eigenen vor derartigen Beeinflussungen geschützt werden **(elektron. Schutzmaßnahmen);** außerdem alle Maßnahmen zur elektron. Aufklärung oder Überwachung der von gegner. Geräten und Anlagen abgestrahlten Signale (u.a. Funkverkehr, Funknavigationssysteme, Radarsysteme).

elektronische Musik, Sammelbegriff für jede Art von Musik, bei deren Entstehung oder Wiedergabe elektron. Mittel eingesetzt werden. Zu unterscheiden sind: 1) Klänge, die mit elektron. Musikinstrumenten erzeugt werden und entweder klass. Instrumente nachahmen (elektron. Orgelmusik) oder neue Klangformen aufweisen (z.B. beim →Synthesizer); 2) i.e.S. Musik, die mittels elektron. Apparaturen erzeugt und von diesen direkt in einen Klangspeicher (Tonband) eingegeben wird, von dem sie über Lautsprecher wiedergegeben werden kann, sodass die Mittlerrolle des Interpreten entfällt; 3) →Computermusik. – Ziel der e. M. ist die Entdeckung neuer Klangräume, deren breites Spektrum die Geräuschkomponente einschließt und hinsichtlich Tonhöhe, Tondauer, Klangfarbe und Geräuschform Kombinationen von unendl. Variabilität zulässt. Als Material für neuartige Klangformen dienen reine Töne (Sinusschwingungen), Geräusche (z.B. weißes Rauschen), Tongemische und Impulse.

Die e. M. wird vom Komponisten im elektron. Studio am Mischpult hergestellt. Als Grundlage dient ihm die »Realisationspartitur«, die eine verbale oder skizzenhaft schemat. Beschreibung der techn. Vorgänge enthält. Das techn. Instrumentarium besteht aus →Tongeneratoren; Zusatzgeräte dienen der Klangfarbenbeeinflussung. Der heute vielfach verwendete Synthesizer vereinigt in sich die Möglichkeit sowohl der Erzeugung als auch der Veränderung von Klängen. – Während die e. M. ihre Schallereignisse somit auf rein synthet. Weg gewinnt, nimmt die →konkrete Musik Umweltgeräusche aus allen Bereichen des Hörbaren auf, die mit dem Instrumentarium des Studios verfremdet und nach einem zuvor entworfenen Plan kombiniert werden. Für die weitere Entwicklung der e. M. ist die Einbeziehung raumakust. Parameter, v.a. im Bereich der →Live-Elektronik, von Bedeutung.

1951 wurde beim Westdt. Rundfunk in Köln das erste Studio für e. M. in der Bundesrep. Dtl. gegründet, ihm folgten Studios an vielen europ. Rundfunkanstalten. Das 1965 an der Musikhochschule Köln errichtete zweite Kölner Studio für e. M. dient v.a. Lehr- und Ausbildungszwecken. (→IRCAM). Bekannte Komponisten von e. M. sind L. Berio, P. Boulez, Y. Höller, M. Kagel, E. Křenek, G. Ligeti, K. Stockhausen, L. Nono u.a.

elektronische Musikinstrumente (Elektrophone), 1) Instrumente mit elektron. Schwingungserzeugung, die außer dem Tasten- und Schaltermechanismus keinerlei mechanisch-schwingenden Teile enthalten, mit Ausnahme der Lautsprechermembran, die den Schall abstrahlt. Die Schwingungserzeugung geschieht in Tongeneratoren, die Verarbeitung erfolgt überwiegend in Filtern und Verzerrern. – 2) Instrumente mit mechan. Schwingungserzeugung (Zungen, Saiten, Platten u.a.) und elektron. Schwingungsverarbeitung. Die primäre mechan. Schwingung wird von einem Tonabnehmer, Mikrofon oder einer Photozelle in eine elektr. Schwingung umgewandelt. Seit den 1930er-Jahren wurden zahlreiche e. M. entwickelt, u.a. Neo-Bechstein-Flügel, Elektrochord, Wurlitzerorgel, Pianet, Cembalet, Guitaret, Superpianino, Welte-Lichtton-Orgel, Hammondorgel, Ondes Martenot, Hellertion, Trautonium, Mixturtrautonium. Bis auf wenige Ausnahmen wurden fast alle diese Instrumente inzwischen von Elektronenorgeln und Synthesizern verdrängt.

elektronische Post (engl. Electronic Mail, Abk. E-Mail), Übermittlung von Mitteilungen auf elektron. Weg durch Datenübertragung. Dadurch ist ein Informationsaustausch zwischen zwei Datenendgeräten in einem Datennetz über große Entfernungen möglich. Das Datenendgerät des Empfängers muss mit einen speziellen Speicher (elektron. Briefkasten, Mailbox) ausgestattet sein, in dem die Schriftstücke abgelegt werden. Die Bearbeitungsmöglichkeiten von e. P. (z.B. Dateien anhängen, automat. Rückantworten) sind vom verwendeten E-Mail-Programm abhängig. Mailadressen bestehen oftmals aus einem Benutzernamen, dem @-Zeichen (engl. »at« gesprochen, auch Klammeraffe genannt) und einer Folge von Rechner- und Domainnamen, z.B. president@whitehouse.gov.

elektronisches Publizieren, das Publizieren von Texten, Bildern, Informationen u.Ä. offline auf elektron. Datenträgern (z.B. CD-ROM) oder online über Computernetze (z.B. Internet) zur Wiedergabe auf Computern u.a. elektron. Ausgabegeräten. Rechtliche Fragen v.a. des Urheberrechts müssen v.a. für das e. P. online noch geklärt werden.

elektronische Steuerung, Steuerung von Fahrzeugen, Werkzeugmaschinen, chem. Prozessen, Haushaltsgeräten, Datenverarbeitungsanlagen u.a. nach einem festen Programm oder in Abhängigkeit von äußeren Daten. Von einer e. S. spricht man, wenn bei der Programm- oder Datenerfassung oder -verarbeitung oder bei der Übertragung der Steuersignale elektron. Schaltkreise in wichtigen Funktionen mitwirken.

elektronische Uhr, elektr. Uhr, die die physikal. Eigenschaften der Elektronen in Halbleiterbauelementen nutzt, um das Schwingsystem anzutreiben und den Ablauf der Uhr zu steuern.

Elektronvolt (Elektronenvolt), Einheitenzeichen **eV,** gesetzl. Einheit der Energie in der Atomphysik: 1 E. ist jene Energie, die ein Elektron beim Durchlaufen einer Potenzialdifferenz von 1 Volt im Vakuum gewinnt: $1\ eV = 1{,}6021773 \cdot 10^{-19}\ J$ (Joule).

Elektrolöfen, die am vielseitigsten verwendbare Gruppe von →Industrieöfen, bei denen die Erwärmung oder Aufheizung eines Gutes mithilfe elektr. Energie nach unterschiedlichen Verfahren erfolgt. Man unterscheidet: Lichtbogenöfen (z.B. zum Schmelzen), Widerstandsöfen (z.B. für elektr. Heizgeräte, zum Schmelzen, Härten), Induktionsöfen (z.B. zum Löten, Schmelzen), Plasmaöfen (z.B. zum Schweißen, Schneiden, Schmelzen), elektr. Öfen (z.B. zum Trocknen, Kunststoffschweißen), Infrarotöfen (z.B. zum Trocknen), Elektronenstrahlöfen und Laserstrahlöfen (z.B. zum Schweißen, Schmelzen, Abtragen durch Verdampfen).

Elektrooptik, Teilgebiet der Physik, das sich mit der Beeinflussung von opt. Materialeigenschaften durch elektr. Felder (→Stark-Effekt, →Pockels-Effekt, →Kerr-Effekt) sowie deren Anwendung zur Steuerung von Licht beschäftigt.

Elektroosmose, eine →elektrokinetische Erscheinung.

elektrophile Reaktion, ion. Reaktion der organ. Chemie, bei der ein elektrophiles (elektronenfreundl.) Kation eine nukleophile Verbindung angreift. E. R. sind bes. Substitutionen, z.B. Halogenierung, Nitrierung.

Elektrophorese *die,* Wanderung elektrisch geladener suspendierter oder kolloidaler Teilchen in einem elektr. Feld; sie heißt bei negativ geladenen Teilchen auch **Anaphorese,** bei positiven Teilchen **Kataphorese.** Die E. ist die wichtigste →elektrokinetische Erscheinung und wird in der analyt. Chemie und Biochemie zur Trennung hochmolekularer Stoffe, industriell z.B. zur Oberflächenbeschichtung angewendet. In der Medizin dient die E. bes. zur Differenzierung der im Blut enthaltenen Proteine nach Art und Menge. Eine Abweichung von der Norm gibt Hinweise auf bestimmte Erkrankungen, z.B. der Leber.

Elektrophysiologie, Teilgebiet der Physiologie, das sich mit der Messung elektr. Erscheinungen im Organismus, ihrer Entstehung und Veränderung bei Tätigkeit befasst; u.a. Aktionspotenzialmessung und Elektrokardiographie.

Elektroretinogramm *das,* Abk. **ERG, Erg,** Aufzeichnung der bioelektr. Potenzialdifferenzen der Netzhaut während der Belichtung des Auges zur Diagnose bestimmter Augenerkrankungen.

Elektroschiff, ein Schiff, bei dem die Schiffsschraube durch einen Elektromotor angetrieben wird, wobei als Stromquelle Akkumulatoren, Turbogeneratoren (Turbo-E.) oder Dieselgeneratoren (Diesel-E.) dienen. E. sind vorwiegend Spezialschiffe, auf denen die Generatoranlage außer dem Antrieb auch anderen Betriebszwecken dient (Bagger, Schwimmkrane, Feuerlöschboote) oder auf denen eine elast. Kupplung zw. Propeller und Antriebsanlage erforderlich ist (Eisbrecher).

Elektroschocktherapie (Elektrokrampftherapie), *Psychiatrie:* umstrittene, nur noch selten angewendete Behandlungsmethode, bei der durch die Reizung des Gehirns mit Wechselstrom von etwa 300 mA und 80–100 V Krämpfe der Körpermuskulatur erzeugt werden.

elektroschwache Wechselwirkung, *Elementarteilchenphysik:* →Wechselwirkung, →Weinberg-Salam-Theorie.

Elektrosmog, technisch verursachte elektromagnet. Strahlung in der Umwelt. Als wesentl. Strahlungsquellen gelten die allg. Elektrizitätsversorgung, das Stromnetz der Dt. Bahn AG, Sendeeinrichtungen von Hörfunk und Fernsehen sowie Mobilfunksysteme. Mit den gesundheitl. Auswirkungen elektromagnet. Wellen befassen sich epidemiolog. und experimentelle Studien, wobei v.a. die durch sie im menschl. Körper hervorgerufene Wärmeeinwirkung und die damit eventuell verbundenen schädl. physiolog. Veränderungen bzw. der Einfluss auf die Erregbarkeit der Zellmembranen von Interesse sind. In Dtl. gilt seit 1. 1. 1997 die Elektrosmog-VO, in der die Grenzwerte für elektromagnet. Emissionen festgeschrieben sind. (→elektromagnetische Verträglichkeit)

📖 NIMTZ, G. *u.* MÄCKER, S.: *E. Die Wirkung elektromagnet. Strahlung. Mannheim u.a. 1994.*

Elektrospeicherheizung, Heizungsart mit Wärmeerzeugung durch eine elektr. Widerstandsheizung. Die erzeugte Wärme wird in Wasser, Öl, Keramik u.a. gespeichert und bei Bedarf (tagsüber) vom Medium abgegeben.

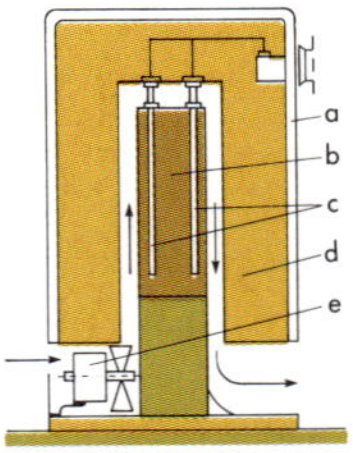

Elektrospeicherheizung: Schema eines elektrischen Heizkörpers; a Außenverkleidung, b Speicherkern, c Heizkörper, d Isolierung, e Ventilator

Elektrostal (bis 1938 Satischje), Stadt im Gebiet Moskau, Russland, 153000 Ew.; Edelstahlwerk, Maschinenbau.

Elektrostatik, die Lehre von den ruhenden elektr. Ladungen und ihren Feldern.

elektrostatische Aufladung, →Aufladung.

elektrostatische Bindung, die Ionenbindung (→chemische Bindung).

Elektrostriktion *die,* elast. Verformung eines Dielektrikums im elektr. Feld, verursacht durch die gegenseitige Anziehung der durch das Feld polarisierten Moleküle. Die E. ist die Umkehrung des piezoelektr. Effekts. (→Piezoelektrizität)

Elektrotechnik, Ingenieurwissenschaft, die sich mit der techn. Anwendung der physikal. Grundlagen und Erkenntnisse der Elektrizitätslehre befasst, d.h. die Erscheinungsformen und Wirkungen elektr. Ladungen und Ströme, die von ihnen erzeugten elektr. und magnet. Felder sowie ihre wechselseitigen elektromagnet. Beeinflussungen technisch ausnutzt. Wichtige Teilgebiete der E. sind die elektr. Energietechnik, die Nachrichtentechnik, die elektr. Mess-, Regel- und Steuerungstechnik sowie i.w.S. auch die Elektronik, die heute ein selbstständiges Wissensgebiet ist.

Die **elektrische Energietechnik** befasst sich mit der Erzeugung, Fortleitung und Verteilung der elektr. Energie (Elektrizitätsversorgung), darunter auch mit der Beherrschung hoher Spannungen (Hochspannungstechnik) sowie mit der Verwertung der elektr. Energie (Elektroenergieumwandlung); hierzu gehören u.a. Elektrowärmetechnik, Lichttechnik, Elektrochemie und elektr. Antriebstechnik (Elektromotoren, Generatoren). Die Aufgabe der **Nachrichtentechnik** liegt in der Erzeugung, Übertragung, Verarbeitung und Speicherung von Nachrichten in Form analoger oder digitaler elektr. Signale. Sie umfasst u.a. die Telekommunikation und die drahtgebundene Vermittlungstechnik.

📖 JUNGE, H.-D. *u.* MÜLLER, GERMAR: *Lexikon E. Weinheim u.a. 1994.* – HAGMANN, G.: *Grundlagen der E. Wiesbaden* ⁵*1995.*

elektrotechnische Industrie, Industriezweig, der die Herstellung von Gütern und Leistungen, die der Erzeugung, Umwandlung, Verteilung und Anwendung von elektr. Energie dienen, umfasst. Dazu zählen u.a. Elektrizitätserzeugung und -umwandlung, Nachrichtentechnik, Mess- und Regeltechnik, Elektrohaushaltsgerätetechnik, Datenverarbeitungstechnik, Audio- und Videotechnik.

Elektrotherapie, *Medizin:* die Verwendung von elektr. Energie zu Heilzwecken, z.B. die Kurzwellentherapie, bei der hochfrequente Wechselströme (10–300 MHz) in einem Körperteil durch ein hochfrequentes elektr. Feld zw. zwei angelegten Elektroden erzeugt werden und eine Hochfrequenzerwärmung verursachen. Die Mikrowellentherapie (Frequenz meist 2450 MHz) wird meist zur Behandlung von entzündl. und rheumat. Muskelerkrankungen benutzt.

Elektrotomie [grch.] *die,* Verfahren der Elektrochirurgie: die Gewebedurchtrennung mit Hochfrequenzstrom. Im Unterschied zum verschorfenden Schnitt der →Elektrokoagulation wird bei der E. durch geringere Stromstärke mithilfe lanzett- oder schlingenförmiger Aktivelektroden ein scharfer »Schmelzschnitt« erzielt.

Elektrounfall (elektrischer Unfall), durch Einwirken elektr. Stroms auf den Organismus verursachte Körperschäden (Bewusstlosigkeit, Herzversagen) und örtl. Verbrennungen (Strommarken). Der Grad der Gefährlichkeit des Stroms wächst mit der Spannung, v.a. aber mit seiner Stromstärke (0,1 A können tödlich sein). Wesentlich für E. sind die Leitfähigkeit des Untergrundes, die Beschaffenheit der Kleidung und die Feuchtigkeit der Haut. (→erste Hilfe, ÜBERSICHT)

Elektroweidezaun, isoliert verlegter Draht an Pfählen, in den hochfrequente Stromstöße hoher Spannung bei sehr geringer Stromstärke geschickt werden. Bei Berührung erhalten Weidetiere elektr. Schläge, sodass sie diesen meiden.

Elektrowerkzeuge, elektrisch betriebene Geräte von handl. Form und geringer Masse (z.B. Handbohrmaschine); häufig als Universalgeräte für auswechselbare Werkzeuge gebaut und von einem wahlweise durch Wechsel- oder Gleichstrom gespeisten Universalmotor angetrieben.

Elektrum *das,* natürlich vorkommende Goldlegierung mit einem Silbergehalt von 15–50%; wurde schon im Altertum für Gefäße, Schmuck und zur Münzprägung verwendet.

Element [lat.] *das,* **1)** *allg.:* Grundbestandteil.

2) *Chemie:* →chemische Elemente.

3) *Logik, Mathematik:* Bestandteil einer Menge, →Mengenlehre.

4) *Philosophie:* Bez. für Grundsätze (→Axiome) axiomatisch aufgebauter Wissenschaften (Euklids »E.«), v.a. aber für den Grundstoff bzw. Urstoff. Empedokles begründete die traditionelle Lehre von der Vierzahl der E. (Feuer, Luft, Wasser, Erde); Platon und Aristoteles fügten den Äther als fünftes E. hinzu und fassten die E. als ineinander umwandelbar auf.

Element 102–109, neue Benennungen →Periodensystem der chemischen Elemente (ÜBERSICHT).

Element 110 (Ununilium), künstlich erzeugtes chem. Element der Kernladungszahl 110, angeblich 1987 von sowjet. Forschern erzeugt, 1994 bei der →GSI erstmals sicher nachgewiesen. $^{269}110$ entstand durch Beschuss von ^{208}Pb mit ^{62}Ni nach Emission eines Neutrons; die Halbwertszeit beträgt 170 µs.

Element 111 (Eka-Gold), künstlich erzeugtes chem. Element der Kernladungszahl 111, 1994 bei der GSI erstmals erzeugt. Beschuss von ^{209}Bi mit ^{64}Ni ergibt nach Emission eines Neutrons das Isotop $^{272}111$; die Halbwertszeit beträgt ca. 1,5 ms.

Element 112, künstlich erzeugtes chem. Element der Kernladungszahl 112, erstmals 1996 bei der GSI durch Beschuss von ^{208}Pb mit ^{70}Zn nach Emission eines Neutrons entstanden; die Halbwertszeit des Isotops $^{277}112$ beträgt 240 µs.

Elementaranalyse, Methode zur Bestimmung der in organ. Verbindungen enthaltenen Elemente Kohlenstoff, Wasserstoff, Sauerstoff, Stickstoff, Schwefel u. a. (qualitative E.) und ihres prozentualen Gehalts (quantitative E.). Aus dem prozentualen Gehalt kann man bei bekannter Molekülmasse die Summenformel einer Verbindung berechnen.

Elementaranregungen, mögl. Anregungsformen eines Festkörpers aus seinem Grundzustand. E. beschreibt man als →Quasiteilchen, z. B. Phononen, Exzitonen.

Elementarfelder, hypothet. Felder, die den Gesetzen der →Quantenfeldtheorie genügen und die eingeführt werden, um die Vielfalt der →Elementarteilchen und der Beziehungen zw. ihnen auf einfache Grundgesetze zurückzuführen.

Elementargeister, nach mittelalterl. Glauben die Geister der vier Elemente, später »elbische Wesen«: Salamander im Feuer, Undinen im Wasser, Sylphen in der Luft, Gnomen in der Erde.

Elementarladung, Formelzeichen *e,* eine Naturkonstante; die kleinste nachgewiesene positive oder negative Ladung: $e \approx 1{,}6022 \cdot 10^{-19}$ Coulomb. Träger einzelner E. sind das Elektron und andere →Elementarteilchen.

Elementarlänge, *Physik:* hypothet., kleinstmögl. universelle Länge. Sie wurde, ausgehend vom klass. Elektronenradius, vom gegenseitigen Abstand der Nukleonen im Kern u. a., urspr. in der Größenordnung 10^{-13} cm angenommen. Aufgrund genauerer Untersuchungen der Nukleonenstruktur und der Überprüfung des Gültigkeitsbereichs der Quantenelektrodynamik dürfte die E. in der Größenordnung 10^{-33} cm **(plancksche E.)** liegen.

Elementarmagnete, kleinste Einheiten para- und ferromagnet. Stoffe, die ein konstantes, von äußeren Feldern unabhängiges magnet. Moment besitzen. In **unmagnet. Körpern** sind die E. ungeordnet. Sie werden durch ein äußeres Feld ausgerichtet, soweit die Temperaturbewegung dem nicht entgegenwirkt. Bei **paramagnet. Körpern** sind die E. die magnet. Momente einzelner Atome oder Moleküle, die dadurch zustande kommen, dass die magnet. Eigen- und Bahnmomente ihrer Elektronen sich nicht gegenseitig aufheben. In **ferromagnet. Körpern** werden die E. durch größere Gruppen von Atomen, die magnetisch gesättigten Bereiche (→Weiss-Bezirke), gebildet.

Elementarmembran, *Biologie:* aus zwei monomolekularen Lipoproteidschichten aufgebaute Lamellenstruktur in Zellen, nur elektronenmikroskopisch nachweisbar. E. bilden z. B. das endoplasmat. Retikulum und das Plasmalemma (→Zelle).

Elementarprozesse, i. e. S. Vorgänge zw. und an Elementarteilchen; i. w. S. auch Prozesse an den atomaren Bestandteilen eines Systems, die ein makroskop. Geschehen bestimmen. Beispiele: Absorption und Emission von Lichtquanten durch Atome, Erzeugung von Teilchen-Antiteilchen-Paaren (→Paarbildung), →Ionisation von Atomen und →Rekombination von Ionen und Elektronen, chem. Reaktionen. (→Elementarteilchen)

Elementarschädenversicherung, Versicherung gegen Schäden durch Naturgewalten (Hagel, Sturm, Erdbeben u. a.).

Elementarteilchen, subatomare Existenzformen der Materie, die sich unter Berücksichtigung der →Erhaltungssätze für Energie, Impuls und bestimmte Quantenzahlen ineinander umwandeln können und die in der →Hochenergiephysik **(E.-Physik)** erforscht werden. Sie sind die kleinsten bisher beobachteten physikal. Objekte und können nicht weiter zerlegt werden. Außer den bekannten Bestandteilen der Atome, den →Elektronen, →Protonen und →Neutronen, sind bei der Untersuchung radioaktiver Zerfälle und der kosm. Strahlung sowie in Teilchenbeschleunigern über 200 weitere, meist sehr schnell zerfallende E. entdeckt worden.

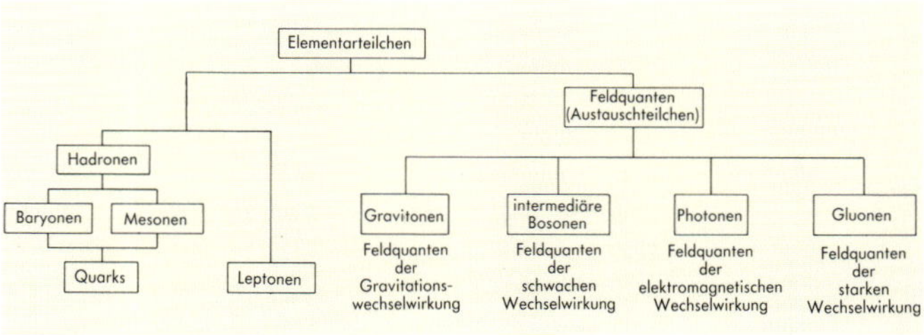

Elementarteilchen: Einteilung der Elementarteilchen

Die E. lassen sich unterteilen in →Leptonen und →Hadronen (zu diesen gehören die →Baryonen und →Mesonen) sowie in **Feldquanten (Austauschteilchen),** die elementare Wechselwirkungen vermitteln (Übersicht). Man hält heute die Leptonen und die →Quarks für die fundamentalen Bausteine; die Hadronen werden als Kombinationen von Quarks angesehen, wobei Baryonen aus je drei Quarks und/oder Antiquarks, Mesonen aus je einem Quark-Antiquark-Paar gebildet werden. Versuche zur Klärung der Frage, ob auch Quarks noch aus kleineren Einheiten aufgebaut sind, werden z. B. an der Elektron-Proton-Speicherringanlage HERA des Deutschen Elektronen-Synchrotrons (DESY) unternommen. Die →Wechselwirkungen zw. den Teilchen werden nach den Vorstellungen der →Quantenfeldtheorie durch die Feldquanten der Strahlungsfelder vermittelt. Diese sind die Photonen für die elektromagnet., die intermediären Bosonen für die schwache, die Gluonen für die starke Wechselwirkung und die (hypothet.) Gravitonen für die Gravitationswechselwirkung. Die Feldquanten haben ganzzahligen Spin und sind somit **Bosonen,** die fundamentalen E. Quarks und Leptonen besitzen dagegen halbzahligen Spin und sind somit **Fermionen.**

Zu jedem Teilchentyp gibt es einen Antiteilchentyp; einige E. sind ihren →Antiteilchen gleich. Unter den E. sind nur die Elektronen, Protonen, Neutronen (wenn in Atomkernen gebunden), Photonen und Neutrinos stabil, alle anderen sowie das Neutron im freien Zustand sind unbeständig. Neben diesen langlebigen E. gibt es sehr kurzlebige E. (Lebensdauer $<10^{-20}$ s), die sog. **Resonanzen,** Teilchen- oder →Massenresonanzen. Jedes E. ist durch Masse (Ruhmasse), Spin, (mittlere) Lebensdauer, elektr. Ladung, magnet. Moment und weitere innere Quantenzahlen charakterisiert.

Die Entwicklung einer Großen Vereinheitlichten Theorie für alle elementaren Wechselwirkungen ist ein Schwerpunkt der E.-Physik. Erste Schritte dazu sind die →Weinberg-Salam-Theorie (sog. Standardmodell), die die elektromagnet. und die schwache zur elektroschwachen Wechselwirkung zusammenfasst, sowie das Konzept der Supersymmetrie und die Superstringtheorie, die eine Verbindung von Fermionen und Bosonen herzustellen versuchen. – Die Erkenntnisse der E.-Physik sind v.a. in der →Kosmologie von entscheidender Bedeutung.

📖 OKUN, L. B.: *Physik der E. A. d. Russ. Berlin 1991.* – LINDE, A.: *E. u. inflationärer Kosmos. Zur gegenwärtigen Theorienbildung. A. d. Russ. Heidelberg u. a. 1993. – Kern- u. Elementarteilchenphysik, bearb. v.* G. MUSIOL *u. a. Neuausg. Frankfurt am Main u. a. ²1995.*

Elementarwellen, nach dem huygensschen Prinzip (→Huygens, Christiaan) die von jedem Punkt des Raums, der von einer Welle (Primärwelle) erreicht wird, ausgehenden Kugelwellen. Die Hüllkurve aller E. ist dabei identisch mit der sich ausbreitenden Wellenfront.

Elementarzeit, die Zeit (etwa 10^{-23} s), die das Licht im Vakuum benötigt, um eine Strecke von der Größe der →Elementarlänge zu durchlaufen. Die E. entspricht etwa der Lebensdauer von Resonanzen (→Elementarteilchen) und der Wirkungsdauer der starken Wechselwirkung.

Elementarzelle (Gitterzelle), kleinste Baueinheit, aus der sich durch Verschiebung nach drei versch. Raumrichtungen ein Kristallgitter aufbauen lässt. Spezielle E. sind die Einheitszelle und die Wigner-Seitz-Zelle.

Elemi [arab.-span.] *das,* natürl. Harz der trop. Balsambaumgewächse (Gatt. Canarium); verwendet u. a. für Parfüms, Öllacke, Hautsalben.

Elen [altlitauisch ellenis »Hirsch«], →Elch.

Elenantilope (Tragelaphus oryx), größte Art der →Waldböcke in afrikan. Steppengebieten, mit schraubig gedrehten, bis 1,2 m langen Hörnern.

Elephanta (Gharapuri), felsige Insel in der Bucht von Bombay, Indien; wichtiger Wallfahrtsort der Hindus mit sechs dem Gott Shiva geweihten Höhlentempeln (UNESCO-Weltkulturerbe). Die im Haupttempel (8. Jh.) aus dem Fels gehauene Reliefplastik des dreiköpfigen Shiva sowie die Torwächter sind Meisterwerke ind. Kunst.

Elephantiasis [grch.], die →Elefantiasis.

Elephantine (ägypt. Jebu), Nilinsel bei Assuan mit gleichnamigem antikem Ort auf ihrem S-Ende; schon im 4. Jt. v. Chr. besiedelt, war

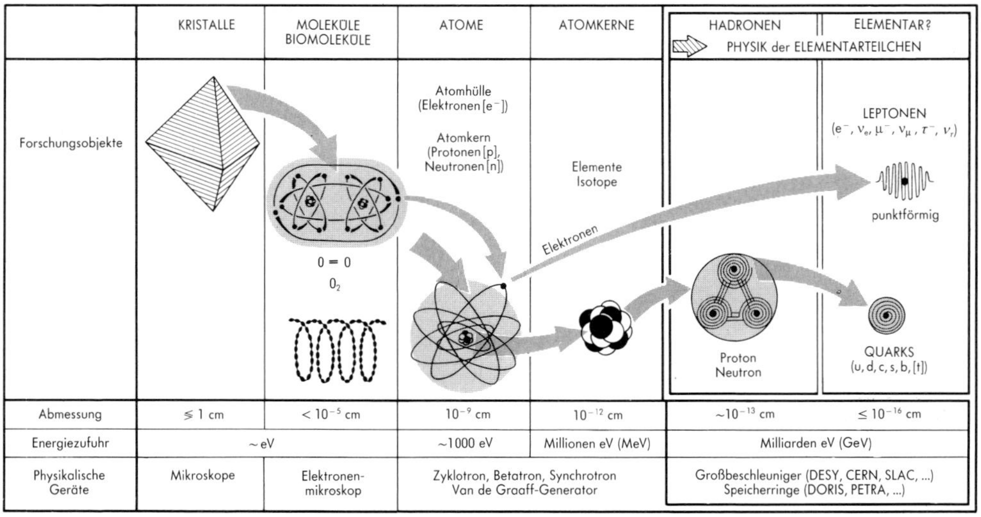

Elementarteilchen: Schematische Darstellung der Aufspaltung der Materie in immer kleinere Bestandteile; für Untersuchungen von Strukturen im atomaren und subatomaren Bereich werden die mikrophysikalischen Objekte mit energiereichen Teilchen beschossen

Elfenbeinküste

Fläche: 322 463 km²
Einwohner: (1995) 14,25 Mio. Ew.
Hauptstadt: Yamoussoukro
Regierungssitz: zurzeit noch Abidjan
Verwaltungsgliederung: 50 Dép. in 10 Regionen
Amtssprache: Französisch
Nationalfeiertag: 7. 8.
Währung: 1 CFA-Franc = 100 Centimes
Zeitzone: MEZ −1 Std.

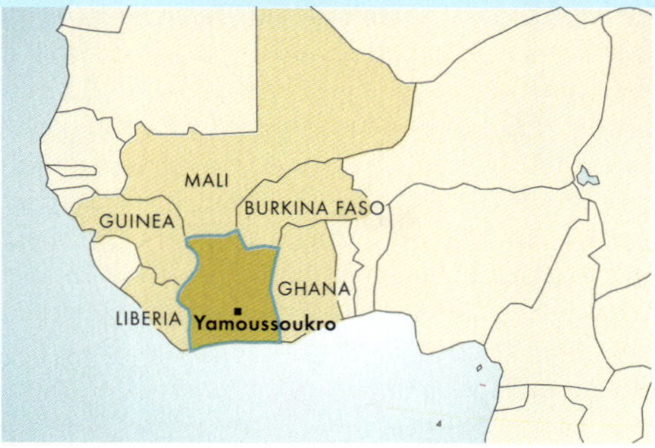

Grenzfeste gegen Nubien; Reste ägypt. Tempel, zahlr. Funde von Weihegaben. 1893 wurden Papyrustexte **(E.-Urkunden)** des 5. Jh. v. Chr. in aramäischer Sprache gefunden, die wichtige Quellen für das rechtl., soziale und religiöse Leben einer frühen jüd. Diaspora darstellen.

Eleusis (ngrch. Elevsis), Stadt am Saron. Golf, im Verw.gebiet Attika, Griechenland, 20 300 Ew.; archäolog. Museum; Erdölraffinerie, Stahlwerk, Bauxitabbau, Zement-, Sprengstoffindustrie. – Im Altertum war E. berühmt durch den Fruchtbarkeitskult der Göttinnen Demeter und Persephone und deren Fest im Herbst, die **Eleusinischen Mysterien.** Ausgrabungen haben den hl. Bezirk freigelegt. Die früheste Anlage des Telesterions (Mysterientempel) stammt aus myken. Zeit (1400 bis 1200 v. Chr.); es folgte ein Bau Solons (um 700 v. Chr.), ein Tempel aus dem letzten Drittel des 6. Jh. v. Chr. (480 v. Chr. von den Persern zerstört). Aus der Mitte des 5. Jh. v. Chr. stammt die nach einem Plan des Iktinos errichtete quadrat. Halle. Der Architekt Philon fügte um 330 v. Chr. eine Vorhalle hinzu (unvollendet). Den Eingang bildeten die kleinen (etwa 40 v. Chr.), seit der Mitte des 2. Jh. n. Chr. die großen Propyläen.

📖 Lauenstein, D.: *Die Mysterien von E. Stuttgart 1987.*

Elevation [lat. »das Aufheben«] *die,* **1)** *Astronomie:* die →Höhe eines Gestirns.

2) *Parapsychologie:* das Sich-Erheben von Gegenständen (→Levitation, →Telekinese).

Elevator [lat.] *der, Fördertechnik:* →Becherwerk.

Eleve [frz.] *der,* Schüler in Ballett und Schauspiel; Praktikant in Land- und Forstwirtschaft.

El-Faijum, →Faijum.

Elf Aquitaine S. A. [ɛlfakiˈtɛːn-], frz. Erdöl- und Erdgaskonzern; Sitz: Paris; entstanden 1976 durch Fusion der ELF-Erap (gegr. 1966) mit der Société Nationale des Pétroles d'Aquitaine (gegr. 1941); wurde 1994 privatisiert.

El-Fatah, →Fatah.

Elfen (Elben, Alben), in der german. Sage und im Märchen Mittelwesen zw. Menschen und Göttern in Erde, Wasser und Luft. Die nord. Mythologie (Snorra-Edda) unterscheidet Licht- und Dunkelelben, zu denen die Zwerge gehören. Andere Arten von E. sind Wasser- (Nixen) und Hausgeister. Die Vorstellung von E. als anmutigen weibl. Wesen stammt erst aus dem 18. Jahrhundert. Der Name Alberich ist als E.-König (-rich = »König«) zu erklären, ebenso der Elver-(Eller-)Konge der dän. Volksballade (von Herder irrtümlich als »Erlkönig« übersetzt).

Elfenbein [ahd. helfantbein »Elefantenknochen«], aus Zahnbein bestehende Stoßzähne von Elefant und ausgestorbenem Mammut, i. w. S. Zähne von Walross, Narwal und Flusspferd; bes. zur Herstellung von Schnitzereien, Billardbällen, Klaviertasten verwendet. – Um den Afrikan. Elefanten vor der Ausrottung zu retten, wurde er 1989 in das Washingtoner Artenschutzabkommen aufgenommen, wodurch der Handel mit E. verboten wurde (1997 wurde Simbabwe, Namibia und Botswana ein kontrollierter Handel gestattet).

Elfenbeinküste (amtl. frz. République de Côte d'Ivoire), Staat in Westafrika, grenzt im S an den Golf von Guinea (Atlantik), im W an Liberia und Guinea, im N an Mali und Burkina Faso, im O an Ghana.

Staat und Recht: Nach der Verf. von 1960 (mehrfach geändert) ist E. eine präsidiale Rep. mit Mehrparteiensystem (seit 1990). Staatsoberhaupt und oberster Inhaber der Exekutive ist der mit weitgehenden Vollmachten ausgestattete Präs. (auf fünf Jahre direkt gewählt). Seit 1990 agiert das Kabinett unter Vorsitz eines Ministerpräsidenten. Die Legislative liegt bei der Nationalversammlung (175 Abg.). – Einflussreichste Parteien sind die Demokrat. Partei (PDCI), die Volksfront (FPI) und die Arbeiterpartei (PIT).

Landesnatur: Auf die 550 km lange, im W felsige, im Übrigen flache und lagunenreiche Küste mit Mangrovenwäldern folgt ein 150–300 km breiter Regenwaldgürtel, der durch Holznutzung und die Anlage von Plantagen stark gelichtet ist. Nach

Staatswappen

CI

Internationales Kfz-Kennzeichen

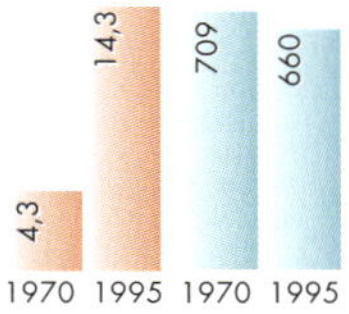

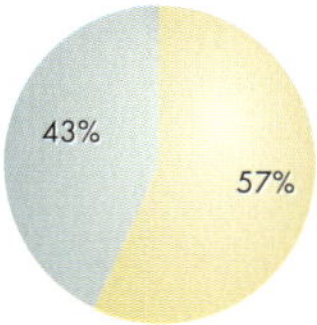

Bevölkerungsverteilung 1994

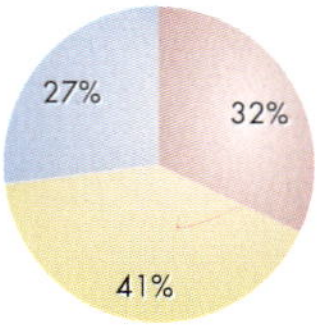

Bruttoinlandsprodukt 1994

Elfenbeinschnitzerei: Stilisiertes Frauenidol aus der jüngeren Altsteinzeit, gefunden im tschechischen Ort Dolní Věstonice (Brünn, Moravské muzeum)

Elfenbeinschnitzerei: Armreif aus Benin (16. Jh.; London, Britisches Museum)

N folgen Feuchtsavanne, dann Trockensavanne, die durch Wanderfeldbau und Beweidung stark verändert wurde. Das Land ist eine schwach zum Golf von Guinea geneigte, leicht gewellte Rumpffläche, überragt von Inselbergen, auf der die großen Flüsse Cavally, Sassandra, Bandama und Komoé (nur streckenweise schiffbar) zum Atlantik fließen. Im NW hat E. Anteil am Guineahochland mit dem 1752 m hohen Nimba. – Das Klima ist im S tropisch-feucht mit fast ganzjährigen Niederschlägen (bis 2300 mm jährlich) und hohen Temperaturen; nach N nehmen die jahreszeitl. Temperaturunterschiede zu, die Niederschläge werden geringer (1500–1100 mm) und fallen in einer ausgeprägten Regenzeit von Juni bis Oktober.

Bevölkerung: Die Bev. setzt sich aus etwa 60 meist sudaniden Stämmen zusammen; im Zentrum und SO leben die zu den Akan gehörenden Baule und Agni, im SW Kru, im NW Mandevölker (bes. Malinke, Dan, Guru), im N v.a. die zu den Gur zählenden Senufo, im S die stark gemischten »Lagunenstämme« (eine ältere Bev.schicht). Im ganzen Land verstreut leben die Dyula, deren Sprache weitgehend als einheim. Verkehrssprache benutzt wird. Über 25% der Bev. sind Ausländer, v.a. Wanderarbeiter aus den Nachbarländern Mali, Burkina Faso, Ghana, auch polit. Flüchtlinge; ferner Europäer, Libanesen und Syrer. Wichtigste Städte sind Abidjan, Bouaké, Yamoussoukro, Daloa und Korhogo. Am dichtesten besiedelt ist das Gebiet um Bouaké; der NO ist kaum bewohnt. – Es besteht eine 6-jährige Schulpflicht; an allen staatl. Schulen wird unentgeltl. Unterricht erteilt. Unterrichtssprache ist Französisch; eine Univ. besteht in Abidjan (seit 1964). Die Analphabetenquote liegt bei 46% (über 15 Jahre). – Etwa 53% der Bev. sind Anhänger von Naturreligionen, 20% Christen, 27% Muslime.

Elfenbeinküste

Wirtschaft, Verkehr: Seit der Unabhängigkeit hat sich die Ind. stark entwickelt, bes. Nahrungsmittel-, Textil-, Baustoff-, Düngemittelind., Erdölverarbeitung. Ausgebeutet werden Diamantenvorkommen bei Korhogo und Erdöllager im Schelfgebiet vor Abidjan. Hauptwirtschaftszweig ist weiterhin die Landwirtschaft, die mit Forstwirtschaft (Edelhölzer) und Fischerei ein Drittel des Bruttoinlandprodukts und 75% der Exporterlöse erbringt. Für den Eigenbedarf u.a. Anbau von Reis, Hirse, Jamswurzeln, Erdnüssen; hauptsächlich für den Export bestimmt sind Kakao, Kaffee, Baumwolle, Bananen, Kautschuk und Ölpalmprodukte. Importiert werden Nahrungsmittel, Konsumgüter, techn. Ausrüstungen. Haupthandelspartner sind Frankreich u.a. EU-Länder sowie die USA. – Das Verkehrsnetz ist gut entwickelt, das Straßennetz ist insgesamt 55000 km lang, davon etwa 4000 km asphaltiert. E. ist ein wichtiges Transitland, bes. für den überseeischen Warenverkehr von Mali und Burkina Faso. Die einzige Eisenbahnstrecke (665 km lang) verbindet Abidjan mit Ouagadougou (Burkina Faso). Internat. Flughafen Port Bouët bei Abidjan, das auch über den wichtigsten Hafen verfügt.

Geschichte: 1843 errichtete Frankreich den ersten Marinestützpunkt in Grand-Bassam; 1895 bis 1958 war das heutige Staatsgebiet Teil von Frz.-Westafrika, das 1958 die Autonomie erhielt, 1960 die Unabhängigkeit. Staatspräs. war 1960–93 F. Houphouët-Boigny, der das Land zu einem Einparteienstaat auf der Basis der PDCI umformte und einen prowestl. Kurs verfolgte. Internat. Druck und Unruhen unter der städt. Bevölkerung führten im Mai 1990 zur Einführung eines Mehrparteiensystems. Bei den allgemeinen Wahlen von 1990 siegte die PDCI. Nach dem Tode des zuletzt 1990 wieder gewählten Präs. Houphouët-Boigny folgte ihm der bisherige Parlamentspräs. Henri Konan Bédié 1993 im Amt nach. Bei den von den Oppositionsparteien boykottierten Wahlen von 1995 wurde die PDCI als Reg.partei und Bédié als Staatspräs. bestätigt. Schwerpunkt der Wirtschaftspolitik war die Umsetzung des 1995 formulierten Reformprogramms, das u.a. mehrere große Infrastrukturprojekte und eine Modernisierung der Wirtschaft vorsieht, basierend auf einer sich dynamisch entwickelnden Privatwirtschaft, der Privatisierung von Staatsunternehmen sowie der Förderung der Exportwirtschaft. – Außenpolitisch suchte die Regierung 1996 im Bürgerkrieg in Sierra Leone zu vermitteln.

📖 HUTTER, B.: *Die Republik E. Analyse ihrer wirtschaftl. u. sozialen Entwicklung, unter besonderer Berücksichtigung des Tourismus u. dessen Auswirkungen in einem Entwicklungsland. Bayreuth 1988.* – WIESE, B.: *E. Erfolge u. Probleme eines Entwick-*

lungslandes in den westafrikan. Tropen. Darmstadt 1988. – Coffy, G.: *Le soleil des eclus. Côte d'Ivoire. La lutte pour la démocratie. Paris 1994.* – Kanté, K.: *Die Problematik der polit. Macht u. Herrschaft in der postkolonialen Côte d'Ivoire. Staat u. Gesellschaft (1960–1992). Münster u. a. 1994.* – Grootaert, C.: *Analyzing poverty and policy reform. The experience of Côte d'Ivoire. Aldershot u. a. 1996.*

Elfenbeinschnitzerei: Nackenstütze aus dem Grab des ägyptischen Königs Tutanchamun (um 1337 v. Chr.; Kairo, Ägyptisches Museum)

Elfenbeinpalme (Steinnusspalme, Phytelephas), Palmengattung mit 13 Arten, bes. von Peru bis Panama verbreitet. Die Samen zweier Arten, **Steinnüsse,** liefern das vegetabil. Elfenbein.

Elfenbeinschnitzerei, in Europa seit dem Jungpaläolithikum (z. B. Dolní Věstonice und →Vogelherdhöhle), in Vorderasien und Ägypten seit dem 3. Jt. (Ur, Mari) belegte Kleinkunst; im 2. Jt. befanden sich Zentren der E. in Assyrien, Phönizien und Syrien. Die E. wurde von der minoisch-myken. Kultur aus dem Orient übernommen. In der grch. Kunst entstanden im 6. und 5. Jh. v. Chr. riesige Götterstatuen aus Holz, die mit Gold- und Elfenbeinplatten (chryselephantine Bildwerke) verblendet wurden, z. B. die Kultbilder des Phidias. Umfangreich war die E. in der röm., byzantin. und frühchristl. Kunst (Diptychen, Reliquienkästchen u. a.); bedeutendstes Zeugnis ist die Cathedra des Erzbischofs Maximian in Ravenna (um 550, Ravenna, Erzbischöfl. Museum). Eine Erneuerung der E. setzte in der karolingisch-otton. Kunst ein, aus dieser Zeit ist der Buchdeckel (985–991) des Codex aureus aus Echternach, heute im German. Nationalmuseum Nürnberg. In der Gotik lag das künstler. Zentrum der E. in Frankreich, wo (v. a. in Paris) neben Madonnenstatuetten und Marienaltären bes. Passionsdiptychen und -triptychen angefertigt wurden. Im Manierismus erfuhr die E. eine Wiederbelebung im Kunsthandwerk (Möbelintarsien); im 17. und 18. Jh. fand bes. Kleinplastik sowie Elfenbeindrechslerei Anerkennung; Werke der E. waren fester Bestand fürstl. Kunstkammern (→Museum). Mit dem Ende des Rokoko verlor die E. an Bedeutung. Eine Wiederbelebung ging Ende des 19. Jh. von Frankreich und Belgien aus, bes. im Bereich der Kleinplastik. Sie erreichte ihren Höhepunkt im Stil des Art déco. Bed. E. auch in der islam. Kunst (Omaijadenkästchen, Olifantenhörner in fatimid. Stil), in China (Kleinplastik der Ming- und frühen Qingzeit), Japan, Nordamerika (E. aus den Stoßzähnen von Walrossen bei den Eskimo) und bei zahlr. Stämmen in Afrika.

📖 Volbach, W. F.: *Elfenbeinarbeiten der Spätantike u. des frühen Mittelalters. Mainz ³1976.* – Hegemann, H.-W.: *Das Elfenbein in Kunst u. Kultur Europas. Ein Überblick von der Antike bis zur Gegenwart. Mainz 1988.*

Elfenbeinschnitzerei: Otto Glenz, »Elfe«; Höhe 28 cm (um 1900; Erbach, Deutsches Elfenbeinmuseum)

Elfenbeinturm, Symbol praxisfremder, auch hochmütiger Absonderung von der Welt.

Elfenblauvögel (Irenen, Ireninae), Unterfamilie amselgroßer Blattvögel mit zwei Arten in den Wäldern S- und SO-Asiens; am bekanntesten der **Ind. Elfenblauvogel (Irene,** Irena puella) in S-Asien; schwarz mit leuchtend blauer Oberseite und roter Iris; wird als Käfigvogel gehalten.

Elfmeter (Elfer), umgangssprachl. Bez. für den Strafstoß beim →Fußball.

Elgar ['elgɑ:], Sir (seit 1904) Edward, engl. Komponist, *Broadheath (bei Worcester) 2. 6. 1857, †Worcester 23. 2. 1934. Von der dt. Spätromantik inspiriert, hat er die Entwicklung der engl. Musik stark beeinflusst; u. a. Oratorien (z. B. »The dream of Gerontius«, 1900), Sinfonien, Orchestermärsche »Pomp and circumstance« (1901–30), Kammermusik, Lieder, Bühnenwerke.

📖 Moore, J. N.: *E. E. A creative life. Oxford u. a. 1987.*

Edward Elgar

Elgin Marbles ['elgɪn 'mɑ:blz, engl.], die von Thomas Bruce, 7. Earl of Elgin 1803–12 von Griechenland nach Großbritannien gebrachten und 1816 vom brit. Staat angekauften Kunstwerke, v. a. die Parthenonskulpturen (London, British Museum).

Elfenbeinturm

Dieser Ausdruck für die selbstgewählte Isolation – besonders eines Künstlers oder Wissenschaftlers, der in seiner eigenen Welt lebt, ohne sich um Gesellschaft und Tagesprobleme zu kümmern – ist eine Lehnübersetzung des französischen »tour d'ivoire«. Er geht auf den französischen Schriftsteller Charles-Augustin Sainte-Beuve zurück. Sainte-Beuve schrieb über den französischen romantischen Dichter Alfred de Vigny in einem in Verse gefassten Brief, dieser habe sich noch vor dem Erreichen seines schöpferischen Höhepunkts gleichsam in seinen Elfenbeinturm zurückgezogen (französisch ... et Vigny .../Comme en sa tour d'ivoire ... se rentrait). Der Vergleich enthält eine Anspielung auf das Hohelied Salomos im Alten Testament, wo es über die Geliebte heißt (7, 5): »Dein Hals ist wie ein elfenbeinerner Turm.«

Elgon, Mount [maʊnt ˈelgɔn], erloschener Vulkan an der Grenze Kenia/Uganda, 4322 m ü. M., mit einer Caldera von 8 km Durchmesser. Der Mount E. bedeckt eine Fläche von etwa 3200 km². Anbau von Kaffee, Tee und Chrysanthemumarten (zur Pyrethrumgewinnung).

Eliade, Mircea, rumän. Religionswissenschaftler, *Bukarest 9. 3. 1907, †Chicago (Ill.) 23. 4. 1986; seit 1956 Prof. in Chicago; einer der führenden Religionsforscher der Gegenwart; bekannt durch zahlr. Werke zum Verständnis des Mythos und seiner Symbolsprache.

Werke: Die Religionen und das Heilige (1948); Schamanismus und archaische Ekstasetechnik (1951); Geschichte der religiösen Ideen, 3 Bde. (1976–78).

📖 *Sehnsucht nach dem Ursprung. Zu M. E., hg. v.* H. P. Duerr. *Frankfurt am Main 1983.*

Norbert Elias

Elias (hebr. Elijja, Elijjahu), Prophet im Reich Israel, bekämpfte in der ersten Hälfte des 9. Jh. v. Chr. den Dienst des Baal und trat für die Alleinverehrung des alten Volksgottes Jahwe ein. Man übertrug auf ihn Legendenmotive (etwa das der ihn speisenden Raben), erzählte von seiner Entrückung im Feuerwagen und erwartete seine Wiederkehr als Vorläufer des Messias.

Elias, Norbert, Soziologe, *Breslau 22. 6. 1897, †Amsterdam 1. 8. 1990; hatte nach der Emigration nach England und Frankreich ab 1954 zahlr. Professuren inne. In seinem Hauptwerk »Über den Prozeß der Zivilisation« (1939) versuchte E. den Zusammenhang von Sozio- und Psychogenese des Menschen aufzuzeigen; er beeinflusste u. a. die Soziologie, Sozialpsychologie und Pädagogik.

Weitere Werke: Was ist Soziologie? (1970); Die Gesellschaft der Individuen (1987).

📖 Baumgart, R. *u.* Eichener, V.: *N. E. zur Einführung. Hamburg ²1997.*

T. S. Eliot

Elías Calles [-ˈkajɛs], Plutarco, mexikan. Politiker, *Guaymas (Sonora) 25. 9. 1877, †Mexiko 19. 10. 1945; war 1920 Kriegs-, 1920–23 Innenmin., setzte sich als Staatspräs. (1924–28) für eine Landreform ein, kämpfte gegen die beherrschende Rolle der kath. Kirche und versuchte, den Einfluss der USA zurückzudrängen. Mit Gründung des »Partido Nacional Revolucionario« (PNR) 1928 schuf er das bis heute gültige polit. System Mexikos.

Eligius, Bischof von Noyon (seit 641), *Chaptelat (bei Limoges) um 588, †Noyon (Dép. Oise) 1. 12. um 660; urspr. Münzmeister und Goldschmied am Merowingerhof, dann Priester und Missionar der in N-Frankreich ansässigen Germanen; Patron der Schmiede und Goldarbeiter; Heiliger, Tag: 1. 12.

Elimination [lat.] *die,* **1)** *allg.:* Beseitigung, Ausschaltung.

2) *Mathematik:* Verfahren zur Entfernung (mindestens) einer von mehreren Unbekannten aus einem Gleichungssystem.

Eliminierung, chem. Reaktion, bei der Atome oder Atomgruppen ohne Ersatz durch andere Gruppen aus einem Molekül entfernt werden. Die E. ist eine Umkehrung der →Addition. E. sind z. B. →Dehydrierung, →Dehydratisierung.

Elin-Pelin, eigtl. Dimitar Iwanow Stojanow, bulgar. Schriftsteller, *Bailowo (bei Sofia) 18. 7. 1878, †Sofia 3. 12. 1949; schrieb realistisch-psycholog. Erzählungen und Romane über das bäuerlich-patriarchal. Leben und dessen Verfall.

Elion [ˈeljɔn], Gertrude Belle, amerikan. Pharmakologin und Biochemikerin, *New York 23. 1. 1918; ab 1944 Mitarbeiterin von G. H. Hitchings, ab 1973 auch Prof. in Chapel Hill (N. C.); erhielt 1988 (mit J. W. Black und Hitchings) für die Entwicklung neuer, selektiv wirksamer Chemotherapeutika den Nobelpreis für Physiologie oder Medizin.

Eliot [ˈeljət], **1)** George, eigtl. Mary Ann Evans, engl. Schriftstellerin, *Arbury Farm (bei Coventry) 22. 11. 1819, †London 22. 12. 1880; Tochter eines strenggläubigen Methodisten, wandte sich früh dem Freidenkertum zu; übersetzte Schriften von D. F. Strauß und L. Feuerbach. E. gehört zu den ersten bedeutenden Vertretern des psychologisch-sozialen Romans in England: »Adam Bede« (1859), »Die Mühle am Fluss« (1860), »Silas Marner« (Erz., 1861).

📖 Maletzke, E.: *G. E. Eine Biographie. Neuausg. Frankfurt am Main u. a. 1997.*

2) T. S. (Thomas Stearns), amerikan.-engl. Schriftsteller, *Saint Louis (Mo.) 26. 9. 1888, †London 4. 1. 1965; seit 1927 brit. Staatsbürger, trat 1928 zur anglikan. Kirche über. E. leitete den Verlag Faber & Faber und wirkte stark auf die angelsächs. Literatur. Seine spröde, beziehungsreiche Lyrik (»Das wüste Land«, 1922; »Aschermittwoch«, 1930; »Vier Quartette«, 1943; »Ausgewählte Gedichte«, 1950) ist reich an Anspielungen auf Mythos, Kultur und Dichtung der Jahrtausende. Sie spiegelt eine aus den Fugen geratene Welt und versucht das Existenzproblem des modernen Menschen durch Hinwendung zu einem christlich fundierten Humanismus zu lösen (»Beiträge zum Begriff der Kultur«, Essay, 1948). In seinen Bühnenwerken (»Mord im Dom«, 1935; »Der Familientag«, 1939; »Die Cocktailparty«, 1950; »Der Privatsekretär«, 1954; »Ein verdienter Staatsmann«, 1959) unternahm er eine Wiederbelebung des poet. Dramas. 1948 erhielt er den Nobelpreis für Literatur.

📖 Ackroyd, P.: *T. S. E. A. d. Amerikan. Frankfurt am Main 1988.* – Riquelme, J. P.: *Harmony of dissonances. T. S. E., romanticism, and imagination. Baltimore, Md., 1991.* – Ricks, C.: *T. S. E. and prejudice. London 1994.*

Elis (ngrch. Ilia), Küstenlandschaft und Verwaltungsbezirk (2681 km^2, 179400 Ew., Hptst. Pyrgos) im NW der Peloponnes (Griechenland); intensive landwirtsch. Nutzung. Die antike Stadt Olympia wurde ab 570 v. Chr. von E. beherrscht.

Elisa [hebr. Elischa »Gott hat geholfen«], israelit. Prophet, Schüler und Nachfolger des Elias (1. Kön. 19, 16 ff.).

Elisabeth, bibl. Gestalt, Frau des Priesters Zacharias, Mutter Johannes' des Täufers (Lk. 1,5); Heilige, Tag: 5. 11.

Elisabeth, Herrscherinnen:

England/Großbritannien: **1) E. I.** (engl. Elizabeth), Königin von England (1558–1603), letzte Herrscherin aus dem Hause Tudor, *Greenwich (heute zu London) 7. 9. 1533, †Richmond upon Thames (heute zu London) 24. 3. 1603; Tochter Heinrichs VIII. und der Anna Boleyn; gelangte nach dem Tod ihrer Halbschwester Maria der Katholischen auf den Thron und errichtete mit der polit. Hilfe von Baron →Burghley eine starke Krongewalt; stellte durch die Uniformitätsakte von 1559 die anglikan. Staatskirche wieder her. Als Papst Pius V. 1570 E. exkommunizierte, wurden die Katholiken unter harte Ausnahmegesetze gestellt. E.s kath. Nebenbuhlerin Maria Stuart, die Königin von Schottland, geriet 1568 in ihre Gefangenschaft und wurde unter dem Vorwurf der Teilnahme an Verschwörungen 1587 hingerichtet. Außenpolitisch in Gegensatz zu Spanien unter Philipp II. geraten, unterstützte E. den niederländ. Unabhängigkeitskampf und die Übergriffe engl. Freibeuter (Drake, Raleigh) gegen span. Schiffe. Der Sieg über die →Armada 1588 sicherte Englands Rolle als prot. Großmacht (Aufschwung von Handel und Schifffahrt). Die Anfänge des engl. Kolonialreichs wurden geschaffen (Virginia). Zu polit. Macht und wirtsch. Aufstieg trat die Blüte des geistigen Lebens (Shakespeare) im sog. **Elisabethanischen Zeitalter.** Zu den Günstlingen E.s gehörten R. Dudley, Earl of →Leicester und R. Devereux, Earl of →Essex. E. blieb unvermählt (»jungfräul. Königin«, engl. »the Virgin Queen«).

NEALE, J. E.: *E. I. Königin von England. A. d. Engl. Sonderausg. München 1994.* – WILLIAMS, N.: *E. I. von England. Beherrscherin eines Weltreiches. A. d. Engl. Tb.-Ausg. München 1994.*

2) E. II. (engl. Elizabeth), Königin von Großbritannien und Nordirland, Haupt des Commonwealth, *London 21. 4. 1926; bestieg nach dem Tod ihres Vaters, Georg VI., 1952 den Thron (gekrönt 1953); ⚭ seit 20. 11. 1947 mit Philip Mountbatten (→Philip, Herzog von Edinburgh); der Ehe entstammen →Charles, Anne (*1950), Andrew (*1960) und Edward (*1964).

Elisabeth II., Königin von Großbritannien und Nordirland

Österreich-Ungarn: **3) E.,** Kaiserin von Österreich und Königin von Ungarn, *München 24. 12. 1837, †Genf 10. 9. 1898; Tochter des Herzogs Maximilian Joseph in Bayern, ⚭ seit 1854 mit Kaiser Franz Joseph I. Sie setzte sich bes. für den Ausgleich mit Ungarn ein und entzog sich, v. a. nach dem Tod des Kronprinzen Rudolf (1889), dem Hofleben durch Reisen; in Genf von dem italien. Anarchisten L. Luccheni erstochen.

HAMANN, B.: *E. Kaiserin wider Willen. Tb.-Ausg. München ^{8}1996.*

Elisabeth, Kaiserin von Österreich und Königin von Ungarn (Ausschnitt aus einem zeitgenössischen Gemälde)

Pfalz: **4) E.,** Kurfürstin von der Pfalz und Königin von Böhmen, *Falkland Castle (bei Perth) 19. 8. 1596, †London 13. 2. 1662; Tochter Jakobs I. von England, ⚭ seit 1613 mit Kurfürst Friedrich V. von der Pfalz, dem böhm. »Winterkönig«; ging mit ihm 1620 in die Niederlande ins Exil, kehrte 1661 nach England zurück.

5) E. Charlotte, gen. Liselotte von der Pfalz, Herzogin von Orléans, *Heidelberg 27. 5. 1652, †Saint-Cloud (Dép. Hauts-de-Seine) 8. 12. 1722, Enkelin von 4); ⚭ seit 1671 mit Herzog Philipp I. von Orléans, Bruder Ludwigs XIV.; am frz. Hof bewahrte sie ihr urwüchsiges und natürl. Wesen, das sich bes. in ihren Briefen ausdrückt. Ihre Erbansprüche beim Tod ihres Bruders, des Kurfürsten Karl (†1685), boten Ludwig XIV. den Anlass zum →Pfälzischen Erbfolgekrieg.

LEBIGRE, A.: *Liselotte von der Pfalz. Eine Wittelsbacherin am Hofe Ludwigs des XIV. A. d. Frz. Tb.-Ausg. München 1995.* – *Liselotte von der Pfalz. Madame am Hofe des Sonnenkönigs. Ausstellung der Stadt Heidelberg zur 800-Jahr-Feier, ..., im Heidelberger Schloß, hg. v.* S. PAAS, *Beiträge v.* H. ALEXANDER ADDA *u. a. Heidelberg 1996.*

Preußen: **6) E. Christine,** Königin, *Wolfenbüttel 8. 11. 1715, †Berlin 13. 1. 1797; Tochter des Herzogs Ferdinand Albrecht II. von Braunschweig-Bevern, Nichte Kaiser Karls VI., ⚭ seit 1733 mit dem späteren Friedrich II., d. Gr., lebte seit dessen Regierungsantritt (1740) in kinderloser Ehe von ihm getrennt.

Elisabeth I.

Noch heute erinnert man sich in Großbritannien manchmal an Elisabeths letzte Thronrede vor dem Parlament im Jahre 1601, in der sie unter anderem erklärt hatte:

»Und wenn ihr auch viel mächtigere und weisere Herrscher auf diesem Thron gehabt habt und noch haben werdet, so habt ihr doch niemals einen gehabt, noch werdet ihr jemals einen haben, der euch herzlicher liebt als ich.«

Rumänien: **7) E.,** Königin, *Schloss Monrepos (bei Neuwied) 29. 12. 1843, †Bukarest 2. 3. 1916; ⚭ seit 1869 mit Fürst Karl von Hohenzollern (seit 1881 König Carol I. von Rumänien); schrieb unter dem Namen **Carmen Sylva** Gedichte und Unter-

Elisabeth von Ungarn: »Die heilige Elisabeth besucht Kranke«, Glasmalerei aus der Elisabethkirche in Marburg (um 1240)

haltungsromane über rumänische Landschaft und Bräuche.

Elisabeth Petrowna, Kaiserin von Russland (anonymes zeitgenössisches Pastell)

Russland: **8) E. Petrowna** (Jelisaweta Petrowna), Kaiserin (1741–62), *Kolomenskoje (heute zu Moskau) 29. 12. 1709, †Sankt Petersburg 5. 1. 1762; Tochter Peters I., d. Gr., und Katharinas I., setzte ihre Thronansprüche gegen die Regentin Anna Leopoldowna durch die Palastrevolution von 1741 durch. Sie beendete 1743 den Krieg mit Schweden und war im Siebenjährigen Krieg Verbündete Österreichs und Frankreichs gegen Friedrich d. Gr. Sie bestimmte den späteren Peter III. zu ihrem Nachfolger und vermählte ihn 1745 mit der späteren Kaiserin Katharina II. 1755 gründete sie die Univ. Moskau, 1757 die Akademie der schönen Künste in Sankt Petersburg. Mit der Aufhebung der Binnenzölle (1753) schuf sie eine wesentl. Voraussetzung für die Entstehung eines einheitl. russ. Wirtschaftsgebietes.

📖 Rice, T. T.: *E. von Rußland. Die letzte Romanow auf dem Zarenthron. A. d. Engl. München 1973.* – Coughlan, R.: *Frauen auf dem Zarenthron. E. u. Katharina. A. d. Amerikan. Düsseldorf 1976.*

Spanien: **9) E. von Valois,** Königin, *Fontainebleau 13. 4. 1545, †Aranjuez 3. 10. 1568; Tochter Heinrichs II. von Frankreich und der Katharina von Medici, seit 1559 die dritte Gemahlin König Philipps II. Das ihr nachgesagte Liebesverhältnis zu ihrem Stiefsohn Carlos hat nicht bestanden.

10) E. Farnese, Königin, *Parma 25. 10. 1692, †Aranjuez 11. 7. 1766; Tochter des Herzogs von Parma, zweite Gemahlin Philipps V. (seit 1714); politisch ehrgeizig und erfolgreich, erreichte sie durch Verhandlungen und Kriege, dass von ihren Söhnen Karl 1735 Neapel-Sizilien und Philipp 1748 Parma erhielt.

»Eine Bildungsschicht ist aber nur dort wirkliche ***Elite,*** *wo sie sich nicht außerhalb stellt und wo sie nicht glaubt, sich oberhalb stellen zu müssen, sondern wo sie sich als Mitgestalter der Leitbilder und der Ordnungen eingliedert und sich dabei trotz ihrer numerischen Unterlegenheit als wirksamer Faktor bewährt.«*

Carlo Schmid

Thüringen: **11) E.** (E. von Ungarn), Landgräfin, *Burg Sárospatak (Ungarn) 1207, †Marburg 17. 11. 1231; ungar. Königstochter, ⚭ seit 1221 mit Landgraf Ludwig IV. von Thüringen. Nach seinem Kreuzfahrertod 1227 durch Heinrich Raspe vertrieben, widmete sich E. in dem von ihr in Marburg gestifteten Hospital ganz der Armen- und Krankenpflege. 1235 heilig gesprochen, Tag: 19. 11.

📖 Jaschke, G.: *Die Heilige E. von Thüringen. Langen 1990.* – Hoppe, G.: *E., Landgräfin von Thüringen. Eisenach ³1991.* – Ohler, N.: *E. von Thüringen. Fürstin im Dienst der Niedrigsten. Göttingen u. a. ²1992.*

Elisabethinerinnen, →Barmherzige Schwestern.

Elisabethville [-ˈvil], bis 1966 Name von →Lubumbashi.

Elision [lat.] *die, Sprache:* Schwund eines Vokals im Wortinnern oder am Wortende, z. B. *das mein ich* oder *sel'ge* (statt selige).

Elista (1944–57 Stepnoi), Hptst. der Rep. Kalmückien innerhalb der Russ. Föderation, im Jergeni-Hügelland in der Kalmückensteppe, 89 700 Ew.; Univ. (1970); Nahrungsmittelind., Holzverarbeitung; internat. Flughafen.

Elite [frz., zu lat. eligere »auslesen«] *die,* politisch oder sozial führende Minderheit. Die Maßstäbe, nach denen sich die Zugehörigkeit zur E. bestimmt, sind in den Gesellschaftsordnungen verschieden: Auf polit., ökonom., militär. Vorherrschaft gründet sich die **Machtelite.** Neben die traditionelle, durch Standeszugehörigkeit, Geburt **(Geburts-E.),** Vermögen, Bildung oder andere allg. anerkannte Qualitäten **(Wert-E.)** gekennzeichnete E. sind Führungsgruppen getreten, die sich aufgrund ihrer beruflich-fachl. Fähigkeiten und ihrer Leistung qualifizieren **(Funktions-E.).** Letztere werden von neueren E.-Theorien als gesellschaftl. Notwendigkeit angesehen.

📖 Röhrich, W.: *E.n u. das Ethos der Demokratie. München 1991.*

Elixier [alchimistenlat. elixirium, aus arab. al-iksīr »Stein der Weisen«] *das,* alkohol. Pflanzenauszug mit Zusätzen; im übertragenden Sinn Zaubertrank, Heiltrank.

Elizabeth [ɪˈlɪzəbəθ], Stadt in New Jersey, USA, 110 000 Ew.; Schiff- und Maschinenbau, Textil-, Auto-, chem. u. a. Industrie. – Entstand ab 1664.

Ełk [ɛu̯k] (dt. Lyck), Stadt in der poln. Wwschaft Suwałki, in Masuren, an der Mündung des Lyck (Ełk) in den Lycksee (Jezioro Ełk), 45 000 Ew.; Lebensmittel-, elektrotechn., Holzind., Flachsrösterei. – Der Ort entstand um 1400 bei einer Burg des Dt. Ordens; seit 1669 Stadt.

El-Kab (Elkab), Ruinenstätte der altägypt. Stadt **Necheb,** am rechten Nilufer nördlich von Idfu gelegen; im Mittleren Reich Hptst. des 3. oberägypt.

Gaues; Ortsgottheit war die Geiergöttin Nechbet. Erhalten sind Reste der Stadtmauer, versch. Tempel (»Wüstentempel«), Felsengräber mit Inschriften und Darstellungen.

Ellbogen (Ellenbogen), Bez. für den gesamten Bereich des E.-Gelenks, i.e.S. der bei gebeugtem Arm am weitesten vorspringende Fortsatz am oberen Ende der Elle.

Elle, 1) *Anatomie:* (Ulna) Röhrenknochen auf der Kleinfingerseite des Unterarms.

2) *Messwesen:* altes Längenmaß, urspr. die Länge des Unterarms; festgelegt zw. 50 und über 80 cm.

Ellesmere Island ['elzmɪə 'aɪlənd], Insel im NO des Kanadisch-Arkt. Archipels, 196 236 km²; erstreckt sich bis 83° 07' n. Br. (nördlichster Punkt Kanadas), z.T. vergletschert, z.T. Tundra mit polarer Tierwelt, bis 2604 m ü.M.; Eskimosiedlungen, Wetterstationen. Seit 1985 39 500 km² großer Nationalpark. – 1616 von W. Baffin entdeckt.

Ellesmere Port ['elzmɪə 'pɔːt], Industriestadt in der engl. Cty. Cheshire, am Manchester Ship Canal, 63 100 Ew.; Erdölraffinerie, Maschinenbau, chemische u.a. Industrie.

Ellice-Inseln ['elɪs-], Gruppe von neun Atollen im Pazif. Ozean, →Tuvalu.

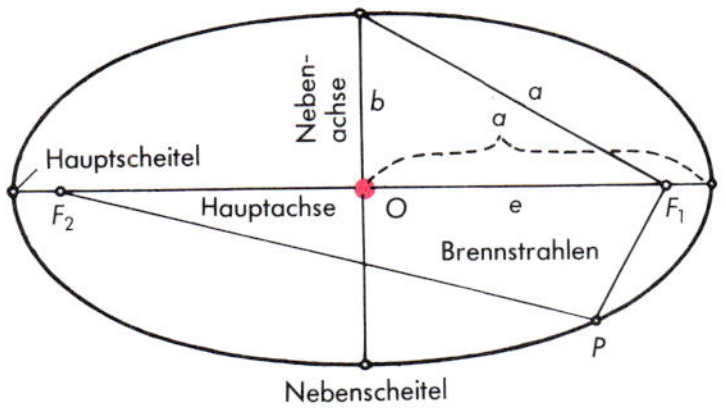

Ellipse

Ellington ['elɪŋtən], Duke, eigtl. Edward Kennedy E., amerikan. Jazzmusiker (Orchesterleiter, Komponist, Pianist), *Washington (D.C.) 29. 4. 1899, †New York 24. 5. 1974; Mitbegründer des modernen Bigband-Stils. Seine vom Impressionismus beeinflusste Musikauffassung führte zu dem besonderen »Ellington-Klang« (Junglestyle, Moodstyle); als Komponist beeinflusste er zahlr. Musiker des modernen und Freejazz.

📖 Collier, J. L.: *D. E. Genius des Jazz. A. d. Amerikan. Tb.-Ausg. München 1992.*

Ellipse [grch. »Mangel«] *die, Geometrie:* eine zu den →Kegelschnitten gehörende geschlossene Kurve, der Ort aller Punkte P einer Ebene, für die die Summe der Abstände zu den beiden Brennpunkten F_1 und F_2 bzw. die Summe der Länge der Brennstrahlen konstant ist ($= 2a$). Die E. hat einen größten (Hauptachse) und einen kleinsten Durchmesser (Nebenachse), die aufeinander senkrecht stehen und sich im Mittelpunkt der E. schneiden; a bzw. b sind die große bzw. kleine Halbachsenlänge. Sonderfall der E. ist der Kreis ($a = b$). Die Entfernung des Mittelpunkts von einem der Brennpunkte heißt **lineare Exzentrizität** e. Die Fläche F der E. berechnet sich nach $F = \pi ab$. Liegt der Mittelpunkt im Ursprung eines kartes. Koordinatensystems, so lautet ihre Gleichung:

$$\frac{x^2}{a^2} + \frac{y^2}{b^2} = 1.$$

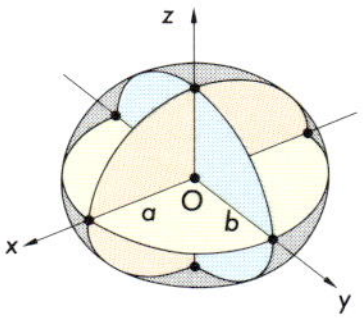

Ellipsoid: Schnitte durch die Hauptachsen

Ellipsoid *das,* geschlossene Fläche 2. Ordnung (bzw. der von ihr umschlossene Körper), deren ebene Schnitte Ellipsen, in bestimmten Fällen Kreise sind. Sind die drei Hauptachsen a, b, c ungleich lang, so heißt das E. **dreiachsig;** von einem **Rotations-E.** spricht man bei zwei gleich langen Achsen. Gleichung des E. im kartes. Koordinatensystem:

$$\frac{x^2}{a^2} + \frac{y^2}{b^2} + \frac{z^2}{c^2} = 1.$$

Ellis Island [-'aɪlənd], Insel in der Upper New York Bay, USA, nahe der Freiheitsstatue. Auf ihr befand sich 1892–1943 die Kontrollstelle für Einwanderer, bis 1954 ein Internierungslager.

Duke Ellington

Ellison ['elɪsn], Ralph Waldo, afroamerikan. Schriftsteller, *Oklahoma City (Okla.) 1. 3. 1914, †New York 16. 4. 1994; bemühte sich in seinen Werken »Unsichtbar« (1952, R.) und »Shadow and act« (1964) um eine Klärung der menschlich-sittl. Problematik von Rasse und sozialer Klasse.

Ellora [engl. e'lɔːrə] (Elura), Dorf im Staat Maharashtra, Indien, mit buddhist., hinduist. und jainist. Höhlentempeln (4.–10. Jh.; UNESCO-Weltkulturerbe); bedeutendster Tempel ist der als Monolith aus dem Fels gemeißelte Shiva-Tempel Kailasanatha (8. Jh.).

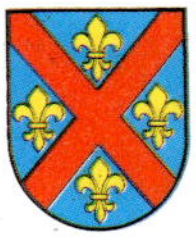

Ellwangen (Jagst) Stadtwappen

Ellwangen (Jagst), Stadt (Große Kreisstadt) im Ostalbkreis, Bad.-Württ., an der Jagst, am SO-Rand der Ellwanger Berge (bis 570 m ü.M.), 24 200 Ew.; Herstellung von Batterien, Akkumulatoren,

Ellwangen (Jagst): Der historische Stadtkern mit der ehemaligen Stiftskirche (1182–1233)

Bekleidung und Kühlgeräten. – Ehem. Stiftskirche (1182–1233; im Inneren barock umgestaltet), Schloss (Spätrenaissance, barocke Inneneinrichtung). – E., bei einem um 764 gegründeten Benediktinerkloster entstanden, 1201 ersterwähnt, ist 1229 als Stadt bezeugt. Die Abtei, seit 817 Reichsabtei, 1460 **Fürstpropstei Ellwangen** kam 1802 an Württemberg.

Elo-System

Zurzeit hat der Schachweltmeister Gary Kasparow 2820 Elo-Punkte, die Großmeister Wladimir Kramnik und Viswanath Anand dagegen 2770 bzw. 2765 Punkte. Ein durchschnittlicher Vereinsspieler hat zwischen 1000 und 1800 Elo-Punkte, ein Freizeitspieler zwischen 800 und 1000 Punkte. Der Computer »Deep Blue«, der im Frühjahr 1997 Kasparow schlagen konnte, kann aufgrund der wenigen Spiele eigentlich nicht mit dem Elo-System bewertet werden. Gewöhnliche Schachcomputer kommen auf etwa 2200 Elo-Punkte.

Ellwein, Thomas, Politologe und Erziehungswissenschaftler, *Hof 16. 7. 1927; 1961–70 Prof. in Frankfurt am Main, 1974–76 Präs. der Bundeswehrhochschule in Hamburg, 1976–89 Prof. für polit. Wiss. in Konstanz.

Werke: Das Regierungssystem der Bundesrep. Dtl. (1963); Gewerkschaften u. öffentl. Dienst (1980); Die dt. Univ. vom MA. bis zur Gegenwart (1985); Das Dilemma der Verwaltung (1994).

Elm *der,* Muschelkalk- und Buntsandsteinsattel im nördl. Harzvorland südöstlich von Braunschweig, im Kuxberg 322 m ü. M.; Buchenwald; Teil des Naturparks **Elm-Lappwald** (470 km²).

El-Minia, Stadt in Ägypten, → Minia.

Elmsfeuer, Sprüh-, Büschel- oder Glimmentladung an hervorstehenden Kanten und Spitzen bei hohen elektr. Feldstärken in der Luft (Gewitter), z. B. an Mastspitzen von Schiffen.

Elmshorn, Stadt im Landkreis Pinneberg, Schlesw.-Holst., am O-Rand der Elbmarschen, 47 000 Ew.; Pferdezucht mit Reit- und Fahrschule; Nahrungsmittel-, Kunststoff-, chem. Ind., Fahrzeugbau. – 1141 erstmals erwähnt, erhielt 1870 Stadtrecht.

El Niño [-ˈninjɔ span.], Klimaanomalie im südl. Pazifik, → Niño.

Eloge [eˈloːʒə, frz.] *die,* Lobrede, Lobschrift; in der frz. Lit. des 17. und 18. Jh. in kunstreicher Rhetorik gestaltete Rede. Heute oft ironisch gebraucht (im Sinne von Lobhudelei).

Elohim [hebr.], Gottesbezeichnung im Alten Testament.

Elohist *der,* bibl. Quellenschrift, im → Pentateuch, die im Gegensatz zum Jahwisten die Gottesbez. Elohim verwendet und stärker theologisch reflektierend berichtet.

Elongation [lat.] *die,* **1)** *Astronomie:* der Winkelabstand eines Planeten von der Sonne, gemessen in ekliptikaler Länge. Steht ein Planet in westl. E., so geht er vor der Sonne auf (Morgenstern); steht er in östl. E., so geht er nach der Sonne unter und kann am Abendhimmel beobachtet werden (z. B. Venus als Abendstern).

2) *Physik:* bei einer Schwingung die momentane Auslenkung aus der Ruhelage.

Eloquenz [lat.] *die,* Beredsamkeit.

Elo-System [nach dem amerikan. Erfinder A. E. Elo, *1903], *Schach:* Wertungssystem **(Ratingsystem)** zur leistungsgemäßen Einordnung der Spieler. Die Leistungsstärke eines Spielers wird durch eine Wertungszahl **(Ratingzahl, Elo-Zahl)** ausgedrückt, die durch gute bzw. schlechte Turnierergebnisse steigt bzw. sinkt.

Eloxieren, Bez. für die → anodische Oxidation von Aluminiumwerkstoffen.

El Paso [-ˈpɑːsəʊ], Stadt in Texas, USA, 1126 m ü. M., am Rio Grande, an der Grenze zu Mexiko, 554 500 Ew.; Zweig der University of Texas; Zentrum eines Gebiets mit Rinderzucht, Baumwollanbau und Bergbau; Kupfer- und Bleischmelzen, Kupferraffinerie u. a. Ind.; bed. Eisenbahn- und Straßenknotenpunkt. Nahebei liegt **Fort Bliss** mit Flugabwehrraketenschule des amerikan. Heeres und Raketenschule der dt. Luftwaffe. – Entwickelte sich um eine 1659 gegründete Missionsstation der Franziskaner.

Elritze
(Länge bis 10 cm)

Elritze *die* (Pfrille, Phoxinus phoxinus), bis 10 cm langer Karpfenfisch, mit kleinen Schuppen, oft seitlich gefleckt; lebt gesellig in klaren Gewässern Europas und Asiens. Nach der Roten Liste in Dtl. in ihrem Bestand stark gefährdet.

El Salvador (amtlich span. República de El Salvador; dt. Rep. El Salvador), die kleinste Republik Zentralamerikas, an der Küste des Pazif. Ozeans; grenzt im W an Guatemala, im N und O an Honduras.

Staat und Recht: Nach der Verf. von 1983 ist El S. eine präsidiale Republik. Staatsoberhaupt und Reg.chef ist der für fünf Jahre direkt gewählte Präsident. Gesetzgebendes Organ ist das Abg.haus (84 Abg., für drei Jahre gewählt); es besteht Wahlpflicht für Bürger über 18 Jahre. Einflussreichste Parteien: Nationalist. Republikan. Allianz (ARENA); Christdemokrat. Partei (PDC), Nat. Versöhnungspartei (PCN) und Demokrat. Zusammenschluss (CD). Die Guerillabewegung FMLN wurde 1992 in eine polit. Partei umgebildet.

El Salvador

Fläche: 21 041 km²
Einwohner: (1995) 5,77 Mio.
Hauptstadt: San Salvador
Verwaltungsgliederung: 14 Departamentos
Amtssprache: Spanisch
Nationalfeiertag: 15. 9.
Währung: 1 El-Salvador-Colón = 100 Centavos
Zeitzone: MEZ –7 Std.

Landesnatur: El S. ist bis auf einen schmalen, feuchtheißen Küstenstreifen fruchtbares Hügel- und Gebirgsland (»Gartenrepublik«). Das Innere, ein 400–500 m hohes, vom Río Lempa durchflossenes Plateau mit Grasfluren und Seen (Ilopangosee, 60 km², 248 m tief), wird von je einem parallel zur Küste laufenden bewaldeten Gebirgszug begrenzt, im N bis 1650 m ü. M. hoch; im S (Küstengebirge) 14 z. T. noch tätige Vulkane (Santa Ana 2381 m ü. M.). – Die Temperaturen des wechselfeuchten trop. Klimas (mittlere Jahrestemperaturen 26,8 °C; höchste Niederschläge Mai bis Oktober) nehmen in Höhen über 500 m ü. M. ab.

Bevölkerung: Rd. 90 % der Bev. sind Mestizen, die Übrigen Weiße (meist altspan. Abstammung) und Indios. El S. ist das am dichtesten besiedelte Land Zentralamerikas. Das jährl. Bev.wachstum liegt bei 1,8 %. Viele Menschen wandern in die Nachbarländer aus. Größte Städte sind San Salvador, Santa Ana, San Miguel, Nueva San Salvador (Santa Tecla). – Es besteht neunjährige allgemeine Schulpflicht, der Unterricht ist kostenlos. Die Analphabetenquote beträgt 27 %. Unter den meist privaten 38 Hochschuleinrichtungen sind die bedeutendsten eine staatl. (gegr. 1841) und eine private Univ. (gegr. 1966) in San Salvador. – Rd. 92 % der Bev. sind Katholiken.

Wirtschaft, Verkehr: Die innenpolit. Unruhen der letzten Jahre, stark sinkende Preise des Hauptexportproduktes Kaffee bei gleichzeitig steigenden Rohölpreisen wirkten sich negativ auf die wirtsch. Entwicklung aus. – Der wichtigste Wirtschaftszweig ist die Landwirtschaft (50–60 % der Exporterlöse). Die landwirtsch. Nutzfläche ist sehr ungleich verteilt (0,7 % der Eigentümer besitzen 38 % der landwirtsch. Nutzfläche). Die 1980 eingeleitete Bodenreform geriet schon 1983 ins Stocken. Hauptanbauprodukte bes. für den Export sind Kaffee, Baumwolle, Zuckerrohr, für die Selbstversorgung Mais, Reis, Bohnen und Hirse; Nahrungsmittelimporte sind notwendig. In den Savannen wird Viehzucht betrieben. Die Forstwirtschaft ist weltgrößter Produzent von Perubalsam. In der Fischwirtschaft erfolgte eine Spezialisierung auf Krustentiere. Neben Guatemala ist El S. das industriell am weitesten entwickelte Land Zentralamerikas. In kleineren und mittleren Betrieben werden heim. Rohstoffe und Halbwaren weiter verarbeitet. Die Handelsbilanz ist negativ. Kaffee hat einen Anteil von 45 % am Gesamtexporterlös. Wichtigste Handelspartner sind die USA, Guatemala und Deutschland. – El S. besitzt ein gut ausgebautes Verkehrsnetz mit einem 602 km langen Eisenbahnnetz, v. a. für den Kaffee- und Baumwolltransport, sowie rd. 15 200 km Straßen (davon rd. 1 700 km asphaltiert), darunter die 317 km lange »Carretera Panamericana« zw. Guatemala und Honduras und die nahezu parallel verlaufende Küstenstraße. Haupthäfen sind Acajutla und Cutuco; der Zugang zum Hafen Puerto Barrios in Guatemala ist vertraglich zugesichert; internat. Flughafen bei San Salvador.

Geschichte: El S. wurde 1524/25 von P. de Alvarado unterworfen; es gehörte bis 1821 zu Spanien, 1823–38/41 zur Zentralamerikan. Föderation; seitdem unabhängige Republik. Das polit. Leben wurde von den rivalisierenden Gruppen der Liberalen und Konservativen bestimmt; der wirtsch. Einfluss der USA wuchs bis zur Weltwirtschaftskrise ständig (Kaffeemonokultur). Bauernunruhen unter dem KP-Führer Farabundo Marti, hervorgerufen durch die starken sozialen Widersprüche, brachten schließlich 1931 General M. Hernández Martínez an die Macht; er regierte das Land (bis 1944) diktatorisch, leitete aber eine Reformpolitik ein, die zwar nach seinem Sturz durch die folgende Militärregierung fortgesetzt wurde, aber keine grundlegenden Verbesserungen erzielte. Soziale Spannungen entluden sich auch im »Fußballkrieg« gegen Honduras 1969. Nach dem Sturz von C. H. Romero (Präs. 1977–79) und der Machtübernahme durch eine Militärjunta begann ein blutiger, die ganze Region bedrohender Bürgerkrieg, in dem Reg.truppen mit Unterstützung der USA gegen die linksgerichtete Frente Farabundo Marti para la Liberación Nacional (FMLN) kämpften. Nach

Staatswappen

ES
Internationales Kfz-Kennzeichen

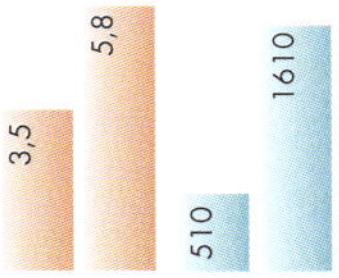

Bevölkerung (in Mio.)
Bruttosozialprodukt je Ew. (in US-$)

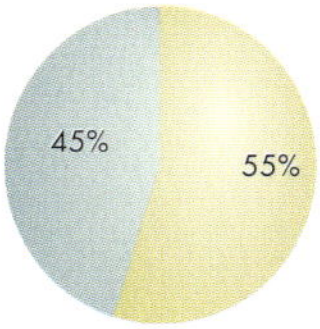

Bevölkerungsverteilung 1994

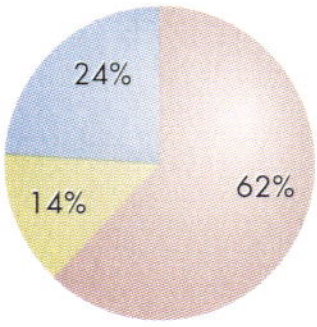

Bruttoinlandsprodukt 1994

El Salvador: Küstenregion an der Fonsecabucht im Grenzgebiet zu Honduras

Umbildung der Regierung Ende 1980 wurde der reformorientierte J. N. Duarte (PDC) Präs. (bis 1982, erneut 1984–89); er begann Verhandlungen mit der FMLN, die auch unter seinem Nachfolger A. F. Cristiani von der rechtsgerichteten ARENA-Partei weitergeführt wurden. Vor dem Hintergrund eines militär. Patts zw. Regierung und FMLN wurden 1990 unter Vermittlung der UNO, der OAS und der kath. Kirche die Friedensgespräche fortgesetzt und führten am 16. 1. 1992 zu einem Friedensabkommen zw. den Bürgerkriegsparteien (Überwachung des Waffenstillstandes bis 1995 durch eine UN-Friedenstruppe, Wiedereingliederung der Guerilla ins zivile Leben, Reduzierung der Armee, Landreform). Im Dez. 1992 wurde der Bürgerkrieg offiziell für beendet erklärt. Nach Schätzungen forderte er 75 000 bis 80 000 Tote; etwa 500 000 Menschen wurden vertrieben oder flüchteten. Aus den von der UNO beobachteten Wahlen von 1994 ging wieder die ARENA-Partei als Siegerin hervor, zweitstärkste Gruppe wurde die zur Partei umgeformte FMLN; Staatspräs. ist seitdem der ARENA-Kandidat A. Calderón Sol. Die Umsetzung bestimmter Teile der Friedensvereinbarung (z. B. die Reduzierung der Armeestärke oder die Landverteilung) wurde noch nicht abgeschlossen.

Trotz offizieller Beilegung des Grenzstreits mit Honduras im Sept. 1992 kam es von honduran. Seite aus 1994 zu Übergriffen gegenüber der salvadorian. Zivilbevölkerung im Grenzgebiet.

📖 ANDERSON, T. P.: *Politics in Central America. Guatemala, El S., Honduras, and Nicaragua. Neuausg. New York 1988.* – GABRIEL, L.: *Aufstand der Kulturen. Konfliktregion Zentralamerika: Guatemala, El S., Nicaragua. Neuausg. München 1988.* – *Keeping the peace. Multidimensional UN operations in Cambodia and El S., hg. v.* M. W. DOYLE *u. a. Cambridge 1997.*

Elsass (frz. Alsace), histor. Landschaft westlich des Oberrheins, heute Region O-Frankreichs mit den Dép. Haut-Rhin und Bas-Rhin; 8 280 km², (1990) 1,62 Mio. Ew.; Hptst. ist Straßburg. Das E. erstreckt sich zw. Pfälzerwald und Schweizer Jura über die südwestl. Oberrheinebene (110–250 m ü. M.) bis auf den Kamm der Vogesen (Großer Belchen, 1 424 m), im NW über die Zaberner Senke (326 m) und niederes Bergland (530 m) bis zur Saar. Im S bildet das Hügelland des Sundgaus den Übergang zum Schweizer Jura und zur Burgund. Pforte. Hauptflüsse sind Ill, Moder und Zorn.

Bevölkerung: Sie besteht überwiegend aus Elsässern (vorwiegend kath.); die neben dem Französischen gebräuchl. dt. Umgangssprache gehört dem alemannischen, nördlich des Hagenauer Forsts dem rheinfränkischen Sprachgebiet an. Unterrichts-, Amts- und Bildungssprache ist neben Französisch seit 1993 auch Deutsch.

Wirtschaft: In der klimatisch begünstigten Rheinebene wird intensive Landwirtschaft betrieben (Weizen, Tabak, Hopfen, ferner Gemüse- und Obstbau), im Hügelland Weinbau, in den Vogesen Alm- und Waldwirtschaft. Ein wichtiger Wirtschaftszweig ist der Fremdenverkehr. Ind.zweige sind die zurückgehende Textilind. um Mülhausen und Colmar, Maschinen-, Papier-, Schuhind. u. a.; Kalisalzbergbau bei Mülhausen. Zwei Erdölraffinerien (Reichstett, Herrlisheim) werden durch die Pipeline von Lavéra am Mittelmeer nach Karlsruhe versorgt. Kraftwerke und Ind.zonen entstanden am →Rheinseitenkanal. Das E. ist Verkehrsdurchgangsland mit dichtem Eisenbahn- und Straßennetz. Wichtiger Hafen und Handelsplatz ist Straßburg.

Geschichte: Die kelt. Urbevölkerung des E. wurde schon im 1. Jh. v. Chr. von german. Stämmen durchsetzt. 58 v. Chr. (Cäsars Sieg über Ariovist) geriet das Land unter röm. Herrschaft. In der Völkerwanderung wurde es von Alemannen besetzt, die 496 durch Chlodwig der fränk. Herrschaft unterworfen wurden. Seit dem Vertrag von Mersen (870; →Meerssen) gehörte das E. zum ostfränk., später dt. Reich; 925 wurde es mit dem Herzogtum Schwaben vereinigt. Im 13. Jh. zerfiel es in viele geistl. und weltl. Gebiete. Elsäss. Reichsstädte schlossen 1354 den »Zehnstädtebund« (→Dekapolis). Die Reformation setzte sich bes. in den Reichsstädten durch. 1648 fielen die habsburg. Besitzungen und die Vogtei über die zehn Reichsstädte an Frankreich. Die →Reunionen Ludwigs XIV. dehnten die Oberhoheit der frz. Krone weiter aus; 1681 wurde Straßburg besetzt. Doch rissen die wirtsch. und geistigen Verbindungen mit Dtl. nicht ab. Im Verlauf der Frz. Revolution wurde das E. ganz mit dem frz. Staat verschmolzen und in Départements aufgeteilt. Nach dem →Deutsch-Französischen Krieg 1870/71 bildete das E. mit einem Teil Lothringens das Reichsland →Elsass-Lothringen. – Durch den Versailler Vertrag (1919) kam das E. wieder zu Frankreich. Eine autonomist. Bewegung wurde seit 1926 vom frz. Staat unterdrückt. Von Juni 1940 bis Febr. 1945 war das E. von dt. Truppen besetzt und dt. Zivilverwaltung unterstellt. Seit 1945 ist es wieder voll in den frz. Staat integriert. Es gibt Bestrebungen zur Pflege von Eigensprachlichkeit und kultureller Eigenart.

Elsass: Elsässische Tracht; besonders charakterisch ist die schleifenartige Flügelhaube der Frauen, der »Elsässer Schlupf«

SCHERER, W.: *Geschichte des E.es von den ältesten Zeiten bis auf die Gegenwart, 2 Bde. Berlin 1871.* – WEHLER, H.-U.: *Krisenherde des Kaiserreichs 1871–1918. Studien zur deutschen Sozial- u. Verfassungsgeschichte. Göttingen* ^{2}*1979.* – SCHREIBER, H.: *Das Elsaß u. seine Geschichte. Eine Kulturlandschaft im Spannungsfeld zweier Völker. Gernsbach 1988.* – EBERT, K.: *Das Elsaß. Wegzeichen europ. Kultur u. Geschichte zw. Oberrhein u. Vogesen. Köln* ^{10}*1989.* – BÜTTNER, H.: *Geschichte des Elsaß, Bd. 1: Polit. Geschichte des Landes von der Landnahmezeit bis zum Tode Ottos III. Neuausg. Sigmaringen 1991, m. n. e.*

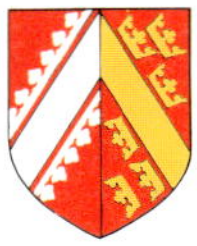

Elsass Wappen

Elsass-Lothringen (amtl. Reichsland E.-L.), 1871–1918 ein Gebietsteil des Dt. Reiches.

Geschichte: Im Frankfurter Frieden (10. 5. 1871) musste Frankreich nach dem Dt.-Frz. Krieg das Elsass (außer Belfort) und einen Teil Lothringens (mit Metz) an das Dt. Reich abtreten; die zum Reichsland E.-L. zusammengeschlossenen Gebiete wurden (mit staatsrechtl. Sonderstatus) 1871–79 nach dem Muster einer preuß. Provinz verwaltet und erhielten 1879 (Verfassungsgesetz: Statthalter, Ministerium, Landesausschuss) Teilautonomie. Frankreich wurde wegen der Annexion E.-L.s zum unversöhnl. Feind Deutschlands. Erst in den 1890er-Jahren wurden bei Reichstagswahlen neben Vertretern des polit. Katholizismus auch deutschnational orientierte Abgeordnete gewählt. Das Wirtschaftsleben (Kaliindustrie im Elsass; Eisenindustrie in Lothringen) nahm einen großen Aufschwung. Mit der Verfassungsänderung von 1911 erhielt E.-L. einen eigenen Landtag (zwei Kammern) sowie drei Stimmen im Bundesrat und wurde einem Bundesstaat nahezu gleichgestellt. Im 1. Weltkrieg stand E.-L. unter Militärverwaltung. Trotz Gewährung der vollen Autonomie (Okt. 1918) blieb die ablehnende Haltung der Bevölkerung bestehen. Durch den Versailler Vertrag (1919) fielen →Elsass und →Lothringen an Frankreich zurück.

WEHLER, H.-U.: *Krisenherde des Kaiserreichs 1871–1918. Studien zur deutschen Sozial- u. Verfassungsgeschichte. Göttingen* ^{2}*1979.* – HIERY, H.: *Reichstagswahlen im Reichsland. Ein Beitrag zur Landesgeschichte von E.-L. u. zur Wahlgeschichte des Deutschen Reiches 1871–1918. Düsseldorf 1986.*

Elsbeere, Art der Gattung →Eberesche.

Elser, Johann Georg, Widerstandskämpfer, *Hermaringen (heute Landkr. Heidenheim) 4. 1. 1903, †(erschossen) KZ Dachau 9. 4. 1945; Tischler; das in einer Einzelaktion von ihm geplante und ausgeführte Attentat auf A. Hitler im Münchner Bürgerbräukeller (8. 11. 1939) schlug fehl. E. wurde beim Fluchtversuch in die Schweiz verhaftet und als »Sonderhäftling des Führers« in das KZ Sachsenhausen, später in das KZ Dachau eingeliefert.

ORTNER, H.: *Der einsame Attentäter. Der Mann, der Hitler töten wollte. Göttingen 1993.*

Elsevier ['ɛlsəvi:r] (Elsevir, Elzevier), niederländ. Buchhändler-, Drucker und Verlegerfamilie im 17. Jh. führend im westeurop. Buchgewerbe.

Elster (Länge des Körpers bis 20 cm, Länge der Schwanzfeder bis 25 cm)

Gründer des Hauses war Louis (Lodewijk) E. (*um 1542, †1617), der 1587 Buchhändler, ab 1593 Verleger in Leiden war und dessen Sohn Bonaventura (*1583, †1652) und Enkel Abraham (*1592, †1652) als eigentl. Begründer des Verlags gelten. Zu den Verlagserzeugnissen **(Elseviriana)** gehörten bes. die wegen ihrer typograph. Gestaltung berühmten Duodezausgaben. – 1880 wurde der Verlag in Rotterdam von Jacobus George Robbers (*1839, †1925) neu gegründet, aus dem ein bei wiss. Publikationen führendes Medienunternehmen wurde. 1993 erfolgte die Fusion mit Reed International plc. zur →Reed Elsevier plc. Von E. wird u.a. die Enzyklopädie »Grote Winkler Prins« (1. Aufl. 1870–82, ^{9}1990–93 in 26 Bden.) herausgegeben.

Adam Elsheimer: »Die Steinigung des heiligen Stephanus« (1602–05)

Ẹlsheimer, Adam, Maler und Radierer, getauft Frankfurt am Main 18. 3. 1578, begraben Rom 11. 12. 1610; wanderte 1598 nach Venedig, 1600 nach Rom; verarbeitete Anregungen altdt., niederländ. und italien. (bes. Caravaggio) Malerei. In seinen vorwiegend auf kleinformatige Kupferplatten gemalten Bildern (v.a. Landschaften mit mytholog. und bibl. Themen) eröffnete er mit einer neuartigen maler. Qualität (Lichteffekte) die frühbarocke Malerei; beeinflusste bes. Rubens, Rembrandt, C. Lorrain; hinterließ ein umfangreiches Gouachenwerk, Radierungen, zahlr. Zeichnungen.

Ẹlsner, Gisela, Schriftstellerin, *Nürnberg 2. 5. 1937, †(Selbstmord) München 13. 5. 1992; schrieb den Alltag karikierende Erzählungen und Romane: »Die Riesenzwerge« (1964), »Das Windei« (1987), »Fliegeralarm« (1989).

Ẹlßler, Fanny, österr. Tänzerin, *Gumpendorf (heute zu Wien) 23. 6. 1810, †Wien 27. 11. 1884; gefeiertste Ballerina ihrer Zeit.

Elster (Pica pica), Art der →Rabenvögel, schwarz, Bauch, Schultern und Flanken weiß, mit langem, keilförmigem Schwanz.

Ẹlster, 1) Schwarze E., Nebenfluss der Elbe, 181 km lang, entspringt im Lausitzer Bergland, mündet oberhalb von Wittenberg.

2) Weiße E., rechter Nebenfluss der Saale, 257 km lang, entspringt im Elstergebirge auf tschech. Gebiet, nimmt bei Leipzig die Pleiße auf, gabelt sich in E. und Luppe, die zw. Merseburg und Halle (Saale) in die Saale münden.

Ẹlster, Bad, →Bad Elster.

Ẹlstergebirge, Bergland im S des oberen Vogtlandes, in Dtl. und der Tschech. Rep., zw. Erz- und Fichtelgebirge, im Kapellenberg 759 m ü. M.

Elsterwẹrda, Stadt im Landkreis Elbe-Elster, Brandenburg, an der Schwarzen Elster, 10600 Ew.; Baumschulen, Steingut-, Metallindustrie. – Schloss (Umbau 1720–37). – Seit 1343 als Stadt bezeugt.

El Tajín [-ta'xin], Ruinenstadt der Totonakenkultur (etwa 600–1200 n.Chr.) im mexikan. Staat Veracruz, Blütezeit 600–800, unter toltek. Einfluss bis 1100; 25 m hohe Nischenpyramide mit 365 stuckverzierten Nischen auf sechs Stufen; bemerkenswerte Flachreliefs der Ballspielplätze.

El Teniẹnte, eines der größten Kupfererzbergwerke der Erde, in Chile, 100 km südöstl. von Santiago, 2400 m ü. M.; Kupferhütte.

Elter *der* oder *das, Biologie, Statistik:* ein Elternteil.

elterliche Sorge (bis 1979 elterl. Gewalt), das Recht und die Pflicht der Eltern, für die Person und das Vermögen ihrer minderjährigen Kinder zu sorgen (§§1626ff. BGB). Die e. S. nichtehel. Kinder steht beiden Elternteilen gemeinsam zu, wenn sie entsprechende öffentlich beurkundete »Sorgeerklärungen« abgeben oder einander heiraten; ansonsten besitzt die Mutter das Recht der e. S. (§§ 1705ff.). Die **Personensorge** umfasst das Recht und die Pflicht, das Kind zu pflegen, zu erziehen, zu beaufsichtigen und seinen Aufenthalt zu bestimmen. Entwürdigende Erziehungsmaßnahmen sind unzulässig. Die e. S. steht während der Ehe dem Vater und der Mutter gleichermaßen zu; sie haben sie in gegenseitigem Einvernehmen zum Wohl des Kindes auszuüben. Können sie in wichtigen Fragen keine Einigung erzielen, kann das Vormundschaftsgericht die Entscheidung auf einen Elternteil übertragen. Die Eltern haben bei ihren Entscheidungen die wachsende Fähigkeit des Kindes zu selbstständigem Handeln zu berücksichtigen. In Fragen der Ausbildung sind Neigung und

Eignung des Kindes zu beachten. Wenn es das Wohl des Kindes erfordert, kann das Vormundschaftsgericht einem Elternteil oder beiden Eltern das elterl. Sorgerecht bezüglich einzelner Gegenstände oder insgesamt entziehen; wird es beiden Eltern entzogen, ist ein Vormund oder Pfleger zu bestellen. Zur Unterstützung des Elternteils, dem die e. S. allein zusteht, kann das Vormundschaftsgericht auf Antrag einen Beistand bestellen. Im Falle von dauerndem Getrenntleben oder Scheidung der Eltern besteht die gemeinsame e. S. zumindest solange fort, bis ein Elternteil das alleinige Sorgerecht beantragt, über das das Familiengericht entscheidet. Die **Vermögenssorge** umfasst die Verpflichtung der Eltern, das gesamte Vermögen des Kindes zu verwalten mit Ausnahme letztwilliger Zuwendungen, die eine entgegenstehende Anordnung enthalten (§§1638ff. BGB). Das Geld ist nach den Grundsätzen einer wirtsch. Vermögensverwaltung anzulegen, soweit es nicht zur Bestreitung von Ausgaben bereitzuhalten ist. – In *Österreich* ist die e. S. in den §§137ff. ABGB geregelt. Die Eltern sind bei der Wahrnehmung der e. S. gleichberechtigt und -verpflichtet. In der *Schweiz* unterstehen unmündige Kinder der elterl. Gewalt, die die Eltern während der Ehe gemeinsam ausüben (Art. 296ff. ZGB).

📖 MOTTL, I.: *Die Sorge der Eltern für ihre Kinder. Rechtsvergleichende Gegenüberstellung der österr. u. der dt. Rechtslage. Frankfurt am Main 1992.* – HANSEN, K.-P.: *Das Recht der e.n S. nach Trennung u. Scheidung. Neuwied u. a. 1993.*

Eltern, Verwandte ersten Grades, jedoch im Rechtssinn nicht nur die leibl. E. (Mutter und Vater einschl. nichtehel. E.-Teile), sondern auch andere mit elterlichem Sorgerecht ausgestattete Personen (Adoptiv-E.). – Das **E.-Recht** ist das durch Art. 6 Abs. 2 GG den E. garantierte Recht, Pflege und Erziehung der minderjährigen Kinder in Selbstverantwortung, aber pflichtgebunden zum Kindeswohle, wahrzunehmen. Der Staat hat über die Pflege und Erziehung der Kinder zu wachen und diese notfalls sicherzustellen. (→elterliche Sorge)

Elternrente, in der gesetzl. Unfallversicherung Rente für die Eltern u.a. Verwandte der aufsteigenden Linie eines verstorbenen Versicherten, wenn diese einen Unterhaltsanspruch hatten; auch in der Kriegsopferversorgung.

Elternvertretungen (Elternbeiräte), durch Landesrecht geregelte Organe, die es den Eltern ermöglichen, beratend die Erziehungs- und Unterrichtsarbeit der Schule ihrer Kinder zu fördern.

El Tigre [-'tiɣre], Erdölzentrum in N-Venezuela, 73600 Ew.; Fernleitungen nach N zum Hafen Puerto la Cruz (Erdölraffinerien) und nach SO (Santo Tomé de Guayana).

El Tajín: Die 25 m hohe Nischenpyramide, das die Ruinenstadt beherrschende Bauwerk

Eltville am Rhein, Stadt im Rheingau-Taunus-Kreis, Hessen, am rechten Rheinufer, 16900 Ew.; Weinbauschule, Weinbauamt; Weinbau und -handel, Sektkellereien, Maschinenbau, Textil-, Elektroind.; Fremdenverkehr. – Gotische Pfarrkirche (1353–1434), Burg (1330–44, 1635 zerstört, 1682 wieder aufgebaut), Reste der Stadtbefestigung, Adelssitze, Fachwerkhäuser des 16. bis 18. Jahrhunderts. Im Ortsteil Erbach Schloss Reinhartshausen (1801ff.). Zum Stadtgebiet gehört das Kloster →Eberbach. – E. erhielt 1332 Stadtrecht, war im 14. und 15 Jh. Residenz der Mainzer Erzbischöfe.

Eltz, Burg in der Gemeinde Wierschem, Kr. Mayen-Koblenz, Rheinl.-Pf.; eine der besterhaltenen Burgen des MA. (Bauten des 13.–16. Jh.); nach Brand 1920 wiederhergestellt; noch im Familienbesitz befindl. Stammsitz der Grafen von und zu Eltz.

Eltville am Rhein: Der Wohnturm der mittelalterlichen Burganlage (14. Jh.), die nach Zerstörung im Dreißigjährigen Krieg 1682 wieder aufgebaut wurde

Elvas: Der 1498–1622 erbaute Aquädukt von Amoreira ist noch heute in Funktion

Éluard [ely'a:r], Paul, eigtl. Eugène Grindel, frz. Lyriker, *Saint-Denis (bei Paris) 14. 12. 1895, †Charenton-le-Pont (bei Paris) 18. 11. 1952; führender Vertreter des →Surrealismus (»Hauptstadt der Schmerzen«, 1926; »Die öffentl. Rose«, 1934); seit den 30er-Jahren antifaschist. Engagement, seit 1940 aktiv in der Résistance, wurde 1942 Mitgl. der frz. KP; zeigt auch in seiner polit. Dichtung (»Sieben Liebesgedichte im Kriege«, 1943, »Polit. Gedichte«, 1948) poet. Sensibilität und sprachschöpfer. Kraft.

Paul Éluard

📖 Gateau, J.-C.: *P. E. oder Der sehende Bruder. Biographie ohne Maske. A. d. Frz. Berlin 1994.*

Elura, Dorf in Indien, →Ellora.

Eluvialhorizont, durch Auswaschung an organ. Substanz, Ton oder Eisen- und Aluminiumverbindungen verarmter Bodenhorizont. (→Boden)

Elvas ['ɛlvaʃ], Stadt in Portugal, im Alentejo, 13 500 Ew. – E. war jahrhundertelang eine wichtige Grenzbefestigung gegen Spanien; Festungsanlage aus dem 13./14. Jh.; gut erhaltene Altstadt mit ehem. Kathedrale (16. Jh.). Der vierstöckige Aquädukt von **Amoreira** (1498–1622; auf röm. Basis erbaut) ist noch heute in Funktion.

Odysseas Elytis

Ely ['i:lɪ], Stadt in der engl. Cty. Cambridgeshire, am Ouse, 10 300 Ew.; anglikan. Bischofssitz; Marktzentrum der südl. Fens. – Kathedrale Holy Trinity (1083 begonnen), bed. Bau der angelsächsisch-normann. Schule, gotisch erweitert. Prior's House (14./15. Jh.) gehört heute zur King's School, einer der ältesten Public Schools in Großbritannien.

Elyot ['eljət], Sir (seit 1530) Thomas, engl. Gelehrter und Schriftsteller, *Wiltshire um 1490, †Carleton (bei Cambridge) 20. 3. 1546; schrieb Abhandlungen über Moralphilosophie, Erziehung und Politik (am bekanntesten der Fürstenspiegel »Das Buch vom Führer«, 1531).

Élysée-Palast [eli'ze-], Amtssitz der frz. Präsidenten seit 1873, erbaut 1718 von C. Mollet.

Élysées [eli'ze], →Champs-Élysées.

Elysieren (elektrochemisches Abtragen), die elektrolyt. Bearbeitung der Oberfläche harter Metalle, wobei das Metall sich als Anode in einem rasch fließenden Elektrolyten einer Kathode in geringem Abstand gegenüber befindet und oberflächlich gelöst (abgetragen) wird. Hierbei erhält das Metall seine durch die Form der Kathode und ihre Bewegung bedingte Gestalt oder Oberfläche. Ein verwandtes, aber nicht elektrochem. Verfahren ist die →Elektroerosion.

Elysium (grch. Elysion, elysische Gefilde), *grch. Mythos:* die Inseln der Seligen am Westrand der Erde, wohin auserwählte Helden und die Söhne der Götter versetzt werden, ohne den Tod zu erleiden. Im Ggs. zu den Schatten im Hades behielten sie hier ihre menschl. Natur und gingen ihren Interessen nach. Später bildete sich der Glaube aus, dass die Frommen und Gerechten nach ihrem Tod in das E. versetzt werden, das nun als Teil des Totenreichs gedacht wurde.

Elytis, Odysseas, eigtl. O. Alepudelis, grch. Lyriker, *Heraklion (auf Kreta) 2. 11. 1911, †Athen 18. 3. 1996; gehörte zum Kreis um G. Seferis, der die neugrch. Dichtung in den 1930er-Jahren erneuerte, schuf gemäßigt surrealist., naturverbundene und bildhafte Lyrik; erhielt 1979 den Nobelpreis für Literatur.

Elz *die,* **1)** rechter Nebenfluss des Rheins, entspringt im mittleren Schwarzwald, mündet gegenüber von Rheinau, 90 km lang.

2) linker Nebenfluss der Mosel in der Eifel, 44 km lang, mündet bei Moselkern, am Unterlauf Burg →Eltz.

Ely: Die ab 1083 erbaute Kathedrale Holy Trinity wurde bis ins 15. Jh. im Stil der englischen Gotik ausgebaut

Elze, Stadt im Landkr. Hildesheim, Ndsachs., an der Leine, 9800 Ew.; Waggon- und Containerbau, Holzverarbeitung, Genussmittel- und Getränkeindustrie. – Das Stadtbild prägen die zweistöckigen Fachwerkbauten des 18. und 19. Jahrhunderts. – E. erhielt 1579 Stadtrecht.

Elzevier ['ɛlzəvi:r], niederländ. Verlag, → Elsevier.

em. (emer., emerit.), Abk. für emeritus, von der Lehrtätigkeit entbunden (bei Hochschullehrern); → Emeritierung.

Emailkunst: Detail aus dem Aribert-Evangeliar, Zellenschmelz (1018–45; Mailand, Domschatz)

Email [e'maj, frz.] *das* (Emaille), auf Metall als Schutz oder zur Zierde aufgeschmolzener, glasartiger Überzug, meist ein leicht schmelzendes, bleifreies Sonderglas aus Quarz, Feldspat, Borax, Soda, Pottasche und Aluminiumoxid, das mit Antimonaten, Zirkonoxid oder Titandioxid weiß, mit Kobalt-, Chromoxid u.a. bunt gefärbt ist. Das Glas wird bei 1200 °C geschmolzen und abgeschreckt, die entstehenden Körner werden mit den Färbemitteln gemahlen. Die E.-Grundmasse wird auf die gereinigten Metalloberflächen z.B. durch Eintauchen, Spritzen oder Aufpudern aufgetragen und bei 800–900 °C eingebrannt.

E-Mail ['i:meɪl, engl.] (Abk. für **E**lectronic-**Mail**), → elektronische Post.

Emailkunst [e'maj-] (Schmelzarbeit), alle künstler. Arbeiten, bei denen auf einen Metalluntergrund (z.B. Kupfer, Bronze, Eisen sowie Silber und Gold) gefärbte Glasflüsse aufgeschmolzen oder zum Bemalen verwendet werden.

Die ersten echten Emailarbeiten wurden auf Zypern gefunden, wo sie wahrscheinlich schon im 12. Jh. v. Chr. entstanden sind. In der La-Tène-Zeit bildeten die Kelten den **Furchen-** oder **Grubenschmelz** aus, indem sie Vertiefungen in Bronze eingruben und mit roter Schmelzmasse füllten (»Blutemail«). Der **Zellenschmelz (Émail cloisonné),** bei dem Metallstege aufgelötet und in die so entstehenden Zellen Emailflüsse eingelassen werden (z.B. das Mailänder Aribert-Evangeliar, 1018–45), ist seit dem 2. Jt. (Ägäis, Ägypten) bekannt. Nach Europa gelangte er über Byzanz (6. Jh. n. Chr.). Eine auf röm. Zeit zurückgehende Weiterbildung des Furchenschmelzes ist der **Émail champlevé,** bei dem aus Kupfer ausgehobene Vertiefungen mit undurchsichtigen Farbschmelzen gefüllt und die stehen gebliebenen Metallteile ziseliert und feuervergoldet werden, eine im 12. und 13. Jh. zu höchster Vollkommenheit entwickelte Technik, die für Reliquiare, Tragaltäre und anderes liturg. Gerät Verwendung fand, bes. im Rheinland (Werkstatt in St. Pantaleon in Köln), im Maasgebiet (→ Nikolaus von Verdun) und in Limoges. Eine Abwandlung des Grubenschmelzes ist der um 1300 in Italien und Frankreich ausgebildete **Silberrelief-** oder **Tiefschnittschmelz,** bei dem in Silber eingeschnittene figürliche Darstellungen mit durchsichtigen Farbschmelzen überzogen werden. Bei dem um 1500 vermutlich aus den Niederlanden, dann aus Italien kommenden **Maleremail** wurde meist Kupfer mit einer dunklen Schmelzmasse überzogen, darauf brannte man undurchsichtige Glasflüsse auf. Später kamen Metalleinlagen dazu. Frankreich brachte diese Technik, dessen eine Spielart aufgrund der großen Grauwirkung Grau-in-grau-Malerei (Grisailletechnik, nach frz. gris = grau) genannt wurde, in den Werkstätten von Limoges zu Weltruhm (Hauptwerke 16. Jh.). In der **Emailmalerei** werden Metalloxidfarben auf weißem Emailgrund aufgetragen (18. Jh.). Mit der Entwicklung der Porzellanmalerei trat die E. im 18. Jh. allmählich zurück. Mit dem Jugendstil um 1900 und später unter Einwirkung des Expres-

Emailkunst: Triptychon, Maleremail in Grisailletechnik aus Limoges (16. Jh.; Paris, Musée de Cluny)

Emanuelstil: Bauplastik am Fenster des Kapitelsaals der Christuskirche in Tomar (16. Jh.)

sionismus hat die E. dann noch einmal neuen Aufschwung genommen.

Emanation [zu lat. emanare »herausfließen«] *die, Philosophie:* das Hervorgehen aller Dinge aus einem höchsten Ursprung. Die bei den Indern und Persern verbreitete, später auch von den christl. Gnostikern und den Neuplatonikern, v. a. von Plotin, vertretene **E.-Lehre** nimmt ein Hervorgehen aus dem Einen, Vollkommenen an, sodass das Niedere (die Weltseele) aus dem Höheren (Geist bzw. Nus) und das Höhere aus der unbedingten Einheit und Vollkommenheit des Einen, Ersten, Guten hervorgeht; so »ist« allein das Eine, während alles Emanierte Sein lediglich »hat«. Ggs.: Evolution.

Emanationstherapie, Bade-, Trink- oder Inhalationsbehandlung (v. a. bei Rheuma, Gicht und Ischias) mit radioaktiven Gasen (meist mit Radon, früher Emanation gen.), die aus einer in Quellen oder Heilschlamm enthaltenen Muttersubstanz austreten.

Emanuel, Herrscher:

Portugal: **1) E. I.** (portugies. Manuel I., der Glückliche), König (1495–1521), *Alcochete (bei Lissabon) 31. 5. 1469, †Lissabon 13. 12. 1521; unterstützte die überseeischen Entdeckungsfahrten, bes. Vasco da Gamas und P. Cabrals, und zentralisierte die Verwaltung. Er vertrieb die Juden und die nach dem Fall Granadas nach Portugal geflohenen Mauren aus dem Land. Seine Heiratspolitik führte nach dem Aussterben der Dynastie Avis (1580) zur Vereinigung Portugals mit Spanien. Unter seiner Reg. blühten Wiss. und Kunst. (→Emanuelstil)

Savoyen: **2) E. Philibert,** Herzog (1553–80), *Chambéry 8. 7. 1528, †Turin 30. 8. 1580; erlangte mithilfe Spaniens im Frieden von Cateau-Cambrésis 1559 den größten Teil seiner seit 1536 von Frankreich besetzten Erblande zurück; er bereitete durch Reformen den späteren Aufstieg seines Landes vor.

Emanuelstil, nach König Emanuel I. benannter dekorativer Stil der spätgot. Architektur in Portugal. Er verbindet die von Flamboyantstil, Mudéjarstil und Platereskenstil geprägten Formen mit Elementen nautischen, maritimen und exotischen Ursprungs.

Emanzipation [lat. »Freilassung«] *die,* die Befreiung von Individuen oder Gruppen aus rechtl., politisch-sozialer, geistiger oder psych. Abhängigkeit. – Im röm. Recht galt als E. die Entlassung eines Sohnes aus der väterl. Gewalt. Die neuzeitl. Rechts- und Gesellschaftsentwicklung geht mit einer E. immer weiterer Teilgruppen der Gesellschaft einher, denen die ständ. Ordnung des MA. und des Absolutismus die polit. Freiheit und die volle Rechtsfähigkeit versagt hatten. Entscheidende Bedeutung hatten die nordamerikan. Verfassung und die Erklärung der Menschenrechte in der Frz. Revolution. Bes. durch die Ideen der Aufklärung wurde die Bauernbefreiung ausgelöst, ebenso die E. der Juden. Mit dem Übergang zur Industriegesellschaft wurde der E.-Begriff ausgedehnt auf die politisch-soziale Gleichstellung der Arbeiter und der Frau (→Frauenbewegung). In der 2. Hälfte des 20. Jh. setzte sich ein erweitertes Verständnis von E. als individuelle Fähigkeit zur krit. Urteilsbildung und relativ eigenverantwortl. Lebensgestaltung (z. B. von Jugendlichen, Minderheiten, Frauen) durch.

📖 DÜLMEN, R. VAN: *Die Gesellschaft der Aufklärer. Zur bürgerl. E. u. aufklärerischen Kultur in Deutschland. Durchges. Neuausg. Frankfurt am Main u. a. 1996.*

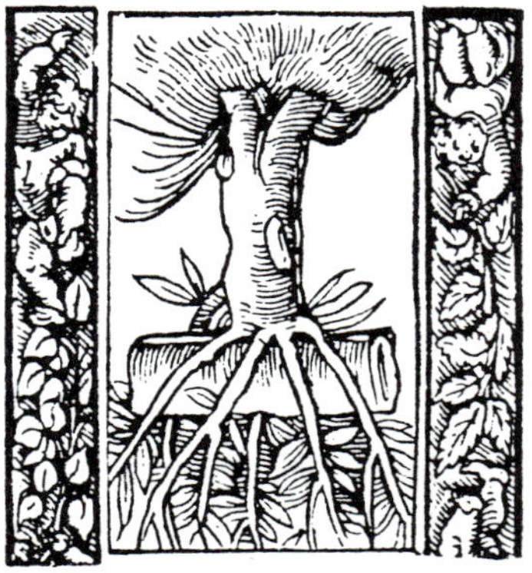

Emblem 2): Die Palme als Sinnbild der Stärkung nach Widerstand, aus dem »Emblematum liber« des italienischen Gelehrten Andreas Alciati (1531)

Emba *die,* Fluss im W von Kasachstan, 712 km lang, erreicht nur bei Hochwasser das Kasp. Meer; am Unterlauf Erdölförderung.

Emballage [ãba'la:ʒə, frz.] *die,* Verpackung einer Ware (z.B. Kisten, Fässer); wird i.d.R. dem Käufer in Rechnung gestellt.

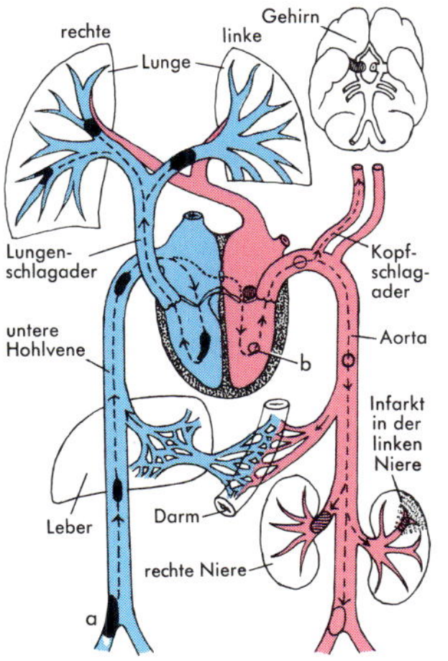

Embolie: a Thrombus im Venensystem führt zu Lungenembolien, b Thrombus an der zweizipfligen Klappe des linken Herzens bewirkt Embolien u.a. der Nieren-, Darm- oder Hirnarterien

Embargo [span.] *das,* urspr. die von einem Staat verfügte Zurückhaltung fremder Handelsschiffe und ihrer Ladungen zur Verhinderung unerwünschter Ausfuhr; heute wirtsch. Zwangsmaßnahme eines Staates oder einer Staatengruppe zur Durchsetzung außenpolit. Ziele (z.B. Öl-E. der →OPEC gegen westl. Ind.staaten) bzw. von Völkerrechtsnormen (z.B. E. des Sicherheitsrates der UNO gegen Irak). Unterschieden werden Handels-, Kapital- und Verkehrs-E. (→COCOM).

📖 BOCKSLAFF, K.: *Das völkerrechtl. Interventionsverbot als Schranke außenpolit. motivierter Handelsbeschränkungen. Berlin 1987.*

Emblem [frz. ã'blɛ:m; von grch. émblēma »Einlegearbeit mit Symbolgehalt«] *das,* **1)** *allg.:* Wahrzeichen, Hoheitszeichen.

2) *Literatur:* Sinnbild, meist mit Text; in der barocken Literatur des 16.–18.Jh. (von Spanien ausgehend) weit verbreitet.

Embolie [grch. embolḗ »das Hineindringen«] *die,* plötzl. Blutgefäßverschluss durch einen in die Blutbahn geratenen, mit dem Blutstrom verschleppten körpereigenen oder körperfremden Stoff **(Embolus)** und die dadurch bedingten patholog. Folgezustände. Ein Embolus, der aus dem linken Herzen oder den Arterien stammt, gerät in die Arterien des Körperkreislaufs und kann u.a. Arterien in Gehirn, Nieren, Milz, Darm und Gliedmaßen verstopfen. Liegt der Ursprung in den Venen, kommt es zu einer Wanderung durch die Hohlvenen und die rechte Herzhälfte in die Lungenarterien, ebenso bei einem aus dem rechten Herzen losgerissenen Embolus. Meist tritt eine E. durch abgerissene Blutgerinnsel (Thrombus, **Thrombo-E.**) ein, die sich in den Gefäßen oder den Herzhöhlen gebildet haben. Außerdem können zerfallendes Körpergewebe, im schweren Schock Fetttröpfchen **(Fett-E.),** Fruchtwasser, Parasiten sowie bei der Öffnung von Venen oder bei Lungenverletzungen Luftbläschen **(Luft-E.)** mit dem Blut verschleppt werden. Die Symptome einer E. sind i. Allg. plötzlich auftretender starker Schmerz aufgrund der Gefäßverkrampfung und Funktionsstörungen der Blutversorgung, die bis zum Absterben (Infarkt) des befallenen Bezirks reichen. Eine **Lungen-E.** führt (je nach Größe des verstopften Blutgefäßes) zu Atemnot und blutigem Auswurf oder durch Überlastung der rechten Herzkammer zum Tod, E. von Hirnarterien zu Bewusstlosigkeit und Lähmungen (→Schlaganfall), die seltenen E. von Kranzarterien des Herzens zum →Herzinfarkt.

Behandlung: Die akute E. vor allem der Gliedmaßen kann bei raschem Eingriff häufig durch Entfernen des Embolus **(Embolektomie)** beseitigt werden; zuvor besteht auch die Möglichkeit einer Lösung des begleitenden Gefäßkrampfs durch Neuroblockade und Auflösung von Blutgerinnseln durch Enzympräparate. (→Fibrinolytika)

Embolisation *die,* mit einem Spezialkatheter bei Röntgendurchleuchtung ausgeführter Blutgefäßverschluss, z.B. von Niere oder Harnblase, bei Geschwülsten.

Embryo [grch.] *der,* österr. auch *das* (Keim, Keimling), **1)** *Botanik:* die aus der befruchteten oder unbefruchteten (→Jungfernzeugung) Eizelle hervorgehende, aus teilungsfähigen Zellen bestehende junge Anlage des Sporophyten der Moose, Farn- und Samenpflanzen.

2) *Zoologie* und *Anthropologie:* der sich aus der befruchteten Eizelle entwickelnde Organismus, solange er sich noch in den Eihüllen, der Eischale oder im mütterl. Körper befindet. Die E. höherer Wirbeltiere (Amnioten) sind von besonderen

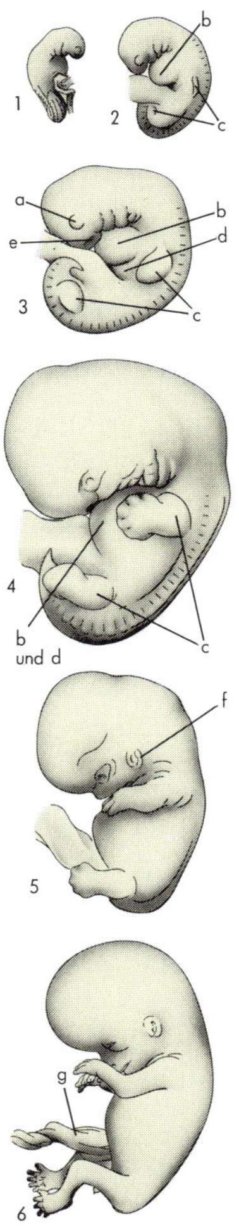

Embryo 2): Menschliche Embryos verschiedenen Alters, rekonstruiert nach histologischen Serienschnitten; 1 der am Kopfende leicht nach vorn gekrümmte Embryo zeigt im Kopfgebiet drei Beugefalten (Größe des Embryos 3,4 mm, Alter 25–27 Tage); 2 die Krümmung ist verstärkt, die Anlage der Gliedmaßen (c) sichtbar; der Herzwulst (b) tritt deutlich hervor, das Kopfgebiet zeigt vier Beugefalten (Größe 4,2 mm, Alter etwa 4 Wochen); 3 maximale Krümmung nach vorn; hinter dem Herzwulst (b) tritt der Leberwulst (d) hervor, die Gliedmaßenknospen (c) sind stärker ausgebildet, die Augenanlage (a) liegt noch seitlich, die Nasengrube (e) ist angelegt (Größe 6,3 mm, Alter etwa 5 Wochen); 4 beginnende Streckung; der Bauchumfang ist durch die weitere Entwicklung der Leber vergrößert, am Ende der oberen Gliedmaßenknospe sind Fingeranlagen erkennbar (Größe 10 mm, Alter etwa 6 Wochen); 5 weitere Streckung des Embryos; die Finger sind deutlicher, die Zehenanlagen angedeutet, Ohrmuschel (f) und Nasenrücken sind ausgebildet, die Augen nach vorn verlagert (Größe 17,5 mm, Alter etwa 7 Wochen); 6 das Gesicht ist bereits stark entwickelt; die Augenlider sind geschlossen; die Stirn ist infolge der Entwicklung des Großhirns stärker vorgewölbt; die Geschlechtsorgane sind zu erkennen; die Nabelschnur (g) ist gedreht (Größe 30 mm, Alter Beginn des 3. Monats)

Embryonalhüllen (Amnion und Serosa) umgeben. Bei den meisten Säugetieren wird die Serosa unter Ausbildung von Zotten zur Zottenhaut (Chorion). Der E. schwimmt, gegen Druck- und Temperaturschwankungen geschützt, im Fruchtwasser der Amnionhöhle. Er ist bei Säugetieren über den Nabelstrang und den Mutterkuchen (Plazenta) mit dem ihn ernährenden mütterl. Organismus verbunden. Beim Menschen und den Säugetieren wird die Leibesfrucht bis zum Ende der Organentwicklung (beim Menschen bis zum Ende des 3. Schwangerschaftsmonats) als E. bezeichnet; nach diesem Zeitpunkt heißt die Leibesfrucht **Fetus.**

Seit Entwicklung der In-vitro-Fertilisation werden in größerem Umfang Experimente an lebenden menschl. E. vorgenommen. Bei den zur Forschung verwendeten E. handelt es sich v.a. um »überzählige E.«, d.h. E., die im Rahmen einer In-vitro-Fertilisation erzeugt, jedoch anschließend nicht implantiert wurden. Die Experimente an menschl. lebenden E. sind umstritten. (→Embryonenschutzgesetz)

Rechtliches: →Leibesfrucht.

Embryonenschutzgesetz, Gesetz vom 13. 12. 1990 zum Schutz des menschl. Lebens von seinem Beginn an. Stellt u.a. die missbräuchl. Anwendung von Fortpflanzungstechniken, die missbräuchl. Verwendung menschl. Embryonen und die künstl. Veränderung menschlicher Keimbahnzellen unter Strafe.

Embryopathie [grch.] *die,* Entwicklungsstörung des Embryos aufgrund einer Fruchtschädigung während der ersten drei Schwangerschaftsmonate. Die E. wird v.a. durch Virusinfektionen (Röteln) und chem. Substanzen (Arzneimittel) hervorgerufen. Als Folgen können u.a. angeborene Herzfehler, Hirnmissbildungen (Wasserkopf), Taubheit, Katarakt (grauer Star) und verkrüppelte Gliedmaßen auftreten. Nach Abschluss der Organentwicklung beim Fetus auftretende Schädigungen werden als **Fetopathie** bezeichnet.

Embryosack, der Teil der →Samenanlage der Samenpflanzen, in dem sich der Embryo bildet.

Embryotransfer, das Übertragen des außerhalb des Körpers entstandenen Embryos (Retortenbaby) und Einnisten in die Gebärmutter der Frau nach entsprechender Behandlung; angewendet bei Sterilität durch Eileiterverschluss. – In der *Tierzucht* das Ausspülen der im Muttertier entstandenen Embryonen aus dem Genitaltrakt und das Übertragen auf Ammentiere, um viele Nachkommen von wertvollen Zuchttieren zu gewinnen.

Emden
Stadtwappen

Emden, kreisfreie Stadt im RegBez. Weser-Ems, Ndsachs., nördlich des Dollart, an der Mündung der Ems in die Nordsee, 51500 Ew.; Seeamt, Wasser- und Schifffahrtsamt; FH Ostfriesland, Ostfries. Landesmuseum, Rüstkammer, Kunsthalle; Baustoffind., Schiffbau, Automobilind. und -verschiffung, Erdölraffinerie; Fischverarbeitung. E. ist bed. Seehafen (Massengüter), durch den Dortmund-Ems-Kanal mit dem Ruhrgebiet verbunden. Fährhafen für Borkum. – Nach starken Zerstörungen im 2. Weltkrieg wurden u.a. die Neue Kirche (1643–48) und das Renaissancerathaus (1574–76) wieder aufgebaut. – Im 7./8. Jh. als Handelssiedlung gegr.; im 15. Jh. Entwicklung zur Stadt (Stapelrecht 1494), 1536 Ausbau des Hafens; im 17. Jh. wirtsch. Niedergang durch die Verlagerung der Ems und den Dreißigjährigen Krieg. Mit Ostfriesland kam E. 1744 an Preußen, 1815 an Hannover, 1866 wieder an Preußen.

📖 *Geschichte der Stadt E., 3 Bde. Leer 1980–94.*

Emden, Robert, schweizer. Astrophysiker, * St. Gallen 4. 3. 1862, † Zürich 9. 10. 1940; Prof. in München und Zürich. Sein Hauptwerk »Gaskugeln« (1907) begründete die thermodynamische Theorie des Sternaufbaus.

Emei Shan [-ʃan] (Omei Shan), einer der vier hl. Berge des Buddhismus in China, am SW-Rand des Sichuanbeckens; 3099 m ü.M.; seit dem 2. Jh. Ansiedlung von Klöstern, von denen 70 erhalten sind.

Emendation [lat.] *die, Textkritik:* Bez. für bessernde Eingriffe in einen falsch oder unvollständig überlieferten Text.

Emergenz [lat.] *die,* pflanzl. Gebilde aus der Oberhaut und subepidermalen Gewebsschichten (z.B. Brennhaar, Stachel der Rose).

Emeritierung [lat.], früher bei beamteten Hochschullehrern die Entbindung von den amtl. Pflichten; durch das Hochschulrahmen-Ges. von 1976 abgeschafft. Nach heutigem Hochschulrecht werden Professoren an wiss. Hochschulen bei Erreichen der Altersgrenze wie andere Beamte in den Ruhestand versetzt.

Emersion [lat.] *die,* **1)** *Astronomie:* Austritt eines Mondes aus dem Schatten seines Planeten.

2) *Geologie:* Emportauchen des Festlandes über den Meeresspiegel, verursacht durch eine Landhebung oder durch eine Meeresspiegelsenkung. Ggs.: Submersion.

Emerson ['eməsn], Ralph Waldo, amerikan. Philosoph und Dichter, * Boston (Mass.) 25. 5. 1803, † Concord (Mass.) 27. 4. 1882; verband Naturanschauung und Transzendentalphilosophie; sein Erstlingswerk »Nature« (1836) lehrt ein Leben in myst. Verbindung mit der Weltseele, die sich in der Schönheit der Natur und der Unbedingtheit sittl. Handelns offenbart. Sein zukunftsfroher Optimismus will das vom Übergewicht der europ. Tradition befreite Amerika zum Führer des Menschheitsaufstiegs machen. E.s Essays gehören zum klassischen amerikan. Schrifttum. Seine Gedichte sind zur Sentenz neigende Gedankenlyrik.

Emesis [grch.] *die, Medizin:* das →Erbrechen.

Emetika [grch.], *Medizin:* →Brechmittel.

Emetin [grch.] *das,* Alkaloid der Brechwurzel.

Emigrantenliteratur, →Exilliteratur.

Emigration [lat. emigratio »das Wegziehen«] *die,* das freiwillige oder erzwungene Verlassen des Heimatlandes aus polit., weltanschaul., religiösen oder rass. Gründen; rechtlich ein Fall der →Auswanderung. Zur E. sehen sich Menschen v.a. dort veranlasst, wo eine Diktatur sich immer stärker ausbildet und mit wachsendem Druck von ihren Bürgern eine bestimmte Gesinnung verlangt.

Die Abgrenzung von Emigranten gegen →Flüchtlinge oder →Vertriebene ist fließend. Eine E. Einzelner oder kleiner Gruppen hat es zu allen Zeiten gegeben (Exulanten, Pilgerväter, Hugenotten, Réfugiés, Quäker). Die erste umfangreiche E. im Altertum war die der Juden (→Exodus). Im 20. Jh. lösten die russ. Oktoberrevolution (1917) und der Bürgerkrieg (1917–21), die Verfolgung der Juden und der polit. Gegner im nat.-soz. Dtl. (1933–45), die Gründung des Staates Israel in Palästina (1948), die Ausdehnung des kommunist. Machtbereichs nach dem 2. Weltkrieg in Europa und Asien (u.a. Boatpeople), die fundamentalistisch-islam. Revolution im Iran (1979), zahlr. Diktaturen in Lateinamerika sowie zuletzt der Bürgerkrieg im zerfallenden Jugoslawien (1991/92) Massen-E. aus. Umstritten ist die Haltung der im Land verbliebenen und scheinbar angepassten Gegner polit. Veränderungen (sog. innere E.). (→Asylrecht, →Exilliteratur, →Vertreibung)

Emilia-Romagna [-ro'maɲɲa], Region und Landschaft in N-Italien zw. Apenninkamm, Po und Adria, mit den Prov. Bologna, Ferrara, Forlì, Modena, Parma, Piacenza, Ravenna, Reggio nell'Emilia und Rimini, zus. 22124 km² mit (1995) 3,92 Mio. Ew.; Hptst. ist Bologna. Die bedeutendsten Städte liegen fast alle an der röm. Via Aemilia, auch heute noch eine wichtige Verkehrslinie am Apenninfuß. In der Poebene wird intensive Landwirtschaft betrieben, v.a. Tomaten- und Zuckerrübenanbau, Obstbau, Weinbau, im siedlungsarmen Bergland Viehwirtschaft; Erdgasgewinnung; hoch entwickelte Nahrungsmittel-, Metall- und chem. Ind., Maschinenbau. An der Adriaküste bed. Fremdenverkehr. – Die Landschaft ist ben. nach der röm. **Via Aemilia,** der von dem Konsul Marcus Aemilius Lepidus um 187 v.Chr. angelegten Militärstraße, die von Rimini nach Piacenza führte.

Eminenz [lat. »das Hervorragen«] *die,* Ehrentitel und Anrede für Kardinäle und den Großmeister des Malteserordens.

Eminescu, Mihai, eigtl. M. Eminovici, rumän. Dichter, * Botoșani 15. 1. 1850, † Bukarest 15. 6. 1889; gilt als rumän. Nationaldichter; durch seine stark an der Volksdichtung orientierte Sprache wurde er wegweisend für die rumän. Lyrik (u.a. Poem »Der Abendstern«, 1883); auch Erzähler und Essayist.

Emin Pascha, Mehmed, eigtl. Eduard Schnitzer, Afrikareisender, * Oppeln 28. 3. 1840, † (ermordet) Kinena (heute in der Demokrat. Rep. Kongo) 23. 10. 1892; trat als Arzt 1865 in türk. und 1876 im Sudan in ägypt. Dienste; 1878–90 Gouverneur der ägypt. Äquatorialprov. im Sudan, dessen östl. Teil er geographisch erschloss. Durch den Mahdiaufstand wurde er 1883 von Ägypten und Europa abgeschnitten, besiegte jedoch 1888 die Truppen der Aufständischen bei Dufili. Im April 1888 traf er am Albertsee zum ersten Mal mit dem zu seiner Befreiung entsandten H. M. Stanley zusammen, der ihn an die O-Küste führte (Ankunft in Bagamojo im Dez. 1889). 1890 trat E. P. in dt. Dienste. Er leistete wertvolle Beiträge zur Kenntnis von Geographie, Völker- und Sprachenkunde Afrikas.

Emir [arab.] *der,* Titel arab. Stammesführer und Fürsten, urspr. für osman. Heerführer.

Emirat *das,* Rang und Herrschaftsgebiet eines Emirs.

Emission [zu lat. emittere »ausschicken«] *die,* **1)** *Bank- und Börsenwesen:* Ausgabe von Wertpapieren durch private Unternehmen, öffentl. Körperschaften und Banken und die Unterbringung auf dem Kapitalmarkt. Durch Vermittlung einer Bank **(E.-Bank)** oder mehrerer Banken (Konsortium) wird ein bestimmter Personenkreis (z.B. alle Aktionäre einer AG) oder die Allgemeinheit zur Subskription (Zeichnung) oder zum Erwerb aufgefordert **(E.-Geschäft).** Die Banken übernehmen die Stücke entweder zu einem festen Kurs, um sie zu einem höheren Kurs weiterzugeben, oder auch kommissionsweise. Wertpapiere können zum Nennwert (Pari-E.), unter (Unterpari-E. bei Aktien verboten) oder über Nennwert (Überpari-E., bei Aktien üblich) emittiert werden.

2) *Physik:* die Aussendung einer Wellen- oder Teilchenstrahlung, z.B. Licht durch leuchtende Körper, α-, β-, γ-Strahlen radioaktiver Stoffe, die E. von Elektronen bei hoher Temperatur aus Metallen **(Glüh-E.)** oder durch Licht **(Photo-E.).** Während die **spontane E.** von elektromagnet. Strahlung (z.B. die Licht-E.) ohne äußere Einwirkung erfolgt, wird die **induzierte E.** durch Einwirkung einer Strahlung ausgelöst. (→Laser)

3) *Umweltschutz:* das Ablassen oder Ausströmen fester, flüssiger oder gasförmiger Stoffe aus Anlagen oder techn. Abläufen bzw. aus natürl. Quellen (z.B. Vulkane), die die Luft, das Wasser oder andere Umweltbereiche verunreinigen; auch Bez. für die abgegebenen Stoffe selbst. I.w.S. bezieht sich die Bez. E. auch auf Geräusche und Erschütterungen sowie auf Licht-, Wärme- und radioaktive Strahlen. Verursacher von E. werden **Emittenten** genannt. E. führen in der Umwelt zu →Immissio-

Ralph W. Emerson

Mihai Eminescu

Mehmed Emin Pascha

Ausgewählte Emissionen nach Emittentengruppen in den alten (AL) und in den neuen Bundesländern (NL) 1978–94 (in Mio. t)

	1978		1982		1986		1990		1994
	AL	NL	AL	NL	AL	NL	AL	NL	Deutschland
Stickstoffoxide (NO_x berechnet als NO_2)[1]									
Gesamt	2,823	0,756	2,817	0,692	2,943	0,740	2,397	0,674	2,211
Kraft- und Fernheizwerke	0,76	0,23	0,79	0,24	0,73	0,27	0,34	0,25	0,49
Industriefeuerungen	0,37	0,22	0,30	0,20	0,26	0,19	0,22	0,13	0,25
Haushalte und Kleinverbraucher	0,14	0,08	0,12	0,07	0,14	0,07	0,11	0,07	0,16
Verkehr	1,50	0,21	1,58	0,16	1,78	0,17	1,72	0,20	1,28
Schwefeldioxid (SO_2)[1]									
Gesamt	3,398	4,477	2,843	4,599	2,230	5,413	0,889	4,442	2,995
Kraft- und Fernheizwerke	1,93	2,04	1,77	2,18	1,40	2,85	0,30	2,51	1,87
Industriefeuerungen	0,80	1,24	0,63	1,19	0,43	1,29	0,31	0,96	0,057
Haushalte und Kleinverbraucher	0,45	0,90	0,26	0,93	0,24	0,97	0,13	0,78	0,040
Verkehr	0,11	0,07	0,08	0,05	0,07	0,05	0,07	0,04	0,063
Kohlenmonoxid (CO)[1][2]									
Gesamt	12,784	2,841	9,975	2,943	8,726	3,211	7,232	3,030	6,738
Kraft- und Fernheizwerke	0,04	0,08	0,05	0,08	0,04	0,09	0,04	0,08	0,01
Industriefeuerungen	1,24	0,27	0,94	0,26	0,81	0,27	0,70	0,17	0,71
Haushalte und Kleinverbraucher	1,06	1,42	0,99	1,60	0,94	1,74	0,69	1,60	1,17
Verkehr	9,70	0,92	7,35	0,85	6,31	0,96	5,19	1,06	4,14
Staub[1]									
Gesamt	0,701	1,940	0,599	1,945	0,518	2,121	0,426	1,633	0,754
Kraft- und Fernheizwerke	0,14	0,48	0,11	0,51	0,06	0,58	0,02	0,45	0,17
Industriefeuerungen	0,04	0,54	0,03	0,52	0,03	0,57	0,01	0,43	0,08
Haushalte und Kleinverbraucher	0,06	0,28	0,05	0,30	0,05	0,35	0,03	0,29	0,11
Verkehr	0,06	0,04	0,07	0,03	0,07	0,03	0,07	0,03	0,06
Industrieprozesse	0,23	0,48	0,17	0,46	0,14	0,46	0,12	0,31	0,13
Schüttgutumschlag	0,16	0,12	0,17	0,13	0,16	0,13	0,16	0,12	0,19
Flüchtige organische Verbindungen[2][3]									
Gesamt	2,673	0,688	2,602	0,661	2,562	0,735	2,266	0,762	2,135
Industriefeuerungen	0,01	0,01	0,01	0,01	0,01	0,01	0,01	0,004	0,01
Haushalte und Kleinverbraucher	0,04	0,07	0,04	0,08	0,04	0,09	0,03	0,08	0,05
Verkehr	1,09	0,38	1,05	0,35	1,06	0,40	0,87	0,44	0,74
Industrieprozesse	0,19	0,05	0,12	0,05	0,11	0,05	0,11	0,04	0,13
Lösemittelverwendung	1,10	0,14	1,20	0,13	1,10	0,14	1,03	0,13	0,11
FCKW und Halogene	0,06	0,01	0,06	0,01	0,06	0,01	0,03	0,01	0,008

[1] ohne natürliche Quellen; ohne Industrieprozesse. – [2] ohne Gewinnung und Verteilung von Ottokraftstoff. – [3] ohne energiebedingte Emissionen.

Emmendingen 2)
Stadtwappen

Emmerich
Stadtwappen

nen. Der von Menschen verursachte, ständig zunehmende E.-Anteil gefährdet das ökolog. Gleichgewicht der gesamten Erde. (→ Treibhauseffekt)

Emissionscomputertomographie [-kɔmpjuː-tər-], Abk. **ECT** (Schichtszintigraphie), nuklearmedizin. Schnittbildverfahren zur Ermittlung der räuml. Aktivitätsverteilung eines Radiopharmakons in einem Organ.

Emissionsgrenzwerte, Höchstmengen des Schadstoffausstoßes von techn. Anlagen und Einrichtungen (u. a. Kfz-Motoren). E. für genehmigungspflichtige Anlagen sind z. B. in der → TA Luft bzw. in zahlr. Verordnungen des Bundesimmissionsschutzgesetzes festgelegt.

Emissionskataster, Datensammlung zur Beschreibung der Emissionssituation in regionalen oder überregionalen Räumen für luftverunreinigende Schadstoffe. Das E. enthält Angaben über Art, Menge, räuml. und zeitl. Verteilung und Austrittsbedingungen von Schadstoffen aus Industrie, Hausbrand, Kleingewerbe und Verkehr.

Emissionsnebel, → Nebel.

Emittent [lat.] *der,* **1)** *Bankwesen:* Herausgeber, Aussteller von Wertpapieren.

2) *Umweltschutz:* → Emission.

Emitter [engl., von lat. emittere »ausschicken«] *der,* Elektronen abgebende Elektrode des bipolaren → Transistors.

EMK, Abk. für → **e**lektro**m**otorische **K**raft.

Emmaus (arab. Amwas), Ort 23 km nordwestlich von Jerusalem, 220 Stadtrecht und Umbenennung in **Nikopolis;** im 4. Jh. Bischofssitz. Nach dem N. T. (Lk. 24, 13–35) erschien Jesus nach der Auferstehung hier mehreren Jüngern.

Emme *die,* zwei Flüsse im nördl. Voralpenland der Schweiz: **1) Große E.,** 80 km lang, entspringt nördlich vom Brienzer See, durchfließt das Emmental, mündet unterhalb von Solothurn in die Aare.

2) Kleine E., linker Nebenfluss der Reuß, 60 km lang, im Oberlauf **Waldemme** gen., mündet bei Luzern.

Emmen, 1) [niederländ. 'ɛmə], Stadt in der niederländ. Prov. Drente, 93 200 Ew.; Fehnmuseum, zoolog. Garten; Chemiefaser-, Textil-, Metallwaren-, elektrotechn., pharmazeut. Industrie.

2) Industriegemeinde im schweizer. Kt. Luzern, nördlich von Luzern, an der Mündung der Kleinen Emme in die Reuß, 24 900 Ew.; Textil-, Stahl-, Elektrowerke, Gießerei.

Emmendingen, 1) Landkreis im RegBez. Freiburg, Bad.-Württ., 680 km², (1996) 146 400 Einwohner.

2) Kreisstadt von 1), Große Kreisstadt in Bad.-Württ., zw. Schwarzwald und Kaiserstuhl, 24 800 Ew.; Apparate-, Maschinen- und Werkzeugbau, elektron. und feinmechan. Ind., Kunststoffverarbeitung, Zigarrenfabrik. – Landvogtei (um 1500), Neues Schloss (1789). – 1094 erstmals erwähnt, erhielt 1590 Stadtrecht.

Emmental, Landschaft im NO des Kt. Bern, Schweiz, von der Ilfis und Großen Emme entwässert. Im oberen E. (Napfbergland) intensive Almwirtschaft **(Emmentaler Käse),** im hügeligen unteren E. auch Getreide- und Obstbau, Holz-, Leinenind.; Hauptort: Langnau.

Emmaus: Rembrandt, »Christus in Emmaus«, Ausschnitt (1648; Paris, Louvre)

Emmer (Amer, Zweikorn, Triticum dicoccon), Weizenart mit lang begrannten, meist zweiblütigen Ährchen; wird in Europa kaum noch angebaut.

Emmeram (Heimhram), Heiliger, †Kleinhelfendorf (bei Bad Aibling) um 715 als Märtyrer; fränk. Missionsbischof, wirkte in Regensburg, wo im 8. Jh. bei seinem Grab die Benediktinerabtei St. Emmeram gegründet wurde. Tag: 22. 9.

Emmerich, Stadt im Kr. Kleve, NRW, auf dem rechten Ufer des Niederrheins, an der niederländ. Grenze, 29 200 Ew.; Zollamt; Rheinmuseum; Nahrungs-, Genussmittel-, chem. u. a. Ind.; Maschinenbau; Ind.hafen, Containerumschlagplatz. – Die Rheinbrücke E. ist die größte dt. Hängebrücke. Nach starken Kriegszerstörungen wurde die ehem. Stiftskirche St. Martin (11.–15. Jh.) wieder aufgebaut. – E., 828 erstmals schriftlich bezeugt,

Emmerich: Die ursprünglich aus dem 11.–15. Jh. stammende ehemalige Stiftskirche St. Martin wurde nach Zerstörungen im Zweiten Weltkrieg vereinfacht wieder aufgebaut

entstand vermutlich um eine gegen 700 von Willibrord geweihte Kirche; entwickelte sich schon früh zu einem wichtigen Handelsplatz und erhielt 1233 Stadtrecht.

Emmetropie [grch.] *die,* →Normalsichtigkeit.

EMNID GmbH & Co. (Institut für Markt-, Meinungs- und Sozialforschung), Unternehmen für polit., wirtschaftliche und publizist. Umfragen; gegr. 1945, Sitz: Bielefeld.

E-Modul, Abk. für **E**lastizitäts**modul,** →Elastizität.

EMP (NEMP) [Abk. für engl. (**n**uclear) **e**lectro**m**agnetic **p**ulse »(nuklearer) **e**lektro**m**agnetischer Im**p**uls«], bei exosphär. Kernwaffenexplosionen kurzzeitig auftretende äußerst intensive elektromagnet. »Stoßwelle«, ausgelöst durch die bei der Explosion entstehende Gammastrahlung, deren Photonen (Gammaquanten) beim Auftreffen auf Luftmoleküle durch den →Compton-Effekt Elektronen herausschleudern; dadurch entsteht infolge Ladungstrennung ein elektr. Feld, dessen zeitl. Änderung mit den spiralförmigen Bewegungen

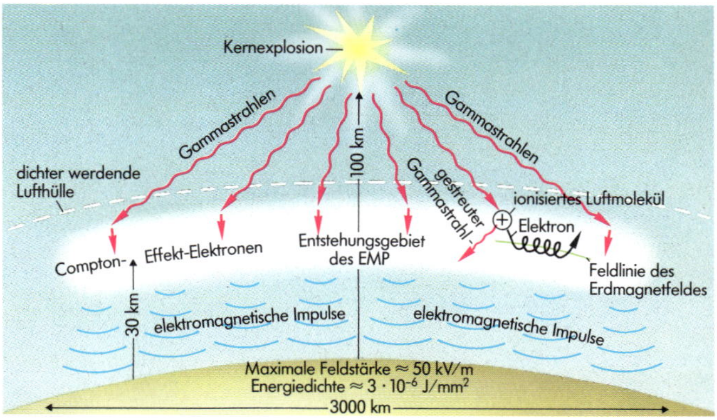

EMP: Wirkungsweise der Kernexplosion einer in 100 km Höhe gezündeten Atombombe von 1 Mt (Megatonne) Sprengkraft

Empfängnisverhütung

Die ältesten Zeugnisse der Empfängnisverhütung stammen aus Ägypten. Das älteste, ein Rezept aus dem 19. Jahrhundert v. Chr., beschreibt die Herstellung eines Zäpfchens aus Krokodilkot. Nur dreihundert Jahre später beschreibt ein Papyros einen Baumwolltampon, der mit Honig und Akaziensirup getränkt wurde, eine Mischung, die die moderne Forschung durchaus als wirksam betrachtet. Die alten Griechen verwendeten meist Olivenöl, das die Beweglichkeit der Spermien begrenzt.
Auch andere Formen der Familienplanung wurden empfohlen: So sprach sich der Philosoph Aristoteles, dessen Lehren im 13. Jahrhundert in die christliche Scholastik aufgenommen wurden, dafür aus, überzählige Kinder einfach auszusetzen.

der Elektronen um die Feldlinien des Erdmagnetfeldes sehr intensive elektromagnet. Wellen hervorruft. Dieses kann noch in einer Entfernung von mehreren 100 km vom Explosionsort zu elektr. Feldstärken von bis zu 50 kV/m führen, die ihrerseits starke Ströme in elektron. Geräten induzieren können. – Durch einen EMP können elektron. Geräte, z. B. Computer oder Radaranlagen, ausfallen. Eine »Härtung« elektron. Baugruppen gegen den EMP ist möglich, jedoch umfangreich und sehr kostenaufwendig; sie geschieht v. a. durch Abschirmung in Form eines →Faraday-Käfigs.

Empẹdokles, grch. Philosoph, *Akragas (heute Agrigent, Sizilien) um 483 v. Chr., †zw. 430 und 420 v. Chr.; spielte eine wichtige polit. Rolle, sammelte als Arzt, Priester und Wanderprediger viele Anhänger; soll sich der Legende nach in den Ätna gestürzt haben. Seine Philosophie verbindet Lehren der Eleaten und Heraklits mit naturphilosoph. Gedanken: Es gebe kein Entstehen und Vergehen, nur Mischung und Trennung der vier Elemente Feuer, Luft, Wasser, Erde, bestimmt von den Urkräften Liebe und Hass. In seiner Erkenntnislehre vertritt er die Ansicht, Gleiches könne nur durch Gleiches erkannt werden. Orphisch-pythagoreisch beeinflusst, ist er von der Seelenwanderung überzeugt. – Tragödienfragment »Der Tod des E.« (1826) von F. Hölderlin.

Empfänger, Gerät zur Aufnahme oder zum Nachweis elektromagnet. Wellen, elektr. Impulse, Lichtstrahlen, Schallwellen u. a. Wellen oder radioaktiver Strahlung. Der E. wandelt und verstärkt nicht direkt wahrnehmbare Signale und gibt sie als Nachricht (z. B. Rundfunk- und Fernseh-E.), als verstärktes Signal (Richtfunk-E.) oder als Messwert (u. a. Radarsignal) wieder.

Empfängnis (Konzeption, Conceptio), die →Befruchtung der Eizelle durch die Samenzelle, die i. d. R. zur Schwangerschaft führt. (→Befruchtungsoptimum)

Empfängnisverhütung (Schwangerschaftsverhütung, Antikonzeption, Konzeptionsverhütung, Kontrazeption), Maßnahmen zur Verhütung der Befruchtung einer Eizelle oder zur Verhinderung der Einnistung einer befruchteten Eizelle in die Gebärmutterschleimhaut; dient der Geburtenregelung. Die Zuverlässigkeit der E.-Methoden wird nach dem **Pearl-Index (PI)** bewertet: Z. B. ergibt sich der Index 2, wenn 100 Frauen ein Jahr lang ein Intrauterinpessar verwenden und zwei von ihnen schwanger werden. Sehr wirksame E.-Methoden haben einen PI von < 1,0.

Zur E. werden mechan., chem. und hormonale **(empfängnisverhütende Mittel, antikonzeptionelle Mittel, Kontrazeptiva)** sowie natürl. Maßnahmen (ohne Hilfsmittel) angewendet. Zu den natürl. Methoden gehört v. a. der **Coitus interruptus,** bei dem der Geschlechtsakt vor dem Samenerguss unterbrochen wird. Bei der period. Enthaltsamkeit müssen die fruchtbaren Tage, d. h. die Zeitspanne einer mögl. Befruchtung nach dem Eisprung berechnet werden. Nach der **Knaus-Ogino-Methode** besteht die »fruchtbare Zeitspanne« vom 8. bis 19. Zyklustag. Zuverlässigere Daten für den wahrscheinlichen Zeitpunkt des Eisprungs bietet die **Temperaturmethode.** Die →Basaltemperatur steigt zw. den Monatsblutungen innerhalb von 1 bis 2 Tagen um ungefähr 0,5 °C an. Bis zum Beginn der nächsten Regelblutung bleibt sie auf dieser Höhe. Der Eisprung erfolgt im Durchschnitt 1–2 Tage vor dem Temperaturanstieg. Zw. dem 2. Tag nach dem Temperaturanstieg und der folgenden Regelblutung ist mit einer Empfängnis nicht zu rechnen. Mit der **Billings-Methode** wird die sich zyklisch ändernde Konsistenz des Gebärmutterhalsschleims beobachtet; sie

Empfängnisverhütung (von links): Intrauterinpessar (»Spirale«); Scheidendiaphragma; Kondom

kombiniert mit der Temperaturmethode zur **symptothermalen Methode.**

Unter den mechan. Methoden ist in erster Linie das **Kondom** (Präservativ, ein über das Glied gestreifter Gummischutz) zu nennen. Auch ein **Kondom für die Frau,** das durch einen äußeren Ring außerhalb der Scheide und einen inneren Ring in der Scheide fixiert ist, wird angeboten. Das **Scheidendiaphragma** (Scheidenpessar), eine gummiüberzogene Drahtspirale mit einer elast. Gummimembran, wird vor dem Geschlechtsverkehr in die Scheide eingeführt und danach wieder entfernt. **Intrauterinpessare** sind aus gewebefreundl. Kunststoff gefertigte Ringe oder Spiralen, die vom Arzt in die Gebärmutter eingeführt werden. Chem. Mittel zur E. sind Salben, Tabletten, Sprays oder Zäpfchen, die vor dem Geschlechtsverkehr in die Scheide eingeführt werden. Ihre Wirkung beruht darauf, dass sie die Samenzellen abtöten oder bewegungsunfähig machen, sodass diese nicht mehr in die Gebärmutter aufsteigen können.

Die hormonale E. verhindert den Eisprung durch abgewandelte Eierstockhormone (Östrogene, Gestagene). Diese als **»Antibabypille«** bekannt gewordenen Präparate beeinflussen die Hirnanhangdrüse dahingehend, dass sie die zum Eisprung notwendigen Hormone nicht bildet. Nach der Zusammensetzung unterscheidet man die **Kombinationspräparate** mit über den Zyklus gleich bleibendem Wirkstoffgehalt und die **Sequenzialpräparate,** die die Hormonbestandteile in gestufter Folge und Konzentration enthalten und damit den natürl. Schwankungen des Hormonspiegels stärker entsprechen. Die **Minipille** enthält nur Gestagen in minimaler Konzentration. Die aus einem schwach dosierten Östrogenanteil mit geringem Gestagenanteil bestehende **Mikropille** wirkt fast ausschließlich als Ovulationshemmer. Die **Pille danach** (Postkoitalpille) enthält hoch dosiert Östrogen und Gestagen und muss innerhalb von 48 Stunden nach ungeschütztem Geschlechtsverkehr eingenommen werden (erhebl. Nebenwirkungen). **Depotpräparate** enthalten nur ein Gestagen und müssen injiziert oder unter die Haut implantiert werden. Umstritten ist die Anwendung des Antigestagens **Mifepriston (RU 486),** das einen Frühabort auslöst. Eine i. d. R. nicht mehr rückgängig zu machende Methode der E. ist die →Sterilisation.

📖 *Gynäkolog. Endokrinologie u. Fortpflanzungsmedizin, hg. v.* B. Runnebaum *u.* T. Rabe, *2 Bde. Berlin u. a. 1994.* – Raith, E. *u. a.: Natürl. Familienplanung heute. Berlin u. a. ²1994.*

Empfängniszeit, →Ehelichkeit.

Empfindlichkeit, **1)** *Fotografie:* Angabe zur Licht-E. des fotograf. Materials, erfolgt in ISO-Werten (→Fotografie), wobei die früheren E.-Angaben nach DIN und ASA kombiniert werden, z. B. 21 DIN = 100 ASA = ISO 100/21°.

2) *Funktechnik:* ein Maß für die Fähigkeit eines Empfängers, schwache Signale aufzunehmen.

3) *Messtechnik:* bei einem Messgerät das Verhältnis der Änderung seiner Anzeige zu der sie verursachenden Änderung der Messgröße.

Empfindsamkeit, literar. Strömung innerhalb der →Aufklärung (2. Hälfte des 18. Jh.); das Wort »empfindsam« wurde erst auf Anregung G. E. Lessings durch J. J. Bode 1768 als Übersetzung des engl. »sentimental« eingeführt. Kennzeichnend war die Hinwendung zu einer enthusiast., »sentimentalen« Weltsicht zunächst im religiösen Bereich (→Pietismus), dann auch in anderen Lebensbereichen. Das Naturgefühl mit idyllisch-heiteren wie elegisch-düsteren Stimmungen und Reflexionen war nicht naiv, sondern bewusst antirationalistisch reflektiert (sentimentalistisch). Die Höhepunkte der durch das gefühlvolle Schrifttum Englands (S. Richardson, L. Sterne, O. Goldsmith, E. Young) und Frankreichs (A.-F. Prévost d'Exiles, J.-J. Rousseau) genährten dt. Dichtung der E. liegen in F. G. Klopstocks Gesängen und in Goethes Roman »Die Leiden des jungen Werthers« (1774).

📖 Krüger, R.: *Das Zeitalter der E. Kunst u. Kultur des späten 18. Jh.s in Deutschland. Wien 1972.* – Kaiser, G.: *Aufklärung, E., Sturm u. Drang. Tübingen u. a. ⁵1996.*

Empfindung, *Psychologie:* die als Folge einer Reizeinwirkung durch nervl. Erregungsleitung vermittelte Sinneswahrnehmung.

Emphysem [grch.] *das,* krankhafte Aufblähung von Geweben (z. B. Haut) oder Organen (z. B.

Empfängnisverhütung. Pearl-Index

Methode	*Schwangerschaften auf 100 Frauenjahre*
hormonale Empfängnisverhütung	
Kombinationspräparate	0,1– 0,5
Sequenzialpräparate	0,3– 0,9
Minipille	0,9– 2,5
Mikropille	0,2– 0,5
Depotpräparate	0,3– 0,5
Pille danach	0,5
Intrauterinpessar	0,5– 2,0
Kondom	3,0– 5,0
Scheidendiaphragma	6,0–10,0
Scheidendiaphragma mit Spermizid	0,7– 4,0
Zeitwahl nach Knaus-Ogino	4,0–20,0
Zeitwahl bei Messung der Basaltemperatur	1,0– 3,0
Zeitwahl nach Billings	15,0–35,0
symptothermale Methode	0,7
Coitus interruptus	8,0–38,0
Sterilisation bei der Frau	0,0– 0,3
Sterilisation beim Mann	0,0

Empire State Building in Manhattan, New York, von William Frederick Lamb (1931)

Lunge) durch Luft oder (seltener) durch Fäulnisgase. Eine häufige Krankheit ist das **chron. Lungen-E.,** das mit Dyspnoe (Atemnot, Kurzatmigkeit) verbunden ist und auf einer Überblähung (vermehrten Luftfüllung) der Lungenalveolen infolge herabgesetzter Dehnbarkeit der elast. Fasern der Lunge beruht. Häufig handelt es sich hierbei um die Folge anderer langwieriger Erkrankungen der Luftwege, v. a. eines chron. Asthmas oder einer chron. Bronchitis.

Empire [von lat. imperium »Reich«, »Herrschaft«] *das,* **1)** [ãˈpiːr, frz.], das Kaiserreich Napoleons I. 1804–14/15 (Premier E.) und Napoleons III. 1852–70 (Second E.). (→Empirestil)

2) [ˈempaɪə, engl.] (British E.), →Britisches Reich und Commonwealth.

Empire-Konferenzen [ˈempaɪə-] (engl. Imperial Conferences), die Konferenzen der Premiermin. Großbritanniens und der Dominions (seit 1907), dienten der gegenseitigen außen-, verteidigungs-, währungs- und handelspolit. Abstimmung der selbstständigen Glieder des →Britischen Reichs und Commonwealth. Nach dessen Umbau zum »Commonwealth of Nations« finden seit 1944 periodisch **Commonwealth-Konferenzen** statt, deren Beschlüsse empfehlenden Charakter tragen.

Empire State Building [ˈempaɪə ˈsteɪt ˈbɪldɪŋ], bis 1970 höchstes Gebäude (Bürohochhaus) der Welt in New York, 1931 von William Frederick Lamb erbaut, 381 m hoch (mit Fernsehturm, seit 1950, 448 m), 102 Stockwerke.

Empirestil [ãˈpiːr-], **1)** *Kunst:* im letzten Jahrzehnt des 18. Jh. in Frankreich einsetzender, unter Napoleon I. nach 1804 über ganz Europa bis nach Russland verbreiteter und bis gegen 1830 vorherrschender strenger, auf Repräsentation ausgerichteter Dekorationsstil innerhalb des Klassizismus, der gleichermaßen Innenraumdekoration, Möbelkunst und Kunsthandwerk wie Kleidermode erfasste. Seine Anfänge bestimmten bes. der Maler J. L. David, unter dessen Leitung 1793 die »Salle de la Convention« in den Tuilerien in Paris ausgestattet wurde, und die von Napoleon bevorzugten Architekten P. F. L. Fontaine und C. Percier, die führend wurden in der Ausstattung von Schlössern und Palästen (Tuilerien, Élyséepalast, beide in Paris; Schlösser Malmaison, Compiègne, Fontainebleau, Saint-Cloud u. a.). Die wuchtigen, schweren Möbel sind aus geometr. Formen gefügt, wobei man an Hölzern Mahagoni, Ebenholz und Zeder bevorzugte und häufig Samtbespannungen, Goldbronze für Löwenklauenfüße sowie Marmor verwendete. Beliebt waren griech., ägypt., röm., bei Wanddekorationen bes. pompejan. Motive.

2) *Mode:* die Kleidung während der Herrschaft Napoleons I.; folgte der Directoiremode, milderte aber ihre Übertreibungen und bereitete eine neue bürgerl. Mode vor. Herren trugen Schoßfrack, lange (auch Knie-)Hose und Stiefel, die Damen ein fuß- oder knöchelfreies, unter der Brust gegürtetes Kleid und absatzlose Schuhe. Diese Mode wurde durch die Biedermeierkleidung abgelöst.

Empirie [grch.] *die,* →Erfahrung.

Empiriokritizismus [grch.] *der,* von R. Avenarius und E. Mach vertretene, kritisch-empirist., positivist. Lehre, welche die These von der Existenz einer bewusstseinsunabhängigen Objektwelt als metaphys. Annahme ablehnt und durch eine

Empirestil 2): Directoire- (links) und Empiremode, kolorierter Kupferstich aus »Journal des Dames et Modes«, Paris (1806)

»Kritik der reinen Erfahrung« die »Empfindungen« als Elemente des »natürl. Weltbildes« zu erweisen sucht.

empirische Sozialforschung, die systemat., methodenorientierte Erhebung und Interpretation von Daten über Gegebenheiten und Vorgänge im soziokulturellen Bereich. Die Forschungsergebnisse dienen u.a. der Überprüfung von Theorien und Hypothesen über soziale Zusammenhänge. Methoden der e. S. sind v.a. Befragung, Beobachtung, Experiment, Gruppendiskussion, Inhaltsanalyse, Skalierung und Soziometrie.

Empirismus [grch.] *der,* **1)** *Philosophie:* die Lehre, dass alle gültige Erkenntnis (nur) auf Erfahrung, bes. auf Beobachtung und Experiment, gegründet sei (Ggs. Rationalismus); gelten die Sinne als einzige Quelle der Erfahrung, spricht man von →Sensualismus. Der E. wurde von T. Hobbes, J. Locke, D. Hume und J. S. Mill begründet. Dagegen versuchte v.a. I. Kant zu zeigen, dass schon die Erfahrung als solche auf nicht empir. Grundlagen beruhe (Anschauungs- und Verstandesformen). Eingeleitet durch den Empiriokritizismus, entstand im 20. Jh. in Verbindung mit dem Positivismus ein neuer E. (log. E. oder log. Positivismus, R. Carnap, H. Reichenbach, M. Schlick), der auf die neu entwickelte mathemat. Logik zurückgriff.

2) *Psychologie:* Auffassung, die das Verhalten allein auf Lernprozesse (ohne ererbte Anteile) zurückführt.

Empoli, italien. Stadt in der Toskana, Prov. Florenz, am Arno, 43 800 Ew.; Museum; Glas-, Möbel-, Nahrungsmittel-, Textilindustrie. – Kollegiatskirche Sant' Andrea (1093 ff.).

Empore, in der kirchl. Baukunst meist über den Seitenschiffen gelegenes, zum Kirchenraum geöffnetes, galerieartiges Obergeschoss, das bestimmten Personen (Frauen, Nonnen, Sängern, Hofstaat) oder Zwecken vorbehalten war; zuerst bei den röm. Marktbasiliken nachweisbar, gelangte die E. über die östl. Sakralarchitektur nach Europa und war v.a. im mittelalterl. Kirchenbau, später bei prot. Kirchen als Orgel-E. verbreitet, in Barock und Rokoko fand sie auch in der Profanarchitektur (Bibliotheken u.Ä.) Anwendung.

Empson ['empsn], Sir (seit 1979) William, engl. Dichter und Kritiker, *Yokefleet Hall (bei Kingston upon Hull) 27. 9. 1906, †London 15. 4. 1984; einflussreich mit seiner experimentellen Lyrik; seine literaturwiss. Arbeiten waren für den New Criticism wegweisend.

Empyem [grch.] *das,* Eiteransammlung in einer Körperhöhle.

Ems *die,* Fluss im Norddt. Tiefland, 371 km lang, 238 km schiffbar, entspringt in der Senne, durchfließt das Münsterland, mündet bei Emden in den Dollart; Nebenflüsse: Hase und Leda. Die 5,5 km breite Mündung wird durch die Insel Borkum in die **Oster-** und **Wester-E.** geteilt; streckenweise in den Dortmund-Ems-Kanal einbezogen.

Empore: Blick auf die Empore über dem rechten Seitenschiff der im 12. Jh. erbauten Kathedrale von Tournai

Ems, Bad, →Bad Ems.

Emscher *die,* rechter Nebenfluss des Rheins, 98 km lang, entspringt östlich von Dortmund, durchfließt das Ruhrgebiet, mündet (seit 1950; durch Flussregulierung) bei Dinslaken; größtenteils kanalisiert; trägt wesentlich zur Entsorgung des Ruhrgebiets von Schmutzstoffen bei.

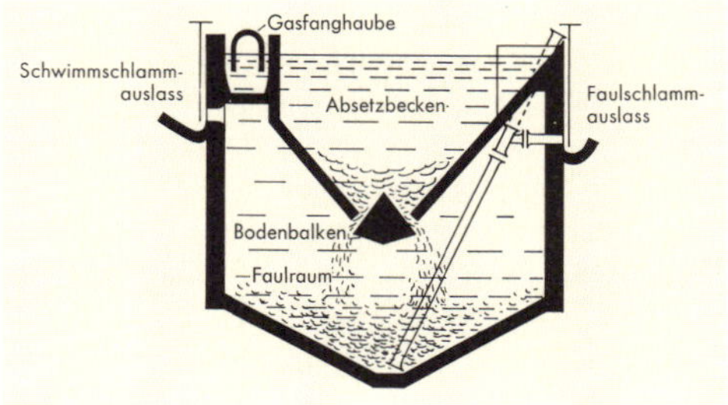

Emscherbrunnen: Querschnittzeichnung

Emscherbrunnen (Imhoff-Tank), doppelstöckige Absetz- und Schlammfaulanlage zur →Abwasserreinigung, in der die Sinkstoffe aus dem oberen Teil durch die stark geneigten Zwischendecken über einen schmalen Schlitz in den unteren Teil gelangen. Das Wasser kann aus dem oberen Teil abfließen; im unteren Raum findet das Ausfaulen des Schlammes statt. Der E. ist nur für häusl. oder ähnl. Abwässer geeignet.

Emsdetten, Stadt im Kreis Steinfurt, NRW, 33 700 Ew.; Heimat- und Wannenmachermuseum; Jute-, Textil-, Bekleidungsind., Eisen- und Kunststoffverarbeitung.

Emser Depesche, das Telegramm von H. Abeken vom 13. 7. 1870 aus Bad Ems mit dem Bericht über die Unterredung König Wilhelms I. von Preußen mit dem frz. Botschafter V. Graf Benedetti über die frz. Forderung nach einem Verzicht auf die →hohenzollernsche Thronkandidatur in Spanien. Bismarck veröffentlichte am 14. 7. die Depesche in radikal gekürzter Form und provozierte damit (gegen die Absicht des preuß. Königs) wegen der seit längerem gespannten Beziehungen zwischen Dtl. und Frankreich die frz. Kriegserklärung (19. 7. 1870; →Deutsch-Französischer Krieg 1870/71).

Emser Punktation, die in Bad Ems am 25. 8. 1786 gefassten Beschlüsse der Erzbischöfe von Mainz, Trier, Köln und Salzburg zur Beschränkung des päpstl. Einflusses zugunsten einer dt. Nationalkirche. Die Frz. Revolution und die Politik der röm. Kurie verhinderten die Realisierung der E. P. (→Febronianismus)

Ems-Jade-Kanal, Kanal in Ndsachs., bildet seit 1887 eine Verbindung zw. Ems (Emden) und Jadebusen (Wilhelmshaven); 72 km lang, für Schiffe bis 200 t befahrbar, dient heute v. a. der Entwässerung der ostfries. Moorregion.

Emsland, 1) Grenzlandschaft gegen die Niederlande, beiderseits der mittleren Ems. Nach dem **E.-Plan** wurden seit 1951 aus Moor- und Heideflächen Kulturland gewonnen, Ödland aufgeforstet und zahlreiche landwirtsch. Betriebe geschaffen. Seit 1942 werden Erdöl- und Erdgasvorkommen erbohrt und erschlossen; traditioneller Torfabbau.

2) Landkreis im RegBez. Weser-Ems, Ndsachs. 2 879 km², (1996) 294 400 Ew.; umfasst den größten Teil der Landschaft E.; Verw.sitz ist Meppen.

Johann Franz Encke

Emu [portugies.] *der* (Dromaius novaehollandiae), flugunfähiger, straußenähnl., bis 1,8 m hoher Vogel in den Buschsteppen Australiens.

Emulator [lat.] *der, Datenverarbeitung:* Einrichtung oder Programm zur Sicherstellung der Kompatibilität zwischen Rechenanlagen und Anwendungsprogrammen.

Emulsion [lat.] *die,* eine →Dispersion aus zwei oder mehr nicht mischbaren Flüssigkeiten, bei der die eine Flüssigkeit, die **disperse Phase,** in Form kleiner Tröpfchen in der anderen, der **geschlossenen Phase,** suspendiert (verteilt) ist. E. stabilisiert

Emus

Emus gewannen 1932 den so genannten »Emukrieg« gegen die australische Armee. Eine australische Eliteeinheit hatte den Auftrag, Tausende von Emus zu töten, doch nach acht Monaten musste man sich eine demütigende Niederlage eingestehen: Man hatte gerade zwölf Emus erwischt. Die australischen Strauße hatten die Soldaten mit ihren bis zu 60 Stundenkilometern schnellen Sprints immer wieder abgehängt.

Emu mit Jungtieren

man durch Zugabe von **Emulgatoren,** die die Oberflächenspannung der emulgierten Flüssigkeit herabsetzen.

EMV, Abk. für →**e**lektro**m**agnetische **V**erträglichkeit.

Enakiter (hebr. Anakim), angeblich riesenhaftes Volk im vorisrael. S-Palästina.

Enantiomerie [grch.] *die,* eine Form der Stereoisomerie, bes. der → Chiralität von Molekülen.

Enantiomorphie [grch.] *die,* spiegelbildlicher Bau von Kristallen, z. B. Rechts- und Linksquarz.

Enantiotropie [grch.] *die,* Modifikationsänderung eines Stoffes (Phasenumwandlung) an scharf definierten Umwandlungspunkten beliebig oft nach beiden Richtungen; z. B. bei flüssigen Kristallen.

Enare, schwed. Name für den See →Inari.

Enargit [grch.] *der,* metallisch glänzendes dunkelgraues bis schwarzes rhomb. Mineral der chem. Zusammensetzung Cu_3AsS_4, Kupferarsensulfid; wichtiges Kupfererz.

Encarnación [ɛŋkarna'sjɔn], Hptst. des Dep. Itapúa, Paraguay, am Paraná, 27 600 Ew.; Handels- und Verkehrszentrum, Hafen; Eisenbahnfähre nach Posadas (Argentinien).

Enceladus, ein Mond des Planeten Saturn.

Enchiridion [grch.] *das,* kurz gefasstes Handbuch, kleines Lehrbuch; Quellensammlung.

Encina [en'θina], Juan del, span. Dichter und Komponist, *Encina de San Silvestre (bei Salamanca) (?) 1469, †León 1529; Geistlicher; gilt als »Vater« des span. Theaters; begann mit volkstüml. religiösen Hirtenspielen (von E. »églogas« oder »representaciones« genannt); in seinen späteren Stücken gestaltete er typ. Renaissancethemen.

Encke, Johann Franz, Astronom, *Hamburg 23. 9. 1791, †Spandau (heute zu Berlin) 28. 8. 1865; seit 1825 Leiter der Sternwarte Berlin, berechnete die Bahn des 1786 entdeckten und später nach ihm benannten **Enckeschen Kometen** und entdeckte

1837 eine Lücke im A-Ring des Saturns **(enckesche Teilung).**

Ende, Michael, Schriftsteller, *Garmisch-Partenkirchen 12. 11. 1929, †Filderstadt 28. 8. 1995; schrieb Kinderbücher (»Jim Knopf und Lukas, der Lokomotivführer«, 1960, u. a), Gedichte, Fernsehspiele; war bes. erfolgreich mit fantast. Erzählwerken: »Momo« (1973), »Die unendliche Geschichte« (1979), beide verfilmt, »Der satanarchäolügenialkohöllische Wunschpunsch« (1989).

Endecasillabo [italien. »Elfsilbler«], in der italien. Verskunst elfsilbiger Vers mit weibl. Versausgang und zwei Haupttonstellen; ältester belegter italien. Vers; als Vers des →Sonetts, der →Terzine, der →Stanze, der →Sestine u.a. wichtigster Vers der italien. Dichtung.

Endemie [grch.] *die,* →Epidemie.

endemisch, *Biologie:* in einem bestimmten Gebiet verbreitet; z.B. Beuteltiere in Australien.

Enders ['endəz], John Franklin, amerikan. Bakteriologe, *West Hartford (Conn.) 10. 2. 1897, †Waterford (Conn.) 8. 9. 1985; arbeitete bes. auf dem Gebiet der spinalen Kinderlähmung; erhielt 1954 (mit F. C. Robbins und T. H. Weller) den Nobelpreis für Physiologie oder Medizin.

Endivie [frz.] *die* (Winter-E., Cichorium endivia), aus dem Mittelmeergebiet stammender, heute in ganz Europa kultivierter Korbblütler, Zuchtform der Zwergzichorie mit breiten **(Eskariol)** oder schmalen, kraus gewellten, zerschlitzten Blättern **(Krause E.),** Salatpflanze.

Endlagerung, die sichere Verwahrung von schädl. und giftigen, bes. aber radioaktiven Abfällen mit dem Ziel (im Ggs. zur →Zwischenlagerung), eine dauernde Isolierung der Schadstoffe vom menschl. Lebensbereich zu gewährleisten.

Die E. in geolog. Formationen des tieferen Untergrunds (Salz, Granit, Ton, Tuff) gilt heute als relativ sichere Methode zur E. radioaktiver Abfälle. Die wesentl. Anforderungen an ein solches **Endlager** sind: geolog. Stabilität über einen Zeitraum von etwa 10000 Jahren, Sicherheit gegenüber dem Zutritt von Wasser, das die Schadstoffe auslaugen und transportieren könnte, gute Wärmeleitfähigkeit zur Abfuhr der beim radioaktiven Zerfall auftretenden Wärme. Die radioaktiven Abfälle müssen dabei in eine zur E. geeignete, meist feste Form gebracht werden, die ein Austreten radioaktiver Stoffe auch über derart lange Zeiträume verhindert **(Endkonditionierung).** Schwach- bis mittelaktive Abfallstoffe, z.B. in Form radioaktiver Abwässer, werden dazu i. Allg. mit Bitumen oder Beton in Stahlfässern fixiert, hochradioaktive Stoffe mit Glas verschmolzen (Verglasung) und anschließend von rostfreiem Stahl umschlossen. In Dtl. wird zz. ein Endlager in Morsleben betrieben, für weitere wird die Genehmigung angestrebt (Gorleben, Schacht Konrad). – Die E. durch Versenken von Abfällen ins Meer in Tiefen von mehr als 4000 m wurde bis 1983 vorwiegend für schwachaktive Abfälle praktiziert und ist seitdem weltweit gestoppt. Die E. hochradioaktiver Abfälle ist weltweit ein nicht gelöstes Problem.

Michael Ende, *Sohn des surrealistischen Malers Edgar Ende (*1901, †1965), wurde v.a. durch sein Märchen »Momo« (1972) und den Jugendroman »Die unendliche Geschichte« (1979) bekannt. »Momo« erzählt die Geschichte von den Zeitdieben und dem Kind, das die verlorene Zeit zurückbrachte. Ende entwirft hier eine Gegenwelt zu der von Hektik und pragmatischem Denken und Wirtschaften bestimmten Moderne. »Die unendliche Geschichte« erzählt von einem elfjährigen dicken Jungen, der in Schule und Sport versagt, aber mit lebendiger Fantasie begabt ist. Eines Tages liest er ein Buch über das sagenhafte Land Phantásien, das von einem unsichtbaren Nichts verschlungen zu werden droht. Rettung könnte nur ein Menschenkind bringen. Zentrale Aussage des nun folgenden Geschehens ist, dass die reale Welt krank wird, wenn schöpferische Fantasie ihren Raum verliert; diese wird aber auch zur Gefahr, wenn Wirklichkeit und Vorstellungswelt miteinander verwechselt werden.*

Endler, Adolf, Schriftsteller, *Düsseldorf 10. 9. 1930; lebte seit 1955 in der DDR; nahm in Lyrik und Prosa kritisch zu polit. und literar. Vorgängen Stellung (1979 Ausschluss aus dem Schriftstellerverband). – *Werke:* Das Sandkorn (Ged., 1974); Akte Endler (Ged., 1981); Ohne Nennung von Gründen (Prosa, 1985); Tarzan am Prenzlauer Berg. Sudelblätter 1981–1983 (1994).

Endlichkeit, räumliche, zeitl. oder zahlenmäßige Begrenztheit von Dingen, Personen, Mengen, kosm. Systemen u.Ä.; Ggs.: →Unendlichkeit. Die Frage der E. oder Unendlichkeit wurde mindestens seit altgrch. Zeit erörtert. Raum, Zeit und die Welt als Ganzes wurden in der Neuzeit zunächst als unendlich vorgestellt (so z.B. bei G. Bruno), doch wird im 20. Jh. in der Kosmologie die Annahme einer räumlich und zeitlich endlichen Welt mit empir. und theoret. Argumenten wieder vertreten. – In der christl. Theologie und in der Philosophie wird E. dem durch einen unendl. Schöpfergott Geschaffenen, dem nicht durch sich selbst Bestimmten, zugesprochen.

Endlösung der Judenfrage, nat.-soz. Umschreibung für die Ermordung der Juden, die auf der →Wannseekonferenz 1942 organisiert wurde. Diese Aktion (1942–45) markiert den Höhepunkt des nat.-soz. Völkermords an den europ. Juden (→Holocaust, →Nationalsozialismus).

Endmaße, *Messtechnik:* Klötzchen aus gehärtetem Stahl mit vorwiegend rechteckigem Querschnitt und parallelen Messflächen **(Parallel-E.),**

Michael Ende

John F. Enders

Adolf Endler

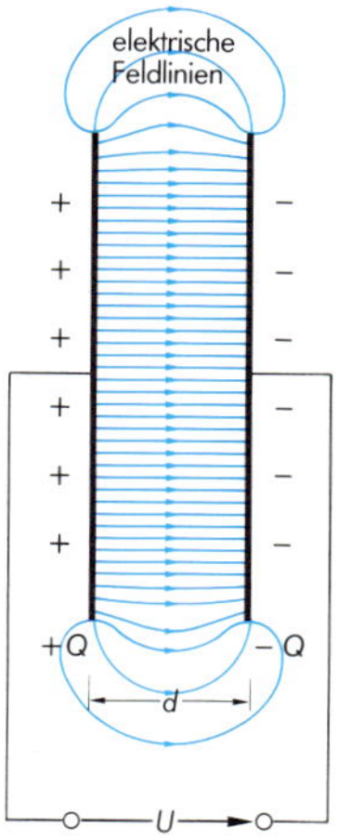

Energie 1): Die elektrische Feldenergie W_{el} eines Plattenkondensators der Kapazität $C = \varepsilon_0 A/d$ entspricht der Arbeit, die erforderlich ist, um zwei durch die Spannung U entgegengesetzt aufgeladene Metallplatten (Ladung +Q und −Q) bis in den Abstand d auseinander zu ziehen; A Plattenfläche, ε_0 elektrische Feldkonstante

dienen als Längenmaß-Normale. Durch Aneinandersetzen mehrerer E. können beliebige Maßlängen (bis auf 0,001 mm genau) gebildet werden.

endo… [grch.], innen, innerhalb.

Endobiose [grch.] *die, Biologie:* Sonderform der →Symbiose; der **Endobiont** lebt im Inneren eines anderen Lebewesens (z.B. Bakterien im Darm der Tiere).

Endodermis [grch.] *die, Botanik:* innerste, meist einzellige Schicht der Wurzelrinde.

Endogamie [grch.] *die,* eine Form der →Ehe bei Naturvölkern.

endogen [grch.], **1)** *allg.:* von innen kommend, innen entstehend; Ggs.: exogen.

2) *Geologie:* (innenbürtig) von geolog. Vorgängen gesagt, die durch Kräfte des Erdinnern entstanden, z.B. Magmatismus, Metamorphose, Tektonik.

3) *Medizin:* im Körper entstehend, z.B. Krankheiten.

Endokard [grch.] *das,* die Herzinnenhaut.

Endokarditis *die,* Entzündung der Herzinnenhaut, bes. der Herzklappen.

Endokarp [grch.] *das, Botanik:* innerste Fruchtwandschicht.

endokrin [grch.], *Physiologie:* innere Sekretion aufweisend; Ggs.: exokrin.

endokrine Drüsen, Drüsen mit →innerer Sekretion.

Endokrinologie [grch.] *die,* wiss. Disziplin, die sich mit den endokrinen Drüsen, ihren Produkten (Hormonen) und Krankheiten befasst.

Endolymphe [grch.] *die,* klare, lymphartige Flüssigkeit, die das häutige Labyrinth des Innenohrs ausfüllt.

Endometriose [grch.] *die,* Vorkommen von Gebärmutterschleimhaut außerhalb der Gebärmutter, in der Gebärmuttermuskulatur, in anderen Organen oder Geweben. Die verlagerte Schleimhaut macht den Funktionsablauf der an normaler Stelle sich entwickelnden Gebärmutterschleimhaut mit. In den E.-Herden kommt es zyklisch zu Blutungen und Spannungsschmerzen.

Primärenergieverbrauch in Deutschland (in Mio. t SKE*))

	Westdeutschland				Ost- und Westdeutschland	
Energieträger	1970	1980	1990	1995	1990	1995
Mineralöl	178,9	185,7	160,6	168,3	178,6	194,5
Steinkohle	96,8	77,1	74,0	67,7	78,7	70,2
Erdgas	18,3	64,3	69,4	79,9	79,0	96,0
Kernenergie	2,1	14,3	47,2	49,0	49,4	49,0
Braunkohle	30,6	39,2	32,1	31,7	109,2	59,1
Wasserkraft	8,4	7,6	4,8	6,7	5,6	6,8
Sonstige (Brennholz u.Ä.)	1,7	2,0	4,1	7,6	4,3	7,7
insgesamt	336,8	390,2	392,2	410,9	504,8	483,3

*) Steinkohleeinheiten

Endometritis [grch.] *die,* Entzündung der Gebärmutterschleimhaut (Endometrium).

Endoparasiten (Entoparasiten) [grch.], im Wirt lebende Schmarotzer, z.B. Bandwurm; Ggs.: Ektoparasiten.

Endophyten (Entophyten) [grch.], pflanzl. Organismen (v.a. Pilze, Algen), die im Inneren anderer Organismen leben.

endoplasmatisches Retikulum, Abk. **ER,** →Zelle.

Endor [hebr.], alte kanaanäische Stadt im N-Teil Israels, südlich vom Berg Tabor, nahe dem heutigen En Dor. Nach 1. Sam. 28, 7–25 Wohnort einer Totenbeschwörerin (sog. **Hexe von E.**).

Endoradiosonde [grch.-lat.] (Intestinalsender), Hochfrequenzkleinstsender (z.B. die Heidelberger Kapsel), der geschluckt wird und beim Durchlaufen des Magen-Darm-Kanals mittels Messwertfühler Informationen u.a. über Temperatur, Säureverhältnisse oder Enzymgehalt im Magen und Dünndarm liefert.

Endorf i. OB, seit 1988 →Bad Endorf.

Endorphine [Kw. aus **end**ogen und **Morphin**], Sammelbez. für versch. körpereigene, morphinartig wirkende Peptide, die im Gehirn und in der Hypophyse vorkommen. E. besitzen eine schmerzstillende Wirkung; ihrer prakt. Anwendung stehen Blut-Hirn-Schranke, rascher Abbau und Abhängigkeitserzeugung entgegen.

Endoskopie [grch.] *die,* diagnost. Verfahren zur Untersuchung (»Spiegelung«) von Körperhöhlen und -kanälen sowie Hohlorganen durch unmittelbare Betrachtung mithilfe eines **Endoskops.** Dieses besteht entweder aus einem starren Rohr mit Beleuchtungseinrichtung (Niedervoltlampe) und einem opt. System von Prismen und Linsen oder, als Fibroskop (Fiberendoskop), aus einer biegsamen Faseroptik aus Glasfaserbündeln. Bei diesem verläuft die Bildübertragung über das aus Material mit hoher Brechzahl bestehende Leitbündel, der Lichttransport über die umgebenden Lichtleitfasern. Es liefert einen erweiterten Betrachtungsraum bei größerer Helligkeit. Das Fibroskop verfügt über einen als miniaturisierte Fernsehkamera fungierenden CCD-Bildwandlerchip, der eine Bildschirmwiedergabe ermöglicht. E. der Gelenkhöhlen heißt **Arthroskopie,** der Luftröhre und ihrer Äste **Bronchoskopie,** des Magens **Gastroskopie,** des Dickdarms **Koloskopie,** des Scheidengewölbes **Kolposkopie,** der Bauchhöhle **Laparoskopie,** des Mastdarms **Rektoskopie** und der Harnblase **Zystoskopie.** Auch die Herzkammern und die großen Gefäße können endoskopisch untersucht werden. Die E. ermöglicht außerdem das Spülen der Körperhöhlen sowie die Entnahme von Gewebeproben und mithilfe eingeführter Instrumente kleinere operative Eingriffe.

Endosperm [grch.] *das,* Nährgewebe im Embryosack der Samenpflanzen (→Samenanlage).

Endosymbiontenhypothese, biochemisch und anatomisch belegte Hypothese, nach der sich die Plastiden und Mitochondrien der assimilationsfähigen grünen Pflanzenzelle aufgrund ihrer eigenständigen Vermehrung, DNS und Proteinbiosynthese sowie ihrer Doppelmembran von urspr. frei lebenden bakterien- bzw. blaualgenähnl. protozytischen Organismen ableiten.

Endothel [grch.] *das,* innere Zellauskleidung des Herzens sowie der Blut- und Lymphgefäße.

endotherm [grch.], Wärme aufnehmend, chem. oder physikal. Prozesse, die unter Wärmeverbrauch ablaufen; Ggs.: exotherm.

endotroph [grch.], *Botanik:* im Innern wachsend; →Mykorrhiza.

Endplatte (motorische E.), in der Skelettmuskulatur liegendes Organ zur Übertragung der nervösen Erregung auf die Muskelfaser.

Endseen, abflusslose Seen in ariden Gebieten, bei denen das durch den Zufluss gewonnene Wasser vornehmlich über die Verdunstung verloren geht (Kaspisches Meer, Aralsee, Tschadsee); sie unterliegen daher der Versalzung.

Endspiel, allg. in den Spielsportarten das ein Turnier oder eine Meisterschaft abschließende Spiel, in dem der Gesamtsieger ermittelt wird; im *Schach* letzte und wichtigste Phase einer Partie. Man unterscheidet Bauern-, Damen- oder Turmendspiel.

Endung, *Grammatik:* die v.a. bei der Flexion abwandelbaren Schlusslaute oder -silben, z.B. *ich geh|e, du geh|st.*

Endwirt, Lebewesen, in dem ein Schmarotzer mit Wirtswechsel geschlechtsreif wird.

Endymion, *grch. Mythos:* der Geliebte der Mondgöttin Selene, die ihn in Schlaf versenkte, um ihn ungestört zu küssen; dargestellt als Jäger oder Hirt; häufig in der Dichtung.

Energetik [grch.] *die,* **1)** *Naturwissenschaften:* die Lehre von der Energie und den mögl. Umwandlungen zw. ihren versch. Formen sowie den dabei auftretenden Auswirkungen und Gesetzmäßigkeiten. Ihre techn. Anwendung findet die E. in der auch als **technische E.** bezeichneten allg. →Energietechnik. Ein wesentl. Zweig ist auch die →Bioenergetik.

2) *Philosophie:* die monist. Lehre, dass alles Sein und Werden, Materie und auch Geist, auf Energien (Kräfte) zurückgeführt werden könne (vertreten z.B. von W. Ostwald).

Energide [grch.] *die,* Zellkern mit Zellplasma.

Energie [grch. enérgeia »Wirksamkeit«] *die,* **1)** *Physik:* Formelzeichen *W* oder *E,* die in einem physikal. System gespeicherte Arbeit bzw. die Fähigkeit, Arbeit zu verrichten. Die Änderung der E. eines Systems bei einem Vorgang ist gleich der von außen verrichteten oder nach außen abgegebenen Arbeit; in einem abgeschlossenen System bleibt die Gesamt-E. konstant (→Erhaltungssätze, →Energiesatz). E. hat sehr unterschiedl. Erscheinungsformen, z.B. mechan., elektr., magnet., therm., chem. und Kernenergie. Nach der speziellen Relativitätstheorie sind auch Masse und E. zueinander äquivalent. Alle E.-Formen sind ineinander umwandelbar, die Umsetzung therm. E. in Arbeit wird durch den 2. Hauptsatz der →Thermodynamik eingeschränkt. Gesetzl. Einheiten für die E. sind das →Joule (J), das Newtonmeter (Nm), die Wattsekunde (Ws), 1 J = 1 Nm = 1 Ws, die →Kilowattstunde (kWh) und das →Elektronvolt (eV). Veraltete, nicht gesetzl. Einheiten sind das →Erg (erg) und die →Kalorie (cal).

Mechanik: a) Ein im Schwerefeld der Erde um die Höhe *h* gehobener Körper der Masse *m* besitzt aufgrund seiner Lage die **Lage-E.** oder **potenzielle E.** $W_{pot} = m \cdot g \cdot h$ (g = Fallbeschleunigung). b) Ein Körper der Masse *m* mit der Geschwindigkeit *v* hat die **Bewegungs-E.** oder **kinet. E.**

Weltenergieverbrauch nach Primärenergieträgern (in Mio. t SKE*[)])

Energieträger	1970	1980	1990	1995
Erdöl	3262	4320	4481	4610
Kohle	2335	2809	3199	3158
Erdgas	1326	1853	2525	2691
Wasserkraft	438	617	772	932
Kernenergie	28	245	701	852
Sonstige	928	1205	1566	1715
insgesamt	8318	11049	13245	13958

*) Steinkohleeinheiten

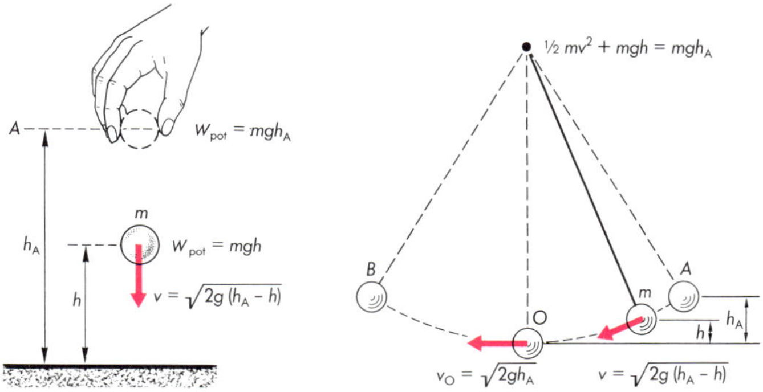

Energie 1): Links: Beim freien Fall wandelt sich die potenzielle Energie W_{pot} des aus der Höhe h_A fallenden Körpers (Masse *m*) in kinetische Energie $W_{kin} = \frac{1}{2}mv^2$ um; g Fallbeschleunigung, v Geschwindigkeit; rechts: Wechselspiel von potenzieller und kinetischer Energie bei einem zwischen Ruhepunkten *A* und *B* hin- und herschwingenden Pendel; in den Ruhepunkten liegt die Gesamtenergie nur als potenzielle Energie vor, die Geschwindigkeit und damit die kinetische Energie ist 0; im Punkt O erreicht das Pendel seine maximale Geschwindigkeit v_O, die Gesamtenergie liegt nur als kinetische Energie vor, die Höhe *h* und damit die potenzielle Energie ist 0, *m* Pendelmasse, *v* Geschwindigkeit mit wechselnder Höhe *h*, *g* Fallbeschleunigung

$W_{kin} = \frac{1}{2}m \cdot v^2$. c) Analog hat ein Körper bei einer Drehbewegung mit der Winkelgeschwindigkeit ω die **Rotations-E.** $W_{rot} = \frac{1}{2} I \cdot \omega^2$ (I = Trägheitsmoment um die Drehachse).

Elektrizitätslehre: a) Allg. ist die **elektr. Feld-E.** eines Feldes der Feldstärke $\boldsymbol{E}$ durch das Volumenintegral seiner E.-Dichte $w_{el} = \frac{1}{2}\boldsymbol{E} \cdot \boldsymbol{D}$ ($\boldsymbol{D}$ = elektr. Flussdichte) gegeben. Für einen Leiter mit dem konstanten elektr. Potenzial V, auf dem sich die Ladung Q befindet, gilt $W_{el} = \frac{1}{2}QV$. b) Ein stationärer elektr. Strom mit der Stromstärke I gibt beim Durchfließen eines Leiters (zw. dessen Enden die Spannung U besteht) während der Zeit t die E. $W_{el} = U \cdot I \cdot t$ ab. c) Die in einem auf die Spannung U aufgeladenen Kondensator der Kapazität C gespeicherte E. beträgt: $W_{el} = \frac{1}{2}C \cdot U^2$. d) Ein vom Strom I durchflossener Leiter (z.B. eine Spule) mit der (Selbst-)Induktivität L ist von einem Magnetfeld umgeben, in dem die **magnet. Feld-E.** $W_{mag} = \frac{1}{2}L \cdot I^2$ gespeichert ist. e) Eine Ausbreitung von **elektromagnet. Feld-E.** (z.B. Licht-E.) ist auch ohne Trägermedium durch elektromagnet. Wellen möglich.

Wärmelehre: Auch die **Wärmemenge** Q ist eine Form der E.; sie ist die in der ungeordneten Wärmebewegung der Teilchen gespeicherte **therm.** oder **Wärme-E.** eines thermodynam. Systems (→innere Energie).

Chemie: Die in chem. Verbindungen gespeicherte **chem. E.** ist gleich der bei der →chemischen Bindung frei werdenden chem. Bindungs-E. (→Bindung). So wird z.B. beim Akkumulator die zugeführte elektr. E. in chem. E. umgewandelt und gespeichert.

Kern- und Elementarteilchenphysik: Masse und Energie sind äquivalent, daher entspricht jeder Masse m die E. $E = m \cdot c^2$ (c = Lichtgeschwindigkeit); sie wird bei der Paarvernichtung vollständig freigesetzt. Beim Aufbau der Atomkerne aus einzelnen Protonen und Neutronen tritt ein →Massendefekt Δm auf, wobei die Bindungs-E. $E = \Delta m \cdot c^2$ frei wird. Da die Bindungs-E. je Nukleon für mittelschwere Kerne am größten ist, kann →Kernenergie sowohl durch Kernfusion leichter Kerne (→Sonnenenergie) als auch durch Kernspaltung schwerer Kerne gewonnen werden.

Technik: Bei der E.-Erzeugung und -versorgung unterscheidet man die in natürl. E.-Trägern wie Kohle, Erdöl, Erdgas, Kernbrennstoffen sowie die in Wasser, Wind, Sonnenstrahlung u.a. Trägern erneuerbarer Energien enthaltene **Primär-E.** und die daraus durch Umwandlung gewonnene **Sekundär-E.**, die in erster Linie als elektr., aber auch mechan., thermischer oder chem. E. vorliegt.

Geschichtliches: Die physikal. Bedeutung des E.-Begriffs wurde erst im 19. Jh. nach den Arbeiten von J. R. von Mayer, J. P. Joule und H. von Helmholtz erkannt. Der Begriff Arbeit wurde 1828 von C. G. de Coriolis und J. V. Poncelet, der der E. 1851/52 von W. Thomson und W. M. Rankine eingeführt. Eine wesentl. Erweiterung erfuhr der E.begriff 1905 durch A. Einsteins Folgerung der Äquivalenz von Masse und E. aus der speziellen Relativitätstheorie.

2) *Philosophie:* bei Aristoteles die auf ein Ziel hin gerichtete Wirkkraft, Wirkursache.

Energiebändermodell (Bändermodell), quantenmechan. Modellvorstellung zur Beschreibung des Energiespektrums der Elektronen in →Festkörpern. In einem ausgedehnten Kristall spalten sich die Energiezustände der Elektronen infolge der Wechselwirkung der Atome auf und überlagern sich zu Energiebändern. Neben besetzten und unbesetzten Energiebändern gibt es **verbotene Zonen (Energie-** oder **Bandlücken),** in denen die Elektronen sich nicht aufhalten können. Bei sehr tiefen Temperaturen T werden sämtliche Energiezustände bis zu einer Grenzenergie **(Fermi-Energie, Fermi-Grenze)** besetzt. Das oberste, bei T = 0 K voll besetzte Band heißt **Valenzband,** das niedrigste leere oder teilweise besetzte **Leitungsband.** Von der Besetzung dieser Bänder sowie deren Abstand zueinander hängen viele physikal. Eigenschaften ab, v.a. die unterschiedliche elektr. Leitfähigkeit von Isolatoren, Halbleitern und Metallen.

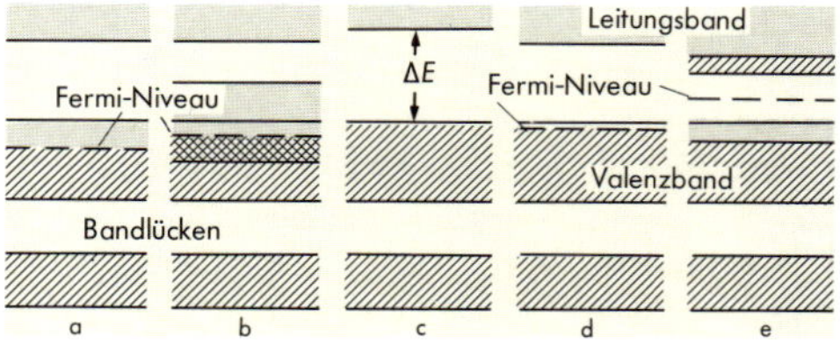

Energiebändermodell: Energiebänder und ihre Besetzung (schraffiert) durch Elektronen a bei einwertigen und b bei zweiwertigen Metallen (hier Bandüberlappung), c bei Isolatoren (mit sehr großem Energieunterschied ΔE zwischen Valenzband und Leitungsband), d und e bei Halbleitern

Energiedosis, →Dosis.

Energieforschung, die Forschung zur Erschließung neuer und zur optimalen Nutzung der vorhandenen Energiequellen. Fragen der Begrenztheit von Energierohstoffen, der Umweltverträglichkeit und der Wirtschaftlichkeit (→Energiewirtschaft) stehen im Vordergrund. Als Alternative zur Energiegewinnung aus fossilen Brennstoffen wurde v.a. die Kern-E. weltweit gefördert. Unter dem Eindruck der die Sicherheit von Kernkraftwerken infrage stellenden Reaktorunglücke (bes. Tschernobyl 1986) verstärkt sich jedoch das Interesse an der Erschließung und Nutzbarmachung regenerativer Energiequellen (Erdwärme,

Sonnen-, Gezeiten-, Wind-, Meereswärme- und Bioenergie). Zu den Schwerpunkten der E. zählen heute: 1) Sicherheitsfragen in der Kernenergienutzung, 2) Erschließung regenerativer Energiequellen, 3) Entwicklung Kraftstoff sparender Motoren und alternativer Motorkraftstoffe, 4) Entwicklung empfindlicherer Methoden für die Erkundung von Erdöl- und Erdgasvorkommen, Verbesserung des Wirkungsgrads bei der Ausbeutung von Erdölquellen (zz. nur etwa 35%) und Erdgaslagern (zz. rd. 70%) sowie Schaffung von Techniken für den Abbau in größeren Tiefen, 5) Entwicklung verbesserter und neuer Techniken für die Energieübertragung, Energiespeicherung und Energieumwandlung, 6) techn. Innovationen, die die Wirtschaftlichkeit der Energienutzung steigern, etwa die Nutzung anfallender Abwärme (z.B. Kraft-Wärme-Kopplung, Wärmepumpen).

Energieniveau [-nivo:], Bez. für jeden der von einem quantenmechan. System (z.B. Atomkern, Atom, Molekül) in den mögl. stationären Energiezuständen angenommenen Energiewerte. Die Gesamtheit der mögl. E. bildet das **Energiespektrum,** ihre graf. Darstellung das **E.-Schema** oder **Termschema.**

Energiepolitik, Teil der sektoralen Wirtschafts-, Struktur- und Umweltpolitik zur staatl. Steuerung des Energiesektors. Die E. umfasst alle Stufen der Energieversorgung (Gewinnung, Lagerung, Bevorratung, Umwandlung, Transport und Verteilung von Energie, Entsorgungsfragen sowie Außenhandel) in zunehmendem Maße staatl. Aktivitäten zur Beeinflusssung der Energienachfrage und zur rationellen Energienutzung bzw. Energieeinsparung. Die Ziele der E. haben sich seit 1945 erheblich verändert und werden z.T. kontrovers bewertet. Anerkanntes Ziel der E. ist die langfristig sichere, risikoarme, kostengünstige sowie umwelt- und ressourcenschonende Bereitstellung von Energiedienstleistungen (z.B. warme Räume, ausreichende Beleuchtung, Prozesswärme, Bewegung und Informationsübertragung). Durch die E. werden sowohl der rechtl. Rahmen (z.B. die Wettbewerbsordnung für einzelne Energieträger) vorgegeben als auch technisch-naturwiss. Randbedingungen, beispielsweise über die Energieforschung, mitgestaltet. Die E. steht in (z.T. spannungsreicher) Wechselbeziehung zu anderen Politikbereichen wie Wettbewerbs-, Finanz-, Industrie-, Regional-, Forschungs- und Technologiepolitik und ist mit der Umwelt- sowie der Sicherheits- und Außenpolitik verzahnt.

Schwerpunkte der E. waren in den 50er-Jahren zunächst die Kohle- und die Kernenergiepolitik. Nach den Ölpreiskrisen 1973/74 und 1978/79 konzentrierte sich die E. darauf, die Ölimportabhängigkeit zu verringern (Ersetzung von Erdöl und unsicheren Lieferländern) und mit den Energieprogrammen ein neues Konzept (u.a. Energiebevorratung, »Kohlevorrang-Politik«) zu entwickeln. Der Ausbau der Kernenergie wurde als vorrangig angesehen, ist jedoch wegen der damit verbundenen Umweltrisiken (Endlagerung radioaktiver Abfälle) umstritten und aufgrund von Protesten der Bev. infrage gestellt. Unter ordnungspolit. Aspekten und im Zusammenhang mit dem europ. Einigungsprozess rückten in den letzten Jahren Fragen der Deregulierung v.a. in der leitungsgebundenen Energiewirtschaft (»Aufhebung der Versorgungsmonopole« bei Erdgas und Elektrizität) in den Vordergrund. Demgegenüber stehen mehr ökolog. Regulierungsansätze, die durch »Dezentralisierung« und »Rekommunalisierung« den kommunalen und regionalen Einfluss auf die Energieversorgung stärken wollen. Die E. in Dtl. hat die Nutzung der relativ teuren einheim. Kohle zur Stromgewinnung wegen der Versorgungssicherheit und der Arbeitsplätze u.a. durch das Verstromungs-Ges. und den »Jahrhundertvertrag« unterstützt und bis zum Jahr 2005 weitere Subventionen bewilligt.

Ein aktuelles und akutes Problem der E. ist angesichts von Klimaveränderungen (Treibhauseffekt) die Notwendigkeit, die bei der Energienutzung anfallenden Treibhausgase (Kohlendioxid, Stickoxide, Methan) drastisch zu reduzieren. Eine vordringl. Aufgabe der E. ist die Lösung der ökonom., sozialen und gesellschaftl. Probleme, die mit einer ausreichenden Energieversorgung bei wachsender Weltbev. verbunden sind. Dafür sind techn. Effizienzsteigerungen (Erhöhung der Energieproduktivität), aber auch Änderungen des Produktions- und Lebensstils nötig, z.B. ein verringerter Pro-Kopf-Verbrauch an Energie in den Industrieländern.

📖 SCHNEIDER, H. K.: *Aufsätze aus drei Jahrzehnten zur Wirtschafts- u. E. München u. a. 1990.* – *Erneuerbare Energien. Systemtechnik, Wirtschaftlichkeit, Umweltaspekte, hg. v.* M. KALTSCHMITT *u.* A. WIESE. *Berlin u. a. 1995.* – LEHMANN, H. *u.* REETZ, T.: *Zukunftsenergien. Strategien einer neuen E. Berlin u. a. 1995.* – *Mehr Zukunft für die Erde. Nachhaltige E. für dauerhaften Klimaschutz, hg. v. der Enquete-Kommission »Schutz der Erdatmosphäre«. Bonn 1995.* – WEBER, R.: *Erneuerbare E. Energieformen, Nutzungstechniken, Umwelteinflüsse. Vaduz 33.–34. Tsd. ²1995.* – *Zukünftige E., bearb. v.* G. ALTNER *u. a. Bonn 1995.*

Energiesatz (Energieerhaltungssatz, Energieprinzip), allg. gültiges Naturgesetz, nach dem Energie weder erzeugt noch vernichtet, sondern nur von einer Form in eine (oder mehrere) andere umgewandelt werden kann; in einem abgeschlossenen physikal. System ist also die Gesamtenergie zeitlich konstant. Ein →Perpetuum mobile 1. Art, d.h. eine Maschine, die mehr Energie abgibt als sie aufnimmt, ist danach unmöglich. Wegen der →Äquivalenz von Masse und Energie werden in der Relativitätstheorie Massen in die Energiebilanz einbezogen.

Energiesparen, die Bemühungen zur Verringerung des Energieverbrauchs je Leistungs- oder Produkteinheit. Handlungsfelder für das E. sind 1) die energiebewusstere Nutzung vorhandener Anlagen und Geräte durch die Verbraucher, 2) der Einsatz von Geräten und Anlagen mit höherer Energieeffizienz, 3) Entwicklung neuer Anwendungstechnologien mit höherer Nutzungseffizienz. Das E. zu fördern ist die Aufgabe der Energiepolitik; prakt. Unterstützung des E. erfolgt mittels Beratung u.a. durch die Elektrizitätsversorgungsunternehmen, kommunale Einrichtungen, Verbraucherverbände, Industrie- und Handelskammern, Wirtschaftsministerien, die auch über Programme zur finanziellen Förderung von Energiesparinvestitionen informieren. (→Contracting)

Energiespeicherung, Speicherung von Sekundärenergie, die jederzeit in gewünschter Menge über einen gewissen Zeitraum rationell zur Verfügung stehen soll. Die Speicherung von Wärmeenergie gehört zu den ältesten Formen der Energiespeicherung. Die Wärme-E. nutzt die Wärmespeicherkapazität bestimmter Stoffe (z.B. Wasser, Öl, Gestein) und ist v.a. für Wärmekraftmaschinen (→Wärmespeicher) und Heizzwecke von großer Bedeutung. Die Speicherung mechanischer Energie ist in Pumpspeicherwerken (→Wasserkraftwerk) möglich. Ein mechan. Kurzzeit-Energiespeicher ist das Schwungrad. Elektr. E. erfolgt meist elektrochemisch in →Akkumulatoren (z.B. Blei-Schwefel-, Natrium-Schwefel-, Zink-Nickel-Akkumulator, Lithium-Schwefel-Batterie). Elektr. Kurzzeit-Energiespeicher sind neuere, für Sonderzwecke supraleitende Magnetspulen. Elektr. E. in Form von Wasserstoff (oder auch Metallhydriden; →Wasserstoffenergietechnik), der durch Elektrolyse von Wasser gewonnen und mit →Brennstoffzellen am Verbraucherort wieder in Elektrizität umgewandelt wird, ist bisher wegen der zu geringen Umwandlungsausbeuten noch unwirtschaftlich.

Energietechnik (technische Energetik), die Gesamtheit der Verfahren, Vorrichtungen und Anlagen zur möglichst optimalen (d.h. mit einem hohen Wirkungsgrad bei geringer Umweltbelastung) Umwandlung jede Art von Primärenergie (→Energie) in eine der nutzbaren Sekundärenergieformen. (→Solartechnik, →Wärmekraftwerk, →Windkraftwerk)

📖 *VDI-Lexikon Energietechnik, hg. v.* H. SCHAEFER. *Düsseldorf 1994.*

Energieterm, →Term.

Energieübertragung, die leitungsgebundene Übertragung unmittelbar nutzbarer Energie (vorwiegend elektr. Energie und Wärmeenergie, i.w.S. auch chemisch gebundene Energie) vom Ort der Erzeugung zum Verbraucher, z.T. über sehr große Entfernungen. Elektr. Energie wird über Leitungen und Kabel transportiert. Zukünftig könnten supraleitende Kabel wegen ihrer großen Übertragungskapazität beim Stromtransport eine Rolle spielen. Wasserstoff könnte als transportabler Energieträger Verwendung finden (→Wasserstoffenergietechnik). Wärmeenergie wird meist mit Wasser als Wärmespeichermedium in Rohrleitungen transportiert (→Fernwärme).

Energieversorgung, die Versorgung von Wirtschaft, Haushalten und Verkehr mit Primär- (Öl, Gas) oder Sekundärenergie (Strom, Wärme), die in ihrer Qualität und Quantität unterschiedlich sein können (→Elektrizitätsversorgung, →Energiewirtschaft).

Energiewirtschaft, zusammenfassende Bez. für die in unterschiedl. Wirtschaftsbereichen erfolgenden Aktivitäten zur Bereitstellung von Energiedienstleistungen. Darunter fallen Erzeugung, Import, Umwandlung, Lagerung, Transport (mit energieträgerspezif. Transportmitteln) und Verteilung von Energie sowie die Umwandlung der Endenergie bei den Verbrauchern (Haushalte, Industrie, Verkehr) in Nutzenergie bzw. Energiedienstleistungen (Wärme, mechan. Arbeit, Licht, Schall u.a.). Zur Erzeugung und Umwandlung von Energie rechnet man sowohl die Bereitstellung der Primärenergieträger (v.a. Erdöl, Erdgas, Kohle, Kernbrennstoffe, Wasser- und Windkraft, Biomasse) als auch deren Umwandlung in Sekundärenergie (Treibstoffe, Heizöle, Elektrizität, Koks, Fernwärme u.a.). Die Effizienz und der Wirkungsgrad der Energieumwandlung über die gesamte Prozesskette bestimmt den Aufwand an erneuerbaren und nicht erneuerbaren Primärenergieträgern pro Energiedienstleistung.

Die E. nimmt in einer Volkswirtschaft eine Schlüsselstellung ein, da sie den übrigen Wirtschaftssektoren unverzichtbare Vorleistungen zur Verfügung stellt. Die E. ist sehr kapitalintensiv und weist eine hohe Investitionstätigkeit auf. Strukturelle Änderungen in der E. lassen sich nur langfristig erzielen, da Energie i.d.R. durch langlebige Kapitalgüter erzeugt und verbraucht wird (Kraftwerke, Hochöfen, Raffinerien, Heizungsanlagen, Kraftfahrzeuge, Haushaltsgeräte). Die Standortgebundenheit der Energieproduktion, die den Anbietern ein natürl. Monopol verleihen könnte, hatte in allen Ländern einen starken Einfluss des Staates auf die E. zur Folge (Energiepolitik), der im Zuge von Deregulierung und Privatisierung wieder deutlich reduziert wurde. In Dtl. besteht die E. aus privaten, gemischtwirtsch. und öffentl. Energieversorgungsunternehmen, die zur Sicherung von Wegen für Leitungen, von Konzessionen und Gebietsabgrenzungen mit den Gemeinden Verträge schließen, in denen die Bedingungen für Lieferung und Verteilung von Energie geregelt sind.

Der Energiebedarf steigt weltweit. Allerdings hat in den westl. Industriestaaten in den 70er-Jahren eine Trendwende stattgefunden, die mit niedrigeren Zuwachsraten auch in den 90er-Jahren anhielt. Der Anteil der OECD-Länder an der Weltenergieerzeugung beläuft sich auf mehr als die Hälfte; dagegen ist der Anteil an der Förderung von Energieträgern geringer und wird v.a. durch Erdölimporte aus den OPEC-Staaten gedeckt. Der Anteil der einzelnen Energieträger an der Deckung des Bedarfs der OECD-Länder hat sich seit Mitte der 70er-Jahre erheblich geändert: Während der Anteil des Erdöls abgenommen hat, haben die Anteile von Erdgas und erneuerbarer Energie und insbes. der Kernenergie zugenommen. Die weltweite Entwicklung war ähnlich, wobei allerdings Erdöl, Kohle und Erdgas die wichtigsten Energieträger geblieben sind. In Dtl. ist der Primärenergieverbrauch in den letzten Jahren zurückgegangen. Ein wesentl. Grund dafür war die Deindustrialisierung in den neuen Bundesländern, deren Verbrauchsstruktur sich zulasten der Braunkohle und zugunsten von Mineralöl und Erdgas änderte.

📖 ERDMANN, G.: *Energieökonomik. Theorie u. Anwendungen. Stuttgart u.a.* ^{2}*1995.* – SCHIFFER, H.-W.: *Energiemarkt Bundesrepublik Deutschland. Köln* ^{5}*1995.*

Energy Research and Development Administration ['enədʒɪ rɪ'sə:tʃ ænd dɪ'veləpmənt ədmɪnɪs'treɪʃn, engl.], Abk. **ERDA,** →Atomic Energy Commission.

Enescu, George (frz. Georges Enesco), rumän. Violinist und Komponist, *Liveni (heute George Enescu, Kr. Botoșani) 19. 8. 1881, †Paris 4. 5. 1955; bed. Bachinterpret; komponierte u.a. die lyr. Tragödie »Ödipus« (1936), Orchesterwerke (»Rumän. Rhapsodien«, 1901), Kammermusik, Klavierwerke.

Enfant terrible [ãfãtɛ'ribl, frz. »schreckliches Kind«] *das,* jemand, der durch Verstoß gegen gesellschaftlich geübte Regeln Aufsehen erregt und Peinlichkeiten erzeugt.

Enfilade [ãfi-; frz., zu enfiler »einfädeln«, »aufreihen«] *die,* eine Raumfolge, bei der die Türen in einer Flucht liegen, sodass man durch alle Räume hindurchblicken kann; Anfänge in der italien. Renaissance, konsequente Anwendung in der frz. Schlossarchitektur des 17. Jahrhunderts.

Enfleurage [ãflœ'ra:ʒ, frz.] *die,* Gewinnung von Blütenriechstoffen durch wiederholtes Aufstreuen von Blüten auf Rahmen, die mit Fett bestrichen sind, und Extraktion des mit Duftstoffen angereicherten Fettes mit Alkohol.

Engadin (bündnerroman. Engiadina), Hochtal im Kt. Graubünden, Schweiz, zw. den nördl. Rät. Alpen und der Berninagruppe, vom oberen Inn durchflossen, 91 km lang, erstreckt sich vom Malojapass (1815 m ü.M.) im SW bis zur Schlucht des Passes Finstermünz an der österr. Grenze bei Martina (1035 m ü.M.) im NO. Das **Ober-E.** ist ein breites Muldental mit relativ mildem Klima, Seen und den Höhenkurorten und Wintersportplätzen Maloja, Sils, Silvaplana, Sankt Moritz, Samedan, Pontresina. Durch starke Zuwanderung ist die einheim. rätoroman. Bev. zurückgegangen. Das **Unter-E.,** vom oberen Tal durch die Enge von Zernez-Susch getrennt, ist landschaftlich abwechslungsreicher, das Klima ungewöhnlich trocken; Kurorte sind Scuol, Tarasp-Vulpera, Val Sinestra. In beiden Teilen herrscht Viehwirtschaft gegenüber dem Ackerbau vor. Östlich von Zernez liegt der Schweizer. Nationalpark (rd. 169 km^2). – Das durchweg romanisierte E. behauptete seine Sprache auch nach dem Erwerb durch das Bistum Chur (Unter-E. im 10. Jh., Ober-E. 1139); 1367 ging aus dem Churer Bischofsstaat der Gotteshausbund, einer der drei Bünde in Rätien, hervor. (→Graubünden, Geschichte)

Engagement [ãgaʒə'mã, frz.] *das, Theater, Film u.a.:* Anstellung eines Künstlers, bes. beim Theater.

Engebrechtsz. [-xts], Cornelis, niederländ. Maler, →Engelbrechtsen, Cornelis.

Engel [von grch. ángelos »Bote«], v.a. in monotheist. Religionen Mittlerwesen zw. Gott und Mensch. Die E. sind ihrer Gottheit als höchste Stufe der Schöpfung in personaler Gestalt untergeordnet. Sie haben einen Licht-, Äther- oder Feuerleib. Widergöttliche, dämon. Mächte gelten oft als gefallene E. (z.B. Luzifer). Im A.T. treten E. v.a. als Boten (z.B. 1. Mos. 19,1) und Söhne Gottes (Hiob 1,6), Heilige, Wächter und Schutz-E.

Engadin: Schloss Tarasp im Unterengadin

(Matth. 18,10) auf, im N. T. sind sie bes. Boten Gottes (Luk. 1,11; 1,26f.), aber auch böse Geister. – In der *bildenden Kunst* wurde der E. schon in frühchristl. Zeit dargestellt, erst flügellos und durchaus männlich, seit dem 4. Jh. nach dem Vorbild antiker Viktorien und Genien beflügelt, im Ggs. zu diesen aber voll bekleidet. Als Attribute erhielt er Nimbus und Zepter oder Buchrolle. Die Kleidung ist meist weiß, auf grch. Ikonen rot (Symbol ihres Feuerleibs). Seit dem 5. Jh. sind die E. vorwiegend jugendlich dargestellt, im MA. meist lang gewandet. Seit der Renaissance, die auch den antiken →Putto zum engelhaften Wesen machte, konnte der E. wieder viktorienhaft werden. Halb bekleidet erschien er im Barock und Rokoko sehr sinnenhaft. Am häufigsten dargestellt wurde wohl Gabriel als der E. der Verkündigung. In der dt. Kunst findet sich bes. häufig Michael. Die Darstellung der **E.-Chöre** scheint im 11. Jh. im Osten aufgekommen zu sein.

🕮 ROSENBERG, A.: *E. u. Dämonen. Gestaltwandel eines Urbildes. München* [3]*1992.* – WESTERMANN, C.: *Gottes E. brauchen keine Flügel. Stuttgart* [6]*1993.* – VORGRIMLER, H.: *Wiederkehr der E.? Kevelaer* [2]*1994.* – *Das große Buch der E., hg. v.* U. WOLFF. *Freiburg im Breisgau* [2]*1995.*

Erich Engel

Engel, 1) Erich, Theaterspielleiter und Regisseur, *Hamburg 14. 2. 1891, †Berlin (West) 10. 5. 1966; inszenierte die Uraufführungen fast aller frühen Stücke B. Brechts bis zur »Dreigroschenoper« (1928); als Filmregisseur bekannt u.a. durch »Der Maulkorb« (1938), »Affäre Blum« (1948), »Der Biberpelz« (1948), »Der fröhliche Weinberg« (1952).

Engel: Domenico Beccafumi, »Der hl. Michael vertreibt die gestürzten Engel« (vor 1538; Siena, Pinacoteca)

2) Johann Carl Ludwig, Baumeister, *Berlin 3. 7. 1778, †Helsinki 14. 5. 1840; dort seit 1816 tätig, führender Architekt des finn. Klassizismus (u.a. Altes Senatsgebäude, 1818–22; Nikolaikirche in Helsinki, 1830–52).

Johann Carl Ludwig Engel erbaute 1830–52 die Kathedrale St. Nikolai am Senatorplatz in Helsinki

Engelberg, Kurort und Wintersportplatz im Kt. Obwalden, Schweiz, 1050 m ü.M., 3500 Ew.; Hauptort des **Engelberger Tals.** Das Benediktinerkloster (1120 gegr.) erlebte früh eine große Blüte seiner Schreib- und Malschule.

Engelbert I., der Heilige, Graf von Berg, Erzbischof von Köln (seit 1216), *um 1185, †(ermordet) bei Gevelsberg 7. 11. 1225; seit 1220 Reichsverweser und Vormund Heinrichs (VII.); seine Politik führte zur Festigung der Kölner Herrschaft am Niederrhein. E. wird (ohne Kanonisation) im Erzbistum Köln als Heiliger verehrt; Tag: 7. 11.

Engelbrechtsen (Engebrechtsz.), Cornelis, niederländ. Maler, *Leiden 1468, †ebd. 1533; Lehrer des Lucas van Leyden. In seinen Andachtsbildern, Porträts und Glasgemälden verbinden sich spätgotisch-manierierte Linienführung und Renaissanceelemente im Ornament.

Engelhardt, Klaus, evang. Theologe, *Schillingstadt (heute zu Ahorn, Main-Tauber-Kreis) 11. 5. 1932; wurde 1980 Landesbischof der Evang. Landeskirche in Baden, 1991–97 Ratsvorsitzender der EKD.

Engelke, Gerrit, Schriftsteller, *Hannover 21. 10. 1890, †in einem brit. Lazarett bei Cambrai 13. 10. 1918; Arbeiterdichter; expressionist. Lyrik »Rhythmus des neuen Europa« (hg. 1921); schuf auch Zeichnungen und Aquarelle.

Engelmann, Bernt, Schriftsteller, *Berlin 20. 1. 1921, †München 14. 4. 1994; schrieb sozialkrit. Werke, auch halbdokumentar. »Tatsachenromane« (»Ihr da oben – wir da unten«, 1973; »Die Aufsteiger«, »Geschichte in Geschichten«, beide 1989); 1977–83 Vors. des Verbandes dt. Schriftsteller.

Engels (bis 1931 Pokrowsk), Stadt im Gebiet Saratow, Russland, am Wolgograder Stausee der Wolga, 183600 Ew.; Autobusbau, Chemiefaserwerk, Maschinenbau, chem., elektrotechn., Textil-, Nahrungsmittelind.; Wolgahafen. – 1924–41 Hptst. der ASSR der Wolgadeutschen (→Wolgadeutsche Republik).

Engels, Friedrich, Philosoph und Politiker, *Barmen (heute zu Wuppertal) 28. 11. 1820, †London 5. 8. 1895; Kaufmann; Mitbegründer des Marxismus, engster Freund und Mitarbeiter von K. Marx, mit dem er die Theorie des wiss. Sozialismus ausarbeitete und mit der Arbeiterbewegung verband. Sein philosoph. Denken begann in den Auseinandersetzungen der Junghegelianer und unter dem Einfluss von L. Feuerbach. Als Kaufmann in England studierte er die soziale Lage des Proletariats (»Die Lage der arbeitenden Klasse in England«, 1845) und legte damit den Grundstein zur marxist. Analyse des Kapitalismus. Führend im »Bund der Kommunisten«, entwarf E. 1847 die »Grundsätze des Kommunismus«, den Vorläufer des 1848 mit Marx verfassten »Manifests der Kommunist. Partei«. Seine wesentl. Beiträge zum philosoph. und ökonom. Gedankengut des Marxismus sind (vom Frühwerk abgesehen): »Die Dialektik der Natur« (1935; 1873–83 entstanden), »Herrn Eugen Dührings Umwälzung der Wissenschaft« (»Anti-Dühring«, 1878), »Die Entwicklung des Sozialismus von der Utopie zur Wissenschaft« (1882), »Der Ursprung der Familie, des Privateigentums und des Staates« (1884). Nach dem Tod von K. Marx (1883) erstreckte sich die wiss. Tätigkeit von E. außerdem auf die Fertigstellung und Herausgabe des 2. (1885) und 3. (1894) Bandes des »Kapitals«. 1870 wurde E. Sekretär im Generalrat der »Internat. Arbeiterassoziation« und nahm in dieser Funktion entscheidenden Einfluss auf Organisation und Ausbau der sozialist. Bewegung.

📖 HIRSCH, H.: *F. E. Reinbek 44.–46. Tsd. 1993.*

Cornelis Engelbrechtsen: »Kaiser Konstantin und Kaiserinmutter Helena« (undatiert; München, Alte Pinakothek)

Friedrich Engels

Engelsburg (italien. Castel Sant' Angelo), Rundbau in Rom, 135 bis 139 n. Chr. als Mausoleum für Kaiser Hadrian erbaut; diente später als Kastell, im 13. Jh. von Papst Nikolaus III. wiederhergestellt; Renaissanceausstattung; heute Museum. Die Bez. »E.« geht auf eine legendäre Erscheinung des Erzengels Michael bei einer Pestprozession Papst Gregors d. Gr. (590) zurück, eine Kapelle (um 610) und ein Standbild des Erzengels Michael erinnern daran. Die E. wurde von der UNESCO zum Weltkulturerbe erklärt.

Engelsburg in Rom

Engelstrompete (Datura suaveolens), baumartige Stechapfelart aus Mexiko mit rd. 20 cm langen, wohlriechenden, trichterförmigen weißen (bei

Zuchtformen auch gelben oder rosafarbenen) hängenden Blüten; beliebte Zierpflanze; enthält hochgiftige Alkaloide (u.a. Atropin, Scopolamin).

Engelsüß, Art der Gattung →Tüpfelfarn.

Engelstrompete

Engelwurz (Angelika, Angelica), Gattung der Doldenblütler auf der Nordhalbkugel und in Neuseeland. In Mitteleuropa in Wäldern und auf feuchten Wiesen die **Wald-E.** (Angelica silvestris) mit weißen oder rötl. Blüten; an Ufern die aromatisch duftende **Echte E.** (Angelica archangelica) mit grünl. Blüten (Gewürz und Heilpflanze).

Engen, Stadt im Kr. Konstanz , Bad.-Württ, im Hegau, 9600 Ew.; Textil-, Metallwarenindustrie. – Spätromanische Pfarrkirche, Krenkinger Schloss (16. Jh.). – Erhielt zw. 1240 und 1280 Stadtrecht.

Enger, Stadt im Kr. Herford, NRW, im Ravensberger Hügelland, 19100 Ew.; Möbelind., Textil- und Kunststoffverarbeitung. – Nach der Überlieferung befindet sich hier in der evang. Pfarrkirche das Grab Widukinds.

Louis Antoine Henri de Bourbon, Herzog von Enghien (anonymer Punktierstich; um 1830)

Engerling, Larve der Blatthornkäfer; die E. einiger Arten (z.B. des Maikäfers) schädigen Wurzeln.

Engführung, *Musik:* Art der Themendurchführung, v.a. in der →Fuge, bei der eine Stimme mit dem Thema einsetzt, bevor es in einer anderen Stimme beendet ist.

Enghien [ãˈgɛ̃], Louis Antoine Henri de Bourbon, Prinz von Condé, Herzog von E., *Chantilly 2.8.1772, †(erschossen) Vincennes 21.3.1804; lebte seit 1801 in Ettenheim (Baden). Napoleon I. sah in ihm einen Hintermann der Monarchisten, ließ ihn entführen (15.3.1804) und von einem Kriegsgericht zum Tod verurteilen und hinrichten.

Engholm, Björn, Politiker (SPD), *Lübeck 9.11.1939; urspr. Schriftsetzer, 1969–82 MdB, 1981-82 Bundesmin. für Bildung und Wiss., 1983–88 Fraktionsvors. der SPD im Landtag von Schleswig-Holstein; im Vorfeld der Landtagswahlen von 1987 Opfer einer Rufmordkampagne (Barschelaffäre); wurde 1988 MinPräs. von Schleswig-Holstein, 1991 auch Bundesvors. der SPD. 1993 musste er wegen einer Falschaussage von diesen Ämtern zurücktreten.

England [engl.ˈɪŋglənd], der mittlere und südl. Teil der Insel Großbritannien, das Kernland des Vereinigten Königreichs von Großbritannien und Nordirland, oft fälschlich für die ganze Insel gebraucht; 130439 km², (1993) 48,53 Mio. Ew.; Hptst. ist London.

Engländer, →Schraubenschlüssel.

Engler, Adolf, Botaniker, *Sagan 25.3.1844, †Berlin 10.10.1930; Prof. in Kiel und Breslau; Pflanzensystematiker, erklärte die Pflanzenverbreitung nach morpholog. Merkmalen.

Engler-Grad [nach dem Chemiker C. Engler, *1842, †1925], Zeichen °E, veraltete Einheit für die kinemat. →Viskosität insbes. von Mineralölen.

Englische Fräulein (lat. Institutum Beatae Mariae Virginis, Abk. IBMV), kath. Frauenkongregation zur Erziehung der weibl. Jugend; etwa 3000 Mitglieder. Die E. F. gehen zurück auf die 1609 von der Engländerin Mary Ward gegründeten »Jesuitinnen«.

englische Geschichte, →Großbritannien und Nordirland, Geschichte.

englische Komödianten, wandernde Schauspielertruppen, die seit 1586 aus England auf das Festland, bes. in das protestantische Dtl., kamen, allmählich auch mit dt. Berufsspielern durchsetzt und um 1650 von rein dt. Wandertruppen abgelöst wurden. Die Truppe leitete zumeist der Darsteller des Narren (Stockfisch, Pickelhering). Frauenrollen wurden von Männern dargestellt. Die e. K. schöpften insbesondere aus dem Repertoire des elisabethan. Theaters.

englische Krankheit, die →Rachitis.

englische Kunst, die Kunst Großbritanniens (ausgenommen die →keltische Kunst). Die spezielle geograph. Lage hat eine Kunst von besonderer Eigenart gefördert, die ihrerseits immer wieder Anregungen vom Festland übernommen, aber auch zahlr. Einflüsse an das westl. Europa vermittelt hat.

Anglonormannische Kunst: Sie umfasst die angelsächs. Frühzeit mit ihrer Synthese von →keltischer Kunst und röm. Überlieferung und die Epoche der Normannen (1066ff.), die Elemente der nordfrz. Romanik mitbrachten. In der Baukunst übernahm der Kirchenbau der angelsächs. Epoche das Vorbild der röm. Basilika und führte diese noch zu Beginn des 11. Jh. z.T. in Holzbauweise aus (Greensted, Essex; um 1013). Die Steinbaukirche setzte sich nach der Christianisierung Ende des 6. Jh. durch (Kirche von Escomb, Durham; 7. Jh.). In der normann. Zeit begann der Bau der großen Kathedralen, die roman. und anglisierte Formen miteinander verbanden; Basiliken mit zweitürmigen Westfassaden, Vierungsturm über einem weit vorspringenden Querhaus, Chöre von ungewöhnl. Ausdehnung. Die Hauptschiffe wurden flach gedeckt (Ely, Norwich, Peterborough, Winchester), doch die großen Bogen- und Fensteröffnungen zielten bereits auf die Rippenwölbung, die sich in der Kathedrale von Durham (1093 ff.) als einem der frühesten europ. Beispiele verwirklicht fand. In der Profanbaukunst erhielt der Festungsbau vorrangige Bedeutung (Blütezeit in der 2. Hälfte des 12. Jh.). Die Plastik der angelsächs. Zeit setzte gegen Ende des 7. Jh. mit monumentalen Hochkreuzen einen eigenständigen Akzent. Die Bauplastik entwickelte eine reichhaltige ornamentale Bildsprache. Eine bedeutende Kunstleistung stellt die Buchmalerei dar. Sie griff im 7. Jh. von Irland auf die brit. Hauptinsel über (Schreib- und Malschulen in den Klöstern). Die Wandmalereien der Romanik sind bis auf wenige Reste verloren gegangen.

Gotik: Sie wurde zum bedeutendsten engl. Nationalstil, der bis ins 19. Jh. wirkte. Obwohl die Baukunst von der frz. Kathedralgotik ausging, war das Early English (1175 bis um 1250) bereits durch Betonung der Horizontalen gekennzeichnet: Breitenausdehnung der Fassaden, Verlängerung des Chores durch die »Lady Chapel« (Marienkapelle), die Türme blieben niedriger und gedrungener als etwa in Frankreich und Dtl.; Hauptwerke u. a. Neubau des Chores von Canterbury (1175 ff.), Kathedralen von Wells (um 1180 ff.), Lincoln (1192 ff.), Salisbury (1220 ff.), York (südl. Querhaus, 1230 ff.). Im Decorated Style (bis um 1350) wuchs die Tendenz zu dekorativen Schmuckformen. Im Perpendicular Style (bis um 1520) wurden senkrechtes Stabwerk als Gliederungsordnung für hohe und breite Fenster, Fächergewölbe und in Flammenform aufgelöstes Maßwerk (Flamboyantstil) charakteristisch. Neben Umbauten von Kathedralen (Winchester, Gloucester, Canterbury) wurden auch Profanbauten (Colleges in Oxford und Cambridge) in diesem Stil errichtet. Die got. Plastik bestimmten Kathedralskulptur (Wells) und Grabfiguren. In der Malerei dominierte bis zum Ende des 15. Jh. die Buchmalerei, nun von frz. Vorbildern beeinflusst. Bedeutsam wurde gegen Ende des 14. Jh. die Glasmalerei (wichtige Meister: Thomas von Oxford und John Thronton aus Coventry), während Wand- und Tafelmalerei sich nur vereinzelt nachweisen lassen.

Renaissance: Die Aufnahme von Elementen der festländ. Renaissance setzte bereits im Perpendicular Style ein. Der nachfolgende Tudorstil (1520–58) nahm noch bewusster Formen der europ. Renaissance in die Baukunst auf, doch erst im Queen Elizabeth Style des 16. Jh. wurden die Neuerungen der Renaissance mit der eigenen Tradition zu einer typisch engl. Ausdrucksart verschmolzen (Schlösser und Landsitze des Hofadels). Hier setzten sich bes. frz. Vorbilder durch. Frz. und italien. Einflüsse wurden auch für die Entwicklung der nachmittelalterl. Plastik in England entscheidend. Heinrich VIII. verpflichtete auswärtige Künstler. Neben italien. Meistern war es v. a. der 1536 zum Hofmaler ernannte Hans Holbein d. J., der die Malerei in England nachhaltig beeinflusste, obwohl er nicht i. e. S. schulbildend wirkte.

Klassizismus und Neugotik: Die engl. Baukunst des 17. und 18. Jh. wurde von dem von I. Jones eingeführten palladianischen Klassizismus beherrscht (Schloss Whitehall, 1619–22), seit etwa 1750 breitete sich daneben die Neugotik aus. Jones' Schüler C. Wren und J. Webb entwickelten die Architektur Palladios in England weiter. Wrens Hauptwerk, der Neubau von Saint Paul's Cathedral in London (1675–1711) bot nach dem Vorbild des Petersdomes in Rom eine Synthese zw. traditionellem Langhaus, Zentralbauweise und palladian. Klassizismus. Barocke Stilelemente wurden durch klassizist. Grundhaltung überlagert (Queen Anne Style). Der Klassizismus wirkte bis ins 19. Jh. (Brit. Museum, 1823 ff.); seit 1750 entstanden aber auch zahlr. neugot. Bauten. Eine bis heute weiterwirkende Entwicklung nahm der engl. Garten bzw. Park seit den 30er-Jahren des 18. Jh. als natürl. Landschaftspark. In der Malerei des 17. Jh. wurde am engl. Hof der Flame A. van Dyck prägend, bis sein Stil im 18. Jh. von der Porträtkunst J. Reynolds und T. Gainsboroughs abgelöst wurde. W. Hogarth leitete die Bewegung der politisch-satir. Illustrationsgrafik ein. Möbel (Chippendale), Keramik (Wedgwood) und Tafelsilber erlebten im 18. Jh. eine Blüte.

19. und 20. Jahrhundert: In der viktorian. Epoche (1837–1901) dominierte in der Baukunst die Neugotik (»Gothic Revival«); u. a. Parlamentsgebäude (1837 ff.). Den neuen Eisenskelettbau zeigte der Kristallpalast in London (1851). Einen eigenständigen Beitrag zu städtebaul. Reformbestrebungen stellte um 1900 die Idee der → Gartenstadt dar, die noch im Plan von Groß-London (1945) nachwirkte (sieben Satellitenstädte, 1956). 1960 wurde das Programm der New Cities (u. a. Milton Keyes) entwickelt. Neue Wege suchten u. a. A. und P. Smithson und J. Stirling (nach seinen Plänen entstand der Erweiterungsbau der Tate Gallery in London, 1982–87), J. Gowan. Die Malerei wirkte mit der neuen Freilichtkunst des frühen 19. Jh. (W. Turner und J. Constable) auf Frankreich (Schule von Barbizon, Impressionismus). Die Bilder der → Präraffaeliten zeigten ein neues Interesse an religiösen und sozialen Themen. Die vereinfa-

englische Kunst

1

2

3

4

| **1** Die im 13. Jahrhundert im Early English Style erbaute Kathedrale von Salisbury | **2** Saint Paul's Cathedral in London, 1675–1711 nach Plänen von Christopher Wren erbaut

| **3** Der Blenheim Palace bei Oxford (1705–22) | **4** »Pfingsten«, aus dem Pontifikale von Winchester (Ende 10. Jh.; Rouen, Bibliothèque Municipale)

chende Malweise im Spätwerk von D. G. Rossetti und E. Burne-Jones, die z.T. auf den eigenartig abstrahierenden Zeichnungen W. Blakes vom Anfang des 19. Jh. beruhte, gab starke Anregungen für den Symbolismus und den Jugendstil. Der in London lebende Amerikaner J. A. M. Whistler trat als Verfechter der modernen Kunst und als Wortführer der L'art-pour-l'art-Bewegung auf, aus der A. Beardsley, der Hauptvertreter des Art nouveau, hervorging. Die Erneuerung des Kunsthandwerks (W. Morris, J. Ruskin, Arts and Crafts Movement) strahlte wieder auf die europ. Entwicklung aus (Jugendstil). Im 20. Jh. brachte die engl. Plastik in H. Moore einen ihrer bedeutendsten Vertreter hervor, neben ihm arbeiteten u.a. L. Chadwick, E. Paolozzi, R. Butler, J. Davies, B. Hepworth. Den akademisch empfundenen abstrakten Plastiken von A. Caro, P. King u.a. begegneten B. Flanagan, T. Cragg oder B. Woodrow mit organ. Plastik und Rauminstallationen. R. Long gilt als bedeutendster europ. Vertreter der plastiknahen Land-Art. Internat. Anerkennung fanden auch A. Gormley, J. Opie

5

6

7

8

5 Thomas Gainsborough, »Der Morgenspaziergang« (1785/86; London, National Gallery) | **6** David Hockney, »Sonnenbadender« (1966; Köln, Museum Ludwig)

7 William Turner, »Fighting Téméraire« (1838; London, National Gallery) | **8** Henry Moore, Innere und äußere Form (1950; Hamburg, Kunsthalle)

und R. Deacon. In der Malerei traten u.a. B. Nicholson, G. Sutherland, F. Bacon, V. Pasmore hervor. Die Malerin B. Riley zeigte in der Op-Art, R. Hamilton, D. Hockney, P. Blake und A. Jones leisteten in der engl. Pop-Art einen eigenständigen Beitrag. Neben abstrakten Malern unterschiedl. Intention, wie R. Danny, H. Hodgkin, A. Charlton, A. Green, behaupteten sich Vertreter einer expressiven, figurativen und pastosen Malerei, so F. Auerbach, L. Freud, L. Kossof. In der Conceptart trat die Gruppe »Art & Language« hervor, auf dem Gebiet von Performance, Foto- und Videokunst machten B. McLean, Latham, S. Brisley, M. Boyle, J. Hills, Gilbert & George und D. Graham auf sich aufmerksam.

Im Zuge des Baubooms der 1980er-Jahre konnten zahlreiche Architekten aufwendige Bürohochhäuser entwerfen. Bekannt wurde M. Hopkins (Shad Thames, London 1990–91, Neubau des Opernhauses von Glyndebourne, 1993/94). T. Farrell trat in London mit postmodernen Lösungen urbanen Zuschnitts hervor (AM-TV-Hauptgebäude; Midland Bank, Filiale Fenchurch Street, u.a.). An öffentlichen Bauten sind der Erweiterungsbau für das Royal Opera House von J. Dixon und v.a. N. Grimshaws neue Bahnhofshalle für die Londoner Waterloo Station (1994) hervorzuheben. Eine ökolog. Orientierung zeigt R. Erskine in seinem Bürohaus »The Arch« (1992). Sir N. Foster steuerte konsequente Hightecharchitektur bei. Im gleichen Stil besticht die Londoner Sendezentrale Channel Four (1994) von R. Rogers.

📖 *The Oxford history of English art, hg. v.* T. S. R. Boase *u.a., auf mehrere Bde. ber. Oxford 1949ff.* – Pevsner, N.: *The buildings of England, auf mehrere Bde ber. Harmondsworth 1951.* – Sunderland, J.: *Painting in Britain, 1525 to 1975. Oxford 1976.* – *Engl. Landschaftsmalerei, bearb. v.* M. Schwarz. *A. d. Engl. Ausst.-Kat. Badischer Kunstverein, Karlsruhe. 1977.* – Marks, R. *u.* Morgan, N.: *Engl. Buchmalerei der Gotik. München 1980.* – Denvir, B.: *The late Victorians. Art, design and society, 1852–1910. London u.a. 1986.* – Jacob, J.: *Die Entwicklung der Pop-art in England ... von ihren Anfängen bis 1957. Frankfurt am Main 1986.* – *E. K. im 20. Jh., hg. v.* S. Compton. *Ausst.-Kat. Staatsgalerie Stuttgart. München 1987.* – Schäfke, W.: *Engl. Kathedralen. Eine Reise zu den Höhepunkten engl. Architektur von 1966 bis heute. Köln ³1989.* – *Technique Anglaise. Current trends in British art, hg. v.* A. Renton. *London 1991.* – *The Thames and Hudson encyclopedia of British art, hg. v.* D. Bindman. *Neuausg. London 1992.* – Gaunt, W.: *English painting. A concise history. Neuausg. London 1993.* – *Contemporary British architects. Recent projects from the architecture room of the Royal Academy summer exhibition, Beiträge v.* P. Murray *u.a. München 1994.* – Spalding, F.: *British art since 1900. Neuausg. London 1994.*

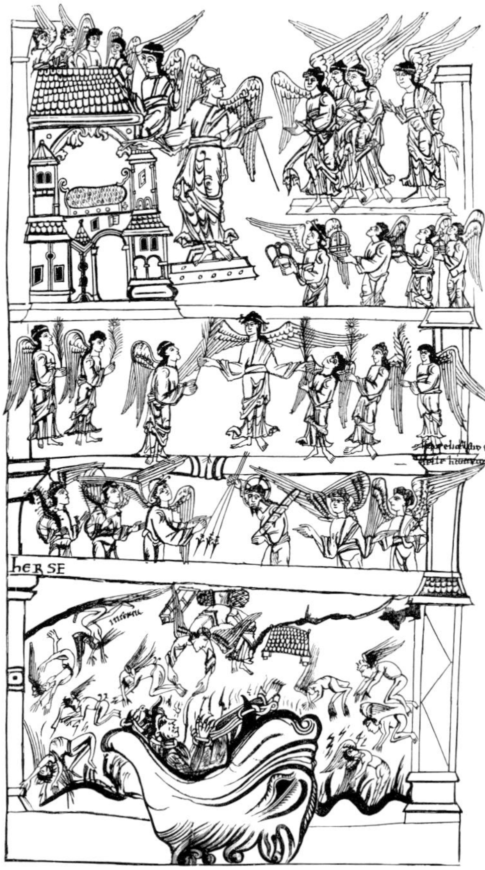

englische Literatur: Schöpfungshymnus des Cædmon, Darstellung des Engelssturzes in einer Handschrift des 10. Jh. (Oxford, Bodleiana)

englische Literatur, die englischsprachige Literatur der Brit. Inseln. Entsprechend der Gliederung der engl. Sprachgeschichte unterscheidet man zw. altengl. (7.–11. Jh.), mittelengl. (11.–15. Jh.) und neuengl. Literatur (15.–20. Jh.).

Altenglische Literatur: Die Landnahme Britanniens durch die Angeln, Sachsen und Jüten im 5. Jh. brachte heidnisch-german. Sagen- und Dichtungsgut, das in Runeninschriften und Merkversen, Segens-, Zauber- und Rätselsprüchen überliefert ist. Die Christianisierung (seit 597) ließ die geistigen Zentren Canterbury und York entstehen, die durch lat. Schriften wirkten, und begünstigte auch die volkssprachl. Versdichtung. Deren frühestes erhaltenes Beispiel ist der Schöpfungshymnus des Caedmon († um 680); Bibel- und Legendenepen stammen von Cynewulf (um 800?). »Beowulf« ist das älteste vollständig erhaltene german. Heldenepos. Die Prosaliteratur wurde von König Alfred d. Gr. (Ende 9. Jh.) gefördert, der lat. Werke übersetzen ließ.

Mittelenglische Literatur: Nach der normann. Eroberung (1066) wurde der anglonormann. Hof im 12. Jh. Hochburg von Gelehrsamkeit und Dichtkunst. Im 14. Jh., als sich das Englische – nun mit roman. Elementen vermischt – als Kultursprache wieder durchsetzte, kam es zu einer Blütezeit der mittelengl. Literatur: W. Langlands Traumdichtung »The vision of William concerning Piers the plowman« (dt. u.d.T. »Peter der Pflüger«; 3 Versionen, um 1370, um 1377/79, nach 1390, gedruckt 1550; etwa 1370ff.), die Allegorien J. Gowers, G. Chaucers »Canterbury tales« (begonnen um 1387, gedruckt um 1478). Für die Weiterentwicklung der Prosa wurde J. Wycliffes und N. Herefords Bibelübersetzung (1383 erschien das N.T.) bedeutungsvoll; im 15. Jh. erlangten T. Malorys Artus- und Gralssagen Verbreitung (»Le morte Darthur«, entstanden um 1460–70, gedruckt 1485). In der Schauspieldichtung standen urspr. Mysterien (mit bibl. Stoffen) und Mirakel (dichter. Gestaltung von Heiligenleben) nebeneinander. Im 15. Jh. entstanden die allegor. Moralitäten. Ende des Jh. tauchte als neue dramat. Gattung das Interlude (Zwischenspiel) auf.

Neuenglische Literatur: *Renaissance, Puritanismus und Restauration* (16. und 17. Jh.). Die Anfänge der engl. Renaissanceliteratur fallen in die Regierungszeit Heinrichs VIII. (1509–47); es entstanden humanist. Schriften und »Utopia« von T. More (lat. 1516, engl. 1551) sowie Sonette von T. Wyatt und H. Howard, Earl of Surrey. Erst das Elisabethan. Zeitalter (1558–1603), eine Periode des entstehenden nat. Selbstbewusstseins und wirtsch. Aufschwungs, bildet einen Höhepunkt der e. L. Manieristisch überhöhte Erzählprosa schrieb J. Lyly in seinem Erziehungsroman »Euphues« (1578). P. Sidney machte den Schäfer-, T. Nashe den Schelmenroman in England heimisch, E. Spenser unternahm mit der allegor. Dichtung »The faerie queene« (1590–96) den Versuch eines Nationalepos. Die Lyrik pflegte Sonett (Sidney, Spenser, Shakespeare) und Schäferdichtung (Spenser). F. Bacon veröffentlichte 1597 die ersten engl. Essays.

Die Errichtung öffentl. Theaterbauten ab 1576 und das Aufstreben professioneller Schauspielertruppen ermöglichten einen lebhaften Spielbetrieb (elisabethan. Drama). Es wurden Komödien von J. Lyly, G. Peele, R. Greene, Tragödien von T. Kyd, C. Marlowe und Historien von Marlowe aufgeführt. Shakespeare schuf dann als Vollender der engl. Renaissance und am Beginn einer neuen Periode Meisterwerke für alle dramat. Gattungen. Neben ihm wirkten B. Jonson, nach ihm traten als Dramatiker u. a. T. Dekker, T. Heywood, F. Beaumont, J. Fletcher und T. Middleton hervor. Die Schließung aller öffentl. Theater durch die Puritaner (1642) bedeutete das Ende des Renaissancedramas. In der religiösen Lyrik von J. Donne (Anfang des 17. Jh.) und G. Herbert wurden Weltverachtung und das Streben nach Ruhe in Gott zum Hauptthema (»metaphysische Dichtung«); fortgeführt wurde diese Lyrik des Barocks von R. Crashaw und H. Vaughan. Anakreont. und religiöse Lyrik schrieb R. Herrick. Der eigentl. Vertreter des Puritanismus ist J. Milton mit seinem Blankversepos »Das verlorene Paradies« (1667). J. Bunyan schrieb sein Erbauungsbuch »Eines Christen Reise nach der Seeligen Ewigkeit ...« (1678–84). In der Restaurationszeit prägte der Einfluss der frz. Literatur ein elitäres Literaturverständnis. Neben Dryden war u. a. S. Butler ein bed. Satiriker (»Hudibras«, 1663–78). Eine neue Theaterkultur brachten die heroischen Schauspiele von J. Dryden, N. Lee, T. Otway u. a. sowie geistreich-frivole Sittenstücke (Dryden, G. Etherege, W. Congreve) hervor.

englische Literatur: Titelholzschnitt zu Francis Beaumonts und John Fletchers Tragödie »Die Braut« in einer Ausgabe von 1622

englische Literatur: William Shakespeare auf dem Titelblatt der ersten Gesamtausgabe seiner Werke (1623)

Klassizismus und Aufklärung (18. Jh.). Der Rationalismus erfuhr im engl. Klassizismus (Ende des 17. Jh. bis um 1760) eine starke Aufwertung; A. Popes und J. Gays Dichtung in Reimpaaren ist Ausdruck dieser aufklärer. Tendenzen. Die Prosa entwickelte sich zum Hauptmedium der Literatur (J. Swift, S. Johnson). Seit dem frühen 18. Jh. entfaltete sich der engl. Roman. Neben dem Reise- und Abenteuerroman D. Defoes (»Robinson Crusoe«, 1719/20) steht die groteske Satire Swifts (»Gullivers sämtl. Reisen«, 1726); S. Richardson schuf den bürgerlichen Familienroman (»Pamela«, 1740), H. Fielding den ersten engl. realist. Roman (»Tom Jones«, 1749), T. Smollett humorist. Romane. Im Drama entstand die neue Gattung des bürgerl. Trauerspiels (G. Lillo), daneben Pantomimen, Farcen, Singspiele (J. Gay u. a.). S. Johnson war als Kritiker die beherrschende Figur des Zeitalters. – Mitte des 18. Jh. setzte eine gegen den Rationalismus der Aufklärung gerichtete Strömung ein, die den Kräften des Gefühls und des Willens größere Bedeutung beimaß und im Vernunftkult eine Abkehr vom Natürlichen erblickte.

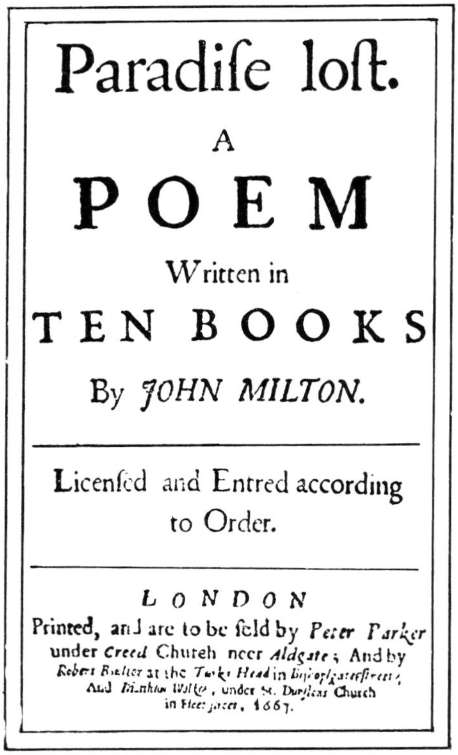

Paradiſe loſt.

A

POEM

Written in

TEN BOOKS

By *JOHN MILTON.*

Licenſed and Entred according to Order.

LONDON

Printed, and are to be ſold by *Peter Parker* under *Creed* Church neer *Aldgate*; And by *Robert Boulter* at the *Turks Head* in *Bishopsgate-street*; And *Matthias Walker*, under St. *Dunstons* Church in *Fleet-street*, 1667.

englische Literatur: Titelblatt von John Miltons Epos »Paradise lost« (1667)

In der Lyrik hatte schon J. Thomson einen Vorstoß in Richtung einer romant. Naturdichtung unternommen; ihm folgten E. Young, T. Gray, W. Cowper, W. Blake u.a. Das Interesse an Balladen des MA. und der Volksdichtung wuchs (J. Macpherson, T. Percy, T. Chatterton). Den sentimentalen (d.h. empfindsamen) Roman pflegten L. Sterne, O. Goldsmith u.a.; L. Sterne parodierte in seinem »Tristram Shandy« (1760–67) den rationalen Geist des 18. Jh.; daneben entstanden Schauerromane (Gothic Novels).

Romantik und Viktorianismus (19. Jh.). W. Wordsworth und S. T. Coleridge leiteten mit ihren »Lyrical ballads« (1798, erweitert 1800) die Dichtung der Romantik ein. Einer zweiten Romantikergeneration gehörten die Lyriker Lord Byron, P. B. Shelley und J. Keats an. W. Scotts histor. Romane übten starken Einfluss auf die europ. Literatur des 19. Jh. aus. Jane Austen schrieb psycholog. Romane. Die Kunst des Essays pflegten C. Lamb, T. de Quincey, W. Hazlitt u. a. – Die folgende Zeit (Reg. der Königin Viktoria 1837–1901) umfasste viele gegensätzl. Strömungen. T. Carlyle wandte sich gegen den Materialismus der Zeit, ebenso auf religiösem Gebiet Kardinal Newman. M. Arnold und W. Pater gingen in ihrer literar. Kritik auf antike Vorstellungen zurück; J. Ruskin war ein Anwalt der Gruppe der →Präraffaeliten. In der Lyrik traten A. Tennyson, R. Browning und Elizabeth Barrett-Browning hervor, später A. C. Swinburne und die Präraffaeliten (D. G. Rossetti, Christina Rossetti). C. Dickens schuf den engl. sozialen Roman (»Oliver Twist«, 1838); W. M. Thackerays Stärke als Erzähler war die Gesellschaftssatire. Die Schwestern Charlotte, Emily und Anne Brontë eröffneten, romant. Elemente aufnehmend, die Reihe bed. englischer Frauenromane. Die Werke der Schriftstellerin George Eliot sind ein Höhepunkt des realist. Romans. Im Verlauf des Jh. wurde der engl. Roman bes. von Frankreich und Russland beeinflusst. G. Meredith gab komödienhafte Deutungen der vom wiss. Fortschritt bestimmten Welt. T. Hardys Wessex-Romane brachten die stärkste Ausprägung des engl. Naturalismus. Mit realist. Stilmitteln arbeitet die Abenteuerromantik von R. L. Stevenson, an die sich der Kriminalroman von C. Doyle anschließt; R. Kipling schilderte ferne Länder. E. Lear und L. Carroll (»Alice im Wunderland«, 1865) stehen für eine charakterist. Seite des engl. Humors. – Wortführer der jüngeren Generation gegen Ende des Jh. wurde S. Butler. Einen Ästhetizismus pflegte O. Wilde.

20. Jahrhundert: Mit dem Jahr 1912 (Anthologie »Georgian poetry«) vollzog sich eine Abkehr vom viktorian. Gefühlskult. Eine realist. Note zeigten auch die Versdichtung J. Masefields und die Naturdichtung von W. H. Davies und A. E. Housman. Angeführt von T. E. Hulme und kritisch beraten von E. Pound, legten die Imagisten (→Imagismus) den Akzent auf Sprache und Dichtungstechnik.

englische Literatur: Holzschnitt von George Cruikshank zu Charles Dickens' Roman »Oliver Twist« (1838)

Nach dem Erlebnis des 1. Weltkriegs zeigte T. S. Eliot in »Das wüste Land« (1922) die Richtungslosigkeit des modernen Lebens auf. Während er sich zum christl. Glauben hinwandte, suchten jüngere Autoren (W. H. Auden, C. Day-Lewis, S. Spender) die Lösung in der Veränderung der Gesellschaft.

Im Mittelpunkt der Erzählkunst stand zu Beginn des 20. Jh. der Charakter als Produkt der Umwelt. Bed. Erzähler waren J. Conrad, A. Bennett, J. Galsworthy, W. S. Maugham. Gesellschaftskritik übten H. G. Wells, G. K. Chesterton, H. Belloc. Unmittelbar vor dem 1. Weltkrieg beschritt der Roman neue formale Wege unter dem Einfluss der Psychoanalyse: D. H. Lawrence, J. Joyce (»Ulysses«, 1922; Technik des Bewusstseinsstroms, innerer Monolog), Dorothy Richardson, Virginia Woolf, Katherine Mansfield. Zu einem Schilderer interkultureller Begegnung wurde E. M. Forster. Nach dem 1. Weltkrieg traten hervor: der Skeptiker A. Huxley, der Biograph L. Strachey, die Erzähler C. Morgan, J. C. Powys, E. Waugh. Einen großen Anteil an der Romanproduktion hatten Frauen: Sheila Kaye-Smith, Ivy Compton-Burnett, Rose Macaulay, Rebecca West, Elizabeth Bowen u. a. Mit dem Kriegsgeschehen befassten sich die Erzähler R. Aldington, C. E. Montague, R. H. Mottram, S. Sassoon. In den 30er- und 40er-Jahren wurde der gesellschaftskrit. Roman von G. Orwell, H. Spring, A. D. Powell, H. Green, die Richtung der weltanschaul. Romane von G. Greene, E. Waugh, B. Marshall u. a. fortgesetzt; eine Sonderstellung nehmen die Romane von J. Cary ein.

Das moderne Drama beginnt in England mit G. B. Shaw, dessen sozialkrit. Stücke nachhaltigen Einfluss hatten. Nach dem 1. Weltkrieg war N. Coward mit seinen Gesellschaftskomödien erfolgreich; symbolisch überhöhte Konversationsstücke schrieb T. S. Eliot. Von W. H. Auden und C. Isherwood stammen polit. Thesenstücke, beeinflusst vom epischen Theater B. Brechts; konventionelle Wege beschritten J. B. Priestley und T. Rattigan. C. Fry entwickelte das Versdrama weiter.

Nach dem 2. Weltkrieg war D. Thomas Repräsentant einer neuromant. Richtung in der Lyrik. Die nachfolgende Generation (K. Amis, J. Wain, P. Larkin u. a.) berief sich ihm gegenüber auf Ironie und nüchterne Analyse. W. Empson trat mit experimenteller Lyrik hervor. Die Lyrik der jüngeren Zeit neigt ebenfalls zum Experimentellen sowie zur Betonung des Hässlichen, Grausamen, Grotesken (Ted Hughes, D. J. Enright). Formbetont ist die Lyrik von C. Tomlinson und D. Davie. Für die jüngere Generation (»Ulster poets«) irischer Dichter ist S. Heaneys Naturlyrik Vorbild. Als seine Nachfolger zeigen sich u. a. P. Muldoon, T. Paulin, C. Carson. Zu den Vertretern der lyr. Postmoderne gehören C. Raine, B. Morrison, P. Reding, Denise Riley u. a. Nach dem postumen Erfolg von Sylvia Plath machten auch viele Lyrikerinnen auf sich aufmerksam. Im Roman setzten sich P. H. Newby, A. Wilson, N. Balchin, K. Amis, J. Wain, Iris Murdoch, A. Comfort, A. Sillitoe, L. Durrell, W. Golding, Doris Lessing, Muriel Spark, J. Fowles, Susan Hill, M. Bradbury, Antonia S. Byatt, Margaret Drabble, Angela Carter, J. McEwan u. a. mit vielfältigen gesellschaftl. und psycholog. Fragen auseinander. A. Burgess ist der modernen frz. Philosophie verpflichtet. Die Stärke der Romantradition gibt selbst dem Unterhaltungsroman ein beachtl. Niveau (A. J. Cronin, Daphne du Maurier u. a.), auch der Detektivroman und die Sciencefiction finden immer mehr Verbreitung. Symptomatisch ist der Erfolg fantast. Mythen (J. R. R. Tolkien). Zu den aus Irland stammenden neueren Autoren gehören u. a. Edna O'Brien, J. McGahern und Julia O'Faolain. Der postmoderne engl. Roman findet seine reinste Ausgestaltung bei J. Barnes und P. Ackroyd, gemäßigtere Ansätze bieten G. Swift, M. Amis, Fay Weldon. Zunehmende Bedeutung erlangen Vertreter ethn. Minderheiten, die die Erfahrungen anderer Kulturkreise einbringen (S. Rushdie, H. Kureishi, K. Ishiguro). Im Drama ergriff nach dem Dominieren der Stücke von Eliot, C. Fry, P. Ustinow, J. Whiting mit J. Osborne eine neue Generation das Wort, die dem Überlieferten ablehnend gegenüberstand: J. Arden, P. Shaffer, Ann Jellicoe, A. Wesker, N. Dennis, B. Behan, B. Friel, Shelagh Delaney u. a. Absurdes Theater schrieben, u. a. unter dem Einfluss S. Becketts, H. Pinter und N. F. Simpson. Zu den bedeutendsten jüngeren Dramatikern gehören E. Bond, T. Stoppard und J. Orton. A. Ayckbourn schreibt Gesellschaftskomödien und Farcen. Auf entschieden feministisch argumentierende Dramatikerinnen wie Caryl Churchill, Pam Gems, Olwen Wymark ist eine jüngere, nicht weniger frauenpolitisch engagierte Generation gefolgt (Louise Page, Sarah Daniels u. a.). Auch ethn. Minderheiten sind auf brit. Bühnen vertreten (z. B. durch M. Matura und M. Abbensetts. (→irische Literatur, →schottische Literatur)

📖 GÖLLER, K. H.: *Geschichte der altengl. Literatur. Unter Mitarbeit v.* U. BÖKER. *Berlin 1971.* – WEISS, W.: *Das Drama der Shakespeare-Zeit. Stuttgart u. a. 1979.* – SCHIRMER, W. F.: *Geschichte der engl. u. amerikan. Literatur, 2 Bde. in 4 Teilen. Tübingen ^{6}1983.* – WILLIAMS, J.: *Twentieth-century British poetry. A critical introduction. London u. a. 1987.* – *Engl. Literaturgeschichte, Beiträge v.* E. STANDOP *u.* E. MERTNER. *Heidelberg ^{5}1992.* – *The Cambridge guide to literature in English, hg. v.* I. OUSBY. *Neuausg. Cambridge 1993.* – *Engl. Literaturgeschichte, hg. v.* H. U. SEEBER. *Stuttgart ^{2}1993.* – *Engl. Theater der Gegenwart. Geschichte(n) u. Strukturen, hg. v.*

Doris Lessing

George Orwell

Salman Rushdie

Muriel Spark

KLAUS PETER MÜLLER. *Tübingen 1993.* – *Die e. L., hg. v.* B. FABIAN, *2 Bde. München* [2]*1994.* – FICHTE, J. O. *u.* KEMMLER, F.: *Alt- u. mittelengl. Literatur. Eine Einführung. Tübingen* [2]*1994.* – *The Oxford companion to English literature, hg. v.* M. DRABBLE. *Oxford* [5]*1995.* – PLETT, H. F.: *English Renaissance rhetoric and poetics. A systematic bibliography of primary and secondary sources. Leiden 1995.* – *Cambridge paperback guide to literature in English, hg. v.* I. OUSBY. *Cambridge 1996.* – SANDERS, A.: *The short Oxford history of English literature. Neuausg. Oxford 1996.*

englische Musik. Zu den Anfängen der e. M. → Barde. Seit der Christianisierung wurde der Kirchengesang gepflegt, der an der Entwicklung der frühen Mehrstimmigkeit seit etwa 1000 entscheidend beteiligt war. Erster Meister der kunstvollen mehrstimmigen Gesangsmusik ist J. Dunstable († 1453). Seit H. Ashton († 1522) erlangte die Virginalmusik (Musik für Cembalo) große Bedeutung. Den Höhepunkt des Elisabethan. Zeitalters bildeten die kunstvollen Madrigale von W. Byrd, O. Gibbons, T. Morley, J. Dowland, J. Bull. Daneben blühte die kirchl. Gesangsmusik der Anthems (T. Tallis, Gibbons, Byrd). Im 17. Jh. hielt die italien. Oper ihren Einzug. H. Purcell, der bedeutendste Komponist in der 2. Hälfte des 17. Jh., führte die Tradition des Anthems zu einem Höhepunkt und bereicherte die e. M. auf den Gebieten der Oper, der Instrumental- und der Vokalmusik. Seit 1714 lebte G. F. Händel in England; mit ihm begann der große Einfluss des Auslands auf das engl. Musikleben. Bekannte engl. Komponisten des 19. Jh. waren J. Field sowie die Operettenkomponisten A. Sullivan und S. Jones. Um 1880 begann unter dem Einfluss der dt. Musik ein Abschnitt neuen eigenen Schaffens (H. Parry, C. V. Stanford, A. Mackenzie). E. Elgar entwickelte einen Stil stark nat. Eigenart. Mit F. Delius und C. Scott erfolgte der Anschluss an den frz. Impressionismus. Als bed. Sinfoniker, Opernkomponist und Mitträger der engl. Volksliedbewegung trat R. Vaughan Williams hervor. Daneben sind G. Holst und F. Bridge zu nennen. Von den um 1900 geborenen Komponisten sind v. a. A. Bliss, W. Walton, M. Tippett, E. Rubbra und C. Lambert über Großbritannien hinaus bekannt geworden. Um die Mitte des 20. Jh. waren B. Britten als Opernkomponist und P. R. Fricker als Sinfoniker führend. Der Zwölftontechnik bedienten sich Elizabeth Lutyens und H. Searle. Zur internationalen Avantgarde zählen C. Cardew, D. Bedford, B. Ferneyhough, P. M. Davies und H. Birtwistle. Neueste Tendenzen, einschl. der elektron. Musik, sind auch bei R. Smalley, J. Taverner und T. Souster vertreten.

📖 NAGEL, W.: *Geschichte der Musik in England, 2 Bde. Straßburg 1894–97.* – *British music now. A guide to the work of younger composers, hg. v.* L. FOREMAN. *London 1975.* – *Music in Britain, hg. v.* I. SPINK *u. a., auf 6 Bde ber. Oxford u. a. 1988 ff., teilw. Neuausg.* – CALDWELL, J.: *The Oxford history of English music, auf 2 Bde. ber. Oxford 1991 ff.*

englische Philosophie: Isaac Newton, gemalte Kopie eines zeitgenössischen Ölgemäldes (1702; London, National Portrait Gallery)

englische Philosophie. Die Tradition der e. P. beginnt mit den frühen Vertretern der Vorscholastik und Scholastik, die bereits den für die weitere Entwicklung bezeichnenden Hang zu einer Wirklichkeitsbegründung durch die Erfahrung erkennen lassen. Zu ihnen rechnen u. a. Beda Venerabilis, Johannes Scotus Eriugena, Adelard von Bath (* um 1090, † 1160), Richard von St. Victor († 1173) und Johannes von Salesbury († 1180). Kennzeichnend ist auch der immer wieder wirksam werdende Einfluss der idealist., platonisch-augustin. Denktradition, der durch Alexander von Hales und die Oxforder Franziskanerschule im 13. Jh. zu besonderer Ausprägung gelangte. Zu ihr gehörten u. a. Robert Grosseteste, Roger Bacon und J. Duns Scotus. Im weiteren Verlauf trat v. a. W. von Ockham als Hauptvertreter des Nominalismus an der Wende der Neuzeit hervor. Richtungweisende Beiträge lieferte die e. P. im Zeitalter der Renaissance bes. zur Staats- und Naturrechtslehre (T. More, R. Hooker); der Wissenschaftslehre von F. Bacon, die wiss. und techn. Entwicklung favorisierte, wurden von R. Boyle Mathematik und Atomismus zugeordnet.

Im 17. und 18. Jh. entwickelte sich das geistige Leben weitgehend unabhängig von den kontinentalen Denkrichtungen, übte jedoch auf diese bes.

in der Auseinandersetzung um den Empirismus eine starke Wirkung aus. Seit den Kämpfen um die Volkssouveränität im 17. Jh. stand die polit. Theorie im Vordergrund der engl. Philosophie. Ähnl. Bedeutung hatte in der Folgezeit die Anerkennung der mathematisch-naturwiss. Methode, bes. seit der Kosmologie von I. Newton, deren weltanschaul. Konsequenzen v.a. das Aufklärungszeitalter beherrschten. Der erste neuzeitl. Systembildner der e. P. war T. Hobbes, dessen Metaphysik, im Ggs. zu Descartes, nur die Körperwelt als real gelten ließ (Naturalismus). Er blieb ohne Anhänger, doch knüpften die meisten engl. Denker des folgenden Jh. kritisch an seine Lehren an. Eine Erneuerung des Platonismus wurde gegenüber Hobbes in der »Cambridger Schule« (H. More, R. Cudworth, A. Conway) angestrebt. Vom Standpunkt einer natürl. Religion ging der Deismus mit seiner Kritik an der auf die Offenbarung gestützten christlichen Theologie aus (u.a. H. von Cherbury, J. Toland, A. Collins und M. Tindal).

Als Gegner Hobbes und Cudworths suchte J. Locke, der Begründer des krit. Empirismus, den Streit um die Grundsätze der Philosophie durch eine Untersuchung des menschl. Erkenntnisvermögens zu entscheiden. Er führte alle Erkenntnis auf Erfahrung zurück und begründete eine sensualist. Assoziationspsychologie. Lockes Lehren wurden von G. Berkeley im Sinne einer die Körperwelt leugnenden Metaphysik (Immaterialismus), von D. Hume zu einem positivist. Empirismus fortentwickelt. Gegenüber diesen empirist. Lehren wurden, z.T. wieder an die platon. Tradition anknüpfend, bes. von T. Reid und der von ihm gegr. Schottischen Schule (J. Beattie, T. Brown, später W. Hamilton) von der äußeren Erfahrung unabhängige Prinzipien der Erkenntnis angenommen. Bed. Einfluss auf die Aufklärung hatten die engl. Moralisten, bes. A. Shaftesbury, J. Butler, F. Hutcheson, dessen Schüler Adam Smith v.a. durch seine liberale Wirtschaftslehre bekannt wurde, und E. Burke. Gegen Shaftesburys Idealismus richtete sich B. de Mandeville, der durch das Zusammenspiel egoist. Einzelinteressen ein Höchstmaß an Gemeinwohl garantiert sah.

Die empirist. Tradition wurde im 18. und 19. Jh. von J. Bentham und J. S. Mill in vorwiegend sozialreformer. Absicht im Sinne eines Utilitarismus, von H. Spencer unter dem Einfluss C. Darwins in einer universalen Entwicklungslehre fortgeführt. Während Kant schon auf W. Hamilton und die spätere Schottische Schule, bes. aber auf W. Whewell gewirkt hatte, breitete sich gegenüber dem Empirismus und der Schottischen Schule seit etwa 1865 der Einfluss Hegels aus, bes. durch T. H. Green. Er fand selbstständige Ausprägungen im metaphys. Idealismus F. H. Bradleys, B. Bosanquets und J. McTaggarts. J. H. Newman vertrat eine gegen die Aufklärung gerichtete, das Gewissen betonende Religionsphilosophie. In der Folgezeit traten zwei Hauptrichtungen hervor, z.T. in krit. Ggs. zum Idealismus: der Pragmatismus von F. C. S. Schiller und v.a. der Neurealismus, der hauptsächlich auf G. E. Moore zurückgeht. Er sucht erkenntnistheoretisch an den Skeptizismus und Empirismus von Hume anzuknüpfen. Bed. Vertreter des Neurealismus waren bes. A. N. Whitehead, der einen evolutionist. Theismus vertrat, z.T. gemeinsam mit B. Russell, aber auch Problemen der mathemat. Logik nachging. Unter dem Einfluss Russells, dessen Erkenntnislehre Empirismus und log. Positivismus verbindet, und des Wieners L. Wittgenstein bildete sich die analyt. Philosophie (A. J. Ayer, G. Ryle, J. L. Austin, P. F. Strawson, A. J. T. Wisdom), die Wissenschaftstheorie und Sprachlogik in den Vordergrund rückt. Eine in Abhebung von O. Spengler entwickelte, umfassende Kulturtheorie entwarf A. J. Toynbee. Kennzeichnend für die moderne e. P. sind weiterhin logisch-systemat. und wissenschaftstheoretische Fragestellungen (R. Harré, M. Dummett, A. J. Ayer), Beschäftigung mit formaler Logik (J. Łukasiewicz, W. und M. Kneale), Ethik (R. M. Hare), analyt. Sprachphilosophie (H. P. Grice) und analyt. Rechtstheorie (H. L. A. Hart).

📖 *The encyclopedia of philosophy, hg. v.* P. Edwards *u. a. Bd. 1. Neudr. New York 1972.* – Priest, S.: *The British empiricists. Hobbes to Ayer. London u. a. 1990.* – *British philosophy and the Age of Enlightenment, hg. v.* S. Brown. *New York u. a. 1996.*

Englischer Gruß, kath. Gebet, → Ave-Maria.

englische Sprache, zur westgerman. Gruppe der indogerman. Sprachen gehörende Sprache mit etwa 300–350 Mio. Sprechern, davon rd. 215 Mio. in den USA, rd. 60 Mio. Sprecher auf den Brit. Inseln, die übrigen in Kanada, Australien, Neuseeland, der Rep. Südafrika u.a. ehem. brit. Kolonien. Darüber hinaus ist die e. S. für weitere etwa 350 Mio. Sprecher in Indien, Pakistan, Nigeria, Kenia u.a. Staaten offizielle Zweitsprache und oft einziges überregionales Verständigungsmittel. Die e. S. ist die am weitesten verbreitete Fremdsprache der Erde, z.B. als Hauptsprache des internat. Verkehrs, der Wirtschaft, Technik und Wiss. sowie – neben dem Französischen – auch der Diplomatie; einen besonderen Platz nimmt sie im Rahmen der Unterhaltungsind., Werbung und Jugendkultur ein.

Entwicklung: Die engl. Sprachgeschichte wird gewöhnlich in die Perioden **Altenglisch** (etwa 450–1100), **Mittelenglisch** (1100–etwa 1500) und **Neuenglisch** (seit etwa 1500) gegliedert. Die erste in Großbritannien geschichtlich nachweisbare Sprache war das Keltische. Als seit Mitte des 5. Jh. die german. Stämme der Angeln, Sachsen und

Jüten Britannien eroberten, wurden die kelt. Dialekte in Randgebiete des Westens und Nordens zurückgedrängt. Nach der normann. Eroberung (1066) war England lange Zeit zweisprachig (amtl. Sprache war das normann. Französisch), bis sich im Laufe des 14. Jh. das Englische (mit vielen frz. Lehnwörtern) wieder durchsetzte. Aus der Sprache der Londoner Kanzleien ging die neuengl. Sprache hervor. – Die e. S. hat einen sehr umfangreichen und heterogenen Wortschatz. Ein hoher Prozentsatz des heutigen Vokabulars ist frz. Ursprungs. Zahlreich sind auch die Entlehnungen aus dem Lateinischen, Griechischen, Niederländischen, Spanischen und Deutschen. In der Orthographie zeigten sich nach Einführung des Buchdrucks durch W. Caxton (1476) erste Tendenzen zur Vereinheitlichung. Mit S. Johnsons »Dictionary of the English Language« (1755) war die engl. Orthographie bereits weitgehend festgelegt; sie spiegelt den Lautstand des späteren Mittelenglischen, d.h. der Zeit um 1500, wider. Lautung und Schreibweise weichen in der e. S. sehr stark voneinander ab. Das Neuenglische hat einen sehr begrenzten Flexionsbestand. Der Plural wird bis auf wenige Ausnahmen durch das Anhängen eines -s gebildet. Im Pronominalsystem werden formal drei Kasus, im Nominalsystem zwei Kasus unterschieden. Das Neuenglische kennt fast nur ein natürl. Geschlecht und unterscheidet im Wesentlichen zwei Modi und drei Zeitstufen. Die strikte Wortstellung von »Subjekt–Verb–Objekt« erfuhr bereits im 18. Jh. durch normative Grammatiken ihre endgültige Fixierung. – Die neben dem brit. Englisch (einschl. seiner Varianten bzw. Dialekte, darunter das **Schottische** und **Angloirische**) bedeutendste Variante ist das **amerikan. Englisch;** seine Wurzeln sind im Englischen des Elisabethan. Zeitalters zu suchen. Bed. Unterschiede zum brit. Englisch bestehen im Wortschatz, in der Orthographie und v.a. in der Aussprache. Das **kanad. Englisch** weist v.a. im Wortschatz größere Gemeinsamkeiten mit dem brit. Englisch auf. Das **austral. Englisch** und das **neuseeländ. Englisch** sind eng an der brit. Standardsprache orientiert (mit Besonderheiten in Wortschatz und Aussprache). Das **südafrikan. Englisch** ist vom Afrikaans beeinflusst. In Indien und ost- und westafrikan. Ländern ist die e. S. meist die Sprache der Gebildeten, der Wiss., Technik und Verwaltung. Eine soziale und ethn. Sonderform ist das **Black English.**

📖 *English as a world language, hg. v.* R. W. Bailey *u. a. Neuausg. Cambridge 1984.* – Koziol, H.: *Grundzüge der Geschichte der e. S. Darmstadt ^{3}1984.* – Leisi, E.: *Das heutige Englisch. Wesenszüge u. Probleme. Heidelberg ^{7}1985.* – Faiss, K.: *Engl. Sprachgeschichte. Tübingen 1989.* – Mencken, H. L.: *The American language. Neuausg. New York ^{4}1992.* – Trudgill, P. *u.* Hannah, J.: *International English. London ^{3}1994.* – *A comprehensive grammar of the English language, bearb. v.* R. Quirk *u. a. Neuausg. London 1995.*

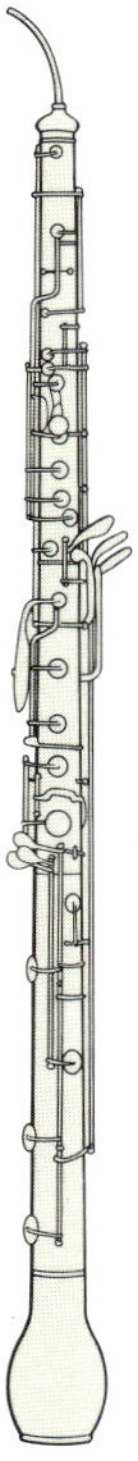

Englischhorn
(moderne Bauart)

Englisches Vollblut, auf der Grundlage oriental. Pferde sowie irischer und kelt. Landrassen seit dem 17. Jh. gezüchtete edle Pferderasse; Stockmaß 160–170 cm; Kopf klein, leicht, mit großen Augen und weiten Nüstern; eingesetzt im Rennsport, Reitsport und zur Verdelung von Warmblütern in der Zucht.

Englisches Vollblut

Englischhorn, Altoboe in F (Umfang es–b^2; klingt eine Quinte tiefer als notiert) mit birnenförmigem Schallbecher.

Englischrot, feinpulvriges Eisenoxid (→ Eisen).

Englishwaltz ['ɪŋlɪʃ 'wɔ:l(t)s, engl.] *der,* um 1920 entstandener langsamer Walzer; Standardtanz.

Enharmonik [grch.] *die,* seit dem 16. Jh. Bez. für Intervalle, die kleiner als der chromat. Halbton sind. Heute bezeichnet E. das Verhältnis zweier Töne, die durch Erhöhung bzw. Erniedrigung zweier benachbarter Stammtöne gebildet werden, z. B. fis (als Erhöhung von f) und ges (als Erniedrigung von g). **Enharmon. Verwechslung** nennt man das bloße schreibtechn. Auswechseln von ♯ und ♭; **enharmon. Umdeutung** findet statt, wenn die andere Schreibweise des gleichen Tons eine Modulation in eine andere Tonart anzeigt (z. B. fis in D-Dur wird zu ges in Des-Dur).

ENI S.p.A., Abk. für **E**nte **N**azionale **I**drocarburi, italien. Energiekonzern der Erdöl-, Erdgas- und petrolchem. Ind., gegr. 1953; Sitz: Rom. Zu den zahlreichen Tochterges. gehören AGIP S.p.A. und AGIP Petroli S.p.A.; 1992 Umwandlung in eine AG, 1995 Teilprivatisierung des bisher staatl. Unternehmens.

Eniwetok [e'ni:wətɔk, enɪ'wi:tɔk], Atoll mit 40 Inseln in der Ralikgruppe der Marshallinseln; am

1. 11. 1952 zündeten die USA hier die erste Wasserstoffbombe.

Enjambement [ãʒãb'mã, frz. »Überschreiten«] *das* (Zeilensprung), das Übergreifen des Satzes und damit des Sinnes über das Ende eines Verses oder einer Strophe; z.B.:

»Ich melde dieses neue Hindernis
dem Könige geschwind; beginne du
das heil'ge Werk nicht eh', bis er's erlaubt.«
(Goethe, »Iphigenie«)

In der mhd. Dichtung wurde das E. bewusst zu einer Eigenart der Verstechnik entwickelt (→Reimbrechung).

Enkaustik [grch.] *die,* antike Maltechnik (4. Jh. v. Chr. [?] bis 4. Jh. n. Chr.), bei der die Pigmente, mit »pun. Wachs« (mit Soda und Meerwasser aufgekochtes Bienenwachs) verschmolzen, heiß aufgetragen und mit Pinseln und erhitzten Metallspachteln auf dünnen Brettchen vermalt wurden, so z.B. bei den ägyptischen Mumienporträts (→Mumie).

Enkel [ahd. eninchili, Verkleinerung von Ahn, da der E. als der wieder geborene Großvater galt], Kindeskind.

Enkhuizen [ɛŋk'hœjzə], Hafenstadt in der Prov. Nordholland, Niederlande, am IJsselmeer, 15900 Ew.; Zuiderzeemuseum; Papierverarbeitung, Blumenzwiebelzucht, Gemüseanbau; Fremdenverkehr. – Gut erhaltene, von Grachten durchzogene Altstadt mit Zuiderkerk (15. Jh.), Westerkerk (15./16. Jh.); Reste der Verteidigungsanlagen.

Enkaustik: Mumienporträt zweier Brüder (2. Jh.; Kairo, Ägyptisches Museum)

Enklave [frz.] *die,* vom eigenen Staatsgebiet umschlossener Gebietsteil eines anderen Staates. Eigenes Staatsgebiet innerhalb eines anderen Staates bezeichnet man als **Exklave.**

Enklise [grch.] *die,* Vorgang, dass sich ein Wort ohne selbstständige Betonung mit dem vorhergehenden Wort zu einer Akzenteinheit verbindet, z.B. »es« in »geht es?«, oder beim **Enklitikon** mit Lautverlust, z.B. »geht's?«.

Enkhuizen: Blick auf den Hafen mit dem »Dromedaris«, einem Rundturm aus dem 16. Jahrhundert

Enkolpion [grch.] *das,* Brustkreuz der orth. Bischöfe, vielfach mit dem Bild Christi, der Gottesmutter oder von Heiligen, entstanden aus der in der frühen Kirche allgemein »zum Schutz des Lebens« getragenen Reliquienkapsel.

Enkulturation [lat.] *die,* Prozess im Rahmen der frühkindl. (»primären«) →Sozialisation, in dem Grundzüge (bes. »Kernrollen« sozialen Verhaltens) der eigenen Kultur vermittelt und durch bewusste und unbewusste Lernprozesse angeeignet werden; im Unterschied zur →Akkulturation.

Enna (bis 1927 Castrogiovanni), **1)** Provinz in Mittelsizilien, Italien, 2562 km², (1995) 186400 Einwohner.

2) Hptst. von 1), auf steiler Anhöhe 931 m ü. M., 28400 Ew.; Agrarzentrum, Sommerfrische. – Beherrschende normannisch-stauf. Burganlage (Castello di Lombardia) mit sechs (urspr. 20) Türmen; Dom (urspr. gotisch, barock umgestaltet). – Im Altertum bed. Heiligtum der Göttinnen Demeter und Persephone. Unter den Staufern war die Stadt häufig Residenz. BILD S. 96

Ennedi, Sandstein-Tafelbergland in der Sahara, in NO-Tschad, bis 1450 m ü. M.; vorgeschichtl. Funde (Keramik) aus dem 6. Jt. v. Chr.; am W-Rand des E. fand man zahlreiche Felsbilder (Wild- und Haustiere zus. mit Menschen).

Ennepe *die,* linker Nebenfluss der Volme, im Sauerland, NRW, 40 km lang, entspringt bei Halver, mündet in Hagen; Stausee (12,6 Mio. m³).

Ennepe-Ruhr-Kreis, Kreis im RegBez. Arnsberg, NRW; 408 km², (1996) 351600 Ew., Verw.sitz ist Schwelm.

Enna 2): Castello di Lombardia, eine normannisch-staufische Burganlage (12.-14. Jh.); von den ursprünglich 20 Türmen sind 6 Türme erhalten

Ennepetal, Stadt im Ennepe-Ruhr-Kr., NRW, an der Ennepe im Sauerland, an der Schwelle zum Bergischen Land, 34 100 Ew.; Kleineisen-, Autozubehör-, Kunststoffind., Maschinenbau. Die **Kluterthöhle,** mit 6 km erforschten Gängen eine der größten Naturhöhlen Dtl.s, dient als Heilstätte bei Erkrankungen der Atemwege und der Haut.

Enschede
Stadtwappen

Ennius, Quintus, lat. Dichter, *Rudiae (Kalabrien) 239 v.Chr., †169 v.Chr.; schrieb u.a. Tragödien und Komödien nach grch. Muster (bes. Euripides). Sein bedeutendstes Werk waren die »Annales«, in denen er die röm. Geschichte von der Ankunft des Äneas in Italien bis zu seiner Zeit darstellte. Von seinem Werk sind nur Bruchstücke erhalten.

Enns, 1) *die,* rechter Nebenfluss der Donau in Österreich, 254 km lang, entspringt in den Radstädter Tauern, durchbricht im →Gesäuse die Ennstaler Alpen, mündet bei Enns. Ihr Unterlauf bildet die Grenze zw. Nieder- und Oberösterreich. Laufwasserkraftwerkskette (zehn Werke).

2) Stadt im Bezirk Linz, Oberösterreich, nahe der Mündung der Enns in die Donau, 10 200 Ew.; Zuckerfabrik, Herstellung von Gablonzer Schmuckwaren. – Got. Pfarrkirche, Bürgerhäuser aus Renaissance und Barock, auf dem Hauptplatz ein 59 m hoher Stadtturm (1554–68), Römermuseum mit Funden aus dem ehem. Römerlager **Lauriacum** (Lorch). – Die **Ennsburg,** gegr. um 900, war Bollwerk gegen die Ungarn; Stadtrecht 1212.

Ennstaler Alpen, Teil der Nördl. Kalkalpen im N und S des Engtales der mittleren Enns, Österreich, im Hochtor 2 372 m hoch.

Enole, ungesättigte Alkohole mit der chem. Gruppe –C(OH)=CH–; sie sind tautomer (→Tautomerie) zu Carbonylverbindungen mit der Gruppe $-CO-CH_2-$ (Keto-Enol-Tautomerie).

Enosis [grch. »Vereinigung«], von der grch. Bevölkerungsmehrheit auf Zypern getragene polit. Bewegung, fordert unter Führung der orth. Kirche den Anschluss der Insel an Griechenland, wandte sich seit dem 19. Jh. gegen die türk., seit 1925 gegen die brit. Herrschaft (Aufstand von 1931). Um 1950 wurde Erzbischof Makarios III. der polit. Führer der Enosis. In ihrem Zeichen baute General G. Grivas ab 1955 die →E. O. K. A., eine militär. Untergrundarmee, auf. (→Zypern, Geschichte)

Enquête [ã'kɛːt, frz.] *die,* eine Untersuchung v.a. sozial- oder wirtschaftspolit. Verhältnisse durch mündl. oder schriftl. Befragung einer möglichst großen Zahl Beteiligter oder Sachverständiger. **Parlamentar. E.** →Untersuchungsausschuss.

Ens [lat.] *das,* philosoph. Bez. für Existierendes bzw. Wirkliches, dem Sein auf verschiedene Weise zukommt: Vom real Seienden **(E. reale)** unterscheidet sich das gedachte Seiende **(E. rationis).** Das E. reale ist entweder das durch sich selbst bestehende, ursachlose göttl. Sein **(E. a se),** das vollkommene Sein **(E. perfectissimum),** Gott als das allerrealste Seiende **(E. realissimum)** oder die für sich existierende, aber in Ursachenreihen verflochtene Substanz **(E. per se)** und die an ihr haftenden, von ihr abhängigen Eigenschaften **(E. in alio** und **E. ab alio).**

Enschede ['ɛnsxədeː], Industriestadt in der Prov. Overijssel, Niederlande, am Twentekanal, 147 300 Ew.; TU, Rijksmuseum Twente, Textilindustriemuseum; traditionelle Textilindustrie, Maschinenbau, Möbel-, Reifen-, Elektronik-, opt. Industrie. – Erhielt 1325 Stadtrecht.

Enns 2): Stadtturm von Nordosten, Höhe 59 m (1554–68)

Ensemble [ãˈsãːbəl, frz.] *das,* **1)** *allg.:* Ganzes, planvolle, wirkungsvoll gruppierte Gesamtheit.

2) *Musik:* das solist. Zusammenspiel einer instrumentalen oder vokalen Gruppe (z.B. Kammerorchester), auch die kleine Besetzung.

3) *Theater:* Gesamtheit der an einem Theater, einer Opernbühne oder bei einer Truppe engagierten Schauspieler bzw. Sänger.

Ensenada, Zenón de Somodevilla y Bengoechea, Marqués de la, span. Staatsmann, *Alesanco (Prov. Logroño) 2. 6. 1702, †Medina del Campo 2. 12. 1781; als Kriegs- und Finanzmin. Hauptvertreter des aufgeklärten Absolutismus in Spanien, setzte wichtige Reformen durch (u.a. Förderung der Wirtschaft auf physiokrat. Grundlage); 1754 gestürzt.

Ensinger (von Ensingen), Ulrich, Baumeister, *Einsingen bei Ulm oder Oberensingen bei Nürtingen um 1350, †Straßburg 10. 2. 1419; war 1392–1417 Baumeister und Leiter des Ulmer Münsterbaus, ab 1399 gleichzeitig in Straßburg am Münster (Oktogongeschoss des Nordturms), seit 1400 auch Bauleiter der Frauenkirche in Esslingen.

Ensor, James, belg. Maler, *Ostende 13. 4. 1860, †ebd. 19. 11. 1949; malte seit den 1880er-Jahren dem Symbolismus nahe stehende, fantast. Visionen mit Masken und Gespenstern, die den Alltag mit bunten, grellen Farben ins Bedrohliche, Spukhafte verfremden. E. übte starken Einfluss auf den dt. Expressionismus aus und war Vorläufer der Surrealisten.

📖 HEUSINGER VON WALDEGG, J.: *J. E. Legende vom Ich. Köln 1991.*

Enstatit [grch.] *der,* grauweißes bis grünl. Mineral, ein →Pyroxen.

Entaktivierung, Beseitigung Neutronen absorbierender Verunreinigungen aus dem Brennstoff oder der Moderatorsubstanz eines Kernreaktors.

entartete Kunst, diffamierende Bez. der Nationalsozialisten für Strömungen der modernen Kunst des 20. Jh. Zur Brandmarkung fanden 1937 in München und an weiteren Orten Ausstellungen »E. K.« statt. Betroffene Künstler (u.a. E. Barlach, O. Dix, P. Klee, E. Nolde, E. Heckel, M. Chagall) erhielten Ausstellungs-, z.T. Arbeitsverbot, viele emigrierten. Ihre Werke wurden aus den Museen entfernt. Ein Teil der Werke wurde öffentlich verbrannt, andere 1938 in Luzern versteigert.

Entartung, 1) *Biologie:* die →Degeneration.

2) *Physik:* a) Erscheinungsform eines quantenmechanischen Systems, z.B. eines Atoms, bei dem zur gleichen Energie zwei oder mehrere Bewegungszustände gehören (→Eigenwertproblem). b) *Quantenstatistik:* durch die Nichtunterscheidbarkeit ident. Teilchen bedingte Abweichung vom klassisch-physikal. Verhalten bei Vielteilchensystemen (→Gasentartung).

entartete Kunst: Umschlag des Münchner Ausstellungsführers von 1937

Entbindung, →Geburt.

Entdeckungsgeschichte, die Geschichte des Auffindens und der Erschließung von Gebieten der Erde, die dem entdeckenden Kulturkreis zuvor unbekannt waren. Es handelte sich dabei häufig um Territorien, die bereits andere Kulturkreise besiedelt hatten. Ins Zentrum der histor. Betrachtung rückten v.a. die Entdeckungsreisen der Europäer seit dem Beginn der Neuzeit (Zeitalter der großen Entdeckungen) mit ihren weit reichenden wirtsch. und polit. Folgen (u.a. Entstehung der Kolonialreiche). Die bereits im Altertum einsetzende Erkundung fremder Gebiete erfolgte zunächst v.a. im Zusammenhang mit Kriegszügen und der Aus-

James Ensor: »Der Einzug Christi in Brüssel im Jahre 1888« (1888; Malibu (Calif.), Paul Getty Museum)

dehnung des Handels, später kamen die überseeische Expansion der europ. Seefahrernationen, Abenteurertum (z.B. Suche der Konquistadoren nach dem legendären → El Dorado), Missionierung und zunehmend auch wiss. Forscherdrang als Motive hinzu.

Altertum: Die älteste schriftlich überlieferte Entdeckungsreise ist die von der ägypt. Königin Hatschepsut veranlasste Expedition nach Punt Anfang des 15. Jh. v. Chr. Bereits Anfang des 6. Jh. v. Chr. umsegelten die Phöniker Afrika. Den Griechen und Römern waren außer dem Mittelmeergebiet auch die Küsten des Schwarzen Meeres gut bekannt. Die wichtigsten Entdeckungsreisen galten Afrika und Vorderasien (Herodot, 5. Jh. v. Chr.); der Alexanderzug (334–324 v. Chr.) führte bis zur Schwelle Indiens. Durch die Reisen des Pytheas aus Massalia (etwa 330 v. Chr.) wurde Genaueres über W- und N-Europa berichtet. Die größte Ausdehnung des Röm. Reiches unter Trajan (98–117) ermöglichte bereits ein Denken in dem weiten Raum von England bis Mesopotamien.

Mittelalter: Die seefahrtkundigen Wikinger erreichten um 860 das allerdings schon früher von iroschott. Mönchen besiedelte Island und 982 Grönland; von hier aus entdeckte Leif Eriksson um 1000 die NO-Küste Nordamerikas; eine Besiedlung (L'Anse aux Meadows) war nicht von Dauer. Diese Kenntnis Amerikas ging jedoch wieder verloren. – Die Araber übernahmen das Erbe der grch. Geographie. Sie querten die Sahara, gelangten bis in die Sudanzone und besaßen im MA. weit bessere Kenntnisse von Afrika, Vorder- und Südasien als die Europäer. Der Marokkaner Ibn Battuta war der bedeutendste Landreisende seiner Zeit; er lernte auf seinen Reisen (1325–53) große Teile N-Afrikas, Vorderasien, Indien, den Malaiischen Archipel und China kennen. – Die Kenntnis von Asien erweiterten die zu den Mongolenherrschern gesandten päpstl. Boten G. del Carpini (1246) und W. von Rubruk (1254) sowie v.a. Marco Polo, der 1271–95 Persien, Zentralasien, China und Indien bereiste und den Pazif. Ozean entdeckte. Aus seiner Reisebeschreibung ergab sich die Kenntnis, dass O- und S-Asien meerumschlossen sind.

Zeitalter der großen Entdeckungen: Von Heinrich dem Seefahrer angeregt, unternahmen Portugiesen (seit 1418) Entdeckungsfahrten, zunächst entlang der W-Küste Afrikas (Madeira 1420, Azoren 1427), bes. nachdem die Türken 1453 durch die Einnahme Konstantinopels den Zugang nach Indien gesperrt hatten. Die Suche eines Seewegs nach Indien durch die Spanier führte zur weltgeschichtlich folgenreichen Landung von C. Kolumbus in Amerika (12. 10. 1492); weite Gebiete der Neuen Welt wurden Europa jetzt bekannt (seit 1498 Südamerika, seit 1502 Zentralamerika). Spanien und Portugal beanspruchten als die führenden Nationen der Zeit die Beherrschung der von ihnen entdeckten Räume; sie schrieben ihre Interessensphären in den Verträgen von Tordesillas (1494) und Saragossa (1529) fest. Bereits 1487/88 umsegelte B. Diaz die S-Spitze Afrikas; 1497/98 fand Vasco da Gama den Seeweg nach Indien. Nachfolgend wurden Malakka (1508), die Molukken (1512), S-China (Kanton 1517), Neuguinea (1526) und schließlich Japan (1542) erreicht. 1519–22 bewies die von F. Magalhães begonnene 1. Weltumsegelung die Kugelgestalt der Erde. Der Vorherrschaft der iber. Nationen widersetzten sich Franzosen, Holländer und Engländer. In engl. Auftrag wurde seit 1553 nach der Nordostpassage (S. Caboto) und seit 1576 nach der Nordwestpassage gesucht; damit begann die Erforschung des Kanadisch-Arkt. Archipels (J. Davis, W. Barents u.a.). F. Drake gelang 1577–80 die 2. Weltumsegelung. – So ergab sich am Ende dieses Zeitalters eine beispiellose Ausweitung des geograph. Wissens. Süd- und Mittelamerika waren in ihren Küstengebieten und besiedelbaren Hochländern wesentlich besser bekannt als Nordamerika, das seit der Entdeckung Neufundlands (G. und S. Caboto, 1497) und Floridas (J. Ponce de León, 1513) erforscht wurde.

17. und 18. Jahrhundert: Engländer (1600) und Holländer (1602) gründeten Handelskompanien und legten in Indien und im Malaiischen Archipel die Grundlage für ihre Kolonialreiche. 1606 entdeckte W. Jansz(oon) die NW-Küste Australiens, 1642 A. J. Tasman die später nach ihm benannte Insel. – Kosaken erreichten 1639 über Sibirien das Ochotskische Meer. Christl. Missionare kamen nach China und gelangten von Indien aus nach Tibet. E. Kaempfer prägte nach Reisen in Japan (1690–92) die für Europa bis ins 19. Jh. maßgebende Vorstellung von diesem Land. – Im N der Neuen Welt entdeckten Franzosen die Großen Seen (S. de Champlain, 1615). S. I. Deschnjow umfuhr 1648 das NO-Kap Asiens. Die von V. J. Bering geleitete »Große Nord. Expedition« (1733–43) sowie die Reisen C. Niebuhrs (1761–67) und A. von Humboldts (1799–1804) waren Ausdruck des wachsenden wiss. Forschungsinteresses. Auch die drei Weltumsegelungen von J. Cook (1768–71, 1772–75 und 1776–79), dem letzten großen maritimen Entdecker, bedeuteten neben der seefahrer. eine wiss. Leistung. – Europa wandte sich nach der Gründung der »African Association« (1788) v.a. der Erforschung Afrikas zu. M. Park (1795 ff.) suchte den Nigerlauf zu klären, F. K. Hornemann gelang als erstem Europäer die Durchquerung der Sahara (1797–1800).

19. und 20. Jahrhundert: Mit der Umsegelung der Antarktis 1819–21 (durch F. G. von Bellingshausen) begann deren Erforschung; den Südpol erreichte

Entdeckungsreisen

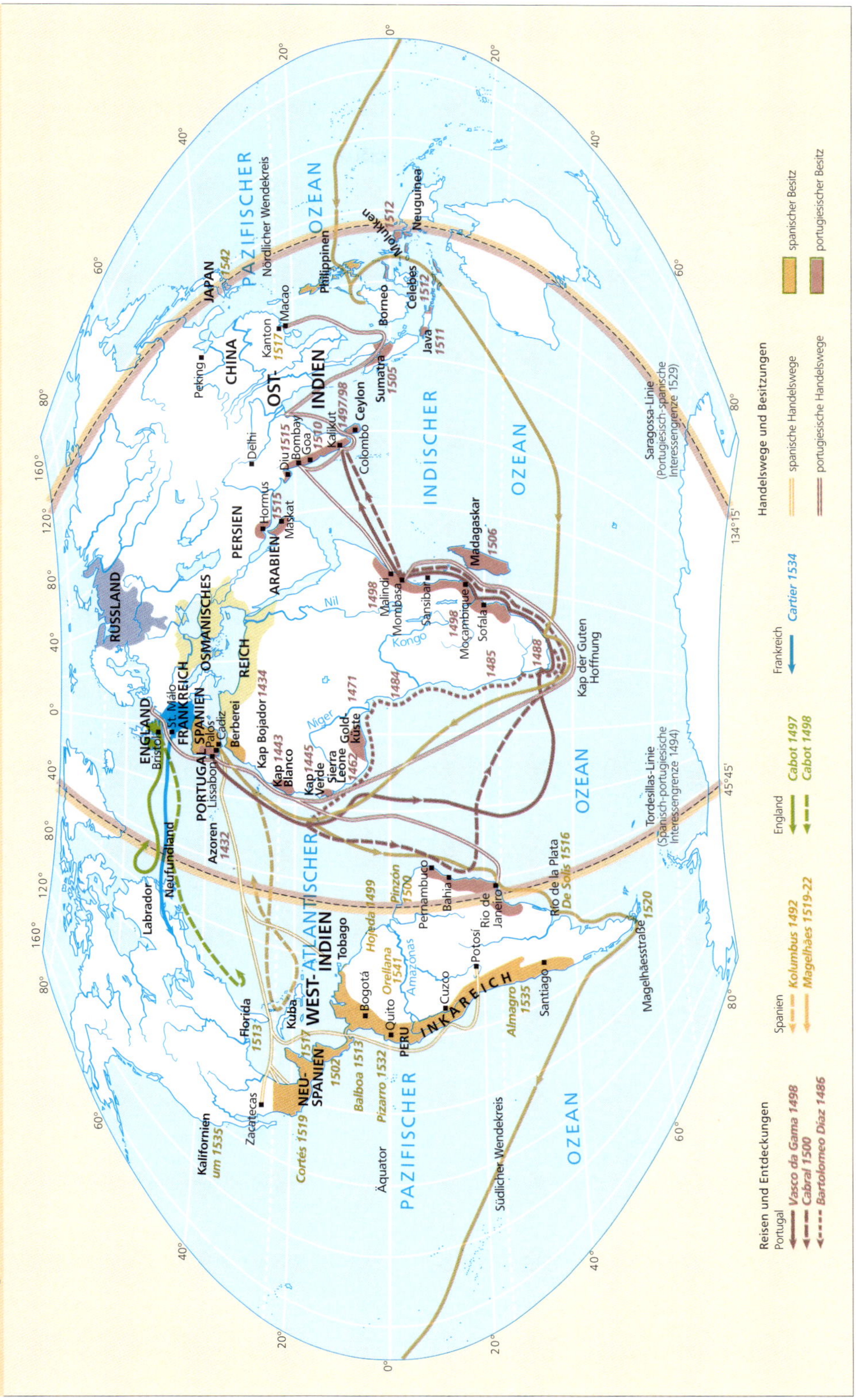

7*

im Dez. 1911 R. Amundsen kurz vor R. F. Scott (Jan. 1912). Die Erforschung der Arktis blieb z.T. mit der Suche nach der Nordostpassage (A. E. von Nordenskiöld, 1878/79) und der Nordwestpassage (R. Amundsen, 1903–06) verbunden; in die Nähe des Nordpols gelangte R. E. Peary (1908/1909). Die erste Überfliegung des Nordpols im Luftschiff gelang 1926 R. Amundsen und U. Nobile, die des Südpols R. E. Byrd, der mit seinen vier Antarktisexpeditionen zw. 1928 und 1947 die wesentl. Entdeckungen in diesem Polargebiet machte. Die erste Durchquerung der Antarktis auf dem Landweg gelang V. E. Fuchs 1957/58. – Die Erschließung Innerafrikas war v.a. mit der Klärung des Laufs der großen Ströme (bes. Niger, Nil und Kongo) verbunden; bahnbrechende Expeditionen unternahmen z.B. D. Livingstone (1849 ff.), H. Barth (1850–55) und H. M. Stanley (1871 ff.). – Die abgelegenen Gebiete Zentralasiens wurden vom letzten großen Landreisenden S. Hedin erforscht (Expeditionen zw. 1894 und 1935). Schwer begehbare Gebiete, die in den 60er-Jahren des 20. Jh. nur annähernd bekannt und kartographisch erfasst waren, konnten inzwischen durch die Fernerkundung der Satelliten umfassend aufgenommen werden. 1995 gelang einer britisch-frz. Expedition die Entdeckung der Quelle des Mekong im Hochland von Tibet. Vergleiche die ÜBERSICHTEN Entdeckung und Erforschung bei →Afrika, →Antarktis, →Arktis, →Asien, →Australien, →Nordamerika, →Südamerika.

📖 KRÄMER, W.: *Die Entdeckung u. Erforschung der Erde. Leipzig* [8]*1979.* – REINHARD, W.: *Geschichte der europ. Expansion, 4 Bde. Stuttgart u. a. 1983–90.* – *Dokumente zur Geschichte der europ. Expansion, hg. v.* EBERHARD SCHMITT *u. a., Bd. 2: Die großen Entdeckungen. München 1984.* – BITTERLI, U.: *Alte Welt – neue Welt. Formen des europäisch-überseeischen Kulturkontakts vom 15. bis zum 18. Jh. Neuausg. München 1992.*

Ente, 1) [Übersetzung des gleichbedeutenden frz. canard] *allg.:* haltloses Gerücht, Falschmeldung, z.B. Zeitungsente.

2) *Biologie:* Schwimmvogel, →Enten.

3) *Medizin:* Harngefäß für bettlägerige männl. Kranke.

Entebbe
Stadtwappen

Entebbe, Stadt in Uganda, südlich von Kampala, 1176 m ü.M. am NW-Ufer des Victoriasees, 21 000 Ew.; veterinärmedizin. Inst., ostafrikan. Inst. für Virusforschung, Fachschulen, Museen (für Geologie, Holzarten, Jagd und Fischerei); botan. Garten. Hafen, internat. Flughafen. – 1894–1962 Verw.sitz von Uganda.

Enteignung (lat. Expropriation), die teilweise oder völlige Entziehung des Eigentums, *rechtlich* im Sinne des Bundesverfassungsgerichts die vollständige oder teilweise Entziehung vermögenswerter Rechtspositionen durch einen gezielten hoheitl. Rechtsakt zur Erfüllung bestimmter hoheitl. Aufgaben. Die E. unterscheidet sich von der →Konfiskation und der →Sozialisierung. Art. 14 GG lässt eine E. nur zum Wohle der Allgemeinheit zu. Sie darf nur durch Gesetze oder aufgrund eines Gesetzes erfolgen, das Art und Ausmaß der Entschädigung regelt. Die Entschädigung ist unter gerechter Abwägung der Interessen der Allgemeinheit und der Betroffenen zu bestimmen. Während für die Zulässigkeit der E. als solcher die Verwaltungsgerichte zuständig sind, sind Streitigkeiten über die Höhe der Entschädigung von den ordentl. Gerichten zu entscheiden. Eine E. liegt nicht nur dann vor, wenn Eigentum im Sinne des bürgerl. Rechts entzogen wird, auch Rechtspositionen können Gegenstand von E. sein, z.B. ein Rentenanspruch, eine schuldrechtl. Forderung.

In *Österreich* gelten ähnl. Grundsätze wie in Dtl. (Art. 5 Staatsgrund-Ges., §365 ABGB). In der *Schweiz* ist zw. formeller (E. in einem gesetzlich geregelten Verfahren) und materieller (staatl. Eingriff in das Eigentum, das Eigentumsrecht wird jedoch dem Eigentümer belassen) E. zu unterscheiden (beide entschädigungspflichtig). – Heftig umstritten bleibt die Bestimmung des Einigungsvertrages, die Auswirkungen der sog. »Bodenreform« in der sowjet. Besatzungszone zw. 1945 und 1949, obwohl mit rechtstaatl. Maßstäben nicht zu vereinbaren, im Prinzip unangetastet zu lassen (verankert nunmehr auch in Art. 143 Abs. 3 GG). Das Bundesverfassungsgericht hat am 23. 4. 1991 diese Bestimmung für nicht verfassungswidrig erklärt, aber eine Ausgleichsregelung verlangt. Diese soll das Gesetz vom 27. 9. 1994 in Form von Schuldverschreibungen bewirken, die den Wert des entzogenen Besitzes i.d.R. bei weitem nicht erreichen und erst ab 2004 einlösbar sind.

📖 RIVA, E.: *Hauptfragen der materiellen E. Bern 1990.* – DIEKMANN, B.: *Das System der Rückerstattungstatbestände nach dem Gesetz zur Regelung offener Vermögensfragen. Frankfurt am Main u. a. 1992.* – FRIEDLEIN, A.: *Vermögensansprüche in den fünf neuen Bundesländern. Frankfurt am Main u. a. 1992.* – *Handbuch des Enteignungsrechts, Beiträge v.* K. KORINEK *u. a. Wien u. a. 1994.*

Entelechie [grch.] *die,* vollendete Wirksamkeit, inneres aktives Formprinzip (→Teleologie). In Anlehnung an Platons Form- und Ideebegriff konzipiert Aristoteles die E. als Verwirklichung der in einem Seienden angelegten Gestaltmöglichkeiten; erste E. eines organ. Körpers z.B. ist die Seele. Der Begriff E. wurde u.a. von Leibniz (substanzielle Form), Goethe und H. Driesch (prozesssteuernder Faktor im organ. Leben) wieder aufgenommen.

Enten (Anatinae), heterogene Unterfamilie der Gänsevögel, i.e.S. die **Schwimm-E.,** mit etwa 35

Gattungen und 115 Arten; starker Geschlechtsdimorphismus in Kehlkopfstruktur, Stimme und Gefieder; die Männchen (**Enterich** oder **Erpel**) tragen zur Paarungszeit ein Prachtkleid, die Weibchen sind tarnfarben. E. suchen ihre Nahrung gewöhnlich auf dem Wasser durch Gründeln, nicht durch Untertauchen wie die →Tauchenten. In Europa, Asien und Nordamerika weit verbreitet ist die 60 cm lange **Stock-E.** (Anas platyrhynchos). Etwas kleiner als sie ist die **Schnatter-** oder **Mittel-E.** (Anas strepera), am kleinsten die **Krick-E.** (Anas crecca) und die **Knäk-E.** (Anas querquedula), jene mit braunem, diese mit weißem Schaft der Handschwingen. Durch breiten Löffelschnabel fällt die **Löffel-E.** (Anas clypeata) auf, durch sehr langen dünnen Hals und spießartig verlängerte mittlere Steuerfedern die **Spieß-E.** (Anas acuta). Fast ausschl. auf dem Durchzug von Norden erscheint die **Pfeif-E.** (Anas penelope), Erpel mit heller Blesse auf rotbraunem Kopf. Zu den Meeres-E. gehören u.a. →Eiderenten und →Schellenten.

Enten: Krickente (Erpel)

Die **Haus-E.** stammen von der Stock-E. ab; es gibt etwa 30 Rassen. Mastrassen sind: **Rouen-E.**, **Peking-E.**; Legerassen: **Khaki-E.**, **Campbell-E.** – **Enteneier** sollten nur gekocht gegessen werden, da sie Paratyphuserreger enthalten können. – Im Volksglauben gilt die E. als Wetterprophetin und Hexentier.

Entenflugzeug, Flugzeug mit an der Rumpfspitze (vor dem Tragflügel liegendem) angebrachtem Höhenleitwerk, dadurch verbesserte Flugeigenschaften.

Entenflugzeug

Enten: Stockenten (links der Erpel)

Entengrütze (Entengrün, Entenflott), die Pflanzengattung →Wasserlinse.

Entente [ã'tãt, frz.] *die,* Einverständnis, Bündnis; v.a. die **E. cordiale** zw. Großbritannien und Frankreich seit der Verständigung über die nordafrikan. Kolonialfragen (1904); aus dieser entwickelte sich durch Einbeziehung Russlands (seit 1907) die →Tripelentente. Als »E.-Mächte« bezeichnete man die Gegner der →Mittelmächte im 1. Weltkrieg. 1920/21 entstand die →Kleine Entente.

Entenwal, Art der →Schnabelwale.

enteral [grch.], den Darm bzw. die Eingeweide betreffend.

Enterbung, Ausschluss eines Verwandten oder des Ehegatten von der gesetzl. Erbfolge oder des nichtehel. Kindes vom →Erbersatzanspruch; sie kann stillschweigend durch Einsetzung einer anderen Person als Erbe geschehen. Bei ausdrückl. E. durch Testament ist die Einsetzung eines anderen Erben nicht erforderlich (§1938 BGB). Abkömmlinge, Eltern und Ehegatte des Erblassers, die von der Erbfolge ausgeschlossen wurden, haben gegen den Erben einen Anspruch auf den →Pflichtteil (§2303). – Nach *österr.* und *schweizer. Recht* wird als E. die gänzl. oder teilweise Entziehung des Pflichtteils bezeichnet.

Enterich (Erpel), männliche Ente.

Enteritis [grch.] *die,* →Darmentzündung.

Entern [niederdt., von span. entrar »eindringen«], 1) das Erklettern der Masten eines Schiffes; 2) in der Seekriegführung seit der röm. Antike bis ins 16. Jh. das Rammen eines feindl. Schiffes und Erstürmen durch Soldaten.

enterogen [grch.], im Darmbereich entstanden.

Enteroptose [grch.] *die,* →Eingeweidesenkung.

Enterostomie [grch.] *die,* operatives Anlegen einer künstl. Darmöffnung nach außen (z.B. beim →Kunstafter) meist seitlich am Bauch. Hierbei wird nach Bauchschnitt eine an die Bauchwand gezogene und angenähte Darmschlinge geöffnet.

Enterotoxine, hitzestabile bakterielle Giftstoffe, die nach Verzehr verunreinigter Lebensmittel im Darm nicht abgebaut werden können, häufige Ursache von Lebensmittelvergiftungen.

Enteroviren (Darmviren), Sammelbez. für eine Gruppe der Picornaviren, die sich hauptsächlich in der Darmschleimhaut vermehren und mit dem Stuhl ausgeschieden werden. Zu den E. gehören die →Coxsackie-Viren, →ECHO-Viren und Poliomyelitisviren. Sie sind Erreger der unterschiedlichsten Krankheiten (Kinderlähmung, abakterielle Hirnhautentzündung, Schnupfen u.a.).

Entertainer ['entəteɪnə, engl.] *der,* berufl. (Allein-)Unterhalter, bes. im Showgeschäft.

Entfernungsmesser (Telemeter), Gerät zum Messen der Entfernung eines Zielpunktes vom eigenen Standort. Es gibt optische und elektrooptische E., die man in Zielwinkel-, Standwinkel- und Raumbild-E. sowie Laser-E. unterscheidet. Zielwinkel- und Standwinkel-E. beruhen auf dem Prinzip der Dreiecksmessung. Beim **Zielwinkel-E.** wird die Entfernung mithilfe einer Messlatte, die sich am Zielpunkt befindet, und dem Gesichtswinkel, unter dem sie am Beobachtungspunkt erscheint, bestimmt. Beim **Standwinkel-E.** wird das Ziel von zwei Punkten aus anvisiert. Die Entfernung wird bestimmt aus dem Abstand dieser Punkte (Standlinie) und aus dem Winkel, den die Visierlinien miteinander bilden. Ist die Standlinie so lang, dass zwei getrennte Geräte zum Anvisieren des Zieles benutzt werden, ist es ein **Zweistand-E.** Der **Einstand-E.** vereinigt die beiden Geräte zu einer Einheit, die Standlinie ist bis 15 m lang. Beim **Koinzidenz-E.** werden die beiden Bilder im Gesichtsfeld des Beobachters mithilfe verdreh- oder schwenkbarer opt. Bauelemente so gegeneinander verschoben, dass sie entweder zur Deckung kommen (Mischbild-E.) oder durch eine scharfe Trennungslinie getrennt übereinander liegen (Schnittbild-E.). Die Bilder werden durch Drehen oder Schwenken von Spiegeln, Linsen oder Prismen übereinander gebracht und die Entfernung abgelesen. Beim **Raumbild-E.** (Stereo-E.) wird dem Beobachter ein räuml. Bild des Zielbereiches dargeboten, zus. mit einer im Gesichtsfeld erscheinenden bewegl. Messmarke oder einer feststehenden Messmarkenreihe. Aus dem Tiefenvergleich von Zielbild und Messmarke folgt der Messwert. Der **Laser-E.** enthält als Hauptbaugruppen Laser, Empfänger, Auswerte- und Anzeigeeinheit. Der aus dem Sender austretende Laserimpuls von etwa 15 ns Dauer (Pulslänge 4,5 m) startet über eine Photodiode einen Laufzeitmesser (Zähler). Eine Empfangsoptik mit Photodiode registriert unter Abstoppen des Zählers das vom Ziel reflektierte Restlicht. Die Entfernung wird aus der Laufzeit bestimmt.

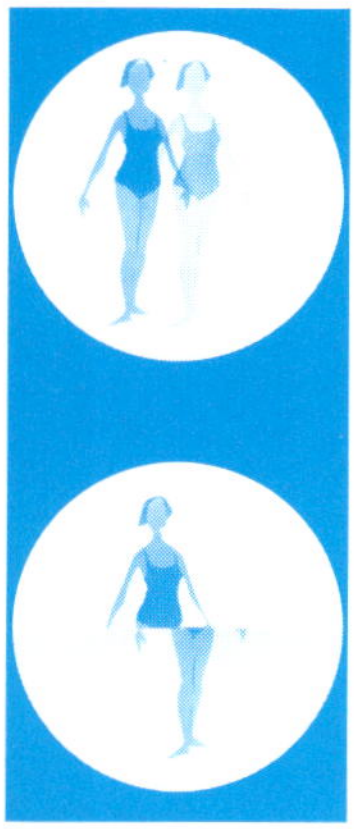

Entfernungsmesser: Mischbildentfernungsmesser (oben) und Schnittbildentfernungsmesser

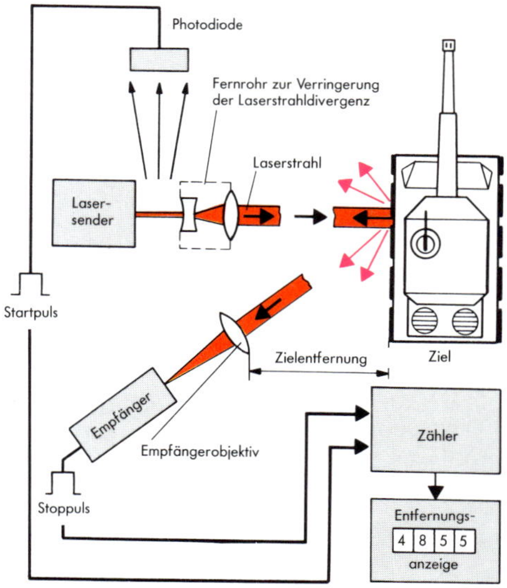

Entfernungsmesser: Funktionsprinzip der Laufzeitentfernungsmessung bei einem Laserentfernungsmesser

Entfetten, **1)** *Textiltechnik:* →Wolle.

2) *Werkstofftechnik:* →Metallreinigung.

Entflammungstemperatur, der →Flammpunkt.

Entflechtung, die Auflösung von Großunternehmen und Konzernen im Bereich der Ind. und des Bankwesens durch rechtl. und wirtsch. Verselbstständigung ihrer Teile, um wirtsch. Machtkonzentration abzubauen (Dekonzentration); in Dtl. nach dem Ges. gegen Wettbewerbsbeschränkungen grundsätzlich nicht vorgesehen. – Die nach dem 2. Weltkrieg in Dtl. entsprechend dem Potsdamer Abkommen von den Alliierten durchgeführte E. (z.B. Vereinigte Stahlwerke, IG Farbenindustrie, Dt. Bank, Dresdner Bank, Commerzbank) ist durch neue Unternehmenszusammen-

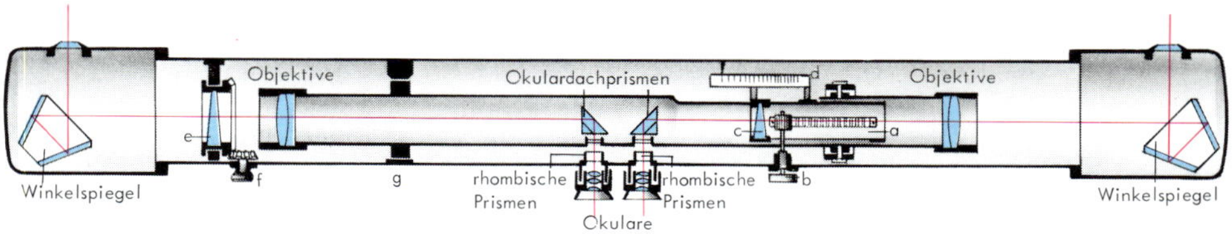

Entfernungsmesser: Schnitt durch einen Raumbildentfernungsmesser; a Messeinrichtung, b Einstellschraube, c Drehkeil, d Entfernungsskala, e Drehkeil zur Korrektur der Entfernungseinstellung, f Drehknopf, g Verschiebungspunkt des Innenrohrs

schlüsse in versch. Bereichen (z. B. Bankwesen) wieder aufgehoben worden.

Entfremdung, von Hegel in die Philosophie eingeführter Begriff, dessen Wurzeln bis in die mittelalterl. Theologie zurückverfolgt werden können (Bonaventura). In Hegels Philosophie bezeichnet E. den Prozess der Selbstvergegenständlichung der absoluten Idee in Natur und Geschichte: Allein durch E. werde sich der Weltgeist seiner selbst bewusst. Für Marx ist E. die historisch bedingte Form der Entäußerung und Vergegenständlichung des Menschen im Arbeitsprozess verursacht durch die Trennung des Arbeiters von seinem Produkt durch das Privateigentum an Produktionsmitteln.

Entführung, i. w. S. Bez. für bestimmte, gegen die Freiheit des Einzelnen gerichtete Delikte. Das StGB kennt neben dem allg. Tatbestand der →Freiheitsberaubung (§ 239 StGB) eine Reihe von Vorschriften gegen besondere Formen der E.: den →Menschenraub (§ 234 StGB), den erpresser. Menschenraub (§ 239 a StGB), die →Verschleppung (§ 234 a StGB), die →Geiselnahme (§ 239 b StGB), die →Kindesentziehung (§ 235 StGB). Auf Antrag wird verfolgt: die E. einer unverehelichten Frau unter 18 Jahren mit ihrem Willen, jedoch ohne Einwilligung ihrer Eltern, ihres Vormunds oder Pflegers, um sie zu sexuellen Handlungen zu bringen (§ 236 StGB, gilt nicht in den neuen Bundesländern), und die E. einer Frau gegen ihren Willen durch List, Drohung oder Gewalt, insbesondere, wenn sie mit einem Fahrzeug an einen anderen Ort gebracht wird und eine dadurch für sie entstandene hilflose Lage zu außerehel. sexuellen Handlungen mit ihr ausgenutzt wird (§ 237 StGB). Ferner →Luftpiraterie. – Ähnl. Bestimmungen enthalten das *österr.* und *schweizer.* StGB.

Entgasung, Entfernung von fein verteilten, gelösten oder gebundenen Gasen aus chem. Stoffen, z. B. durch Unterdruck, Ultraschall oder chem. Zusätze. Kohle wird durch Erhitzen unter Luftabschluss (Schwelen, Verkokung) entgast.

Entgelt, Vergütung für eine Leistung, z. B. Arbeits-E. (→Lohn).

Entgeltfortzahlung, offizielle Bez. für die →Lohnfortzahlung.

Entgiftung, 1) *Medizin:* alle Behandlungsverfahren, die darauf abzielen, Gifte, die in den Körper eingedrungen sind, zu entfernen, sie zur Ausscheidung zu bringen oder sie durch Bindung unschädlich zu machen (→Entschlackung).

2) *Physiologie:* (Detoxikation) Umwandlung im Körper entstandener giftiger Substanzen in ausscheidbare Stoffe, v. a. in der Leber durch Abbau, Umbau oder Bindung an andere Substanzen.

Enthaarung, das Entfernen von Haaren, als **Epilation** mit den Haarwurzeln, als **Depilation** nur des über der Hautoberfläche stehenden Haares.

Enthalpie [grch.] *die,* von J. W. Gibbs eingeführte thermodynam. Zustandsgröße H: die Summe aus innerer Energie U und Volumenarbeit pV; $H = U + pV$ (p = äußerer Druck, V = Volumen). Sie hat die Dimension einer Energie. Bei einer unter konstantem Druck ablaufenden Zustandsänderung (z. B. Verdampfung) ist die Änderung der E. gleich der mit der Umgebung ausgetauschten Wärmemenge. Die E. besitzt techn. Bedeutung bei der Berechnung von Wärmekraftmaschinen. Die **freie E.** ist der Teil der E., der bei umkehrbarer isobarer Prozessführung in einem thermodynam. System in jede beliebige Energieform umwandelbar ist.

Enthaltsamkeit, →Askese.

Enthärtung, Entfernung v. a. der Calcium- und Magnesiumionen aus Trink- oder Betriebswasser. Die Entfernung der Carbonathärte heißt **Entkalkung.**

Enthusiasmus [zu grch. éntheos »gottbegeistert«, eigtl. »worin ein Gott ist«] *der,* leidenschaftl. Begeisterung; im christl. Sinne das (plötzl.) Ergriffensein vom Hl. Geist; prägendes Moment charismat. Frömmigkeit.

Entideologisierung, Nachweis und Abbau von ideolog. Voraussetzungen und Zielsetzungen (→Ideologie) im wirtsch., gesellschaftl., kulturellen und bes. im polit. Bereich.

Entität [lat.] *die, Philosophie:* die Seiendheit eines Dings, mit der Betonung darauf, »dass« es ist, im Unterschied davon, »was« es ist (Quidditas).

Entkalkung, 1) *Medizin:* E. der Knochen, →Demineralisation.

2) *Wasserwirtschaft:* →Enthärtung.

Entkeimung, 1) *Lebensmitteltechnik:* das Abtöten oder Entfernen krankheitserregender oder den Verderb der Lebensmittel fördernder Mikroorganismen, v. a. bei der →Konservierung.

2) *Medizin:* das Vernichten von Krankheitserregern durch →Sterilisation.

Entkolonialisierung (Entkolonisierung, Dekolonisation), die Aufhebung kolonialer Herrschaftsverhältnisse, bes. die Entwicklung europ. Kolonien in Asien und Afrika zu unabhängigen Staaten seit 1945. Die E. vollzog sich i. d. R. entweder durch gewaltsame Aktionen nat. Befreiungsbewegungen (z. B. Algerien, Vietnam) oder durch freiwillige Entlassung der Kolonie (aufgrund von Verhandlungen mit der Kolonialmacht) in die Unabhängigkeit (z. B. Indien, Pakistan). Mischformen finden sich u. a. in der Geschichte Indonesiens, Birmas, Kenias und Marokkos. In einzelnen Fällen erfolgte die E. durch Integration in den Staatsverband der früheren Kolonialmacht (z. B. Hawaii als Bundesstaat der USA).

Entkolonialisierung

Kolonie	*Jahr der Unabhängigkeit*	*heutiger Name (soweit verändert)*
Nordamerika	1776	USA
Hispaniola (Westteil)	1804	Haiti
Neugranada	1810	Kolumbien
Paraguay	1811	
Generalkapitanat Caracas	1811	Venezuela
Rio de la Plata	1816	Argentinien
Chile	1818	
El Salvador	1821	
Nicaragua	1821	
Generalkapitanat Guatemala	1821	geteilt in Guatemala und Costa Rica
Peru	1821	
Brasilien	1822	
Neuspanien	1823/24	Mexiko
Bolivien	1825	
Hispaniola (Ostteil)	1865	Dominikan. Republik
Australien	1901*)	Austral. Bund
Kuba	1902	
Panama	1903	
Neuseeland	1907*)	
Südafrika	1910*)	
Island	1918	
(Bismarckarchipel	1920	zum Austral. Bund)
(Kiautschou	1920	zu China)
Ägypten	1922	
Irland	1922	
Kanada	1931*)	
Irak	1932	
(Newfoundland	1934	1948 zu Kanada)
Indonesien	1945	
Malakka	1946	Malaysia
Libanon	1944/46	
Transjordanien	1946	Jordanien
Syrien	1946	
Philippinen	1946	
Britisch-Indien	1947	geteilt in: Indien, Pakistan und seit 1971 Bangladesch
Birma	1948	
Ceylon	1948	Sri Lanka
Korea	1948	geteilt in: Rep. Korea und Demokrat. VR Korea
Palästina	1948/49	westl. Palästina: Israel östl. Palästina: teilweise unter Verwaltung Israels, teilweise unter Verwaltung einer palästinens. Autonomiebehörde
Libyen	1951	
Indochina	1954	geteilt in: Kambodscha, Laos, Nord-Vietnam und Süd-Vietnam (heute Sozialist. Rep. Vietnam)
Tunesien	1956	
Marokko	1956	
Sudan	1956	
Goldküste, West-Togo	1957	Ghana
Guinea	1958	
Togo (Ostteil)	1960	
Tschad	1960	
Dahomey	1960	Benin
Elfenbeinküste	1960	
Gabun	1960	
Ubangi-Schari	1960	Zentralafrikan. Republik
Frz.-Kongo	1960	Kongo
Belgisch-Kongo	1960	Demokrat. Republik Kongo
Kamerun	1960	
Madagaskar	1960	
Mauretanien	1960	
Niger	1960	
Nigeria	1960	
Obervolta	1960	Burkina Faso
Senegal	1960	
Italienisch- und Britisch-Somaliland	1960	Somalia
Soudan	1960	Mali
(Goa, Daman und Diu	1961	zu Indien)
Tanganjika	1961	Tansania
Sierra Leone	1961	
Zypern	1961	
Westsamoa	1962	
Uganda	1962	
Ruanda-Urundi	1962	geteilt in: Burundi und Ruanda
Trinidad und Tobago	1962	
Algerien	1962	
Jamaika	1962	
Kenia	1963	
(Sabah und Sarawak	1963	zu Malaysia)
(Sansibar	1963	heute zu Tansania)
Malta	1964	
Njassaland	1964	Malawi
Nordrhodesien	1964	Sambia
Aden	1965	Jemen
Gambia	1965	
Malediven	1965	
Singapur	1965	
Betschuanaland	1966	Botswana
Britisch-Guayana	1966	Guyana
Basutoland	1966	Lesotho
Barbados	1966	
Fernando Póo, Río Muní	1968	Äquatorialguinea
Mauritius	1968	
Nauru	1968	
Swasiland	1968	
(West-Neuguinea	1969	zu Indonesien)
Tonga	1970	
Bahrain	1970	
Fidschiinseln	1970	Fidschi
Oman	1970	
Befriedetes Oman	1971	Vereinigte Arab. Emirate
Katar	1971	
Bahamas	1973	
Guinea-Bissau	1974	
Grenada	1974	
Moçambique	1975	
Kapverdische Inseln	1975	Kap Verde
Komoren	1975	
São Tomé und Príncipe	1975	
NO-Neuguinea	1975	Papua-Neuguinea
Angola	1975	
Surinam	1975	
(Westsahara	1976	zu Marokko; umstritten)
(Portugiesisch-Timor, Ost-Timor	1976	zu Indonesien)
Seychellen	1976	
Frz. Afar-und-Issa-Territorium	1977	Djibouti

Entkolonialisierung (Fortsetzung)

Kolonie	*Jahr der Unabhängigkeit*	*heutiger Name (soweit verändert)*	*Kolonie*	*Jahr der Unabhängigkeit*	*heutiger Name (soweit verändert)*
Dominica	1978		Antigua und Barbuda	1981	
Elliceinseln	1978	Tuvalu	Saint Christopher and Nevis	1983	
Salomoninseln	1978	Salomonen	Brunei	1984	
Saint Lucia	1979		Südwestafrika	1990	Namibia
Gilbertinseln	1979	Kiribati	Marshallinseln	1990	
Saint Vincent	1979		Mikronesien	1990	
(Süd-)Rhodesien	1980	Simbabwe	Palau	1994	
Neue Hebriden	1980	Vanuatu	(Hongkong	1997	zu China)
Belize (Britisch-Honduras)	1981				

*) ein eindeutiges Datum der Unabhängigkeit lässt sich für diese Länder nicht feststellen, die Jahreszahlen beruhen auf Angaben der Botschaften oder nennen das Statut von Westminster 1931 als Jahr der Unabhängigkeit. – In () stehen die heute nicht mehr selbstständigen Territorien.

Eine erste Phase der E. schloss ab mit der Unabhängigkeit europ. Siedlungskolonien in Nordamerika (USA 1776 ff.), der Befreiung der meisten Länder Lateinamerikas aus span. oder portugies. Kolonialherrschaft (1810 ff.) und dem Verselbstständigungsprozess der aus Europa stammenden Siedler in Kanada, Australien, Neuseeland (ab 2. Hälfte des 19. Jh.). – Entscheidend für die E. nach 1945 waren v.a. die Schwächung und der Prestigeverlust vieler Kolonialmächte während des 2. Weltkrieges (Belgien, Frankreich und Niederlande als besetzte Länder, Italien und Japan als Kriegsverlierer), verstärkter Emanzipationswille der Bevölkerung der Kolonien, zunehmende Ablehnung der Kolonialherrschaft durch die öffentl. Meinung und der zunehmende Druck der USA und der UdSSR auf die Kolonialmächte. – Obwohl die meisten ehem. Kolonien inzwischen die Unabhängigkeit erlangt haben, ist für diese der Vorgang der E. oft noch nicht abgeschlossen, da die von den Kolonialregimen geschaffenen innenpolit., sozialen und wirtsch. Strukturen i.d.R. nur langfristig aufgelöst werden können und weiterhin Abhängigkeiten zum früheren Mutterland bestehen. Viele dieser Länder, die politisch der →Dritten Welt zugerechnet werden, bedürfen der Entwicklungshilfe und fordern eine Änderung der Weltwirtschaftsordnung. (→Entwicklungsländer)

Kolonisation u. Dekolonisation, hg. v. H. CHRISTMANN. *Schwäbisch-Gmünd 1989.* – OSTERHAMMEL, J.: *Kolonialismus. Geschichte, Formen, Folgen. München 1995.*

Entkopplung (Entkoppelung), **1)** *Elektrotechnik:* Maßnahme zur Vermeidung von Beeinflussungen zw. versch. elektr. Nachrichtenkanälen, Geräten u.a.

2) *Wirtschaftspolitik:* Loslösung der Entwicklung des realen Bruttoinlandsprodukts vom Wachstum des gesamtwirtsch. Energieverbrauchs. Die Entwicklung neuer Energie sparender Technologien hat in den meisten Ind.ländern zu einer E. geführt (in der Bundesrep. Dtl. seit Mitte der 1970er-Jahre).

Entladung, elektr. Ladungsausgleich zw. entgegengesetzt aufgeladenen Körpern; E. sind stets mit dem Fließen eines elektr. Stroms, in Gasen auch mit Funkenbildung verbunden. E. in verdünnten Gasen →Gasentladung.

Entladungslampe, →Gasentladungslampe.

Entlassung, *Recht:* a) Beendigung des Arbeitsverhältnisses durch →Kündigung des Arbeitgebers; b) Beendigung des Beamtenverhältnisses durch Gesetz oder Verwaltungsakt.

Entlastung, *Gesellschaftsrecht:* die förml. Billigung der Geschäftsführung durch die Gesellschaft (Versammlung der Gesellschafter) für einen bestimmten Zeitraum.

Entlaubungsmittel (Defoliantien), Substanzen, die bei Pflanzen das Abfallen der Blätter (Entlaubung, Defoliation) bewirken. E. werden zur Erleichterung des Aberntens pflanzl. Produkte (z.B. Baumwolle) verwendet. Ein natürl. E. ist die Abscisinsäure, praktisch angewendet werden v.a. synthetisch hergestellte Substanzen. Bes. bekannt wurden bestimmte E. durch ihre Verwendung als takt. chem. Waffen während des Vietnamkrieges.

Entlebuch, Landschaft und Bezirk im Kt. Luzern, Schweiz, im Einzugsgebiet der Kleinen Emme, 410 km^2, (1991) 17900 Ew.; Viehzucht, Holzwirtschaft; Hauptorte: E., Schüpfheim, Escholzmatt.

Entmagnetisierung, *Physik:* a) die Zurückführung eines ferromagnet. Stoffes in den unmagnet. Zustand; b) die Schwächung eines äußeren Magnetfeldes im Innern eines nicht geschlossenen magnet. Kreises; das durch die Magnetisierung hervorgerufene zusätzl. Magnetfeld erzeugt nach der lenzschen Regel ein dem äußeren Feld entgegengerichtetes (entmagnetisierendes) Feld; c) **adiabat. E.,** →magnetokalorischer Effekt.

Entmannung (Emaskulation), *Medizin:* die operative Entfernung des Penis und der Hoden,

v. a. bei Krebserkrankungen dieser Organe; auch svw. →Kastration.

Entmilitarisierung, Verpflichtung eines Staates zur vollständigen oder teilweisen Abrüstung, begründet durch Vertrag, i. d. R. durch →Friedensvertrag zulasten des Besiegten.

Entmündigung [von ahd. munt »Schutz«], gerichtl. Akt, durch den die Geschäftsfähigkeit einer Person beschränkt oder aufgehoben wird. Durch das Betreuungs-Ges. vom 12. 9. 1990 (in Kraft seit 1. 1. 1992) wurde die E. abgeschafft. Die Vormundschaft über Volljährige und die Gebrechlichkeitspflegschaft wurden durch die →Betreuung ersetzt. – In *Österreich* ist seit 1. 7. 1984 für psych. Kranke und geistig Behinderte, die alle oder einzelne ihrer Angelegenheiten nicht mehr selbst besorgen können, die Sachwalterschaft vorgesehen (§§ 273 ff. ABGB). Das Ausmaß der Behinderung bestimmt u. a. den Pflichtenkreis des Sachwalters. Das *schweizer.* Recht verwendet für die E. den Begriff »Bevormundung« (Art. 368 ff. ZGB).

Entmythologisierung, von R. Bultmann geprägter Begriff für eine bestimmte Auslegung der bibl. Texte. Seine Interpretation geht von dem Gedanken aus, dass die Wahrheit des Evangeliums nicht von dem sie umgebenden myth. Weltbild abhänge, das dem modernen Menschen vielfach unverständlich geworden sei, sondern an dem zeitlos gültigen Wort Gottes hänge, das die menschl. Existenz trifft (»existenziale Interpretation«).

Entnahme, Verwendung von Wirtschaftsgütern (Bargeld, Waren u. a.) aus dem Betriebsvermögen eines Steuerpflichtigen für sich, seinen Haushalt oder andere betriebsfremde Zwecke. Die E. werden dem Gewinn zugerechnet (§ 4 EStG).

Entnazifizierung, Maßnahmen der alliierten Siegermächte in Dtl. nach 1945 zur möglichst raschen Zerstörung aller nat.-soz. Organisationen und zur Ausschaltung von Nationalsozialisten aus staatl., wirtsch. und kulturellen Schlüsselstellungen. Die E. ist zu unterscheiden von den Prozessen gegen die Kriegsverbrecher (u. a. →Nürnberger Prozesse). 1945 auf den Konferenzen von Jalta und Potsdam beschlossen, wurde die E. bis 1947 in den westl. Besatzungszonen Dtl.s nach dem Alliierten Kontrollrats-Ges. Nr. 10 durch **E.-Ausschüsse** unter Verantwortung der Besatzungsmacht und mit der Verabschiedung von **E.-Gesetzen** (1947–48), unter teilweiser Verantwortung der Länder mit unterschiedlich großer Beteiligung dt. Spruchkammern betrieben. Nach 1949 ging sie ganz in dt. Verantwortung über. Die 1945 in der amerikan. Besatzungszone, wo die E. am strengsten durchgeführt wurde, entwickelte Einstufung Beschuldigter wurde im Okt. 1946 auch in den übrigen Zonen verbindlich: 1. Hauptschuldige, 2. Belastete (Aktivisten), 3. Minderbelastete, 4. Mitläufer, 5. Entlastete. Sanktionen waren u. a. Freiheitsentzug, Vermögenseinziehung, Berufsverbot, Amts- oder Pensionsverlust, Geldbuße, Verlust des Wahlrechts. Insgesamt waren in den westl. Besatzungszonen 6,08 Mio. Menschen von der E. betroffen, über 95 % wurden als Entlastete oder Mitläufer eingestuft. 1951–54 wurden in den einzelnen Ländern die **E.-Schlussgesetze** erlassen (zuletzt in Bayern). – In der Sowjet. Besatzungszone benutzte die UdSSR die E. zur Ausschaltung von Adel und Besitzbürgertum als politisch wirksame Faktoren. Bis Aug. 1947 wurden über 800 000 frühere NSDAP-Mitgl. überprüft, etwa 500 000 verloren ihren Arbeitsplatz. Politischer Straftaten verdächtige Personen wurden von Sonderkammern der Landgerichte verurteilt (Höhepunkt: »Waldheimer Prozesse« 1950). Die Mitläufer der NSDAP sahen sich v. a. dann von Sühnemaßnahmen befreit, wenn sie sich – öffentlich erkennbar – zur Politik der Besatzungsmacht und der SED bekannten. Im Zuge der E. entledigten sich Besatzungsmacht und SED auch zahlreicher politisch anders Denkender (u. a. Einweisung in Internierungslager). – In *Österreich* begann die E. mit dem Verbots-Ges. vom 8. 5. 1945, das die NSDAP und ihre Gliederungen verbot und für deren Mitgl. Registrierung und Sühnefolgen anordnete (beendet mit der »NS-Amnestie« vom 14. 3. 1957). Das Kriegsverbrecher-Ges. vom 26. 6. 1945 berief zur strafrechtl. Verfolgung von nat.-soz. Verbrechen Volksgerichte. Das Nationalsozialisten-Ges. vom 6. 2. 1947 nahm eine Abstufung zw. Belasteten und Minderbelasteten vor.

🕮 *Verdrängte Schuld, verfehlte Sühne. E. in Österreich, 1945–1955,* hg. v. S. Meissl u. a. *München 1986.* – *E. Polit. Säuberung u. Rehabilitierung in den vier Besatzungszonen 1945–1949,* hg. v. C. Vollnhals u. T. Schlemmer. *München 1991.* – Wille, M.: *E. in der Sowjet. Besatzungszone Deutschlands 1945–48. Magdeburg 1993.*

ento... [grch.], inner..., innen...

Entoderm [grch.] *das* (Entoblast), inneres Keimblatt der Gastrula (→Entwicklung).

entodermal, vom inneren Keimblatt abstammend.

Entökie [grch.] *die* (Einmietertum), Beziehungssystem zw. Tieren, die sich in Bauten anderer Tiere als Mitbewohner einnisten (z. B. einige Ameisengäste), und ihren Wirtstieren.

Entomologie [grch.] *die,* die Wissenschaft von den Insekten.

Entoparasit, →Endoparasit.

entoptische Wahrnehmungen [grch.], als Schatten im Gesichtsfeld wahrgenommene Gebilde, die sich im eigenen Auge befinden; verursacht z. B. durch Trübung der brechenden Medien des Auges (Hornhaut, Linse, Glaskörper). Am bekanntesten sind die als »fliegende Mücken«

(»Mouches volantes«) wahrgenommenen Gebilde im Glaskörper.

Entpersönlichung, → Depersonalisation.

Entpolitisierung, krit. Bez. für Bemühungen, gesellschaftl. Aufgaben und Probleme vorrangig von sachlog. Gesichtspunkten her zu lösen oder polit. Kräfte von der Lenkung öffentlich wirksamer Institutionen auszuschalten.

Entrecôte [ãtr'ko:t, frz.] *das,* Zwischenrippenstück vom Rind; Scheiben vom Roastbeef.

Entrée [ã'tre:, frz.] *das,* **1)** *allg.:* Eingang; Vorzimmer, Diele; auch Eintritt(sgeld).

2) *Kochkunst:* erster Gang nach der Suppe.

3) *Musik:* im 16.–18. Jh. im frz. Ballett zunächst der einzelne Szenenauftritt der Tänzer, i. w. S. dann auch Bez. für den Ballettakt selbst sowie die dazugehörige Musik.

Entremont, Val d' [valdãtrə'mɔ̃], 25 km langes Hochtal der westl. Walliser Alpen, Schweiz, von der Drance durchflossen. Erstreckt sich vom Großen Sankt Bernhard nach N bis zur Vereinigung mit dem Val de Bagnes.

Entropie [grch.] *die,* Formelzeichen *S,* von R. J. E. Clausius eingeführte makrophysikal. Zustandsgröße (Zustandsfunktion) thermodynam. Systeme, SI-Einheit: Joule/Kelvin (J/K). Sie ist ein Maß für den Ordnungszustand thermodynam. Systeme bzw. für die Irreversibilität der in ihnen ablaufenden thermodynam. Prozesse. In einem **abgeschlossenen System** (ohne Energie- und Massenaustausch) ist die E.-Änderung bei **reversiblen** Vorgängen konstant. Sie ist gegeben durch den Quotienten aus zu- oder abgeführter Wärmemenge d*Q* und der Temperatur *T,* bei der der Wärmeaustausch mit der Umgebung erfolgt: $dS = dQ/T$. Der Absolutwert der E. wird festgelegt durch den 3. Hauptsatz der Thermodynamik, der besagt, dass die E. am absoluten Nullpunkt der Temperatur null ist. Für **irreversible** Vorgänge gilt $dS > dQ/T$. Die Gesamt-E. kann in einem abgeschlossenen System nie abnehmen. Dieser als **E.-Satz** bezeichnete Zusammenhang ist identisch mit dem 2. Hauptsatz der Thermodynamik. Vorgänge, bei denen die E. zunimmt, verlaufen von selbst (Selbstorganisation), können aber nicht ohne anderweitigen Aufwand von Energie rückgängig gemacht werden. Dieses Prinzip legt die Richtung eines thermodynam. Prozesses fest. In einem **offenen System,** das durch Stoffaustausch mit seiner Umgebung verbunden ist (z. B. ein lebender Orga-

MG/PS/G/9a

MILITARY GOVERNMENT OF GERMANY

Fragebogen

WARNING: Read the entire Fragebogen carefully before you start to fill it out. The English language will prevail if discrepancies exist between it and the German translation. Answers must be typewritten or printed clearly in block letters. Every question must be answered precisely and conscientiously and no space is to be left blank. If a question is to be answered by either "yes" or "no", print the word "yes" or "no" in the appropriate space. If the question is inapplicable, so indicate by some appropriate word or phrase such as "none" or "not applicable". Add supplementary sheets if there is not enough space in the questionaire. **Omissions or false or incomplete statements are offenses against Military Government and will result in prosecution and punishment.**

WARNUNG: Vor Beantwortung ist der gesamte Fragebogen sorgfältig durchzulesen. In Zweifelsfällen ist die englische Fassung maßgebend. Die Antworten müssen mit der Schreibmaschine oder in klaren Blockbuchstaben geschrieben werden. Jede Frage ist genau und gewissenhaft zu beantworten und keine Frage darf unbeantwortet gelassen werden. Das Wort „ja" oder „nein" ist an der jeweilig vorgesehenen Stelle unbedingt einzusetzen. Falls die Frage durch „Ja" oder „Nein" nicht zu beantworten ist, so ist eine entsprechende Antwort, wie z. B. „keine" oder „nicht betreffend" zu geben. In Ermangelung von ausreichendem Platz in dem Fragebogen können Bogen angeheftet werden. **Auslassungen sowie falsche oder unvollständige Angaben stellen Vergehen gegen die Verordnungen der Militärregierung dar und werden dementsprechend geahndet.**

A. PERSONAL / A. Persönliche Angaben

1. List position for which you are under consideration (include agency or firm). — 2. Name (Surname). (Fore Names.) — 3. Other names which you have used or by which you have been known. — 4. Date of birth. — 5. Place of birth. — 6. Height. — 7. Weight. — 8. Color of hair. — 9. Color of eyes. — 10 Scars, marks or deformities. — 11. Present address (City, street and house number). — 12 Permanent residence (City, street and house number). — 13. Identity card type and Number. — 14 Wehrpass No. — 15. Passport No. — 16. Citizenship. — 17. If a naturalized citizen, give date and place of naturalization. — 18. List any titles of nobility ever held by you or your wife or by the parents or grandparents of either of you. — 19. Religion. — 20. With what church are you affiliated? — 21. Have you ever severed your connection with any church, officially or unofficially? — 22. If so, give particulars and reason. — 23. What religious preference did you give in the census of 1939? — 24. List any crimes of which you have been convicted, giving dates, locations and nature of the crimes. —

1. Für Sie in Frage kommende Stellung: Spruchkammer

2. Name [redacted] (Zu-(Familien-)name) Georg (Vor-(Tauf-)name) 3. Andere von Ihnen benutzte Namen oder solche, unter welchen Sie bekannt sind keine

4. Geburtsdatum [redacted].81 5. Geburtsort Bamberg

6. Größe 168 cm 7. Gewicht 110 Pfd 8. Haarfarbe schwarz 9. Farbe der Augen braun

	1 Yes or No ja oder nein	2 From von	3 To bis	4 Number Nummer	5 Highest Office or rank held Höchstes Amt oder höchster Rang	6 Date Appointed Antrittsdatum
41. NSDAP	nein					
42. Allgemeine SS	nein					
43. Waffen-SS	nein					
44. Sicherheitsdienst der SS	nein					
45. SA	nein					
46. HJ einschl. BdM	nein					
47. NSDStB	nein					
48. NSDOB	nein					
49. NS-Frauenschaft	nein					
50. NSKK	nein					
51. NSFK	nein					
52. Reichsb. der deutschen Beamten	nein					
53. DAF	ja	seit Übernahme der Gewerkschaften				
54. KdF	nein					
55. NSV	ja	1.11.37	Aufl.	keine	keines	keines

Entnazifizierung: Ausschnitt aus einem Fragebogen der amerikanischen Militärregierung

nismus; →dissipative Strukturen), kann die E. zunehmen, gleich bleiben oder abnehmen. Trotz der laufenden Aufnahme und Abgabe von Materie und Energie auf mikroskop. Ebene kann der makroskop. Zustand des offenen Systems stationär werden (→Fließgleichgewicht).

Zu einer anschaul. Deutung der E. führt die *statist. Mechanik,* die die Wärmeenergie eines Gases durch die ungeordnete Bewegung der Moleküle erklärt. Von allen Verteilungen der Moleküle auf räuml. Positionen und mögl. Geschwindigkeiten wird sich wegen der Zusammenstöße als Gleichgewicht ein Zustand mit einer gleichmäßigen Verteilung einstellen. Dieser Zustand größter Unordnung besitzt die größte Wahrscheinlichkeit (L. Boltzmann, 1866). – Überträgt man diese Überlegungen auf das Weltall als Ganzes (betrachtet als abgeschlossenes System), müsste die Welt unter laufender E.-Zunahme einem Endzustand ohne Energie- und Temperaturdifferenzen zustreben, der das Ende allen materiellen Geschehens bedeuten würde (→Wärmetod).

📖 Rifkin, J.: *E. Ein neues Weltbild. A. d. Engl. Neuausg. Frankfurt am Main 1989.* – Bader, F.: *Entropie. Herrin der Energie. Hannover 1993.*

Entrosten, das Entfernen des Rostes oder rosthaltiger Schichten von Eisen- oder Stahloberflächen durch mechan., therm., chem. oder elektrochem. Behandlung, z. B. durch Sandstrahlen, Flammstrahlen, Beizen in Säuren oder elektrolyt. E. in heißen alkal. Lösungen.

Entsalzung, Entfernung der im Wasser gelösten Mineralstoffe zur Gewinnung von Trink- und Brauchwasser durch versch. Verfahren, z. B. Destillation (Verdampfung), Ionenaustausch, Elektrodialyse, Hyperfiltration (umgekehrte Osmose), Gefrierverfahren. (→Meerwasserentsalzung)

Entsatz, *Militärwesen:* Befreiung eingeschlossener Truppenteile durch Angriff von außen.

Entsäuerung, *Weinbereitung:* die Herabsetzung des natürl. Säuregehaltes des unfertigen Weines.

Entschädigung, *öffentl. Recht:* Ausgleich für einen durch hoheitl. Handeln verursachten Schaden. Anders als der Schadenersatz setzt sie kein Verschulden voraus und kann materiell geringer ausfallen als dieser. E.-Ansprüche entstehen durch Eingriffe von Hoheitsträgern in private Rechte zugunsten der Allgemeinheit, die mit besonderen Opfern verbunden sind (→Aufopferung, →Enteignung). E.-Ansprüche können sich u. a. auch aus einzelnen Rechtsvorschriften ergeben, z. B. aus dem Ges. über die E. für Strafverfolgungsmaßnahmen, dem Bundesentschädigungs-Ges. für die Opfer der nat.-soz. Verfolgung, dem Opferentschädigungs-Ges. für Opfer von Gewalttaten. Das erste SED-Unrechtsbereinigungs-Ges. vom 29. 10. 1992 regelt die E. von Opfern der polit. Strafjustiz der DDR. – Auch in *Österreich* und der *Schweiz* bestehen in versch. Spezial-Ges. Regelungen zur E., z. B. bei Enteignung, unberechtigter Strafverfolgung.

Entscheidung, 1) *Philosophie:* Akt des menschl. Verhaltens, die endgültige Festlegung für eine unter mehreren Möglichkeiten. Philosophisch wurde noch vom dt. Idealismus die Auffassung von E.-Findung durch Reflexion vertreten, seit S. Kierkegaard jedoch die E. als Grundsituation menschl. Seins der Reflexion entgegengesetzt.

2) *Recht:* a) im Europarecht der zur Regelung eines Einzelfalles erlassene Rechtsakt des Rates oder der Kommission der EG, der sich an Einzelpersonen oder Unternehmen richten kann und verbindlich ist; b) im Prozessrecht jede Willenserklärung des Gerichts, d. h. Urteil, Beschluss oder Verfügung.

Entscheidungsbaumverfahren, Rechenverfahren des Operationsresearch zur optimalen Lösung kombinator. Probleme, für die eine große Anzahl aufeinander abzustimmender Einzelentscheidungen und/oder eine Vielzahl unterschiedl. Konsequenzen charakteristisch ist. Die Beziehungen zw. Entscheidungen und Konsequenzen werden in Form eines Baumes dargestellt, sodass der Lösungsprozess als ein speziellen Regeln folgender Suchvorgang organisiert werden kann.

Entscheidungstheorie, Zweig der theoret. Statistik, Lehre von den Entscheidungsinhalten, -prozessen und vom Entscheidungsverhalten bei Individual- oder Kollektiventscheidungen. Es gibt – bei mehreren Handlungsmöglichkeiten – Entscheidungen bei vollständiger Information (Gewissheit), unter Risiko und unter Unsicherheit. Auf der Grundlage von objektiven oder subjektiven Wahrscheinlichkeiten werden bestimmte Entscheidungsregeln angewandt, so z. B. das **Bernoulli-Prinzip,** bei dem alle mit den in Frage kommenden Handlungsalternativen verbundenen Ergebnisse mithilfe einer so genannten Risiko-Nutzen-Funktion in Nutzwerte umgerechnet werden, und die Alternative mit dem maximalen mathemat. Erwartungswert gewählt wird; oder das **Bayes-Kriterium,** das eine Lösung wählt, für die die Risikoerwartung minimal ist. (→Spieltheorie)

Entschlackung, a) durch therapeut. Maßnahmen angeregte Ausscheidung von Stoffwechselprodukten zur Entgiftung und Reinigung des Körpers (u. a. durch Rohkost- und Schwitzkuren, Abführmittel, Blutreinigungsmittel); b) als **extrarenale E.** die Entfernung von Giften oder Stoffwechselprodukten über eine künstl. Niere.

Entschwefelung, Bez. für Verfahren zur Entfernung von Schwefelverbindungen aus fossilen Brennstoffen, Abgasen (→Rauchgasentschwefelung) u. a., meist zum Zwecke der Luftreinhaltung. Wichtigstes Verfahren zur E. von Erdölprodukten ist das →Hydrotreating.

Entsendegesetz, Kurzbez. für das Gesetz über zwingende Arbeitsbedingungen bei grenzüberschreitenden Dienstleistungen vom 26. 2. 1996. Es bestimmt, dass für allgemein verbindlich erklärte Tarifvertragsbestimmungen des Baugewerbes, soweit sie Entgelt und Urlaub betreffen, auch für ausländ. Arbeitgeber und ihre in Dtl. beschäftigten Arbeitnehmer gelten.

Entseuchung, *Medizin:* die →Desinfektion.

Entsorgung, der Abtransport und die Beseitigung (Aufbereitung, Deponierung, Verbrennung oder Recycling) von Abfallstoffen aller Art (auch Abgase, Abwässer). V.a. bei der E. →radioaktiver Abfälle (Wiederaufbereitung, Endlagerung) und von →Sondermüll müssen besondere Sicherheitsmaßnahmen für Mensch und Umwelt getroffen werden. (→Mülldeponie, →Recycling, →Müllverbrennung)

📖 Gossow, V.: *Umwelt- u. Entsorgungstechnik. Entsorgungspraxis, Bau- u. Verfahrenstechnik. Wiesbaden ²1993. – Industrielle Ökosysteme. Vermeiden, verwerten u. entsorgen in der Industriegesellschaft. Redaktion:* J. Weingarten. *Mainz 1994.*

Entspannung, 1) (thermodynam. E.) *Physik:* der Übergang eines Gases von einem Zustand höheren Drucks in einen mit niedrigerem Druck.

2) *Politik:* (frz. Détente) i.w.S. der durch internat. Bemühungen, durch Maßnahmen der Abrüstung sowie durch polit. und wirtsch. Vereinbarungen geförderte Prozess, bestehende Konflikte zu entschärfen oder neue – im Rahmen der →Friedenssicherung – zu vermeiden. I.e.S. die Gesamtheit der Bemühungen während des →Ost-West-Konfliktes, den machtpolit. und ideolog. Gegensatz zw. der UdSSR und den USA (und den mit ihnen verbundenen Staaten) durch Maßnahmen der Abrüstung, Zusammenarbeit und der Vertrauensbildung zu entschärfen.

Nach der Konfrontation der USA und der UdSSR sowie der von ihnen geführten Bündnissysteme im →Kalten Krieg kam es zw. 1963 und 1979 zu zwei- und mehrseitigen Vertragsabschlüssen in Fragen der Rüstungskontrolle und Rüstungsbegrenzung (→Abrüstung). In Europa fügten sich die neue Ostpolitik der Bundesrep. Dtl. (seit 1969/70) und die Konferenz über Sicherheit und Zusammenarbeit in Europa (→KSZE) mit ihren Nachfolgekonferenzen in diese internat. Bemühungen ein. Die führenden Länder der Dritten Welt entwickelten eigene Initiativen. In der 2. Hälfte der 70er-Jahre (bes. nach dem Einmarsch sowjet. Truppen in Afghanistan im Dez. 1979) verschärften sich jedoch wieder die Ost-West-Spannungen (→NATO-Doppelbeschluss). Eine grundsätzl. Verbesserung der internat. Beziehungen ermöglichte die sowjet. Abrüstungspolitik in der 2. Hälfte der 80er-Jahre. Diese Entwicklung führte – insbesondere seit der gesellschaftl. Umwälzung in Mittel- und Osteuropa 1989–90 – zum Abbau der starren militär. Blockkonfrontation und zum Ende des Ost-West-Konflikts; sie wurde zugleich eine der wichtigen Voraussetzung für die Wiederherstellung der Einheit Dtl.s 1990. Nach dem Ende der kommunist. Reg.-Systeme in Europa und dem Zerfall der Sowjetunion brachen angesichts der Entstehung neuer souveräner Staaten zwischenstaatl. Spannungen aus, die bis dahin durch Systemzwänge überdeckt worden waren. Der UNO, EU, NATO oder/und OSZE fiel dabei eine herausragende Rolle bei der Konfliktlösung zu. Um russ. Bedenken gegenüber der geplanten Osterweiterung der NATO Rechnung zu tragen, unterzeichneten NATO-Gen.-Sekretär J. Solana Madriaga und der russ. Präs. B. Jelzin am 27. 5. 1997 ein Sicherheitsabkommen.

3) *Psychologie, Medizin:* Zustand psych. und körperl. Gelöstheit; im Rahmen der Erholung biologisch notwendiger Ausgleich für Anspannung und Erregung. Der gezielten Erreichung dienen E.-Techniken (bes. →autogenes Training, Meditationsverfahren). Als Therapie bei körperl. Verkrampfungen wird E. durch Massage und Gymnastik angestrebt.

Entspiegeln, Form der →Vergütung von opt. Elementen (z.B. Brillen, Fotoobjektive); erhöht deren Lichtdurchlässigkeit und vermindert störende Reflexe durch Interferenz.

Entstalinisierung, polit. Schlagwort, bezeichnet die nach dem Tod Stalins (1953) eingeleitete Abkehr vom →Stalinismus; sie kam v.a. durch den XX. Parteitag der KPdSU (1956) in Gang, auf dem N. S. Chruschtschow in einem Geheimreferat die persönl. Diktatur Stalins und die Umwandlung der Partei zu dessen alleinigem Machtinstrument verurteilte und die Wiederherstellung einer kollektiven Führung sowie die Beachtung einer »sozialist. Gesetzlichkeit« forderte.

Die E. fand ihren sichtbaren Ausdruck in der Rehabilitierung einiger Opfer des stalinist. Terrors, der Ächtung führender Stalinisten als »Parteifeinde« und der Beseitigung von äußeren Zeichen des Personenkults um Stalin: Abriss von Denkmälern, Änderung geograph. Namen (z.B. Stalingrad in Wolgograd umbenannt), Entfernung des Leichnams von Stalin aus dem Leninmausoleum.

Die E. griff mit unterschiedl. Intensität auch auf andere Staaten des Ostblocks über; sie löste bes. in Polen und Ungarn 1956 schwere innenpolit. Krisen aus und leitete den Konflikt zw. der sowjet. und chines. KP-Führung ein. Nach dem Sturz Chruschtschows (1964) wurde die E. unter L. I. Breschnew abgebrochen; z.T. wurde Stalin rehabilitiert (»Neostalinismus«). Erst nach dem Machtantritt M. S. Gorbatschows (1985) begann eine 2. Etappe der E. (Einleitung einer umfassenden Rehabilitierung stalinist. Opfer, krit. Auseinandersetzung mit den gesellschaftl. Folgen des Stalinismus, polit. Reformen). – Durch die gesellschaftl. Umwälzung in Mittel- und O-Europa (1989–91) wurden dort die vorhandenen stalinist. Strukturen abgebaut (u.a. Abschaffung des Machtmonopols der KP, Auflösung der kommunist. Geheimdienste) und eine Demokratisierung eingeleitet.

Entstaubung, das Entfernung von Stäuben aus Gasströmen (insbes. Luft) zur (Luft)reinhaltung oder Wiederverwertung, wobei trockene und nasse E.-Verfahren unterschieden werden. Die **Trocken-E.** beruht auf der Einwirkung der Schwerkraft auf die Staubteilchen (Staubkammer). Bei Fliehkraftabscheidern (→Zyklon) erfolgt die Abscheidung der Stäube aufgrund von Fliehkräften, bei der **Filter-E.** werden die Stäube durch gewebte oder vliesartige Filterstoffe abgeschieden (→Gewebefilter). Bei der **Nass-E.,** wird der Staub in mit Wasser oder Öl berieselten Füllkörpertürmen aus der Luft ausgewaschen. Die **Elektro-E.** beruht darauf, dass Staubteilchen elektrostatisch aufgeladen werden und sich anschließend an Niederschlagselektroden ablagern (→Elektrofilter).

Entstickung, →Rauchgasentstickung.

Entstörung, Beseitigung oder Reduzierung von unerwünschten Beeinflussungen nachrichtentechn. Übertragungen.

Entwässerung, 1) *Bergbau:* Maßnahmen zur Absenkung des Grundwasserspiegels und zur Verhinderung von Zuflüssen beim Tagebau. Beim Untertagebetrieb →Wasserhaltung.

2) *chem. Verfahrenstechnik:* Verfahren zur Fest-Flüssig-Trennung einer Suspension. Man unterscheidet mechan. (→Sedimentation, →Filtration) und therm. (→Trocknung, →Calcinieren) Verfahren.

3) *Erd- und Straßenbau, Landtechnik:* Abführung des Oberflächenwassers von Sportplätzen und Straßen (durch Quergefälle der Fahrbahndecke) sowie des Wasserüberschusses im Boden durch →Dränung.

4) *Gebäudetechnik:* Abführung aller Regen- und Schmutzwässer aus Haushalt und Industrie sowie deren Sammlung und Ableitung in der →Stadtentwässerung.

5) *Medizin:* Ausschwemmung von überschüssigem Wasser aus Geweben und Körperhöhlen (Bauchhöhle, Rippenfellraum, Herzbeutel), durch medikamentöse (z.B. harntreibende Mittel) und diätet. (Einschränkung der Flüssigkeits- und Kochsalzzufuhr) Maßnahmen.

Entweichgeschwindigkeit, die zweite →kosmische Geschwindigkeit.

Entweihung, *Religion:* der Missbrauch heiliger (geweihter) Räume und Gegenstände zu gewöhnl. (profanem) Gebrauch.

Entwesung, das Vernichten tier. Schädlinge und krankheitsübertragender Lebewesen, bes. Insekten und Nager, durch physikal. oder chem. Verfahren (z.B. Insektizide).

Entwickler (fotografischer E.), Lösung reduzierender Substanzen, die das durch die Belichtung entstandene unsichtbare (latente) Bild sichtbar machen. Durch die Belichtung werden die in der lichtempfindl. Schicht fein verteilten Silberhalogenidkristalle so verändert, dass sie durch den chem. Vorgang der **Entwicklung** zu Silber reduziert werden. Ein E. enthält gewöhnlich mehrere Substanzen, meist Benzolderivate mit Hydroxyl- oder Aminogruppen. **Farb-E.** sind meist Derivate des p-Phenylendiamins (z.B. Diäthyl-p-Phenylendiamin), deren Oxidationsprodukte mit den Farbkomponenten oder Farbkupplern des Films farbige Verbindungen eingehen. Die Farbkomponenten werden den einzelnen Farbfilmschichten entweder beim Ansatz der Emulsion zugesetzt oder beim Entwicklungsprozess nachträglich eingebracht; sie »kuppeln« mit dem beim Entwicklungsprozess oxidierten E. an allen Stellen, an denen ein Bromsilberkorn entwickelt wurde. Es entsteht also neben dem schwarzen Silberbild noch ein Farbstoffbild. (→Farbfotografie)

Entwicklung, 1) *Biologie:* der Werdegang der Lebewesen von der Eizelle bis zum Tod. Beim Menschen und bei mehrzelligen Tieren gliedert sich die **Individual-E. (Ontogenese, Ontogenie)** in vier Abschnitte: 1) **Embryonal-E.;** eine befruchtete Eizelle beginnt mit ihrer **Furchung,** d.h. einer schrittweise verlaufenden Teilung in 2, 4, 8, 16, 32 usw. Zellen, die Furchungszellen. Es entsteht zunächst ein Zellhaufen, der **Maulbeerkeim** (Morula), hieraus weiter die hohlkugelähnl. **Keimblase** (Blastula). Die einschichtige Wand nennt man **Keimhaut** (Blastoderm), den Raum im Innern **Furchungshöhle** (Blastozöl). Nun entwickelt sich die Körpergrundgestalt meist durch Eindellung der Keimhaut der Blastula (Gastrulation). Es entsteht der zweischichtige **Becherkeim** (Becherlarve, Gastrula) mit einer Öffnung, dem **Urmund** (Blastoporus), der Einstülpungshöhle

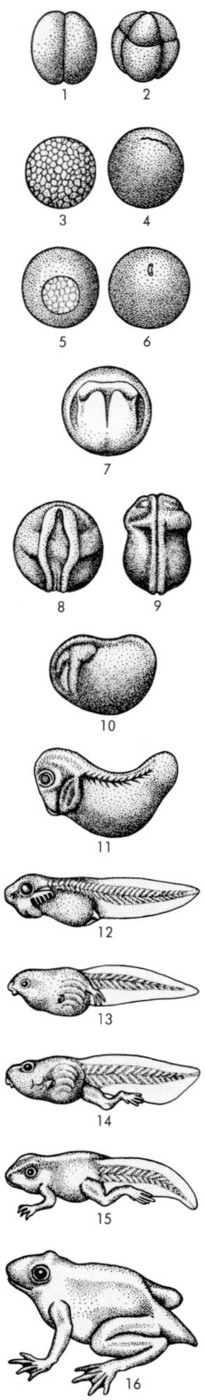

Entwicklung 1): Darstellung der Embryonalentwicklungsphasen eines Grasfrosches: 1 und 2 Zwei- und Achtzellenstadium (punktiert Pigment); 3 Morula; 4 beginnende Gastrula mit Urmundspalt (schwarz); 5 und 6 Gastrula mit Dotterpropf; 7 Ausbildung der Medullarplatte (Anlage von Hirn und Rückenmark); 8 und 9 Neurula (Rückenansicht); 10 Neurula (Seitenansicht); 11 Embryo mit Anlagen der Augen; 12 junge Larve mit äußeren Kiemen und Schwanzflosse; 13 Einziehen der äußeren Kiemen, Haftorgane in Rückbildung; 14 ausgewachsene Kaulquappe mit langen Hinterbeinen, Vorderbeine unter dem Kiemendeckel verborgen; 15 Umgestaltung von Kopf und Rumpf, Durchtritt der Vorderbeine durch verdünnte Stellen der Kiemendeckel nach außen, Abbau von Kiemen und Ruderschwanz; 16 junger Frosch

(Urdarm) und den beiden Zellschichten, **äußeres Keimblatt** (Ektoderm, Ektoblast) und **inneres Keimblatt** (Entoderm, Entoblast), aus dem heraus sich später ein drittes, **mittleres Keimblatt** (Mesoderm, Mesoblast) bildet. Die Keimblätter enthalten die Anlagen der späteren Organe. In der Folge bildet sich eine Medullarplatte aus, aus der die Anlagen von Gehirn und Rückenmark entstehen (Medullarrohr, Neuralrohr). Dieses Stadium heißt Neurula. 2) **Jugend-E. (postembryonale E., Juvenilstadium),** dauert von der Geburt bzw. vom Schlüpfen aus dem Ei oder den Embryonalhüllen bis zum Erreichen der Geschlechtsreife; 3) **Reifeperiode (adulte Periode),** gekennzeichnet durch das geschlechtsreife Lebewesen, wobei zu Beginn dieser Phase die Körper-E. noch nicht endgültig abgeschlossen zu sein braucht; 4) **Periode des Alterns,** in ihr vollziehen sich im Körper Abbauprozesse, bis der natürl. Tod den Abschluss bringt. Über die Keimes-E. der Pflanzen →Keimung, →Embryo. Die **Stammesentwicklung** (→Phylogenese) beschreibt die E. von niederen Organismen bis zu höchstentwickelten Lebewesen.

2) *Wissenschaftsgeschichte:* naturwiss. und philosoph. Begriff im Ggs. zur »Schöpfung«, dem Hervorbringen aus dem Nichts, oder zur spontanen »Gestaltung« aus einem Chaos oder einem Stoff. E. kennzeichnet den (gesetzmäßigen) Prozess der Veränderung von Dingen und Erscheinungen als Aufeinanderfolge versch. Formen oder Zustände; bes. die Entfaltung von Anlagen, die in den Anfangsstadien vorgegeben sind, zu ausgebildeten Formen (»Auswicklung« eines vorher »Eingewickelten«). Der Begriff enthält oft den Gedanken eines immanenten Ziels (Teleologie). Wird dieses Ziel oder die darauf gerichtete Bewegung als ein Wert (bes. sittlich oder religiös) bestimmt, so nimmt der E.-Begriff selbst einen Wertcharakter an (Höher-E., Vervollkommnung, →Fortschritt). In dieser Fassung wurde er im dt. Idealismus (J. G. Herder, F. W. J. von Schelling, G. W. F. Hegel) zu einem Grundbegriff der Kultur-, Geschichts- und Naturphilosophie (E. als Selbstentfaltung des Göttlichen in der Welt). Dagegen strebten die biolog. und positivist. Richtungen der Philosophie danach, ihn wertfrei zu definieren, z.B. als zunehmende Differenzierung und Integration der Formen und Funktionen (H. Spencer) oder als fortschreitende Anpassung an die Bedingungen der Umwelt (C. Darwin). Ungeachtet dieser Differenzen wurde er im 19. Jh. zu einem der beherrschenden Begriffe in allen Wissenschaften.

Entwicklungsbeschleunigung (Akzeleration), im 20. Jh. verstärkt auftretende Erscheinung, dass die Kinder schneller wachsen, größer werden und sich biologisch (nicht geistig) früher entwickeln. Als Ursachen werden Veränderungen der Umweltbedingungen, v.a. der Ernährungssituation, verbesserte medizin. Betreuung und zivilisationsbedingte Einwirkungen angesehen.

Entwicklungshilfe, Know-how-, Technologie- und Ressourcentransfer zu Vorzugsbedingungen in Entwicklungsländer mit dem Ziel, die sozioökonom. Entwicklung zu fördern und die Lebensbedingungen zu verbessern. E. wird durch private, öffentl. und internat. Organisationen sowie durch Staaten als **Kapitalhilfe** (Kredite, Bürgschaften), **techn. Hilfe** (Bildungs-, Beratungshilfe), **Güterhilfe** (Nahrungsmittel, Medikamente, Investitions-

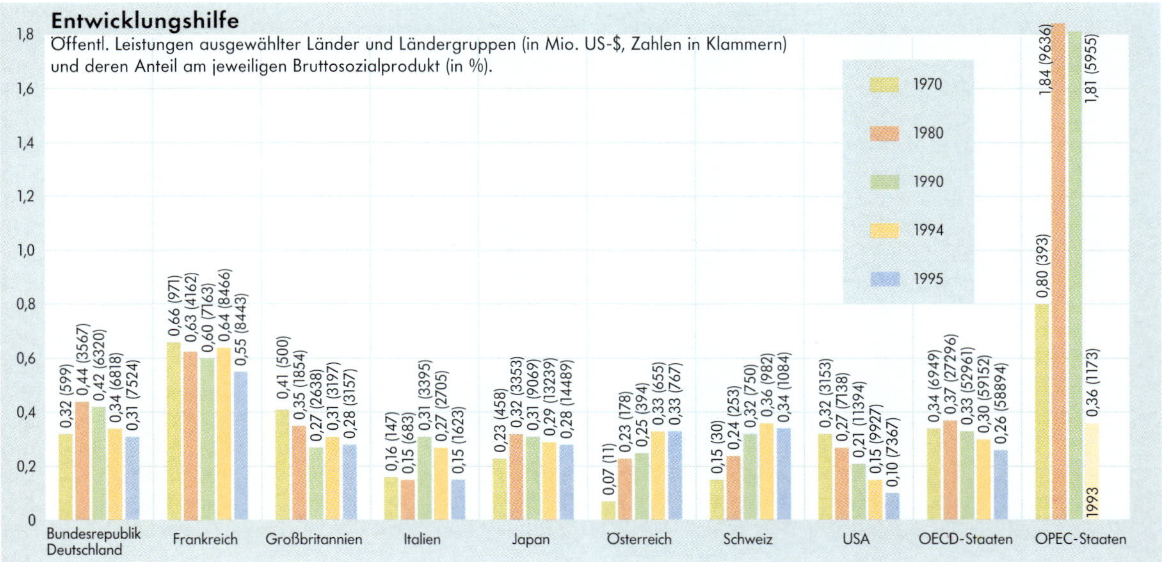

Entwicklungshilfe
Öffentl. Leistungen ausgewählter Länder und Ländergruppen (in Mio. US-$, Zahlen in Klammern) und deren Anteil am jeweiligen Bruttosozialprodukt (in %).

güter) und **Handelshilfe** (z. B. Abbau von Zöllen und Kontingenten) gewährt.

Das 1970 von den Vereinten Nationen formulierte Ziel, dass die Industrieländer 0,7% ihres Bruttosozialprodukts für öffentl. E. aufwenden sollen, wird vielfach nicht erreicht. Neben strategisch-machtpolit. Überlegungen, ideolog. Interessen, die die eigenen Ideologien, das Wirtschaftssystem oder eine bestimmte Religion in anderen Ländern zu etablieren versuchen, sind die Wahrung binnen- und außenwirtsch. Interessen, aber auch idealistisch-humanitäre Gründe wesentl. Motive für E. Wie von K. G. Myrdal vorgeschlagen, soll E. nicht so sehr Industrieprojekte unterstützen, sondern vielmehr Maßnahmen zu Produktivitätssteigerungen im Nahrungsmittelsektor, Verbesserungen im Bereich der Hygiene, des Gesundheitswesens, der Geburtenkontrolle und Bildung sowie die Verbreitung angepasster Technologie anstreben.

📖 KOCH, R.: *Entwicklungsschutz statt E. Saarbrücken u. a. 1993.* – ERLER, B.: *Tödl. Hilfe. Bericht von meiner letzten Dienstreise in Sachen E. Köln* [13]*1994.* – KALTEFLEITER, V.: *Die E. der Europ. Union. Heidelberg 1995.* – *E. u. ihre Folgen. Ergebnisse empir. Untersuchungen in Afrika, hg. v.* T. BIERSCHENK *u.* G. ELWERT. *Frankfurt am Main u. a.* [2]*1997.*

Entwicklungsländer, Bez. für eine nicht einheitlich definierte Gruppe von Ländern, deren Entwicklungsstand im Vergleich zu den Industriestaaten gering ist (→ Dritte Welt). Kriterien für die Zuordnung zu den E. (ein zu Beginn der 1950er-Jahre geprägter Begriff) sind v. a. niedriges Pro-Kopf-Einkommen, geringe Arbeitsproduktivität, hohe Arbeitslosen- und Analphabetenquote, mangelhafte Infrastruktur, hoher Anteil der Produktion landwirtsch. Erzeugnisse, Abhängigkeit von Rohstoffexporten und damit vom Preisniveau des Weltmarktes. In den rd. 140 von der OECD als E. eingestuften Staaten leben drei Viertel der Weltbev., die aber nur ein Fünftel der Weltwirtschaftsleistung erbringen. Die UN führte 1970 für die E. die Bezeichnung **Less developed countries** (wenig entwickelte Länder; Abk. **LDC**) ein. Kriterien für die Einordnung in die Gruppe der **Least developed countries** (am wenigsten entwickelte Länder; Abk. **LLDC**) sind ein Bruttoinlandsprodukt (BIP) je Ew. unter 355 Dollar, ein Anteil der Ind.produktion am BIP von höchstens 10% und eine Rate des Analphabetismus von mehr als 80% der Bev. über 15 Jahre. Nach 1973 (starke Erhöhung der Erdölpreise) definierte die UN die Kategorie der **Most seriously affected countries** (am schwerwiegendsten betroffene Länder; Abk. **MSAC**): niedriges Pro-Kopf-Einkommen, hohe Verschuldung durch Preisanstieg bei wichtigen Importen und geringe Exporterlöse. Die Grenzen zw. LLDC und MSAC sind fließend. Die E. treten seit 1967 als → Gruppe der 77 bei Verhandlungen in internat. Organisationen auf. Ein Teil der E. gehört zur → OPEC und kann durch Erlöse aus Erdölexporten seine Industrialisierung z. T. selbst finanzieren oder zählt bereits zu den → Schwellenländern. Um den wegen der Konzentration von E. in der südl., von Industrieländern in der nördl. Hemisphäre so bezeichneten **Nord-Süd-Konflikt** zu mildern, fanden zahlreiche Konferenzen statt, die teilweise zu Abkommen (→ Lomé-Abkommen) in Richtung auf eine von den E. geforderte Änderung der Weltwirtschaftsordnung hinsichtlich der Stabilisierung und Steigerung ihrer Exporterlöse führten.

📖 *Lexikon Dritte Welt. Länder, Organisationen, Theorien, Begriffe, Personen, hg. v.* D. NOHLEN. *Neuausg. Reinbek 65.–76. Tsd.,* [6]*1994.*

Entwicklungsphysiologie (Entwicklungsmechanik), Teilgebiet der Biologie; sucht die Entstehung eines Entwicklungsstadiums aus dem Vorhergehenden zu erklären und so zu Gesetzen der Formbildung bei Lebewesen zu gelangen; erforscht durch Versuche an Eiern und frühen Keimlingszuständen die Ursachen der Entwicklungsvorgänge am Einzelwesen.

Entwicklungspolitik, Gesamtheit der Maßnahmen, die von den Entwicklungsländern selbst oder (zu ihren Gunsten) von den Ind.staaten ergriffen werden, um durch die bessere Nutzung des wirtsch. Potenzials das wirtsch. Wachstum und somit sozialen Fortschritt und höheren Lebensstandard zu fördern und die (wirtsch.) Unterentwicklung zu überwinden. Erklärt wird die Unterentwicklung als Folge unzureichender Ausstattung mit Produktionsfaktoren der unterschiedlichsten Art (v. a. Kapitalausstattung), als Folge des internat. Handels (einseitige Ausrichtung auf den Export, benachteiligende Weltwirtschaftsstrukturen), als Folge dualist. Wirtschaftsstrukturen oder als Folge unzulängl. Modernisierung und Demokratisierung.

Maßnahmen: Zu den zahlreichen Vorschlägen der E. gehören u. a. Eindämmung von Nahrungsmittelmangel und Landflucht durch Bodenreformen und Infrastrukturmaßnahmen (angepasste Technologie statt industrieller Groß- oder Prestigeobjekte) im Sinne einer integrierten ländl. Entwicklung, Diversifizierung der Exportprodukte, Verringerung des Bevölkerungswachstums, verstärkte Kapitalbildung über Ersparnisse, Aufbau eines funktionierenden Steuersystems, ferner aber auch eine Reform des internat. Wirtschafts- und Finanzsystems. Bei der von der IAO entwickelten Strategie sollen v. a. Investitionen in Einrichtungen getätigt werden, durch die die Grundbedürfnisse der Bev. wie Nahrung, Wohnung, Bildung befriedigt werden.

📖 STRAHM, R. H.: *Warum sie so arm sind. Arbeitsbuch zur Entwicklung der Unterentwicklung in der Dritten Welt mit Schaubildern u. Kommentaren. Wuppertal* [9]*1995.* – *Bericht über die menschl. Entwicklung 1996. Dt. Ausg., hg. v. der Dt. Gesellschaft für die Vereinten Nationen, bearb. v.* J. KRAUSE *u.* U. KELLER. *Bonn 1996.* – NUSCHELER, F.: *Lern- u. Arbeitsbuch E. Neuausg. Bonn 1996.*

Entwicklungssoziologie, Teilbereich der Soziologie, der sich mit der Untersuchung der Bedingungen zielgerichteter Prozesse des sozialen Wandels beschäftigt.

Entwicklungsstörungen, Sammelbez. für die Normabweichungen in der embryonalen wie auch körperl. und seelisch-geistigen kindl. Entwicklung.

Entwöhnung, klin. Behandlung von Rauschgiftsüchtigen (→Entziehungskur).

Entzerrung, 1) *Elektroakustik, Nachrichtentechnik:* die Beseitigung oder Verringerung übertragungsbedingter Verfälschungen elektr. Signale, die die Erkennbarkeit und Verwertbarkeit der Information (z.B. Sprache, Musik) beeinträchtigen.

2) *Photogrammmetrie:* opt., graf. oder rechner. Verfahren zur Beseitigung projektiver Verzerrungen von Messbildern, die bei der fotograf. Aufnahme entstehen, wenn Bild- und Objektebene nicht parallel ausgerichtet sind. Zur opt. E. dienen (z.T. elektronisch gesteuerte) **E.-Geräte,** mit denen Projektions- und Bild- oder Objektivebene zueinander geneigt werden unter Benutzung von Passpunkten.

Entziehungskur (Entzugskur, Entwöhnungskur), meist mehrere Wochen oder Monate dauernde, stationär durchgeführte Behandlung Suchtkranker zur Entwöhnung von Suchtmitteln. Bei Alkohol, Stimulanzien und Morphin erfolgt sofortiger Entzug, bei Barbituraten und barbituratfreien Schlafmitteln eine langsame Reduzierung der Dosis. Das bei der E. auftretende Entzugssyndrom wird symptomatisch (i.d.R. durch Ersatzmittel) behandelt. Die Therapie mit Methadon befreit den Rauschgiftsüchtigen von Entzugssymptomen und ermöglicht ihm darüber hinaus, ein im weitesten Sinne gesellschaftl. Normen entsprechendes Leben zu führen. Jedoch muss in den meisten Fällen die Methadonbehandlung ein Leben lang fortgeführt werden, um Rückfälle zu vermeiden. Wichtig für den Erfolg einer E. sind die begleitende psychotherapeut. Behandlung (Einzel- oder Gruppentherapie) sowie Maßnahmen, die der Reintegration in die Gesellschaft dienen (u.a. Nachbetreuung durch Hausarzt, Drogenberatungsstellen oder Selbsthilfegruppen).

Entzugssyndrom (Abstinenzerscheinungen), nach Absetzen eines regelmäßig zugeführten, Abhängigkeit hervorrufenden Stoffs (Alkohol, Beruhigungsmittel, Rauschgifte) auftretende Störungen. Die seel. Reaktionen **(psych. E.)** bestehen in Unruhe, Angstzuständen, Verstimmungen sowie (im Extremfall) Selbstmordneigung, die körperl. **(phys. E.)** in vegetativen Erscheinungen (Zittern, Frieren, Schweißausbrüche), Durchfall, Erbrechen, Übelkeit, Schlaflosigkeit sowie Krampfanfällen.

Entzündung, 1) *Chemie:* Beginn einer Verbrennung oder allg. einer chem. Reaktion, die lebhaft unter Wärme- und Lichtentwicklung abläuft; sie setzt ein, sobald der brennbare Stoff in Berührung mit Luft oder Sauerstoff die **E.-Temperatur** erreicht hat. Bei flüssigen Brennstoffen, Schmierölen und dgl. unterscheidet man zw. dem **Flammpunkt (Entflammungstemperatur),** bei dem die entwickelten brennbaren Dämpfe sich entzünden lassen, und dem **Brennpunkt,** bei dem die Flüssigkeit selbst weiter brennt.

2) *Medizin:* (Inflammatio) örtl. Reaktion des Gefäßbindegewebes und meist auch des umgebenden Gewebes zur Abwehr eines krankhaften Reizes (bakterielle, allerg., chem., mechan., therm. u.a. Schädigungen); dabei kann es zum Ausschwitzen von Blutflüssigkeit (Exsudat) und Austritt von weißen Blutkörperchen aus den Gefäßen in das Gewebe **(seröse E.)** kommen oder zu Zellschädigung (örtl. Gewebstod: **nekrotisierende E.**) und Zellwucherung, mit denen der Körper die schädigende Ursache unschädlich zu machen sucht, teils mit Eiterbildung **(eitrige E.).** Die entzündeten Teile zeigen Schwellung, Röte, Hitze, Schmerzhaftigkeit und Störung ihrer normalen Tätigkeit. Durch Neubildung von Gewebszellen wird das infolge der E. verlorene Gewebe wieder ersetzt. – Als Begleitvorgänge bei E. können auftreten: Fieber, Abgeschlagenheit, Vermehrung der weißen Blutkörperchen im Blut, allerg. Reaktionen, Verschleppung der E. in andere Organe, Sepsis u.a. Kann der E.-Reiz, der die **akute E.** hervorgerufen hat, nicht völlig beseitigt werden, so entsteht eine **chron. E.** – Die *Behandlung* von E. richtet sich nach den Ursachen und besteht grundsätzlich in Ruhigstellung, bei Eiterung in chirurg. Drainage oder Entfernung sowie Anwendung von Antibiotika und Chemotherapeutika, ggf. von entzündungshemmenden Mitteln.

entzündungshemmende Mittel (Antiphlogistika), Arzneimittel zur Behandlung von Entzündungen, v.a. bei rheumat. Erkrankungen; zu den e. M. gehören z.B. Salicylate, Indometacin, Phenylbutazon, Arylessigsäure- und Arylpropionsäurederivate sowie Glucocorticoide.

Enugu, Hptst. des Bundesstaates E. in S-Nigeria, 293 200 Ew.; Colleges; Lkw-Montagewerk, Zementwerk; westlich von E. Steinkohlenbergbau, nordöstlich Flughafen und Walzwerk.

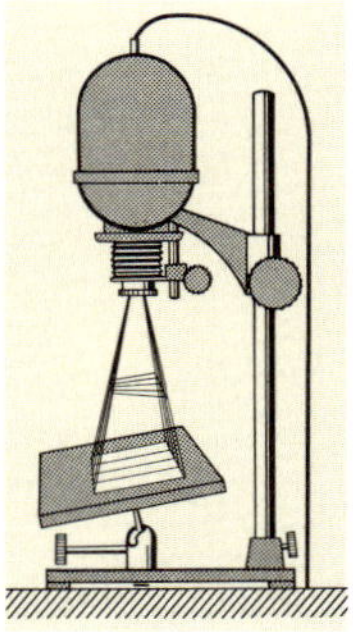

Entzerrung 2): Entzerrungsgerät zur Vermeidung stürzender Linien bei der fotografischen Vergrößerung

Enver Pascha

Enumeration [lat. »Aufzählung«] *die, Recht:* das Aufzählen einzelner Tatbestände in einer Gesetzesnorm (E.-Prinzip; im Ggs. zur →Generalklausel).

Enuresis (Enurese), *die,* →Bettnässen.

Enveloppe [ãvəˈlɔp, frz.] *die, Mathematik:* die →einhüllende Kurve.

Enver Pascha, türk. General und Politiker, *Konstantinopel 22. 11. 1881, ⚔ bei Baldschuan (Tadschikistan) 4. 8. 1922; nahm 1908 und 1913 führend am Aufstand der Jungtürken teil. Als Kriegsmin. erwirkte er 1914, dass die Türkei an die Seite Dtl.s trat, und leitete als Vizegeneralissimus die türk. Operationen bis Kriegsende; floh 1918 als Gegner Atatürks nach Berlin; unterstützte seit 1921 in Buchara den Kampf gegen das Sowjetregime.

Environment [ɪnˈvaɪərənmənt; engl. »Umgebung«] *das* (Ambiente), Ausdrucksform der bildenden Kunst in der 2. Hälfte des 20. Jh., das aus Assemblage und Combinepainting entwickelt wurde und wichtige Impulse aus der Happeningbewegung erhielt. Das E. besteht aus einer räumlich definierten Anordnung verschiedenartiger Materialien und/oder (Gebrauchs-)Gegenstände und bezieht den Betrachter unmittelbar ein. Bed. Vertreter: A. Kaprow, R. Rauschenberg, C. Oldenburg, G. Segal, E. Kienholz, J. Beuys.

Hans Magnus Enzensberger

Environtologie *die,* Teilgebiet der Futurologie, das sich speziell mit den Umweltfaktoren befasst; versucht v. a. festzustellen, welche Veränderungen in der Umwelt durch den wiss.-techn. Fortschritt zu erwarten sind und wie sie auf den Menschen zurückwirken werden oder könnten.

Enzian: Stängelloser Enzian

en vogue [ãˈvɔg, frz.], in Mode.

Enz *die,* linker Nebenfluss des Neckars, Bad.-Württ., 103 km lang, entspringt mit den Quellflüssen Große E. und Kleine E. im nördl. Schwarzwald, mündet bei Besigheim.

Enzensberger, Hans Magnus, Schriftsteller, *Kaufbeuren 11. 11. 1929; schrieb zeitkrit. Lyrik, die mit modernen Stilmitteln (z. B. Montagen) arbeitet, später mit kulturpessimist., den techn. Fortschritt hinterfragender Tendenz (»Verteidigung der Wölfe«, 1957; »Landessprache«, 1960; »Mausoleum. 37 Balladen aus der Geschichte des Fortschritts«, 1975; »Gedichte 1950–1985«, 1986; »Zukunftsmusik«, 1991); daneben Prosa (»Der kurze Sommer der Anarchie«, R., 1972; »Gedichte 1950–1995«, 1996), dokumentarisch-literar. Arbeiten (»Das Verhör von Habana«, 1970), politisch und medienkritisch engagierte Essays (»Einzelheiten«, 1962–64; »Baukasten zur Theorie der Medien«, 1971), Reiseberichte (»Ach, Europa!«, 1987; »Mittelmaß und Wahn«, 1988); umfangreiche Hg.-

Environment

1

2

1 Edward Kienholz, »The Birthday« (1964; Stuttgart, Staatsgalerie) | 2 Michelangelo Pistoletto, »Venus in Lumpen« (1967; Privatbesitz)

Tätigkeit (u.a. 1965–75 Hg. der Ztschr. »Kursbuch«); ferner Hörspielautor, Übersetzer. Georg-Büchner-Preis 1963, Heinrich-Heine-Preis der Stadt Düsseldorf 1998.

📖 NAM, U.: *Normalismus u. Postmoderne. Diskursanalyse der Gesellschafts- u. Geschichtsauffassung in den Gedichten H. M. E.s. Frankfurt am Main u. a. 1995.*

Enzephalitis [grch.] *die,* → Gehirnentzündung.

Enzephalographie [zu grch. enképhalos »Gehirn«] *die,* übergeordneter Begriff für versch. Verfahren zur Untersuchung von Struktur und Funktion des Gehirns durch Aufzeichnung der Aktionspotenziale (→ Elektroenzephalogramm) oder mittels Ultraschall (→ Echoenzephalographie); bei der Pneum-E. werden die Hirnkammern (nach Lufteinbringung) röntgenologisch dargestellt. Inzwischen ist die E. weitgehend durch die → Computertomographie ersetzt.

Enzephalopathie [grch.] *die,* Sammelbegriff für Erkrankungen des Gehirns.

Enzian [ahd. (g)encian(e), aus gleichbedeutend lat. gentiana] (Gentiana), Gattung der E.-Gewächse mit über 450 Arten, die v.a. in den Gebirgen der Nordhalbkugel vorkommen; Kräuter mit ganzrandigen, kahlen Blättern und trichter- oder glockenförmigen Blüten. Sämtl. in Mitteleuropa vorkommenden Arten (rd. 30) sind geschützt, u.a. der **Gelbe E.** (Gentiana lutea, gelbe Blüten), der dunkelrot blühende **Purpur-E.** (Gentiana purpurea) und der **Gefleckte E.** (Gentiana punctata; Blüten blassgelb mit schwarzen Punkten). Blau blühen u.a. der Kalk liebende, in subalpinen und alpinen Magerrasen vorkommende **Stängellose E.** (Gentiana acaulis), der in alpinen Steinrasen verbreitete **Schnee-E.** (Gentiana nivalis) sowie die u.a. in subalpinen Steinrasen vorkommenden Arten **Fransen-E.** (Gentiana ciliata) und **Frühlings-E.** (Gentiana verna). – Die Wurzeln versch. Arten enthalten Bitterstoffe und werden als appetitanregendes Mittel, bei der Behandlung von Verdauungsstörungen sowie zur Herstellung von Branntwein und Kräuterlikören verwendet.

Enzio (Enzo) [italien. »Heinz«], König von Sardinien, * wohl in Dtl. um 1220, † Bologna 14. 3. 1272; natürl. Sohn Kaiser Friedrichs II., 1238–43 ⚭ mit Adelasia, der Erbin Sardiniens; 1239 von seinem Vater zum Generallegaten von Italien ernannt, 1249 auf einem seiner zahlr. Feldzüge gegen kaiserfeindl. Städte von den Bolognesern gefangen genommen und bis zu seinem Tod inhaftiert. Er ist, nach seinem Vater, einer der ersten italien. Lyriker, der in enger Anlehnung an die provenzal. Troubadoure Kanzonen und Sonette dichtete.

Enzkreis, Landkreis im RegBez. Karlsruhe, Bad.-Württ.; 574 km², (1996) 186 800 Ew.; Krst. ist Pforzheim.

Enzian: Gelber Enzian

Enzo|otie [grch.] *die,* Stall- oder Ortsseuche, eine auf eng begrenzte Bezirke beschränkte Tierseuche, z.B. Milzbrand. Ggs.: Epizootie.

Enzyklika [grch.] *die,* päpstl. Lehrschreiben zu theolog. und philosoph. Hauptfragen, seelsorgerl. Aufgaben und Fragen der kath. Staats-, Wirtschafts- und Soziallehre.

Enzyklopädie [aus grch. enkýklios paideía, »Kreis der Bildung«, »Umkreis des Wissens«] *die,* zunächst der Kanon der Lehrfächer seit dem Hellenismus, im MA. meist in Gestalt der sieben

Enzyklopädie

In der Vorankündigung der »Encyclopédie« (1751–80) formuliert Denis Diderot das Programm dieses Werkes wie folgt: »Bei der lexikalischen Zusammenfassung alles dessen, was in die Bereiche der Wissenschaften, der Kunst und des Handwerks gehört, muss es darum gehen, deren gegenseitige Verflechtungen sichtbar zu machen und mithilfe dieser Querverbindungen die ihnen zugrunde liegenden Prinzipien genauer zu erfassen ... es geht darum, die entfernteren und näheren Beziehungen der Dinge aufzuzeigen, aus denen die Natur besteht und die die Menschen beschäftigt haben, ein allgemeines Bild der Anstrengungen des menschlichen Geistes auf allen Gebieten und in allen Jahrhunderten zu entwerfen.«

Der Stand des menschlichen Wissens sollte aber nicht nur lexikalisch zusammengefasst, sondern kritisch aufgearbeitet werden. Zugrunde lag die Überzeugung, menschliches Denken verändern und es gegen Irrlehren, Vorurteile, Unterdrückung und Fanatismus seiner Selbstbestimmung und einer besseren, glücklicheren Zukunft zuführen zu können. Damit wurde die »Encyclopédie« zu einem Instrument der Aufklärung. In einem Brief an die ihm befreundete Sophie Volland schreibt Diderot: »Dieses Werk wird sicher mit der Zeit eine Umwandlung der Geister mit sich bringen, und ich hoffe, dass die Tyrannen, die Unterdrücker, die Fanatiker und die Intoleranten dabei nicht gewinnen werden. Wir werden der Menschheit gedient haben« ...

Grosses vollständiges
UNIVERSAL
LEXICON
Aller Wissenschafften und Künste,
Welche bißhero durch menschlichen Verstand und Witz
erfunden und verbessert worden,
Darinnen so wohl die Geographisch-Politische
Beschreibung des Erd-Creyses, nach allen Monarchien,
Käyserthümern, Königreichen, Fürstenthümern, Republiquen, freyen Herrschafften, Ländern, Städten, See-Häfen, Vestungen, Schlössern, Flecken, Aemtern, Klöstern, Gebürgen, Pässen, Wäldern, Meeren, Seen, Inseln, Flüssen, und Canälen; samt der natürlichen Abhandlung von dem Reich der Natur, nach allen himmlischen, lufftigen, feurigen, wässerigen und irrdischen Cörpern, und allen hierinnen befindlichen Gestirnen, Planeten, Thieren, Pflantzen, Metallen, Mineralien, Saltzen und Steinen rc.
Als auch eine ausführliche Historisch-Genealogische Nachricht von den Durchlauchten und berühmtesten Geschlechtern in der Welt,
Dem Leben und Thaten der Käyser, Könige, Churfürsten und Fürsten, grosser Helden, Staats-Minister, Kriegs-Obersten zu Wasser und zu Lande, den vornehmsten geist- und weltlichen Ritter-Orden rc.
Ingleichen von allen Staats- Kriegs- Rechts- Policey und Haußhaltungs-Geschäfften des Adelichen und bürgerlichen Standes, der Kauffmannschafft, Handthierungen, Künste und Gewerbe, ihren Innungen, Zünfften und Gebräuchen, Schiffahrten, Jagden, Fischereyen, Berg- Wein- Acker-Bau und Viehzucht rc.
Wie nicht weniger die völlige Vorstellung aller in den Kirchen-Geschichten berühmten
Alt-Väter, Propheten, Apostel, Päbste, Cardinäle, Bischöffe, Prälaten und Gottes Gelehrten, wie auch Concilien, Synoden, Orden, Wallfahrten, Verfolgungen der Kirchen, Märtyrer, Heiligen, Sectirer und Ketzer aller Zeiten und Länder,
Endlich auch ein vollkommener Inbegriff der allergelehrtesten Männer, berühmter Universitäten Academien, Societäten und der von ihnen gemachten Entdeckungen, ferner der Mythologie, Alterthümer, Müntz-Wissenschafft, Philosophie, Mathematic, Theologie, Jurisprudentz und Medicin, wie auch aller freyen und mechanischen Künste, samt der Erklärung aller darinnen vorkommenden Kunst-Wörter u. s. f. enthalten ist.
Nebst einer Vorrede, von der Einrichtung dieses mühsamen und grossen Wercks
Joh. Pet. von Ludewig, JCti,
Königl. Preußischen geheimden und Magdeburg. Regierungs- und Consistorial Raths, Canzlers bey der Universität, und der Juristen-Facultät Praesidis Ordinarii, Erb- und Gerichts-Herrn auf Bendorff, Prey und Gatterstädt.
Mit Hoher Potentaten allergnädigsten Privilegiis.
Erster Band. A. —— Am.
Halle und Leipzig,
Verlegts Johann Heinrich Zedler,
Anno 1732.

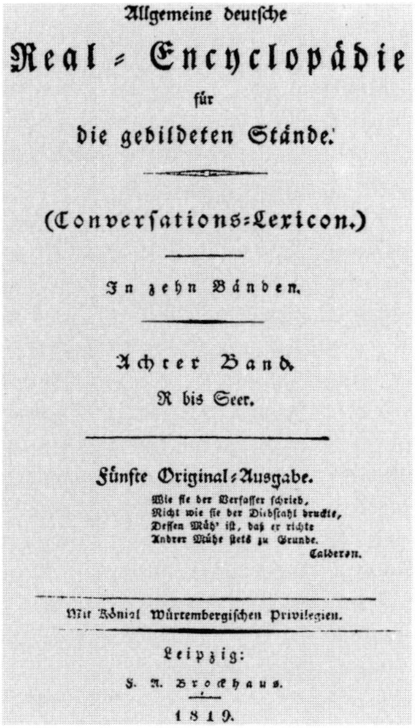
Allgemeine deutsche
Real-Encyclopädie
für
die gebildeten Stände.
(Conversations-Lexicon.)
In zehn Bänden.
Achter Band.
R bis Seer.
Fünfte Original-Ausgabe.
Wie sie der Verfasser schrieb,
Nicht wie sie der Diebstahl druckte,
Dessen Müh' ist, daß er richte
Andrer Mühe stets zu Grunde.
Calderon.
Mit Königl. Würtembergischen Privilegien.
Leipzig:
F. A. Brockhaus.
1819.

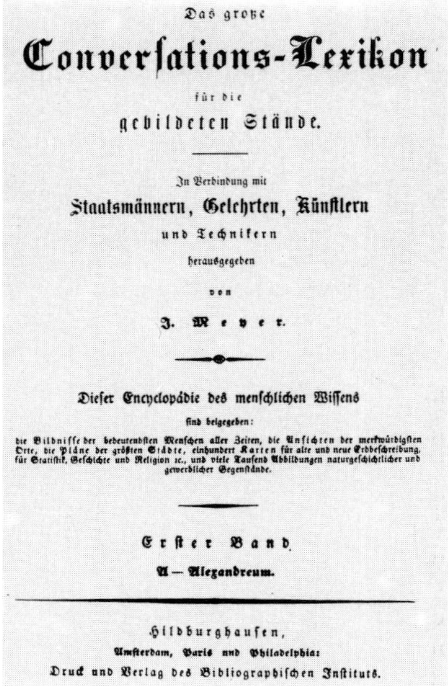
Das große
Conversations-Lexikon
für die
gebildeten Stände.
In Verbindung mit
Staatsmännern, Gelehrten, Künstlern
und Technikern
herausgegeben
von
J. Meyer.
Dieser Encyclopädie des menschlichen Wissens
sind beigegeben:
die Bildnisse der bedeutendsten Menschen aller Zeiten, die Ansichten der merkwürdigsten Orte, die Pläne der größten Städte, einhundert Karten für alte und neue Erdbeschreibung, für Statistik, Geschichte und Religion rc., und viele Tausend Abbildungen naturgeschichtlicher und gewerblicher Gegenstände.
Erster Band.
A — Alexandreum.
Hildburghausen,
Amsterdam, Paris und Philadelphia:
Druck und Verlag des Bibliographischen Instituts.

Enzyklopädie (von links): Johann Heinrich Zedler, »Großes vollständiges Universal-Lexicon aller Wissenschaften und Künste«, Titelseite des ersten Bandes; Halle und Leipzig, 1732; Friedrich Arnold Brockhaus, »Allgemeine deutsche Real-Encyclopädie für die gebildeten Stände (Conversations-Lexicon)«, Titelseite des achten Bandes der fünften Auflage; Leipzig, 1819; Joseph Meyer, »Das große Conversations-Lexikon für die gebildeten Stände«, Titelseite des ersten Lexikons aus dem Bibliographischen Institut; Hildburghausen, Amsterdam, Paris und Philadelphia, 1840

freien Künste, seit dem 18. Jh. die umfassende Bildung im Sinne der Enzyklopädisten und seitdem Bez. für Werke, die den Gesamtbestand des Wissens **(Allgemein- oder Universal-E.)** oder ein Teilgebiet **(Fach-E.)** erfassen. Die Ordnung ist entweder systematisch **(Sachwörterbuch, Reallexikon)** oder alphabetisch nach Stichwörtern **(Fachwörterbuch);** beide Methoden vereint das enzyklopäd. Wörterbuch **(Real-E.).** Im Sprachgebrauch sind die Begriffsgrenzen zw. E., Lexikon und Wörterbuch fließend.

Geschichtliches: Die Frage des systemat. Zusammenhangs aller Wiss. und Künste hat in allen Jh. philosoph. Universalgelehrte beschäftigt, so Aristoteles, F. Bacon, G. W. F. Hegel. Im alten China gab es systemat. Enzyklopädien. In der Antike sammelte Plinius d. Ä. das Wissen über die Natur, M. Terentius Varro erhob die Artes liberales (→freie Künste) zum Bildungskanon. Unter den »Specula« des MA. ragt das des Vinzenz von Beauvais († 1264) hervor. In der Renaissance entstanden mehrere italien. Enzyklopädien. Das erste Werk, das den Namen E. trägt, gab 1630 in Herborn Heinrich Alsted in sieben Bde. heraus. In der Neuzeit wurde die alphabet. E. vorherrschend. Die von dem Jesuiten L. Moréri erarbeitete E. »Grand dictionnaire historique« (1674, ^{10}1759) wurde von P. Bayle im Sinne des krit. Geistes der Frühaufklärung ergänzt und kommentiert als »Dictionnaire historique et critique« (2 Bde., 1695–97, dt. von J. C. Gottsched, 4 Bde., 1741–44), die »Encyclopédie ou Dictionnaire raisonné des sciences, des arts et des métiers«, hg. von D. Diderot und J.-B. d'Alembert (1751–72, Neudruck 1964), wurde Sammelpunkt der frz. Aufklärung (→Enzyklopädisten). Dt. E. waren I. Hübners »Reales Staats-, Zeitungs- und Conversationslexikon« (seit 1704), J. H. Zedlers »Großes vollständiges Universallexikon aller Wiss. und Künste« (68 Bde., 1731–54, Neudruck 1961–64), J. G. Krünitz' »Ökonomisch-techn. E.« (242 Bde., 1773–1858). Das Riesenwerk von J. S. Ersch und J. G. Gruber, »Allgemeine E. der Wiss. und Künste« (167 Bde., 1818–89), blieb unvollendet. An die Stelle der großen wiss. E. trat im 19. Jh. das Konversationslexikon. Seine Entwicklung ist bes. mit dem Namen des Verlegers F. A. Brockhaus verbunden, der das 1796 von R. G. Löbel und C. W. Franke begr. »Conversations-Lexicon« übernahm. Unter diesem Namen wurde es von F. A. Brockhaus seit 1808 zum Erfolg gebracht; die 5. Auflage (1819–20) wurde erstmals unter Zugrundelegung einer wiss. Systematik von einer großen Anzahl von Fachgelehrten bearbeitet; weitere Werke diesen Typs, der sich in vielen Ländern durchsetzte, sind in Dtl. J. Meyers »Großes Konversationslexikon« (zuerst 1840–55), das Konversationslexikon des Verlages Herder (zuerst 1854–57), H. A. Pierers »Universallexikon« (zuerst 1824–36). Im 20. Jh. erschienen bes. viele Fach-E., Fachlexika und Handwörterbücher; daneben entstanden politisch-weltanschaulich beeinflusste E. (»Große Sowjetenzyklopädie«, 1926–47; »Enciclopedia Italiana«, 1929 bis 1937; beide mit Staatsunterstützung). Neben der Produktion einer Vielzahl von Speziallexika, gibt es Versuche, mithilfe des Bildschirmlexikons den Zugriff zu aktuellster Information zu realisieren.

📖 Collison, R. L.: *Encyclopaedias: their history throughout the ages. New York u. a. ^{2}1966. – Kleine Geschichte großer Lexika. Neuausg. Gütersloh 1990.*

Enzyklopädisten, die Herausgeber und Mitarbeiter an der frz. »Encyclopédie ou Dictionnaire raisonné des sciences, des arts et des métiers«, die unter Leitung von D. Diderot und (bis 1759) J.-B. d'Alembert 1751–65 (17 Bde., 11 Tafelbde. 1762–72, Neudruck 1964) erschien. Die »Encyclopédie« war das große Gemeinschaftswerk der frz. Aufklärung; trotz unterschiedl. Weltanschauung einte die E. die Überzeugung, durch Sammlung und Aufzeichnung alles verfügbaren Wissens dem Fortschritt der Menschheit zu dienen. Besondere Beachtung fanden die prakt. Bereiche (Handwerk, Manufakturwesen, Handel). Zu den E. gehörten über 160 Wissenschaftler, Schriftsteller, Handwerker, darunter führende Vertreter der Aufklärung: J.-J. Rousseau (bes. Musik); Voltaire und E. B. de Condillac (Philosophie); Montesquieu (Artikel »goût«); J.-F. Marmontel (Literaturkritik); P. T. d'Holbach (Naturwiss.); A. R. J. Turgot (Volkswirtschaft). Von Kirche und Staat mit Misstrauen und Verboten begleitet, leitete die Arbeit der E. die militante Phase der frz. Aufklärung ein.

Enzymdiagnostik, auf der Messung von Enzymaktivitäten im Serum oder in anderen Körperflüssigkeiten beruhende Untersuchungsmethode; zeigt mit hoher Empfindlichkeit und Spezifität Zellschädigungen an und dient der Erkennung und Verlaufsbeobachtung zahlr. Krankheiten.

Enzyme [grch.] (früher Fermente), in der Zelle gebildete hochmolekulare Proteine, die als Biokatalysatoren der Organismen deren Stoffwechsel katalytisch steuern. Zu ihren Aufgaben gehört es, die Zellversorgung zu gewährleisten, tox. Stoffe zu entfernen oder abzubauen, andere (Fett, Glykogen) aus den Depots zu mobilisieren und die Prozesse auszulösen und zu beschleunigen (katalysieren), die zur Gewinnung der für den Organismus nötigen Energie erforderlich sind. E. kommen kolloidal in den Körperflüssigkeiten oder an Membranen gebunden vor. Sie ermöglichen einen raschen Ablauf biochem. Reaktionen bei niedrigen Temperaturen in wässrigem Medium. Wie »Schloss und Riegel« besteht strenge Spezifität des jeweiligen E. zu seinem Substrat. – In ihrem Aufbau unterscheiden sich die E. nicht von anderen Proteinen. Ihre physiolog. Aktivität beruht vielmehr auf der Eigenart der Verknüpfung der Peptidketten (Sekundär-, Tertiär- und Quartärstrukturen). Die meisten E. bestehen aus dem eigentl. Enzymproteinanteil, dem **Apoenzym,** und einem Nichtproteinbestandteil, dem **Coenzym** oder der **prosthet. Gruppe.** Beide zus. bilden das **Holoenzym.** Die Coenzyme sind organ. Substanzen,

Klassifikation nach der Enzyme Commission (EC) (Auswahl)

1.	Oxidoreduktasen (Oxidation bzw. Reduktion des Substrats)	
	Beispiele:	
1.1	auf Alkoholgruppen wirkend	
1.1.1	mit NAD oder NADP als Akzeptor	Lactat-Dehydrogenase (E.C. 1.1.1.27)
1.1.3	mit O_2 als Akzeptor	Glucose-Oxidase (E.C. 1.1.3.4)
1.2	auf Aldehyde wirkend	
1.2.1	mit NAD oder NADP als Akzeptor	Glycerinaldehyd-3-phosphat-Dehydrogenase (E.C. 1.2.1.12)
1.4	auf Aminogruppen wirkend	
1.4.3	mit O_2 als Akzeptor	D-Aminosäure-Oxidase (E.C. 1.4.3.3)
2.	Transferasen (Gruppen übertragende Enzyme)	
2.1	C 1-Gruppen übertragend	
2.1.1	Methyl-Transferasen	
2.1.3	Carboxyl- und Carbamoyl-Transferasen	
2.3	Acyl-Transferasen	
2.4	Glykosyl-Transferasen	Phosphorylase (E.C. 2.4.1.1)
2.6	N-haltige Gruppen übertragend	
2.6.1	Amino-Transferasen	Glutamat-Pyruvat-Transaminase (E.C. 2.6.1.2)
2.7	Phosphat übertragende Gruppen	
2.7.1	ATP-Phospho-Transferasen	Phosphofructokinase 1 (E.C. 2.7.1.11)
3	Hydrolasen (hydrolyt. Spaltung des Substrats)	
3.1	Esterbindung spaltend	
3.1.1	Carboxylester-Hydrolasen	Phospholipase A_2 (E.C. 3.1.1.4)
3.1.3	Phosphomono-Esterasen	alkal. Phosphatase (E.C. 3.1.3.1)
3.1.11–3.1.31	Nukleasen	DNase I (E.C. 3.1.21.1)
3.2	Glykoside spaltend	
3.2.1	Glykosidasen	α-Amylase (E.C. 3.2.1.1)
3.4	Peptidbindung spaltend	
3.4.21–3.4.24	Proteinasen	Trypsin (E.C. 3.4.21.4)
4.	Lyasen (Eliminierungsreaktionen bzw. Additionsreaktionen)	
4.1	C–C-Lyasen	
4.1.1	Carboxy-Lyasen	
4.1.2	Aldehyd-Lyasen	Aldolase (E.C. 4.1.2.13)
4.2	C–O-Lyasen	
4.2.1	Hydrolyasen	Fumarase (E.C. 4.2.1.2)
4.3	C–N-Lyasen	
5.	Isomerasen (Umlagerungen innerhalb des Substrats)	
5.1	Racemasen und Epimerasen	
5.1.3	auf Kohlenhydrate wirkend	
5.3	Intramolekulare Oxidoreduktasen	
5.3.1	Aldosen-Ketosen umwandelnd	Phosphoglucose-Isomerase (E.C. 5.3.1.9)
6.	Ligasen (Bindungsknüpfung unter ATP-Spaltung)	
6.1	C–O-Bindungen knüpfend	
6.1.1	Aminosäure-RNS-Ligasen	
6.3	C–N-Bindungen knüpfend	
6.3.1	Säure-Ammoniak-Ligasen	
6.4	C–C-Bindungen knüpfend	

die die Übertragung bestimmter funktioneller Gruppen oder Atome vom oder auf das Substrat bewirken.

Die E. bilden mit ihrem Substrat an den aktiven Zentren **Enzym-Substrat-Komplexe.** An diesen erfolgt auch die Umwandlung oder Spaltung des Substrats, worauf das Reaktionsprodukt wieder abgespalten wird und das Enzymmolekül für eine neue Umsetzung frei ist: Da die Zahl der E. infolge ihrer Spezifität sehr groß ist, erfordern viele Reaktionswege im Organismus ganze **Enzymsysteme** wie der Zitronensäurezyklus oder die Atmungskette. Bei den enzymat. Biosynthesewegen spielen auch **Gruppenübertragungsreaktionen** (Austauschreaktionen zw. zwei Substraten) eine Rolle, so z.B. die Übertragung von »energiereichem« Phosphat durch Adenosintriphosphat.

Die techn. Anwendung von E. hat in den letzten Jahren erheblich zugenommen, bedingt durch Methoden der →Gentechnologie, die eine Synthese zahlreicher E. durch Mikroorganismen ermöglicht. Einsatzbereiche sind u.a. Arzneimittelherstellung, Lebensmittelverarbeitung, Energiegewinnung, Abwasserüberwachung, Waschmittelindustrie. (→Biotechnologie)

Enzym|immunassay [-əseɪ, engl.], Abk. **EIA,** quantitative Bestimmung biologisch aktiver Substanzen (z.B. Hormone, Pharmaka, Viren, Antikörper) in Körperflüssigkeiten mit Antigenen, die mit Enzymen markiert sind; z.B. als Aidstest (ELISA, Abk. für engl. **e**nzyme-**l**inked **i**mmuno **s**orbent **a**ssay) angewendet.

Enzymopathie [grch.] *die,* Erkrankung des Organismus, die auf einem angeborenen Mangel oder auf einem Nichtvorhandensein oder auf einer Blockierung von Enzymfunktionen beruht, z.B. Glykogenspeicherkrankheit, Phenylketonurie.

Enzympräparate, Mittel mit den für die Verdauung der Nahrung im Magen und Darm notwendigen Enzymen; werden bei ungenügender oder fehlender Bildung dieser Enzyme verordnet.

e. o., Abk. für →**ex o**fficio.

Eobanus Hessus, nlat. Dichter, →Hessus.

E. O. K. A., Abk. für ngrch. **E**thnike **O**rganosis **K**ypriakon **A**goniston [»Nationale Organisation der zypriot. Kämpfer«], eine Untergrundorganisation, die 1955–60 unter General G. Grivas für den Anschluss (grch. »Enosis«) Zyperns an Griechenland kämpfte. Unter dem Vorwurf, den Gedanken der »Enosis« aufgegeben zu haben, sammelte Grivas nach der Entlassung der Insel in die Unabhängigkeit (1960) in der **E. O. K. A. II** radikale Gegner des zypriot. Präs., des Erzbischofs Makarios III., den er 1974 durch einen Putsch zu stürzen versuchte (→Zypern, Geschichte).

Eos [grch.] (röm. Aurora), *grch. Mythos:* die »rosenfingrige« Göttin der Morgenröte, Tochter des Titanen Hyperion und der Theia, Schwester des Helios und der Selene; bei Homer die Geliebte des Tithonos. An jedem Morgen fährt E. mit ihren Rossen aus der Tiefe des Meeres herauf. E. wurde oft auf grch. Vasen dargestellt, im Barock auf den Fresken von G. Reni im Palazzo Rospigliosi und von Guercino in der Villa Ludovisi in Rom.

Eosander, Johann Friedrich Freiherr von (seit 1713), gen. E. von Göthe, Baumeister und Offizier, getauft Stralsund 23. 8. 1669, †Dresden 22. 5. 1728; seit 1699 Hofarchitekt in Berlin, ab 1722 in sächs. Diensten; leitete ab 1707 als Nachfolger von A. Schlüter den Bau des Berliner Schlosses; seit 1704 Ausbau von Schloss Charlottenburg, 1724–26 Schloss Übigau bei Dresden. Seine Bauten markieren den Übergang vom Spätbarock zum Klassizismus.

Eosin [grch., nach Eos], wasserlösl. roter Xanthenfarbstoff, der durch Einwirkung von Brom auf Fluorescein entsteht; wirkt fotosensibilisierend. Verwendet für Lacke, rote Tinte u.a. sowie in der Mikroskopie.

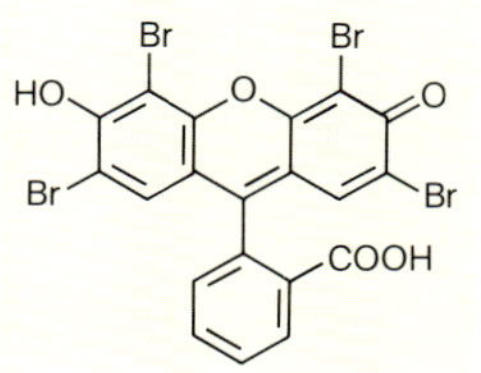

Eosin

József von Eötvös (Punktierstich, um 1850)

Eötvös ['øtvøʃ], **1)** József Baron von, ungar. Schriftsteller und Politiker, *Ofen (heute zu Budapest) 13. 9. 1813, †Pest (heute zu Budapest) 2. 2. 1871, Vater von 2); war seit 1840 der geistige Führer der ungar. Reformbewegung, 1848 Kultusmin. der Revolutionsreg., trat im Ggs. zu L. Kossuth für eine kulturelle ungar. Autonomie innerhalb der österr.-ungar. Zentralreg. ein. Als Kultusmin. (erneut seit 1867) setzte E. die Gleichberechtigung der Konfessionen durch und schuf die ungar. Volksschule.

2) Loránd (Roland) Baron von, ungar. Physiker, *Buda (heute Budapest) 27. 7. 1848, †Budapest 8. 4. 1919, Sohn von 1); Prof. in Budapest, später Kultusmin.; bewies mit der von ihm konstruierten Drehwaage **(E.-Waage)** die Gleichheit von träger und schwerer Masse. Der **E.-Effekt** ist die durch die Erddrehung bedingte geringe Abnahme (Zunahme) der Fallbeschleunigung eines Körpers, wenn er sich nach Osten (Westen) bewegt, eine Folge der →Coriolis-Kraft.

Eozän [grch.] *das,* zweitälteste Stufe des →Tertiärs.

Eozoikum [grch.] *das,* →Proterozoikum.

Epaminondas (grch. Epameinondas), theban. Staatsmann und Feldherr, *um 420, ⚔Mantineia

362 v. Chr.; schlug 371 v. Chr. die Spartaner bei Leuktra (wandte dabei erstmals die sog. schiefe Schlachtordnung an), drang 370 in Lakonien ein und stellte 369 Messenien als Staat wieder her. Er fiel im Kampf gegen die Spartaner; die theban. Vormacht fand damit ihr Ende.

Epanalepse [grch.] *die,* rhetor. Figur: Wiederholung eines Wortes oder einer Wortgruppe meist am Anfang eines Satzes, z. B. »Mein Vater, mein Vater, jetzt fasst er mich an« (Goethe, »Erlkönig«).

Eparch [grch. »Befehlshaber«] *der,* Provinzstatthalter im Röm. und Byzantin. Reich, hier auch Stadtvorsteher, v. a. der E. von Konstantinopel.

Eparchie *die,* der Amtsbereich eines Eparchen, eine Diözese in der Ostkirche, im heutigen Griechenland Verwaltungsbezirk unter dem Nomos.

Epaulette [epoˈlɛt, frz.] *die,* Schulterstück bei Uniformen.

Epenthese [grch.] *die, Sprachwissenschaft:* Einschub eines Lautes zur Erleichterung der Aussprache, z. B. das »t« in »wissentlich«.

Eperjes, Stadt in der Slowakei, → Prešov.

Eperjes [ˈepɛrjɛʃ], ungar. Name von → Prešov.

Épernay [epɛrˈnɛ], frz. Stadt in der Champagne, Dép. Marne, an der Marne, 27 700 Ew.; neben Reims das Zentrum der Champagnerherstellung; Weinmuseum; Zulieferbetriebe für den Weinbau.

Eph., Abk. für → Epheserbrief.

Epheben [grch.], in der grch. Antike die jungen Männer zw. 18 und 20 Jahren, die seit dem 4. Jh. v. Chr. nach athen. Vorbild von Staats wegen eine militär. Erziehung erhielten.

Ephedrin *das,* aus versch. Pflanzen der Gatt. **Ephedra** (Meerträubel) oder synthetisch gewonnenes Alkaloid; angewendet bei Bronchialasthma, Schnupfen und Augenbindehautentzündung.

Ephemeriden [grch. »Tagebücher«], **1)** *Astronomie:* Vorausberechnungen der tägl. Stellungen der Himmelskörper, die in den astronom. oder naut. Jahrbüchern (ebenfalls E. gen.) veröffentlicht werden. Das zur Berechnung der E. von Sonne, Mond und Planeten dienende streng gleichförmige Zeitmaß (→ Zeit) ist die **E.-Zeit** (Abk. ET).

2) *Geschichte:* die (verlorenen) Tagebücher Alexanders d. Gr. (Umfang und Inhalt umstritten).

3) *Zoologie:* (Ephemeroptera) die → Eintagsfliegen.

Epheserbrief, Abk. **Eph.,** der Brief des gefangenen Apostels Paulus an die Gemeinde in Ephesos; Autor und Adressat allerdings umstritten.

Ephesos (lat. Ephesus), antike grch. Stadt in W-Anatolien, urspr. an der Kaystrosmündung (Verlandung in nachchristl. Zeit); seit dem 10. Jh. v. Chr. von ion. Griechen besiedelt; entwickelte sich wegen seiner Lage zum wichtigsten Handelsplatz W-Kleinasiens. Seit dem 6. Jh. unter lyd., dann pers. Herrschaft. Um 290 Verlegung der Stadt, als **Arsinoeia** neu gegr., war in der Folgezeit seleukidisch, 190–133 pergamenisch und dann römisch (Hptst. der Prov. Asia). Verfall seit dem 3./4. Jh. n. Chr.; vom 4. Jh. bis 1403 Metropolitansitz; durch Mongolen und Osmanen zerstört. – Österr. Ausgrabungen seit 1895; u. a. Ruinen eines grch.-röm. Theaters (3. Jh. v. Chr., erneuert 1. Jh. n. Chr.), marmorne Prachtstraße (Arkadiane), Agora mit Celsusbibliothek, Serapeion, neron. Stadion, Marienkirche, Tempel, Gymnasium, Thermen sowie außerhalb der Stadtmauer Reste des Artemision (→ Artemis), byzantin. Kastell mit Johanneskirche (5./6. Jh.) und seldschuk. Moschee (1375). – In E. tagte das 431 durch Kaiser Theodosius II. einberufene 3. ökumen. Konzil **(Konzil**

Ephesos: Arkadiane mit dem im 3. Jh. v. Chr. in einen Hügel hineingebauten, im 1. Jh. n. Chr. erneuerten Amphitheater, das heute noch bespielt wird

Ephesos

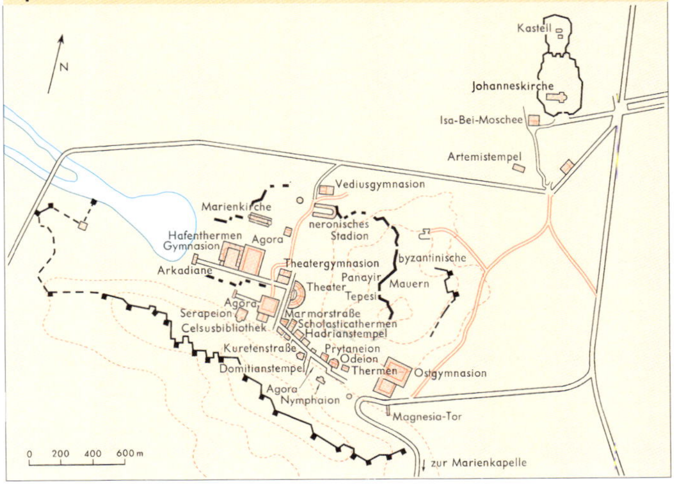

von E.), um die christolog. Differenzen (nestorian. Streit) zw. den Schulen von Antiochia und Alexandria über das Verhältniss von göttl. und menschl. Natur in der Person Christi zu klären. (→ Gottesgebärerin)

📖 Elliger, W.: *E. Geschichte einer antiken Weltstadt. Stuttgart u. a.* ^{2}*1992.* – Karwiese, S.: *Groß ist die Artemis von E. Die Geschichte einer der großen Städte der Antike. Wien 1995.*

Epidot: Kristallstufe

EPH-Gestose (EPH-Syndrom), im letzten Drittel der Schwangerschaft auftretende Störung, v. a. mit Ödembildung, Proteinurie und Hypertonie (engl. **e**dema, **p**roteinuria, **h**ypertension) kann in eine → Eklampsie übergehen.

Ephoren [grch. »Aufseher«], in Sparta die jährlich gewählten fünf höchsten Beamten, die das **Ephorat** (überwachte die königl. Machtbefugnisse, das Gerichts-, Erziehungs-, Behördenwesen) bildeten.

Ephra|im [nach dem palästinens. Gebirge zw. Bethel und Sichem], Name eines israelit. Stammes, sein Siedlungsgebiet bildete unter Jerobeam I. das Kernstück des Nordreiches Israel (1. Kön. 12 ff.); wurde 722 v. Chr. assyr., später babylon. und pers. Provinz.

Ephräm der Syrer (Afrem), syr. Kirchenschriftsteller, * Nisibis (heute Nusaybin) um 306, † Edessa (heute Urfa) 9. 6. 373; Diakon, als theolog. Lehrer und Beamter des Bischofs erst in Nisibis, dann in Edessa tätig. Seine Kommentare, dogmat. und polem. Abhandlungen bringen die eigenständige Theologie der syr. Kirchen zum Ausdruck. Kirchenlehrer. Heiliger, Tag: 9. 6.

Epigramm: Grabstein des Aurelius Hermia, gefunden in Rom (1. Jh. v. Chr.; London, Britisches Museum). Die Übersetzung der Inschrift lautet: Lucius Aurelius Hermia, Freigelassener des Lucius, Metzger von Viminal [spricht:] / Diese hier, die mir im Schicksal (Tode) voranging mit züchtigem Leib, / als liebende Gattin einzig hochgehalten in meinem Herzen, / lebte getreu ihrem getreuen Mann in gleicher Zuneigung, / niemals wich sie in Eigensucht von der Pflicht ab. / Aurelia Philematio, Freigelassene des Lucius [spricht:] / Im Leben wurde ich Aurelia Philematium genannt, / züchtig, schamhaft, ohne Bekanntschaft mit dem Pöbel, treu meinem Mann. / Mein Mann war Mitfreigelassener, derselbe, den ich ach so vermisse. / Tatsächlich war er in Wahrheit mehr und darüber hinaus ein Vater. / Als ich sieben Jahre alt war, nahm er selbst mich in seinem Schoße auf. / Im Alter von 40 Jahren ereilt mich der Tod. / Jener stand dank meiner Pflichttreue beständig bei allen in Ansehen

epi... [grch.], auf..., über..., an... (räumlich, z. B. Epizentrum, Epigramm); nach... (zeitlich, z. B. Epilog).

Epidauros, grch. Ort in der Argolis, auf der Peloponnes, am Saron. Golf. Bis Anfang des 6. Jh. v. Chr. eine bed. Hafen- und Handelsstadt. Berühmt war E. im Altertum wegen seines **Asklepieions** (Heiligtum des Gottes Asklepios), wo Kranke durch Orakel und durch ärztl. Behandlung Heilung suchten (teilweise freigelegt). Im SO liegt das besterhaltene grch. Theater (3. Jh., im 2. Jh. v. Chr. vergrößert, 55 Sitzreihen, 14 000 Plätze), das heute wieder benutzt wird. E. wurde von der UNESCO zum Weltkulturerbe erklärt.

📖 Gerkan, A. von *u.* Müller-Wiener, W.: *Das Theater von E. Stuttgart 1961.* – Papadakis, T.: *E. Das Heiligrum des Asklepios. München u. a.* ^{6}*1978.*

Epidemie [grch. »im Volk verbreitet«] *die,* Infektionskrankheit (Seuche), die sich in einem größeren, umgrenzten Gebiet vorübergehend stärker ausbreitet. Sind nur kleinere örtl. Bezirke betroffen, spricht man von **Endemie,** bei Verbreitung über größere Gebiete (Länder, Erdteile) von **Pandemie.** Eine E. entsteht infolge Massenansteckung mit Krankheitserregern durch verunreinigtes Wasser, Nahrungsmittel (bes. Milch), auch durch Staub- oder Tröpfcheninfektion (beim Niesen, Husten, Sprechen), durch Gebrauchsgegenstände oder → Dauerausscheider. Zwischenträger von Krankheitserregern können Tiere sein, so Rattenflöhe (Pest) oder Fiebermücken (Malaria).

Epidemiologie [grch.] *die,* Wissenschaft von der Entstehung und Verbreitung von Krankheiten.

Epidermis [grch.] *die,* **1)** *Anatomie:* oberste Schicht der → Haut.

2) *Botanik:* primäres, meist einschichtiges Abschlussgewebe der höheren Pflanzen.

Epidiaskop [grch.] *das,* ein Projektor zur Projektion von Aufsichts- oder Durchsichtsbildern.

Epidot [grch.] *der* (Pistazit), monoklines, meist grünes durchscheinendes Mineral der chem. Zusammensetzung $Ca_2(Al,Fe)_3[(OH)|(SiO_4)_3]$; z. T. als Schmuckstein verwendet.

Epigenese *die* (Epigenesis, Postformationstheorie), von C. F. Wolff 1759 der → Präformationstheorie entgegengestellte, heute allg. anerkannte Lehre, nach der der Organismus sich von der befruchteten Eizelle zum Lebewesen über eine Kette vielgestaltiger Zelldifferenzierungsvorgänge entwickeln muss.

Epigonen [grch. »Nachgeborene«], *grch. Mythos:* die Söhne der sieben vor Theben gefallenen

Helden (→ Sieben gegen Theben). Zehn Jahre nach dem fehlgeschlagenen Versuch ihrer Väter eroberten und zerstörten sie die Stadt; übertragen: unschöpfer. Nachahmer großer Vorbilder.

Epigramm [grch. »Aufschrift«] *das,* Gattung der Gedankenlyrik, in der eine zugespitzt formulierte oder überraschende Sinndeutung des aufgegriffenen Gegenstandes gegeben wird. Meistgebrauchte Form ist das Distichon. In der grch. Antike waren E. urspr. knappe Aufschriften auf Weihegeschenken, Grabmälern u.a.; als Begründer der poet. Form im 5. Jh. gilt Simonides von Keos. Im antiken Rom gab bes. Martial dem E. den straffen, satir. Charakter, der in Humanismus und Barock vorbildhaft wurde. In der dt. Literatur führte M. Opitz das E. ein (1625).

📖 *Das E. Zur Geschichte einer inschriftl. u. literar. Gattung, hg. v.* G. Pfohl. *Darmstadt 1969.* – Hess, P.: *E. Stuttgart 1989.*

Epigraphik [grch.] *die,* → Inschriftenkunde.

Epik [grch., zu Epos] *die* (erzählende Dichtung, epische Dichtung), neben Lyrik und Dramatik eine der drei literar. Grundgattungen. In der E. werden als vergangen angenommene Geschehnisse vergegenwärtigt, als Erzählzeit wird daher vorwiegend das ep. Präteritum verwendet, seltener das histor. Präsens. Der Epiker ist nicht durch Grenzen von Raum und Zeit eingeengt wie der Dramatiker; er kann zeitdehnend, zeitraffend oder zeitdeckend erzählen, sich der Technik der Rückblende bedienen oder durch Vorausdeutung künftige Ereignisse vorwegnehmen.

Die **ep. Grundformen** (Erzählweisen) treten meist vermischt auf; Basis aller E. ist der mehr oder minder zeitraffende Bericht. Zeitdehnend wirken Beschreibung und Erörterung. Annähernd zeitdeckend ist die ep. Szene, zu der neben dem Gespräch in direkter Rede auch indirekte Redeformen, erlebte Rede und innerer Monolog gehören. Die E. kann nach versch. Gesichtspunkten untergliedert werden, z.B. in einfache Formen (Legende, Sage, Märchen) und Kunstformen verschiedenster Gattungen, in Vers-E. und Erzählprosa sowie in Groß-E. oder Lang-E. und Klein-E. oder Kurzepik. Zur **Groß-E.** zählen → Epos, → Saga und der → Roman; zur **Kurz-E.** gehören → Novelle, → Erzählung (i.e.S.), → Kurzgeschichte, → Anekdote, → Fabel, → Parabel, die episch-lyr. Mischformen wie → Idylle, → Romanze, → Ballade und allgemein die → Verserzählung.

Mit einer Theorie der E. befassten sich erstmals Platon und v.a. Aristoteles; die Theorie beschränkt sich bis ins 18. Jh. auf normative oder beschreibende Angaben zum Epos. Seitdem wurde sie entweder als Abgrenzung der E. von anderen Grundgattungen versucht oder mit Blick auf einzelne Erscheinungsformen und Gatt. ausgebaut. Eine allgemeine und umfassende Erzähltheorie befindet sich noch in der Diskussion. (→ Erzähler)

📖 Lämmert, E.: *Bauformen des Erzählens. Stuttgart 56.–57. Tsd., [8]1991.* – Tarot, R.: *Narratio viva. Untersuchungen zur Entwicklungsgeschichte der Erzählkunst vom Ausgang des 17. Jh.s bis zum Beginn des 20. Jh.s, auf 2 Bde. ber. Bern u.a. [1–2]1993 ff.*

Epikard [grch.] *das,* inneres Blatt des Herzbeutels, das dem Herzen und dem herznahen Abschnitt der großen Blutgefäße unmittelbar anliegt.

Epiklese [grch. »Anrufung«] *die,* Wandlungsgebet; in der Liturgie der orth. Kirchen Anrufung des Hl. Geistes zur Wandlung von Brot und Wein in der Eucharistiefeier.

Epiktet (grch. Epiktetos), stoischer Philosoph, * Hierapolis in Phrygien um 50 n. Chr., † Nikopolis (Epirus) um 140; Sklave, nach Neros Tod freigelassen; gründete in Nikopolis eine Philosophenschule der Stoa: Unser Denken und Begehren, somit unser Glück, stehen in unserer Gewalt; der Mensch soll unabhängig werden von Äußerlichem, Besitz oder Ansehen; das ganze Leben soll in Gottverbundenheit gelebt werden. – E.s Lehre war von großem Einfluss auf das frühe Christentum.

Epikur (grch. Epikuros), grch. Philosoph, * Samos 341 v. Chr., † Athen 271 v. Chr., als Haupt der von ihm 306 gegr. Philosophenschule. Der Kern der Philosophie E.s ist die Ethik (Naturerkenntnis ist lediglich Mittel), ihr Ziel, durch richtiges Denken ein glückseliges Leben zu gewinnen. Der Maßstab der Wahrheit ist die sinnl. Wahrnehmung, auf die sich auch alle Vernunfterkenntnis aufbaut. Wahre Glückseligkeit (Eudämonie) als Wesen des Sittlichen sei nicht durch grobe Sinnenlust, sondern nur durch weise Abwägung des Genusses, durch Selbstbeherrschung, Tugend, Gerechtigkeit erreichbar. Ihre höchste Form sei die unerschütterl. Ruhe der Seele (Ataraxie). E.s Lehre wurde oft zum → Hedonismus vergröbert.

Epikur
(hellenistische Büste)

📖 Hossenfelder, M.: *E. München 1991.*

Epilation [lat.] *die,* → Enthaarung.

Epilepsie [grch. »Anfall«] *die* (Fallsucht), zeitweilig auftretende Krampfzustände des gesamten Körpers mit Zuckungen in den Gliedmaßen und meist kurzer Bewusstlosigkeit, Schaum vor dem Mund, Zungenbiss, selten Harnabgang. Auf Lichteinfall reagieren die sehr weiten Pupillen nicht. Es kann auch zu Absence und Dämmerzustand kommen. Die epilept. Anfälle entstehen durch synchrone Entladung von Ganglienzellen und beruhen meist auf dem Zusammenwirken äußerer (exogener) und innerer (endogener) Faktoren. Exogene Ursachen sind versch. Erkrankungen des Gehirns selbst (z.B. Blutung, Entzündung) und Erkrankungen des Gesamtorganismus, die von einer Funktionsstörung des Gehirns (z.B. Stoffwechselstörung wie Harnvergiftung) begleitet werden.

Épinal: Der romanische Westturm der Basilika Saint-Maurice (11.–14. Jh.) wurde vom 9.–11. Jh. erbaut

Endogene Faktoren werden auf erbl. Disposition zurückgeführt. Nach dem äußeren Erscheinungsbild unterscheidet man zw. einem großen Krampfanfall **(Grand Mal),** der mehrere Minuten dauert und den kleinen Anfällen **(Petit Mal),** die am häufigsten im Kindesalter auftreten und z. B. als **Blitz-Nick-Salaam-Krämpfe** (blitzartiges Vorschleudern von Armen und Beinen, Beugebewegungen von Kopf, Rumpf und Beinen) oder als Absencen (Bewusstseinsstörungen von wenigen Sekunden Dauer, Verharren in der gerade aufgenommenen Stellung) in Erscheinung treten. – Die *Behandlung* besteht in der Beseitigung einer vorhandenen hirnorgan. Ursache, meist jedoch in der Unterdrückung der Anfälle durch fortlaufende Arzneimittelgaben. (ÜBERSICHT erste Hilfe)

📖 *Die Epilepsien. Grundlagen, Klinik, Behandlung, hg. v.* W. FRÖSCHER *u.* F. VASSELLA. *Beiträge v.* G. BAUER *u. a. Berlin u. a. 1993.*

Epilog [grch.] *der,* bes. im Drama die Schlussworte, die einer der Mitwirkenden oder in der Antike ein »Epilogos« an die Zuschauer richtet. In der antiken Tragödie, bei Hans Sachs und im Barockdrama wurde im E. das Dargestellte mit den sittl. Folgerungen zusammengefasst. Ggs.: Prolog.

Epimenides, grch. Priester und Seher aus Kreta, der Ende des 7. Jh. v. Chr. gewirkt haben soll. Sein Ausspruch, dass alle Kreter lügen, wurde (da er selbst Kreter war) ein berühmtes Beispiel einer log. Paradoxie. E. soll 57 Jahre in einer Höhle geschlafen haben; behandelt von Goethe in dem Festspiel »Des E. Erwachen« (1814).

Epimetheus [grch. »Nachbedacht«], **1)** *Astronomie:* 1978 entdeckter Mond des → Saturns, der sich auf derselben Umlaufbahn wie Janus bewegt.

2) *grch. Mythos:* der jüngere Bruder des Prometheus. Er nahm, trotz der Warnungen seines Bruders, Pandora auf, mit der er → Pyrrha zeugte.

Épinal, Hptst. des Dép. Vosges, O-Frankreich, im steil eingeschnittenen Tal der Mosel, 39 500 Ew.; Messestadt; Textil-, Metall verarbeitende, Möbel-, Gummi-, Papierindustrie. Im Museum die weltberühmten **Bilderbogen von É.** (um 1840). – Basilika Saint-Maurice (11.–14. Jh. mit Westturm des 9./11. Jh.). – Entstand Ende des 10. Jh.; war um 1800 ein Zentrum der Fayenceherstellung.

Epinastie [grch.] *die, Botanik:* eine Wachstumsbewegung, die infolge stärkeren Wachstums einer Seite eines Pflanzenorgans gegenüber der anderen zu einer Krümmung des Organs nach unten führt, im Ggs. zur → Hyponastie.

Epinephrin [grch.] *das,* internat. Bez. für → Adrenalin.

Epinikion [grch. »Siegeslied«] *das,* von einem Chor vorgetragenes Preislied zu Ehren der Sieger bei den antiken Festspielen der Griechen.

Epiphanie [grch. »Erscheinung«] *die,* in der Antike Bez. für das plötzl. Sichtbarwerden einer Gottheit (Theophanie). Im Herrscherkult ist E. das Erscheinen des als Gott verehrten Herrschers. Für den christl. Glauben ist E. das Erscheinen Gottes in der Welt in Christus. – Das christl. Fest der E. (Fest der Erscheinung des Herrn, in den evang. Kirchen **Epiphanias** genannt; 6. 1.) wurde volkstümlich zum Fest der Hl. Drei Könige **(Dreikönigsfest).**

Epiphänomen [grch.], Begleiterscheinung. Als E., als bloße »Spiegelung« des materiell-physikal. Geschehens, betrachten manche Materialisten (T. Huxley) Bewusstsein und Geist (Epiphänomenalismus). (→ psychophysisches Problem)

Epipher [grch.] *die,* Wiederholung eines Wortes oder einer Wortgruppe am Ende mehrerer einander folgender Sätze oder Satzteile, z. B. »Er will alles, kann alles, tut alles«. Ggs.: Anapher.

Epiphyllum, der Blattkaktus (→ Blattkakteen).

Epiphyse [grch.] *die,* **1)** bei Menschen und Wirbeltieren das Gelenkende eines Röhrenknochens, von dem Mittelstück (Diaphyse) während des Wachstums durch die **Epiphysenfuge** getrennt.

2) Zirbeldrüse (→ Gehirn).

Epiphyten [grch.] (Aufsitzer), Gewächse, die ohne Kontakt mit dem Erdboden auf anderen Pflanzen, bes. Bäumen, wachsen, ohne diesen Nährstoffe zu entziehen. In den Klimabereichen der gemäßigten Zone sind es hauptsächlich Algen, Moose und Flechten. In den trop. Regenwäldern sind es manche Farne, Orchideen und Ananasgewächse, die zum Speichern von Wasser und Humus Organe entwickelt haben wie Sprossknollen, Blattbecher, Nischenblätter oder Schildhaare.

Epirogenese [grch.] *die,* Bez. für Bewegungsvorgänge in der Erdkruste, bei denen über lange geolog. Zeiträume hinweg ausgesenkte Krustenteile aufsteigen oder absinken, ohne dass dabei Gesteinszusammenhang, Struktur und Gefüge beeinflusst werden (im Ggs. zur Orogenese). Ursachen der E. sind meist Massenverlagerungen im Erdmantel, aber auch Vorgänge der Glazialisostasie (→Isostasie). Sie äußert sich in der Gegenwart durch Niveauänderungen in der Größenordnung von mm und cm pro Jahr, in der Vergangenheit durch Vordringen und Zurückweichen der Meere sowie durch Einsenkung und sedimentäre Auffüllung weit gespannter Becken oder langfristige Heraushebung und Abtragung von Teilen der Erdkruste.

Epirus (neugrch. Ipiros), Region im NW Griechenlands, 9203 km², (1991) 339700 Ew. Als histor. Gebiet umfasst E. auch Gebietsteile des heutigen Albanien. E. wird von vier parallel zur Küste verlaufenden, aus Kalksteinen und Flysch aufgebauten Gebirgsketten durchzogen, höchste Erhebung ist der Smolikas (2637 m ü.M.) im Pindos. In den Gebirgsregionen leben häufig noch Wanderhirten (Aromunen) mit ihren Schafherden. Wirtsch. Mittelpunkt des in den Schwemmlandebenen und Becken ackerbaulich genutzten Gebiets ist Ioannina. – Im 4. Jh. v. Chr. entstand ein Bund epirotischer Stämme, die der Molosserkönig Pyrrhos I. (306–302, 297–272 v. Chr.) unter seiner Herrschaft einte. 233 v. Chr. löste eine republikan. Verfassung das Königreich ab, 148 v. Chr. wurde E. röm. Provinz. Um 300 kam es durch die Verw.reform Diokletians zur Trennung in Alt-E. und Neu-E. (späteres Albanien). Seit dem 7. Jh. drangen Slawen ein. Nach byzantin., Kreuzfahrer- und serb. Herrschaft im MA. gehörte E. seit Mitte des 15. Jh. zum osman. Reich. 1834 bzw. 1884 kam der SO, 1912 der größte Teil an Griechenland. Der Konflikt um Nord-E. wurde 1923 zugunsten Albaniens entschieden. Die Aufteilung von E. führte zur Bildung nat. Minderheiten in beiden Staaten und in den 90er-Jahren erneut zu griechisch-alban. Spannungen.

🕮 FRANKE, P. R.: *Alt-E. u. das Königtum der Molosser. Kallmünz 1955.*

Epiphyten: Mantelblätter des Geweihfarns

epische Dichtung, die →Epik.

episches Theater, von B. Brecht in den 20er-Jahren geprägter Begriff für eine (im marxist. Sinn)

Epirus: Landschaft im Nordwesten

theoretisch fundierte, dem aristotel. Theater entgegengesetzte, nicht auf dramat. Spannung und Illusion gerichtete Form des Theaters, bei der der Zuschauer sich nicht mit Gestalten und Geschehen identifizieren soll, sondern in Distanz davon zum Nachdenken über gesellschaftl. Verhältnisse, ihre Veränderbarkeit und die Notwendigkeit ihrer Veränderung geführt werden soll. Mittel ist die **Verfremdung** der dramat. Handlung durch argumentierende Kommentierung der szen. Aktion durch einen Erzähler, Heraustreten des Schauspielers aus seiner Rolle, eingeschobene Lieder und Songs, Spruchbänder usw. Der Schluss des Dramas bleibt offen. Der Zuschauer soll die Antwort auf die aufgeworfenen Fragen selbst finden; erst durch seine Entscheidung kommt das Drama zum eigentl. Abschluss.

🕮 ECKHARDT, J.: *Das e. T. Darmstadt 1983.* – KESTING, M.: *Das e. T. Zur Struktur des modernen Dramas. Stuttgart u. a. ⁸1989.*

Episkop [grch.] *das,* ein →Projektor zur Projektion von Aufsichtsbildern.

Episkopalismus [grch.] *der,* letztlich auf Cyprian von Karthago (†258 n. Chr.) zurückgehende Bewegung in der kath. Kirche, die nach dem Vorbild der Kirchengeschichte der ersten Jahrhunderte die Leitung der Gesamtkirche (Kirchengewalt) vom Papst (Papalismus) auf das Kollegium der Bischöfe verlagern will; z. T. durch das 2. Vatikan. Konzil realisiert (→Konziliarismus).

Episkopalisten, aus der Kirche von England hervorgegangene, zur anglikan. Kirchengemeinschaft gehörende selbstständige anglikan. Kirchen mit bischöfl. Kirchenverfassung in den USA.

Episkopalsystem, Anfang des 17. Jh. entwickelte evang. kirchenrechtl. Auffassung, wonach seit dem Augsburger Religionsfrieden (1555) in den prot. Territorien die kath. bischöfl. Jurisdiktionsgewalt treuhänderisch auf die evang. Landesherren (→Summepiskopat) überzugehen habe.

Episkopat *der* oder *das,* 1) Bischofsamt; 2) die Gesamtheit der Bischöfe (eines Landes).

Episode [grch.] *die,* **1)** *allg.:* Zeitabschnitt innerhalb eines größeren zusammenhängenden Geschehens; Zwischenspiel, nebensächl. Erlebnis.

2) *Literatur:* eingeschobene Nebenhandlung; urspr. Dialogteil zw. den Vorgängen in der antiken Tragödie; als eigenständige literar. Form die Darstellung eines scheinbar belanglosen, nebensächl. Ereignisses, vielfach in Form der Novelle oder Kurzgeschichte.

3) *Musik:* Zwischenspiel in der Fuge.

Epistel [lat.-grch. »Zugesandtes«] *die,* **1)** *allg.:* längerer (kunstvoller) Brief; auch Ermahnung.

2) *Literatur:* antike literar. Form, in der Regel in Versen, bes. von Horaz und Ovid gepflegt; wieder aufgegriffen von den Humanisten.

3) *Theologie:* von Aposteln verfasster bzw. ihnen zugeschriebener Brief im N.T. sowie der Abschnitt (→Perikope), der im Gottesdienst daraus verlesen wird.

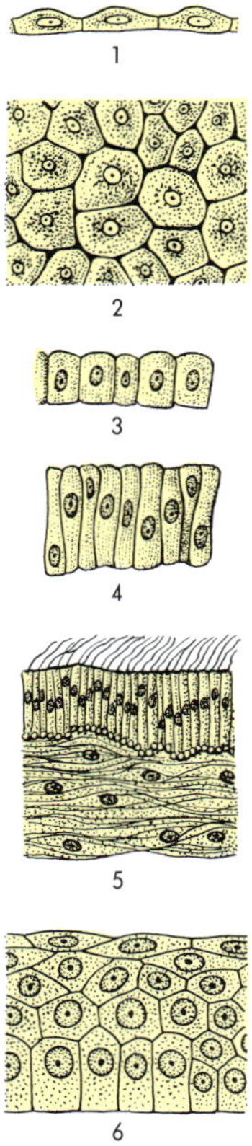

Epithel:
1 und 2 Plattenepithel eines Kalkschwamms im Querschnitt und von oben gesehen, 3 und 4 Pflasterepithel und Zylinderepithel einer Schnecke, 5 Flimmerepithel vom Darm der Teichmuschel, 6 mehrschichtiges Epithel von der Hornhaut eines Wirbeltiers (untere Schicht zylindrisch, folgende Schichten mit zunehmender Abplattung)

Episteme [grch.] *die,* Wissen, Erkenntnis, Einsicht (z.B. bei Platon und Aristoteles) im Unterschied zu der auf der Sinneswahrnehmung beruhenden (bloßen) Meinung.

Epistemologie *die,* Lehre vom Wissen, Erkenntnislehre.

Epistolae obscurorum virorum [lat.], die →Dunkelmännerbriefe.

Epistropheus [grch.] *der, Anatomie:* der 2. Halswirbel, →Axis.

Epistyl [grch.] *das* (Epistylion), *Baukunst:* der →Architrav.

Epitaph [grch.] *das,* **1)** *Antike:* Grabschrift, Grabrede.

2) *Kunst:* Gedächtnismal für einen Verstorbenen an einer Wand oder einem Pfeiler, auch an der Außenmauer von Kirchen, i.d.R. nicht identisch mit der Grabstelle; seit Mitte des 14. Jh. vorkommend, bes. in der Barockzeit beliebt.

Epitaxie [grch.] *die,* das Aufwachsen einer Kristallschicht auf einer Kristalloberfläche der gleichen Substanz **(Homo-E.)** oder einer anderen Substanz **(Hetero-E.).** Halbleiterbauelemente werden nach versch. E.-Verfahren hergestellt. Bei der **Flüssigkeitsphasen-E.** wird der Trägerkristall (Substratkristall) mit einer gesättigten Lösung und bei der **Gasphasen-E.** mit einer gesättigten Atmosphäre von Atomen des aufwachsenden Kristalls in Kontakt gebracht. Bei der **Molekularstrahl-E.** werden die elementaren Bestandteile des aufwachsenden Kristalls durch Molekularstrahlen im Ultrahochvakuum zur Substratoberfläche transportiert und dort Atom für Atom angelagert.

Epithalamion (Epithalamium) [grch.-lat.] *das,* Hochzeitsgedicht, -lied (bei Griechen, Römern), u.a. bei Sappho, Theokrit und Catull.

Epitaph 2) für die Gründer des Benediktinerklosters in Ellwangen, Hariolf und Erlolf, von Peter Vischer d.Ä. (um 1496; Ellwangen, Krypta der ehemaligen Stiftskirche)

Epithel [grch.] *das* (Epithelgewebe, Deckgewebe), Verband von Zellen, der äußere oder innere Oberflächen des Körpers oder von Hohlorganen beim Menschen und bei Tieren bedeckt. Nach der Form unterscheidet man **Platten-E.** mit flachen, plattenartigen Zellen (z.B. in Gefäßen), **Pflaster-E.** mit kub. Zellen (z.B. in Nierenkanälchen) und **Zylinder-E.** mit zylindr. Zellen (z.B. in der Magen- und Darmwand). Nach der Funktion unterscheidet man **Deck-E.** (Schutzfunktion, z.B. die →Haut), **Flimmer-E.,** das mit Geißel- oder Flimmerzellen besetzt ist (z.B. in den oberen Luftwegen), **Drüsen-E.** als innere Auskleidung von Drüsenorganen (mit Sekretionsfunktion) und das von Sinneszellen gebildete **Sinnes-E.** (z.B. das **Riech-E.** in der Nase der Säugetiere).

Epithelkörperchen, die →Nebenschilddrüsen.

Epitheton [grch.] *das,* Beiwort. **E. ornans,** schmückendes Beiwort (Übersicht Redefiguren).

Epizentrum [grch.-lat.], das senkrecht über einem Erdbebenherd liegende Gebiet, in dem die stärksten Bewegungen auftreten.

Epizoen [grch.], Tiere, die auf anderen Tieren leben, ohne sie zu schädigen, z.B. Seepocken auf Muscheln.

Epizootie [grch.] *die* (Landseuche), Tierseuche, die örtlich und zeitlich gehäuft auftritt (z.B. Rinderpest); Ggs.: Enzootie.

Epizykeltheorie, die Annahme, dass die Bahnen des Mondes und der Planeten auf Epizykeln (kleinen Kreisen) verlaufen. Die E.begründete →Apollonios von Perge, um die Schleifenbahn der Planeten zu erklären; noch von Kopernikus vertreten, wurde die E. von Kepler widerlegt.

Epizykloide [grch.] *die,* eine →zyklische Kurve.

Epoche [grch. »das Anhalten«] *die,* **1)** *Astronomie:* der Zeitpunkt, auf den sich astronom. Beobachtungen oder Größen (z.B. Bahnelemente, Ephemeriden) beziehen.

2) *Chronologie:* (E.-Tag) der Anfang einer neuen Zeitrechnung, einer neuen →Ära.

3) *Geschichte:* ein größerer Zeitabschnitt, dessen Beginn und Ende mit einem deutl., einschneidenden Wandel der Verhältnisse verbunden sind (zur Problematik →Periodisierung); auch verstanden als Zeitpunkt, mit dem eine neue bedeutsame Entwicklung beginnt.

Epode [grch. »Nachgesang«] *die,* **1)** *altgrch. Tragödie:* der auf Strophe und Gegenstrophe folgende Abgesang.

2) *Metrik:* Versart, die eine längere und eine kürzere Zeile, bes. einen jamb. Trimeter und jamb. Dimeter, verbindet.

Epökie [grch.] *die* (Aufsiedlertum), Lebensweise von Pflanzen (Algen, Flechten, Moosen, Orchideen) und Tieren (Wimpertierchen, Polypen, Seepocken) auf anderen Organismen, wobei lediglich die von diesen gebotenen Wuchsorte genutzt werden, ohne bei ihnen zu schmarotzen. (→Epiphyten, →Epizoen)

Epona, keltische, bes. in Gallien verehrte Göttin der Pferde; ihr Kult drang bis Rom vor.

Epos [grch. »das Gesagte«, »Berichtete«] *das* (im 18. Jh. auch Epopöe), früh ausgebildete Großform erzählender Dichtung in gleichartig gebauten Versen oder Strophen (Versepos), meist mehrere Teile (Gesänge, Bücher, Aventiuren) umfassend. Kennzeichen sind gehobene Sprache, typisierende Gestaltungsmittel (epische Breite, Wiederholungen, Gleichnis, Formel), auf Erzählerebene die »epische Distanz«, ein Leitgedanke oder eine zentrale Gestalt. Das E. hat seinen Ursprung in jenem Stadium früher Epochen, in dem neben dem myth. Weltbild ein spezif. Geschichtsbewusstsein von der herrschenden, kulturtragenden Gruppe eines Volkes ausgebildet wurde. Seine Voraussetzung und zugleich sein Publikum war eine einheitlich (z.B. feudalistisch) strukturierte Gesellschaft, deren Anfangsgeschichte realhistor. Grundlage der frühen E. ist. Als literar. Vorstufe gelten kult. Einzelgesänge (Götter-, Helden-, Preislieder), die von anonymen Dichtern zu »Volks-E.« ausgestaltet und mündlich vorgetragen wurden. Es entwickelten sich Einzelgattungen wie National-, Lehr-, Tier- und Scherzepen.

Die *Geschichte* der E.-Überlieferung beginnt im Orient mit dem babylon. »Gilgamesch-Epos« (2. Jt. v. Chr.), in Indien mit dem »Mahabharata« (4. Jh. v. Chr. bis 4. Jh. n. Chr.) und dem »Ramayana« (4. Jh. v. Chr. bis 2. Jh. n. Chr.). Höhepunkt des neupers. E. ist die Samml. des Firdausi, »Schah-Name« (Königsbuch). Die Hexameterdichtungen »Ilias« und »Odyssee« des Homer sind die frühesten Zeugnisse (8. Jh. v. Chr.) des westl. Epos. Weiterer Höhepunkt des antiken E. ist Vergils »Äneis« (Ende des 1. Jh. v. Chr.). Fortsetzung finden lat. und grch. E. im MA. in den byzantin. Geschichts- und Preis-E. (7.–12. Jh.), im mlat. geistlichen E. (Bibel-E., [Heiligen-]Legenden) sowie in mlat. Herrscherviten, Chroniken oder Bearbeitungen auch german. Stoffe (»Waltharius«, 9. oder 10. Jh.) und schließlich im nlat. E. seit Petrarcas »Africa« (1338–42). Parallele Formen in der jeweiligen Volkssprache sind z.B. die frühmittelhochdt. »Kaiserchronik« (um 1145).

Neue Leistung der Zeit ist das volkssprachl. Helden-E.; Stoffe aus der Zeit der Völkerwanderung verarbeitet das german. Helden-E. (der altengl. »Beowulf«, wahrscheinlich 10. Jh.; das mittelhochdt. »Nibelungenlied«, um 1200); die karoling. Grenz- und Glaubenskämpfe und der Kreuzzugsgeist des hohen MA. finden Niederschlag im ro-

Epos: Miniatur zu Dantes Epos »Göttliche Komödie«, Handschrift des 15. Jh. (Florenz, Nationalbibliothek)

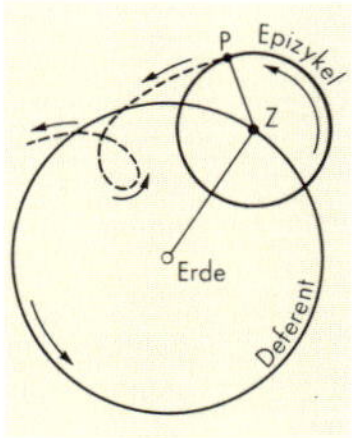

Epizykeltheorie: Gleichförmige Bewegung eines Planeten (P) auf einem kleinen Kreis (Epizykel), dessen Mittelpunkt (Z) sich so gleichförmig auf einem Trägerkreis (Deferent) um die Erde bewegt; die so entstehende schleifenförmige Kurve (gestrichelt) ist eine Epizykloide

man. Helden-E. (das altfrz. »Rolandslied«, um 1100, u.a. Chansons de Geste; der altspan. »Poema del Cid«, um 1140). Die meisten slaw. Volks-E. wurden erst seit dem 19. Jh. schriftlich fixiert. Das Abenteuer-E. der Spielmannsdichtung steht zw. Helden-E. und dem höf. E. des hohen MA. (Chrétien de Troyes, Wolfram von Eschenbach, Gottfried von Straßburg, Hartmann von Aue, Heinrich von Veldeke). Dantes »Göttliche Komödie« (1307–21) steht an der Schwelle zur Renaissance, in der die Gattung mit dem National-E. als bewusster Kunstschöpfung einen neuen Höhepunkt erlebt, u.a. »Der rasende Roland« (1516) von L. Ariosto, T. Tassos »Das befreite Jerusalem« (1581) in Italien, die »Lusiaden« (1572) von L. Vaz de Camões in Portugal, die »Araucana« (1569–89) von A. de Ercilla y Zúñiga in Spanien, E. Spensers »The faerie queene« (1590–96) in England, die kroat. »Judita« (1521) von M. Marulić in Osteuropa. – Zunehmende Subjektivierung und Verbürgerlichung der Weltansicht stehen der weiteren Entfaltung des E. entgegen, das aber von einigen Dichtern noch als oppositionelle Form gegen Verflachung von Leben und Poesie genutzt wird (J. Milton, F. G. Klopstock). Die Wiederbelebungsversuche im 19. und bis zur Mitte des 20. Jh. sind zahlreich, meist in Form von National-E. oder Weltanschauungs-E., die sich mit ihrer Neigung zur lyrisch-ep. Versdichtung (P. B. Shelley, J. Keats und Lord Byron; W. Whitman und E. Pound; Saint-John Perse; C. Brentano, R. Dehmel; A. S. Puschkin) von der rein ep. Gattung abheben. Der →Roman hatte sich als Nachfolger des E. bereits im 18. Jh. durchgesetzt.

📖 *Das dt. Versepos, hg. v.* W. J. SCHRÖDER. *Darmstadt 1969. – Europ. Heldendichtung, hg. v.* K. VON SEE. *Darmstadt 1978. –* BARTELS, H.: *E. – die Gattung in der Geschichte. Eine Begriffsbestimmung vor dem Hintergrund der Hegelschen »Ästhetik« anhand von »Nibelungenlied« u. »Chanson de Roland«. Heidelberg 1982. – Formen der Literatur in Einzeldarstellungen, hg. v.* O. KNÖRRICH. *Stuttgart ²1991.*

Rainer Eppelmann

Hanns Wilhelm Eppelsheimer

Epoxide (Oxirane), reaktive organ. Verbindungen, die einen dreigliedrigen Ring mit einem Sauerstoffatom **(Epoxidgruppe)** enthalten. Das einfachste E. ist das →Äthylenoxid. E. sind Ausgangsstoffe zur Herstellung von Kunststoffen.

Epoxidharze, Abk. **EP,** durch Umsetzung von Epichlorhydrin mit zweiwertigen Phenolen hergestellte Kunstharze, deren Moleküle mehr als eine Epoxidgruppe enthalten. Sie werden während der Verarbeitung mit Härtern versetzt; um die Eigenschaften zu modifizieren, gibt man Füllstoffe, Weichmacher, Glasfasern u.a. zu. E. werden in Zweikomponenten-Reaktionslacken und Einbrennlacken, als Zweikomponentenkleber, Gießharze und zur Herstellung von glasfaserverstärkten Kunststoffen verwendet.

Eppan an der Weinstraße (italien. Appiano sulla Strada del Vino), Gemeinde in der italien. Provinz Bozen, Südtirol, 411 m ü.M., 10400 Ew.; Wein- und Obstbau; in der Kapelle der Burg Hocheppan Wandmalereien (12. Jh.).

Eppan an der Weinstraße: Zwei »Törichte Jungfrauen«, Ausschnitt aus dem Freskenzyklus in der Burgkapelle von Hocheppan (Ende 12. Jh.)

Eppelmann, Rainer, Theologe und Politiker, *Berlin 12. 2. 1943; Pfarrer, Mitgründer (1989) und Vors. (1990) des »Demokrat. Aufbruchs«, Min. für Abrüstung und Verteidigung der DDR (1990) in der Reg. de Maizière; wurde nach dem Beitritt der DDR zur Bundesrep. Dtl. (3. 10. 1990) im Dez. 1990 MdB, 1992 Vors. einer Enquetekommission des Bundestages zur Aufarbeitung der DDR-Geschichte. Seit 1994 ist er Bundesvors. der Christlich-Demokrat. Arbeitnehmerschaft (CDA).

Eppelsheimer, Hanns Wilhelm, Bibliothekar, Literarhistoriker und Bibliograph, *Wörrstadt (Landkr. Alzey-Worms) 17. 10. 1890, †Frankfurt a. Main 24. 8. 1972; 1947–59 erster Direktor der Dt. Bibliothek Frankfurt a. M.; schrieb u.a. »Hb. der Weltliteratur« (1935–37), »Gesch. der europ. Weltliteratur« (1970).

Eppingen, Stadt im Landkreis Heilbronn, Bad.-Württ., im Kraichgau, 18700 Ew.; Heimatmuseum in der »Alten Universität«; Maschinenbau, Brauerei. – Fachwerkhäuser und Reste der Stadtummauerung. – Erhielt 1282 die Rechte einer Reichsstadt; 1564/65 Sitz der Univ. Heidelberg während der Pestepidemie.

Eppler, Erhard, Politiker, *Ulm 9. 12. 1926; Oberstudienrat, 1951–55 Mitgl. der GVP, seit 1956 der SPD; 1961–76 MdB, 1968–74 Bundesmin. für wirtsch. Zusammenarbeit, 1973–81 Vors. der SPD in Bad.-Württ., 1973–82 und 1984–89 Mitgl. des SPD-Bundespräsidiums, leitete 1977–91 die Grundwertekommission der SPD und engagierte sich bes. in den 80er-Jahren in der Ökologie- und Friedensbewegung; 1981–83 und 1989–91 Präs. des Dt. Evang. Kirchentages.

Eppstein, Stadt im Main-Taunus-Kreis, Hessen, 12 900 Ew.; Luftkurort im Vordertaunus; Aluminiumfolien-, Druckfarben-, Lederherstellung. – Burgruine (11.–14. Jh.); im sog. Mainzer Schloss heute das Heimatmuseum, evang. Pfarrkirche (ab 1435; über roman. Vorgängerbau). – Die Herren von E. stellten 1200–1305 vier Erzbischöfe von Mainz. E. erhielt 1318 Stadtrecht.

eppur si muove [italien.], »Und sie (die Erde) bewegt sich doch«, legendärer Ausruf →Galileis.

EPR, →Elektronenspinresonanz.

EPROM [Abk. für engl. **e**rasable **p**rogrammable **r**ead-**o**nly **m**emory, »löschbarer (und wieder) programmierbarer Festwertspeicher«], →Speicher für elektron. Datenverarbeitungsanlagen.

Epsilon *das* (E, ε), der fünfte Buchstabe des grch. Alphabets, bezeichnet das kurze und überwiegend geschlossene e.

Epsom and Ewell ['epsəm ənd 'ju:əl], Stadt in der engl. Cty. Surrey, südwestlich von London, 69 200 Ew.; Pferderennbahn; Bittersalzquellen.

Epsomit [nach der Gewinnung aus den Mineralquellen von Epsom (Epsom and Ewell)] *der* (Bittersalz), farbloses rhomb. Mineral der chem. Zusammensetzung $MgSO_4 \cdot 7H_2O$; Verwendung als Abführ-, Beiz- und Flammschutzmittel.

Jacob Epstein: »Sankt Michael kämpft mit dem Teufel«, Skulpturengruppe an der Kathedrale von Coventry (1958)

Epstein ['epstaɪn], Sir (seit 1954) Jacob, brit. Bildhauer polnisch-russ. Abkunft, *New York 10. 11. 1880, †London 19. 8. 1959; stand dem →Vortizismus nahe, schuf Figurengruppen mit religiöser und literar. Thematik, auch monumentale Werke (Grabmal für O. Wilde; Paris, Père Lachaise) sowie Porträtbüsten (u.a. A. Einstein, G. B. Shaw, W. Churchill).

Eppingen: Alte Universität am Markt (15. Jh.)

Epstein-Barr-Virus [nach den brit. Virologen M. A. Epstein und Y. M. Barr], zur Gruppe der Herpesviren gehörender Erreger der infektiösen →Mononukleose. Das E.-B.-V. ist das bisher einzige Virus, das mit großer Sicherheit zu bestimmten Krebsformen beim Menschen führen kann (z.B. Burkitt-Tumor).

Erhard Eppler

EQ, Abk. für **e**motionaler **Q**uotient, →Intelligenzquotient.

Equalizer ['i:kwəlaɪzə, engl.] *der,* Klangregeleinrichtung an Verstärkern von Hi-Fi-Anlagen zur Korrektur, Entzerrung oder sonstigen Beeinflussung des Klangbildes, wobei der gesamte Tonfrequenzbereich in mehrere Bänder aufgeteilt wird.

Equipe [e'kip, frz.] *die,* Sportmannschaft, bes. im Reitsport.

Equites [lat.], Reiter, Ritter; im antiken Rom waren die E. urspr. die nur aus dem Adel gebildete Reiterei. Seit dem 2. Jh. v. Chr. entstand ein neuer 2. Stand **(Ordo equester)** nach den Senatoren.

Equity ['ekwɪtɪ; engl. »Billigkeit«], im angloamerikanischen Recht Regeln zur Ergänzung des →Common Law zum Ausgleich von Härten; urspr. einzelfallbezogen, entwickelte es sich zu einem festen, nicht kodifizierten Rechtssystem.

Equuleus [lat.], Füllen, Sternbild der Äquatorzone.

Er, chem. Symbol für →Erbium.

ER, Abk. für **e**ndoplasmatisches **R**etikulum, →Zelle.

Erasmus (Rasmus, Elmo), legendärer Märtyrer, †Formiae (Kampanien) um 305, einer der 14 Not-

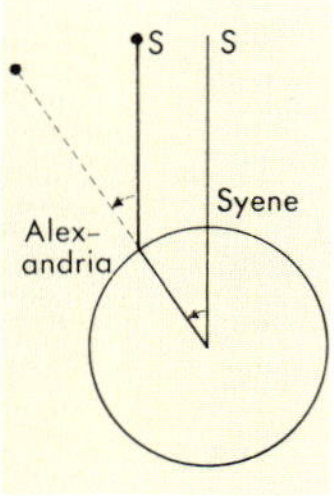

Eratosthenes von Kyrene: Bestimmung des Erdumfangs aus der bekannten Länge der Strecke Syene – Alexandria und dem Einfallswinkel der Sonnenstrahlen an dem einen Ort, wenn die Sonne S am anderen Ort im Zenit steht

Necmettin Erbakan

helfer; Schutzpatron der Drechsler und Schiffer; Heiliger; Tag: 2. 6.

Erasmus von Rotterdam (E. Desiderius), niederländ. Humanist und Theologe, *Rotterdam 28. 10. 1466 oder 1469, †Basel 12. 7. 1536; urspr. Augustiner (1492 Priesterweihe), lebte als freier Gelehrter in den Niederlanden, in England, seit 1521 meist in Basel. Als Textkritiker, Herausgeber (Kirchenväter, N. T.) und Grammatiker hat E. die neuzeitl. Philologie mitbegründet. Von ihm stammt die heute übliche Aussprache des Altgriechischen (Etazismus). Seine geistvollen Schriften, so »Encomion moriae« (1510, »Lob der Torheit«), »Colloquia familiaria« (1518, »Vertraute Gespräche«), und seine fein stilisierten Briefe genossen europ. Berühmtheit. In der religiösen Bewegung nahm E., der geistiggedanklich zur Vorbereitung der Reformation beigetragen hatte, eine vermittelnde Stellung zu den reformator. Bestrebungen ein. Er lehnte Luthers Reformation aber ab, als sie zum Bruch mit der Kirche führte. Sein Streit mit Luther (»Über die Freiheit des Willens«, 1524) führte zur Trennung von Reformation und Humanismus. Er selbst suchte ein freies, vernunftgemäßes, den sittl. Gehalt des N. T. betonendes Christentum (»Enchiridion militis christiani«, 1502, »Handbuch des christl. Streiters«).

🕮 WALTER, P.: *Theologie aus dem Geist der Rhetorik. Zur Schriftauslegung des E. v. R. Mainz 1991.* – HUIZINGA, J.: *E. Eine Biographie. Neuausg. Reinbek 31.–38. Tsd. 1993.* – GAIL, A. J.: *E. v. R. Reinbek 29.–31. Tsd., 1994.* – AUGUSTIJN, C.: *E. – der Humanist als Theologe u. Kirchenreformer. Leiden u. a. 1996.*

Erasmus von Rotterdam: Kupferstich von Albrecht Dürer (1526)

Erasmuspreis (Praemium Erasmianum), 1958 gestifteter niederländ. Preis für bes. Verdienste um europ. Kultur und europ. Bewusstsein.

Erastus (eigtl. Lüber, Lieber oder Liebler), Thomas, schweizerisch-dt. Mediziner und ref. Theologe, *Baden (Kt. Aargau) 7. 5. 1524 (?), †Basel 1. 1. 1583; Zwinglianer, seit 1555 Prof. in Heidelberg. Als Mitgl. des Kirchenrats (1559–64) nahm E. wesentl. Anteil an der Einführung und Durchsetzung des ref. Kirchenwesens in der Pfalz; forderte den Primat des Staates über die Kirche.

Erato [grch.], die Muse der Liebesdichtung und des Tanzes; ihr Attribut ist ein Saiteninstrument.

Eratosthenes von Kyrene, grch. Gelehrter, *Kyrene um 290, †um 214 v. Chr.; Vorsteher der Bibliothek in Alexandria, verfasste Dichtungen und philolog. Schriften, fand Lösungen mathemat. Probleme (z. B. →Sieb des Eratosthenes), berechnete als Erster den Erdumfang.

Erbach, Krst. des Odenwaldkreises, Hessen, an der Mümling, 220 m ü. M., 12 900 Ew.; Luftkurort; Fachschule für Elfenbeinschnitzerei; Dt. Elfenbeinmuseum; Kunsthandwerk (Elfenbeinschnitzerei, Bernsteinbearbeitung); Metall- und Kunststoffverarbeitung, Feuerzeugherstellung. – Schloss (14.–18. Jh., urspr. Wasserburg; Waffen- und Kunstsammlung). – 1321 erstmals Stadt genannt.

Erbakan, Necmettin, türk. Politiker, *Sinop 29. 10. 1926; Ingenieur, 1973–81 Vors. der islamisch orientierten Nationalen Heilspartei, mehrfach Vize-MinPräs., seit 1983 Mitbegründer und Vors. der islam. Wohlfahrtspartei; erstrebt eine am Islam orientierte Gesellschaft und lehnt die Orientierung seines Landes zum europ. Westen ab; 1996–97 Ministerpräsident.

Erbämter, im Hl. Röm. Reich seit dem 13. Jh. bis 1806 die Hofämter (auch an landesfürstl. Höfen) im erbl. Besitz bestimmter Geschlechter (→Kurfürsten), die stellvertretend für die fürstl. Inhaber der →Erzämter wahrgenommen wurden.

Erbanfall, der sich mit dem Tod des Erblassers von selbst vollziehende Erwerb der Erbschaft (§ 1922 BGB); der E. wird durch Ausschlagen der Erbschaft beseitigt.

Erbanlage (Erbfaktoren), die →Gene.

Erbärmdebild, ein →Andachtsbild.

Erbauung, Begriff der christl. Frömmigkeit. Gemeinschaftsbezogen im Gottesdienst und individuell in der persönl. Frömmigkeitsübung ist die E. dem Christen Mittel zur Festigung und Stärkung (Auferbauung) seines Glaubens.

Erbbauer, Bauer mit erbl. Besitzrecht auf fremdem Land (Erbzinsrecht, Meierrecht, Erbleihe, Erbpacht); früher auch der mit dem Gut seines Herrn vererbte Hörige.

Erbbaurecht, veräußerliches und vererbliches Recht, auf einem fremden Grundstück ein Bauwerk (z.B. ein Haus) zu errichten (VO v. 15. 1. 1919). Es entsteht durch Einigung und Eintragung ins Grundbuch. Als grundstücksgleiches Recht ist das E. belastbar, wovon das Grundeigentum unberührt bleibt. Der Erbbauberechtigte ist i.d.R. verpflichtet, den Erbbauzins zu zahlen (wiederkehrendes Entgelt). Das E. erlischt nach Ablauf der vereinbarten Zeit. Das Eigentum am Bauwerk geht dann auf den Grundeigentümer über, der zur Zahlung einer Entschädigung verpflichtet ist. Eine besondere Art der Übertragung ist der **Heimfall,** d.h. die Verpflichtung des Erbbauberechtigten, beim Eintritt bestimmter Bedingungen das E. auf den Eigentümer des Grundstücks zu übertragen (gegen angemessene Vergütung).

📖 LINDE, T. *u.* RICHTER, R.: *E. u. Erbbauzins in Recht u. Praxis. Freiburg im Breisgau* [2]*1993.* – OEFELE, H. VON *u.* WINKLER, K.: *Handbuch des Erbbaurechts. München* [2]*1995.*

Erbbiologie, die → Genetik.

erbbiologisches Gutachten, Form des Beweises der Abstammung, dient dem Nachweis der → Vaterschaft.

Erbe, derjenige, auf den mit dem Tode **(Erbfall)** einer Person **(Erblasser)** deren Vermögen **(Erbschaft, Nachlass,** in Österreich auch **Verlassenschaft)** als Ganzes übergeht (§ 1922 BGB). Fällt die Erbschaft an mehrere Personen gemeinschaftlich, so sind sie **Miterben.** Die → Erbfolge kann auf Gesetz **(gesetzl. E.)** oder auf dem Willen des Erblassers (Testament, Erbvertrag) beruhen **(Testaments-, Vertrags-E.).** Ein E., der erst nach einem anderen (dem **Vor-E.**) E. wird, heißt **Nach-E.** (§ 2100 BGB). Wenn jemand als E. für den Fall berufen wird, dass ein anderer E. vor oder nach dem Erbfall wegfällt, so wird er als **Ersatz-E.** (§ 2096 BGB) bezeichnet. Die Fähigkeit, E. zu werden **(Erbfähigkeit),** steht jeder natürl. (auch schon vor ihrer Geburt) und jurist. Person zu. Nach § 1942 BGB geht die Erbschaft mit dem Tod des Erblassers auf den berufenen E. über (Anfall der Erbschaft), doch hat der E. das Recht, die Erbschaft durch Erklärung (in öffentlich beglaubigter Form oder zur Niederschrift des Nachlass-Ger.) gegenüber dem Nachlass-Ger. auszuschlagen. Dieses Recht erlischt, wenn der E. die Erbschaft angenommen hat (ausdrücklich oder stillschweigend) oder wenn seit der Kenntnisnahme von Anfall und Grund der Berufung sechs Wochen verstrichen sind (Ausschlagungsfrist). Gegen jeden, der irgendetwas aus der Erbschaft aufgrund eines ihm in Wirklichkeit nicht zustehenden Erbrechts erlangt hat **(Erbschaftsbesitzer),** hat der E. einen Anspruch auf Herausgabe des Erlangten **(Erbschaftsanspruch,** § 2018 BGB). **Erbunwürdig** (§§ 2339 ff. BGB) ist u.a., wer den Erblasser getötet oder zu töten versucht oder es in anderer Weise unternommen hat, den Erblasser an der Errichtung oder Aufhebung eines Testaments nach seinem freien Willen zu hindern, ferner, wer ein Testament fälscht oder vernichtet. Ein gesetzl. E. oder der in einer Verfügung von Todes wegen Bedachte kann auf sein künftiges Erbrecht durch notariellen Vertrag mit dem Erblasser verzichten **(Erbverzicht,** §§ 2346 ff. BGB). – Vom E. zu unterscheiden ist der **Vermächtnisnehmer,** der nur kraft letztwilliger Verfügung in Bezug auf einzelne Nachlassgegenstände am Nachlass teilhat.

Erbach: Schlosshof

Erbach
Stadtwappen

📖 ECKEBRECHT, M.: *Die Rechtsstellung des erbrechtl. Anwärters vor u. nach dem Erbfall. Frankfurt am Main u. a. 1992.* – BARTSCH, H.: *Handbuch Erbrecht. Erben u. vererben: richtig vorsorgen. Berlin u. a.* [5]*1994.* – HUBER, G.: *Richtig erben u. vererben von A–Z. Planegg* [2]*1997.*

Erben, Karel Jaromír, tschech. Gelehrter und Dichter, * Miletín 7. 11. 1811, † Prag 21. 11. 1870; sammelte tschech. Volkslieder und veröffentlichte meisterhaft nacherzählte Volksmärchen.

Erbengemeinschaft, → Miterbe.

Erbenhaftung, Haftung der Erben für die Nachlassverbindlichkeiten, d.h. die Schulden des Erblassers und die Verbindlichkeiten, die infolge des Erbfalls entstehen (z.B. Vermächtnisse, Kosten der Beerdigung oder der Testamentsvollstreckung, → Dreißigster §§ 1967 ff. BGB). Erben haften für die Nachlassverbindlichkeiten grundsätzlich unbeschränkt (auch mit eigenem Vermögen), können aber ihre Haftung auf den Nachlass beschränken, indem sie unverzüglich Nachlassverwaltung oder, bei überschuldetem Nachlass, Nachlasskonkurs beantragen. Ist der Nachlass zu gering, um die Kosten dieser Maßnahmen zu lohnen, haftet der Erbe nur beschränkt (§ 1990 BGB, Einrede der Dürftigkeit des Nachlasses). Er muss in diesem Fall den Nachlass zur Befriedigung der Gläubiger im

Wege der Zwangsvollstreckung herausgeben. Eine Beschränkung der E. kann auch dadurch erreicht werden, dass jeder Erbe die Nachlassgläubiger öffentlich auffordert, ihre Forderungen binnen einer Aufgebotsfrist (höchstens sechs Monate) beim Nachlassgericht anzumelden. Dem im Aufgebotsverfahren Ausgeschlossenen haftet er ebenfalls nur beschränkt.

In *Österreich* haftet vor der Einantwortung (Übergabe des Erbes) nur der Nachlass für die Nachlassschulden; nach der Einantwortung haftet der Erbe mit seinem ganzen Vermögen, und zwar entweder für den vollen Betrag der Nachlassschulden und Vermächtnisse oder nur für einen Teil, wenn ein Inventar errichtet wurde. – In der *Schweiz* kann bei überschuldetem Nachlass der Erbe die Erbschaft ausschlagen, ein öffentl. Inventar verlangen oder die amtl. Liquidation beantragen (Art. 560, 580, 593 ZGB).

📖 FREI, W.: *Die E. für Forderungen aus dem Steuerrechtsverhältnis. Konstanz 1995.* – KLOOK, S.: *Die überschuldete Erbschaft. Der Erbe als Berechtigter und als Treuhänder der Nachlassgläubiger. Berlin 1998.*

Erbersatzanspruch, bis zum 1. 7. 1998 der Erbanspruch des nichtehel. Kindes, der ihm beim Tode des Vaters neben ehel. Abkömmlingen und dem überlebenden Ehegatten anstelle des gesetzl. Erbteils zusteht. Er war ein Geldanspruch in Höhe des Wertes des Erbteils (§ 1934 a BGB alter Fassung).

Durch das Gesetz zur Reform des Kindschaftsrechts vom 16. 12. 1998 wurden die Vorschriften über den E. sowie den vorzeitigen Erbausgleich aufgehoben, da in Bezug auf das Erbrecht nicht mehr zwischen ehel. und nichtehel. Abkömmlingen unterschieden wird.

Erbeskopf, höchster Berg (818 m ü. M.) des →Hunsrücks.

Erbfähigkeit, →Erbe.

Erbfolge, der Eintritt des Erben in das Vermögen und die Verbindlichkeiten des Erblassers. Hat der Erblasser über sein Vermögen keine Verfügung getroffen, so tritt die **gesetzl. E.** ein, während die **gewillkürte E.** auf Testament oder Erbvertrag beruht (§§ 1937, 1941 BGB).

Die **gesetzl. E.** beruft die Verwandten in bestimmten Gruppen (Ordnungen, **Parentelen**) nacheinander, wobei die Verwandten der näheren Ordnung die der entfernteren Ordnungen ausschließen. Die 1. Ordnung bilden die Abkömmlinge des Erblassers (Kinder), die zu gleichen Teilen erben. Ist ein Abkömmling zur Zeit des Erbfalls verstorben, treten an die Stelle des Verstorbenen dessen Abkömmlinge. Zur 2. Ordnung gehören die Eltern des Erblassers und deren Abkömmlinge (Geschwister des Erblassers, deren Kinder und Kindeskinder). In der 3. Ordnung erben die Großeltern und deren Abkömmlinge (Onkel und Tanten des Erblassers, deren Kinder und Kindeskinder), in der 4. Ordnung die Urgroßeltern des Erblassers und, wenn keine Urgroßeltern mehr leben, derjenige unter ihren Abkömmlingen, der mit dem Erblasser dem Grade nach am nächsten verwandt ist. Nichtehel. Kinder sind erbrechtlich ehel. Kindern gleichgestellt, allerdings auf den →Erbersatzanspruch beschränkt.

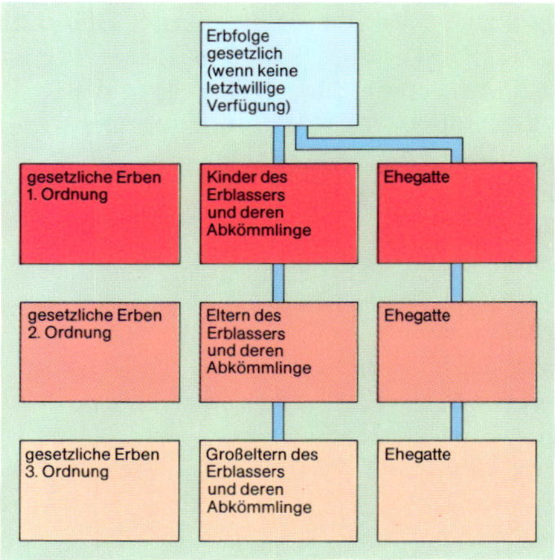

Erbfolge: Gesetzliche Erbfolge

Der überlebende Ehegatte ist neben Verwandten der 1. Ordnung (also bes. den Kindern) zu einem Viertel, neben Verwandten der 2. Ordnung oder neben Großeltern zur Hälfte der Erbschaft gesetzl. Erbe. Neben Verwandten der 2. Ordnung oder neben Großeltern erhält der überlebende Ehegatte außerdem noch die zum ehel. Haushalt gehörenden Gegenstände als **Voraus;** neben Verwandten der 1. Ordnung gebühren ihm diese Gegenstände, soweit er sie zur Führung eines angemessenen Haushalts benötigt. Sind nur Abkömmlinge von Großeltern oder Verwandte der 4. und der folgenden Ordnungen vorhanden, so erhält der Ehegatte den ganzen Nachlass (§§ 1924 ff. BGB). Haben die Ehegatten im gesetzl. Güterstand der Zugewinngemeinschaft gelebt, so erhöht sich der Erbteil des überlebenden Ehegatten, unabhängig von der Dauer der Ehe und dem Umfang des Zugewinns, zusätzlich um ein Viertel. Es steht ihm frei, stattdessen die Erbschaft auszuschlagen, aber dennoch den Pflichtteil und den tatsächl. Zugewinn zu verlangen (§ 1371 BGB). – Sind weder ein Ehegatte noch ein Verwandter vorhanden, so wird der Fiskus Erbe.

In *Österreich* erben die Verwandten ebenfalls nach Parentelen (Linien). Jedoch ist die Verwandten-E. beschränkt; sie erstreckt sich bis zu den Stammeltern der 4. Linie (Urgroßeltern), nicht mehr aber auf deren Nachkommenschaft

(§§ 727–751 ABGB). Der überlebende Ehegatte erbt neben ehel. Kindern ein Drittel, neben Eltern und Großeltern des Erblassers zwei Drittel des Nachlasses. – In der *Schweiz* gilt ebenfalls ein Parentelsystem, doch hört hier mit dem Stamm der Großeltern die Erbberechtigung der Blutsverwandten auf. Zwischen nichtehel., adoptierten und ehel. Verwandten wird in erbrechtl. Hinsicht kein Unterschied gemacht. Fehlt es an gesetzl. Erben, so fällt der Nachlass an den Staat (Kanton oder Gemeinde des letzten Wohnsitzes). Das Recht des Ehegatten ist dem dt. Recht ähnlich geregelt (Art. 457 ff. ZGB).

📖 SPIEGELBERGER, S.: *Vermögensnachfolge. Vorweggenommene E., Erbauseinandersetzung u. Unternehmertestament. München 1994.*

Erbfolgekriege (Sukzessionskriege), aus Streitigkeiten über Thronfolgerechte entstandene Kriege, so der →Spanische Erbfolgekrieg (1701–14), der Polnische Thronfolgekrieg (1733–35/38), der →Österreichische Erbfolgekrieg (1740–48) und der Bayerische E. (1778/79, →Bayern, Geschichte).

Erbgesundheitslehre, →Eugenik.

Erbgrind (Wabengrind, Favus), durch Fadenpilze hervorgerufene meldepflichtige Pilzkrankheit bes. der behaarten Kopfhaut. E. kommt auch bei Haustieren vor; von diesen auf den Menschen übertragbar, bes. Trichophytie.

Erbhof, →Höferecht.

Erbil (Arbil, Irbil), Stadt im nördl. Irak, 486 000 Ew.; auf einem Hügel gelegenes Zentrum einer landwirtsch. intensiv genutzten Ebene; Eisenbahnendpunkt. – Ziegelminarett der alten Moschee (1190–1223). – E., das antike **Arbela,** sumer. **Urbilum,** akkad. **Arbailu,** bereits in Quellen des 3. Jt. erwähnt, war später eine bed. Stadt Assyriens und Kultort der babylon. Göttin Ischtar. Unweit E., bei Gaugamela, fand 331 v. Chr. die Entscheidungsschlacht Alexanders d. Gr. gegen die Perser statt.

Erbium *das,* Symbol **Er,** Seltenerdmetall aus der Gruppe der Lanthanoide. Ordnungszahl 68, rel. Atommasse 167,26, Dichte 9,062 g/cm^3, Schmelzpunkt 1529 °C, Siedepunkt ca. 2900 °C. – E. findet sich in der Natur in geringen Konzentrationen in den →Yttererden. Techn. Bedeutung hat es nur vereinzelt, v. a. in der Metallurgie und als Dotiermaterial in spez. Lasern.

Erbkaiserliche, die später meist **Kleindeutsche** genannte polit. Gruppe in der →Frankfurter Nationalversammlung, die gegenüber den Großdeutschen das preuß. Erbkaisertum vertrat.

Erbkrankheiten (genetische Krankheiten, Heredopathien), durch Mutationen hervorgerufene Änderungen der Erbanlagen, die sich als Erkrankungen des Organismus auswirken. Die mutierten Gene werden nach den →mendelschen Gesetzen auf die Nachkommen vererbt. Rezessive krankhafte Anlagen werden erst offenbar, wenn sie, von beiden Eltern übernommen, homozygot, d. h. in beiden einander entsprechenden Chromosomen gleichermaßen vorhanden sind. Daher kann eine rezessive krankhafte Erbanlage auch mehrere Generationen überspringen, bevor sie sich wieder klinisch als Krankheit offenbart. Dominant vererbte krankhafte Anlagen dagegen führen bei den Betroffenen mit einer Wahrscheinlichkeit von 50 % zu einer Erkrankung ihrer Kinder. Manche E. sind geschlechtsgebunden, d. h., sie treten entweder nur bei Männern oder nur bei Frauen auf.

📖 SPIEGEL, R. *u.* SCHMID, WERNER: *E. rechtzeitig erkennen. Genetische Beratung u. ihre Untersuchungsmethoden. München 1997.*

Erbkrankheiten

Eine geschlechtsgebundene Erbkrankheit ist die Bluterkrankheit, die sich in der mangelnden Gerinnungsfähigkeit des Blutes äußert. Die Bluterkrankheit beruht auf einer Mutation im weiblichen X-Chromosom. Da die Mutation rezessiv ist, sind Frauen nur die Träger der Krankheit. Erbt ein Mann das mutierte X-Chromosom seiner Mutter, wird er zum Bluter. Bekannt ist die Vererbung der Bluterkrankheit durch Königin Victoria von England. Sie vererbte als Trägerin die Krankheit an ihren Sohn Leopold von Albany (der 31-jährig an Blutungen starb) und ihre Töchter Prinzessin Victoria (verheiratet mit dem deutschen Kaiser Friedrich III.; ihr Sohn Kaiser Wilhelm II. war kein Bluter, jedoch sein Bruder Waldemar), Prinzessin Beatrix (verheiratet mit Heinrich von Battenberg; ihre Tochter Victoria von Battenberg war Trägerin und heiratete den spanischen König Alfons XIII., den Großvater von König Juan Carlos von Spanien) und Prinzessin Alice (verheiratet mit dem Großherzog von Hessen Ludwig IV.; ihre Tochter Alexandra von Hessen war Trägerin der Krankheit und vererbte sie als Frau von Zar Nikolaus II. an den Zarewitsch Alexei).

Erblande, der Stammbesitz eines Herrscherhauses.

Erblastentilgungsfonds, ein 1993 geschaffenes nicht rechtsfähiges Sondervermögen des Bundes, in dem die aus der dt. Vereinigung entstandenen finanziellen »Erblasten« in Höhe von 338 Mrd. DM zum 1. 1. 1995 zusammengefasst wurden: 205 Mrd. DM Finanzschulden der Treuhandanstalt, 102 Mrd. DM Verbindlichkeiten des Kreditabwicklungsfonds und 31 Mrd. DM Altschulden der ostdt. Wohnungswirtschaft.

Erblehre, die →Genetik.

Erbleihe, →Erbpacht.

Erblichkeit, die Übertragbarkeit bestimmter, nicht umweltbedingter elterl. Merkmale auf die Nachkommen.

Erbpacht, früher das erbl. und veräußerl. dingliche Nutzungsrecht an einem Grundstück, bes. an einem Bauerngut, gegen Zahlung des jährl. **Erb-**

zinses und Leistung von Abgaben und Diensten. Rechtlich ähnlich geregelt war die **Erbleihe,** die vererbl. und veräußerl. dingliche Leihe.

Erbprinz, Titel des ältesten Sohnes und Thronfolgers eines regierenden wie auch eines mediatisierten Herzogs oder Fürsten.

Erbrechen (Emesis, Vomitus), die ruckweise Entleerung von Mageninhalt durch Speiseröhre, Schlund und Mund, u.a. infolge Überfüllung oder Reizung des Magens, bei Magen- und Darmerkrankungen, Störung des Gleichgewichtssinnes (z.B. Seekrankheit), zu Beginn fieberhafter Krankheiten, in der Schwangerschaft, bei Widerwillen gegen bestimmte Speisen, durch Brechmittel. – *Behandlung:* Ruhe, Wärme, Fasten, Flüssigkeitszufuhr; möglichst Beseitigung des Grundleidens.

Erbse: Gemüseerbse, Blüte (oben) und Frucht (Höhe bis etwa 1 m)

Erbrecht, im objektiven Sinn alle Bestimmungen, die den Rechts- und Pflichtenübergang eines Verstorbenen **(Erblasser)** auf andere Personen (→Erbe) zum Gegenstand haben; subjektiv das sich aus dem objektiven E. ergebende Recht des Erben auf die Erbschaft. Das E. ist in Dtl. verfassungsrechtlich als Grundrecht garantiert (Art. 14 GG); es umschließt bes. die Testierfreiheit und den Schutz vor konfiskator. Erbschaftssteuern. Bürgerlichrechtlich ist das E. im 5. Buch des BGB (§§ 1922 ff.) geregelt; es wird von den Prinzipien **Universalsukzession** (Gesamtrechtsnachfolge, d.h., von Gesetzes wegen geht das Vermögen ohne weiteres als Ganzes auf den/die Erben über), **Testierfreiheit** (→Testament) und **Verwandten-E.** (gesetzl. Erben sind Blutsverwandte und Ehegatten) beherrscht. Je nach dem, ob beim **Erbfall** (Tod des Erblassers) eine Verfügung des Erblassers (Erbvertrag, Testament) vorliegt oder nicht, spricht man von gewillkürter oder gesetzl. →Erbfolge. Das *österr.* (§§ 531–824 ABGB) und das *schweizer.* E. (Art. 457–640 ZGB) folgen gleichen Grundsätzen.

📖 LANGE, H.: *Lehrbuch des Erbrechts, fortgeführt v.* K. KUCHINKE. *München* [4]*1995.* – SCHLÜTER, W.: *E. Ein Studienbuch. München* [13]*1996.*

Erbschaft (Nachlass, österr. und schweizer.: Verlassenschaft), das Vermögen eines Verstorbenen. Nach § 1922 BGB geht die E. mit dem Erbfall als Ganzes kraft Gesetzes auf einen oder mehrere Erben über, ohne dass es einer Annahme bedarf (§ 1942). Zur E. gehören alle Vermögensrechte des Erblassers einschließlich der Schulden. Nicht zur E. gehören u.a. Renten- und Unterhaltsansprüche des Erblassers. (→Erbe)

📖 RINSCHE, F.-J.: *E. Frankfurt am Main 1994.*

Erbschaftskauf, der Vertrag, durch den sich der Erbe zur Übertragung der gesamten Erbschaft auf den Käufer gegen Entgelt verpflichtet; bedarf der notariellen Beurkundung (§ 2371 BGB).

Erbschaftsteuer, Steuer auf den Vermögensübergang durch Todesfall; ihr kann das Vermögen des Erblassers **(Nachlasssteuer)** oder das dem einzelnen Erben zufallende Erbe **(Erbanfallsteuer)** zugrunde gelegt werden. In Dtl. ist die E. als Erbanfallsteuer ausgestaltet; Schenkungen unter Lebenden werden nach demselben Ges. und Steuersatz versteuert **(Schenkungsteuer).** Rechtsgrundlage ist das E.- und Schenkungsteuer-Ges. in der Fassung vom 20. 12. 1996; es gilt rückwirkend ab dem 1. 1. 1996. Bewertet wird das erbschaftsteuerpflichtige Vermögen nach dem Bewertungsgesetz, wobei Grundbesitz mit dem veränderten →Einheitswert angesetzt wird. Zuwendungen, die der Begünstigte in den zurückliegenden zehn Jahren vom Erblasser erhalten hat, werden zusammengerechnet und berücksichtigt. Steuerpflichtig ist der Überschuss des erworbenen Vermögens nach Abzug der Schulden, der Bestattungskosten sowie der gesetzl. Freibeträge. Die Freibeträge betragen für Ehegatten 600 000 DM, für Kinder 400 000 DM, für Stiefkinder, Eltern und Großeltern 100 000 DM, für Geschwister, Schwiegereltern und -kinder sowie geschiedene Ehegatten 20 000 DM, für alle übrigen 10 000 DM. Nach dem persönl. Verhältnis des Erwerbers zum Erblasser/Schenker werden drei Steuerklassen unterschieden: Klasse I (Ehegatten, Kinder und Stiefkinder, Kinder verstorbener Kinder, Eltern und Großeltern), Klasse II (Geschwister und deren Kinder, Schwiegereltern und -kinder, geschiedene Ehegatten; Eltern und Großeltern bei Schenkungen), Klasse III (alle Übrigen). – Das E.-Aufkommen (1995: 3,55 Mrd. DM) fließt den Ländern zu.

Erbschaftsteuer

Wert des steuerpflichtigen Erwerbs bis einschließlich ... Deutsche Mark	Steuersätze in % nach Steuerklassen		
	I	II	III
100 000	7	12	17
500 000	11	17	23
1 000 000	15	22	29
10 000 000	19	27	35
25 000 000	23	32	41
50 000 000	27	37	47
über 50 000 000	30	40	50

In *Österreich* gelten bei vergleichbarem System erheblich niedrigere Freibeträge (höchstens 200 000 öS, die Steuersätze schwanken zw. 2 % und 60 %. In der *Schweiz* erheben Kantone (i.Allg. als Erbanfallsteuer) und Gemeinden Erbschaftssteuer.

📖 TROLL, M.: *ABC der E. u. Schenkungsteuer. Stuttgart* [3]*1994.*

Erbschein (Erbschaftszeugnis), auf Antrag ausgestellte Bescheinigung des Nachlass-Ger. über das Erbrecht, die Größe des Erbteils einer oder mehrerer Personen und evtl. Beschränkungen des

Erbrechts; dient dem Erben dazu, Dritten gegenüber den Nachweis seines Erbrechts zu führen. Entsprechendes gibt es in *Österreich* als Einantwortungsurkunde und in der *Schweiz* als Erbenbescheinigung oder Erbgangsbeurkundung.

Erbse (Pisum), Gattung der Schmetterlingsblütler, einjährige Kräuter mit gefiederten, bläulich grünen Blättern, deren endständige Fiedern zu Ranken umgebildet sind. Die Wurzeln haben kleine Wurzelknöllchen, durch die der Boden mit Stickstoff angereichert wird (Gründüngung). Als Kulturpflanze bedeutend ist die weiß blühende **Gemüse-E.** (**Garten-E.,** Pisum sativum ssp. sativum) mit Hülsenfrüchten (fälschlich »Schoten« gen.), die die Samen (Erbsen) enthalten. E. werden in zahlreichen Sorten als Gemüsepflanzen kultiviert, u.a. Pal-E., Zucker-E., Mark-E.; auch Futter-E. – Im Volksglauben findet sich die E. häufig als Zaubermittel; sie gilt als Sinnbild der Fruchtbarkeit.

Erbsenstein, ein Mineral, Varietät des →Aragonit.

Erbsenstrauch (Caragana), Schmetterlingsblütlergattung; Bäume oder Sträucher Mittel- und Ostasiens mit Fiederblättern und gelben oder rötlich weißen Blüten. Der **Große E.** (Caragana arborescens) ist ein verbreiteter Zierstrauch.

Erbsünde, nach christl. Lehre die durch den Sündenfall Adams und Evas bewirkte angeborene Sündhaftigkeit des Menschengeschlechts. Nach kath. Lehre besteht sie in dem Mangel der heilig machenden Gnade. Durch die Taufe wird dieser Mangel aufgehoben, nicht jedoch die Folgen der E., Tod und sinnl. Begierde. Nach evang. Auffassung besteht die E. in der Verderbtheit der menschl. Natur und in ihrem fortdauernden Hang zur Sünde.

📖 *Zur kirchlichen Erbsündenlehre. Stellungnahmen zu einer brennenden Frage, Beiträge v.* C. SCHÖNBORN *u.* A. GÖRRES. *Freiburg im Breisgau* [2]*1994.*

Erbuntertänigkeit, ein der Leibeigenschaft ähnl. Abhängigkeitsverhältnis des Bauern vom Gutsherrn, bes. in Ost- und Westpreußen im 17./18. Jh.

Erbunwürdigkeit, →Erbe.

Erbverbrüderung, Erbvertrag zw. regierenden Fürstenhäusern für den Fall ihres Aussterbens.

Erbvertrag, Vertrag des Erblassers mit einer oder mehreren anderen Personen über eine Erbeinsetzung, die Anordnung von Vermächtnissen oder Auflagen (§§ 1941, 2274 ff. BGB). Der E. muss zur Niederschrift eines Notars bei gleichzeitiger Anwesenheit beider Teile geschlossen werden. Der Erblasser kann ihn, wenn nichts anderes bestimmt ist, nicht wieder einseitig aufheben. Das Recht des Erblassers, bis zu seinem Tode über sein Vermögen durch Rechtsgeschäft unter Lebenden zu verfügen, wird durch den E. nicht berührt. Wechselseitige Verfügungen von Todes wegen wie das →Berliner Testament folgen eigenen Regeln. In *Österreich* §§ 602, 1249–1254 ABGB, in der *Schweiz* Art. 494, 496, 512–515 ZGB.

Erbverzicht, →Erbe.

Erbzins, →Erbpacht.

Ercolano (bis 1969 Resina), Gemeinde in Süditalien, Prov. Neapel, 61 200 Ew.; E. liegt am Fuß des Vesuvs, auf Lava- und Ascheschichten, unter denen →Herculaneum begraben liegt.

Erda, nicht überlieferter, sondern von J. Grimm erschlossener und von R. Wagner übernommener dt. Name der altnord. **Jörd,** der german. Erdgottheit, der Mutter des Gottes Thor.

Erdalkalimetalle, Sammelbez. für die in der 2. Hauptgruppe des Periodensystems stehenden Elemente Calcium, Strontium, Barium und Radium; zur **Erdalkaligruppe** zählt man auch Beryllium und Magnesium. In ihrem Reaktionsverhalten stehen die E. zw. den bes. reaktionsfähigen Alkalimetallen und den beständigeren Erdmetallen. Mit Ausnahme des Radiums sind die E. Leichtmetalle. Die Oxide der E. heißen **Erdalkalien.**

Erdaltertum, das →Paläozoikum.

Erdanziehung, Anziehungskraft der Erde, ein Sonderfall der Massenanziehung (→Gravitation, →Schwerkraft).

Erdbau, Teilgebiet des Tiefbaus, das sich mit der Konstruktion und Herstellung von Erdbauwerken (Dämme, Deiche, Böschungen, Einschnitte, Bodenbe- und Bodenverfestigungen, Bodensicherungen u. dgl.) befasst.

Erdbeben, großräumige Erschütterungen des Erdbodens, die sich, von einem Ursprungsort, dem **E.-Zentrum** oder **Hypozentrum,** im Erdinnern ausgehend, über einen großen Teil der Erdoberfläche und des Erdinnern oder die ganze Erde (Weltbeben) ausbreiten. Die meisten E. sind natürl. Ursprungs, werden oft durch plötzl. Ausgleichsbewegungen in der Erdkruste ausgelöst und sind häufig

Erbsenstrauch: Großer Erbsenstrauch (Höhe bis 6 m)

Erdbeben

In einem weithin noch agrarischen Land wie China wurde seit langem dem ungewöhnlichen Verhalten von Haustieren vor einem Erdbeben besondere Aufmerksamkeit gewidmet. Kurz vor dem Erdbeben der Stärke M 7.3 in der Provinz Liaoning am 28. Januar 1975 war solches Verhalten bei Kühen, Pferden, Hunden und Schweinen, insbesondere aber bei Schlangen beobachtet worden, die ihren Winterschlaf unterbrachen, an die Erdoberfläche kamen und dort erfroren.
Am 4. Februar 1975 ordneten deshalb die Behörden um 14 Uhr eine Evakuierung an. Um 19.30 Uhr zerstörte ein Erdbeben die Stadt Haicheng zu 90 %. Von den rund 1 Million Einwohnern kamen nur wenige ums Leben. Doch versagte offensichtlich diese Methode am 27. Juli 1976, als 242 000 Menschen beim Erdbeben von Tangshan ihr Leben verloren.

Erdbeben

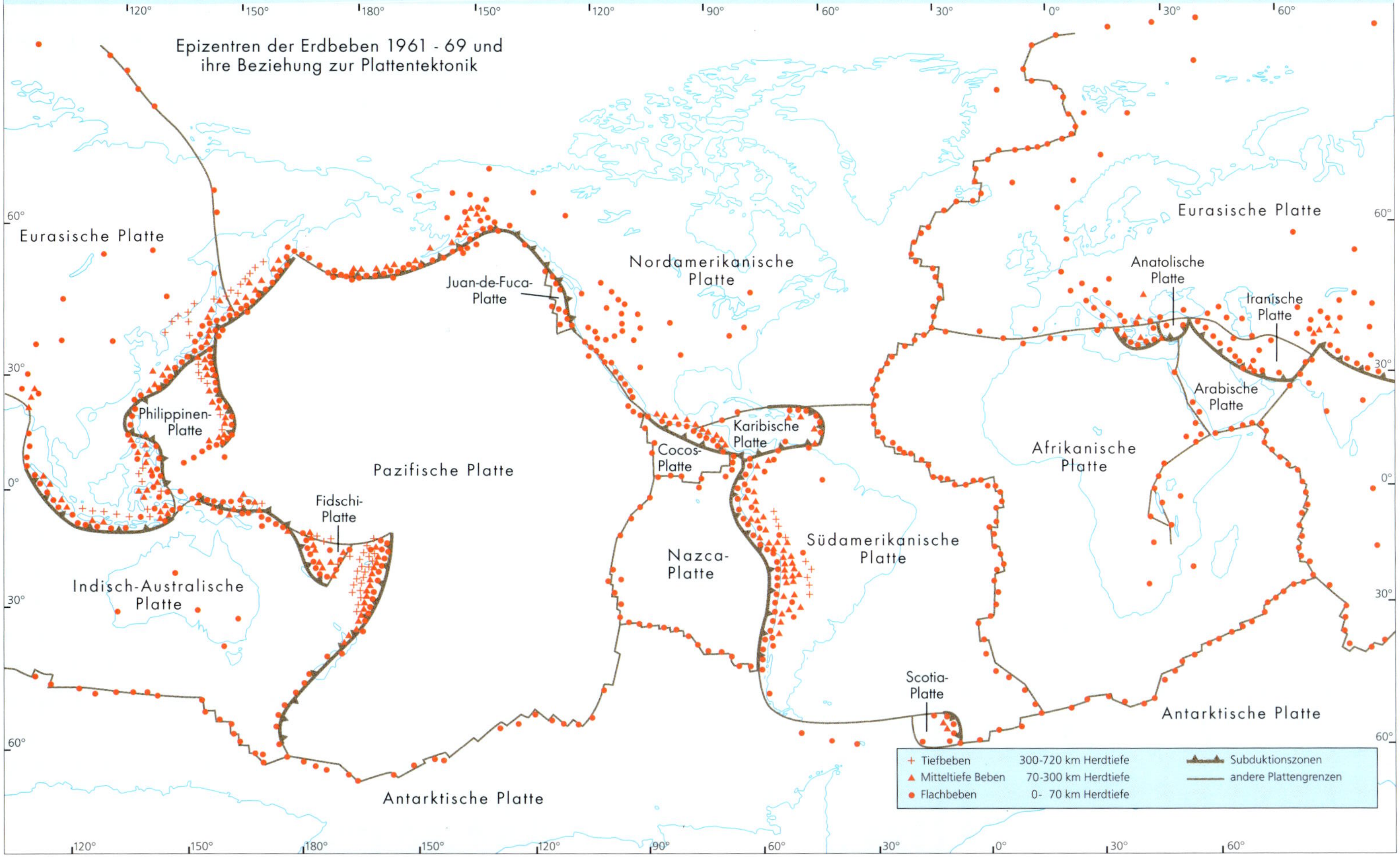

Epizentren der Erdbeben 1961 - 69 und ihre Beziehung zur Plattentektonik
Eurasische Platte
Nordamerikanische Platte
Juan-de-Fuca-Platte
Philippinen-Platte
Pazifische Platte
Fidschi-Platte
Indisch-Australische Platte
Cocos-Platte
Karibische Platte
Nazca-Platte
Südamerikanische Platte
Scotia-Platte
Afrikanische Platte
Anatolische Platte
Iranische Platte
Arabische Platte
Antarktische Platte
Tiefbeben 300-720 km Herdtiefe
Mitteltiefe Beben 70-300 km Herdtiefe
Flachbeben 0- 70 km Herdtiefe
Subduktionszonen
andere Plattengrenzen

mit Bildung von Erdspalten, Schlamm- und Wasserausbrüchen, Senkungen, Rutschungen verbunden. Man unterscheidet: 1) die durch den Einsturz unterird. Hohlräume entstehenden, meist lokalen **Einsturzbeben** (auch durch die Wassermassen in neu errichteten Stauwerken), 2) die durch Vulkanausbrüche hervorgerufenen ebenfalls lokalen **vulkan.** oder **Ausbruchsbeben** und 3) die nach Brüchen oder Verschiebungen in der Erdkruste und im oberen Erdmantel und von Gebirgsfaltungen (Faltungsbeben) auftretenden **tekton.** oder **Dislokationsbeben.** Letztere kommen am häufigsten vor und gehören zu den stärksten Erdbeben. Je nach Entfernung vom E.-Herd spricht man von Orts-, Nah- und Fernbeben; die Stelle der Erdoberfläche unmittelbar über dem Herd ist das **Epizentrum.** Bei **Seebeben** liegt der Herd unter dem Meeresboden, verheerende Überschwemmungen an den Küsten können die Folge sein (→Tsunamis). E. treten bes. an den großen Bruch- und Faltungszonen der Erdkruste auf, also an der Umrandung des Stillen Ozeans und an den Rändern der Zone jüngerer Faltengebirge im S von Asien und Europa, ferner in O-Afrika. Andere erdbebenartige Erscheinungen entstehen durch Meteorfälle, vom Menschen veranlasste Explosionen und durch den Bau von Stau- und Speicherwerken aufgebaute tekton. Spannungen. Die Zahl der fühlbaren E. wird auf jährlich etwa 150 000 geschätzt, instrumentell sind mehr als 1 Mio. nachweisbar.

In den mit Seismographen ausgestatteten **E.-Warten** werden die vom Hypozentrum ausgehenden elastischen seism. Wellen aufgezeichnet. Als Erste kommen die longitudinalen **P-Wellen** (durchschnittl. Geschwindigkeit bis 13 km/s), anschließend die transversalen **S-Wellen** (bis 7,5 km/s), gefolgt von den langsameren **Oberflächen-** oder **L-Wellen** (3,8 km/s). Zur Kennzeichnung der Stärke von E. im Erschütterungsgebiet dienen makroseism. **E.-Skalen,** wie die von C. F. Richter eingeführte →Richter-Skala (ÜBERSICHT), die eine Einstufung der E.-Stärke nach →Magnituden und damit der freigesetzten Energie gestatten. Die 12-stufige **Mercalli-Skala** registriert die Erschütterungsgrade nach fühl- und sichtbaren Wirkungen. Verbindet man auf einer Karte die Orte gleicher E.-Stärke, so erhält man Isoseisten. Makroseism. Untersuchungen sind auch wichtig für Bauplanungen (→erdbebensichere Bauweisen). – Seit 1951 arbeiten die europ. E.-Forscher in der Europ. Seismolog. Kommission zusammen.

📖 *E. u. Erdbebengefährdung, hg. v.* E. HURTIG *u.* H. STILLER. *Berlin 1984.* – SCHNEIDER, G.: *Erdbebengefährdung. Darmstadt 1992.*

erdbebensichere Bauweisen, konstruktive Maßnahmen zum Abfangen vorrangig horizontaler Kräfte (weiche Zwischenlager, Sollbruchstellen in vertikalen Fugen).

Erdbeerbaum: Blüten (links) und Früchte

Erdbeerbaum (Arbutus), Gattung der Heidekrautgewächse; baumartige immergrüne Sträucher mit essbaren kirschgroßen, scharlachroten warzigen Beerenfrüchten.

Erdbeere (Fragaria), Gattung der Rosengewächse mit weißen Blüten und roter, fleischiger Sammelnussfrucht. Heim. Arten sind u. a. die **Wald-E.** (Fragaria vesca) in Laubwäldern oder die **Knack-E.** (Fragaria viridis) in Trockengebüschen. Die **Garten-E.** (Fragaria ananassa) ist eine in vielen Sorten gezüchtete Bastardart aus der chilen. Fragaria chiloensis und der nordamerikan. Fragaria virginiana. Mehrmals im Jahr fruchtet die kleinfrüchtige **Monats-E.** E. vermehren sich vegetativ durch Ausläufer. – *Krankheiten:* An E. tritt u. a. häufig Grau- und Lederfäule auf. Schadtiere sind

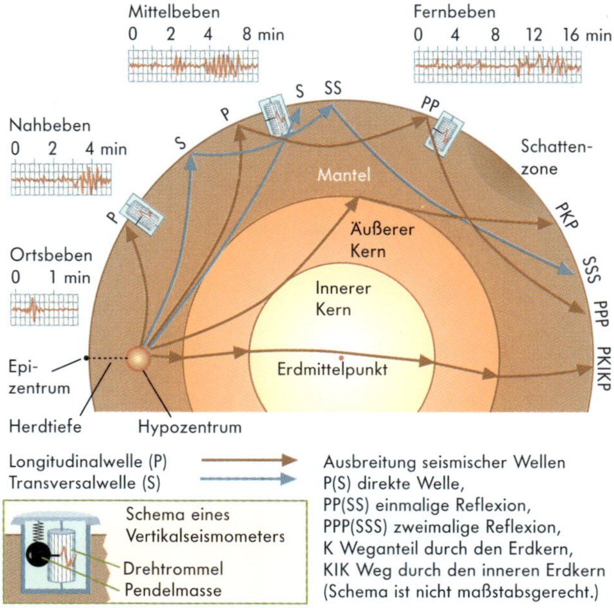

Erdbeben: Nicht maßstabgerechte schematische Darstellung der Ausbreitung seismischer Wellen

Erdbeere (von links): Gartenerdbeere und Walderdbeere

Erdbeerälchen, -milbe, -wickler, -stängelstecher und -blütenstecher.

Erdbeschleunigung, → Fallbeschleunigung.

Erdbestattung, die Beerdigung eines Verstorbenen (→ Leiche); sie darf vor der Eintragung des Sterbefalls im Sterbebuch nur mit ortspolizeil. Genehmigung auf einem Friedhof oder in genehmigter Einzelgruft stattfinden.

Erdbienen: Andrena fulva (Körperlänge 13–15 mm)

Erdbienen (Sandbienen, Andrena), Gattung der solitären Bienen mit weltweit über 1000 Arten; Beinsammler; die Weibchen nisten in selbst gegrabenen Brutröhren.

Erdbirne, → Topinambur.

Erddruck, Bez. für Kräfte und Spannungen, die an der Grenzfläche zw. Baukonstruktion und Erdreich auftreten.

Erde, nach Merkur und Venus von der Sonne aus der drittnächste Planet des Sonnensystems; sie wird zu den inneren (terrestr.) Planeten gezählt. Die E. bewegt sich wie alle Planeten auf einer Ellipsenbahn, in deren einem Brennpunkt die Sonne steht. Durch die Masseanziehung, die Gravitation, der Sonne wird die E. auf ihrer Bahn gehalten. Ihr nahezu kreisförmiger Umlauf um die Sonne erfolgt, vom Nordpol der Erdbahnebene aus betrachtet, entgegen dem Uhrzeigersinn. Die mittlere Entfernung der E. von der Sonne beträgt 149,6 Mio. km. Im sonnennächsten Punkt ihrer Bahn, im Perihel, ist die E. 147 Mio. km, im sonnenfernsten Punkt, im Aphel, 152 Mio. km von der Sonne entfernt. Das Perihel wird Anfang Januar, das Aphel Anfang Juli durchlaufen. Der Umfang der Erdbahn beträgt rund 940 Mio. km, diese Strecke wird von der E. mit einer mittleren Geschwindigkeit von 29,8 km/s in einem Jahr zurückgelegt. Die Geschwindigkeit der E. in ihrer Bahn variiert, sie ist in Sonnennähe größer, in Sonnenferne kleiner als die mittlere Geschwindigkeit. Je nach dem Bezugspunkt (Stern, Frühlingspunkt, Perihel) hat das Jahr, das als Maßeinheit dient, eine etwas unterschiedliche Länge: Das trop. Jahr, vom Frühlingspunkt gemessen, ist 365,24220 Tage lang, das anomalist. Jahr (Perihel – Perihel) 365,25964 Tage, das sider. Jahr (Fixstern – Fixstern) 365,25636 Tage.

Die Bahnebene der E., also die durch den Mittelpunkt der Sonne und den Schwerpunkt des E.-Mond-Systems gehende Ebene, wird Ekliptikalebene genannt. Schnittpunkt dieser Ebene mit der Himmelskugel ist die → Ekliptik. Die Erdachse ist um 66° 33' gegen die Erdbahn geneigt.

Neben der Bewegung in ihrer Bahn führt die E. eine von dieser unabhängige Drehung, eine Rotation um ihre eigene Körperachse, aus. Die Rotation der E. erfolgt von W nach O, also im gleichen Drehsinn wie ihre Bewegung in ihrer Bahn. Diese Drehbewegung spiegelt sich in der scheinbaren Drehung des Himmelsgewölbes von O nach W wider. Die Rotationsdauer um die Erdachse, gemessen an der Wiederkehr der Kulmination eines Sterns, beträgt 23 h 56 m 4 s, diese Zeit wird ein Sterntag genannt. Wird die Rotationsdauer hingegen an der Wiederkehr der Kulmination der Sonne gemessen, so ist sie um 3 m 56 s länger und beträgt 24 h, das ist ein mittlerer Sonnentag.

Die E. ist umgeben vom erdmagnet. Feld (→ Erdmagnetismus), das wie ein Schutzschirm gegen die elektrisch geladenen Teilchen der kosm. Strahlung wirkt. Nach neuesten Erkenntnissen erstrecken sich drei Strahlungsgürtel (→ Van-Allen-

Die wichtigsten Daten des Erdkörpers

Äquatorradius	6 378 137 m	Oberfläche	510 065 600 km²
Polradius	6 356 752 m	Volumen	1 083 207 000 000 km³
Abplattung	1:298,257	Masse	$5,974 \cdot 10^{24}$ kg
Äquatorumfang	40 075 017 m	mittlere Dichte	5,516 g/cm³
Meridianumfang	40 007 863 m	mittlerer Erdradius	6 371 000 m

Gürtel) im Abstand bis zu etwa 25 000 km um die Erde. Zusätzl. Schutz liefert die Erdatmosphäre (→Atmosphäre, →Ionosphäre), die auch einen großen Teil der elektromagnet. Strahlung der Sonne absorbiert. Die E. wird vom Mond umrundet, dessen große Nähe (mittlere Entfernung 384 403 km) und große Masse (rd. 1/81 Erdmasse) auf der E. zu deutl. Gezeiteneffekten (→Gezeiten) führen.

Auch der Erdpol liegt nicht absolut fest, sondern wandert ständig. Entsprechend variiert auch die Lage des Erdäquators. Diese Polbewegung lässt sich in säkulare Polwanderungen und in period. Polbewegungen, die Breitenschwankung aufspalten. Der Erdachse werden ferner noch Drehbewegungen durch äußere Kräfte aufgezwungen. Wirksam sind die Gravitationskräfte des Mondes, der Sonne und im gewissen Maße die Wirkungen der Planeten. Diese Drehbewegungen der Erdachse werden als Präzession und Nutation bezeichnet.

Die E. hat in erster Annäherung die Gestalt einer Kugel. Wird die Annäherung weitergetrieben, so nimmt der E. die Gestalt eines abgeplatteten Rotationsellipsoids ein. Der Erdkörper ist nicht durch eine einfache geometr. Figur beschreibbar, neben geometr. müssen physikal. Messungen

Oberer Teil der Erdkruste*)

Plagioklas	40,2
Kalifeldspat	17,7
Pyroxen, Hornblende, Olivin	16,3
Quarz	12,6
Oxid, Eisenerzminerale	3,7
Glimmer	3,3
Kalkspat	1,5
Tonminerale	1,0
	96,3
andere Minerale (etwa 2 000 Arten)	3,7
	100,0

*) Mineralzusammensetzung in Vol.-%

treten, z.B. Schweremessungen. Dies führt nun dazu, von der Erdfigur als dem **Geoid** zu sprechen. Die Internationale Union für Geodäsie und Geophysik hat aber die Maße des »Internationalen Ellipsoids« für die Erdfigur als verbindlich angenommen.

Zur Ortsbestimmung auf der Erdoberfläche dient das **Koordinatennetz.** Es besteht aus den

Chemische Zusammensetzung der Gesamterde*)

Eisen	39,8	Natrium	0,39
Sauerstoff	27,7	Kobalt	0,23
Silicium	14,5	Chrom	0,20
Magnesium	8,7	Kalium	0,14
Nickel	3,2	Phosphor	0,11
Calcium	2,5	Mangan	0,07
Aluminium	1,8	Kohlenstoff	0,04
Schwefel	0,64	Titan	0,02

*) in Gew.-%; Berechnungsversuch von H. S. Washington

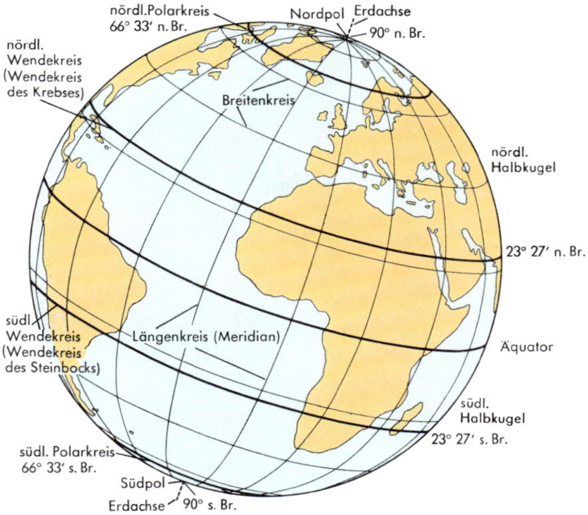

Erde: Erdkugel mit dem zur Orientierung dienenden Gradnetz; über den Wendekreisen des Krebses bzw. des Steinbocks steht die Sonne zur Sommer- bzw. Wintersonnenwende senkrecht

Breitenkreisen (Parallelkreisen), parallel zum Äquator, und aus den **Längenkreisen (Meridianen),** die senkrecht zu den Breitenkreisen zw. den Polen verlaufen. Die **geograph. Breite** wird vom Äquator aus polwärts von 0° bis 90° gezählt (nördl. und südl. Breite), die **geograph. Länge** vom Nullmeridian (Meridian von Greenwich) aus östl. und westl. von 0° bis 180°. Die Breitenkreise in 23° 27' nördl. und südl. Breite heißen Wendekreis des Krebses (nördl. Wendekreis) und Wendekreis des Steinbocks (südl. Wendekreis). Über ihnen steht die Sonne am 22. Juni und 22. Dezember um 12 Uhr im Zenit. Zw. ihnen liegt die heiße Zone (Tropen), in der die Sonne im Laufe eines Jahres an jedem Ort zweimal im Zenit steht. Nördlich und südlich der Tropen liegen die gemäßigten Zonen, sie reichen bis zu den Polarkreisen in 66° 33' nördl. und südl. Breite. Von den Polarkreisen zu den Polen erstrecken sich die kalten oder Polarzonen; je nach Breite bleibt in ihnen die Sonne 1 Tag bis 6 Monate über oder unter dem Horizont.

Zum Aufbau der Erde →Erdinneres. Das Alter der E. wird auf etwa 4,6 bis 5 Mrd. Jahre geschätzt. Über die Schichtenfolge der Erdkruste →geologische Systeme.

Die Oberfläche der E. misst rd. 510 Mio. km², und zwar 149 Mio. km² (29,2 %) Land- und 361 Mio. km² (70,8 %) Wasserfläche. Verteilung und Form der Landmasse sind ungleich: Eurasien und Nordamerika haben zw. 40 und 70° n. Br. ihre größte Flächenausdehnung, verschmälern sich dann rasch nach S; auch die Kontinente der S-Halbkugel verengen sich nach S und enden in zugespitzten Endländern (Südafrika in 35°, Tasmanien in 43°, Südamerika in 56° s. Br.). Das Nord-

Erde: Satellitenaufnahme des Planeten Erde aus einer Entfernung von 35 700 km

polargebiet ist weitgehend meerbedeckt, um den Südpol liegt der Kontinent Antarktika.

🕮 Strobach, K.: *Vom »Urknall« zur E. Werden u. Wandlung unseres Planeten im Kosmos. Augsburg 1990.* – *Unsere einzigartige E. Die Entwicklungsgeschichte der Welt, Beiträge v.* D. Attenborough *u. a. München 1990.* – Schumann, W.: *Das Buch der E. Entstehung, Aufbau, Oberfläche, Klima, Leben. Neuausg. München 1992.* – Elsom, D.: *Die E. Werden u. Wandel eines Planeten. Beiträge v.* K. Addison *u. a., hg. v.* N. Bradley. *A. d. Engl. Remseck 1993.* – *Der lebende Planet E. Text v.* P. Jakes. *Ill. v.* A. Absolon. *A. d. Engl. Hanau 1994.* – Lanius, K.: *Die E. im Wandel. Grenzen des Vorhersagbaren. Heidelberg u. a. 1995.* – Mitscherlich, G.: *Die Welt, in der wir leben. Entstehung, Entwicklung, heutiger Stand. Freiburg im Breisgau 1995.*

Verbreitung der chemischen Elemente in den obersten 16 km der Erdkruste*)

Sauerstoff	46,60	98,59
Silicium	27,72	
Aluminium	8,13	
Eisen	5,00	
Calcium	3,63	
Natrium	2,83	
Kalium	2,59	
Magnesium	2,09	
Titan	0,44	
Wasserstoff	0,14	
Phosphor	0,12	
	99,29	

Kohlenstoff, Fluor, Schwefel, Chlor, Vanadium, Chrom, Mangan, Nickel, Rubidium, Strontium, Zirkonium, Barium	0,1 – 0,01
Lithium, Bor, Kobalt, Kupfer, Zink, Gallium, Yttrium, Niob, Zinn, Cer, Blei	0,01 – 0,001
Beryllium, Scandium, Germanium, Arsen, Brom, Molybdän, Cäsium, Hafnium, Tantal, Wolfram, Uran	0,001 – 0,0001
Cadmium, Indium, Jod, Quecksilber, Thallium, Wismut	0,0001 – 0,00001
Selen, Palladium, Silber	0,00001 – 0,000001
Iridium, Platin, Gold	0,000001 – 0,0000001

*) in Gew.-%; nach A. R. Clarke, H. S. Washington, V. M. Goldschmidt

Erde|essen (grch. Geophagie), das bes. bei Naturvölkern verbreitete Verzehren bestimmter Erdsorten. Wohl Symptom für Mangelernährung, manchmal religiös begründet.

Erdefunkstelle, Bodenstation zur Abwicklung des Nachrichtenverkehrs mit Raumflugkörpern, z. B. in Raisting/Oberbayern.

Erdély ['ɛrde:j], ungar. Name von →Siebenbürgen.

Erdély ['ɛrde:j], Miklós, ungar. Künstler, *Budapest 4. 7. 1928, †ebd. 22. 5. 1986; wurde mit Environments, Happenings und experimentellen Filmen zu einer zentralen Persönlichkeit der ungar. Avantgarde der 60er- und 70er-Jahre.

Erderkundungssatelliten (Erderforschungssatelliten), Satelliten, die die Erde nahezu kontinuierlich mit ihren Sensoren (z.B. Vidicon-Fernsehsysteme, Multispektralscanner) abtasten und geolog., kartograph., ozeanograph. u.a. Informationen übertragen.

Erdexpansion, Hypothese über die Erdentwicklung, die im Ggs. zur **Kontraktionshypothese** eine langsame Ausdehnung des Erdkörpers von etwa 0,6 mm/Jahr annimmt. Die E. wird meist als Folge einer hypothetisch langsamen Abnahme der **Gravitationskonstante (Dirac-Hypothese)** gedeutet.

Erdfall, durch unterird. Auslaugung von Salz, Gips oder Karbonatgesteinen an der Erdoberfläche entstandener dolinenartiger Einsturztrichter (Erdtrichter).

Erdfarben, natürl. Mineralpigmente oder Füllstoffe, die nach mechan. Aufbereitung (Mahlen, Sieben, Schlämmen) in den Handel kommen, z.B. Kreide, Ocker, Umbra.

Erdferkel (Erdschwein, Orycteropus afer), einzige rezente Art der **Röhrenzähner** (Tubulidentata), in Afrika südlich der Sahara verbreitet; plumpe, schweinsgroße Tiere, nachtaktive Termiten- und Ameisenfresser mit lang vorstreckbarer, klebriger Zunge, langen Ohren und hufartigen Krallen. Tagsüber schlafen sie in selbst gegrabenen Höhlen. BILD S. 140

Erdferne, *Astronomie:* das Apogäum (→Apsiden).

Erdfließen, die →Solifluktion.

Erdefunkstelle: Die Antennen der Erdefunkstelle der Deutschen Telekom AG bei Usingen im Hintertaunus

Erdfall im kroatischen Karst

Erdflöhe (Flohkäfer, Halticinae), Unterfamilie der Blattkäfer mit mehr als 5000 Arten (in Mitteleuropa etwa 240). E. sind sprungfähig (verdickte Hinterschenkel), meist 2–6 mm lang, einfarbig schwarz, braun oder metallisch schimmernd einfarbig (Rapserdfloh) oder mit gelben Längsstreifen (z.B. Großer Gelbstreifiger Kohlerdfloh). Pflanzenfresser; Kulturpflanzenschädlinge.

Erdflöhe: Großer Gelbstreifiger Kohlerdfloh (Länge 2–6 mm)

Erdgas, Sammelbegriff für brennbare, in der Erdkruste vorkommende Naturgase, die neben anderen Bestandteilen (z.B. Äthan, Propan, Stickstoff, Kohlendioxid) überwiegend Methan enthalten. E. ist z.T. gemeinsam mit Erdöl entstanden, z.T. hat es sich im Lauf der Inkohlung aus Kohle gebildet. Die Suche nach E.-Lagerstätten und Ausführung der Bohrungen ist ähnlich wie beim Erdöl. E. tritt aus der Lagerstätte stets mit einem Überdruck (bis zu 400 bar) aus, der mit zunehmender Ausbeutung der Lagerstätte sinkt. Je nach dem Gehalt an sauren Komponenten unterscheidet man **Sauergas** (über 1 Vol.-% Schwefelwasserstoff), **Leangas** (unter 1 Vol.-% Schwefelwasserstoff) und **Süßgas** (unter 2 Vol.-% Kohlendioxid, kein Schwefelwasserstoff). E. nennt man **trocken,** wenn es ohne Abscheidung von Kondensat abgekühlt werden kann. Aus **nassen E.,** die überwiegend zus. mit Erdöl vorkommen, kondensieren bei Abkühlung höhere Kohlenwasserstoffe. E. wird überwiegend für Heizzwecke, aber auch als chem. Rohstoff (→Synthesegas) verwendet. Wichtige Qualitätsnormen sind der Schwefelgehalt (maximal 150 mg/m³), der Taupunkt (maximal −5 °C) und der Brennwert. Nach DIN wird E. in die 3. Gruppe der Brenngase (Starkgase mit Brennwert 30–60 MJ/m³) eingeordnet. Für die Brenneigenschaften ist auch die →Wobbe-Zahl wichtig, die für die E.-Gruppe L (Erdgas) um 45, für die E.-Gruppe H (Erdölgas) um 50 MJ/m³ liegt. E. wird unter einem Druck von 65 bis 70 bar über weite Strecken in Rohrleitungen (Pipelines) transportiert. **LNG** (engl. **L**iquefied **N**atural **G**as) ist verflüssigtes E., das bei −162 °C drucklos mit speziellen Tankschiffen transportiert wird.

E. steht in der Versorgung der Welt mit Primärenergie nach Erdöl und Kohle an 3. Stelle. Die Weltreserven wurden (1995) mit 186 000 Mrd. m³ angegeben, davon entfallen auf die GUS rd. 30 % und auf den Nahen Osten 23 %. Die Weltförderung betrug (1995) rd. 2 Mrd. m³; die größten Förderländer waren (in Mio. m³): GUS (705), die USA (540), Kanada (155), die Niederlande (84), Großbritannien (73), Algerien (59), Indonesien (58), Saudi-Arabien (36), Norwegen (31). In Dtl. wurden 19 Mio. m³ E. gefördert.

📖 *Die Energierohstoffe Erdöl u. E. Vorkommen, Erschließung, Förderung, bearb. v.* G. Pusch *u. a. Berlin 1995.*

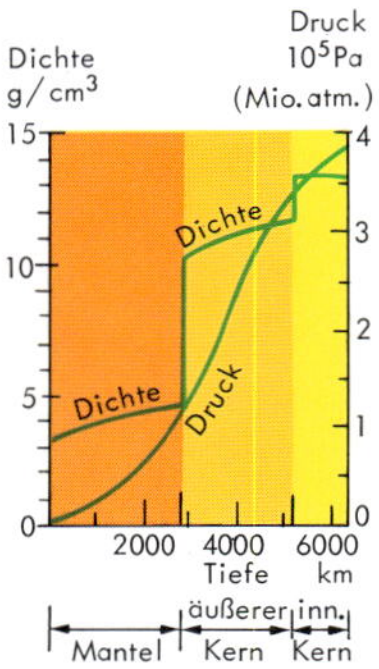

Erdinneres: Dichte und Druck im Erdinnern

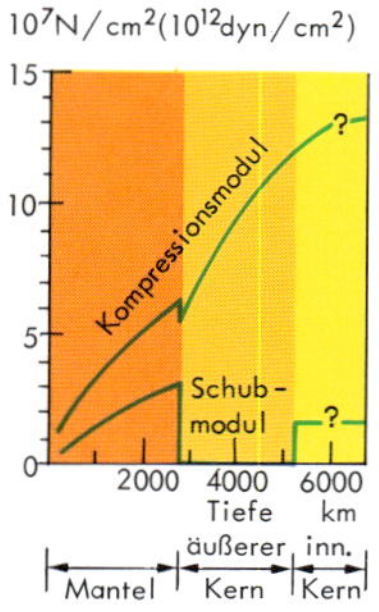

Erdinneres: Elastizitätskonstanten im Erdinnern

Erdgeister, →Elementargeister.

Erdgeschichte, der durch die →Geologie, bes. durch die Erforschung der →geologischen Systeme und der →Stratigraphie erschlossene Verlauf der Entwicklung der Erdkruste.

Erdhülle, die →Geosphäre.

erdige Säuerlinge, Mineralwässer mit mindestens 1 g kohlensauren Salzen von Calcium, Magnesium oder Strontium je Liter Wasser.

Erding, 1) Landkreis im RegBez. Oberbayern, 871 km², (1996) 104 500 Einwohner.

2) Krst. von 1) in Bayern, 463 m ü. M., am S-Rand des **Erdinger Mooses,** 27 700 Ew.; Mühlen- und Braugewerbe. – Pfarrkirche St. Johannes (14.–15. Jh.), Wallfahrtskirche Hl. Blut (1675–77; die Wallfahrt ist hier bereits 1630 bezeugt); alte Bürgerhäuser. – E., um 1228 gegr., wurde 1314 Stadt.

Erdgas: Förderung (in Petajoule, PJ[1])

Land	1985	1990	1992	1994
USA	16 365	19 373	19 379	20 401
Russland	22 149[2]	27 733[2]	20 918	18 303
Kanada	3 189	4 114	4 767	5 260
Niederlande	2 388	2 537	2 865	2 746
Großbritannien	1 665	1 926	2 144	2 707
Algerien	1 161	1 615	2 038	2 102[3]
Indonesien	959	1 579	1 989	2 062[3]
Usbekistan	-	-	1 453	1 570
Norwegen	1 084	1 121	1 130	1 127
Venezuela	731	956	957	1 031
Welt	60 141	74 806	75 824	78 146[3]

[1] 1 PJ entspricht 34 130 t SKE (Steinkohleeinheiten). – [2] ehemalige Sowjetunion. – [3] 1993.

Erdferkel (Kopf-Rumpf-Länge 1,0 - 1,6 m; Schwanzlänge 45 - 60 cm)

Erdinger Moos, Niedermoorgebiet in Bayern, nordöstlich von München; seit 1825 Besiedlung und Kultivierungsmaßnahmen, die durch Grundwasserabsenkungen z. T. zu Versteppung führten; Heilpflanzenanbau, Saatkartoffel- und Getreidezucht. Im E. M. wurde 1992 der internat. Flughafen München II eröffnet.

Erdinneres, da die tiefsten Bohrlöcher nicht einmal ein Prozent der Entfernung bis zum Erdmittelpunkt erreichen, ist man bei der Erforschung des überwiegenden Teils des E. auf indirekte, v. a. seism. Verfahren angewiesen. Die Auswertung von Erdbebenwellen hat ergeben, dass das E. aus mehreren Schalen aufgebaut ist. Man nimmt drei Schalen an, Kruste, Mantel und Kern. Über ihren Inhalt bestehen z. T. unterschiedl. Auffassungen.

Bei der **Erdkruste** unterscheidet man zwei verschiedene Bautypen, die kontinentale Kruste im Bereich der Kontinente und die ozean. Kruste im Bereich der Tiefsee des Atlantischen, Indischen und Pazifischen Ozeans. Die kontinentale Kruste schließt den Schelf mit ein; im Mittel ist sie 30–45 km dick, kann aber unter Gebirgen 50–60 km Mächtigkeit erreichen (hier spricht man von Gebirgswurzel). Sieht man von den insgesamt gesehen wenig mächtigen Sedimenten ab, besteht sie aus zwei Schichten. Die obere Schicht weist hauptsächlich Silicium-Aluminium-Verbindungen auf und wird als **Sial** bezeichnet. Da Granite u. a. saure Tiefen-, saure Erguss- und saure metamorphe Gesteine (v. a. Gneis) vorherrschen, spricht man auch von einer Granit- oder Gneisschicht. Durch eine seism. Unstetigkeitsfläche (Sprungfläche), die **Conrad-Diskontinuität,** ist sie von der darunter lagernden Schicht getrennt. Diese setzt sich überwiegend aus Silicium-Magnesium-Verbindungen zusammen und wird als **Sima** bezeichnet, nach den vorherrschenden bas. Gesteinen auch Basalt-

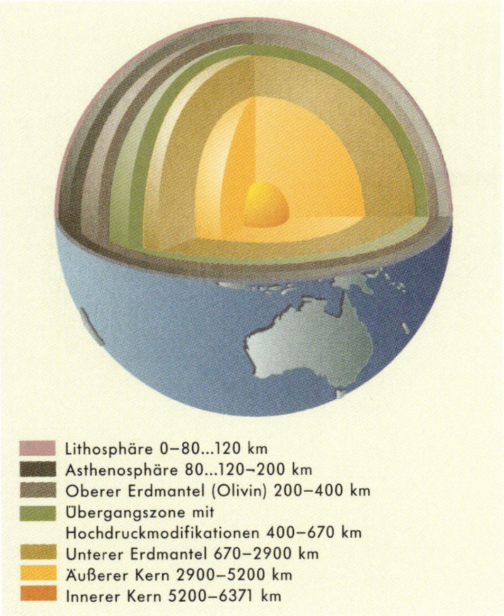

Erdinneres: Tiefengliederung des Erdkörpers

oder Gabbroschicht. In der ozean. Kruste fehlt die obere Schicht, hier bildet also die untere Schicht den von mehr oder weniger geringmächtigen Sedimenten bedeckten Tiefseeboden.

Die Temperatur in der Erdkruste nimmt mit der Tiefe zu, in größerer Tiefe aber sicher in geringerem Maße, als es der geotherm. Tiefenstufe entspricht. Die spezif. Dichte der oberen Kruste beträgt 2,7 g/cm³, die der unteren Kruste 3,0 g/cm³. Da die mittlere Dichte der gesamten Erde 5,5 g/cm³ ausmacht, müssen die Werte für das tiefere Erdinnere wesentlich höher liegen. Das Material der Erdkruste ist fest und verhält sich spröde gegenüber Erschütterungen (diese Eigenschaft führt zu Erdbeben). In der unteren Erdkruste sind wahrscheinlich kleinere Areale glutflüssigen Magmas vorhanden.

Der **Erdmantel** wird durch eine weitere seism. Unstetigkeitsfläche, die **Mohorovičić-Diskontinuität** (kurz **Moho** genannt), von der Erdkruste getrennt. Der Erdmantel ist 2800–2900 km dick. Seine äußere, im Durchschnitt bis in etwa 60 km Tiefe reichende, aber sehr verschiedenmächtige Zone besteht aus einem ultrabas. Material; das ihm entsprechende, an die Erdoberfläche gelangte Gestein ist Peridotit; man spricht deshalb von der **Peridotitschicht.** Diese ähnelt dem Sima und wird oft auch als **Ultrasima** bezeichnet. Das Material verhält sich gegenüber Erdbebenwellen wie ein fester elast. Körper und reagiert auf langsame Bewegungen wie eine viskose Flüssigkeit. Daher ist entsprechend den Vorstellungen von der Isostasie der Erdkruste vermutlich die Peridotitschicht am isostat. Gleichgewicht beteiligt.

In 100–300 km Tiefe ist der obere Erdmantel von einer Zone durchsetzt, in der die Fortpflanzungsgeschwindigkeit der Erdbebenwellen sprunghaft zurückgeht. Diese **Low-Velocity-Zone** oder **Asthenosphäre** ist fast schmelzflüssig, da hier die Temperatur gerade so hoch und der Druck niedrig genug ist, dass das Erdmantelmaterial zum kleinen Teil aufgeschmolzen und daher weniger fest ist. Der Bereich oberhalb der Asthenosphäre, d.h. die oberste Erdmantelschicht und die Erdkruste ist zusammengefasst die **Lithosphäre.** Sie besteht aus einer Reihe mehr oder weniger starrer »Platten«, die sich von den großen mittelozean. Rücken aus auf der Asthenosphäre bewegen. Als Antriebsmittel der Bewegung dienen die aus den Zentralspalten der mittelozean.

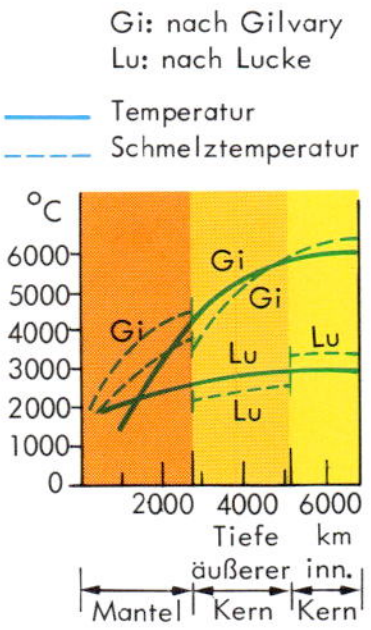

Erdinneres: Temperatur im Erdinnern

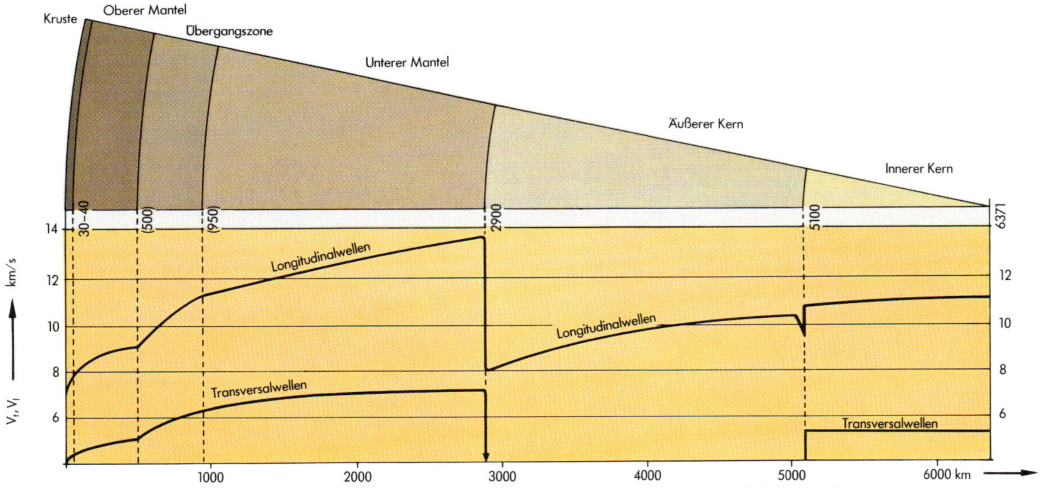

Erdinneres: Seismischer Befund zum Aufbau der Erde; oben Erdsektor, unten Geschwindigkeit der Erdbebenwellen

Rücken austretenden basalt. Schmelzen der Asthenosphäre, aber auch die innerhalb der Asthenosphäre zirkulierenden therm. Ausgleichsströmungen (Konvektionsströmungen). Durch →Subduktion wird der Asthenosphäre wieder Lithosphärenmaterial zugeführt (→Plattentektonik).

Unter dem oberen Mantel folgt in 400–900 km Tiefe eine **Übergangszone** mit deutlich höherer Geschwindigkeit der Erdbebenwellen. Die stoffl. Zusammensetzung ist hier wahrscheinlich die gleiche wie im oberen Mantel. Durch den höheren Druck ist aber das dort im Peridotit vorherrschende Mineral Olivin wahrscheinlich durch den kompakter gebauten Spinell ersetzt, ab 650–670 km Tiefe durch das ausgesprochene Hochdruckmineral Perowskit. Für den unteren Bereich des Erdmantels nimmt man eine Zusammensetzung aus Sulfiden und Oxiden oder bas. Silikaten, Eisen und Schwermetallen an. Die Temperatur nimmt im Erdmantel von 1400 °C an der Obergrenze bis zur Untergrenze in 2900 km Tiefe auf 3000 °C zu, die Dichte von 3,3 auf 5,7 g/cm³.

Der **Erdkern** hat einen Durchmesser von rd. 7000 km. Über seinen Aufbau herrscht am wenigsten Gewissheit. Viele nehmen an, dass er aus Nickel und Eisen **(Nife)** besteht, und unterscheiden einen äußeren Kern von 2200 km Mächtigkeit mit Temperaturen von 3000–5000 °C (vielleicht auch bis über 5000 °C) und einer Dichte von 9,4 g/cm³ sowie einem inneren Kern mit Temperaturen bis zu 7000 °C und einer Dichte von 11–13,5 g/cm³; trotz dieser hohen Temperaturen ist der innere Kern wegen des hohen Drucks möglicherweise fest. Der äußere Kern verhält sich dagegen sowohl gegenüber den Gezeitenkräften wie den kurzperiod. Erdbebenwellen wie eine Flüssigkeit; in ihm gibt es eine Konvektionsströmung, die Ursache des erdmagnet. Feldes ist. Nach anderer Ansicht soll der Erdkern aus einer an Wasserstoff und Helium stark verarmten Sonnenmaterie bestehen, d.h. einem sehr heißen, unter hohem Druck stehenden, vollständig ionisierten Gas, einem Plasma. Dieses verhält sich Erdbebenwellen gegenüber wie ein fester Körper.

📖 WILLE, H. H.: *Vorstoß ins Innere der Erde.* Leipzig ³*1982.* – ALBRECHT, J.: *Ins Innere der Erde.* Braunschweig *1992.*

Erdkampfflugzeug, leichtes wendiges Kampfflugzeug, zur Unterstützung der Bodentruppen.

Erdkunde, die →Geographie.

Erdleguane (Liolaemus), Gattung bodenbewohnender, oft metallisch glänzender Echsen in Südamerika; bis 25 cm lang. Der **Magellanleguan** (Liolaemus magellanicus) in Feuerland ist das am weitesten nach S vordringende Reptil.

Erdmagnetismus (Geomagnetismus), Gesamtheit derjenigen physikal. Eigenschaften des Erdkörpers und der physikal. Vorgänge in ihm, die das erdmagnet. Feld und seine Änderungen hervorrufen. Der E. wirkt sich u.a. darin aus, dass eine allseitig frei bewegl. Magnetnadel eine bestimmte Richtung einnimmt. Der Nordpol einer Magnetnadel zeigt nach dem nördl. Magnetpol (ungefähr nach der geograph. Nordrichtung); die Abweichung der Magnetnadel von der genauen N–S-Richtung heißt **magnet. Missweisung** oder **Deklination** *(D).* Die Neigung einer frei aufgehängten Magnetnadel gegen die Waagerechte heißt **Inklination** *(I);* die gesamte Feldstärke wird als **Totalintensität** *(F),* ihr waagerechter Anteil als **Horizontalintensität** *(H),* ihr senkrechter als **Vertikalintensität** *(Z)* bezeichnet. *D, I, F, H, Z* heißen auch die Elemente des erdmagnet. Feldes. Die Erde verhält sich wie ein großer Magnet, ihre beiden Pole ändern ihre Lage mit der Zeit. Nach den Messungen des internat. Breitendienstes bewegt sich der nördl. **arkt.** oder **boreale Magnetpol** (eigtl. ein magnet. Südpol) jährlich um etwa 7,5 km in nördl. Richtung. Er lag 1980 bei 77,3° n. Br., 101,8° w. L., während er 1831 bei seiner Entdeckung bei 70,1° n. Br., 98,6° w. L. lag. Der südl. **antarkt.** oder **australe Magnetpol** (eigtl. ein magnet. Nordpol) befand sich 1983 bei 65,2° s. Br., 138,7° ö. L., 1912 bei 72,2° s. Br., 150,7° ö. L.; er verschiebt sich zurzeit um etwa 10 km pro Jahr in nordwestl. Richtung. Das an der Erdoberfläche beobachtete Magnetfeld hat Quellen im Erdinneren **(Innenfeld)** und außerhalb der Erde **(Außenfeld).** Der größte Teil des Innenfeldes wird von Stromsystemen im äußeren flüssigen Erdkern erzeugt. Es hat die Geometrie eines im Zentrum der Erde gedachten Permanentmagneten **(Dipol).** Die Verlängerung dieses gedachten Magneten (Dipolachse) trifft die Erdoberfläche an den zwei magnet. Polen. Weitere kleine Teile des erdmagnet. Feldes,

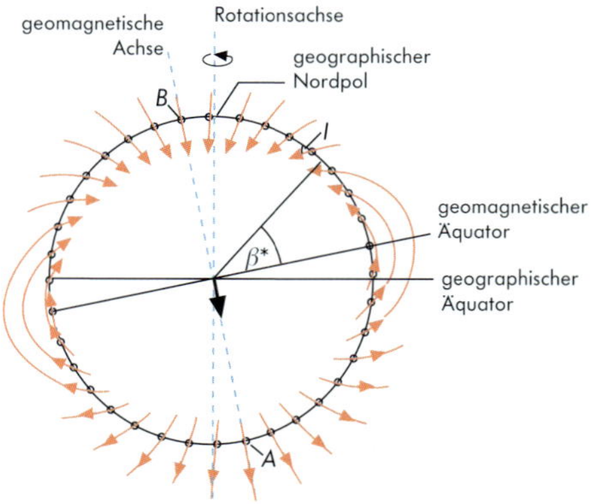

Erdmagnetismus: Darstellung des Dipolfeldanteils in der durch die Rotationsachse und die geomagnetische Achse *BA* festgelegten Ebene; *I* Inklination, β^* geomagnetische Breite (die Linie $\beta^* = 0°$ zeigt den geomagnetischen Äquator an)

gemessen an der Erdoberfläche, werden erzeugt durch die variablen elektr. Ströme in der **Ionosphäre** und in der **Magnetosphäre,** die bis in Entfernungen von zehn Erdradien reicht (→Atmosphäre). Richtung und Stärke des erdmagnet. Feldes sind nicht konstant, sondern unterliegen einer über Jahrzehnte gleichförmig gerichteten Veränderung (Säkularvariation). Das erdmagnet. Feld wird deshalb innerhalb einzelner Areale etwa alle fünf Jahre vermessen, sodass Karten der Elemente *D, I, F, H, Z* gezeichnet werden können. Daneben treten kurzzeitige period. und unregelmäßige Schwankungen auf, die mit Vorgängen in der Ionosphäre und auf der Sonne in Verbindung stehen. Mit zunehmender Entfernung von der Erde wird das geomagnet. Feld schwächer. In einer Entfernung von etwa sechs Erdradien ist das erdmagnet. Feld nur wenig größer als die vom Sonnenwind mitgeschleppten unregelmäßigen Magnetfelder, sodass sich aus der Wechselwirkung vom Magnetfeld der Erde und dem des Sonnenwindes eine neue Konfiguration des gesamten Magnetfeldes ergibt. Auf der der Sonne zugewandten Seite sind die Feldlinien gestaucht; auf der anderen Seite sind sie auseinander gezogen. – Durch Ausmessen der Magnetisierungsrichtungen **(Paläomagnetismus)** an orientiert entnommenen Gesteinsproben lassen sich die fossilen Richtungen des erdmagnet. Feldes ermitteln und die Lage der geomagnet. Pole in den geolog. Systemen berechnen.

📖 SOFFEL, H.: *Paläomagnetismus u. Archäomagnetismus. Berlin u. a. 1991.*

Erdmandel (Cyperus esculentus), nordafrikan. Art der Sauergräser mit nährstoffreichen, essbaren Knöllchen (Mandelgeschmack).

Erdmann, 1) Benno, Philosoph und Psychologe, *Guhrau (bei Glogau) 30. 5. 1851, †Berlin 7. 1. 1921; Kantforscher; lieferte Beiträge zur Denkpsychologie, schrieb: »Kants Kriticismus« (1878), »Logik« (1892).

2) Eduard, Pianist, *Wenden (heute Cēsis, Lettland) 5. 3. 1896, †Hamburg 21. 6. 1958; setzte sich bes. für zeitgenös. Musik ein; auch Komponist.

3) Johann Eduard, Philosoph, *Wolmar (heute Valmiera, Lettland) 13. 6. 1805, †Halle (Saale) 12. 6. 1892; gehörte der rechten Hegelschule an; schrieb u. a. »Versuch einer wiss. Darstellung der Gesch. der neueren Philosophie« (6 Bde., 1834–53); »Grundriß der Gesch. der Philosophie« (2 Bde., 1866).

4) Karl Dietrich, Historiker, *Köln-Mülheim 29. 4. 1910, †Kiel 23. 6. 1990; seit 1953 Prof. in Kiel, verfasste u. a. »Die Zeit der Weltkriege« (»Hb. der dt. Gesch.«, Bd. 4; ^{9}1976).

Erdmännchen, Art der →Schleichkatzen.

Erdmannsdorff, Friedrich Wilhelm Freiherr von, Baumeister, *Dresden 18. 5. 1736, †Dessau 9. 3. 1800; bed. Vertreter des dt. Frühklassizismus, beeinflusst von J. J. Winckelmann und der engl. Architektur in der Nachfolge A. Palladios. Sein Hauptwerk ist Schloss und Park Wörlitz bei Dessau (1769–73).

Erdmetalle, ältere Bez. für die Elemente Aluminium, Scandium, Yttrium und die Lanthanoide.

Erdmittelalter, das →Mesozoikum.

Erdnähe, *Astronomie:* das Perigäum (→Apsiden).

Erdnuss (Arachis hypogaea), ein einjähriger Schmetterlingsblütler des trop. Südamerika, in den Tropen und Subtropen angebaut. Nach dem Abblühen krümmen sich die Blütenstiele (Fruchtträger) abwärts und drücken die junge Frucht in den Erdboden, wo sie reift. Die öl- und proteinhaltigen Samen liefern ein wertvolles Öl; sie werden außerdem roh, geröstet oder gesalzen gegessen. – 1994 wurden 28,493 Mio. t E. geerntet, davon (in Mio. t): China (9,7), Indien (8,4) die USA (1,9).

Erdnuss
(Höhe 30–80 cm)

Erdöl (engl. Petroleum), helles bis schwarzgrünes, flüssiges Gemisch versch. Kohlenwasserstoffe mit meist kleinen Anteilen an organ. und anorgan. Nichtkohlenwasserstoffen unterschiedl. Zusammensetzung. E. ist weltweit der wichtigste Primärenergieträger (rd. 37% des Weltenergiebedarfs) und Rohstoff für die Petrochemie. Es bildet sich unter anaeroben Verhältnissen aus abgestorbenem tier. und pflanzl. Plankton, das in schlecht belüfteten reduzierten (durch Schwefelwasserstoff) marinen Ablagerungsräumen oder auch in gut durchlüftetem Wasser unter der Oberfläche feinklast. Sedimente, v. a. im Bereich des Kontinentalschelfs, angereichert und unter Mithilfe von Bakterien chemisch umgebildet wird **(Faulschlamm).** Aus diesem vorwiegend tonigen **E.-Muttergestein** lässt sich E. nicht gewinnen; es weicht durch Wanderung **(Migration)** in poröse und klüftige **Spei-**

Erdöl: Förderung (in Mio. t)

Land	1980	1986	1992	1994
Saudi-Arabien[2]	496,4	251,3	415,0	402,8
USA	482,2	477,3	360,0	393,1
UdSSR	603,0	615,0	477,4[1]	352,0[1]
Iran[2]	76,6	93,4	171,3	180,9
Mexiko	106,8	137,5	134,3	156,8
China	106,0	130,7	139,2	146,1
Norwegen	24,4	44,6	103,3	130,5
Venezuela[2]	112,9	91,3	122,6	127,7
Großbritannien	80,5	127,0	91,9	126,0
Vereinigte Arabische Emirate[2]	82,6	66,4	103,6	108,0
Kanada	83,0	84,2	84,0	104,6
Kuwait[2]	81,4	71,6	53,5	102,4
Nigeria[2]	101,8	72,8	90,7	102,1
Indonesien[2]	78,5	66,0	87,2	75,4
Libyen[2]	85,9	49,7	68,9	66,6
Irak[2]	130,0	82,7	2,5	27,8
Welt	3059,1	2916,9	2947,3	3202,5

[1] GUS-Staaten. – [2] OPEC-Mitglied.

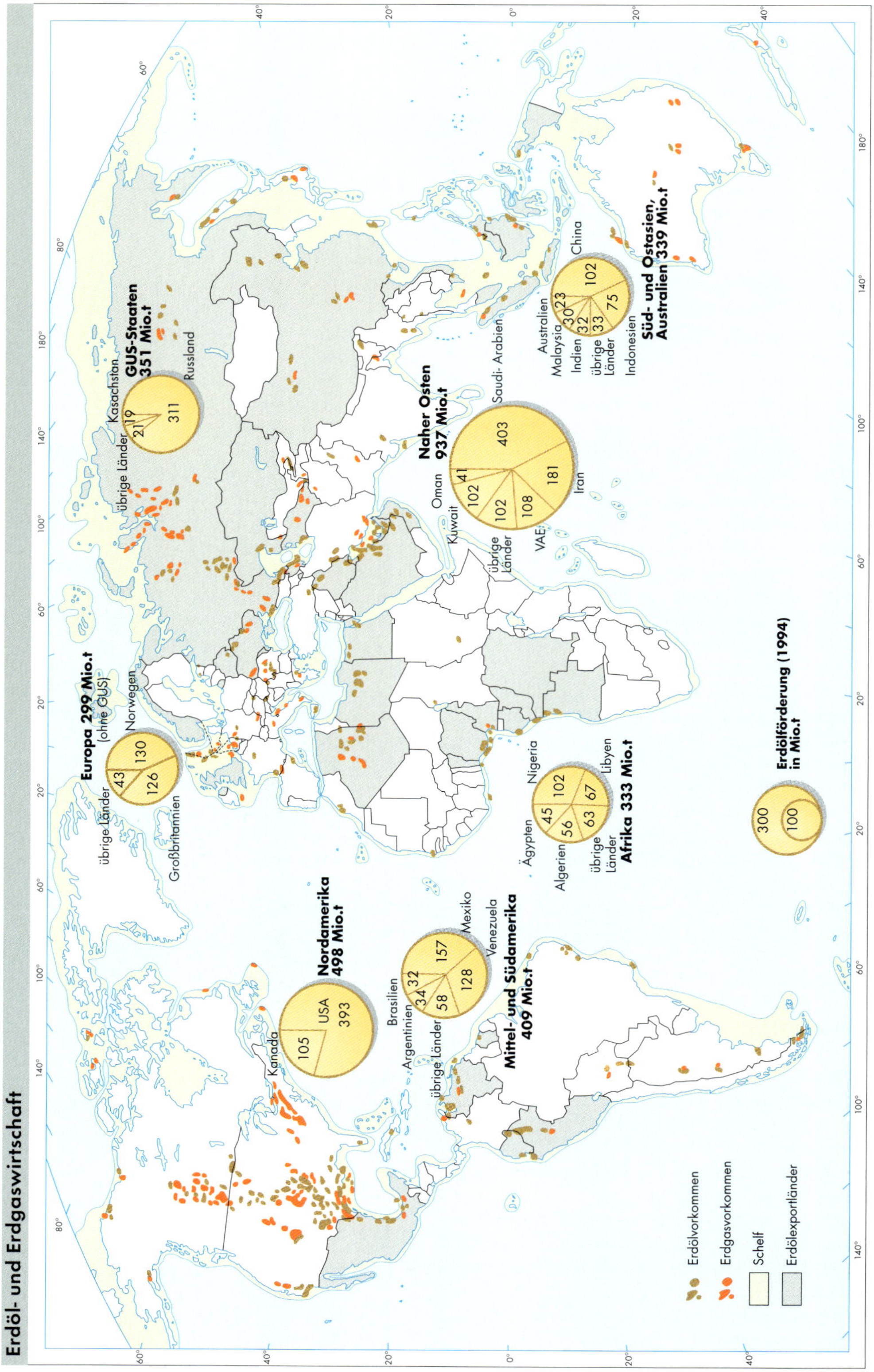

Erdöl- und Erdgaswirtschaft
Nordamerika 498 Mio.t
Kanada 105
USA 393
Mittel- und Südamerika 409 Mio.t
Mexiko 157
Venezuela 128
Brasilien 32
Argentinien 34
übrige Länder 58
Europa 299 Mio.t (ohne GUS)
Norwegen 130
Großbritannien 126
übrige Länder 43
GUS-Staaten 351 Mio.t
Russland 311
Kasachstan 19
übrige Länder 21
Naher Osten 937 Mio.t
Saudi-Arabien 403
Iran 181
VAE 108
Kuwait 102
Oman 41
übrige Länder 102
Afrika 333 Mio.t
Nigeria 102
Libyen 67
Ägypten 45
Algerien 56
übrige Länder 63
Süd- und Ostasien, Australien 339 Mio.t
China 102
Indonesien 75
Australien 23
Malaysia 30
Indien 32
übrige Länder 33
Erdölförderung (1994) in Mio.t
300
100
Erdölvorkommen
Erdgasvorkommen
Schelf
Erdölexportländer

chergesteine aus, wo es sich unter undurchlässigen Deckschichten in **E.-Fallen** zu Lagerstätten anreichert. Häufige E.-Lagerstätten befinden sich in Schichtsätteln (Antiklinalen), an Verwerfungen und Diskordanzen sowie an den Flanken und dem Dach von Salzstöcken. Im Idealfall sammelt sich im höchsten Teil der Struktur Erdgas (Gaskappe) an, darunter das vom Randwasser unterlagerte E. Solche geolog. Strukturen sucht man in »ölhöffigen« Sedimentgesteinen mit geophysikal. Aufschlussverfahren von der Erdoberfläche aus festzustellen. Durch **Aufschluss-(Prospektions-)Bohrungen** wird die Struktur »abgebohrt«, durch geophysikal. Bohrlochmessung werden die physikal. Eigenschaften der Gesteine bestimmt. Bei positivem Befund wird aufgrund dieser Ergebnisse eine Förder-(Produktions-)Bohrung abgeteuft.

Förderung: Erdöllager werden durch Tiefbohrung (→Bohren) erschlossen, auch durch Unterwasserbohrungen (→Offshoretechnik). Primäre Gewinnungsmethoden **(Primärverfahren)** nutzen den natürl. Lagerstättendruck, der v.a. durch sich aus dem E. lösende und ausdehnende Gase erzeugt wird. Der Ausbeutegrad der Lagerstätte **(Entölungsgrad)** liegt in diesem Fall zw. 10 und 30%. Bei **Sekundärverfahren** wird der Lagerstättendruck durch Injektion von Wasser (Wasserfluten) oder Erdgas (Gaslift) aufrechterhalten und damit der Entölungsgrad auf etwa 30–40% erhöht. Der Entölungsgrad kann durch **Tertiärverfahren** weiter verbessert werden, bei denen dem Flutwasser Tenside (Tensidfluten) oder Polyelektrolyte (Polymerfluten) zugesetzt werden oder bei denen Dampf oder Kohlendioxid (Dampf- oder Kohlendioxidfluten) in die Lagerstätte injiziert wird. Von den Tertiärverfahren hat das Dampffluten bisher die größte Bedeutung. Zur Aufbereitung (Reinigung) des geförderten Nassöls werden Erdgas, Wasser und Feststoffe (Salze, Schlamm) durch therm., mechan. und chemisch-physikal. Behandlung abgetrennt. Das Rohöl wird in Tanks gesammelt und durch Ölleitungen (Pipelines) zum Verarbeitungsort oder zum Ausfuhrhafen befördert. Zur Beförderung auf dem Wasserweg dienen Tanker.

Verarbeitung: Das Rohöl wird in Raffinerien durch fraktionierte Destillation (in turmartigen Destillierkolonnen) in seine versch. hoch siedenden Anteile zerlegt. Die Destillate werden gekrackt (→Cracken) und gereinigt, wodurch man versch. Benzine, Dieselöle, Leichtöle, Schmieröle, Paraffin und Asphaltbitumen erhält.

Die Entwicklung der E.-Ind. begann Mitte des 19. Jh. mit der Erschließung und der planmäßigen Ausbeutung größerer E.-Felder: in den USA (Pennsylvania, Texas), in Russland (Baku), in Rumänien u.a. Seit 1900 wurden neue Felder erschlossen (Mexiko, Naher Osten, Sahara); das E. wurde zum wichtigsten Energieträger und bedeutendsten Rohstoff für die organisch-chem. Industrie. Um bessere Konzessionsbedingungen und höhere E.-Preise zu erreichen, schlossen sich die Förderländer 1960 zur →OPEC, die arab. Erdöl exportierenden Länder 1968 zur →OAPEC zusammen, der die leistungsfähigsten Lieferländer angehören. Da alle Ind.-Länder auf den E.-Import angewiesen sind, ist heute E. das wichtigste Welthandelsprodukt. Die beiden »Energiekrisen« 1973/74 und 1979/80 lösten Preisschübe des Rohstoffs E. aus, weshalb die Öl importierenden Länder die Importmenge durch Sparmaßnahmen und Förderung anderer Energieträger zu reduzieren suchten. Nach 1980 nahm der bis dahin stets zunehmende Verbrauch erstmals ab, bis 1986 durch Wachstum des Verkehrs und der Ind.-Produktion v.a. in den ostasiatischen Schwellenländern wieder eine Steigerung zu verzeichnen war. Nach der Klimarahmenkonvention von Rio (in Kraft seit 1994) mit dem Ziel der CO_2-Einsparung muss der Verbrauch speziell der Industrieländer in den nächsten Jahren überproportional zurückgehen. Die Weltförderung betrug 1995 3,261 Mrd. t; der größte Teil (rd. 29%) stammt aus den Ländern des Nahen Ostens. Die wichtigsten Förderstaaten (Angabe in Mio. t) sind Saudi-Arabien (403), USA (390) und GUS (347). – 1995 wurden in Dtl. 3,0 Mio. t gefördert. Die Ölfelder liegen im Raum Hannover, Emsland, Weser-Ems-Gebiet, Schlesw.-Holst., Alpenvorland, Oberrheintal (Hess. Ried).

📖 *Die Energierohstoffe E. u. Erdgas. Vorkommen, Erschließung, Förderung, bearb. v.* G. PUSCH *u.a. Berlin 1995.*

Erdorgeln (geologische Orgeln), kessel-, sack-, schachtförmige Vertiefungen an der Erdoberfläche, im Kalkstein oder Gips, durch Auslaugungen entstanden, häufig mit Schutt oder Lehm angefüllt.

Erdpyramiden (Erdpfeiler), säulen- bis spitzkegel- und nadelartige Erosionsformen in geröll- und blockdurchsetzten, durch Kalk- oder Tongehalt standfesten Lockergesteinen (Moränen, Tuff, Seekreide), z.T. durch Deckgesteine geschützt, z.B. die bis 35 m hohen E. auf dem Ritten bei Bozen und die E. von Göreme (Anatolien).

Erdrauch (Fumaria), Gattung der E.-Gewächse in den gemäßigten Gebieten Europas und Asiens, einjährige Kräuter, mit fein fiederschnittigen zarten Blättern, traubig angeordneten, gespornten Blüten und kugeligen Nüsschenfrüchten. Der **Gemeine E.** (Fumaria officinalis) mit roten Blüten wächst auf Äckern und in Gärten; Arzneipflanze.

Erdrutsch, →Bergsturz.

Erdsatellit, →Satellit.

Erdschlipf (Bergschlipf), →Bergsturz.

Erdöl: Schema der Erdölförderung mittels des Sekundärverfahrens »Wasserfluten«

Erdrauch: Gemeiner Erdrauch (Höhe 10–30 cm)

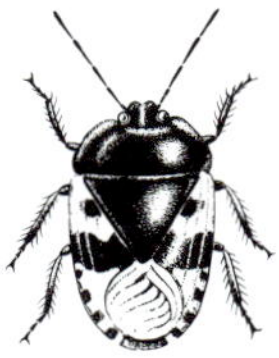

Erdwanze (Länge 5–8 mm)

Erdschluss, unerwünschte leitende Verbindung elektr. Stromkreise mit der Erde oder einem geerdeten Körper infolge Schaltungs- oder Isolationsfehlers.

Erdschocke [aus Erd-Artischocke], → Topinambur.

Erdstern (Geastrum), Bauchpilzgattung, bei der die Außenwand sternförmig aufreißt und sich bei Trockenheit aufrollt.

Erdstrahlen, 1) *allg.:* umgangssprachl. Bez. für hypothet., nicht nachgewiesene Strahlung, die auf Mensch und Tier einen (meist negativen) Einfluss haben soll (z.B. Ursache von Krankheiten) und angebl. von bestimmten Personen mit Wünschelruten oder Pendeln wahrgenommen werden kann.

2) *Physik:* Bez. für die α-, β- und γ-Strahlen aus radioaktiven Bestandteilen des Bodens oder des Gesteins.

Erdwärme

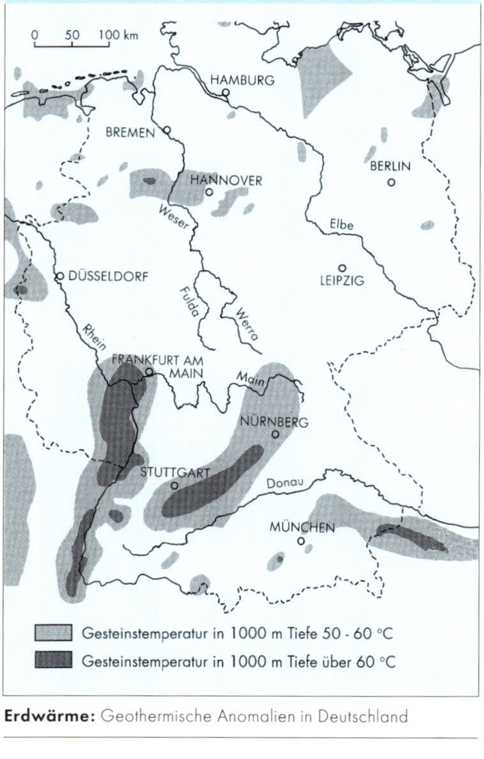

Erdwärme: Geothermische Anomalien in Deutschland

Erdströme, 1) (induzierte E., tellur. E.) elektr. Ströme in der Erde, bes. in der Erdkruste und im oberen Erdmantel, erzeugt durch elektromagnet. Induktion infolge der zeitl. Variation des erdmagnet. Feldes; 2) (elektrochemisch erzeugte [eingeprägte] E.) elektr. Ströme, die bes. dicht unter der Erdoberfläche an Grenzen zw. Gesteinskörpern entstehen, die in Klüften und Poren Bergwässer enthalten, auch beim Transport des Wassers durch die Poren im Gestein.

Erdteil (Kontinent), Bez. für die großen geschlossenen Landmassen der Erde mit den ihnen vorgelagerten oder zugerechneten Inseln: Europa, Asien, Afrika (»Alte Welt«), Nordamerika, Südamerika (»Neue Welt«), Australien (mit Ozeanien) und das Südpolargebiet (Antarktika). Europa und Asien bilden zus. Eurasien.

Erdtrichter, *Geomorphologie:* → Erdfall.

Erdung, das Herstellen einer leitenden Verbindung zwischen elektr. Geräten sowie Leitungen und der Erde (Erdleitung) zum Schutz gegen Gefährdung durch zu hohe Berührungsspannungen oder Blitzschlag, zum Senden und Empfangen in der Funktechnik, zum Beseitigen von Störungen in der Nachrichtentechnik.

Erdwachs (Ozokerit), natürl. Gemenge hochmolekularer fester Kohlenwasserstoffe, wachsähnliche, verharzte Rückstände paraffinreicher Erdöle; kommt in Erdspalten oder Erdgängen vor und wird bergmännisch gewonnen. Gereinigtes E. dient zur Herstellung von Polituren, Kerzen u.a.

Erdwanzen (Cydnidae), Familie der Landwanzen; saugen an Wurzeln; gelegentlich Kulturpflanzenschädlinge.

Erdwärme (Geothermik), die Wärme des Erdkörpers. In der äußeren Erdkruste nimmt die Temperatur mit der Tiefe zu **(geotherm. Tiefenstufe).** Daneben besteht ein kontinuierl. Wärmestrom zur Erdoberfläche hin, der auf rd. $6{,}5 \cdot 10^{20}$ J pro Jahr geschätzt wird und durch Zerfallsprozesse radioaktiver Elemente in den Gesteinen entsteht. Diese nahezu unerschöpfl. Energiequelle ist bes. hoch in Vulkangebieten, im Bereich großer geotekton. Störungen oder an den Rändern der Erdkrustenplatten (→ Plattentektonik), an geolog. Gräben und im Rückland junger Faltengebirge. – Als alternative Energiequelle gewinnt die E. zunehmende Bedeutung. Neben den in E.-Kraftwerken, zur Gebäudeheizung und Warmwasserbereitung genutzten vulkan. Heißwasser- und Dampfspeichern (Island, Italien) werden auch **geotherm. Anomalien** interessant (in Dtl. z.B. bei Bad Urach, Landau in der Pfalz und Bremen). Die bed. Wärmereserven in heißen Gesteinsmassen **(hot dry rock)** sind durch Bohrungen erschließbar, in die kaltes Wasser eingepumpt wird, das sich erhitzt und als heißes Wasser wieder austritt.

Erdzeitalter (Ära), größter Zeitraum der Erdgeschichte, → geologische Systeme.

ERE, Abk. für **E**uropäische **R**echnungs**e**inheit, → Rechnungseinheit.

Erebos [grch.], *grch. Mythos:* die Finsternis (bes. der Unterwelt); bei Hesiod aus dem Chaos hervorgegangen.

Eremitage 2): Das 1754–64 von Bartolomeo Francesco Rastrelli erbaute Winterpalais ist heute das Hauptgebäude des Museums

Erebus, Mount [maʊnt ˈerɪbəs], tätiger Vulkan auf der Rossinsel (Antarktis), 3794 m ü. M.; Hänge teilweise vergletschert.

Erec, Held einer Ritterdichtung aus dem Artuskreis, die nach breton. Quelle zuerst Chrétien de Troyes und nach diesem Muster, etwa um 1185, Hartmann von Aue bearbeitete. Der Held muss die Gefahr überwinden, seine Ritterpflichten um der Minne willen zu versäumen.

Erechtheion [grch.] *das,* Tempel auf der Akropolis von Athen, im attisch-ion. Stil 421–406 und 409–406 v. Chr. erbaut, ben. nach dem sagenhaften König Erechtheus.

Ereğli [ˈɛrɛjli], **1)** Hafen- und Industriestadt in der Türkei, am Schwarzen Meer, 63 800 Ew. Das Stahl- und Walzwerk verarbeitet Steinkohle aus dem nahe gelegenen Revier von Zonguldak. E. ist das antike **Herakleia Pontice.**

2) türk. Stadt im südl. Inneranatolien, 74 300 Ew.; Zentrum eines Bewässerungsanbaugebietes. – E. hieß im Altertum **Herakleia,** später **Kybistra.**

Ereignis, 1) *Physik:* physikal. Vorgang mit vernachlässigbar kleiner räuml. und zeitl. Ausdehnung, z. B. die Wechselwirkung zw. Elementarteilchen.

2) *Statistik, Wahrscheinlichkeitsrechnung:* Bez. für eine Teilmenge der Menge aller möglichen Ausgänge eines Zufallsexperiments (z. B. ein Pasch beim Würfeln mit zwei Würfeln). Bestehen die E. nur aus einem Element, heißen sie **Elementar-E.;** die Menge *aller* zufälligen E. bildet den **E.-Raum.**

Erektion [lat.] *die,* die reflektor. Anschwellung, Aufrichtung, Vergrößerung des männl. Gliedes **(Penis)** durch Blutzufuhr in dessen Schwellkörper bei gleichzeitig vermindertem Abfluss, auch des weibl. Kitzlers **(Klitoris);** mangelnde **E.-Fähigkeit** verursacht →Impotenz; krankhafte E. →Priapismus. – Ein erektiles Organ ist auch die weibl. Brustwarze.

Eremit [zu grch. erēmos »einsam«] *der,* Einsiedler, im frühen Christentum →Anachoret.

Eremitage [-ˈtaːʒə, frz.] *die,* **1)** urspr. Einsiedelei; seit dem 18. Jh. ein bewusst schlicht gehaltenes, einsam gelegenes Garten- oder Landhaus.

2) Museum in Sankt Petersburg, benannt nach dem 1764–67 für Katharina II. erbauten Schloss (»Kleine E.«); das Museum umfasst heute darüber hinaus das Winterpalais (»Viertes Winterpalais« von B. F. Rastrelli, 1754–64), die »Alte E.« (1775–84) und die »Neue E.« (von L. von Klenze, 1839–52). Die E. beherbergt eine Gemäldegalerie mit über 5 000 Werken (umfangreichste Rembrandt-Kollektion) und eine graf. Sammlung (40 000 Handzeichnungen). Sie präsentiert ferner skyth. und grch. Goldarbeiten, vorgeschichtl. Funde aus dem Kaukasus, eine Sammlung sassanid. und byzantin. Kunst, Denkmäler vorislam. Kunst aus Mittelasien sowie islam., indische und ostasiat. Kunst, ferner eine Antikenabteilung und eine Abteilung für russ. Kulturgeschichte.

Erenburg, Ilja Grigorjewitsch, russ. Schriftsteller, →Ehrenburg.

Eresburg, von Karl d. Gr. 772 eroberte sächs. Befestigung, wohl mit der 900 m langen und 350 m breiten, nach allen Seiten steil abfallenden Bergkuppe von Obermarsberg (heute zu Marsberg, NRW) gleichzusetzen. Wahrscheinlich Standort des sächs. Heiligtums →Irminsul.

Eretria, bed. antike Stadt auf Euböa, die im 8./7. Jh. v. Chr. ihre Blütezeit erlebte; 490 von den Persern, 198 v. Chr. durch die Römer zerstört; u. a. Reste eines Apollon- (6. Jh. v. Chr.) und eines Dionysostempels (4. Jh. v. Chr), eines Theaters (4. Jh. v. Chr.) und der Stadtmauer.

Erewan, armen. Stadt, →Jerewan.

Eretria: Fragment einer Plastik vom Ostflügel des Apollontempels (Ende des 6. Jh. v. Chr.)

Erfurt 1): Links der zum großen Teil im 15. Jh. erbaute Dom mit spätgotischem Langhaus, unmittelbar daneben die dreitürmige Severikirche (vor allem 14. Jh.)

Erfahrung, all das, was dem Menschen mit Bewusstsein widerfährt. In der *Philosophie* eine Form der Erkenntnis **(Empirie);** als **äußere E.** die Wahrnehmung durch die äußeren Sinne, als **innere E.** die Erfassung von Bewusstseinsinhalten. Die **experimentelle E.,** gekennzeichnet durch planmäßige, wiederholte Beobachtung unter definierten Bedingungen, ist die Hauptmethode der Erfahrungswissenschaft (empir. Wissenschaft). Für den Empirismus entspringt E. allein den Sinnesempfindungen und psycholog. Assoziations- bzw. Abstraktionsleistungen (Hume: Gewöhnung, Übung). Für Kant ist E. das Produkt aus Sinnes- und Verstandestätigkeit; Letztere beruht auf nichtempir., apriorischen Formen.

Erfurt 1) Stadtwappen

Erfinderrecht, ein mit der Vollendung der Erfindung für den Erfinder entstehendes absolutes, übertragbares und vererbbares Recht; umfasst das Recht, als Erfinder genannt und anerkannt zu werden, über die Erfindung zu entscheiden (Veröffentlichung oder Geheimhaltung, Anmeldung als Patent) und sie zu verwerten.

Erfindung, im Sinne des Patent- und Gebrauchsmusterrechts die schöpfer. Lösung eines naturwissenschaftlich-techn. Problems, die unter Ausnutzung naturgesetzl. Kräfte oder Vorgänge erfolgte. Voraussetzung für die Erteilung eines →Patents oder die Eintragung als Gebrauchsmuster sind die gewerbl. Verwertbarkeit und die Neuheit der E. (→Arbeitnehmererfindung)

📖 *Lexikon der Forscher u. Erfinder, hg. v.* R. ZEY. *Reinbek 1997.*

Erfolg, 1) *Betriebswirtschaftslehre:* Ergebnis der wirtsch. Tätigkeit einer Unternehmung während eines Berichtszeitraums. Der E. kann positiv **(Gewinn)** oder negativ **(Verlust)** sein. In der Kosten- und Leistungsrechnung ist E. der Unterschied zw. Erlös und Kosten. (→Gewinn-und-Verlustrechnung)

2) *Psychologie:* von Anspruchsniveau und Leistungsmotivation bestimmtes Bestätigungserlebnis bei der geglückten Verwirklichung selbst gesteckter Ziele, das seinerseits wiederum positiv motivierende und anspruchssteigernde Wirkung hat.

Erfrierung, 1) *Botanik:* →Frostschäden.

2) *Medizin:* (Congelatio) allg. oder örtl. Schädigungen des Organismus durch Kälteeinwirkung. Bei einer **allg. E.** sinkt die Körpertemperatur (Bluttemperatur kann bis auf 27 °C, Rektaltemperatur noch einige Grade tiefer absinken) ab, und es kommt zu einer Unterkühlung des gesamten Organismus. Die kältebedingte Stoffwechselsenkung der Gewebe, v.a. des Gehirns, führt zu einer zunehmenden Verwirrtheit des Erfrierenden und schließlich zur Bewusstlosigkeit. In der Folge tritt eine nicht rückbildungsfähige Schädigung des Atemzentrums und dadurch der **E.-Tod (Kältetod)** ein. Die **örtl. E.** betrifft v.a. Nase, Ohren, Wangen, Finger, Zehen. Hierbei unterscheidet man drei Schweregrade: 1. Grad: starke Rötung der Haut durch reaktive Mehrdurchblutung; 2. Grad: Blasen- und Ödembildung infolge erhöhter Durchlässigkeit der geschädigten Gewebe; 3. Grad: Nekrosebildung, d.h. völlige, nicht mehr rückbildungsfähige Schädigung der Gewebe mit nachfolgendem Absterben. Über erste Maßnahmen gegen E. siehe ÜBERSICHT erste Hilfe.

Erft *die,* linker Nebenfluss des Rheins, 113 km lang, entspringt in der N-Eifel, mündet bei Neuss; speist teilw. **(E.-Kanal)** den Neusser Hafen.

Erftkreis, Kreis im RegBez. Köln, NRW, 705 km², (1996) 443 300 Ew.; Verw.sitz ist Bergheim.

Erftstadt, Stadt im Erftkreis, NRW, an der Erft und am W-Hang der Ville, 48 800 Ew.; Nahrungs- und Genussmittelind.; Erholungsgebiet (Liblarer Seenplatte) auf dem rekultivierten Gelände ausgebeuteter Braunkohlenlager. – Im Schloss Gracht Universitätsseminar; Schloss →Gymnich ist Gästehaus der Bundesregierung. – 1969 durch Zusammenschluss der Stadt Lechenich mit 13 Gem. entstanden. – Lechenich war Hauptort eines kurköln. Amts (Wasserburg, ehemals kurköln. Landesfeste, seit 1689 Ruine).

Erfüllung, Tilgung einer Schuld durch Bewirken der geschuldeten Leistung, z.B. Zahlung einer Geldschuld (§§ 362 ff. BGB). Je nach Sachlage kann eine Schuld auch durch Hinterlegung, Aufrechnung oder Erlass getilgt werden. Durch E. erlischt das Schuldverhältnis; Sicherungen zugunsten des Gläubigers wie Bürgschaft, Pfandrecht u.a. erlöschen ebenfalls oder gehen auf den, der die E. bewirkt hat, über. Eine andere als die geschuldete Leistung oder eine mangelhafte Leistung muss der Gläubiger nicht annehmen. Zu Teilleistungen ist der Schuldner nicht berechtigt. Die geschuldete Leistung ist an dem Ort zu erfüllen **(Erfüllungsort, Leistungsort)**, der durch ausdrückl. Vereinbarung dazu bestimmt ist oder sich aus der Natur des Vertrags ergibt. Wo beides nicht der Fall ist, hat der Schuldner an dem Ort zu erfüllen, an dem er zz. der Entstehung des Schuldverhältnisses seinen Wohnsitz oder (bei einer Schuld aus einem Gewerbebetrieb) seine gewerbl. Niederlassung hatte (§ 269 BGB). Bei E. durch einen **Erfüllungsgehilfen** (z. B. den Handwerksgehilfen eines Bauunternehmers) haftet der Schuldner für das Verschulden des Gehilfen wie für eigenes Verschulden (§ 278 BGB).

Erfüllungspolitik, abwertendes Schlagwort der Rechtsparteien in der Weimarer Republik, bes. der Deutschnationalen und Nationalsozialisten, für die 1921 von Reichskanzler J. Wirth und Außenmin. W. Rathenau eingeleitete Politik der dt. Reichsregierungen, die Verpflichtungen des Versailler Vertrags nach Möglichkeit zu erfüllen, um damit zugleich die Grenzen der Leistungsfähigkeit Dtl.s offenkundig und eine Revision der Reparationsbestimmungen des Versailler Vertrags unabweisbar zu machen.

Erfurt, 1) Landeshauptstadt von Thüringen und kreisfreie Stadt, im Thüringer Becken, an der Gera, 158–430 m ü. M., 210 000 Ew.; E. ist Sitz zahlr. Behörden; die wieder gegr. (1994) Univ. hat ihren Lehrbetrieb noch nicht aufgenommen; Medizin. Akademie, PH, kath. Priesterseminar, FH für Gartenbau und Bauwesen; Bischofssitz; Luther-Gedenkstätte; Museen u. a. für Gartenbau, Thüringer Volkskunde; Amploniana (mittelalterl. Handschriftensammlung); Thüringer Zoopark; Städt. Bühnen; Erwerbsgartenbau mit Blumen- und Saatzucht; Büromaschinen- und Werkzeugmaschinenbau, elektrotechn., elektron., opt. und Bekleidungsind.; Verkehrsknotenpunkt, Flughafen.

Die Stadt wird überragt vom Dom (15. Jh.; auf Vorgängerbauten 1154 begonnen) und der dreitürmigen Severikirche (um 1278 bis um 1400); erhalten sind mehrere mittelalterl. Kirchen, u. a. Überreste der ehem. Benediktinerklosterkirche St. Peter und Paul (12. Jh.; 1813 zerstört), Klosterkirche der Ursulinen (13. Jh.), Prediger- oder Dominikanerkirche (13.–14. Jh.), Barfüßer- oder Franziskanerkirche (13.–15. Jh.), Augustinerkirche (13.–14. Jh.). Der spätgot. Bau der Alten Univ. brannte 1945 aus; mit Häusern überbaut ist die Krämerbrücke (14. Jh.): in der Altstadt zahlr. Häuser aus der Renaissance; am Stadtrand zwei Festungen. – E. entstand an einer Furt durch die Gera; 742 durch Bonifatius vorübergehend Bistum (755 zum Bistum Mainz, das seine Rechte an Stadt und Gebiet bis 1802 sicherte [1664 mit Gewalt]). Im MA. eine der bedeutendsten und volkreichsten dt. Städte; 1379–1816 Univ. (1994 wieder gegr.), um 1500 Mittelpunkt des dt. Humanismus. 1802 kam E. an Preußen, 1807–13 war es eine Napoleon I. reservierte Domäne. Auf dem **Erfurter Fürstentag** 1808 verhandelten Napoleon I. und Alexander I. von Russland im Beisein dt. Rheinbundfürsten über ihre Interessensphären. 1850 tagte hier das **Erfurter Parlament** der preuß. Union (→ Union [4]). 1815–1944 gehörte E. zur preuß. Provinz Sachsen; 1944 kam es zu Thüringen; 1948/50–52 und seit 1990 Landeshptst.; 1952–90 Hptst. des gleichnamigen DDR-Bezirks.

2) dt. Bistum in der Kirchenprovinz Paderborn; entwickelte sich aus der Apostol. Administratur E.-Meiningen, die 1973-94 bestand.

Erfurter Programm, das 1891 vom Parteitag in Erfurt beschlossene Programm der SPD, ersetzte das Gothaer Programm (1875) und wurde durch das Görlitzer Programm abgelöst (1921); der theoret. Teil wurde von K. Kautsky, der prakt. Teil von E. Bernstein verfasst. (→ Sozialdemokratie)

Erfurth, Hugo, Fotograf, * Halle (Saale) 14. 10. 1874, † Gaienhofen (Kr. Konstanz) 14. 2. 1948; arbeitete ab etwa 1917 als Porträtfotograf in Dresden, ab 1934 in Köln. Bekannt wurden v. a. seine Bildnisse von Künstlern und Schriftstellern.

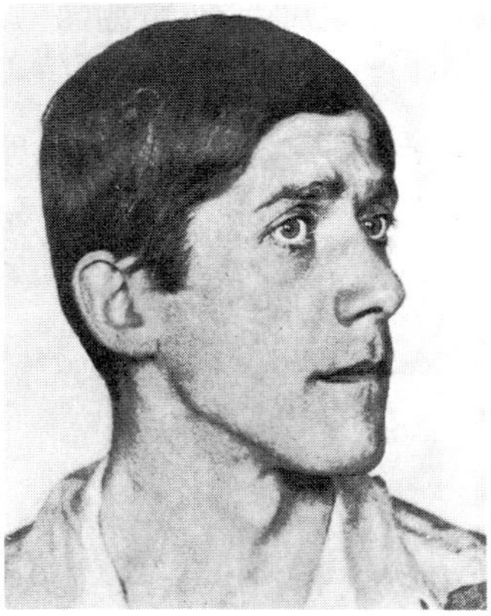

Hugo Erfurth: Oskar Kokoschka (1919; New York, Museum of Modern Art)

Erg [grch.] *das,* Einheitenzeichen **erg,** nichtgesetzl. Einheit der Energie im CGS-System: $1\,\mathrm{erg} = 1\,\mathrm{dyn} \cdot \mathrm{cm} = 10^{-7}\,\mathrm{Nm}$ (Newtonmeter) $= 10^{-7}\,\mathrm{J}$ (Joule).

Erg [arab.] *der* (in Libyen: Edeien), Name für Sandwüsten mit Dünenbildung in der Sahara. Die größten E. sind der **Westl.** und **Östl. Große Erg.**

Ergänzungsabgabe, in Art. 106 GG vorgesehene zusätzl. Einkommen- und Körperschaftsteuer, deren Ertrag nur dem Bund zusteht. Kann vom Bund per Gesetz eingeführt werden, um einen besonderen Finanzbedarf zu decken. Eine E. zur Einkommensteuer wurde 1968–74, zur Körperschaftsteuer 1968–76 und als **Solidaritätszuschlag** zur Einkommen- und Körperschaftsteuer

1991/92 und seit 1995 erhoben. Davon zu unterscheiden ist die →Zwangsanleihe.

Ergodenhypothese, *statist. Mechanik:* Hypothese, die von W. Boltzmann in die kinet. Gastheorie eingeführt und später von P. und T. Ehrenfest durch die genauere **Quasi-E.** ersetzt wurde. Danach wird in einem sich selbst überlassenen thermodynam. System (z.B. einem Gas) bei Vorhandensein einer bestimmten Gesamtenergie im Laufe der Zeit jeder mögl. Bewegungszustand des Systems mit beliebiger Annäherung verwirklicht. Die E. spielt eine Rolle in den Berechnungen der →Chaostheorie.

Ergograph [grch.] *der,* Gerät, das die Arbeit bestimmter Muskeln misst und registriert. Der E. wird verwendet zur Untersuchung von Leistungsfähigkeit und Ermüdung in der Arbeitsphysiologie und -psychologie sowie zur Diagnose krankhafter Störungen von Muskel- und Nervenfunktionen.

Ergologie [grch.] *die,* Forschungsbereich der Völker- und Volkskunde, der die materiellen und techn. Erzeugnisse menschl. Kultur untersucht (u.a. Tracht, Nahrung, Obdach, Geräte und Verfahren, Verkehr, Waffen).

Ludwig Erhard: Bundeskanzler Ludwig Erhard (links) im Gespräch mit seinem Amtsvorgänger Konrad Adenauer (1964)

Ergometer [grch.] *das,* Gerät zur Messung der körperl. Leistungsfähigkeit, das eine dosierbare Belastung ermöglicht. Am gebräuchlichsten ist das **Fahrrad-E.** zur mechan. Leistungsprüfung, bei dem die mechan. Arbeit in eine registrierbare elektr. Energie umgewandelt wird (Belastungs-Elektrokardiogramm). Das **Spiro-E.** dient zur Messung des Sauerstoffverbrauchs.

Ergonomie [grch.] *die,* Teilgebiet der →Arbeitswissenschaft; beschäftigt sich mit der Anpassung der Arbeit(sbedingungen) an die Eigenschaften des menschl. Organismus. Mithilfe der E. sollen techn. Prozesse aufgrund von Messungen (der oft einseitigen Beanspruchungen) und Erkenntnissen der Arbeitsmedizin, -physiologie und -psychologie sowohl hinsichtlich humanitärer wie auch ökonom. Ziele optimal gestaltet werden (z.B. durch körpergerechte Konstruktion und Anordnung von Arbeitsmitteln, Gestaltung von Arbeitsabläufen).

Ergosterin *das* (Ergosterol), ein Mycosterin (in Pilzen vorkommendes Sterin), geht durch UV-Bestrahlung in Vitamin D_2 (→Vitamine) über.

Ergotherapie, →Arbeitstherapie.

Ergotismus *der,* Vergiftung mit →Mutterkorn.

ergotrop [grch.], den gesamten Organismus auf erhöhte Aktivität einstellend, bes. auf die Erregung des Sympathikus bezogen.

Ergun He, Fluss in China, →Argun.

Ergussgesteine, die →Vulkanite.

Erhaltungssätze, Grundgesetze der Naturwissenschaften, nach denen bestimmte physikal. Größen **(Erhaltungsgrößen)** in abgeschlossenen Systemen bei jeder zeitl. Zustandsänderung ihren Wert beibehalten. Die fundamentalen E. sind: der E. der Energie (→Energiesatz), der wegen der →Äquivalenz von Masse und Energie auch den Satz von der Erhaltung der Masse enthält, der E. des Impulses (→Impulssatz), dem der →Schwerpunktsatz gleichwertig ist, und der E. für den →Drehimpuls. In Systemen, bei denen Ladungsträger bzw. makroskop. Ladungsmengen auftreten und in Wechselwirkung stehen, gilt der E. der elektr. Ladung.

Neben diesen klass. E. führen sog. innere Symmetrien der Materie zu E. für Spin, Isospin, Parität, Strangeness, Baryonen- und Leptonenzahl; diese E. sind v.a. zur Klassifizierung der Elementarteilchen von Bedeutung. Zw. den E. und den Symmetrien der Naturgesetze besteht ein enger Zusammenhang: Die Erhaltungsgrößen sind die Invarianten derjenigen Symmetrietransformationen, die die Naturgesetze ungeändert (invariant) lassen.

Erhängen, durch Zusammenschnüren des Halses herbeigeführte Todesart; häufigste Form des Selbstmordes. Die Halsschlinge drückt die Hals- und Wirbelsäulenschlagader ab, mit der Folge einer Blutleere des Gehirns, die zu Bewusstlosigkeit und Tod führt; selten ein Genickbruch.

Erhard, Ludwig, Politiker (CDU), *Fürth 4. 2. 1897, †Bonn 5. 5. 1977; war 1928–42 am Institut für Industrieforschung in Nürnberg tätig, befasste sich gegen Ende des 2. Weltkrieges mit Fragen der Wirtschafts- und Finanzentwicklung Dtls. nach dem Kriege. Nach dem dt. Zusammenbruch war er 1945–46 bayer. Wirtschaftsmin., 1948–49 Direktor der Wirtschaftsverwaltung des Vereinigten Wirtschaftsgebiets, erklärte am Tag der Währungsreform (20. 6. 1948) gegen den Widerstand der Besatzungsmächte das Ende der Zwangswirtschaft. 1949–76 war er MdB, 1949–63 Bundeswirtschaftsmin., 1957–63 zugleich Vizekanzler. Er setzte das Prinzip der →sozialen Marktwirtschaft durch, wobei er sich bes. gegen Wettbewerbsbeschränkungen durch Kartelle und Monopole wandte. Der von ihm geleitete Aufschwung begründete seinen Ruf als »Vater des Wirtschaftswunders«. Von Okt. 1963 bis Okt. 1966 führte er als Bundeskanzler eine Reg.-Koalition aus CDU/CSU und FDP, vom Okt. bis zum 1. 12. 1966 eine CDU/CSU-Minderheitsregierung. Seine Kanzlerschaft scheiterte an den Spannungen innerhalb der Koalition sowie an der Kritik innerhalb der Unionsparteien an seinem Führungsstil. 1966–67 war E. auch Vors. der CDU, danach ihr Ehrenvorsitzender. – Er schrieb: »Wohlstand für alle« (1957); »Dt. Wirtschaftspolitik« (1962).

📖 Hentschel, V.: *L. E. Ein Politikerleben. München u. a. 1996.*

Erhart, Gregor, Bildschnitzer, *Ulm um 1465/70, †Augsburg 1540; seit 1494 in Augsburg in eigener Werkstatt; das einzig gesicherte Werk ist die lebensgroße Schutzmantelmadonna vom Hochaltar der Zisterzienserkirche in Kaisheim bei Donauwörth (1502–04; 1945 in Berlin verbrannt). Große Ausdruckskraft zeigt die ihm zugeschriebene Madonna (um 1510) der Frauensteiner Wallfahrtskirche (OÖ).

Erhebung, in der *Statistik* jedes systemat. Einholen von Informationen, in der Wirtschafts- und Sozialstatistik meist durch Befragung, in der naturwissenschaftl. Statistik bes. durch Beobachtung und Experiment.

Erhöhung (Elevation), der Winkel, den die Seelenachse einer Feuerwaffe mit der Waagerechten bildet, ausgedrückt in Grad, Strich oder in der sich daraus ergebenden Schussentfernung.

Erhöhungszeichen, in der musikal. Notation das Versetzungszeichen, das die Erhöhung eines Tones um einen Halbton oder um zwei Halbtöne vorschreibt: Durch ein Kreuz (♯) wird z. B. c zu cis; durch ein Doppelkreuz (×) wird z. B. c zu cisis.

Erholung, 1) *Medizin:* Rückgewinnung verbrauchter körperl. oder seel. Kräfte durch Schlaf, Ruhe, Ausgleichstätigkeit (Freizeit, Urlaub); auch die Rückbildung einer v. a. krankheitsbedingten Schädigung des Organismus oder einzelner Organe durch therapeut. Maßnahmen (z. B. Kuren).

2) *Werkstoffkunde:* Entfestigung der durch plast. Kaltumformung oder Partikelbestrahlung bewirkten Verfestigung in Metallen und Legierungen; geschieht i. d. R. durch thermische Aktivierung.

Erica, Pflanzengattung, →Heide.

Erice ['e:ritʃe] (bis 1934 Monte San Giuliano), italien. Stadt in der Prov. Trapani, Sizilien, auf der Spitze des Monte E. (751 m ü. M.) gelegen, 29 400 Einwohner. – Die Stadt antiken Ursprungs hat ihren mittelalterl. Charakter bewahrt; an der Stelle eines alten Fruchtbarkeitsheiligtums ein normann. Kastell. – Im Altertum hieß sie **Eryx** und war Bergfestung der Elymer, später der Punier.

Gregor Erhart: Madonna der Wallfahrtskirche Frauenstein, Oberösterreich; Höhe 1,85 m (um 1510)

Erich, schwed. Könige: **1) E. IX.,** der Heilige, †(ermordet) 5. (nach anderen Angaben 18.) 5. 1160; förderte die Verbreitung des christl. Glaubens; bereits Ende des 12. Jh. als Märtyrer verehrt.

2) E. XIII. (E. von Pommern), Unionskönig von Dänemark (als E. VII.), Schweden und Norwegen (als E. IV.), *in Pommern um 1382, †Rügenwalde 3. 5. 1459; aus dem pommerschen Herzogshaus, wurde als Großneffe der Königin Margarete 1397 in Kalmar gekrönt; nach ihrem Tod übernahm er 1412 die Reg. und versuchte, eine Vormachtstellung der nord. Länder zu begründen. Im Kampf um Schleswig unterlag er den Schauenburgern und der Hanse. 1439 wurde E. in Dänemark, später auch in Schweden und in Norwegen abgesetzt.

3) E. XIV. (1560–68), *Stockholm 13. 12. 1533, †Örbyhus (bei Uppsala) 26. 2. 1577; Sohn Gustavs I. Wasa; erwarb 1561 Estland und führte seit 1563 den »Dreikronenkrieg« gegen Dänemark. Zunehmend geisteskrank, wurde er 1568 mit Zustimmung der Stände abgesetzt.

Erich der Rote, Wikinger, *Jæren (S-Norwegen) um 950, †Brattahlid (bei Qaqortoq, S-Grönland) vor 1005; wegen Totschlags aus Island verbannt, gelangte er 982 nach Grönland; besiedelte seit 986 mit Gefolgsleuten den äußersten SW um Brattahlid. Sein Sohn Leif Eriksson entdeckte von dort aus die nordamerikan. Küste.

Ericsson (Telefonaktiebolaget L. M. E.), schwed. elektrotechnischer Konzern, gegr. 1876; Sitz: Stockholm; stellt u. a. Telefonvermittlungssysteme und Mobiltelefone her; mit 188 Filialen und Tochtergesellschaften in 76 Ländern vertreten.

Eridanus, 1) (Fluss E.) Sternbild des südl. Himmels.

2) *grch. Mythos:* (Eridanos) Fluss im fernen Norden oder Westen der Erde.

Eridu, altbabylon. Stadt in Südmesopotamien, heute der Ruinenhügel **Tell Abu-Schahrein** in S-Irak; urspr. an einer Lagune des Pers. Golfes gelegen, südwestlich von Ur. – Die dörfl. Vorstufen von E. reichen bis ins 6. Jt. v. Chr. zurück. Am Hauptheiligtum kann in 16 Schichten die frühe Geschichte des babylon. Tempelbaus verfolgt werden. Nach 2000 v. Chr. wurde E., wo der Gott der Weisheit und der Heilkunde, Enki (Ea), verehrt wurde, wegen Versandung der Lagune aufgegeben.

Erie [ˈɪərɪ], Hafenstadt in Pennsylvania, USA, am Eriesee, 109 300 Ew.; Eisengießereien, Maschinen- und Schiffbau, elektrotechn. Industrie. Der **Eriesee,** der südlichste der fünf Großen Seen Nordamerikas (25 745 km², 174 m ü. M., bis 64 m tief), ist mit dem Huronsee, dem Ontariosee und dem Hudson (**Eriekanal,** 584 km lang; 1825 eröffnet) verbunden.

Erika, [grch.] umgangssprachl. für Schneeheide (→Heide 2).

Erikson, Erik Homburger, amerikan. Psychologe dt. Herkunft, *Frankfurt am Main 15. 6. 1902, †Harwich (Mass.) 12. 5. 1994; emigrierte 1933 in die USA, Prof. u. a. an der Harvard University; einer der führenden Vertreter der Jugendpsychologie.

Werke: Kindheit und Gesellschaft (1950); Jugend und Krise (1968).

Eringertal, schweizer. Tal, →Hérens, Val d'.

Erinnerung

Wie gut wir uns an etwas erinnern, hängt sehr stark von der inzwischen vergangenen Zeit ab. Verständnis und Erinnerung verharren bis zu 40 Minuten nach der Aufnahme von Informationen auf einem maximalen Niveau. Dabei spielt es aber auch eine Rolle, ob die Lerninhalte in einer Beziehung zueinander stehen. Außerdem ist Wiederholen ein probates Mittel gegen schnelles Vergessen von Einzelheiten. Pflegt man die aufgenommenen Informationen nicht, so sind schon nach 24 Stunden 80% dieses Wissens verloren. Mit zunehmendem Alter können die geistigen Fähigkeiten nachlassen, das Erinnerungsvermögen eingeschlossen. Zwangsläufig ist das aber nicht, es gibt genügend Beispiele hochbetagter Menschen, die dennoch ihre geistige Vitalität behalten. Ständiges Beschäftigen der grauen Zellen, methodisches Wiederholen und Üben scheinen auch gegen die Vergesslichkeit des Alters vorzubeugen.

Erinnerung, 1) *Psychologie:* die Fähigkeit, Vergangenes in der Vorstellung wieder zu beleben; eine Funktion des Gedächtnisses; auch Bez. für den entsprechenden Gedächtnisinhalt. **Erinnerungstäuschungen** sind normale seel. Erscheinungen (z. T. durch Fantasie und Wünsche bedingt), die jedoch abnorme Ausmaße annehmen können (so bei Neurosen, Psychosen).

2) *Recht:* Rechtsbehelf gegen Entscheidungen des beauftragten oder ersuchten Richters, des Rechtspflegers, des Urkundsbeamten oder des Gerichtsvollziehers gegen Maßnahmen im Vollstreckungsverfahren in gesetzlich bestimmten Fällen.

Erinnerungsposten, Merkposten in der Bilanz (meist 1 DM) für abgeschriebene, aber noch genutzte Wirtschaftsgüter.

Erinnyen [grch. »die Zürnenden«], die grch. Rachegöttinnen, bei späteren Dichtern drei: **Tisiphone** (die »Rächerin des Mordes«), **Allekto** (die »Unablässige«), **Megäre** (die »Neidische«). Beschönigend nannte man sie auch **Eumeniden** (die »Wohlgesinnten«). In Rom wurden ihnen die **Furien** gleichgesetzt.

Eris, *grch. Mythos:* Göttin der Zwietracht. Da nicht zur Hochzeit des Peleus und der Thetis eingeladen, entfesselte sie aus Rache Streit unter den Göttinnen, indem sie einen Apfel (**Erisapfel,** Zankapfel) mit der Aufschrift »Der Schönsten« unter die Gäste warf. Der Streit wurde von Paris zugunsten Aphrodites entschieden und führte zum →Trojanischen Krieg.

Eristik [grch.] *die,* die Kunst und Technik des wiss. Streitgesprächs. (→Dialektik)

Eritrea Staat (Republik) in NO-Afrika, am Roten Meer, grenzt im SO an Djibouti, im S an Äthiopien, im W und NW an die Rep. Sudan.

Staat und Recht: Seit der Proklamation der Unabhängigkeit (24. 5. 1993; durch Volksabstimmung vorbereitet) ist E. eine souveräne Republik. Für eine Übergangszeit bis Mitte 1997 galt eine provisor. Verfassung, die die »Volksbefreiungsfront E.s« (EPLF, Eritrean People's Liberation Front) und die aus ihr hervorgegangene Partei der »Volksfront für Demokratie und Gerechtigkeit« (PFDJ, People's Front for Democracy and Justice) zu alleinigen Trägern der Staatsgewalt machte. Auch nach der in der Zwischenzeit ausgearbeiteten neuen Verf. soll die PFDJ ihre Schlüsselrolle durch ein Quorum von Parlamentssitzen behalten. Zwar sind andere Parteien erlaubt (bes. die Afar Liberation Front, ALF und die Democratic Movement for the Liberation of E.), doch es werden keine auf ethn. oder religiöser Basis organisierten Parteien zugelassen.

Landesnatur: Die 1 000 km lange Küste reicht im S bis zur Meeresstraße Bab el-Mandeb, die das Rote Meer mit dem Ind. Ozean verbindet. Ihr vorgelagert ist die aus Korallenkalk aufgebaute Inselgruppe Dahlak. Die halbwüstenhafte südl. Küstenebene gehört zu der geolog. aktiven Afarsenke. Landeinwärts erheben sich im N ein bis 2 633 m hohes Randgebirge, im S die Danakilberge mit einigen Vulkanen. Mit ihrem N-Zipfel reicht die heiße Salzwüste der Danakilsenke nach E. hinein.

Eritrea

Fläche: 121 143 km²
Einwohner: (1995) 3,531 Mio.
Hauptstadt: Asmara
Verwaltungsgliederung: 10 Provinzen
Amtssprache: Tigrinja und Arabisch
Nationalfeiertag: 24. 5.
Währung: 1 Nakfa = 100 Cents (ct.)
Zeitzone: MEZ +2 Std.

Als Folge von Abholzung ist Bodenerosion weit verbreitet. In der niederschlagsarmen, feuchtheißen Küstenebene ist die Hafenstadt Massaua einer der heißesten Orte der Erde (Jahresmittel 30 °C); von März bis Juli weht von der Arab. Halbinsel gelegentlich ein heißer, staubhaltiger Wind. Die Temperaturen im Hochland sind angenehmer.

Bevölkerung: Hauptsiedlungsgebiet ist das Hochland, in dem Tigrinja, Tigre, Amhara, Kunama und Saho leben. Der SO wird vom Hirtenvolk der Afar (Danakil) bewohnt. Im Küstengebiet und an der Grenze zum Sudan leben Araber. Zahlr. im Ausland lebende polit. Flüchtlinge sind inzwischen wieder in ihre Heimat zurückgekehrt. Etwa 50 % der Bev. sind sunnit. Muslime, ebenfalls etwa 50 % kopt. Christen. Es besteht keine Schulpflicht; der Unterricht ist kostenfrei, auch das Studium an der Univ. in Asmara.

Wirtschaft, Verkehr: E. gehört zu den ärmsten Ländern der Erde; nach dem Ende des Bürgerkriegs 1991 setzte internat. Hilfe nur zögernd ein. Traditionell wichtigster Wirtschaftssektor ist die Landwirtschaft; angebaut werden Getreide, Kaffee, Baumwolle und Tabak. Im SO herrscht Nomadenwirtschaft vor. E. ist auf Nahrungsmittelimporte angewiesen. Im Roten Meer und in der Afarsenke gibt es Erdöl- und Erdgaslagerstätten, in der Umgebung von Asmara mindestens 15 Goldminen. Industriezweige wie Glas-, Zement-, Schuh- und Konservenindustrie werden wieder aufgebaut.

Im Bürgerkrieg wurde die einzige Eisenbahnlinie zw. Agordat (über Asmara) und Massaua zerstört (Teilstrecken wieder eröffnet); die Instandsetzung der ebenfalls beschädigten Straßenverbindung zw. Asmara und Massaua hat höchste Priorität. Assab ist neben Massaua die zweite große Hafenstadt. Äthiopien darf nach einem 1993 mit E. geschlossenen Abkommen beide Häfen nutzen. Der internat. Flughafen liegt nahe der Hauptstadt.

Geschichte: Vom 14. bis 19. Jh. war die Küstenregion E.s zw. Türken, Arabern, Äthiopiern und Portugiesen umkämpft. Das Hinterland stand bis ins 19. Jh. überwiegend unter äthiop. Einfluss. Nach 1881 setzten sich die Italiener in E. fest und erklärten es 1890 zu ihrer Kolonie. 1936–41 war E. Teil von →Italienisch-Ostafrika. 1941 kam es unter brit. Verwaltung. Nach einem Beschluss der Generalversammlung der UNO wurde es 1952 als autonomes Gebiet Äthiopien zugesprochen, das 1962 die Autonomie aufhob. Seit 1961 entwickelten sich separatist. Bestrebungen, die sich seit dem Sturz der Monarchie (1974) und der Errichtung eines marxistisch-leninist. Herrschaftssystem in Äthiopien zum Aufstand gegen die äthiop. Zentralreg. ausweitete. Die Unabhängigkeitsbewegung wurde getragen von der »Eritreischen Befreiungsfront« (ELF, gegr. 1960) und später v.a. von der mit ihr konkurrierenden (marxist.) »Eritreischen Volksbefreiungsfront« (EPLF, gegr. 1977). Mit Unterstützung kuban. Streitkräfte suchte die äthiop. Zentralreg. den Aufstand zu unterdrücken; 1987 erklärte sie E. zur autonomen Region, um den Konflikt politisch zu entschärfen. Nach dem Zusammenbruch des kommunist. Reg.-Systems in Äthiopien 1991 setzte sich die EPLF, die sich seit 1987 marktwirtschaftl. Vorstellungen näherte, in ganz E. durch und bildete eine provisor. Regierung. Nach einem Referendum am 25. 4. und der Wahl I. Afewerkis zum Staatspräs. (21. 5.) wurde am 24. 5. 1993 in Übereinstimmung mit der neuen äthiop. Reg. die unabhängige Republik E. ausgerufen. 1995 unterzeichneten E. und Äthiopien ein Abkommen über die Bildung einer Freihandelszone. Der 1996 ausgebrochene Streit mit Jemen um die Hanishinseln im Roten Meer wurde 1998 durch ein Urteil des Internat. Gerichtshofs beigelegt. Im Juni 1998 kam es zu einem Grenzkrieg mit Äthiopien wegen umstrittener Gebietsansprüche. BILD S. 154

📖 *Handbuch E. Geschichte u. Gegenwart eines Konfliktes, hg. v.* E. FURRER-KRESKI *u. a. Zürich 1990.* – MATTHIES, V.: *Äthiopien, E., Somalia, Djibouti. Das Horn von Afrika. München ³1997.*

Eriugena, mittelalterl. Philosoph, →Johannes Scotus.

Eriwan, bis 1936 russ. Name für →Jerewan.

Staatswappen

(ER)
Internationales Kfz-Kennzeichen

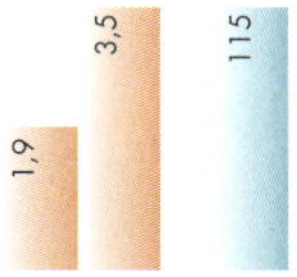

Bevölkerung (in Mio.) Bruttosozialprodukt je Ew. (in US-$)

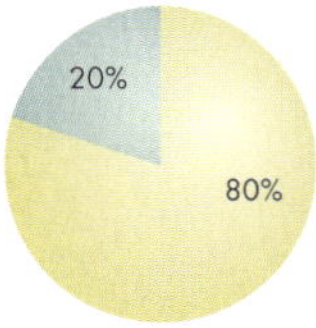

Bevölkerungsverteilung 1992

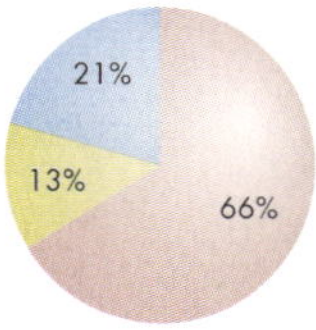

Bruttoinlandsprodukt 1993

Eritrea: Blick auf das Hochland südlich von Asmara, nahe der Grenze zu Äthiopien

Erkältung (Erkältungskrankheiten), meist durch Virusinfektionen hervorgerufene akute Schleimhautentzündung der Atemwege (→grippaler Infekt, →Schnupfen). Eine Unterkühlung des Körpers setzt lediglich die Immunabwehr herab.

Ferenc Erkel

Erkel, Ferenc (Franz), ungar. Komponist, *Gyula (Bez. Békés) 7. 11. 1810, †Budapest 15. 6. 1893; Schöpfer der ungar. Nationaloper (»Hunyadi László«, 1844; »Bánk bán«, 1861) und der ungar. Nationalhymne (1844).

Erkelenz, Stadt im Kreis Heinsberg, NRW, im N der Jülicher Börde; 42 400 Ew.; Maschinen- und Bohrgerätebau, Textil-, Holz-, Nahrungsmittel- und Kunststoff verarbeitende Ind.; Baumschulen. – Kath. Pfarrkirche St. Lambertus (1954) mit W-Turm des zerstörten Vorgängerbaus (11./12. Jh.). – E. erhielt 1326 Stadtrecht. Im 2. Weltkrieg wurde es stark zerstört.

erkenne dich selbst (grch. gnothi seauton), Inschrift am Apollontempel in Delphi, einem der →sieben Weisen (Thales von Milet oder Chilon von Lakedämon) zugeschrieben.

Erkenntnis, vom Bewusstsein der Wahrheit begleitete Einsicht eines Erkenntnissubjekts in einen objektiven Sachverhalt (Erkennen) und das Ergebnis dieses Vorgangs, das Erkannte. Unmittelbare E. durch Anschauung der Sache **(intuitive E.)** unterscheidet sich von der mittelbaren **(diskursive E.).** Letztere schließt begriffl. Vermittlung, log. Folgern und Schließen ein. Des Weiteren wird unterschieden zw. derjenigen E., die auf dem Wege der Erfahrung gewonnen wurde **(a posteriori),** und derjenigen, die auf dem Wege reinen Vernunftdenkens **(a priori)** zustande kommt. (→Denken)

Erkenntnistheorie (Gnoseologie), philosoph. Disziplin, die sich mit Voraussetzungen, Prinzipien und Grenzen des Erkennens beschäftigt. Entscheidende Beiträge zur Entwicklung der E. zu einer eigenständigen Disziplin lieferten R. Descartes und J. Locke. Zur Grundlage philosoph. Nachdenkens wurde die E. durch I. Kants **Erkenntniskritik,** für die auf »Bedingungen der Möglichkeit« naturwissenschaftl. Erkennens zielende Fragen und erkenntnisbegrenzende Fragestellungen charakteristisch sind. W. Dilthey bezog aus der Einsicht in die histor. Bedingtheit des Erkennens (→Historismus) auch die Begriffe und Methoden der histor. Wissenschaften ein und ergänzte die naturwiss. Erklärung durch das Verstehen (Hermeneutik). Das der E. zugrunde liegende →Subjekt-Objekt-Problem führte zu der auch heute noch fundamentalen Unterscheidung zw. Realismus und Idealismus. In der Auseinandersetzung zw. Rationalismus (R. Descartes, G. W. Leibniz, B. de Spinoza) und Empirismus (T. Hobbes, Locke, D. Hume) ging der Erstere von einem menschlichen Subjekt mit eingeborenen Ideen aus: Der Subjektpol konstituiert im Wesentl. die Erkenntnis; der Empirismus dagegen behauptete, dass sich die Erkenntnis allein auf Erfahrung gründe: Der Objektpol ist entscheidend für das Entstehen der Erkenntnis. Kant suchte die Synthese beider Positionen. In der Gegenwart verliert die E. ihre Bedeutung. So suchte Heidegger die Subjekt-Objekt-Beziehung durch das In-der-Welt-sein des Menschen zu ersetzen. E. geht dabei in der Philosophie der Existenz auf. – Grundfragen der E. werden heute im Rahmen der Wissenschaftstheorie behandelt (u. a. K. Popper). (→evolutionäre Erkenntnistheorie)

🕮 PRAUSS, G.: *Einführung in die E. Darmstadt* ³*1993.*

Erkennungsdienst, Abteilung der Kriminalpolizei, zu deren Aufgaben Personenfeststellungen, die Identifizierung von Personen, Tatort- und Spurenuntersuchungen und z. T. deren Auswertung gehören. Unter **erkennungsdienstl. Behandlung,** die auf der Grundlage von § 81b StPO auch gegen den Willen der Betroffenen erfolgen kann, zählt bes. die polizeil. Aufnahme von Abdrücken der Hautflächen (Finger, Hand, Fuß). Die Hauptaufgabe des E. zur Identitätsfeststellung ist dem Bundeskriminalamt anvertraut.

Erkennungsmarke, vom Soldaten an einer Kette um den Hals zu tragende zweiteilige Metallmarke. Auf beiden Teilen sind persönl. Daten zur Identifizierung des Trägers eingraviert. Auf der E. der Bundeswehrsoldaten sind die Personenkennziffer und »GE« (Germany) eingeprägt.

Erker [aus frz. arquière »Schützenstand«], der Fassade oder Ecke eines Gebäudes vorgelegter geschlossener, überdachter, durch ein oder mehr Geschosse reichender Ausbau. In der islam. Baukunst und im mittelalterl. Befestigungsbau diente der E.

zur Erweiterung der Sicht und zur Verteidigung, seit der Spätgotik und der Renaissance im Wohnhaus zur besseren Belichtung der Räume und als künstler. Gliederungsmotiv der Fassade.

Erklärung, **1)** *Philosophie:* Darlegung des Zusammenhangs, aus dem eine Tatsache oder ein Sachverhalt zu begreifen ist, d.h. Zurückführung von Aussagen und Tatsachen auf andere Aussagen, Gesetze oder Theorien. W. Dilthey hob vom Erklären der Naturwissenschaften das Verstehen der Geisteswissenschaften ab.

2) *Politik:* öffentl., oft amtl. Bekundung von Grundsätzen, Programmen, staatspolitisch bedeutsamen Entscheidungen (z.B. Regierungs-E., Unabhängigkeits-E., Kriegserklärung).

Erkner, Gemeinde im Landkr. Oder-Spree, Brandenburg, am SO-Rand von Berlin, 12 100 Ew.; Gerhart-Hauptmann-Museum (im ehem. Wohnhaus des Dichters); chem. Industrie.

Erkrath, Stadt im Kr. Mettmann, NRW, an der Düssel, 49 600 Ew.; Papier-, Edelstahl-, Maschinenind., Fahrzeugbau. Nahebei das → Neandertal.

Erl, Gemeinde in Tirol, Österreich, an der bayer. Grenze, 476 m ü.M.; 1200 Ew.; Passionsspiele seit 1610 (zurzeit alle 6 Jahre).

Erlander, Tage, schwed. Politiker, * Ransäter (Gem. Munkfors, Värmland) 13. 6. 1901, † Stockholm 21. 6. 1985; Mitgl. der Sozialdemokrat. Arbeiterpartei, 1945–46 Erziehungsmin., 1946–69 Vors. seiner Partei und MinPräs.; führte Schweden durch seine soziale Reformpolitik im Sinne seines Vorgängers P. A. Hansson auf den Weg eines Wohlfahrtsstaates. Außenpolitisch hielt er an Neutralität und Bündnisfreiheit seines Landes fest.

Erlangen, kreisfreie Stadt und Verw.sitz des Landkreises E.-Höchstadt in Mittelfranken, Bayern, an der Regnitz, 101 400 Ew.; Universität E.-Nürnberg, Landesanstalt für Bienenzucht (Imkerei bereits 1002 erwähnt), Theater, Stadtmuseum, Gemäldegalerie; elektrotechn., feinmechan., Maschinen-, Textil-, Papierindustrie. Hafen am Rhein-Main-Donau-Großschifffahrtsweg. – Barockbauten prägen (auch in der durch Brand 1706 zerstörten Altstadt) das Stadtbild; Schloss mit Schlossgarten (Orangerie, Hugenottenbrunnen), Markgrafentheater (1715–19), zahlreiche Kirchen, Rathaus und ehem. Ritterakademie. – 1002 erstmals erwähnt; 1361 von Kaiser Karl IV. erworben, danach Bau der Altstadt; 1398 Stadtrechtsbestätigung, kam 1402 an die Burggrafen von Nürnberg, in der Folge an die Markgrafen von Kulmbach-Bayreuth, die 1686 für hugenott. Glaubensflüchtlinge die Neustadt mit rechtwinkligem Straßennetz und 1743 die Univ. gründeten, 1791 an Preußen, 1810 an Bayern.

Erlangen-Höchstadt, Landkreis im RegBez. Mittelfranken, Bayern, 565 km², (1996) 124 200 Ew.; Sitz der Kreisverwaltung ist Erlangen.

Erlanger [ˈəːlæŋə], Joseph, amerikan. Neurophysiologe, * San Francisco (Calif.) 5. 1. 1874, † Saint Louis (Mo.) 5. 12. 1965; erhielt für die Entdeckung der hoch differenzierten Tätigkeit der einzelnen Nervenfasern 1944 mit H. S. Gasser den Nobelpreis für Physiologie oder Medizin.

Erlass, **1)** *Schuldrecht:* Erlöschen einer Schuld durch Vertrag, durch den der Gläubiger die Schuld erlässt und der Schuldner den E. annimmt (§ 397 BGB). Ein einseitiger Verzicht des Gläubigers hätte diese Wirkung nicht.

2) *Verwaltungsrecht:* Verwaltungsanordnung der obersten Verwaltungsbehörden (Ministerial-E.), die nur interne Verbindlichkeit besitzt.

Erlau, Stadt in Ungarn, → Eger.

Erlaubnis, *Recht:* ein begünstigender, antragsgebundener Verwaltungsakt, mit dem ein bestimmtes, erlaubnispflichtiges Verhalten (z.B. Bauen, Betreiben eines Gewerbes) zugelassen wird. Von E. **(Genehmigung)** i.e.S. spricht man, wenn eine Verbotsnorm von vornherein mit E.-Vorbehalt versehen ist, i.w.S. dann, wenn von einem grundsätzl. Verbot eine begünstigende Ausnahme gemacht wird. Die E. kann mit Auflagen versehen werden.

Erlaucht [mhd. erliuht »erleuchtet«, nach lat. illustris], im Hl. Röm. Reich (dt. Nation) der Titel der regierenden Reichsgrafen; 1829 den Häuptern der mediatisierten gräfl. Häusern zuerkannt.

Erle (Eller, Alnus), Gattung der Birkengewächse. Die männl. Blüten sind zu hängenden Kätzchen vereinigt, die weibl. zu kurzen Zapfen, die als Fruchtstände verholzen und den Winter über am Baum bleiben. E. besitzen Wurzelknöllchen, in denen Strahlenpilze freien atmosphär. Stickstoff binden. Die in Europa beheimatete **Schwarz-E.** (Alnus glutinosa) wächst an Ufern und auf Flachmooren **(Erlenbrüche).** Sie hat

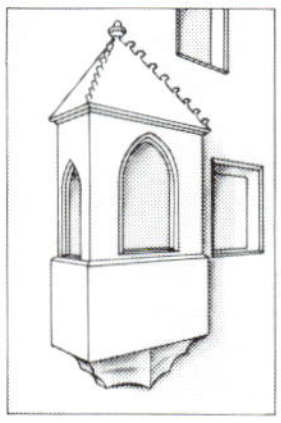

Erker

Erlangen
Stadtwappen

Erlangen: Die Innenausstattung des 1715–19 erbauten Markgrafentheaters stammt aus den 1740er-Jahren

Erle: Zweig der Schwarzerle mit männlichen (unten) und weiblichen Kätzchen

schwärzl. Rinde (Tafelborke), klebrige Knospen und Blätter sowie reichen Stockausschlag. Das Holz wird als Schnitzholz und im Möbelbau verwertet. Die **Grau-E.** (Alnus incana) wächst in Europa, O-Asien und Nordamerika bes. auf Kalkboden. Sie hat spitze, nicht klebrige, unten grau behaarte Blätter, geflügelte Nüsschen, graue Rinde. Die **Grün-E.** (**Laublatsche,** Alnus viridis) wächst in den Hoch- und Mittelgebirgen Mitteleuropas als 1–4 m hohes Knieholz und dient zur ersten Aufforstung.

Erlebnis, das Innewerden eines bedeutsamen inneren oder äußeren Geschehens; von W. Dilthey als Grundbegriff der Geisteswissenschaften eingeführt. **E.-Dichtung** verarbeitet persönl. Erlebnisse des Autors; in der dt. Literatur wesentl. Form der Lyrik seit dem Ende des 18. Jahrhunderts.

Erlebnisgesellschaft, von dem dt. Soziologen Gerhard Schulz (*1944) in seiner Studie »Die E. Kultursoziologie der Gegenwart« (6. Aufl. 1996) geprägter Begriff für eine Form der Gesellschaft, bei der die Stellung des Menschen nicht mehr überwiegend von objektiven Maßstäben (Einkommen, Besitz, Bildung) geprägt ist, sondern zunehmend vom subjektiven Faktor der Orientierung des Einzelnen an Erlebnissen.

erlebte Rede, episches Stilmittel; die e. R. steht zw. direkter und indirekter Rede, zw. Rede und Bericht: Gedanken werden im Indikativ statt im Konjunktiv (→indirekte Rede) und meist im Präteritum ausgedrückt, z. B.: »Der Konsul bewegte nervös die Schultern. Er hatte keine Zeit, er war bei Gott überhäuft« (T. Mann, »Buddenbrooks«); der 2. Satz enthält das vom Konsul Gedachte oder Gesagte. Die e. R. wird in der modernen Erzählprosa (G. Flaubert u. a.) als Stilmittel objektiv-unpersönl. Erzählens verwendet; sie ist verwandt, aber nicht identisch mit dem →inneren Monolog.

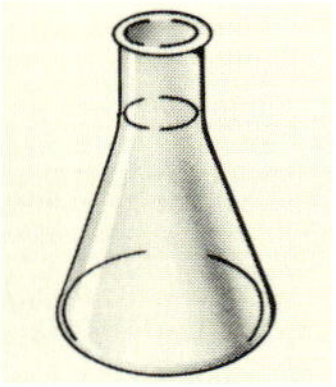

Erlenmeyer-Kolben

Erledigung der Hauptsache, Beendigung eines Rechtsstreits durch ein Ereignis (z. B. Zahlung der eingeklagten Forderung vor gerichtl. Entscheidung), das die Klage gegenstandslos macht. Entweder erklären beide Parteien einvernehmlich die E. d. H., oder das Gericht stellt auf Antrag einer Partei fest, dass E. d. H. eingetreten ist (nach Prüfung von Zulässigkeit und Begründetheit der Klage und des erledigenden Ereignisses). Über die Kosten entscheidet das Gericht nach billigem Ermessen (§ 91 a ZPO).

Erlenmeyer-Kolben [nach dem Chemiker E. Erlenmeyer, *1825, †1909], kegelförmiger Glaskolben zum Erhitzen von Flüssigkeiten im Labor.

Fritz Erler

Erler, Fritz, Politiker (SPD), *Berlin 14. 7. 1913, †Pforzheim 22. 2. 1967; als NS-Gegner 1939–45 inhaftiert; war 1946–49 MdL von Württemberg-Hohenzollern, seit 1949 MdB. Als außen- und wehrpolit. Sprecher seiner Partei zunächst ein entschiedener Gegner der Wiederbewaffnung, befürwortete er später eine aktive Verteidigungspolitik der Bundesrep. Dtl. im Rahmen der NATO. Er hatte zugleich maßgebl. Anteil an der Durchsetzung des Godesberger Programms der SPD. 1964 wurde er stellv. Vors. seiner Partei und Vors. ihrer Bundestagsfraktion; schrieb »Politik für Dtl.« (1968).

Erle: Schwarzerle

Erleuchtung, plötzl., wunderbar anmutende Erkenntnis; wird als eine existenziell erfahrene Erkenntnis beschrieben, in der sich die Wirklichkeit ganzheitlich erschließt, häufig als blitzartige Schau des Göttlichen.

Erlös, barer oder unbarer Gegenwert (Einnahmen) aus dem Verkauf von Gütern oder Dienstleistungen, i. w. S. jedes Entgelt für Lieferungen und Leistungen an Dritte. In der Erfolgsrechnung werden als E. nur die Umsätze ausgewiesen, die aus dem eigentl. Betriebszweck resultieren (Umsatzerlöse).

Erlösung, Grundbegriff jeder höheren Religion. Die mehr myst. Religionen wie Brahmanismus, Buddhismus, Hinduismus streben nach einer E. des Menschen aus seiner individuellen, körperl., vergängl., oft nur scheinhaften Existenz aus eigener Kraft (Selbst-E.) und nach Aufgehen in einer überpersönl. göttl. Einheit; im Christentum und Islam bedeutet E. die Überwindung eines von Schuld und Leid geprägten (sündhaften) Lebens und Erreichung eines vollkommenen Lebens in Gott. Für die Christen ist sie nur durch das Erlösungswerk und die Nachfolge Christi möglich.

Ermächtigung, die Befugnis, im eigenen Namen über ein fremdes Recht zu verfügen, z. B. Einzugs-E. Die E. ist, zw. Vollmacht und Abtretung stehend, im BGB nicht geregelt.

Ermächtigungsgesetz, Gesetz, durch das ein Parlament ein Staatsorgan, meist die Reg., ermächtigt, an seiner Stelle Gesetze oder Verordnungen mit Gesetzeskraft **(gesetzvertretende Verordnungen)** zu erlassen. E. sind meist zeitlich und sachlich begrenzt; sie durchbrechen den Grundsatz der Gewaltenteilung und werden bes. in Kriegs- und Notzeiten erlassen, so in Dtl. die E. vom 4. 8. 1914 und zw. 1919 und 1923. Durch das gegen die Stimmen der SPD und bei Abwesenheit zahlreicher rechtswidrig verhafteter Mitgl. des Reichstages verabschiedete E. vom 24. 3. 1933 (»Gesetz zur Behebung der Not von Volk und Reich«) wurde die gesamte Staatsgewalt der nat.-soz. Reg. überantwortet, somit staatsrechtl. Grundlage des totalitären NS-Regimes. In der Bundesrep. Dtl. sind E. ausgeschlossen (Art. 80 GG).

Ermanarich (Ermanrich, Ermenrich), erster historisch belegter ostgot. König; aus dem Geschlecht der →Amaler. Sein Großreich am Schwarzen Meer wurde 375/376 von den Hunnen zerstört, worauf er sich tötete. In der german. Heldensage treuloser Tyrann, der später von Dietrich von Bern bei Ravenna besiegt wird (Rabenschlacht).

Ermessen, *öffentl. Recht:* die der Verwaltungsbehörde durch Gesetz eingeräumte Entscheidungsfreiheit des Handelns oder Unterlassens und der Art und Weise des Handelns. Das E. ist stets ein pflichtgemäß auszuübendes E., d.h. ein rechtlich gebundenes Wählen im Hinblick auf versch. Entscheidungsmöglichkeiten, bei dem die Grenzen der Ermächtigung einzuhalten sind und die Entscheidungsfreiheit entsprechend dem Zweck der Ermächtigung und ohne Willkür auszuüben ist. Bei Vorliegen von E.-Überschreitung oder E.-Missbrauch (die Berücksichtigung gesetzeswidriger, sachfremder Erwägungen bei der Entscheidung) ist eine Maßnahme rechtswidrig.

Erminonen, westgerman. Stammesverband, →Herminonen.

Ermittlungsverfahren (Vorverfahren), der erste Abschnitt des Strafverfahrens, in dem unter Leitung der Staatsanwaltschaft bei Vorliegen des Verdachts einer Straftat ein bestimmter Sachverhalt erforscht wird. Bietet das E. genügenden Anlass zur Erhebung der Anklage, reicht die Staatsanwaltschaft die Anklageschrift beim zuständigen Gericht ein; andernfalls wird das E. eingestellt.

Ermland (poln. Warmia), histor. Landschaft im mittleren Ostpreußen, erstreckt sich vom Frischen Haff bis zur Masur. Seenplatte. Seit Mitte des 13. Jh. wurde der altpreuß. Gau **Warmien** von niederdt. und schles. Einwanderern besiedelt. Das unter der Hoheit des Dt. Ordens stehende Gebiet gelangte mit dem 2. Thorner Frieden 1466, endgültig 1479 unter poln. Oberhoheit. 1772 fiel das E. an Preußen, 1945 kam es zu Polen.

Die **Diözese E.,** 1243 gegr., umfasste als größtes und wichtigstes preuß. Bistum im MA. einen großen Teil des späteren Ostpreußen. Die Bischöfe waren seit dem 14. Jh. Reichsfürsten. Kathedralsitz war 1288–1972 Frauenburg, Bischofsresidenz 1350–1836 Heilsberg. Warmia ist jetzt poln. Erzbistum.

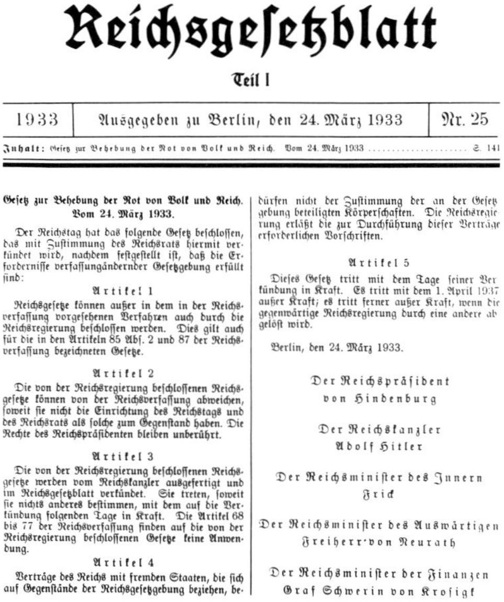
Reichsgesetzblatt

Teil I

1933	Ausgegeben zu Berlin, den 24. März 1933	Nr. 25

Inhalt: Gesetz zur Behebung der Not von Volk und Reich. Vom 24. März 1933 .... S. 141

Gesetz zur Behebung der Not von Volk und Reich. Vom 24. März 1933.

Der Reichstag hat das folgende Gesetz beschlossen, das mit Zustimmung des Reichsrats hiermit verkündet wird, nachdem festgestellt ist, daß die Erfordernisse verfassungändernder Gesetzgebung erfüllt sind:

Artikel 1

Reichsgesetze können außer in dem in der Reichsverfassung vorgesehenen Verfahren auch durch die Reichsregierung beschlossen werden. Dies gilt auch für die in den Artikeln 85 Abs. 2 und 87 der Reichsverfassung bezeichneten Gesetze.

Artikel 2

Die von der Reichsregierung beschlossenen Reichsgesetze können von der Reichsverfassung abweichen, soweit sie nicht die Einrichtung des Reichstags und des Reichsrats als solche zum Gegenstand haben. Die Rechte des Reichspräsidenten bleiben unberührt.

Artikel 3

Die von der Reichsregierung beschlossenen Reichsgesetze werden vom Reichskanzler ausgefertigt und im Reichsgesetzblatt verkündet. Sie treten, soweit sie nichts anderes bestimmen, mit dem auf die Verkündung folgenden Tage in Kraft. Die Artikel 68 bis 77 der Reichsverfassung finden auf die von der Reichsregierung beschlossenen Gesetze keine Anwendung.

Artikel 4

Verträge des Reichs mit fremden Staaten, die sich auf Gegenstände der Reichsgesetzgebung beziehen, bedürfen nicht der Zustimmung der an der Gesetzgebung beteiligten Körperschaften. Die Reichsregierung erläßt die zur Durchführung dieser Verträge erforderlichen Vorschriften.

Artikel 5

Dieses Gesetz tritt mit dem Tage seiner Verkündung in Kraft. Es tritt mit dem 1. April 1937 außer Kraft; es tritt ferner außer Kraft, wenn die gegenwärtige Reichsregierung durch eine andere abgelöst wird.

Berlin, den 24. März 1933.

Der Reichspräsident
von Hindenburg

Der Reichskanzler
Adolf Hitler

Der Reichsminister des Innern
Frick

Der Reichsminister des Auswärtigen
Freiherr von Neurath

Der Reichsminister der Finanzen
Graf Schwerin von Krosigk

Ermächtigungsgesetz vom 24. März 1933

Ermüdung, 1) *allg.:* nach längerer Tätigkeit auftretende Abnahme der körperl. und geistigen Leistungsfähigkeit und -bereitschaft. Psycholog. Indikatoren sind Reizbarkeit, Unlustgefühle, Verminderung der Konzentrations- und Denkfähigkeit sowie ein allg. »Müdigkeitsgefühl«.

2) *Physiologie:* die durch Anhäufung von Stoffwechselprodukten (z.B. Milchsäure bei Muskel-E.) in den Zellen auftretende Funktionsminderung eines Organismus oder Organs.

3) *Werkstoffkunde:* durch häufig wiederholte Beanspruchung bewirkte Verminderung der Festigkeit eines Werkstoffes aufgrund geringfügiger plast. Verformungen in seinem Innern.

Ermunduren, german. Stamm, →Hermunduren.

Ernährung, die Aufnahme der Nahrungsstoffe für das Wachstum, die Erhaltung und Fortpflanzung eines Lebewesens.

Die grünen **Pflanzen** können die körpereigenen organ. Substanzen aus anorgan. Stoffen (Kohlendioxid, Wasser, Mineralsalze) aufbauen, sie sind autotroph. Ihre Energiequelle ist die Sonne.

Durch ihre Synthesetätigkeit liefern die grünen Pflanzen allen heterotrophen, auf organ. Nährstoffe angewiesenen Organismen (Bakterien, Pilze, nichtgrüne höhere Pflanzen, Tiere, Mensch) die Existenzgrundlage. Wichtigster Ernährungsvorgang dieser Pflanzen ist die →Photosynthese. – Die nichtgrünen Pflanzen (Saprophyten, Parasiten) decken ihren Energie- und Kohlenstoffbedarf aus lebender oder toter organ. Substanz. – Für ihre E. müssen Tiere und Menschen lebenswichtige organ. Verbindungen aufnehmen, um dem Organismus die Energiesubstrate für seine Leistungen (Betriebsstoffwechsel), die Stoffe für das Wachstum und den laufenden Ersatz verbrauchter Körpersubstanzen (Baustoffwechsel) zuzuführen.

Nach der Art der Nahrungsaufnahme unterscheidet man bei **Tieren** u.a.: Strudler (z.B. Muscheln), Substratfresser (Regenwurm), Schlinger (Schlangen) und Zerkleinerer (viele Insekten, Weichtiere und Wirbeltiere). Endoparasiten nehmen durch ihre Körperoberfläche Nahrungsstoffe ihrer Wirtstiere auf. – Je nach bevorzugter Nahrungsquelle unterscheidet man **Fleischfresser** (Karnivoren), **Pflanzenfresser** (Herbivoren) und **Allesfresser** (Omnivoren).

Die E. des **Menschen** entspricht derjenigen von tier. Allesfressern. Art, Menge, Zusammensetzung und Zubereitung der pflanzl. (Gemüse, Obst, Getreide) und tier. (Milch, Eier, Fleisch) Nahrungsmittel hängen von biolog. und sozialen Gegebenheiten ab. Die aufgenommenen Nährstoffe werden im Verdauungstrakt in eine lösl. und damit resorbierbare Form gebracht, mit dem Blut in die versch. Gewebe transportiert und dort in den einzelnen Zellen mithilfe von Enzymen abgebaut (→Verdauung). Dieser Vorgang ist einer Verbrennung vergleichbar, die Bewegungsenergie und Wärme liefert. Die Abfallprodukte dieser Verbrennung werden aus dem Körper durch den Stuhl, den Harn und die Atmung ausgeschieden. Kohlenhydrate und Fette sind hauptsächlich Energiespender, während Proteine vorwiegend zum Aufbau und Ersatz von Zellen und zur Bildung von Enzymen und Hormonen benötigt werden.

Bei einer richtig zusammengestellten Kost sollen etwa 55–60% des Joulebedarfs (Kalorienbedarf) aus Kohlenhydraten, 25–30% aus Fetten und 10–15% aus Proteinen (Eiweißen) gedeckt werden. Die Proteinzufuhr sollte täglich 1 g je kg Körpergewicht betragen (Eiweißminimum). Bei Jugendlichen und Schwangeren sowie während der Stillperiode erhöht sich der Proteinbedarf auf 1,5 g je kg Körpergewicht und Tag. Beim Erwachsenen sollten (nach einer Empfehlung der Dt. Gesellschaft für Ernährung) 0,4 g Proteine je kg Körpergewicht, mindestens aber 20 g je Tag tier. Herkunft sein. – Das wichtigste Kohlenhydrat ist die Stärke, die u.a. in Getreideprodukten und Kartoffeln enthalten ist. Fette sind wegen ihres hohen Joulegehaltes die wichtigste Energiereserve des Körpers. 1 g Kohlenhydrate und 1 g Protein liefern jeweils 17,2 kJ (4,1 kcal); 1 g Fett dagegen 39 kJ (9,3 kcal). Einige lebenswichtige Fettsäuren wie Linolsäure und Linolensäure kann der Organismus nicht selbst aufbauen. Die Zufuhr dieser essenziellen Fettsäuren sollte täglich etwa 4–6 g betragen (enthalten in zwei Teelöffeln Sonnenblumenöl oder in 45 g Margarine bzw. 150 g Butter). Fette sind außerdem wichtig für die Resorption der fettlösl. Vitamine A, D und K, die nur zus. mit Fetten die Darmwand passieren können. Der tägl. Energiebedarf eines gesunden Menschen ist v.a. von der körperl. Beanspruchung abhängig.

📖 *Wie funktioniert das? Die E., hg. v.* E. MENDEN *u.a. Mannheim u.a. 1990.* – KOLLATH, W.: *Die Ordnung unserer Nahrung. Heidelberg* [15]*1992.* – SCHLIEPER, C. A.: *Grundlagen der E.* [12]*1994.* – WEISS, TH.: *Krank im Schlaraffenland. Wie wirkt E. auf unsere Gesundheit? München 1994.*

ernährungsbedingte Krankheiten, durch übermäßige, falsch zusammengesetzte, bezüglich der Inhaltsstoffe unzureichende oder mit Schadstoffen verunreinigte Nahrung verursachte Krankheiten, z.B. Bluthochdruck, Arteriosklerose, Osteoporose, Proteinmangel, Fettleibigkeit, sowie durch die Ernährungsweise beeinflusste Erkrankungen, z.B. Krankheiten der Verdauungsorgane (Blinddarmentzündung, Verstopfung), rheumat. Erkrankungen, mangelnde Infektabwehr. Weiter-

Verbrauch ausgewählter Nahrungsmittel in Deutschland[1)] (in kg)

Erzeugnis	1984/85–1986/87[2)]	1990/91	1994/95	1995/96[3)]
Pflanzliche Erzeugnisse				
Getreideerzeugnisse	74,1	72,9	72,3	71,0
Reis	2,2	2,4	2,6	2,6
Hülsenfrüchte	1,1	1,1	0,6	0,9
Kartoffeln	74,2	75,0	72,8	72,8
Zucker	36,2	34,5	33,0	32,8
Gemüse	75,0	81,0	81,3	84,8
Obst	85,7	88,7	92,5	86,4
Zitrusfrüchte	30,2	35,6	28,0	27,6
Tierische Erzeugnisse Öle und Fette				
Fleisch insgesamt	101,0	100,3	93,0	91,7
Rind- und Kalbfleisch	23,0	22,1	17,5	16,5
Schweinefleisch	60,1	57,6	55,5	54,9
Geflügelfleisch	9,8	12,4	12,8	13,3
Fisch	12,4	14,5	14,5	14,6
Frischmilcherzeugnisse	87,5	91,2	89,2	91,4
Käse einschl. Schmelzkäse	15,7	18,4	19,2	19,7
Butter	7,5	6,5	6,9	7,0
Margarine	7,9	7,9	7,2	7,1
Speisefette	1,7	1,2	1,0	0,8
Speiseöle	5,9	7,0	9,5	10,7
Eier und Eierprodukte	16,7	15,1	13,3	13,7

[1)] jährlicher Pro-Kopf-Verbrauch. – [2)] Durchschnitt der entsprechenden Wirtschaftsjahre. – [3)] vorläufig.

hin wird ein Zusammenhang zw. der Entstehung oder dem Verlauf einiger Krankheiten (z.B. bestimmte Krebsformen, multiple Sklerose) und der Ernährung vermutet.

Ernährungstherapie (Diätetik, Diätotherapie), Behandlung von →ernährungsbedingten Krankheiten sowie Erkrankungen, die auf einer Störung der Aufnahme, des Abbaus oder der Ausscheidung bestimmter Nahrungsbestandteile oder ihrer Folgeprodukte beruhen (z.B. Diabetes, Phenylketonurie).

Ernährungswissenschaft, wiss. Disziplin, die sich fachübergreifend mit Fragen der Ernährung befasst. Sie untersucht u.a. den quantitativen und qualitativen Nahrungsbedarf unter verschiedenen Lebensbedingungen und in unterschiedl. Lebensphasen sowie die Zusammensetzung von Lebensmitteln im Hinblick auf den Bedarf des menschl. Organismus oder die Ernährungsgewohnheiten.

Ernennung, *Beamtenrecht:* ein Verwaltungsakt, durch den ein Beamtenverhältnis begründet oder verändert (z.B. Beförderung) wird.

Ernestiner, auf →Ernst (7) zurückgehende Linie der →Wettiner; 1485–1547 Kurfürsten von Sachsen.

Erneuerungsschein, *Bankwesen:* →Bogen.

Erni, Hans, schweizer. Maler und Grafiker, *Luzern 21.2.1909; fand, von Picasso ausgehend, einen zeichnerisch bestimmten Stil, in dem er phantasievolle, dem Surrealismus verwandte Bilder schuf; auch Keramik, Plakate und Bühnenbilder.

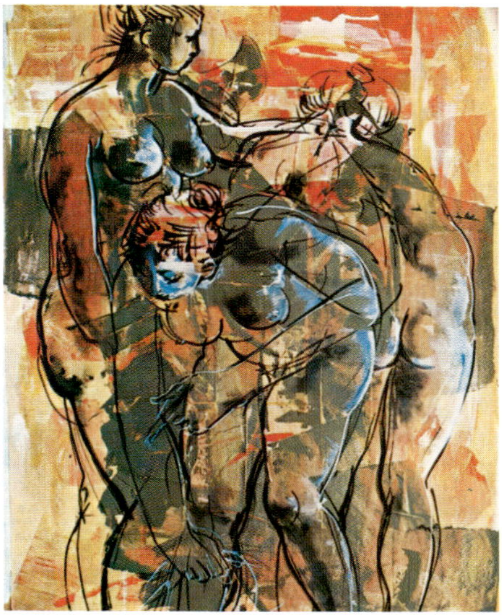

Hans Erni: »Drei Athletinnen« (1960; Privatbesitz)

Erniedrigungszeichen, in der musikal. Notation das Versetzungszeichen, das die Erniedrigung eines Tones um einen Halbton oder um 2 Halbtöne vorschreibt: Durch ein B (♭) wird z.B. c zu ces; durch ein Doppel-B (𝄫) wird z.B. c zu ceses.

Ernst, Herrscher:

Braunschweig-Lüneburg: **1) E. August,** Herzog von Cumberland und zu Braunschweig-Lüneburg, →Cumberland.

2) E. August, Prinz von Hannover, Herzog (1913–18), *Penzing (heute zu Wien) 17. 11. 1887, †Schloss Marienburg (Gem. Pattensen, Kr. Hannover) 30. 1. 1953, Sohn von 1), Enkel von König Georg V. von Hannover; ⚭ 1913 mit Herzogin Viktoria Luise, Tochter Kaiser Wilhelms II.

Hannover: **3) E. August,** Kurfürst (seit 1692), *Herzberg am Harz 30. 11. 1629, †Herrenhausen (heute zu Hannover) 2. 2. 1698; wurde 1679 Herzog von Braunschweig-Calenberg-Göttingen, setzte 1682 die Primogenitur im Welfenhaus durch, erwarb 1692 die neunte Kurwürde für Hannover. Seine Witwe Sophie von der Pfalz brachte seinem Haus die Anwartschaft auf den engl. Thron (1701).

4) E. August, Herzog von Cumberland (seit 1799), König (seit 1837), *London 5. 6. 1771, †Hannover 18. 11. 1851; Sohn von König Georg III. von Großbritannien und Hannover; als 1837 die Personalunion zwischen Hannover und Großbritannien endete, trat er die Reg. in Hannover an; hob gegen den Protest der →Göttinger Sieben das Staatsgrundgesetz von 1833 auf, musste aber 1848 eine liberale Reg. (Stüve) berufen.

Hessen-Darmstadt: **5) E. Ludwig,** Großherzog von Hessen und bei Rhein (1892–1918), *Darmstadt 25. 11. 1868, †Schloss Wolfsgarten (bei Langen) 9. 10. 1937; Kunstfreund, gründete die Darmstädter Künstlerkolonie.

Köln: **6) E.,** Herzog von Bayern, Erzbischof und Kurfürst (seit 1583), *München 17. 12. 1554, †Arnsberg 17. 2. 1612; Sohn von Albrecht V. von Bayern; Bischof von Freising (seit 1566), Hildesheim (seit 1572), Fürstbischof von Lüttich (seit 1581) und Münster (1585); förderte in seinen Diözesen die Jesuiten.

Sachsen: **7) E.,** Kurfürst (seit 1464), *Meißen 24. 3. 1441, †Colditz 26. 8. 1486; Sohn von Kurfürst Friedrich II., übernahm 1464 mit seinem Bruder Albrecht dem Beherzten die Reg.; führte 1485 die sog. Leipziger Teilung des Hauses Wettin in Ernestiner und Albertiner durch.

Sachsen-Coburg und Gotha: **8) E. II.,** Herzog (seit 1844), *Coburg 21. 6. 1818, †Schloss Reinhardsbrunn (bei Friedrichroda) 22. 8. 1893, Vorkämpfer der nat. und liberalen Bewegung; unter seinem Schutz entstand 1859 der Dt. Nationalverein; widmete sich nach 1871 kulturpolit. Fragen und der Industrialisierung seines Landes.

Sachsen-Gotha-Altenburg: **9) E. I.,** der Fromme, Herzog (seit 1640), *Altenburg 25. 12. 1601, †Gotha 26. 3. 1675; kämpfte im Dreißigjährigen Krieg auf

Max Ernst

schwed. Seite, baute mithilfe seines Kanzlers V. L. von →Seckendorff eine für die dt. Kleinstaaten vorbildl. Staatsverwaltung auf; reformierte das Unterrichtswesen nach J. A. →Comenius, führte 1642 die Schulpflicht ein.

Schwaben: **10) E. II.,** Herzog (seit 1015), *1007, ⚔ Burg Falkenstein (auf der Baar) 17. 8. 1030; empörte sich 1026 und 1027 erfolglos gegen seinen Stiefvater, Kaiser Konrad II. Als er sich weigerte, an seinem Freund Werner von Kyburg die Reichsacht zu vollstrecken, wurde er geächtet; beide fielen zugleich. – Trauerspiel (1817) von L. Uhland (nach dem Epos »Herzog E.«, um 1180).

Paul Ernst

Ernst, 1) Max, frz. Maler und Grafiker dt. Herkunft, *Brühl (Erftkreis) 2. 4. 1891, †Paris 1. 4. 1976; gründete 1919 u. a. mit H. Arp die Kölner Dada-Gruppe. Seit 1922 lebte E. in Paris und wurde dort zu einem Hauptvertreter des Surrealismus; 1941 Emigration nach New York, 1954 Rückkehr nach Frankreich. Seine Bilder, auf denen Naturformen und Zivilisationsrequisiten irrationale Verbindungen eingehen, bringen in oft beklemmender Weise die Welt des Unbewussten zum Ausdruck. Er entwickelte die Technik der →Frottage und später die der →Grattage. Seinen dem Surrealismus bes. verpflichteten Collageromanen (»La Femme 100 têtes«, 1929) legte er u. a. Illustrationen aus Zeitschriften des 19. Jh. zugrunde. Seine Plastiken (ab 1928) zeigen Anregungen aus der Kunst der Naturvölker.

Richard Ernst

2) Otto, eigtl. Otto Ernst Schmidt, Schriftsteller, *Ottensen (heute zu Hamburg) 7. 10. 1862, †Groß-Flottbek (heute zu Hamburg) 5. 3. 1926; urspr. Volksschullehrer, schilderte in seinen Dramen (»Flachsmann als Erzieher«, 1901), Romanen (»Asmus Sempers Jugendland«, 1905) und Erzählungen

Max Ernst: »Der große Wald« (1927; Basel, Kunstmuseum)

Max Ernst: »Der Elefant Celebes« (1921; London, Privatbesitz)

(»Appelschnut«, 1907) satirisch und humorvoll kleinbürgerl. Verhältnisse.

3) Paul, Schriftsteller, *Elbingerode (Harz) 7. 3. 1866, †Sankt Georgen an der Stiefing (Steiermark) 13. 5. 1933; anfänglich beeinflusst von dem Naturalisten A. Holz, wandte er sich unter dem Eindruck einer Italienreise (1900) einem sittl. Werten und Ideen verpflichteten Klassizismus zu; schrieb neben Schauspielen (»Demetrios«, 1905) v. a. Novellen (»Komödiantengeschichten«, 1920), außerdem das Versepos »Das Kaiserbuch« (3 Bde., 1922–28), kurze Romane, Essays (»Der Weg zur Form«, Samml., 1906).

4) Richard, schweizer. Physikochemiker, *Winterthur 14. 8. 1933; seit 1976 Prof. an der ETH Zürich; erhielt für seine bahnbrechenden Beiträge zur Weiterentwicklung der Kernresonanzspektroskopie 1991 den Nobelpreis für Chemie.

Ernste Bibelforscher, frühere Bez. für die →Zeugen Jehovas.

Ernte, Einbringen der Feld- und Gartenfrüchte; Sinnbild für Ertrag aus eigener Arbeit. – *Brauchtum:* E.-Bräuche hielten sich bis Ende des 19. Jh. in der dörfl. Arbeitswelt, sie sind heute außer dem Erntedankfest kaum noch gebräuchlich; sie begleiteten den Beginn und bes. den Abschluss der E.: gemeinsames Gebet vor Arbeitsbeginn, Schmücken des ersten und des letzten E.-Wagens, spezielle Riten für letzten Schnitt und letzte Garbe, ein gemeinsames Mahl mit Tanz nach Beendigung der Feldarbeit sowie E.-Sprüche.

Erntedankfest, kirchl. Fest, in dem die Gemeinde für die eingebrachte Ernte dankt; heute wird es allg. am ersten Sonntag im Oktober gefeiert. (→Thanksgiving Day)

Eröffnungsverfahren (Zwischenverfahren), nach Erhebung der Anklage der Teil des Strafprozesses, in dem das Gericht entscheidet, ob es das Hauptverfahren eröffnet. Diese im **Eröffnungsbeschluss** niederzulegende Entscheidung setzt voraus, dass es den Angeschuldigten der Straftat für »hinreichend verdächtig« hält (§§ 199 ff. StPO).

erogene Zonen, Körperregionen (z.B. Genitalgegend, Brust, Lippen, Hals), deren Berührung bevorzugt Lustempfinden und sexuelle Erregung auslöst.

Eros [grch.], **1)** *der, Astronomie:* 1898 entdeckter Planetoid zw. Erde und Mars, im mittleren Abstand von 1,46 Astronom. Einheiten von der Sonne; wegen seiner außergewöhnl. Bahn wurde er zur Bestimmung der Sonnenparallaxe (Maß für die Entfernung Sonne–Erde) herangezogen.

2) *grch. Mythos:* (lat. Amor oder Cupido) der grch. Gott der Liebe. In der frühen grch. Kunst erscheint E. als heranwachsender Jüngling, oft geflügelt, später knabenhaft, auch mit einem Bogen und zusammen mit →Psyche. Auch in der Mehrzahl als **Eroten** und **Amoretten** (geflügelte kleine Knaben) dargestellt, aus denen die Putten der Renaissance hervorgingen.

3) *der, Philosophie:* die Form der Liebe, die nach antiker Anschauung sinnlich, seelisch und geistig zugleich ist. Nach der Lehre der Kirchenväter steht der sinnl. E. der christlich verstandenen Liebe (Agape) gegenüber.

Erosion [lat. »Ausnagung«] *die,* **1)** *Geomorphologie:* im internat. Sprachgebrauch meist i.w.S. für Abtragung gebraucht; im Deutschen vorzugsweise für die linear wirkende Abtragung der Erdoberfläche, bes. durch fließendes Wasser und Eis, durch Vertiefung, Bildung und Verbreiterung der Täler, im Ggs. zur flächenhaften Abtragung (→Denudation). Zum E.schutz →Bodenerosion.

2) *Medizin:* oberflächl., narbenlos abheilende Hautabschürfung.

3) *Werkstoffkunde:* von der Oberfläche ausgehende Zerstörung eines Werkstoffes, bes. durch die mechan. Wirkung von Feststoff- und/oder Flüssigkeitsteilchen enthaltenden strömenden Gasen und Dämpfen oder von Feststoffteilchen enthaltenden Flüssigkeiten.

Erotik [zu Eros] *die,* i.w.S. alle Erscheinungsformen der Liebe, wie sie im zwischenmenschl. Bereich zum Ausdruck kommen; i.e.S. meist die geistig-seel. Entfaltung der Geschlechtlichkeit und das Spiel mit deren Reizen, ebenso die Auswirkungen in Geselligkeit, Mode, Kunst, Werbung und Publizistik. Die E. als elementare Ausdrucksform menschl. Kommunikation überschreitet damit die Grenzen unmittelbarer →Sexualität. Das Christentum, der Puritanismus, der Gefühlskult des 18. Jh. und romant. Strömungen des 19. Jh. verstanden E. in unterschiedl. Weise als »höhere«, vergeistigte Form der Liebe. In der Mystik fand die E. Eingang in die religiöse Vorstellungswelt.

erotische Literatur, literar. Werke aller Gattungen, in denen das Erotische dargestellt wird. Nicht immer ist die Abgrenzung gegenüber einer das Gefühlhafte, den seelisch-geistigen Bereich der Liebe artikulierenden Liebesdichtung oder aber gegenüber pornograph. Lit. eindeutig zu ziehen. Häufig enthält e. L. auch gesellschaftskrit. Elemente. – Berühmte Beispiele e. L. stammen aus Indien, vermutlich aus den ersten nachchristl. Jh. (»Kamasutra«) sowie aus dem Orient (»Tausendundeine Nacht«, entstanden seit dem 8. Jh., endgültige Fassung wohl 16. Jh.). Das »Hohelied« des A.T. dürfte zum überwiegenden Teil nach dem Babylon. Exil entstanden sein. China (»Jin-ping-mei«, 16. Jh.) und Japan (Ihara Saikaku, »Yonosuke, der dreitausendfache Liebhaber«, 1682) entfalten eine reiche e. L. In der europ. antiken Lit. wird die e. L. durch die »Miles. Geschichten« von Aristides von Milet um 100 v. Chr. eingeleitet, sie wirken noch auf röm. Schriftsteller wie Petronius und Apuleius. Zur e. L. der röm. Lit. tragen u.a. Catull, Ovid und Martial bei. Berühmt wurden die Renaissancedichter Italiens, G. Boccaccio, P. Aretino, M. Bandello, in England G. Chaucer, in Frankreich Margarete von Navarra, im 17. Jh. J. de La Fontaine, im galanten 18. Jh. C.-P. J. de Crébillon d. J., P. A. F.

Erosion 1): Die 600 m tiefe Hinterrheinschlucht Via Mala in der Schweiz als typisches Beispiel für in die Tiefe wirkende Erosion eines Flusses

Eros 2) (attische Vasenmalerei, 460–450 v. Chr.)

Choderlos de Laclos, N. Restif de La Bretonne, G. G. Casanova, J. Cleland. Einen Grenzfall bilden die Werke des Marquis de Sade. Auch Goethe und H. de Balzac trugen zur e. L. bei. In der Dekadenzdichtung wird die Erotik psychologisch begründet: A. Schnitzler, A. Sacher-Masoch. Mit A. Strindbergs »Okkultem Tagebuch« (hg. 1977) setzt eine sog. Selbstentblößungsliteratur ein (u. a. H. Miller). Teilweise oder ganz der e. L. zuzurechnen sind im 20. Jh. u. a. auch die Werke von D. H. Lawrence, V. Nabokov, J. Genet und Anaïs Nin.

📖 Englisch, P.: *Geschichte der e. L. Stuttgart 1927, Nachdr. Wiesbaden ³1987.* – Seesslen, G.: *Lexikon der e. L. München 1984.*

Erotomanie [grch.] (Liebeswahn) *die,* paranoider Zustand, bei dem sich der Betroffene einbildet, von einer unbeteiligten Person geliebt zu werden.

ERP, Abk. für engl. **E**uropean **R**ecovery **P**rogram [»Europ. Wiederaufbauprogramm«] (Marshallplan), das 1947 auf Vorschlag von G. C. Marshall geschaffene Hilfsprogramm für die durch den 2. Weltkrieg zerstörten Länder Europas, trat am 3. 4. 1948 in Kraft (wegen der Ablehnung der Mitarbeit durch die Ostblockländer nur für W-Europa). Die aufgrund des Marshallplans gewährte Hilfe umfasste Sachlieferungen und Kredite. Durch Gründung der Organisation für europ. wirtsch. Zusammenarbeit wurden die Voraussetzungen für eine Kooperation der westeurop. Staaten geschaffen. Im Rahmen des ERP erhielten diese bis 1952 Leistungen im Werte von rd. 13 Mrd. US$ (die Bundesrep. Dtl., am 15. 12. 1949 beigetreten, und Berlin [West] bis Ende 1957 1,7 Mrd. US$). Ein Sonderprogramm (GORIA) umfasste außerdem lebenswichtige Güter im Wert von 1,6 Mrd. US$. Die amerikan. Gesamthilfe an die Bundesrep. Dtl. belief sich auf insgesamt rd. 3,3 Mrd. DM.

Beträge, die als Gegenwert für die im Rahmen des Marshallplans eingeführten Waren von Importeuren eingezahlt, aber nicht ins Ausland transferiert wurden (Gegenwertmittel, Gegenwertfonds, Counterpart-Funds), wurden im Rahmen des Abkommens über die wirtsch. Zusammenarbeit zw. den USA und der Bundesrep. Dtl. (15. 12. 1949) im **ERP-Sondervermögen** zusammengefasst. Es wird als Sondervermögen des Bundes getrennt vom übrigen Bundesvermögen und damit auch vom Bundeshaushalt verwaltet. Seine Mittel werden zur Vergabe langfristiger, zinsgünstiger Darlehen an die dt. Wirtschaft (v. a. kleine und mittlere Unternehmen) eingesetzt. Die Mittel, die u. a. für Existenzgründungen, die neuen Bundesländer und die Regionalförderung vergeben werden, stammen heute aus Zins- und Tilgungsrückflüssen aus früher gewährten Krediten sowie aus Kapitalmarktmitteln. Die günstigen ERP-Kredite werden über die Kreditanstalt für Wiederaufbau und die Dt. Ausgleichsbank abgewickelt.

Erpel, männl. Ente.

Erpressung, ein Vermögensdelikt, das nach § 253 StGB begeht, wer, um sich oder einen Dritten zu Unrecht zu bereichern, einen anderen rechtswidrig (d. h. in verwerfl. Weise) mit Gewalt oder durch Drohung mit einem empfindl. Übel zu einer Handlung, Duldung oder Unterlassung nötigt und dadurch dem Vermögen des Genötigten oder eines anderen Nachteil zufügt. E. wird mit Geld- oder Freiheitsstrafe bis zu fünf Jahren bestraft. Wird die E. durch Gewalt gegen eine Person oder unter Anwendung von Drohungen mit gegenwärtiger Gefahr für Leib oder Leben begangen **(räuber. E.),** wird sie wie Raub bestraft (§ 255 StGB). – Ähnlich wird die E. in *Österreich* (§§ 144, 145 StGB) und der *Schweiz* (Art. 156 StGB) geahndet; das schweizer. StGB nennt die E. eines Schweigegeldes (Chantage) als besonderen Fall.

errare humanum est [lat.], »Irren ist menschlich«, lat. Sprichwort (nach dem Kirchenvater Hieronymus, 57. Brief).

erratische Blöcke (Findlinge), ortsfremde Felsblöcke in ehemals vereisten Gebieten; sie wurden durch Gletscher oder Inlandeis oft Hunderte von Kilometern weit vom Ursprungsort an ihre Fundstätte transportiert. Im Volksglauben wurde die Verbreitung oft auf Riesen oder den Teufel zurückgeführt. (→ Geschiebe)

Erregbarkeit, die Fähigkeit lebender Zellen und Gewebe, bes. von Sinnesorganen, Nerven und Muskeln, Reize in physiolog. Reaktionen zu verwandeln.

Erreger, Verursacher, bes. einer Krankheit.

errare humanum est

Die heute übliche, knappe lateinische Fassung dieser sprichwörtlichen Redensart, die auch in der deutschen Form »Irren ist menschlich« gebraucht wird, ist in der Antike nicht belegt. Sie geht vermutlich auf den lateinischen Kirchenvater Hieronymus zurück. In einem seiner Briefe (»Epistulae« 57, 12) heißt es: »... quia et errasse humanum est et confiteri errorem prudentis«, auf Deutsch: »... weil es sowohl menschlich ist geirrt zu haben, als auch klug, den Irrtum einzugestehen.« Der Gedanke allerdings ist schon älter und taucht bereits in der griechischen Literatur auf. Bei dem römischen Schriftsteller Cicero heißt es dann in den »Philippischen Reden« (12, 2): »Cuiusvis hominis est errare, nullius, nisi insipientis, in errore perseverare«, auf Deutsch: »Jeder Mensch kann irren, im Irrtum verharren wird nur der unkluge.« Die auch im englischen Sprachraum üblich gewordene sprichwörtliche Redensart (To err is human) erfuhr im 18. Jahrhundert eine Erweiterung. Der englische Dichter Alexander Pope prägte in seinem »Essay on criticism« (»Versuch über die Kritik«) die Sentenz: »To err is human, to forgive divine«, die auch im Deutschen üblich wurde: »Irren ist menschlich, vergeben göttlich«.

Erregermaschine, elektr. Gleichstrom-Nebenschluss- oder Drehstromgenerator mit Gleichrichter zur Erregung großer Synchron- bzw. Gleichstromgeneratoren.

Erregerwicklung (Feldwicklung), in elektr. Maschinen die Wicklung, durch die der Strom fließt, der das Magnetfeld erregt.

Erregung, 1) *Physik:* (elektrische E.) von M. Faraday formulierter Begriff für die →elektrische Flussdichte.

2) *Physiologie:* spezif. Reaktion bestimmter erregbarer Gewebssysteme auf äußere oder innere Reize, z. B. bei Kontraktion von Muskelzellen.

3) *Psychologie:* Reizaufnahme und -beantwortung, bes. in affektiver Hinsicht; in krankhaftem Ausmaß Begleiterscheinung vieler seel. Krankheiten.

Erregungsleitungsstörungen, →Herzrhythmusstörungen.

Erregungsleitungssystem (Reizleitungssystem), Gesamtheit spezifisch aufgebauter Herzmuskelzellen, die Erregung bilden bzw. weiterleiten und damit für die Tätigkeit des Herzens verantwortlich sind. Zum E. gehören Sinusknoten (im rechten Vorhof, mit etwa 70 Erregungen je Minute der Schrittmacher), Atrioventrikularknoten (an der Vorhofkammergrenze, etwa 40 Erregungen je Minute), hissches Bündel (Verbindung zw. Vorhof und Kammer, etwa 30 Erregungen je Minute) mit Aufgliederung in zwei Schenkel (rechte und linke Kammer) und Purkinje-Fasern (Endverzweigung). Erregungen werden im Sinusknoten gebildet, breiten sich über das gesamte Herz aus und bestimmen dessen Schlagfolge. Bei Ausfall oder Unterbrechung der Verbindung zum nächsten Zentrum kann dieses mit entsprechend geringerer Frequenz die Funktion übernehmen. Das E. wird durch das vegetative Nervensystem beeinflusst (z. B. gesteigerte Herzfrequenz bei Erregung).

Er-Riad, Hauptstadt Saudi-Arabiens, →Riad.

Error ['erə; engl. »Fehler«], *Datenverarbeitung:* Fehlermeldung bei Computern, bedingt durch Hardware-, Bedienungs- oder Programmfehler.

Erröten, Veränderung der Gesichtsfarbe, beruht auf Erweiterung der feinsten Blutgefäße und ist körperl. Ausdruck seel. Zustände wie Freude, Zorn oder Scham. (→Erythrophobie)

Errungenschaftsbeteiligung, →eheliches Güterrecht (Schweiz).

Ersatzdehnung, *Sprache:* die Längung eines Vokals infolge Einwirkung eines anderen Lautes, z. B. got. »brahta«, »er brachte«, aus der (erschlossenen) german. Form branhta.

Ersatzfreiheitsstrafe, die an die Stelle einer uneinbringl., rechtskräftig verhängten Geldstrafe tretende Freiheitsstrafe (§ 43 StGB, § 19 österr., Art. 49 schweizer. StGB).

Ersatzhandlung, eine bei Verdrängung oder äußerer Hemmung eines Triebes oder Bedürfnisses auftretende Verschiebung des äußeren Handlungszieles (Ersatzbefriedigung).

Ersatz(kranken)kasse, einer der Träger der gesetzl. Krankenversicherung in Dtl., in der die Mitgl.schaft durch Beitrittserklärung entsteht. Bisher bestanden acht E. für Arbeiter und acht E. für Angestellte; seit 1996 sind Beschränkungen des aufnahmeberechtigten Mitgl.kreises bei den E. nicht mehr zulässig.

Ersatzvornahme, *Recht:* die Vornahme einer vom Pflichtigen geschuldeten Handlung durch einen Dritten auf Kosten des Pflichtigen, möglich v. a. im Werkvertrags-, Miet- und Verw.recht.

Ersatzzeiten, in der gesetzl. Rentenversicherung Zeiten ohne Beitragsleistung vor dem 1. 1. 1992, die wie Beitragszeiten angerechnet werden (z. B. Militärdienst, Kriegsgefangenschaft).

Erscheinung, *Philosophie:* das sinnl. Wahrgenommene, auch Phänomen genannt; erkenntnistheoretisch ist E. Bekundung und Anzeichen von etwas Anderem: Kant unterschied E. vom Ding an sich als der unerkennbaren, jedoch denkbaren Grundlage der Erscheinung.

Erscheinung Christi, →Epiphanie.

Erscheinungsbild, *Genetik:* der →Phänotyp.

Erschleichung, Herbeiführen eines Erfolges auf unrechtmäßigem oder unmoral. Wege, im *Recht* das nach § 265 a StGB strafbare unrechtmäßige Erzielen einer Leistung ohne Zahlung des geforderten Entgelts, bes. das Erschleichen der Leistung eines Automaten, das bewusste »Schwarzfahren« oder der Zutritt zu einer Veranstaltung in der Absicht, das Entgelt nicht zu bezahlen.

Erschließung, alle Maßnahmen einer Gem., durch die Grundstücke an das öffentl. Verkehrs- und Versorgungsnetz angebunden werden, z. B. Bau von Straßen, Park- und Grünflächen. Die Gem. kann, soweit keine anderweitige Deckung vorhanden ist, die Kosten für die erstmalige Herstellung der E. satzungsgemäß in Form von **E.-Beiträgen** auf die Grundeigentümer/Erbbauberechtigten umlegen (§§ 123 ff. Baugesetzbuch).

Erschöpfung, starker Abfall der körperl. und psych. Leistungsfähigkeit durch länger dauernde Überbeanspruchung, eventuell unter Missbrauch von Anregungsmitteln; im Unterschied zur Ermüdung nur durch längere Erholung zu überwinden.

Ersitzung, *Recht:* eine Form des gesetzl. Eigentumserwerbs; wer eine bewegl. Sache zehn Jahre in Eigenbesitz gehabt, d. h. als ihm gehörig besessen hat, erwirbt die Sache zu Eigentum. Die E. ist ausgeschlossen, wenn der Erwerber bei dem Erwerb des Eigenbesitzes nicht in gutem Glauben war oder wenn er später erfährt, dass ihm das Eigentum nicht zusteht (§ 937 BGB). Ein Grundstücksrecht, z. B. das Eigentum am Grundstück, wird durch dreißigjährige fälschl. Eintragung als Berechtigter im Grundbuch und Eigenbesitz während dieser Zeit erworben (**Buch-E., Tabular-E.,** §900 BGB). – In *Österreich* ist zur E. bewegl. Sachen ein dreijähriger (bei jurist. Personen ein sechsjähriger), zur außerbücherlichen E. unbewegl. Sachen ein dreißigjähriger (bei jurist. Personen ein vierzigjähriger) redl. Besitz erforderlich (§§1452 ff. ABGB). Grundeigentum wird in der *Schweiz* durch zehnjährigen gutgläubigen Besitz ersessen, wenn der Ersitzende im Grundbuch als Eigentümer eingetragen ist, durch dreißigjährigen Besitz, wenn das Grundstück im Grundbuch nicht eingetragen ist. Bewegl. Sachen werden durch fünfjährigen gutgläubigen Besitz ersessen (Art. 661–663, 728 ZGB).

Erskine ['ɔːskɪn], John, amerikan. Schriftsteller, *New York 5. 10. 1879, †ebd. 2. 6. 1951; persiflierte in seinen Romanen Stoffe der Weltliteratur und Geschichte (»Das Privatleben der schönen Helena«, 1925; »Das kurze Glück des François Villon«, 1937); auch autobiograph. Schriften.

Ersparnis, derjenige Teil des verfügbaren Nettoeinkommens der Wirtschaftssektoren (private Haushalte, Staat, Unternehmen), der nicht für konsumtive Zwecke verwendet wird. Die E. des Staates ist gleich der Differenz zw. laufenden Einnahmen und Ausgaben.

Erstarrung, der Übergang vom flüssigen in den festen Aggregatzustand, erfolgt bei chemisch einheitl. Stoffen beim Unterschreiten der druckabhängigen **E.-Temperatur (E.-Punkt),** die der Schmelztemperatur gleich ist, Stoffgemische (z. B. Wachs, Glas) erstarren in einem Temperaturintervall, dem **E.-Intervall.** Eine E. von Stoffen, die unter Normbedingungen flüssig sind, nennt man →Gefrieren. – In der *Bautechnik* die als Abbinden bezeichnete erste Phase der Verfestigung eines Baustoffs.

Erstarrungsgesteine, die →magmatischen Gesteine.

Erstattung, *Recht:* die Rückgabe von Leistungen, die ohne Rechtsgrund erbracht worden sind (→ungerechtfertigte Bereicherung).

Erstattungsverfahren, *Recht:* ein Verwaltungsverfahren, das bei Fehlbeträgen in öffentl. Kassen und Fehlbeständen in Lagern u. a. gegen verantwortl. Personen, z. B. Beamte, durchgeführt wird; Grundlage: Ges. über das Verfahren für die Erstattung von Fehlbeständen an öffentl. Vermögen vom 18. 4. 1937 (1951 neu bekannt gemacht). Das Ges. selbst bildet keine Rechtsgrundlage für Erstattungsansprüche, sondern regelt nur das Verfahren, in dem die in anderen Ges. (z. B. Beamten-Ges.) enthaltene Haftung für schuldhaftes Handeln geltend gemacht wird.

Erstaufführung (Premiere), die erste Aufführung einer Neueinstudierung eines dramat. oder musikal. Werkes, auch eines Films oder Hörspiels **(Ursendung).** (→Uraufführung)

Erstausgabe (lat. Editio princeps), die erste, zumeist buchhändler. Veröffentlichung eines gedruckten Werks; Sammelgegenstand.

Erstbesiedlung, *Ökologie:* Eroberung neu entstandener Lebensräume (z. B. vulkan. Rohböden, Inseln) durch Organismen; die Zusammensetzung einer sich neu entwickelnden Lebensgemeinschaft wird meist durch solche Organismen geprägt, die zufällig durch Wind, Wasserströmung, mit fliegenden Tieren oder durch Eigenflug den neuen Lebensraum erreichen (z. B. Bakterien, Algen, Moose, Flechten sowie tier. Einzeller).

erste Hilfe, sofortige, vorläufige Hilfeleistung angesichts offenbarer Gefahr für Gesundheit oder Leben eines anderen Menschen, bis ein Arzt die weitere medizin. Versorgung übernimmt. §323c StGB bedroht jeden mit Strafe, der eine erforderl., ihm zumutbare Hilfeleistung unterlassen hat. Der Ablauf der e. H. gliedert sich in Sofortmaßnahmen wie die Entfernung eines Verunglückten aus dem Gefahrenbereich, Benachrichtigung des Rettungsdienstes über den telefon. Notruf (in Dtl. 110) oder Notrufsäulen, Versorgung des Betroffenen durch unmittelbare Hilfeleistung, v. a. Lagerung sowie Überwachung und Abwehr lebensbedrohl. Zustände durch Atemspende, Herzmassage, Blutstillung, Notverbände, Schockbekämpfung u. a., bis zum Abtransport durch Rettungsfahrzeuge. Zur Bergung eines Bewusstlosen durch einen einzelnen Helfer wird der Rautek-Griff angewendet.

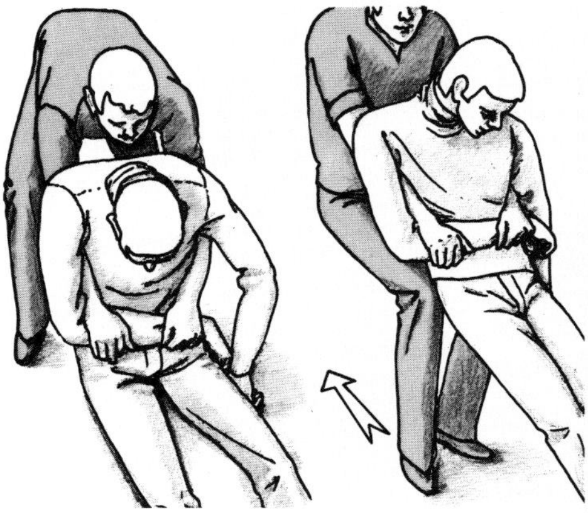

erste Hilfe: Rautek-Griff; der Helfer legt einen Arm des Verletzten abgewinkelt vor dessen Brust, schiebt seine Arme von hinten quer unter den Achselhöhlen des Bewusstlosen hindurch und greift den quer liegenden Unterarm mit beiden Händen, wobei die Daumen parallel zu den Fingern liegen; er zieht den Körper des Verunglückten auf seine leicht angewinkelten Oberschenkel und kann so den Verletzten langsam rückwärts gehend transportieren

erste Hilfe (Notmaßnahmen)

Abbinden, Abdrücken: vgl. Abschnitt Blutstillung.
Armbruch: vgl. Abschnitt Knochenbrüche.
Atemspende: seitlich am Kopf des Liegenden hinknien, mit beiden Händen (an Stirnhaargrenze und Kinn) den Kopf extrem nach rückwärts beugen, diese Lage nach Möglichkeit durch gerolltes Kleidungsstück stabilisieren. Bei Mund-zu-Nase-Beatmung den Mund des Verunglückten durch Daumendruck verschließen. Den eigenen weit geöffneten Mund auf das Gesicht (um die Nase herum!) oder, bei Mund-zu-Mund-Beatmung, unter Verschließen der Nase den eigenen Mund auf den Mund des Verunglückten (möglichst unter Zwischenlegung eines speziellen Beatmungstuches zur Vermeidung von Infektionen) fest aufsetzen, Luft einblasen; den Mund abheben, ohne Kopflage zu verändern, die Luft aus der Lunge entweichen lassen, erneutes Aufpressen des Mundes und Einblasen, etwa 12mal in der Minute, bei Kindern und Säuglingen etwa 24 bis 40 Atemstöße je Minute. Die Beatmung kann auch mittels einer über Mund und Nase aufgesetzten Atemmaske durchgeführt werden.
Atemstillstand: wenn bei Prüfung durch Handauflegen auf die Magengrube und den untersten Rippenrand (Rippenbogen) keine Atembewegungen zu spüren sind, künstl. Beatmung durch Atemspende. Atmet der Verunglückte wieder, ist er aber noch bewusstlos, in stabile Seitenlage drehen!
Augenverletzung: das verletzte Auge behutsam keimfrei bedecken, beide Augen mit Dreiecktuchkrawatte zubinden, ohne Druck auf die Augäpfel auszuüben! Sofort zum Augenarzt.
Bei **Augenverätzung** Ober- und Unterlid auseinanderspreizen und mit reichlich Wasser spülen.
Fremdkörper im Auge: a) bei Fremdkörper auf der Bindehaut Augenoberlid an den Wimpern nach unten über Unterlid ziehen und plötzlich loslassen, sodass die Wimpern des Unterlids den Fremdkörper von der Innenfläche des Oberlids abfegen, dann Unterlid mit zwei Fingern vom Augapfel abheben. Innenfläche mit trockenem Taschentuchzipfel vorsichtig zur Nase hin auswischen. – b) Fremdkörper auf oder im Augapfel nicht zu entfernen versuchen! Beide Augen mit Dreiecktuchkrawatte zubinden, auf dem schnellsten Weg zum Augenarzt!
Beinbruch: vgl. Abschnitt Knochenbrüche.
Bewusstlosigkeit: Hand auf den vorderen unteren Rippenrand legen, um Atembewegungen festzustellen; Spiegel (oder Brille) zur Beschlagprobe vor Mund oder Nase halten. Ist Atmung vorhanden, in stabile Seitenlage drehen; bei Atemstillstand Atemspende! Sobald diese erfolgreich ist, stabile Seitenlage. Notruf!
Bisswunde: verletztes Glied ruhig stellen, Wunde keimfrei verbinden, sofort ärztl. Behandlung, Tollwutgefahr! Über Verletzungen durch Giftschlangen vgl. Abschnitt Schlangenbiss.
Blitzschlag: bei Bewusstlosigkeit Atmung prüfen; ggf. künstl. Beatmung durch Atemspende; Brandwunden keimfrei verbinden. Notruf!
Bluterbrechen: Blut aus dem Magen sieht braun wie Kaffeesatz aus, Blut aus der Speiseröhre (sofern es nicht heruntergeschluckt wurde) oder aus geplatzten Krampfadern ist hell- oder dunkelrot, je nachdem, ob es aus einer Schlagader (hellrot) oder aus einer Blutader (dunkelrot) kommt, Blut aus der Lunge (Bluthusten) ist hellrot und schaumig. Bettruhe mit erhöhtem Oberkörper, Ess- und Trinkverbot, sofort Arzt rufen!
Blutstillung: Druckverband anlegen; Wundbedeckung mit keimfreier Auflage bei gleichzeitiger Druckausübung, nach einigen Wickelgängen mit der Mullbinde ein faustgroßes Mullpolster aufbringen, weiterwickeln unter mäßigem Druck und Fixierung. Gliedmaßen hochlagern. Bei bedrohlich blutender Wunde **Abdrücken**; am Arm: mit 2. bis 4. Finger von unten auf die Oberarminnenfläche greifen und dort in der Muskellücke die Armschlagader gegen den Knochen drücken; am Bein: neben dem Kopf des Liegenden kniend den Oberschenkel des gegenüberliegenden verletzten Beines mit beiden Händen umfassen und mit beiden Daumen auf der Mitte der Leistenbeuge die Oberschenkelschlagader gegen den darunterliegenden Beckenknochen drücken; **Abbinden** nur bei bedrohlicher Blutung nach Arm- oder Beinabtrennung aus einer größeren Wunde, in der ein Fremdkörper steckt, oder aus einer großflächigen Wunde. Uhrzeit notieren, Zettel an Verband anheften. Notruf!
Elektrounfälle: 1) durch Hochspannungsstrom (mehr als 1 000 Volt durch Blitzpfeil gekennzeichnet): Verunglückten wegen Selbstgefährdung nicht berühren, Notruf zwecks Abschaltung der Stromzufuhr an zentraler Stelle. Fließt kein Strom mehr, löst sich bei dem Verunglückten die Muskelspannung, er stürzt ab. Nach Möglichkeit Aufprall mildern. Arzt rufen! Bis zu seinem Eintreffen bei Atem- und Kreislaufstillstand unverzüglich Atemspende und Herzmassage.
2) durch Hausstrom (weniger als 1 000 Volt): Abschalten des Stroms (Stecker ziehen, Sicherung herausschrauben)! Falls dies nicht möglich, Eigenisolierung auf trockenem Material, dann Betroffenen an der Kleidung, mittels Besen o. Ä. aus dem Stromkreis reißen, an Ort und Stelle Bewusstsein, Atmung und Puls prüfen. Bei Bewusstlosigkeit stabile Seitenlage, bei Atemstillstand Atemspende. Notruf!
epileptischer Krampfanfall: Krampfbewegungen (regelloses Umsichschlagen der Glieder) nicht verhindern! Einschieben eines zur Rolle gewickelten Taschentuchs o. Ä. zwischen die Kiefer zur Verhütung eines Zungenbisses. Notruf!
Erfrierung: örtlich erfrorene Körperspitzen (blass und sehr kalt) durch Körperwärme beeinflussen: Finger- oder Fußspitzen in die Achselhöhle eines anderen legen. Nicht reiben! Unter Verwendung reichl. Polstermaterials verbinden; schneller Transport des warm zu haltenden Patienten ins Krankenhaus.
Ersticken: Betroffener ringt nach Luft, wird blau. Möglichst Beseitigung der Ursache, z. B. Fremdkörper in der Luftröhre; dazu Oberkörper nach unten hängen, Kinder an den Füßen mit nach unten hängendem Kopf halten, Schläge zw. die Schulterblätter oder Heimlich-Handgriff anwenden: Der Helfer tritt hinter den Betroffenen, umfasst ihn in Höhe der Magengrube, legt beide Hände übereinander auf diese und übt einen einmaligen, plötzl. Ruck gegen den Magen aus. Durch die aus dem Magen und den Lungen ausgepresste Luft soll der Fremdkörper herausgedrückt werden. Bei Atemstillstand trotz Fremdkörperentfernung Atemspende! Notruf!
Ertrinken: nach Verbringen in ein Boot oder an Land den Betroffenen in Rückenlage bringen (Kopftieflage), prüfen, ob Atemwege frei sind und ggf. Schmutz und Erbrochenes entfernen! Atmung prüfen. Bei Atemstillstand Atemspende, nach Erfolg in stabile Seitenlage drehen. Notruf!
Fremdkörper im Auge: vgl. Abschnitt Augenverletzung.
Fremdkörper in einer Wunde: vgl. Abschnitt Wunde.
Gehirnerschütterung: drei Anzeichen, die sie vermuten lassen, sind: eine meist nur kurz dauernde Bewusstlosigkeit, Übelkeit bis zum Erbrechen und spätere Gedächtnislücke. Bei Bewusstlosigkeit Seitenlagerung, ggf. Atemspende. Nach Wiederkehr des Bewusstseins absolute Ruhelage des Betroffenen wegen der zusätzl. Gefahr einer Blutung im Schädelinneren. Notruf!
Gelenkverrenkung: vgl. Abschnitt Verrenkung.
Gelenkverstauchung: vgl. Abschnitt Verstauchung.
Herzanfall: heftige, in Schulter (auch Hals) und Arm, meist bes. nach links ausstrahlende Herzschmerzen, verbunden mit Angstgefühl, verfallenem Aussehen, kaltem Stirnschweiß (Angina pectoris, Herzinfarkt); mit erhöhtem Oberkörper lagern. Notruf!
Herzmassage, Herzdruckmassage: Erfolg versprechend bei rechtzeitigem Beginn (spätestens 3 Minuten nach Herzstillstand) und bei gleichzeitiger Atemspende durch einen zweiten Helfer (äußere Herzmassage darf nur von dazu bes. ausgebildeten Ersthelfern ausgeführt werden). Bei zusätzl. Atemstillstand und Anwesenheit von 2 Helfern sollte das Verhältnis von Herzmassage zu Beatmung 5 zu 1

erste Hilfe (Notmaßnahmen; Fortsetzung)

sein. Ist nur ein Helfer anwesend, beträgt es 15 zu 2. Für die Atemspende ist die Herzmassage kurzfristig zu unterbrechen.

Herzstillstand: Sofortmaßnahme durch Herzmassage und Atemspende (vgl. entsprechende Abschnitte).

Hitzschlag: bei schwüler Witterung durch Verlust des Schwitzvermögens eintretender Wärmestau mit plötzl. Bewusstlosigkeit; weitere Kennzeichen sind: warme trockene Haut, Verwirrung, Krämpfe. Betroffenen an schattigen Ort bringen, Kleidung ausziehen, Atmung prüfen! Bei Atemstillstand Atemspende, nach Erfolg in stabile Seitenlage drehen. Ferner kalte Übergießungen, Besprengungen oder kaltfeuchte Umschläge. Notruf (Rückfallgefahr)!

Hundebiss: vgl. Abschnitt Bisswunde.

Insektenstich: den evtl. steckengebliebenen Stachel entfernen; feuchte Umschläge, antiallerg. Salben und alkoholhaltige Lösungen verringern Juckreiz, Schwellung und Schmerz. Bei Fieber und Kreislaufstörungen Notruf!

Knochenbrüche: bei Arm- und Beinbruch ggf. vorhandene Wunde mit Verbandpäckchen keimfrei verbinden.

a) **Armbruch:** Ruhigstellung mit Armtragetuch und zwei Dreiecktuchkrawatten um Arm und Brustkorb. Wegen Schockgefahr hinlegen.

b) **Beinbruch:** keine Änderung der Beinlage! Bedecken mit weicher Kleidung oder Decke. Schwere Gegenstände (z.B. Steine) vorsichtig von allen Seiten an das Bein heranschieben. Notruf! Rettungswagen, der Schienmaterial mitbringt, abwarten! Kein Behelfstransport.

c) **Wirbelbruch:** Verdacht durch Prüfung der selbsttätigen Bewegungsfähigkeit von Armen und Beinen erhärten, indem man den Verunglückten auffordert, nacheinander beide Arme und beide Beine anzuheben; kein Aufrichtungsversuch! Bei Vorliegen eines Wirbelbruchs wird der Betroffene angeben, an bestimmter Stelle im Rücken Schmerz zu empfinden, oder er wird jede Bewegung unterlassen, weil seine Glieder ›eingeschlafen‹ oder nicht zu fühlen sind. Keine Veränderung der Lage! Notruf, Vakuummatratze anfordern!

Kreislaufkollaps: vgl. Abschnitt Ohnmacht.

Nasenbluten: vornübergebeugt hinsetzen, Kopf in die Hände stützen oder blutendes Nasenloch zudrücken. Kalte Umschläge in den Nacken, oft erneuern; nicht schnäuzen. Auf normales ruhiges Atmen achten, um Überventilation zu vermeiden. Bei Unbeeinflussbarkeit Arzt rufen!

Notverband: bei Verrenkung, Verstauchung der oberen Gliedmaßen können z.B. Dreiecktuch, Krawatte, Kleidungsstücke zur Ruhigstellung verwendet werden.

Ohnmacht: plötzl. Besinnungslosigkeit mit Zusammensinken ohne ersichtl. Grund. Den Ohnmächtigen flach lagern, Körper warmhalten (Decke), Kleider öffnen, bei Wiederkehr des Bewusstseins gesüßten Bohnenkaffee oder Obstsaft zu trinken geben. Später vorsichtiges Aufrichten, aufstehen lassen, an die frische Luft bringen, tief atmen lassen. Bei längerer Bewusstlosigkeit Arzt rufen.

Schädelbruch: ist nach entsprechender Gewalteinwirkung auf den Schädel bei Bewusstlosigkeit zu vermuten. Zuerst Prüfung der Atmung, ggf. Atemspende, nach Erfolg in stabile Seitenlage drehen; Freihalten der Atemwege, da Schädelverletzte zu Erbrechen neigen. Notruf!

Schlaganfall: plötzlich auftretende Bewusstlosigkeit ohne sofort erkennbare Ursache, starke Gesichtsrötung, röchelnde Atmung. Nachfolgend entsteht oft eine Halbseitenlähmung. Notruf!

Schlangenbiss: nur Kreuzotter- und Sandviperbisse sind in europ. Breiten gefährlich. Anlegen einer Stauung etwa 5 cm herzwärts der Bissstelle mit Dreiecktuch, Schal oder Krawatte, sodass das Blut noch hinein-, aber nicht mehr zurückfließen kann; der Puls muss tastbar bleiben. Wunde nicht aussaugen, -schneiden oder -brennen. Absolute Ruhelage bis zum Abtransport im Liegen. Arzt injiziert Schlangenserum und löst dann die Stauung.

Schock: Anzeichen sind fahle Blässe, kalte Haut, Schweiß auf Nase und Stirn, zitterndes Frieren, schneller, zunehmend schlechter tastbarer Puls, allg. Unruhe, weit geöffnete Augen, leerer Blick. Möglichst Beseitigung der Schockursache (z.B. bedrohl. Blutung). Pulskontrolle am Hals. Schocklage mit hochgestellten Beinen herstellen. Beruhigend zureden. Notruf!

Schussverletzung: keimfreier Verband, der Einschuss-, ggf. auch Ausschusswunde bedeckt.

Seitenlage: vgl. Abbildung.

Sonnenstich: Anzeichen nach intensiver Sonneneinstrahlung auf Kopf und Nacken sind starke Kopfschmerzen, Übelkeit, Erbrechen, stark geröteter und heißer Kopf, Schwindel. Betroffenen in den Schatten bringen, Kleider öffnen, mit erhöhtem Oberkörper lagern, Stirn und Nacken mit feuchten Tüchern kühlen, schluckweise erfrischende Getränke geben. Stets Arzt rufen!

Verätzung: bei Augenverätzung: vgl. Abschnitt Augenverletzung. – Bei Hautverätzung: Spülen mit Wasser, bis Ätzschmerz ausbleibt, dann trockenen, keimfreien Verband. – Bei innerl. Verätzung: Verschluckte Säuren und Laugen verursachen starke Schmerzen; reichlich Wasser, keinesfalls Erbrechen herbeiführen, sofort ins Krankenhaus bringen.

Verbrennung, Verbrühung: betroffene Körperstelle sofort unter fließendes kaltes Wasser halten, bis der starke Schmerz nachlässt. Danach trocken-keimfrei verbinden. – Gesichtsverbrennung weder bedecken noch verbinden! Keine Hausmittel, Brandsalben oder Puder verwenden (Infektionsgefahr). Bei ausgedehnten Verbrennungen Schutzmaßnahmen gegen Wärmeverlust. Notruf!

Vergiftung: bes. durch Schlucken von Arzneimitteln, Waschmitteln, Haushaltspflege- und Reinigungsmitteln, Pflanzenschutz- und Schädlingsbekämpfungsmitteln, auch durch Verzehr von giftigen Beeren, Pilzen und verdorbenen Nahrungsmitteln möglich. Allg. Symptome sind Übelkeit, Erbrechen, Magenschmerz und Durchfall mit Koliken und Schwinden des Bewusstseins. Erwachsene (außer bei Vergiftung durch ätzende Mittel) zum Erbrechen bringen, solange sie noch bei Bewusstsein sind, keinesfalls jedoch Kleinkinder (1- bis 4-Jährige), da Erstickungsgefahr. Bei Atemstillstand Atemspende (nicht bei Blausäurevergiftung, da Selbstgefährdung). Bei Bewusstlosigkeit kein Erbrechen herbeiführen; stabile Seitenlage. Notruf und Anruf bei der örtl. Informations- und Beratungszentrale für Vergiftungen, die Anweisungen erteilt. Bei dem Anruf sollten folgende Angaben gemacht werden: Zeitpunkt der Gifteinnahme, was wurde geschluckt, wie viel wurde geschluckt, Auftreten erster Vergiftungserscheinungen (Uhrzeit).

Verrenkung: bewirkt immer sehr schmerzhafte, abnorme Gelenkstellung an Arm oder Bein. Keinen Bewegungs- oder Einrenkungsversuch! Notruf!

Verschlucken: Arme hochhalten lassen, Schläge zw. die Schulterblätter; Kleinkinder mit dem Kopf nach unten halten. Erwachsene entsprechend über Stuhl lagern. Bei Atemstillstand Atemspende; Notruf!

Verstauchung: heftiger Anfangsschmerz, der meist schnell vergeht; vorsichtiger Bewegungsversuch erweist, dass Bewegungsmöglichkeit vorhanden, nur schmerzhaft eingeschränkt ist. Deshalb Ruhiglagerung, kalte Umschläge, ggf. Arztbehandlung.

Wirbelbruch: vgl. Abschnitt Knochenbrüche.

Wunde: Nicht berühren! Nicht auswaschen! Nicht desinfizieren! Keine Behandlung mit ›Hausmitteln‹ oder Medikamenten! Der Arzt muss die Wunde sehen, wie sie durch das Unglück hervorgerufen wurde! Daher mit Verbandpäckchen trocken-keimfrei verbinden. Fremdkörper, die in der Wunde stecken, nicht entfernen, in Verband einbeziehen! Arztbehandlung wegen Wundstarrkrampfgefahr!

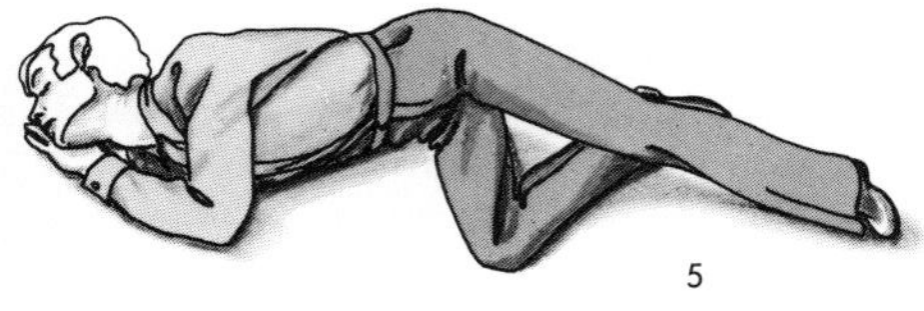

erste Hilfe: Stabile Seitenlage (NATO-Lage); der Helfer legt den ihm zugewandten ausgestreckten Arm des Bewusstlosen neben dessen Körper und schiebt die Hand unter sein Gesäß (1), er winkelt das ihm zugewandte Bein an (2) und dreht den Verletzten vorsichtig mit beiden Händen an dessen Hüfte und Schulter zu sich herüber (3); der unten liegende Arm wird zur Stabilisierung nach hinten abgewinkelt (4), der Kopf zur Freihaltung der Atemwege weit in den Nacken gebeugt, die Wange so auf den Handrücken des Verletzten gebettet, dass der Mund erdwärts gewandt ist (5)

Anschließend wird der Betroffene in stabile Seitenlage (NATO-Lage) gebracht, die ein Ersticken durch Verlegung der Atemwege mit Blut, Schleim oder Erbrochenem verhindert.

Erster Mai, gesetzl. Feiertag in zahlreichen Ländern der Erde, von der Zweiten Internationalen auf ihrem Gründungskongress (1889) als »Kampftag der Arbeit« begründet und 1890 mit Massendemonstrationen erstmals begangen; wurde unter der nat.-soz. Herrschaft in Dtl. (1933–45) zum »Tag der nat. Arbeit« ideologisch umgewertet und propagandistisch von der nach Ausschaltung der Gewerkschaften (Mai 1933) gebildeten Deutschen Arbeitsfront getragen. In den Ländern des kommunist. Ostblocks wurde der E. M. als »Internat. Kampf- und Feiertag der Werktätigen« begangen und diente mit seinen von SED und Gewerkschaften organisierten Massenaufmärschen der Selbstdarstellung des Regimes.

Erster Offizier, Stellvertreter des Kommandanten bzw. Kapitäns eines Schiffes, verantwortlich für den gesamten Schiffsbetrieb.

Erster Weltkrieg, → Weltkrieg.

Erstes Deutsches Fernsehen, tägliches bundesweites Fernsehgemeinschaftsprogramm aus Beiträgen der in der Arbeitsgemeinschaft der öffentlich-rechtl. Rundfunkanstalten der Bundesrepublik Deutschland (ARD) zusammengeschlossenen Rundfunkanstalten, veranstaltet aufgrund des Fernsehvertrages vom 27. 11. 1991, zusammengestellt durch die Ständige Programmkonferenz (Programmdirektion), Sitz München.

Erstgeburt, das Vorzugsrecht des Erstgeborenen, das bei den Völkern des Altertums besondere rechtl. und religiös-kult. Bedeutung hatte. Über E. im rechtl. Sinn → Majorat, → Primogenitur.

Ersticken, Tod infolge Sauerstoffverarmung der Gewebe, v. a. des Gehirns. Beim **äußeren E.**

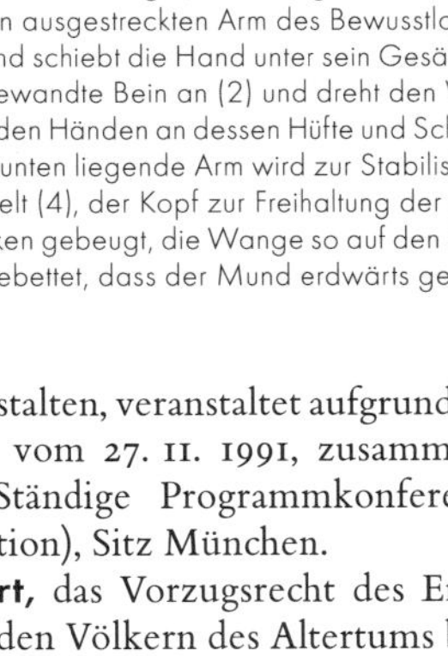

erste Hilfe: Druckpunkte zur Stillung einer Blutung

(Erhängen, Erwürgen, Fremdkörper in den Luftwegen) wird die Luftzufuhr von außen abgeschnitten; beim **inneren E.** infolge Vergiftung mit Blutfarbstoffgiften (z.B. Kohlenmonoxid, Blausäure) verlieren die roten Blutkörperchen die Fähigkeit, Sauerstoff aufzunehmen (ÜBERSICHT erste Hilfe).

Erstkommunion, *kath. Kirche:* die erste, feierliche Teilnahme an der →Eucharistie.

Erstlingsopfer, →Opfer.

Erstmilch, das →Kolostrum.

Erststimme, in Dtl. die Stimme, die der Wähler bei Bundestagswahlen für einen Kandidaten in seinem Wahlkreis abgibt; bei den Kandidaten muss die Parteizugehörigkeit, bei Parteilosen ein Kennwort im Wahlvorschlag angegeben sein. Gewählt ist der Kandidat im Wahlkreis, der die meisten Stimmen auf sich vereinigt (Direktmandat). Die andere Stimme **(Zweitstimme)** gibt der Wähler der Kandidatenliste einer Partei im betreffenden Bundesland (Landesliste). Auf der Grundlage der Zweitstimmen wird nach dem Hare-Niemeyer-Verfahren die Anzahl der Sitze der Parteien im Bundestag errechnet (→Wahlrecht). Direktmandate werden von dieser Zahl abgezogen (→Überhangmandate, →Fünfprozentklausel).

ersuchter Richter, ein Amtsrichter, der aufgrund eines Ersuchens um Rechtshilfe in seinem Bezirk eine Amtshandlung für ein auswärtiges Gericht vornimmt (§§156ff. GVG).

Ertebøllekultur, mittelsteinzeitl. Kulturgruppe in den Küstengebieten S-Schwedens, Dänemarks und im dt. Ostseeraum, ben. nach Funden aus einem Muschelhaufen bei Ertebølle am Limfjord (Dänemark); u.a. makrolithische Feuersteingeräte sowie Geräte aus Knochen, Geweih und Holz (Speere, Pfeile, Fischreusen).

Ertrag, 1) *Betriebswirtschaftslehre:* von einem Unternehmen in einer bestimmten Periode durch Erstellung von Gütern und Dienstleistungen erwirtschaftete Einnahmen; Ggs. Aufwand. Übersteigt (unterschreitet) der E. den Aufwand, erzielt das Unternehmen einen Gewinn (Verlust). Man unterscheidet **Betriebs-E.** und **neutralen E.,** der sich aufgrund betriebsfremder, außerordentl. Geschäftsvorfälle ergibt (z.B. Währungsgewinne, Steuerrückzahlungen).

2) *Volkswirtschaftslehre:* Gütermenge, die mit einem gegebenen Aufwand an Produktionsfaktoren in einer Zeiteinheit hergestellt wird.

Ertragsbeteiligung, →Gewinnbeteiligung.

Ertragsgesetz, Beziehung zw. dem Einsatz von Produktionsfaktoren und dem Ertrag. Nach dem E. bringt ein Mehreinsatz eines Produktionsfaktors bei Konstanz der übrigen Produktionsfaktormengen zuerst steigende, von einer bestimmten Einsatzmenge an abnehmende Ertragszuwächse und schließlich sogar Ertragsrückgänge. Zuerst formuliert von J. Turgot als Gesetz vom abnehmenden Ertragszuwachs (Grenzertrag) in der Landwirtschaft (Bodenertragsgesetz).

Ertragsteuern (Objekt-, Realsteuer), Steuer, die ertragbringende Objekte nach objektiven Maßstäben erfasst, gleichgültig, wem die Erträge zufließen und ohne Rücksicht auf die Leistungsfähigkeit des Steuerpflichtigen; heute gelten als E. nur noch die Grund- und die Gewerbesteuer. Im weiteren Sinne begreift man in Abgrenzung zu den Substanzsteuern als E. auch die Einkommen- und die Körperschaftsteuer.

Ertragswert, Wert in Geldeinheiten, der durch Kapitalisierung (Abzinsung zukünftiger Periodenerträge) der erwarteten Reinerträge einer ganzen Unternehmung ermittelt wird (Firmenwert, Unternehmungswert). Der E. ist im Steuerrecht Grundlage der Ermittlung des →Einheitswertes.

Ertrinken, Tod infolge Eindringens von Flüssigkeit durch die Luftwege bis in die Lungenbläschen, meist bei Unfällen im Wasser; beim E. im Süßwasser meist durch Kammerflimmern (Übertritt von Wasser ins Blut, Hämolyse), im Salzwasser infolge eines Lungenödems (Übertritt von Salz ins Blut und von Blutserum in die Lungenbläschen). I.w.S. rechnet man zum E. auch das Sterben im Wasser aus anderen Ursachen, z.B. durch reflektor. Herzstillstand beim Sprung ins kalte Wasser mit erhitztem Körper (ÜBERSICHT erste Hilfe).

Eruler, german. Volksstamm, →Heruler.

Eruption [lat.] *die,* **1)** *allg.:* Sammelbez. für alle Arten vulkan. Ausbruchstätigkeit.

2) *Astronomie:* Strahlungsausbruch, z.B. bei der Sonne (→Flare).

3) *Medizin:* Auftreten eines Hautausschlags; auch der Ausschlag selbst.

Eruptivgesteine (Eruptiva), ältere Bez. für →magmatische Gesteine; i.e.S. für Vulkanite.

Erwachsenenbildung, Sammelbez. für alle Initiativen zur Weiterbildung Erwachsener im Verlauf ihres Lebens, sei es in dafür geschaffenen Einrichtungen (Volkshochschule, Fernunterricht, Funk- und Telekolleg, Einrichtungen der Kirchen, Gewerkschaften, Parteien und der Wirtschaft) oder in selbst organisierter Form. E. ist als Weiterbildung die ständige Fortsetzung von Ausbildung und Qualifizierung, bes. unter dem Aspekt qualifizierender Aufstiegsfortbildung, und umfasst auch Anpassungsfortbildung wie Umschulung. Ein spezieller Bereich ist die Altenbildung (Geragogik). (→zweiter Bildungsweg)

📖 KADE, J.: *E. u. Identität. Eine empir. Studie zur Aneignung von Bildungsangeboten.* Weinheim ²1992. – LOEBER-PAUTSCH, U.: *Familie u. Weiterbildung.* Oldenburg 1993.

Erwartungswert, *Statistik, Wahrscheinlichkeitsrechnung:* Maßzahl zur Charakterisierung der Verteilung einer Zufallsvariablen X; nimmt diese die (diskreten) Werte $x_1, x_2, \ldots, x_n$ an und ist für x_i die Wahrscheinlichkeit p_i, so ist

$$E(X) = \sum_{i=1}^{n} x_i p_i$$

der E. von X. Wiederholt man das zugrunde liegende Zufallsexperiment sehr oft, so erhält man $E(X)$ als **Mittelwert der Zufallsvariablen** X.

Erweckungsbewegungen, protestant., gegen den aufklärer. Rationalismus gerichtete Bewegungen zur Wiederbelebung des religiösen Lebens, bes. in der ersten Hälfte des 19. Jh. Sie stellen auf dem europ. Festland eine Erneuerung des Pietismus dar, in Großbritannien und Nordamerika sind sie dem Methodismus verwandt.

Erweichungspunkt, Temperaturbereich, der den Übergang vom festen zum flüssigen Aggregatzustand bei amorphen Stoffen oder solchen mit teilkristallinen Anteilen (z. B. bei Gläsern) umfasst (im Ggs. zu kristallinen Körpern mit definiertem Schmelzpunkt).

erweitern, *Mathematik:* Zähler und Nenner eines Bruches mit der gleichen (von Null verschiedenen) Zahl multiplizieren; der Wert des Bruchs bleibt dabei unverändert.

Erwerbseinkünfte, Einnahmen öffentl. Gebietskörperschaften, die nicht durch Geltendmachung von Hoheitsrechten, sondern durch Beteiligung an der Wertschöpfung einer Volkswirtschaft erzielt werden.

Erwerbslose, Personen ohne Arbeitsverhältnis, die sich um eine Stelle bemühen, unabhängig davon, ob sie beim Arbeitsamt gemeldet sind.

Erwerbspersonen, alle Personen mit Wohnsitz im Bundesgebiet, die eine unmittelbar oder mittelbar auf Erwerb gerichtete Tätigkeit ausüben oder suchen. Zu den E. gehören Erwerbslose und Erwerbstätige. Die **Erwerbsquote** ist der Anteil der Erwerbspersonen (in %) an der gesamten Wohnbevölkerung.

Erwerbstätige, Personen, die in einem Arbeitsverhältnis stehen (auch Soldaten, mithelfende Familienangehörige), selbstständig ein Gewerbe betreiben oder einen freien Beruf ausüben.

Erwerbsunfähigkeit, in der gesetzl. Rentenversicherung die wegen Krankheit oder Behinderung auf nicht absehbare Zeit bestehende Unfähigkeit, eine Erwerbstätigkeit in gewisser Regelmäßigkeit auszuüben oder mehr als nur geringfügige Einkünfte durch die Erwerbstätigkeit zu erzielen. Die E. ist eine der Voraussetzungen für die Gewährung der E.-Rente.

erwerbswirtschaftliches Prinzip (Erwerbsprinzip), das Streben, durch die wirtsch. Betätigung Gewinne zu erzielen, im Ggs. zur Bedarfsdeckung. Im Ggs. zum systemindifferenten Wirtschaftlichkeitsprinzip dient das e. P. zur Kennzeichnung marktwirtsch. Systeme und zur begriffl. Abgrenzung von Unternehmen und Betrieb. Durch Verfolgung des e. P. durch Unternehmen (Gewinnmaximierung) wird die Bedarfsdeckung indirekt erreicht, werden die Produktionsfaktoren optimal eingesetzt und wird das auch gesamtwirtschaftlich gesehen bestmögl. Produktionsergebnis erzielt. Erwerbswirtschaftlich handelnde Wirtschaftseinheiten werden nach W. Sombart als **Erwerbswirtschaften** bezeichnet.

Erwin von Steinbach (Meister Erwin; Beiname seit dem 17. Jh.), *um 1244, †Straßburg 17. 1. 1318; Leiter der Straßburger Münsterbauhütte. Sein Anteil an Entwurf und Ausführung der unteren Teile der Westfassade (1276 begonnen) ist umstritten. E. spielt seit der Erwähnung bei Goethe (»Von dt. Baukunst«, 1773) eine wichtige Rolle bei der Neubewertung der mittelalterl. Baukunst.

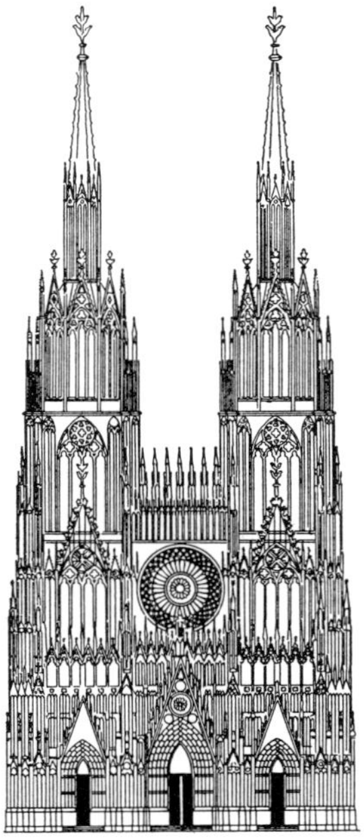

Erwin von Steinbach: Aufriss für die Westfassade des Straßburger Münsters

Erwitte, Stadt im Kreis Soest, NRW, auf dem nordöstl. Haarstrang, 15 100 Ew.; Kalk- und Zementind.; der Stadtteil **Bad Westernkotten** ist dank eisen- und kohlensäurehaltigen Solquellen (mit Gradierwerk) anerkanntes Heilbad.

Erxleben, Dorothea Christiana, Ärztin, *Quedlinburg 13. 11. 1715, †ebd. 13. 6. 1762; erwarb 1754 in Halle (Saale) als erste Frau in Dtl. den medizin. Doktorgrad.

Erysipel [grch.] *das, Medizin:* die →Wundrose.

Erysipeloid [grch.] *das, Medizin:* der →Rotlauf beim Menschen.

Erysiphaceae [grch.], die Echten Mehltaupilze (→Mehltau).

Erythem [grch.] *das,* Rötung der Haut durch vermehrte Durchblutung; kann bei psych. Erregung, bei Dauerweitstellung der Hautgefäße und bei Entzündungen der Haut auftreten.

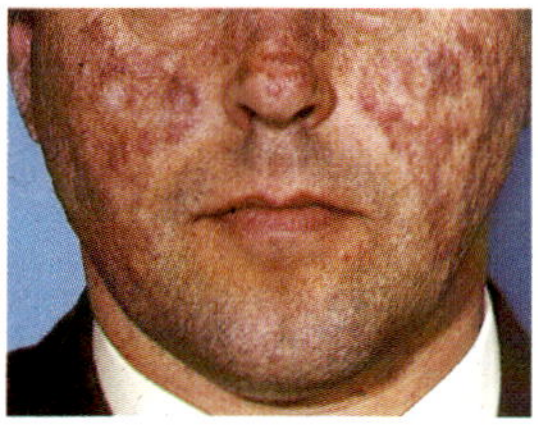

Erythematodes: chronischer Erythematodes

Erythematodes [grch.] *der* (Lupus erythematodes), Hautkrankheit unbekannter Ursache, die zu den Kollagenosen (Bindegewebserkrankungen) gehört. Bei dem häufigen **chron. E.** (Schmetterlingsflechte, diskoider Lupus erythematodes), der auf die Haut beschränkt ist, finden sich v. a. im Gesichtsbereich, oft schmetterlingsförmig an Nase und Wangen, Rötungen mit follikulären Verhornungen. Beim seltenen lebensbedrohl. **akuten E.** (system. Lupus erythematodes) werden v. a. innere Organe befallen. Im Blut findet man Antikörper gegen körpereigene Substanzen. – *Behandlung:* Corticosteroide und Immunsuppressiva.

erythr... [grch.], rot...

Erythrämie [grch.] *die* (früher Erythroblastose), bösartige Wucherung des Bildungssystems der roten Blutkörperchen, die zur Entstehung unreifer und entarteter Erythroblasten, zu Blutplättchenmangel und schließlich zunehmender Anämie führt. Die **akute E.** führt meist in wenigen Monaten infolge von Blutungen oder Komplikationen (Infekte, Kreislaufinsuffizienz) zum Tod. Die **chron. E.** verläuft weniger ausgeprägt und kann sich über mehrere Jahre erstrecken.

Erythrin [grch.] *der,* Mineral, → Kobaltblüte.

Erythroblastose [grch.] *die,* **1)** die hämolyt. → Neugeborenengelbsucht.

2) frühere Bez. der → Erythrämie.

Erythropathie [grch.], Sammelbez. für Blutkrankheiten, die meist mit einer Schädigung oder Fehlbildung der roten Blutkörperchen verbunden sind, v. a. die Formen der hämolyt. Anämie.

Erythrophobie [grch.] *die,* das Auftreten von Angst beim Sehen der roten Farbe; auch krankhafte Angst vor dem Erröten.

Erythrozyten [grch.], die roten Blutkörperchen (→ Blut).

Eryx, antiker Name von → Erice.

Erz, Bez. für ein Mineral **(E.-Mineral)** oder Gestein, das Metalle enthält; oft metallisch glänzend und von hoher Dichte; i. e. S. bezeichnet E. ein in der Natur vorkommendes Mineralaggregat oder Gestein, in dem nutzbares Metall rein (gediegen) oder in E.-Mineralen so stark angereichert ist, dass es mit wirtsch. Nutzen gewonnen werden kann. Die nichtmetall. Anteile des E., z. B. Kalk, Quarz, Schwerspat, werden **Gangart** oder **taubes Gestein** genannt; überwiegen die bas. Anteile, liegt ein **bas. E.** vor, überwiegt Quarz (Kieselsäure), spricht man von **saurem Erz.** (→ Erzlagerstätten)

erzählende Dichtung, die → Epik.

Erzähler, erzählende fiktive Gestalt, die als Vermittler zw. den dargebotenen Vorgängen und den Zuhörern oder Lesern fungiert. Als Person (erlebendes oder erzählendes Ich) ist der E. an den dargestellten Vorgängen beteiligt, zahlr. sind Er-E. und Formen der ep. Einkleidung (Rahmenerzählung, Tagebuch, Brief o. Ä.). So ergibt sich eine bestimmte **Erzählsituation:** Sie ist **auktorial,** wenn der E. allwissend ist und gestaltend in das Geschehen eingreift, **personal,** wenn das Geschehen durch eine oder mehrere Figuren erschlossen wird, **neutral,** wenn weder ein Erzähler noch ein personales Medium erkennbar sind.

Erzählung, i. w. S. Bez. für alle Formen des Erzählens, i. e. S. Einzelgattung der Epik, die sich häufig mit den übrigen ep. Gattungen überschneidet; sie ist kürzer als der Roman, im Unterschied zur Novelle weniger streng gebaut, umfangreicher und weniger pointiert als die Kurzgeschichte.

Erzämter, im Hl. Röm. Reich oberste Hofämter, seit dem 13. Jh. erbl. Reichslehen und als Ehrenämter mit der Kurwürde verbunden: **Erztruchsess** (Pfalzgraf bei Rhein), **Erzmarschall** (Herzog von Sachsen), **Erzkämmerer** (Markgraf von Brandenburg), **Erzschenk** (König von Böhmen). Zu diesen kamen als **Erzkanzler** die drei rhein. Erzbischöfe (Mainz für das Reich, Köln für Italien, Trier für Gallien und Burgund). 1652 kam das Amt des **Erzschatzmeisters** für die restituierte Kurpfalz, verbunden mit der 8. Kur, hinzu; es fiel 1778 an Hannover, dessen Kurfürst seit 1692/1708 (9. Kur) **Erzbannerherr** war. Ohne Kurwürde blieb das Amt des **Erzjägermeisters,** das der Markgraf von Meißen innehatte.

Matthias Erzberger

Erzberger, Matthias, Politiker (Zentrum), * Buttenhausen (heute zu Münsingen) 20. 9. 1875, † (ermordet) bei Bad Griesbach (heute Bad Peterstal-Griesbach) 26. 8. 1921; beteiligte sich 1899 an der Gründung der christl. Gewerkschaften; ab 1903 war er MdR. Im 1. Weltkrieg trat er für eine Verfassungsreform und für einen Verständigungsfrieden ein. Er hatte maßgeblichen Anteil am Sturz des Reichskanzlers T. von Bethmann Hollweg. Er unterzeichnete den Waffenstillstand von Compiègne (11. 11. 1918). Als Reichsfinanzmin. und Vizekanzler 1919–20 führte er eine Finanzreform, die **erzbergersche Finanzreform,** durch, die u. a. den Aufbau einer einheitl. Reichsfinanzverwaltung und eine Vereinheitlichung des Steuerrechts umfasste. Als Initiator der »Friedensresolution«

des Reichstages (Juli 1917) und als scharfer Kritiker der dt. Führung im Weltkrieg war E. die Zielscheibe persönl. Angriffe der antirepublikan. Rechten.

📖 Epstein, K.: *M. E. u. das Dilemma der dt. Demokratie. A. d. Engl. Neuausg. Frankfurt am Main u. a. 1976.* – Ruge, W.: *M. E. Eine polit. Biographie. Berlin 1976.*

Erzbischof (lat. Archiepiscopus), in der kath. Kirche Amtstitel des Leiters einer Kirchenprovinz (Metropolit) oder eines Bischofs, der einer Erzdiözese vorsteht; auch vom Papst verliehener persönl. Titel einzelner Bischöfe. – In den Ostkirchen Titel des Leiters einer autokephalen Kirche ohne Patriarchatsrang, dem im Wesentlichen die Stellung eines Patriarchen zukommt. – In der anglikan. Kirche ist der Titel E. mit den Bischofssitzen von Canterbury und York verbunden. – Innerhalb der luther. Kirchen gibt es den Titel E. in den Kirchen von Schweden und Finnland.

Erzengel, in der Bibel die bedeutendsten Engel: Michael, Gabriel, Raphael; im Spätjudentum noch weitere (anerkannt nur Uriel). Fest: 29. 9. (Michaelistag).

Erzeugende, *Geometrie:* eine Gerade oder Kurve, die bei ihrer Bewegung eine Fläche erzeugt. Kegel und Zylinder lassen sich z. B. durch Geraden erzeugen.

Erzeugergemeinschaft, Zusammenschluss von landwirtsch. Betrieben mit dem Zweck, Erzeugung und Absatz den Erfordernissen des Marktes anzupassen. Nach Anerkennung durch die zuständigen Behörden ist staatl. Förderung möglich.

Erzgebirge, 1) (tschech. Krušné hory) Mittelgebirge am NW-Rand des Böhm. Beckens, über dessen Kamm die dt.-tschech. Grenze verläuft; erstreckt sich vom Elster- bis zum Elbsandsteingebirge in SW-NO-Richtung, etwa 130 km lang, rd. 35 km breit. Es ist eine im Tertiär gehobene Pultscholle, die nach SO steil zum Tal der Eger abfällt. Höchste Erhebungen sind auf dt. Seite der Fichtelberg (1214 m ü. M.), auf tschech. Seite der Keilberg (1244 m ü. M.). Das E. wird aus kristallinen, hoch metamorphen und magmat. Gesteinen des Paläozoikums aufgebaut. Im O und in der Mitte sind es bes. Gneise und Granite, im W und N Phyllite und Glimmerschiefer; tertiäre Basalte bilden im SO Härtlinge (Bärenstein, Pöhlberg, Scheibenberg, Geising). Die Entstehung der weit verteilten Erzlagerstätten hängt mit der Bildung der Tiefengesteine und paläovulkan. Ergüssen zusammen. Das Klima ist in den Höhenlagen rau und niederschlagsreich mit kräftigen Winden; dort kommen noch Fichtenwälder vor (durch Schadstoffimmissionen aus den tschech. Braunkohlenkraftwerken und Industriebetrieben stark geschädigt).

Erzgebirge 1)

1

2

1 Landschaft bei Oberwiesenthal mit Blick auf den Fichtelberg
2 Geising im Osterzgebirge

Die Besiedlung begann erst im 12. Jh. (Waldhufendörfer); heute ist es dicht besiedelt. 1163 wurde in Freiberg Silbererz gefunden, das zunächst durch Harzer Bergleute gefördert wurde; die Blüte des Bergbaus im 15./16. Jh. begründete verbunden mit Hammerwerken den damaligen Reichtum Sachsens (Silber-, Blei-, Zinn-, Kobalt-, Eisenerze) und führte zum heutigen Namen des Gebirges. Im Lauf des 17. Jh. erlosch der Bergbau allmählich; im O-E. kam ab 1750 (Zentrum: Seiffen) eine bed. Holzwaren- (Weihnachtsfiguren) und Spielzeugherstellung auf, in Glashütte entstanden seit 1845 Betriebe der Uhrenindustrie. Nach 1945 gewann der Abbau von Uranerzen im westl. E. an Bedeutung; seit etwa 1958 verlagerte er sich nach O-Thüringen. Wirtschaftliche Bedeutung haben heute Papier- und Zellstoffherstellung sowie sonstige Holzverarbeitung (einschließlich Schnitzerei

Erzherzog: Erzherzogshut als Rangzeichen der Erzherzöge aus dem Hause Habsburg

und Drechslerei), Textil- und Metallwarenind., Kartoffelanbau, Fremdenverkehr (Radiumbäder, Thermalquellen, Wintersport) und Spitzenklöppelei.

📖 *Erzgebirgs-Lexikon, hg. v.* M. BLECHSCHMIDT *u.* K. WALTHER. *Mit Fotos v.* C. GEORGI. *Chemnitz 1991. – Bergbaukultur im E. Grundzüge u. Auswirkungen, hg. v.* G. HEILFURTH. *Dresden 1995.*

2) →Siebenbürger Erzgebirge.

3) →Slowakisches Erzgebirge.

Erzherzog (mlat. Archidux), 1453–1918 reichsrechtlich verbindl. Titel der Prinzen des österr. Hauses Habsburg.

Erzieher, Beruf für Frauen und Männer mit zweijähriger Ausbildungszeit und einem Jahr Anerkennungspraktikum; umfasst die Tätigkeiten der früheren Berufe Kindergärtnerin und Heimerzieher. E. betreuen Kinder und Jugendliche in Kindergärten, Tagesstätten, Heimen, Einrichtungen für Behinderte u.a.

*»***Erziehung** *ist organisierte Verteidigung der Erwachsenen gegen die Jugend.«*

Mark Twain

Erziehung, Unterstützung und Förderung des heranwachsenden Menschen, die ihn in seiner geistigen und charakterl. Entwicklung befähigen soll, sich sozial zu verhalten und als selbstständiger Mensch eigenverantwortlich zu handeln. Der zu Erziehende soll die Verhaltenserwartungen (d.h. Normen oder E.-Ziele) seiner sozialen Umwelt kennen, beurteilen, gegebenenfalls als begründet anerkennen und erfüllen lernen. Erzwungene Anpassung führt zu Autoritätsgebundenheit oder blinder Protesthaltung. E. in modernem Verständnis meint einfühlende Begleitung.

📖 SCHUBERTH, E.: *E. in einer Computergesellschaft. Stuttgart 1990.* – JASCHKE, H.: *Grenzen finden in der E. Über die schwierige Kunst, sich auseinanderzusetzen. Mainz 1992. – Bildung u. E. an der Schwelle zum dritten Jahrtausend, hg. v.* N. SEIBERT *u.* H. J. SERVE. *München 1994.*

Erziehungsbeistandschaft, Unterstützung des Personensorgeberechtigten (→elterliche Sorge) bei der Erziehung eines Kindes oder Jugendlichen durch einen Erziehungsbeistand bei der Bewältigung von Entwicklungsproblemen (§30 SGB VIII., →Kinder- und Jugendhilfe). Ist der Jugendliche straffällig geworden, kann E. als →Erziehungsmaßregel durch das Jugendgericht angeordnet werden (§12 Jugendgerichtsgesetz).

Erziehungsberatung, die beratende und tätige Unterstützung von Erziehern (Eltern, Lehrern u.a.) sowie Kindern und Jugendlichen bei Schwierigkeiten und Problemen, die sich im Rahmen der Erziehung ergeben. Die institutionelle E. wird von eigens eingerichteten E.-Stellen ausgeübt, in denen mehrere, meist hauptamtl. Erziehungsberater in einer Arbeitsgruppe zusammenarbeiten (Ärzte, Psychologen, Pädagogen und Sozialarbeiter). Die rechtl. Grundlage der E. bildet §28 SGB VIII.

Erziehungsberechtigter, *Recht:* derjenige, der Rechte und Pflichten der →elterlichen Sorge ausübt (→Vormundschaft).

Erziehungsgeld, durch das Gesetz über die Gewährung von E. und Erziehungsurlaub (Bundeserziehungsgeld-Ges., BErzGG) 1986 eingeführter finanzieller Anspruch für Mütter oder wahlweise Väter, die nicht oder nur teilweise erwerbstätig sind und sich der Betreuung und Erziehung ihres neugeborenen Kindes widmen. Im Ggs. zum Mutterschaftsgeld, das nur Mütter erhalten, die vor der Geburt ihres Kindes in einem Arbeitsverhältnis standen, steht E. allen Müttern oder Vätern zu. E. wird von der Geburt bis zur Vollendung des 18. Lebensmonats (bei nach dem 31. 12. 1992 geborenen Kindern bis zur Vollendung des 24. Lebensmonats) gewährt, anfänglich 600 DM monatlich, ab dem 7. Lebensmonat einkommensabhängig. (→Erziehungsurlaub)

Erziehungshilfe, Anspruch des Personensorgeberechtigten (→elterliche Sorge) auf Hilfe bei der Erziehung eines Kindes oder Jugendlichen, wenn eine dem Wohl des Kindes oder Jugendlichen entsprechende Erziehung nicht gewährleistet ist und die Hilfe für seine Entwicklung geeignet und notwendig ist. E. wird z.B. durch Erziehungsberatung, soziale Gruppenarbeit, Erziehung in einer Tagesgruppe, Vollzeitpflege, Heimerziehung oder Krankenhilfe geleistet (§§ 2 ff. SGB VIII, →Kinder- und Jugendhilfe).

Erziehungsmaßregeln, Erziehungsmittel, die vom Vormundschafts- oder vom Jugendgericht angeordnet werden können, wenn die Eltern ihr Sorgerecht missbrauchen, das Kind vernachlässigen oder ein Jugendlicher straffällig geworden ist. E. sind Weisungen, die Erziehungsbeistandschaft, Heimerziehung oder Erziehung in einer sonstigen betreuten Wohnform (§§ 1666 ff. BGB, 9 Jugendgerichtsgesetz).

Erziehungsregister, →Bundeszentralregister.

Erziehungsurlaub, 1986 zus. mit dem →Erziehungsgeld eingeführter, befristeter Freistellungsanspruch. Anspruch auf E. haben Arbeitnehmerinnen oder Arbeitnehmer für ein nach dem 31. 12. 1991 geborenes Kind (bis zur Vollendung des dritten Lebensjahres), für das ihnen das elterl. Sorgerecht zusteht und das sie selbst betreuen und erziehen. Voraussetzung ist u.a., dass der andere Elternteil erwerbstätig, arbeitslos oder in einer Ausbildung ist. Die Eltern können sich bei der Inanspruchnahme des E. dreimal abwechseln. Während des E. besteht im Regelfall Kündigungsschutz. Im E. besteht eine beitragsfreie Versicherung in der gesetzlichen Kranken- und Arbeitslosenversicherung. Erwerbstätigkeit während des E. ist bis zu max. 19 Stunden wöchentl. Arbeitszeit möglich.

🕮 MEISEL, P. G. *u.* SOWKA, H.-H.: *Mutterschutz u. E. München* [4]*1995.*

Erziehungswissenschaft, Teilbereich der Pädagogik, der sich mit der Erforschung der mit Erziehung und Bildung zusammenhängenden Prozesse, Institutionen und deren historisch-gesellschaftl. Kontext beschäftigt.

Erzincan ['ɛrzindʒan], Hptst. der Provinz E., in Ostanatolien, Türkei, am Karasu, dem rechten Quellfluss des Euphrat, 1200 m ü. M., 90800 Ew.; Verarbeitung landwirtsch. Produkte, Textilindustrie. – E. wurde mehrfach (zuletzt 1991) von starken Erdbeben heimgesucht (1939 völlig zerstört).

Erzlagerstätten, natürl. und abbauwürdige Anreicherungen von Erzen in der Erdkruste; für die Abbauwürdigkeit sind die Erzkonzentration (z. B. bei Eisen mindestens 25 %, bei Gold 0,001 %) sowie techn. und wirtsch. Faktoren ausschlaggebend. Die Bildung (Genese) der Erzvorkommen entspricht i. Allg. der der Gesteine, d. h., es werden **magmat., sedimentäre** und **metamorphe E.** unterschieden.

Die Lagerstätten der magmat. Abfolge hängen eng mit den Vorgängen bei der Erstarrung des Magmas zusammen. **Liquidmagmat. E.** entstehen während der Frühkristallisation zugleich mit bas. und ultrabas. Gesteinen. An Erzen treten auf: Nickelmagnet- und Kupferkies, Titanomagnetit, Ilmenit, Chromit, oft mit hohem Platin- und Palladiumgehalt. Während der Hauptkristallisation der Tiefengesteine findet keine Erzbildung statt; sie setzt erst wieder mit der Restkristallisation ein. Elemente mit sehr großen oder sehr kleinen Ionenradien (z. B. Lithium, Beryllium, Niob, Tantal) reichern sich in der pegmatit. Phase an **(pegmatit. E.)**; in der anschließenden pneumatolyt. Phase, bei der es auch zu starken Umwandlungen des Nebengesteins kommt, bilden sich als **pneumatolyt. E.** u. a. Lagerstätten von Zinn-, Wolfram-, Molybdän-, Kupfer-, Eisen- und Zinkerz. In der hydrothermalen Phase bei 400 °C und weniger entstehen **hydrothermale E.,** und zwar je nach Temperaturbereich E. von Gold, Eisen, Kupfer, Arsen, Blei, Zink, Silber, Kobalt, Nickel, Chrom, Wismut und Zinn. – In der vulkan. Phase der magmat. Abfolge treten u. a. Lagerstätten von Schwefel, Bor, Eisen- und Manganerz auf, in den submarinen heißen Erzschlämmen Anreicherungen von Eisen, Mangan, Zink und Kupfer. Auch die an submarinen Plattengrenzen (Zentralgräben) wie im Roten Meer austretenden heißen Lösungen (Hotbrines) gehören hierher. Sie bilden **Erzschlämme** mit einem Buntmetallgehalt bis über 10 %.

Nach Bildungsort und -vorgang werden die **sedimentären E.** unterschieden. So entstehen **festländische Verwitterungslagerstätten** u. a. durch chem. Umlagerungen (→ Oxidationszone), aus chem. Rückständen der Verwitterung (Bauxit, Laterit), durch die Wirkung von Verwitterungslösungen als Erzanreicherungen aus erzarmen Lagerstätten oder schwach erzführenden Gesteinen sowie aus Rückständen der mechan. Verwitterung. **Seifen- und Trümmerlagerstätten** können sich aufgrund mechan. Anreicherung wie fluviatile Gold- und Zinnseifen oder marinlitorale Titanit-, Zirkon- und Magnetitsande bilden. In Binnengewässern und Meeren kommt es zur chemischen Ausfällung von → Raseneisenerz, von oolithischen Eisen- und Manganerzen, von sulfidischen Erzen (→ Kupferschiefer), im Tiefseebereich von → Manganknollen.

Bei den durch Druck- und Temperaturerhöhung geprägten **metamorphen E.** handelt es sich meist um bereits vorhandene Lagerstätten, bei denen es durch Umbildung und/oder Stoffzufuhr zur Anreicherung der Erze kommen kann. Daneben gibt es erst durch Metamorphose gebildete E., wie einige Uranerzlagerstätten.

🕮 EVANS, A. M.: *Erzlagerstättenkunde. A. d. Engl. Stuttgart 1992.* – CLEMENT, M.: *Tausend Jahre Metallerzbergbau in Mitteleuropa. Essen 1996.*

Erzlaute, eine Art der → Laute.

Erzschlämme, → Erzlagerstätten.

Erzurum: Blick (von der Zitadelle aus gesehen) auf die Stadt; links die Çifte-Minare-Medrese in seldschukischem Stil (nach 1291, heute Museum)

Erzurum [-z-], Hptst. der Provinz E. in O-Anatolien, Türkei, 1950 m ü. M., am Karasu, dem rechten Quellfluss des Euphrat, 241300 Ew.; Univ.; Nahrungsmittelind., Maschinenbau; Verkehrsknotenpunkt. – Auf einer Anhöhe liegt die Zitadelle (im 5. Jh. angelegt); Moscheen und Medresen aus seldschuk. und osman. Zeit – E. beherrschte in strategisch wichtiger Lage die Straßen zw. Kleinasien und Iran; seit 1517 türkisch.

Erzväter, die Patriarchen (→ Patriarch).

Erzwespen (Chalcidoidea), 0,2–16 mm lange Hautflügler, deren Larven in anderen Insekten schmarotzen.

es, *Musik:* das um einen Halbton erniedrigte e (e mit ♭).

Es, chem. Symbol für →Einsteinium.

Es, in der Tiefenpsychologie das Unbewusste, der Bereich der psych. Antriebe, der der bewussten Kontrolle entzogen ist, in dem – nach Freud – das Lustprinzip regiert.

📖 FREUD, S. *u.* GRODDECK, G.: *Briefe über das Es, hg. v.* M. HONEGGER. *Lizenzausg. Frankfurt am Main 1988.*

E. S. (Meister E. S.), Kupferstecher mit Namenszeichen E. S., tätig zwischen 1450 und 1467 am Oberrhein oder in der N-Schweiz. Es sind drei Zeichnungen und mehr als 300 sorgfältig durchgearbeitete Kupferstiche bekannt (18 davon mit der Jahreszahl 1466 oder 1467), die eine unmittelbare Vorstufe zum Werk M. Schongauers bilden. Da seine Stiche in allen Werkstätten als Vorlagen benutzt wurden, haben sie stark stilbildend gewirkt.

Meister E. S.: »Madonna mit dem Rosen spendenden Engel«; Kupferstich (um 1445–50)

Leo Esaki

ESA, Abk. für engl. **E**uropean **S**pace **A**gency (Europ. Weltraumagentur), 1975 aus den Organisationen ELDO (Organisation zur Entwicklung europ. Trägerraketen) und ESRO (Europ. Organisation für Weltraumforschung) hervorgegangene europ. Raumfahrtbehörde, Sitz Paris; dient der Koordinierung, Durchführung und Unterstützung europ. Projekte zur friedl. Erforschung und Nutzung des Weltraums. Außenzentren der ESA sind ESTEC (Europ. Zentrum für Weltraumforschung und -technologie, Niederlande), ESOC (Europ. Operationszentrum für Weltraumforschung, Dtl.), ESRIN (Europ. Weltraumforschungs-Institut, u. a. Dokumentationszentrum, Italien) und EAC (Europ. Astronautenzentrum, Dtl.). Größere aktuelle Programme der ESA sind →Ariane, ERS (Fernerkundungssatelliten) und Hubble-Weltraumteleskop.

Esaki, Leo, japan. Physiker, *Ōsaka 12. 3. 1925; wies das Auftreten des Tunneleffekts beim Durchgang von Elektronen durch extrem dünne pn-Übergänge zw. unterschiedlich dotierten Halbleitern nach und entwickelte die →Tunneldiode **(E.-Diode);** erhielt hierfür 1973 mit I. Giaever und B. D. Josephson den Nobelpreis für Physik.

Esau [hebr. »der Behaarte«] (Edom), Sohn Isaaks und Rebekkas, älterer Zwillingsbruder Jakobs, von diesem um das Recht seiner Erstgeburt gebracht (1. Mos. 25, 29 ff.); legendärer Stammvater der Edomiter.

Esbjerg [ˈɛsbjɛr], Stadt an der W-Küste Jütlands, Dänemark, 82 600 Ew.; Konservatorium, Fischerei-, Seemannsschule; Werft, Maschinenbau; Treibhausgärtnereien und Pelztierfarmen im Umland. E. ist der größte dän. Fischereihafen (mit Fischverarbeitung); Fährverbindung nach Großbritannien und zur Insel Fanø.

Esbjerg: Teil des Fischereihafens

Esbo, schwed. Name der finn. Stadt →Espoo.

ESCA, Abk. für engl. **E**lectron **S**pectroscopy for **C**hemical **A**nalysis (Röntgen-Photoelektronenspektroskopie), Verfahren zur Untersuchung der elektr. und opt. Eigenschaften von Festkörpern, insbesondere der Bindungszustände von Atomen bzw. Molekülen. Die Probe wird mit Photonen (ultraviolettes Licht oder Röntgenstrahlung) bestrahlt; das Energiespektrum der infolge des äußeren Photoeffekts losgelösten Elektronen (Photoelektronen) wird untersucht.

Esch an der Alzette [-al'zɛt] (frz. Esch-sur-Alzette), Kantonshptst. in Luxemburg, nahe der Grenze zu Frankreich, 24000 Ew.; Mittelpunkt eines Bergbau- und Eisenindustriegebiets (der Abbau von Minette-Eisenerzen wurde 1980 eingestellt); chem. Industrie.

Es|chatologie [zu grch. éschata »letzte Dinge«], Lehre von den letzten Dingen; in versch. prophet. Religionen die Lehre von einem neuen Zustand der Welt nach Weltgericht und Weltende: als messian. Reich (Judentum), Gottesreich (Christentum) oder Paradies (Islam). – In der christl. Theologie beschreibt die E. die Vollendung des Einzelnen und der ganzen Schöpfung (Auferstehung der Toten, Jüngstes Gericht, Weltende).

📖 Taubes, J.: *Abendländ. E. München 1991.* – Hendriksen, W.: *Das Jenseits. Grundriß der bibl. Lehre von den letzten Dingen. A. d. Amerikan. Marburg 1992.*

Esche (Fraxinus), Gattung der Ölbaumgewächse, rd. 60 Arten mit gegenständigen, meist unpaarig gefiederten Blättern, die Blüten erscheinen vor dem Laubaustrieb, Früchte geflügelt. Die **Gemeine E.** (Fraxinus excelsior), ein bis 40 m hoher Baum, wächst meist in feuchten Niederungen; hat anfangs grünlich graue, glatte, später rissige Borke. Das Holz eignet sich gut für Drechslerarbeiten. In S-Europa und Kleinasien (in Dtl. als Zierbaum) ist die **Manna-E.** (**Blumen-E.,** Fraxinus ornus) heimisch; bis 8 m hoch mit weißen, duftenden Blüten; der erhärtende Saft (»Manna«) enthält das → Mannit.

Esche, Eberhard, Schauspieler, *Leipzig 25. 10. 1933; seit 1961 am Dt. Theater Berlin; wirkte auch in Filmen mit (»Der geteilte Himmel«, 1964; »Spur der Steine«, 1965) und produzierte später für das Fernsehen (»Sachsens Glanz und Preußens Gloria«, 1985; »Märk. Forschungen«, 1981; »Novalis – die blaue Blume«, 1993).

Eschenbach, 1) Christoph, eigtl. C. Ringmann, Pianist und Dirigent, *Breslau 20. 2. 1940; war 1979–83 Chefdirigent der Staatsphilharmonie Rheinl.-Pf. in Ludwigshafen am Rhein, 1982–86 des Tonhalle-Orchesters in Zürich; seit 1988 leitet er das Houston Symphony Orchestra.

2) → Wolfram von Eschenbach.

Eschenbach i. d. OPf., Stadt im Landkr. Neustadt a. d. Waldnaab, Bayern, 3700 Ew.; Messinstrumenten- und Ofenbau, Möbelfabrik; nahebei das 1145 gegr. Prämonstratenserkloster **Speinshart.**

Eschenburg, 1) Johann Joachim, Literarhistoriker, *Hamburg 7. 12. 1743, †Braunschweig 29. 2. 1820; schuf die erste vollständige Übertragung (in Prosa) von Shakespeares Schauspielen ins Deutsche (13 Bde., 1775–82).

2) Theodor, Politikwissenschaftler, *Kiel 24. 10. 1904; seit 1952 Prof. in Tübingen, befasste sich v. a. mit dem polit. System und der Verwaltung der Bundesrep. Deutschland.

Werke: Herrschaft der Verbände? (1955); Zur polit. Praxis in der Bundesrep. Dtl. (3 Bde., 1961–72); Gesch. der Bundesrep. Dtl. (1983); Spielregeln der Politik (1987).

Escher, 1) Alfred, schweizer. Politiker, *Zürich 20. 2. 1819, †ebd. 6. 12. 1882; in den 1850er- und 1870er-Jahren einflussreiches Mitgl. der Bundesversammlung; Mitgründer des Eidgenöss. Polytechnikums und der Gotthardbahn. Seine Stellung wurde 1867 durch den Sieg der Demokraten über das »Eschersche System« gebrochen.

2) Alfred Martin, schweizer. Diplomat, *Zürich 23. 3. 1906, †Zollikon 14. 2. 1980; organisierte 1948–50 das Flüchtlingshilfswerk in Palästina. 1954–55 war er Mitgl. der Überwachungskommission für den Waffenstillstand in Korea, 1972–73 Sonderbeauftragter der UNO für Namibia.

3) ['ɛsər], Maurits Cornelis, niederländ. Grafiker, *Leeuwarden 17. 6. 1898, †Hilversum 27. 3. 1972; schuf ab 1937, meist in Holzschnitten, Holzstichen und Lithographien, mathematisch durchdachte »Gedankenbilder« mit suggestiver Wirkung, indem er versch. Beobachtungsebenen in einer einzigen Raumperspektive vereinte, oft als endlose Muster, die sich aus regelmäßigen Wiederholungen geometr. Grundfiguren zusammensetzen.

📖 Hofstadter, D. R.: *Gödel, E., Bach. Ein endloses geflochtenes Band. A. d. Amerikan. Stuttgart [14]1995.*

Christoph Eschenbach

Theodor Eschenburg

Maurits Cornelis Escher: Relativität; Lithographie (1953; Privatbesitz)

Eschwege: Fachwerkhäuser an der Werra, im Hintergrund das Landgrafenschloss (1386, neu gestaltet im 16.–18. Jh.)

Escherich, Georg, Politiker, *Schwandorf 4. 1. 1870, †Isen (Kr. Erding) 26. 8. 1941; organisierte 1919 während der Unruhen in Bayern (in der Zeit der Räterepublik) Wehrverbände (»Organisation E.«, Abk. »Orgesch«), die in ganz Dtl. und Österreich bis 1921 bestanden.

Levi Eschkol

Eschkol, Levi, israel. Politiker, *Oratowo (bei Kiew) 25. 10. 1895, †Jerusalem 26. 2. 1969; beteiligte sich an der Gründung von Degania, einem der ersten Kibbuzim. Er war Mitbegründer der Gewerkschaftsorganisation Histadrut und der sozialist. Mapai (-Partei). Nach der Gründung des Staates Israel (1948) war er 1951–63 Finanzmin. und 1963–69 MinPräs. seines Landes.

Eschnunna (Ischnuna, Aschnun), altoriental. Stadt, heute der Ruinenhügel **Tell Asmar,** etwa 35 km nordöstlich von Bagdad; Ausgrabungen (1930–38, 1942) erschlossen die Stadtentwicklung seit Beginn des 3. Jt. v. Chr.; freigelegt wurde ein Tempel (dabei Fund von 12 Beterstatuetten) sowie ein Palast der altbabylon. Dynastie von E. (etwa 1960–1695 v. Chr.). Die Rechtssammlung von E. (18. Jh. v. Chr.), ein Keilschriftarchiv, wurde nahebei in einem Ruinenhügel gefunden.

Escorial: Anlage der Klosterresidenz San Lorenzo el Real de El Escorial von Juan Bautista de Toledo und Juan de Herrera (1563–84)

Eschscholtzia [nach dem Naturforscher J. F. Eschscholtz, *1793, †1831] (Goldmohn), Gattung der Mohngewächse im westl. Nordamerika; Kräuter mit einzeln stehenden, gelben bis orangegelben Blüten; E. californica ist eine beliebte Gartenzierpflanze.

Eschwege, Krst. des Werra-Meißner-Kreises, Hessen, an der Werra, 22 600 Ew.; Textil-, Holz-, Elektrogeräte-, chemisch-pharmazeut. Ind. und Maschinenbau. – Maler. Stadtbild mit Schloss (1386, im 16.–18. Jh. umgebaut), ehem. Hochzeitshaus (1578), Altem Rathaus (1660) und Neuem Rathaus (1842–43), zahlr. Fachwerkhäusern des 17./18. Jh. mit typischer Flachschnitzerei. – 974 erstmals als Königshof erwähnt, erhielt 1326 Stadtrechte; alter Tuchmachersitz.

Eschweiler, Stadt im Kr. Aachen, NRW, am Ostrand des Aachener Bergbaureviers, 54 500 Ew.; Großkraftwerk, Eisen- und Stahlerzeugung, Maschinen- und Apparatebau, Kunststoffind.; nahebei Braunkohlentagebau (bis 1944 Abbau von Steinkohle). – Stadt seit 1858.

Escompte [ɛsˈkɔ̃t, frz.] *die,* Bez. für Diskont, bes. in Österreich.

Escorial, El, eigtl. San Lorenzo el Real de El E., Klosterresidenz etwa 60 km nordwestlich von Madrid (im Ort El E., 8 100 Ew.), die Philipp II. von Spanien nach Entwürfen von Juan Bautista de Toledo und Juan de Herrera 1563–84 errichten ließ. Seit Karl V. Grabstätte der span. Könige. Das größte Renaissancebauwerk der Erde, eine streng regelmäßige Anlage von 207×162 m aus Granitquadern, wird durch eine monumentale Fassade gegliedert und umschließt rd. 400 Räume, 16 Innenhöfe, 15 Kreuzgänge und die Basilika (1575 ff.), einen Zentralbau nach dem Vorbild der Peterskirche in Rom. Der E. besitzt eine wertvolle Bibliothek (ca. 130 000 Bde.), eine kostbare Handschriftensammlung sowie Gemälde- und Gobelinsammlungen. Die UNESCO erklärte die Anlage zum Weltkulturerbe.

Escudo [portugies. -ˈkuðu; span.-portugies., von lat. scutum »Schild«] *der,* urspr. Bez. für span., portugies. und südamerikan. Goldmünzen. In Spanien war 1864–68 der halbe Silberpeso als E. die Hauptmünze. Heute ist der E. Währungseinheit in Portugal, 1 E. (Esc) = 100 Centavos sowie als Kap-Verde-E. in Kap Verde, 1 KEsc = 100 Centavos. (→ Währung, ÜBERSICHT)

ESCWA, Abk. für engl. **E**conomic and **S**ocial **C**ommission for **W**estern **A**sia, regionale Wirtschaftskommission des Wirtschafts- und Sozialrats der Vereinten Nationen, 1985 durch Umbenennung der Economic Commission for Western Asia (ECWA) entstanden, Sitz Amman.

Esel [lat. asinus (asellus) »Esel«] (Afrikanischer Wildesel, Equus asinus), zur Familie der Pferde gehörender, 1,4 m schulterhoher Unpaarhufer mit schmalen, hohen Hufen, langen Ohren und Quastenschwanz in Afrika; bis auf die Unterart **Somali-Wild-E.** (Equus asinus somalicus) wahrscheinlich ausgerottet. Der vom **Nubischen Wild-E.** abstammende **Haus-E.** ist ein genügsames Lasttier; kann mit Pferden gekreuzt werden.

Esel: Nubischer Wildesel mit Jungtier

Eselsrücken (Kielbogen), ein kielförmig geschweifter Spitzbogen, v.a. in der islam. Kunst, auch in der Spätgotik.

Eselsrücken

Esens, Stadt im Kr. Wittmund, Ndsachs., Ostfriesland, 6600 Ew.; Zentrum des Harlinger Landes; Holographiemuseum; der Ortsteil **Bensersiel** ist Nordseebad und hat Fährverbindung zur Insel Langeoog.

Eserin, das Alkaloid → Physostigmin.

Eskadron [frz.] *die,* Einheit der berittenen oder motorisierten Kavallerie; entspricht der Kompanie bzw. Batterie; bei der dt. Wehrmacht 1935–45 Schwadron.

Eskalation [engl.] *die,* ein aus dem angloamerikan. Sprachgebrauch stammender Begriff; bezeichnet i.w.S. die stufenweise Steigerung politisch-militär. Druckmittel oder von Gewalttätigkeit und Terror zur Durchsetzung meist polit. Ziele; i.e.S. bezeichnet er den Übergang eines internat. Konflikts in einen höheren Intensitätsgrad durch sich wechselseitig verschärfende Aktionen und Reaktionen. Im Ggs. zu E. umschreibt der Begriff **Deeskalation** Verfahren zur Begrenzung oder Verminderung derartiger Krisen.

Eskilstuna [-stu:na], Stadt in Schweden, südlich des Mälarsees, 89600 Ew.; Hauptsitz der schwed. Kleineisenind. mit zahlr. Spezialerzeugnissen.

Eskimo [indian. »Rohfleischesser«] *der* (eigener, in Kanada offizieller Name Inuit [»Menschen«], in Sibirien und W-Alaska Yuit, in Grönland Kalaalit), eine über die gesamte nordamerikan. Arktis (von Alaska bis Grönland) und NO-Sibirien verbreitete mongolide Volksgruppe mit etwa 100000 Angehörigen mit einheitl. Sprache (→ Eskimo-Aleutisch). Die E. lebten einst verstreut in Lokalgruppen, heute meist in größeren Siedlungen. Die im Wesentlichen einheitl. traditionelle Kultur war dem arkt. Milieu hervorragend angepasst und hatte zahlr. Geräte und Techniken hervorgebracht: Kajak, Tranlampe, Iglu, Anorak, Schlitten u.a.; im religiösen Bereich war der Schamanismus ausgeprägt (→ Schamane). In Alaska zeigten sich stärkere Einflüsse aus den indian. Küstenkulturen mit erbl. Häuptlingstum, hierarch. Gesellschaft und Maskenwesen. Die meisten E. lebten an der Küste von der Robbenjagd und vom Fischfang. Ende des 19. Jh. wurde in Alaska und NW-Kanada die Rentierzucht eingeführt; in Grönland wurde eine Fischfangind. aufgebaut, Viehzucht und Ackerbau eingeführt. Die Isolation der Arktis wurde während und nach dem 2. Weltkrieg durch Militärbasen, meteorolog. und Radiostationen, Prospektion und Ausbeutung von Bodenschätzen aufgebrochen; die E. wurden gezwungen, sich in einer sich verändernden Umwelt neue Lebensgrundlagen zu schaffen. KARTE S. 178

📖 ÖLSCHLEGER, H.-D.: *Indianer u. E.* Bonn *1990.*

Eskimo-Aleutisch, in Kanada, Alaska, Grönland (dort Amtssprache) und Sibirien verbreitete Sprachfamilie; die Verwandtschaft des Aleutischen mit dem Eskimoischen ist erst seit 1951 wiss. be-

Eskimo aus Grönland; die Harpune wurde früher für die Robbenjagd verwendet

legt. Die wenig erforschten Aleutsprachen sind im Aussterben begriffen. Die Eskimosprachen gehören zum agglutinierenden Sprachtyp und sind synthetisch. Die sibir. Eskimo erhielten in den 1930er-Jahren eine eigene Rechtschreibung. In S-Alaska wurden um 1900 lokale Schriftsysteme entwickelt; in N-Alaska bildete sich die sog. Iñupiat-Rechtschreibung heraus (beide auf der Grundlage des lat. Alphabets). In Grönland entwickelte sich eine eskimoische (grönländ.) Literatur.

Eskimo

Ẹskimorolle (Kenterrolle), von den Eskimos erfundene Technik, um das Kajak nach einer Kenterung mit einem speziellen Paddelzug wieder aufzurichten, ohne es verlassen zu müssen.

Eskịşehir [ɛsˈkiʃɛhir], Hptst. der Prov. E., Türkei, im nordwestl. Inneranatolien, 413 300 Ew.; Univ.; Eisenbahnwerkstätten, Baustoff-, Textilind., Maschinenbau; bei E. Meerschaumgruben. – Ruinen der antiken phryg. Stadt Dorylaeum.

Eskọrte [frz.] *die,* Geleit für Personen und Sachen, Begleitmannschaft.

Friedrich von Esmarch

Ẹsmarch, Friedrich von, Chirurg, *Tönning 9. 1. 1823, †Kiel 23. 2. 1908; bed. Arbeiten über Kriegs- und Unfallchirurgie; wurde v. a. durch das Verfahren der künstl. Blutleere **(E.-Blutleere)** durch Abbinden bekannt.

Esmerạldas, Provinz-Hptst. in N-Ecuador, 98 600 Ew.; Endpunkt einer transandinen Erdölleitung, Erdölraffinerie; Erdölausfuhrhafen.

ESO, → Europäische Südsternwarte.

esotẹrisch [grch. »nach innen zu«], nur für einen ausgesuchten Kreis bes. Begabter oder Würdiger (»Eingeweihter«) bestimmt; urspr. für mündlich tradierte Philosophie gebraucht. In der Neuzeit wurde der Begriff **Esoterik** auf Geheimlehren (oft mit astrolog., okkultist. und religiösen Elementen) übertragen.

📖 BOGUN, W. *u.* STRAET, N.: *Lexikon der Esoterik. Köln 1997.*

ESP, Abk. für **E**lektronisches **S**tabilitäts**p**rogramm (engl. electronic stability program), *Fahrzeugtechnik:* Fahrdynamikregelung, die neben der Längsdynamik auch die Querdynamik eines Fahrzeuges betrachtet. Neben den herkömml. Brems- und Radschlupfregelsystemen (ABS, EBV, EDS, ASR) beinhaltet EPS als wesentl. Funktionsmodul einen Giermomentenregler. Aufgrund einer Vielzahl von Daten verschiedener Sensoren (z. B. Giergeschwindigkeits-, Lenkwinkel-, Querbeschleunigungssensor) wird die Notwendigkeit eines gezielten Bremseingriffes an einem Rad berechnet und durchgeführt.

España [esˈpaɲa, span.], → Spanien.

Esparsẹtte [-ˈzɛt, frz.] *die* (Onobrychis), Gattung der Schmetterlingsblütler; in Mitteleuropa auf trockenen Kalkböden häufig als Kulturpflanze die **Saat-E.** oder **Futter-E.** (Onobrychis viciifolia), bis 1 m hoch mit rosaroten Blüten; Futterpflanze.

Espạrto [span.] *der,* die trockenen, zähen Halme und Blätter 1) des **E.-Grases** (Stipa tenacissima) der Steppengebiete am westl. Mittelmeer, 2) vom Gras **Lygeum spartum,** das als Begleiter von Stipa tenacissima wächst, 3) vom schilfähnl. **Rebenrohr** (Ampelodesma tenax). Alle drei dienen als Flechtstoff und Papierrohstoff (→ Alfa).

Espe, anderer Name der Zitterpappel, → Pappel.

Espelẹtia, Korbblütlergattung; Charakterpflanzen der Hochanden mit wolligem Blattschopf.

Ẹspelkamp, Stadt im Kr. Minden-Lübbecke, NRW, 27 100 Ew.; elektrotechn., Maschinenbau-, Möbel- u. a. Industrie. – 1949 planmäßig als Siedlung für Vertriebene gegründet.

Ẹspenhain, Ind.gemeinde im Kreis Leipziger Land, Sachsen, 2 200 Ew.; Braunkohlentagebau, Brikettfabrik, Braunkohlenveredelung, Großkraftwerk.

Esperạnto *das,* eine von dem poln. Arzt L. Zamenhof 1887 geschaffene → Welthilfssprache. E. hat 16 grammat. Grundregeln, der Lautbestand umfasst 28 Buchstaben, der Wortschatz (rd. 80 000 Wörter) entstammt v. a. roman. Sprachen und dem Englischen.

Espịna y Tagle [-i ˈtaɣle], Concha, eigtl. Concepción Espina de la Serna, span. Schriftstellerin, *Santander 15. 4. 1879, †Madrid 19. 5. 1955; schrieb viel gelesene realist. Romane, u. a. »Die Sphinx der Maragatos« (1914), »Das Metall der Toten« (1920).

Espírito Santo [isˈpiritu ˈsantu], Bundesstaat in Brasilien, am Atlant. Ozean, 46 184 km², (1993) 2,7 Mio. Ew.; Hptst. ist Vitória. – Im fruchtbaren trop. Küstenland wird v. a. Kaffee angebaut, daneben Zuckerrohr, Reis, Baumwolle, Bananen, Zitrusfrüchte; der N ist Kakaoanbaugebiet. Die Wälder im Landesinnern sind durch Raubbau weitgehend zerstört.

Espịritu Sạnto, größte Insel der Neuen Hebriden, im SW-Pazifik, Vanuatu, 3 677 km², vulkan. Ursprungs, bis 1 879 m ü. M.; 12 000 Ew.; dicht bewaldet und fruchtbar; Landwirtschaft (Export von Kopra, Kaffee, Kakao), Rinderzucht und Thunfischfang.

Esplanade [frz.] *die,* freier Platz zw. der Kernumwallung einer älteren Festung und der vorgelagerten Zitadelle; Anlage, freier Platz.

Espoo (schwed. Esbo), Stadt in S-Finnland, in der Agglomeration Helsinki, 182600 Ew.; TH von Helsinki im Stadtteil Otaniemi.

Espresso [italien.] *der,* starker Kaffee nach italien. Art; wird in einer E.maschine zubereitet.

Esprit [ɛsˈpriː, frz.] *der,* Geist, Witz.

José Leonardo de Espronceda y Delgado (zeitgenössische Lithographie)

Espronceda y Delgado [esprɔnˈθeða i ðɛlˈɣaðo], José Leonardo de, span. Lyriker, *zw. Villafranca de los Barros und Almendralejo (Prov. Badajoz) 25. 3. 1808, †Madrid 23. 5. 1842; Neuromantiker, beeinflusst von Byron und den zeitgenöss. Freiheitsbewegungen.

Esq., Abk. für englisch →**Esquire.**

Esquilin, einer der sieben Hügel Roms.

Esquire [ɪsˈkwaɪə; engl., zu lat. scutarius »Schildträger«] *der,* Abk. **Esq.,** engl. Höflichkeitstitel; seit dem 16. Jh. für Angehörige der Gentry und Wappen führende Bürger; seit dem 19. Jh. allg. in der Briefanschrift verwendet (abgekürzt hinter dem Namen, ohne vorangehendes Mr.).

Esra [hebr. »Hilfe«] (Ezra, Vulgata: Esdras), bedeutendster jüd. Gesetzeslehrer und Reformer des 5./4. Jh. v. Chr.; entstammte dem babylon. Judentum; leitete die Rückkehr der Juden aus dem babylon. Exil und den Wiederaufbau des Tempels in Jerusalem; sein Wirken (nicht in allen Details histor. gesichert) wird im **Buch E.** als Teil des chronist. Geschichtswerkes des A. T. geschildert.

ESR-Datierung, auf der →Elektronenspinresonanz beruhendes Verfahren zur Altersbestimmung prähistor. Objekte von einigen tausend bis zu vielen hunderttausend Jahren. Durch die radioaktive Umgebungsstrahlung werden in der festen kristallinen Materie Defekte in der regulären Gitterstruktur erzeugt, deren Zahl ein Maß für das Alter der Probe ist. Im Ggs. zur Thermolumineszenzanalyse (→Thermolumineszenz) werden bei der ESR-D. die Defekte nicht ausgeheilt, sondern nur registriert.

Essaouira [ɛsaˈwira, frz.] (arab. As-Suweira, früher Mogador), Prov.-Hptst. in Marokko, Hafen und Seebad an der atlant. Küste, 42000 Ew.; Fischfang (Sardinen); Kunsttischlereien. – Reste der portugies., später von den Franzosen ausgebauten Festung.

Essay [ˈeseɪ; engl. »Versuch«] *der* oder *das,* Abhandlung, die einen Gegenstand auf besondere Weise erörtert: Der E. unterscheidet sich einerseits durch Stilbewusstsein und subjektive Formulierung von der objektiven, wiss. Abhandlung (der Übergang zu dieser ist jedoch fließend), andererseits durch breitere Anlage und gedankl. Anspruch vom journalist. Feuilleton. Als Schöpfer der Kunstform des E. gilt M. Eyquem de Montaigne; von ihm übernahm F. Bacon das Wort E. und benutzte es als Gattungsbezeichnung für seine – stärker von der Sache bestimmten – Aufsätze. Oft wird die Bezeichnung E. von Philosophen benutzt, um den Fragmentcharakter ihrer Abhandlungen zu betonen (B. Pascal, J. Locke, D. Hume, Voltaire). In Dtl. begann sich die Form des E. im 18. Jh. einzubürgern (G. E. Lessing, J. G. Herder, C. M. Wieland, G. Forster, G. C. Lichtenberg, Goethe, A. W. und F. Schlegel). Essayisten des 19. Jh. in England und den USA: C. Lamb, T. B. Macauley, J. Ruskin, W. H. Pater, R. W. Emerson, H. D. Thoreau; in Frankreich: H. F. R. de Lamennais, J. A. de Gobineau, A. Sainte-Beuve, H. Taine. In Dtl. übernahm erst H. Grimm (1859) die Bezeichnung E.; ihm folgten u. a. K. Hillebrand, F. Kürnberger; neuere deutschsprachige Essayisten sind S. Freud, G. Sim-

Essay: Die Geschichte des Essays beginnt bei Michel Eyquem de Montaigne, der den Begriff für das methodische Verfahren seiner 1580–95 erschienenen Reflexionen mit dem Titel »Essais« einführte, anonymes Gemälde (2. Hälfte des 16. Jh.; Chantilly, Musée Condé)

Essen: Aalto-Theater; das nach einem 1959 eingereichten Entwurf von Alvar Aalto ab 1983 erbaute Opernhaus wurde am 2. Oktober 1988 mit Richard Wagners »Meistersingern von Nürnberg« eröffnet

mel, K. Kraus, M. Weber, M. Heimann, A. Polgar, C. J. Burckhardt, E. und F. G. Jünger, R. Musil, M. Kommerell, M. Rychner, E. R. Curtius, H. von Hofmannsthal, R. Borchardt, T. Mann, J. Hofmiller, R. Kassner, G. Benn, G. Lukács, W. Benjamin, E. Bloch, T. W. Adorno u. a. Engl. Essayisten des 20. Jh.: H. Belloc, G. K. Chesterton, A. Huxley, T. S. Eliot; frz.: P. Valéry, P. Claudel, J.-P. Sartre, A. Camus, R. Barthes; span.: M. de Unamuno, J. Ortega y Gasset; italien.: A. Baldini, B. Croce, U. Eco; poln.: K. Brandys, L. Kołakowski u. a.

📖 Bachmann, D.: *E. u. Essayismus. Stuttgart u. a. 1969.* – Haas, G.: *E. Stuttgart 1969.* – Hiebel, F.: *Biographik u. Essayistik. Zur Geschichte der schönen Wissenschaften. Bern u. a. 1970.* – *Der engl. E. Analysen., hg. v.* H. Weber. *Darmstadt 1975.* – Adorno, T. W.: *Noten zur Literatur. Frankfurt am Main* [6]*1994.* – Müller-Funk, W.: *Erfahrung u. Experiment. Studien zur Theorie u. Geschichte des Essayismus. Berlin 1995.*

Esse est percipi [lat. »Sein heißt vorgestellt werden«], Grundlehrsatz der Philosophie G. →Berkeleys, der alles Seiende als Vorstellungen, als Bewusstseinsinhalte, interpretiert. Nun sieht er jedoch dass es neben Fantasievorstellungen auch zwingende Vorstellungen gibt, an denen das Subjekt nichts ändern kann, die somit äußeren Ursachen entstammen müssen. Da, so Berkeley, nur Vorstellungen auf Vorstellungen wirken können, müssen die zwingenden Vorstellungen von einem höheren Geist herkommen, von Gott, der wirkt, wenn das Subjekt denkt. (→Okkasionalismus).

Esseg, Stadt in Kroatien, →Osijek.

Essen
Stadtwappen

Essen, kreisfreie Stadt im RegBez. Düsseldorf, NRW, 612 300 Ew. E. liegt inmitten des Ruhrgebiets und erstreckt sich vom hügeligen Gelände beiderseits der Ruhr im S über die nach N abfallende Hellwegebene bis über den Rhein-Herne-Kanal und an die Emscher (30 bis 202 m ü. M.). Die früher durch Kohleförderung und Eisenerzeugung geprägte Stadt hat heute ihren wirtsch. Schwerpunkt auf Handel und Dienstleistungen (v. a. Verwaltung) sowie Lehre und Forschung verlagert: Landessozialgericht, Postgiroamt, Wetteramt. E. ist Sitz eines kath. Bischofs, des Stifterverbandes der dt. Wiss., des Kommunalverbandes Ruhrgebiet, der Landesanstalt für Immissions- und Bodennutzungsschutz, der Emschergenossenschaft, des Lippeverbandes, des Ruhrverbandes sowie zahlr. Wirtschaftsverbände und -vereinigungen. E. hat eine Univ. (Gesamthochschule), die Folkwang-Hochschule für Musik Essen, Verw.- und Wirtschaftsakademie, Rheinisch-Westfäl. Institut für Wirtschaftsforschung und zahlr. weitere Bildungs- und Forschungseinrichtungen. Wichtigste Museen: Museum →Folkwang, Dt. Plakatmuseum, Ruhrlandmuseum, Villa Hügel mit histor. Samml. Krupp. E. ist Zentrum der dt. Energiewirtschaft (RWE, Ruhrgas AG u. a.) sowie führender Wirtschaftsunternehmen. – Während der früher bed. Steinkohlenbergbau 1986 eingestellt wurde, hat die Eisenind. ihr Schwergewicht von der Erzeugung auf die Verarbeitung verlagert; Herstellung von Motoren, Lastkraftwagen, Lokomotiven, Stahlbauten und Edelstählen; ferner Elektro-, Glas-, Textil-, Brauerei-, Kleineisen- und chem. Ind.; internat. Fachmessen; Häfen am Rhein-Herne-Kanal; U-Bahn seit 1977 im Ausbau.

Fast 50 % des Stadtgebiets sind Grünflächen. Im S leitet der Grugapark (mit Grugahalle und -stadion) zu den Villenvororten und Erholungsgebieten im Ruhrtal (Regattastrecke auf dem Baldeneysee) über. – Das got. Münster (1275–1327) mit spätotton. Krypta und bed. Münsterschatz ist die ehem. Stiftskirche des Damenstifts. E. besitzt mehrere Beispiele modernen Kirchenbaus: Auferstehungskirche (1929), St. Engelbert (1934–36), St. Franziskus (1958), ehem. Synagoge (1911–13; heute Gedenkstätte), Neue Synagoge (1958–59); Villa Hügel (1870–72); Rathaus (1979); wichtige Zeugnisse der Ind.architektur (u. a. Malakofftürme, 19. Jh.; Zentralschachtanlage der Zeche Zollverein, 1927–32); Gartenstadt Margarethenhöhe (1909). – Im Stadtteil **Borbeck** Schloss Borbeck (18. Jh.; urspr. Wasserburg), im Stadtteil **Werden** ehem. spätroman. Abteikirche Sankt Liudger mit karoling. Ringkrypta (827–39), otton. Westwerk (943 geweiht); im 1975 eingemeindeten Stadtteil **Kettwig** Schloss Hugenpoet (17. Jh.; heute Hotel) und das Opernhaus, das »Aalto-Theater« (Entwurf von A. Aalto; 1983–88).

Keimzelle von E. ist ein adeliges Damenstift (gegr. um 846); dabei entstand seit dem 11. Jh. eine Siedlung (Stadterhebung unbekannt), die 1377 die Reichsunmittelbarkeit zugesprochen bekam (1380, endgültig 1670 zurückgenommen). Das 1929 eingemeindete **Werden** war Benediktinerabtei (gegr. um 800, zeitweilig reichsunmittelbar); beide Stifte kamen nach der Säkularisation 1802/03 (endgültig 1815) zu Preußen; um Mitte des 19. Jh. Ausbau des Kohleabbaus (seit 1317 bezeugt) und Industrialisierung (Krupp-Werke); schwere Zerstörungen im 2. Weltkrieg; seit 1946 zu NRW. – Das **Bistum E.** wurde 1957 aus Teilen der Bistümer Köln, Münster und Paderborn errichtet; es gehört zur Kirchenprovinz Köln.

📖 Mohaupt, H.: *Kleine Geschichte E.s. Von den Anfängen bis zur Gegenwart. Essen* [2]*1993.*

Essener (Essäer) [aramäisch »die Frommen«], jüd. Gemeinschaft mit ordensähnl. Verfassung, die 150 v. Chr. bis 70 n. Chr. bestand, den Tempel- und Opferdienst in Jerusalem für entartet hielt und ihr Leben in Gütergemeinschaft durch strenge Disziplin, tägl. Waschungen, Gebet, Schriftauslegung, Mahlzeiten kult. Charakters und Arbeit regelte. Das Weltbild war dualistisch und eschatologisch. Ein Teil ihres Schrifttums wurde am Toten Meer (→Qumran) entdeckt.

📖 Stemberger, G.: *Pharisäer, Sadduzäer, E. Stuttgart 1991.* – Stegemann, H.: *Die E., Qumran, Johannes der Täufer u. Jesus. Freiburg im Breisgau u. a.* [4]*1994.*

Essenz [lat.] *die,* **1)** *Lebensmittelchemie:* hoch konzentrierte naturreine oder künstl., meist alkohol. Lösung von Geschmacks- oder Geruchsstoffen zur Aromatisierung von Lebens- und Genussmitteln.

2) *Philosophie:* (Essentia) das →Wesen, im Unterschied zum Akzidens, dem Zufälligen und zu der Existenz, dem Dasein.

Essenzialen (engl. Essentials), lebensnotwendige Güter, die im Inland nicht oder nur unzureichend vorhanden sind und eingeführt werden müssen.

Essenziali|en, *Recht:* →Akzidentalien.

essenziell [lat.], **1)** *allg.:* wesensbestimmend.

2) *Medizin:* selbstständig, eigenständig; auf Krankheitserscheinungen bezogen, die als nicht symptomatisch für bestimmte Krankheiten zu werten sind, sondern ein eigenständiges Krankheitsbild darstellen.

3) *Physiologie:* zur Kennzeichnung von Nahrungsinhaltsstoffen gebraucht, die für den Organismus lebensnotwendig sind und von diesem nicht aus anderen Stoffen aufgebaut werden können (z. B. essenzielle →Aminosäuren, essenzielle →Fettsäuren).

Essex ['esɪks], County in SO-England, 3675 km^2, (1991) 1,529 Mio. Ew., Verw.sitz ist Chelmsford. Im Namen E. lebt das angelsächs. Königreich Eastseaxe (»Ostsachsen«) fort, das früh auch Middlesex einbezog und im 7. Jh. London zu seinem Zentrum machte.

Essex ['esɪks], Robert Devereux, 2. Earl of E., Günstling der engl. Königin Elisabeth I., *Netherwood (Cty. Hereford and Worcester) 10. 11. 1566 oder 1567, †London 25. 2. 1601; wurde 1599 als Statthalter in das aufständ. Irland gesandt. Als er sich hier auf einen Waffenstillstand einließ, wurde er abgesetzt; darauf unternahm er einen Aufstandsversuch und wurde hingerichtet.

Robert Devereux, Earl of Essex
(Ausschnitt aus einem anonymen Gemälde, 1597; London National Portrait Gallery)

Essig, ein sauer schmeckendes Würz- und Konservierungsmittel, wird aus alkoholhaltigen Flüssigkeiten durch Gärung **(Gärungs-E.)** oder durch Verdünnen von (meist synthet. hergestellter) 100%iger →Essigsäure (Eis-E.) auf 80% Säuregehalt **(E.-Essenz)** gewonnen. Der handelsübl. E. hat einen Gehalt von 5 bis 15,5 g E.-Säure pro 100 cm^3. Je nach den verwendeten Rohstoffen unterscheidet man Branntwein-E., Wein-E., Malz-E., Obst-E., Kräuter-E. (Gewürz-E.); Letzteren erhält man durch Auslaugen von Gewürzkräutern mit Essig.

Für die Herstellung von Gärungs-E. wandte man früher das **Orléans-Verfahren** an, ein Oberflächengärverfahren, bei dem die alkoholhaltige Maische »ruhend« in mit Luftlöchern versehenen Fässern oder offenen Gärbottichen vergoren wurde; dabei bildeten die E.-Säurebakterien auf der Flüssigkeit eine Haut **(E.-Kahm, E.-Mutter).** Dieses Verfahren liefert bes. aromareichen E., ist aber zeitaufwendig. Aus ihm entwickelten sich die **Fesselgärverfahren (Schnellessigverfahren),** bei denen die E.-Säurebakterien auf großflächigen (lockeren) Trägermaterialien fixiert sind, über die man die Maische unter Luftzufuhr leitet, wobei der Alkohol zu E.-Säure oxidiert wird. – Bevorzugt wird heute das **Generatorverfahren (Rundpumpverfahren),** bei dem die Maische mehrfach durch 4–5 m hohe, mit Holzspänen gefüllte Behälter (E.-Generatoren) gepumpt wird, bis der Alkohol in E.-Säure umgewandelt ist. Dabei werden die Menge der Aufgussmaische, die Luftzufuhr und die Temperatur automatisch geregelt. Große Bedeutung für die Gewinnung von Gärungs-E. haben heute auch mehrere **submerse Gärverfahren,** bei denen die alkoholhaltigen Lösungen durch frei schwimmende E.-Säurebakterien in einem Fermenter unter kontrollierten Bedingungen (Regelung von Alkoholkonzentration, Luftzufuhr und Temperatur) in E. übergeführt werden.

Essigbakteri|en, →Essigsäurebakterien.

Essigbaum, ein →Sumach.

Essigfliegen, Arten der →Taufliegen.

Essigsäure (Äthansäure, Ethansäure), wichtige Monocarbonsäure. Wasserfreie E. **(Eisessig)** riecht stechend, wirkt stark ätzend, siedet bei 117,9 °C und erstarrt bei 16,6 °C; Dichte 1,049 g/cm^3. E. kommt in Form ihrer Salze und Ester, der **Acetate,** in der Natur verbreitet vor; in freier Form findet sie sich in manchen Pflanzensäften und tier. Sekreten. Sie bildet sich durch Gärung verdünnter wässriger Lösungen von Alkohol unter dem Einfluss

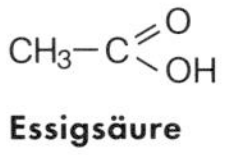

Essigsäure

von E.-Bakterien (→Essig). Technisch wird E. nach unterschiedl. Verfahren synthetisch hergestellt, v.a. durch katalyt. Umsetzung von Methanol mit Kohlenmonoxid (Carbonylierung), durch Oxidation von Acetaldehyd und durch Direktoxidation von Kohlenwasserstoffen. Durch Holzverkohlung gewonnene E. **(Holzessig)** hat keine Bedeutung mehr. – E. wird v.a. zu E.-Estern weiterverarbeitet, wobei Vinylacetat (für Kunststoffe), Celluloseacetat (Faserrohstoff), Äthylacetat und Butylacetat (Lösungsmittel) die größte Bedeutung haben.

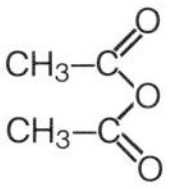

Essigsäure-anhydrid

Essigsäureanhydrid (Acetanhydrid), stechend riechende Flüssigkeit, die zur Einführung der Acetylgruppe (Acetylierung) in organ. Verbindungen und zur Herstellung von Acetylcellulose und Acetylsalicylsäure verwendet wird.

Essigsäureäthylester (Äthylacetat, Ethylacetat), Essigester; Lösungsmittel und Aromastoff.

Essigsäurebakteri|en (Essigbakterien), Gruppe von Bakterien; gramnegative, bewegl. oder unbewegl. Stäbchen, die v.a. in freigesetzten Pflanzensäften leben. Technisch werden E. verwendet zur Erzeugung von Sorbose aus Sorbit (bei der Vitamin-C-Synthese), von Gluconsäure aus Glucose und v.a. von Essigsäure (bzw. Essig).

essigsaure Tonerde, wässrige Lösung von bas. Aluminiumacetat; wirkt entzündungshemmend und zusammenziehend. Anstelle von e. T. wird heute **essigweinsaure Tonerde** verwendet.

Esslingen am Neckar
Stadtwappen

Ẹßling, ehem. Dorf in Niederösterreich, seit 1938 Stadtteil von Wien; bekannt durch die Schlacht bei →Aspern.

Ẹsslingen, Landkreis im RegBez. Stuttgart, Bad.-Württ., 641 km^2, (1996) 490200 Einwohner.

Ẹsslingen am Nẹckar, Krst. des Landkreises Esslingen, Bad.-Württ., 90000 Ew.; FH für Technik und Sozialwesen; Stadttheater; Stahl-, Maschinen-, Fahrzeugbau, elektrotechn., feinmechan. und opt. Industrie. – Altertüml. Stadt mit vielen Kirchen und schönen Gebäuden, u.a. spätgot. Alten Rathaus (um 1430) mit Renaissancefassade (1589); von der Burg (12.–13. Jh., 1515–27 erweitert) sind Reste der Mauer und der Dicke Turm erhalten. – E., 777 erstmals erwähnt, war von 1212–1802 Reichsstadt; kam 1802 zu Württemberg.

Esslingen am Neckar: Blick auf Teile der mittelalterlichen Burgmauer mit Dickem Turm

📖 BORST, O.: *Geschichte der Stadt E. am Neckar. Esslingen am Neckar* [3] *1978.*

Ẹsso AG, Hamburg, gegr. 1890, Tochtergesellschaft der →Exxon Corp.

Essonne [ɛˈsɔn], Dép. in Frankreich, südlich von Paris in der Île-de-France, 1804 km^2, (1990) 1,084 Mio. Ew.; Hptst. ist Évry.

Establishment [ɪsˈtæblɪʃmənt; engl. »das Errichtete«, »Bestehende«] *das,* abwertend gebrauchtes Schlagwort bes. oppositioneller Gruppen für die herrschenden, auf Verfestigung ihrer Macht und Unterdrückung nichtprivilegierter Schichten gerichteten Kräfte in Staat und Gesellschaft.

Estang [ɛsˈtã], Luc, eigtl. Lucien Bastard, frz. Schriftsteller, *Paris 12. 11. 1911, †ebd. 25. 7. 1992; ist – von F. M. Dostojewski und G. Bernanos beeinflusst – um die Tradition einer christl. Innerlichkeit bemüht; schrieb Gedichte, Essays, Romane, u.a. die Trilogie »Gezeichnete«, »Und suchet, wen er verschlinge«, »Brunnen der Tiefe« (1949–54), »Le démon de pitié« (1987).

Estaunié [ɛstoˈnje], Édouard, frz. Schriftsteller, *Dijon 4. 2. 1862, †Paris 3. 4. 1942. Nach autobiograph. Anfängen (»L'empreinte«, 1895) gestalten seine zunehmend psychologisch motivierten Romane Alltag und soziale Beziehungen unauffälliger Menschen: »Das geheime Leben« (1908), »Der Fall Clapain« (1932).

Ẹste, Stadt in Venetien, Italien, Prov. Padua, 17700 Ew.; Agrarzentrum; chem. Ind., Töpfereien. – Stammburg der →Este (11. Jh.), Barockkirchen, im Palazzo Mocenigo Museum. – E., das antike **Ateste,** war im 8.–4. Jh. v. Chr. Hauptort der Veneter.

Ẹste, italien. Adelsgeschlecht, benannt nach einer Burg bei der Stadt Este. Aus der Ehe Azzos II. mit einer Schwester des Herzogs Welf III. von Kärnten stammen Welf IV., der Stammvater der **Welf-E.** (→Welfen), und Fulco I. (*um 1060, †um 1135), Stammvater der **[Fulc-]E.,** die Ende des 13. Jh. Ferrara, Modena und Reggio besaßen. Markgraf Borso (*1413, †1471) wurde 1452 zum Herzog von Modena und Reggio und 1471 zum Herzog von Ferrara erhoben. Unter den Herzögen Ercole I. (†1505), Alfonso I. (†1534), dem Gemahl der Lucrezia Borgia, Ercole II. (†1559) und Alfonso II. (†1597) war Ferrara ein glänzender Mittelpunkt der italien. Renaissance. Hier lebten u.a. Ariost und Tasso. Mit dem Aussterben der Fulc-E. 1597 fiel das päpstl. Lehen Ferrara an den Kirchenstaat

Estland

Fläche: 45 226 km²
Einwohner: (1995) 1,53 Mio.
Hauptstadt: Tallinn (Reval)
Amtssprache: Estnisch
Nationalfeiertag: 24. 2.
Währung: 1 Estn. Krone (ekr) = 100 Senti
Zeitzone: OEZ

zurück und wurde 1598 eingezogen. Die urspr. kaiserl. Lehen Modena und Reggio gingen an eine Bastardlinie, die 1803 im Mannesstamm ausstarb. Die Erbtochter Maria Beatrice (*1750, †1829) war mit dem österr. Kaisersohn Ferdinand verheiratet, der das neue Haus **Österreich-E.** gründete, das in Modena und Reggio bis 1860 regierte.

Estébanez Calderón [-βanεθ -], Serafín, span. Schriftsteller, *Málaga 27. 12. 1799, †Madrid 5. 2. 1867; hatte mehrere hohe Staatsämter inne; veröffentlichte unter dem Decknamen **El Solitario** humorvolle, später als »Escenas andaluzas« (1847) gesammelte Skizzen aus dem andalus. Volksleben.

Esten (estn. Eestlased), zum ostseefinn. Zweig der finnougr. Sprachfamilie gehörendes Volk. Im Baltikum leben etwa 1,02 Mio. E., über 100 000 v. a. in Schweden, Kanada und den USA; Volkskunst und -brauchtum noch in ländl. Gebieten erhalten.

📖 *Abriß der estnischen Volkskunde, hg. v.* H. Moora *u. a. A. d. Russ. Reval 1964.*

Ester [Kw. aus Essig und Äther], organ. Verbindungen, die formal aus Säuren und Alkoholen unter Wasseraustritt entstehen: R–COOH + R'OH → R–COOR' + H_2O (R, R' = organ. Reste) und auch durch Umesterung aus anderen E. oder aus Olefinen hergestellt werden. Durch Hydrolyse (Verseifung) können E. in Säure und Alkohol zurückgespalten werden. Viele E. sind fruchtartig riechende Flüssigkeiten. Glycerin-E. von Fettsäuren treten in der Natur als Fette, Öle und Wachse auf. Phthalsäure-E. haben als Weichmacher, der Methyl-E. der Terephthalsäure hat bei der Herstellung von Polyestern Bedeutung.

Esterházy ['εstɔrha:zi] (E. von Galántha), ungar. Magnatengeschlecht. Der Zweig Forchtenstein wurde 1687 in den Reichsfürstenstand erhoben; das fürstl. Majorat (seit 1695 Fideikommiss) war bis 1945 der größte Grundbesitz Ungarns.

Estes ['estɪs], Simon, amerikan. Sänger (Bassbariton), *Centerville (Ia.) 2. 3. 1938; wurde v. a. mit Partien in Opern von R. Wagner bekannt; auch Konzertsänger.

EStG, Abk. für **E**inkommen**st**euer**g**esetz.

Esther, Buch des A. T.; schildert die Vereitelung der geplanten Judenverfolgungen des Haman durch E., die Gemahlin des Perserkönigs Xerxes I.; Zeugnis der jüd. Lit. des hellenist. Zeitalters; Festrolle für das →Purimfest.

Estland (estn. Eesti, amtl. Eesti Vabariik; dt. Rep. E.), Staat in NO-Europa, grenzt im W an die Rigaer Bucht, im N an den Finn. Meerbusen, im O mit dem Peipussee an Russland, im S an Lettland.

Staat und Recht: Nach der am 28. 6. 1992 durch Referendum gebilligten Verf. ist E. eine unabhängige Rep. mit parlamentar. Reg.system. Der mit weit reichenden Befugnissen ausgestattete Präs. (auf fünf Jahre vom Parlament gewählt) ist Staatsoberhaupt und oberster Befehlshaber der Streitkräfte. Die Legislative liegt bei der Staatsversammlung (101 Abg.), die auch den MinPräs. wählt. Einflussreichste Parteien und Bewegungen: Moderate Partei (ein Zusammenschluss aus Sozialdemokraten und Agrariern), Estn. Nat. Unabhängigkeitspartei, Volksfront E., Estn. Bürgerallianz. – E. ist verwaltungsmäßig in 15 Rayons und sechs republiksunmittelbare Städte gegliedert.

Landesnatur: E. liegt im NW der Osteurop. Ebene und umfasst das nördl. Baltikum. Die glazial geformte, teils flache, teils hügelige, zu 90 % unter 100 m ü. M. gelegene Oberfläche ist mit Sumpfland (über 20 % der Fläche) und Seen (Peipussee, Võrtsjärv) durchsetzt. Im SO treten isolierte kuppige Erhebungen (Endmoränen) auf (bis 318 m ü. M.). Der stark gegliederten, buchtenreichen Küste sind etwa 1520 Inseln vorgelagert; die größten sind Saaremaa (Ösel), Hiiumaa (Dagö), Muhu (Moon) und Vormsi (Worms). Die Küste fällt in einer steilen Kalksteinstufe, dem Glint, zum Finn. Meerbusen ab. Das Klima ist maritim und beeinflusst die heißen Sommer und kalten Winter. Die jährl. mittlere Niederschlagsmenge liegt zw. 500 und 700 mm. Etwa 35 % der Gesamtfläche sind bewaldet (v. a. Kiefern, Fichten und Birken). In E. bestehen vier Naturschutzgebiete und ein Nationalpark.

Staatswappen

EW

Internationales Kfz-Kennzeichen

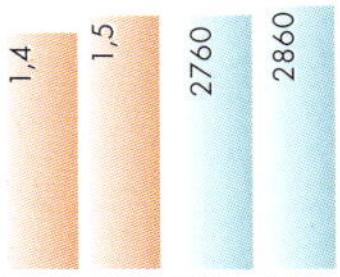

Bevölkerung (in Mio.) Bruttosozialprodukt je Ew. (in US-$)

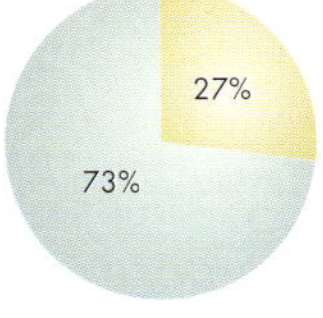

Stadt
Land

Bevölkerungsverteilung 1994

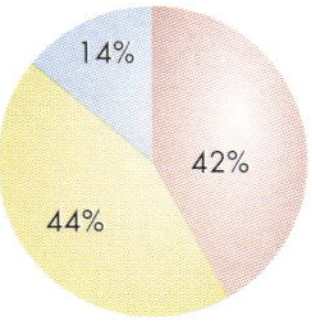

Industrie
Landwirtschaft
Dienstleistung

Bruttoinlandsprodukt 1992

Estland: Fischereihafen mit Fischfabrik in Kuressaare auf der Insel Saaremaa (Ösel)

Bevölkerung: 1989 waren von den Bewohnern 61,5% Esten, 30,3% Russen, 3,1% Ukrainer, 1,8% Weißrussen, 1,1% Finnen, 0,3% Juden und 0,2% Deutsche sowie 1,7% Angehörige anderer Nationalitäten. Seit 1990 ist eine negative Bevölkerungsentwicklung festzustellen, die in erster Linie auf die wachsende Emigration russ. Bev.gruppen zurückzuführen ist. E. ist der am dünnsten besiedelte balt. Staat; die seit Jahren andauernde Landflucht hat zu einem hohen Verstädterungsgrad von (1993) 70,3% geführt. Von den Gläubigen gehören die meisten der evang.-luth. und der methodist. Kirche an; etwa 20% der orth. Kirche. Das Schulwesen ist traditionell gut ausgebaut, es besteht eine neunjährige Schulpflicht. Neben der Estn. Akademie der Wiss. gibt es eine Univ. (gegr. 1632) in Tartu und acht weitere Hochschulen.

Wirtschaft, Verkehr: Die Mehrzahl der Betriebe wurde seit 1993 privatisiert. Die wirtsch. Entwicklung wird durch die Einfuhr devisenträchtiger Brennstoffe (Erdöl, -gas) und Elektroenergie, v.a. aus Russland, erschwert. Wichtigster Wirtschaftszweig ist die Landwirtschaft mit dem Anbau von Kartoffeln, Futterpflanzen, Getreide, Flachs sowie mit Milchvieh-, Schweinezucht, Schaf- und Geflügelhaltung. Die Nahrungsmittelind. (bes. Milch-, Fleisch-, Fischverarbeitung) ist wertmäßig mit einem Drittel an der Ind.produktion beteiligt. Große Bedeutung hat die Hochseefischerei. Die Phosphorite bei Reval werden zur Herstellung von Düngemitteln genutzt. Die mächtigen Ölschiefervorkommen im NO sind die wichtigste einheim. Energiequelle, z.T. bilden sie auch die Grundlage großer chem. Betriebe. Aus den alten Textilmanufakturen entstand in Narva und Tallinn die Baumwollindustrie. Wichtige Zweige sind außerdem der Bau elektro-, rundfunktechn. und elektron. Anlagen, der Maschinen- und Schiffbau, die Holzverarbeitung, Leder- und Papierindustrie. Ausgeführt werden Baumwollgewebe, Nahrungsmittel, Elektrogeräte, Ober- und Untertrikotagen, eingeführt Roh- und Brennstoffe, Maschinen und Ind.anlagen sowie Fahrzeuge. Die wichtigsten Handelspartner sind Finnland, Russland, Dtl., Schweden und die Niederlande. – E. verfügt über ein dichtes Verkehrswegenetz. Das Autostraßennetz ist 30200 km, das Eisenbahnnetz 1024 km lang. 80% des Außenhandels von E. gehen über den Hochseehafen Tallinn. Hier befindet sich auch der bedeutendste internat. Flughafen. Nat. Fluggesellschaft ist die Estonian Air. An der Ostseeküste liegen mehrere Bade- und Kurorte, bes. Pärnu, Haapsalu und Kuressaare (auf der Insel Saaremaa).

Estland

Geschichte: Das heutige Gebiet von E., das erst nach dem 1. Weltkrieg Eigenstaatlichkeit erhielt, entstand aus der histor. Provinz E. (urspr. nur der nördl. Landesteil) und dem 1918 angeschlossenen, vorwiegend von Esten besiedelten N-Livland.

Im 11. Jh. unternahm der Kiewer Fürst Jaroslaw der Weise Feldzüge in das südöstl. Estland. 1207–27 unterwarfen Deutsche (Schwertbrüderorden) und Dänen die Esten und christianisierten sie. 1346 verkaufte Waldemar IV. den dän. Anteil am estn. Gebiet an den Dt. Orden. 1561 kam E. an Schweden. 1584 wurden die vier Landschaften Harrien, Wierland, Jerwen und Wiek zum Herzogtum »Esthen« erhoben. Die Herrschaft der Schweden wurde erst durch den Sieg des russ. Kaisers Peter I. über den schwed. König Karl XII. im 2. Nord. Krieg (1700–21) beendet (Frieden von Nystad, 1721). Unter russ. Herrschaft wurde die autonome Stellung E.s (zunächst noch bed. Rolle der dt. Ritterschaft) zunehmend abgebaut; im 19. Jh. setzte eine starke Russifizierungspolitik ein.

Nach der russ. Februarrevolution bildete sich 1917 in Reval ein Estn. Nationalrat, der am 24. 2.

1918 das von dt. Truppen besetzte E. zur unabhängigen Republik (unter Einschluss N-Livlands) proklamierte. Die dt. Besatzungstruppen übergaben am 12. 11. 1918 der provisor. estnischen Regierung unter K. Päts die Verw. des Landes. Unter Beteiligung einer deutschbalt. Einheit wehrten die militär. Kräfte der provisor. Regierung einen Angriff der Roten Armee ab. Im russ. Bürgerkrieg setzte sich der »weiße« russ. General N. N. Judenitsch mit seinen antibolschewist. Kräften in E. fest (Reval war Sitz einer »Nordwestruss. Regierung«), löste aber seine Truppen auf, nachdem 1919 ein Angriff auf Petrograd (heute Sankt Petersburg) gescheitert war. Im Frieden von Dorpat (2. 2. 1920) erkannte das bolschewist. Russland die staatl. Unabhängigkeit E.s an. Mit der Enteignung des Großgrundbesitzes (1919), der sich zu einem großen Teil in der Hand der Baltendeutschen befand, wurde deren alte Vormachtstellung in E. gebrochen. 1920 gab sich E. eine demokrat. Verf.; mit einem Ges. zur Kulturselbstverwaltung (12. 5. 1925) erhielten die nat. Minderheiten (Deutsche, Russen und Schweden) eine weitgehende kulturelle Autonomie. Nach einem Staatsstreich (1934) errichtete Päts, gestützt auf die konservative Bauernpartei, ein autoritäres Reg.system, das mit der Präsidialverf. vom 3. 9. 1937 seine endgültige Form erhielt. Päts wurde 1938 Staatspräsident. Dtl., das am 7. 6. 1939 mit E. einen Nichtangriffspakt geschlossen hatte, überließ im Hitler-Stalin-Pakt (23. 8. 1939) E. und die anderen balt. Staaten der sowjet. Einflusssphäre. Aufgrund des dt.-sowjet. Beistandspaktes vom 28. 9. 1939 besetzten sowjet. Truppen im Juni 1940 E., das am 6. 8. 1940 als Estn. SSR in die UdSSR eingegliedert wurde. Umfangreiche sowjet. Deportationen (1941 und nach 1944) sowie die dt. Besetzung (1941–44) trafen v. a. die estn. Intelligenz und die Bauern. Zugleich kam es infolge einer gesteigerten Ansiedlung von unionsweiten Industriebetrieben zur forcierten Ansiedlung von Russen.

Im Zeichen der von M. S. Gorbatschow in der UdSSR eingeleiteten gesellschaftl. Reformen bildete sich 1988 eine »Volksfront«, die die staatl. Unabhängigkeit E.s durchsetzen wollte. Ein 1989 erlassenes Wahl-Ges. wies den im Land lebenden Russen eine Minderheitenposition zu. Nach dem Wahlsieg der »Volksfront« bei den Parlamentswahlen vom 18. 3. 1990 proklamierte E. am 30. 3. 1990 den stufenweisen Übergang zur Unabhängigkeit, was zum Konflikt mit der sowjet. Unionsregierung führte. Am 8. 5. 1990 setzte das Parlament Teile der Verf. von 1938 wieder in Kraft und benannte die Estn. SSR in »Republik E.« um. Gemeinsam mit Lettland und Litauen unterzeichnete E. am 12. 5. 1990 ein Abkommen zur Neugründung des bereits 1934–40 existierenden »Balt. Rates«. Nachdem im Zusammenhang mit dem Putschversuch reformfeindl. Kräfte der KPdSU in Moskau sowjet. Truppen auch in die estn. Republik einmarschiert waren, erklärte E. am 20. 8. 1991 seine Unabhängigkeit. Am 17. 9. 1991 wurde E. in die UNO aufgenommen. Nach der Annahme einer neuen Verf. durch ein Referendum am 28. 6. 1992 fanden am 20. 9. 1992 unter Ausschluss der nichtestn. Bevölkerung (rd. ein Drittel, v. a. Russen) Wahlen statt, aus denen das national-konservative Parteienbündnis »Vaterland« als stärkste Parlamentsfraktion hervorging. Im Okt. 1992 wurde L. Meri (»Vaterland«) Staatspräs. (1996 im Amt bestätigt). Nach Unterzeichnung eines Abkommens durch Meri und B. Jelzin verließen Ende August 1994 die letzten 2000 russ. Soldaten das Land. Bei den Parlamentswahlen von 1995 siegte ein stärker links orientiertes Parteienbündnis.

Estland: Nach dem Abzug der russischen Truppen im August 1994 verblieben im Marine-Ausbildungszentrum auf der Halbinsel Paldiski nur unbrauchbare Gerätschaften

Außenpolitisch sucht E., das von Russland nach wie vor zu dessen Einflusssphäre gezählt wird, Anlehnung an die Demokratien Europas. 1993 wurde es Mitgl. des Europarates, trat 1994 dem NATO-Programm »Partnerschaft für den Frieden« bei und schloss 1995 mit der EG ein Assoziierungsabkommen. – Die orth. Kirche E.s löste sich 1996 aus der Gefolgschaft des Patriarchats von Moskau und unterstellte sich der Jurisdiktion des Ökumen. Patriarchen von Konstantinopel.

📖 *Die balt. Nationen. E., Lettland, Litauen, hg. v.* B. Meissner. *Köln ^{2}1991.* – Hartmann, U. *u.* Winkel, A.: *E. Zurück in Europa. Karlsruhe 1992.* – Ludwig, K.: *Das Baltikum. E., Lettland, Litauen. München ^{3}1992.* – Rajangu, V.: *Das Bildungswesen in E. Köln u. a. 1993.* – Karin, T.: *E. Kulturelle u. landschaftl. Vielfalt in einem histor. Grenzland zwischen Ost u. West. Köln 1995.*

estnische Literatur, die alte estn. Volksdichtung bestand im Wesentlichen aus mittelalterl. und frühneuzeitl. Liedgut. (Die im 19. Jh. angelegten Sammlungen gehören heute zu den größten der Welt.) Bis zum Ausgang des 18. Jh. hatte die e. L. meist kirchl. Charakter. Im 19. Jh. entstand, in Anlehnung an das finn. »Kalevala«, das Nationalepos »Kalevipoeg«, (1857–61) von F. R. Kreutzwald. Von großer Bedeutung war die patriot. Lyrik von L. Koidula in der Nationalromantik Mitte des 19. Jh. Mit dem Realismus (E. Vilde, J. Liiv) der Jahrhundertwende und der Bewegung Noor-Eesti (Jung-Estland, 1905–17) unter der Führung von G. Suits und F. Tuglas entstand eine sich an die europ. Bewegungen anschließende moderne e. L. (Lyriker: H. Visnapuu, Marie Under; Erzähler: A. H. Tammsaare, A. Gailit, A. Mälk). Nach 1944 entwickelte sich neben der Lit. in Estland eine bed. Emigrantenlit. (u. a. mit G. Suits, M. Under, H. Visnapuu, A. Gailit, A. Mälk, B. Kangro, R. Ristikivi, K. Lepik, I. Grünthal); Vertreter der modernen Gegenwartslit. in Estland: u. a. M. Traat, M. Unt, E. Vetemaa, A. Beekman, A. Valton, P. Kuusberg, L. Meri, J. Kross. – Seit der Unabhängigkeit Estlands 1990/91 tragen auch zahlr. jüngere Lyriker (u. a. P. Beier, Doris Kareva, T. Trubetzky, K. Sinijärv) und Prosaautoren (u. a. Viivi Luik, Mari Saat, Ü. Mattheus) zur Wiederbelebung der e. L. und des estn. Nationalbewusstseins bei. Seitdem ist auch, u. a. mit dem Nachdruck von Werken estn. Exilautoren in Estland, ein Prozess der Wiederannäherung der e. L. im Exil und der e. L. in Estland in Gang gekommen.

Paul Balluat, Baron de Constant de Rebecque d'Estournelles

📖 NIRK, E.: *Estonian literature. Historical survey with bibliographical appendix. Tallinn ²1987.* – HASSELBLATT, C. u. PIRSICH, V.: *E. L. in dt. Sprache 1802–1985. Bibliographie der Primär- u. Sekundärliteratur. Hamburg 1988.* – SCHOLZ, F.: *Die Literaturen des Baltikums. Opladen 1990.*

estnische Sprache, die mit dem Finnischen nah verwandte Sprache der Esten, die zur ostseefinn. Gruppe der finnougr. Sprachen gehört; seit dem 13. Jh. stark durch das Deutsche beeinflusst; verwendet wird die lat. Schrift; man unterscheidet die Hauptdialekte **Nordestnisch,** auf dem die heutige Schriftsprache beruht, und **Südestnisch.**

Estomihi [lat. »sei mir (ein starker Fels)«], der 50. Tag vor Ostern; in den evang. Kirchen Sonntag E., in der kath. Kirche Sonntag Quinquagesima.

Estournelles [ɛstur'nɛl], Paul Balluat Baron de Constant de Rebecque d', frz. Politiker, * La Flèche (Dép. Sarthe) 22. 11. 1852, † Paris 15. 5. 1924; Pazifist; vertrat 1907 Frankreich auf der → Haager Friedenskonferenz; 1909 Friedensnobelpreis mit A. Beernaert.

Estragon (Artemisia dracunculus), Beifußart aus Nordamerika, O-Europa und W-Asien, in Mitteleuropa Gewürzpflanze.

Estrêla [iʃ'trela; portugies. »Sterngebirge«] (Serra da E.), höchster Gebirgszug Portugals, Teil des Iber. Scheidegebirges, im Malhão 1991 m ü. M.

Esztergom: Blick auf den Festungsberg mit Resten der königlichen Burg (spätes 12. Jh.) und einer klassizistischen Kathedrale aus dem 19. Jahrhundert

Estremadura [portugies. iʃtrəma'ðurə], **1)** histor. Provinz in Mittelportugal, erstreckt sich an der W-Küste von der Sadomündung über die Halbinsel von Setúbal, jenseits des Tejomündungsgebiets bis südlich Coimbra; umfasst den Distrikt Lissabon und Teile der Distrikte Setúbal und Leiria. Das Innere ist gebirgig, die Küste überwiegend Steilküste. Der S-Teil wird vom Großraum Lissabon mit seiner Ind.produktion eingenommen, in der übrigen E. v. a. mediterrane Trockenbaukulturen (Weizen, Reben, Ölbaum, Feigen), um Setúbal Korkverarbeitung; Fischerei.

2) Region in Spanien, → Extremadura.

Estrich, fugenloser Fußboden; je nach Material Beton-, Terrazzo-E. u. a. Ein **schwimmender E.** ist durch eine elast. Dämmschicht von der Rohdecke getrennt.

Esztergom ['ɛstɛr-] (dt. Gran), Stadt in Ungarn, an der Donau (Grenze zur Slowakei), 33 000 Ew.; kath. Erzbischofssitz; Maschinen- und Gerätebau, Textilindustrie. – Auf dem Festungsberg Reste der königl. Burg (1173–95) mit gut erhaltener Burgkapelle und die klassizist. Kathedrale (1822–69). – Kelt. Siedlung, später röm. Militärlager **Solva;** im 5. Jh. Residenz Attilas, im 11.–13. Jh. der Arpaden; Stephan I. gründete um 1000 das Erzbistum Gran; 1242 von den Mongolen zerstört; im 15. Jh. Zentrum der ungar. Renaissance. 1543–95 und 1605–83 osmanisch; 1708 königl. Freistadt.

Eta *das* (H, η), der 7. Buchstabe des grch. Alphabets (→ Etazismus).

ETA, Abk. für baskisch **E**uzkadi **T**a **A**zkatasuna [»das Baskenland und seine Freiheit«], bask. Untergrundorganisation, gegr. 1959, seit 1976 gespalten in ETA militar und ETA politico-militar; radikale Verfechterin bask. Autonomieforderungen in Spanien; terrorist. Aktivitäten gegen Repräsentanten des Staats, zunehmend auch Bombenattentate gegen Unbeteiligte.

Etalon [eta'lɔ̃, frz.] *der,* **1)** *Messtechnik:* zwei genau parallel montierte Spiegelflächen bester Ebenheit, die in der Interferometrie verwendet werden, z.B. beim →Fabry-Pérot-Interferometer.

2) *Messwesen:* Eich- oder Normalmaß, z.B. das Urmeter.

Etappe [frz.] *die,* **1)** *allg.:* Teilstrecke, Abschnitt.

2) *Militärwesen:* früher, bes. im 1. Weltkrieg, das Gebiet zw. Kampfgebiet und Heimat.

Etappenrennen, *Radsport:* Wettbewerb aus mehreren, (mit Ausnahmen) jeweils an aufeinander folgenden Tagen gefahrenen Straßenrennen unterschiedl. Art und Streckenlänge. Tageswertung und durchgehende Wertungen.

Etat [e'ta, frz.] *der,* →Haushaltsplan.

État Français [etafrɑ̃'sɛ], 1940–44 offizieller Name des frz. Staates, →Frankreich.

Etatismus [frz., zu état »Staat«] *der,* im krit. Sinne gebrauchte Bez. für Bestrebungen, die Verwaltung des Staates und ihre Kompetenz auf Kosten der eigenständigen Bereiche von Gesellschaft und Wirtschaft auszudehnen.

États généraux [etaʒene'ro], die frz. →Generalstände.

Etazismus [von grch. Eta] *der,* die Aussprache des altgrch. Buchstaben Eta als »e« und nicht als »i« **(Itazismus).**

etc., Abk. für lat. **et c**etera, und so weiter.

Eteokles, *grch. Mythos:* Sohn des Ödipus und der Iokaste, Bruder der Antigone und des Polyneikes. Die Brüder töteten einander im Zweikampf. (→Sieben gegen Theben).

Eteokreter, Volksstamm im antiken Kreta.

Etesilen [grch. »jährliche Winde«], beständige, trockene N- bis NW-Winde bes. im Ägäischen Meer und im östl. Mittelmeer, wehen etwa von April bis Oktober. Das **E.-Klima** der subtrop. Zonen hat Sommertrockenheit und Winterregen.

Eth..., fachsprachl. Schreibung für Äth... in organ. Verbindungen, z.B. Ethanol – Äthanol, etherisch – ätherisch.

Ethan, das →Äthan.

Ethen, das →Äthylen.

Ethernet, *Datenverarbeitung:* →LAN.

Ethik [zu grch. éthos »Sitte«, »Brauch«] *die,* philosoph. Wiss. vom Sittlichen (→Sittlichkeit); sie sucht auf die Frage: »Was sollen wir tun?« zu antworten. Gegenstände ihrer Betrachtung sind die menschl. Handlungen, die Gesinnung, aus der diese hervorgehen **(Gesinnungs-E.),** die von ihnen erzeugten Wirkungen **(Erfolgs-E.)** und die Werte und Normen selbst **(Wertethik).** Von dieser **Individual-E.** wird eine →Sozialethik unterschieden. Ein besonderer Ausgangspunkt des eth. Denkens ist die Frage, ob die sittl. Willensantriebe und Wertschätzungen angeboren, also in gewissem Ausmaß allen Menschen gemeinsam sind, oder ob sie aus der Erfahrung gewonnen werden und daher nach Völkern und Zeitaltern wechseln. Das Wesen des Sittlichen kann in einer Form gefunden werden, die allen sittl. Handlungen gemeinsam ist, so bes. die Vernünftigkeit der Intention **(formale E.),** aber auch in bestimmten Wertinhalten, in die sich die Welt der sittl. Erscheinungen gliedert **(materiale E.).** Einige Richtungen der E. ergeben sich aus dem Versuch, die sittl. Erscheinungen auf einen einheitl., an sich außersittl. Wert zurückzuführen, etwa die Glückseligkeit (→Eudämonismus), die Lust (→Hedonismus), den eigenen oder den allgemeinen Nutzen (→Utilitarismus). →Moralphilosophie, →Moraltheologie, →theologische Ethik

Geschichte: Als Wiss. ist E. zuerst von Aristoteles entwickelt worden (Tugendlehre; →Tugend). Die Stoa betonte dann die sittl. Forderung eines von der Natur gegebenen Gesetzes. Dieser Gedanke verband sich im Christentum mit dem des geoffenbarten Gesetzes Gottes. Erst bei Thomas von Aquin entstand daraus eine umfassende philosophisch-theolog. Synthese, deren Grundbegriffe bis in die Aufklärung erhalten blieben. In der Neuzeit wurde die Forderung erhoben, jede faktisch allgemein befolgte sittl. Norm als vernünftige Vereinbarung zu begründen; Begründungsregel bei Kant ist der →kategorische Imperativ. In Abkehr von Kants Formalismus entstand im 20. Jh. in Dtl. u.a. eine phänomenolog. **materiale Wert-E.** (M. Scheler, N. Hartmann u.a.); in Anlehnung an Kant in neuerer Zeit die normativ-krit. **konstruktive E.** der »Erlanger Schule« (P. Lorenzen). – In Frankreich deckte die existenzialist. E. der Nachkriegszeit (J.-P. Sartre, A. Camus) bes. die anthropolog. Voraussetzungen der E. auf, ließ allerdings die eth. Sinnfrage zurücktreten. Über Großbritannien hinaus hat sich in der neuesten Zeit die sprachanalyt. →Metaethik ausgebreitet, die unter dem Einfluss der Gedanken G. E. Moores (Principia ethica) und L. Wittgensteins steht.

📖 *Geschichte der neueren E., hg. v.* A. PIEPER, *2 Bde. Tübingen 1992. – Lexikon der E., hg. v.* O. HÖFFE. *München* ^{4}*1992.* – HABERMAS, J.: *Faktizität u. Geltung. Frankfurt am Main* ^{4}*1994.* – PIEPER, A.: *Einführung in die E. Tübingen u. a.* ^{3}*1994.* – SINGER, P.: *Prakt. E. A.d. Engl. Stuttgart* ^{2}*1994. – E. u. wissenschaftl. Fortschritt, hg. v.* P. MITTELSTAEDT. *Bonn 1995.* – IRRGANG, B.: *Grundriß der medizin. E. München 1995.* – JONAS, H.: *Das Prinzip Verantwortung. Frankfurt am Main* ^{12}*1995.*

Estragon

Eton
Stadtwappen

Ethikunterricht, in einzelnen Bundesländern Unterrichtsfach für Schüler, die nicht am konfessionellen Religionsunterricht teilnehmen.

Ethin, das →Acetylen.

Ethnarch [grch. »Stammesführer«] *der,* Titel von Stammesfürsten in Gebieten unter röm. Oberhoheit; seit dem 2. Jh. v. Chr. auch Titel des Hohen Priesters in Jerusalem.

Ethnie [grch.] *die,* Gruppe von Menschen, die der gleichen Kultur angehören.

ethnische Säuberungen, im Zusammenhang mit dem Bürgerkrieg im ehem. Jugoslawien aufgekommene verharmlosende Bez. für die systemat., gewaltsame Vertreibung von Volksgruppen aus einem ethn. Mischgebiet zugunsten des Wohn- und Lebensrechtes einer einzigen Nationalität.

ethno…, Ethno… [grch. éthnos »Volk«, »Schar«], volks…, Volk…, Stamm…

Ethnographie [grch.] *die,* →Völkerkunde.

Ethnolinguistik [grch.-lat.], linguist. Disziplin, die Sprache im Zusammenhang mit der Geschichte der Kultur untersucht, der die jeweiligen Sprecher angehören.

Ethnologie [grch.] *die,* →Völkerkunde.

Etrusker

Ethologie [grch.] *die,* →Verhaltensforschung.

Ethos [grch.] *das,* Sitte, moral. Gesamthaltung eines Einzelnen oder einer Gruppe.

Ethyl *das,* →Äthyl.

ETHZ, Abk. für →**E**idgenössische **T**echnische **H**ochschule **Z**ürich.

Etiolement [etiolǝ'mã, frz.] *das, Botanik:* das →Vergeilen.

Etkind, Jefim Grigorjewitsch, russ. Philologe, *Petrograd (heute Sankt Petersburg) 26. 2. 1918; 1974 wegen seines Eintretens für verfemte Autoren gemaßregelt und zur Auswanderung (nach Frankreich) gezwungen, schrieb u. a. »Aufzeichnungen eines Nichtverschwörers« (1977).

Etmal, *Schifffahrt:* von einem Schiff in der Zeit von Mittag bis Mittag zurückgelegte Distanz.

Eton ['i:tn], Schulstadt in der Cty. Berkshire, England, an der Themse, 3 500 Ew.; das **Eton College,** die berühmteste Schule Englands (→Public School), wurde 1440 von Heinrich VI. gegründet, die Backsteingebäude des Colleges wurden 80 Jahre später erbaut, die Kapelle stammt aus dem 15. Jahrhundert. BILD S. 190

Etoschapfanne, Salztonebene in N-Namibia, etwa 4600 km², 1050 m ü. M., völlig eben, meist mit einer salzigen Kalkschlammkruste bedeckt; Teil des **Etoscha-Nationalparks,** mit 22 270 km² eines der größten Wildschutzgebiete der Erde.

Etrurien, antike Landschaft im westl. Italien, benannt nach dem Volk der →Etrusker, am Tyrrhen. Meer, zw. Tiber, Apennin und Arno. Die Bedeutung des Landes beruhte auf seiner Fruchtbarkeit und seinem Metallreichtum. Der antike Name E. wurde seit dem 3. Jh. durch die Namen **Tuscia,** später **Toscana** verdrängt; im napoleon. Königreich E. (1801–08) lebte der alte Name wieder auf.

Etrusker (lat. Etrusci, Tusci, grch. Tyrsenoi, Tyrrhenoi, etrusk. Rasenna), im Altertum nichtindogerman. Volk in Italien (Herkunft umstritten), das als Kernland Etrurien beherrschte und vom 7. bis 4. Jh. v. Chr. seine kulturelle Blüte erreichte. Die E. bildeten Stadtstaaten, die bis gegen Ende des 6. Jh. v. Chr. unter Königen, seit dem 5. Jh. unter Oberbeamten standen. Die Stadtstaaten schlossen sich zu einem lockeren Zwölfstädtebund aus Caere (heute Cerveteri), Tarquinii (Tarquinia), Populonia, Rusellae (Roselle), Vetulonia, Volaterrae (Volterra), Arretium (Arezzo), Cortona, Perusia (Perugia), Clusium (Chiusi), Volsinii (bei Orvieto) und Veii (Veji) zusammen. Entsprechende Bünde entstanden im 6. Jh. in der Poebene und in Kampanien. Im 6. Jh. v. Chr. herrschten etrusk. Könige in Rom. 424 verdrängten die Samniten die E. aus Capua (Zusammenbruch des kampan. Städtebunds); um 400 fiel der Städtebund des Pogebiets den in Italien eingedrungenen Kelten zum Opfer. Entscheidend für das Schicksal der E. wurde der

Aufstieg Roms, dessen Eroberung des mächtigen Veji zu Beginn des 4. Jh. ihren Untergang einleitete. 265 (Einnahme von Volsinii durch die Römer) wurde die Unterwerfung Etruriens im Wesentlichen vollendet. Nach dem Bundesgenossenkrieg (91–89 v. Chr.) erhielten auch die E. das röm. Bürgerrecht, ihre völlige Romanisierung erfolgte erst unter Augustus.

Der *Religion* kam eine zentrale Stellung im Leben der E. zu. Bestimmend war das Gefühl der schicksalhaften Abhängigkeit von den Göttern, die mehrgestaltig und symbolhaft vorgestellt wurden, so Voltumna, der oberste Gott, als abscheul. Ungeheuer, Vegetations- oder Kriegsgott. Diese urspr. etrusk. Auffassung machte allmählich der Individualisierung nach grch. Vorbild Platz. Die etrusk. Götter wurden den grch. gleichgestellt und durch grch. vermehrt (z. B. Herakles, Artemis, Apoll, Dionysos, Hephaistos). Die Römer übernahmen die grch. Gottheiten meist durch etrusk. Vermittlung.

📖 PALLOTTINO, M.: *Etruskologie. Geschichte u. Kultur der E. A. d. Italien. Basel u. a. 1988.* – STÜTZER, H. A.: *Die E. u. ihre Welt. Neuausg. Köln 1992.*

etruskische Kunst, eigenständige, aber deutlich vom Orient und der archaischen grch. Kunst beeinflusste Kunst; sie umfasst das Kunstschaffen des von den Etruskern bewohnten Gebiets Mittelitaliens vom 8. bis 1. Jh. v. Chr.

Baukunst: Am besten erhalten sind die Gräber. Neben einfachen Fossagräbern (rechteckige Grabkammern, bisweilen mit Steinen ausgekleidet) kamen im 7. Jh. monumentale Grabanlagen auf, in N-Etrurien aus Steinblöcken unter Erdhügeln

etruskische Kunst

1

2

3

4

5

6

7

| **1** Wandmalerei mit Flötenspieler (um 480 v. Chr.; Tarquinia, Grab der Leoparden) | **2** Sarkophag der Larthia Seianti aus Martinella bei Chiusi (um 200 v. Chr.; Florenz, Museo Archeologico) | **3** Grabstele aus der 2. Hälfte des 5. Jh. v. Chr. (Bologna, Museo Civico Archeologico) | **4** Die einhenkelige Kanne stammt aus der Mitte des 6. Jh. v. Chr. (Florenz, Museo Archeologico) | **5** steinerner Kriegerkopf aus einer Nekropole bei Orvieto (um 525 v. Chr.; Florenz, Museo Archeologico) | **6** Der aus Terrakotta gefertigte Kopf des Hermes stammt vom Portonaccioheiligtum in Veji (um 500 v. Chr.; Rom Villa Giulia) | **7** Apoll aus Veji, Terrakottaplastik (um 500 v. Chr.; Rom, Villa Giulia)

(Tumuli), im S in das vulkan. Tuffgestein gemeißelt. Im Innern besitzen sie ein System von Grabkammern. Seit dem 6. Jh. wurden die nach außen runden Tumulusgräber allmählich von anderen Grabformen abgelöst (Würfel- und Ädikulagrab), die bes. in der Spätzeit aufwendige Grabfassaden in Form von Tempeln oder Häusern zeigen (Sovana, Norchia, Castell d'Asso). Im Innern wurde die frühere Vielräumigkeit zugunsten einer einzigen Bestattungskammer (Tomba dei Rilievi in Cerveteri) aufgegeben. Die Gräber lagen außerhalb der Siedlungen in Totenstädten (Nekropolen). – Für die Anlage der Wohnsiedlungen wurden isolierte Bergrücken oder Tuffplateaus bevorzugt, die nur an wenigen Stellen Befestigungsmauern erforderten. Die Wohnhäuser waren vor der Mitte des 7. Jh. v. Chr. vorwiegend Ovalbauten, später Rechteckhäuser (Acquarossa), teilweise um zentrale Höfe angeordnet (Marzabotto). Die Anfänge des Tempelbaus sind ungewiss. Eine bed. Rolle muss jedoch die von Vitruv als »tuskanischer Tempel« beschriebene Form mit drei nebeneinander liegenden Zellen und gleich tiefer Vorhalle über quadrat. Grundriss gespielt haben (Pyrgi). Das Dach ragte weit über die Seitenwände vor und war überreich mit farbigen Tonplatten und -figuren geschmückt. – Großartige techn. Leistungen waren die Hafenanlagen (Tagliata Etrusca bei Ansedonia südlich von Grosseto) sowie Wasserleitungen.

Malerei und Plastik: Seit der Mitte des 7. Jh. v. Chr. entstanden in den südetrusk. Kammergräbern Freskomalereien (bes. Tarquinia), bei denen zunächst dekorative landschaftl. Motive und Szenen aus dem tägl. wie festl. Leben dominieren; in der Spätzeit werden dagegen ernste, sich mit dem Tod und Jenseits beschäftigende Motive dargestellt (Todesdämone, Unterweltszenen). Die Plastik ist im 7. Jh. v. Chr. vorwiegend orientalisch geprägt (lebensgroße Steinstatuen aus dem »Pietrera-Grab« in Vetulonia), weist aber auch bodenständige Leistungen auf, wie die Kanopen aus dem Gebiet von Chiusi. Die Plastik des 6.–4. Jh. v. Chr. mit Werken aus Ton (Apoll und Herakles aus Veji), Bronze (»Kapitolin. Wölfin«, »Mars von Todi«, »Chimäre« aus Arezzo) und Stein (Kentaur aus Vulci) steht zwar unter dem Einfluss der grch. Kunst, ist aber in ihrem Hang zur Stilisierung, der reichen Oberflächenmodellierung und der Betonung von Kopf und Gestik durchaus eigenständig. Die Plastik der Spätzeit (Porträtstatue des »Arringatore« im Archäolog. Museum Florenz, Deckelfiguren auf Sarkophagen und Urnen) beeinflusste die röm. Kunst.

Kunsthandwerk: Bedeutend sind die granulierten oder ziselierten Goldschmiedearbeiten, Elfenbeinschnitzereien, ziselierten Bronzegeräte und schwarztonige Vasen.

📖 *Die Etrusker. Kunst u. Geschichte, bearb. v.* M. SPRENGER *u. a. München 1977.* – GRÖTEKE, F.: *Etruskerland. Geschichte, Kunst, Kultur. Stuttgart u. a.* [3]*1993.*

Eton: In einem Hof des Eton College (Anfang 16. Jh.) steht seit 1717 eine Statue des Schulgründers Heinrich VI.

Etruskische Schrift und Sprache

Aus der Wende vom 8. zum 7. Jahrhundert v. Chr. stammen die ältesten etruskischen Inschriften. Das Lesen dieser meist sehr kurzen Texte bereitet in der Regel keine Schwierigkeiten; es wurde ja ein aus Griechenland stammendes und den Etruskern über die griechischen Kolonien in Unteritalien vermitteltes Alphabet gewählt. Das Verständnis der etruskischen Sprache wird im Unterschied dazu erheblich erschwert: zum einen, weil das Etruskische vom Wortschatz und von der Grammatik her unter den erhaltenen antiken Sprachen weitgehend isoliert dasteht, zum anderen, weil wörtlich übereinstimmende Texte des Etruskischen mit dem Lateinischen oder Griechischen bisher fehlen. Der längste und bekannteste bisher gefundene etruskische Text ist die »Mumienbinde in Zagreb«, ein Opferkalender mit zwölf senkrecht angeordneten Schriftkolumnen. In der Struktur des Textes zeigen sich deutliche Übereinstimmungen mit den »Iguvinischen Tafeln« in Gubbio (Provinz Perigia, Italien). Da deren umbrischer, dem Lateinischen verwandter Text besser verständlich ist, können heute von den fast 1300 erhaltenen Wörtern der Mumienbinde immerhin etwa 500 in ihrem Sinn erfasst werden.

etruskische Schrift, die bei den Etruskern gebräuchl. Alphabetschrift; sie wurde um 700 v. Chr. aus einem (west-)grch. Alphabet übernommen und ist ihrerseits Quelle des lat. Alphabets. Die Schriftrichtung ist fast durchgehend linksläufig; die Wörter wurden zunächst gar nicht, später durch Punkte oder Spatien getrennt.

etruskische Sprache, die Sprache der Etrusker ist nach heutiger Kenntnis mit keiner Sprache der Erde sicher verwandt; sie wird deshalb nicht mit der sprachvergleichenden (»etymolog.«) Methode, sondern aus sich selbst heraus (»kombinator. Methode«) und unter Einbeziehung z.B. archäolog. Kenntnisse erschlossen; im Sprachvergleich konnten nur grch. und italische Lehnwörter festgestellt werden. Derzeit sind etwa 8000 Texte bekannt (meist Grabinschriften).

Etsch *die* (italien. Adige), Hauptfluss Südtirols und mit 410 km Länge zweitgrößter Fluss Italiens, entspringt am Reschenpass, fließt durch den Vintschgau, mündet südlich von Chioggia in das Adriat. Meer.

Etschmiadsin (bis 1945 Wagarschapat), Stadt in Armenien, 15 km westlich von Jerewan, 53000 Ew.; Sitz des Katholikos der armen. Kirche; Kunststoffwerk, Weinkellerei. – Das Kloster E. mit der Kathedrale (303 gegr., 495/96 neu erbaut, im 7. Jh. wiederhergestellt) wurde im 18. Jh. restauriert, außerdem Ripsime-Kirche (618), Gajane-Kirche (630, im 17. Jh. restauriert). Nahe E. liegt **Swartnoz,** ein bed. Architekturensemble des 7. Jh. – An der Stelle einer im 2. Jh. v. Chr. entstandenen Siedlung wurde im 2. Jh. n. Chr. Wagarschapat gegründet, das vom 2. bis 4. Jh. die Hptst. Armeniens war. E. ist der geistl. Mittelpunkt der armen. Kirche.

Ettal, Gemeinde im Kr. Garmisch-Partenkirchen, Oberbayern, im Ammergebirge, 900 m ü. M., 964 Ew.; Fremdenverkehr. – Benediktinerabtei E., 1330 gegr.; die Klosterkirche wurde als hochgot. Zentralbau errichtet (ab 1709 von Enrico Zuccalli und Joseph Schmuzer unter Einbeziehung der got. Mauern barock umgebaut, im Innern reiche Rokokoausstattung). Im Kloster wird der **Ettaler Kräuterlikör** hergestellt. – Zur Gemeinde gehört Schloss **Linderhof,** erbaut für Ludwig II. von Bayern im frz. Rokokostil 1874–78 von G. von Dollmann; mit Parkanlagen nach Entwürfen von K. von Effner.

Etter, Philipp, schweizer. Politiker, * Menzingen (Kt. Zug) 21. 12. 1891, † Bern 23. 12. 1977; Mitgl. der Kath.-Konservativen Partei, 1934–59 Bundesrat (Innendepartment), erhob 1937 das Rätoromanische zur 4. Landessprache; 1939, 1942, 1947 und 1953 Bundespräsident.

Ettlingen, Stadt (Große Kreisstadt) im Kr. Karlsruhe, Bad.-Württ., am Eintritt des Albtals in die Rheinebene, 38500 Ew.; Albgaumuseum; Papier-, Textil-, pharmazeut., Nahrungsmittelind., Maschinenbau. – Rathaus (1737); Schloss (14. bis 16. Jh.) im 18. Jh. umgestaltet; Hofkapelle mit Deckenfresko von C. D. Asam. – E. erhielt 1227 Stadtrecht.

Etüde [frz.] *die, Musik:* Übungsstück zum Erlernen spezieller spieltechn. Fertigkeit. Künstlerisch

Ettal: Blick auf die 1330 gegründete Benediktinerabtei; die ursprünglich als gotischer Zentralbau errichtete Klosterkirche wurde ab 1709 von Enrico Zuccalli und Joseph Schmuzer barock umgebaut

gestaltet und zum virtuosen Vortrag bestimmt sind die **Konzert-E.** von F. Liszt, F. Chopin, C. Debussy, A. N. Skrjabin u. a.

Etymologie [grch.-lat.] *die,* Richtung der vergleichenden Sprachwiss., die Herkunft, Grundbedeutung und histor. Entwicklung der Wörter sowie ihre Verwandschaft mit Wörtern gleichen Ursprungs untersucht. Schon in der grch. Antike stellte man Überlegungen zur Lautsymbolik an. Grch. Philosophen versuchten, die Wörter als Zusammensetzungen aus einfacheren, lautlich verwandten Grundwörtern zu verstehen. Auf diesem Wege glaubte man, auch etwas über das Wesen der bezeichneten Dinge zu erfahren. Die Grammatiker benutzten die These von willkürl. Lautzuwachs oder -verlust, Lautwechsel oder von Lautumstellung dazu, die Herkunft der Wörter zu erschließen. Das bedeutendste etymolog. Werk des MA. ist Isidor von Sevillas »Etymologiae«. – Die moderne wiss. E. beginnt mit F. A. Potts »Etymolog. Forschungen« (1833), die die geschichtl. Vorgänge der Wortbildung untersuchten. Zunehmend werden dabei kulturgeschichtl. Forschungen einbezogen, so Zeit und Umstände einer Wortbildung sowie Ursachen etwa abweichender Verwendungen und gesetzmäßige Veränderungen der Lautgestalt eines Wortes. Bei Wörtern aus vorgeschichtl. Zeit muss sich die E. meist mit dem Nachweis begnügen, dass sie in derselben Gestalt in verwandten Sprachen vorhanden sind. **Innere E.** ist innerhalb der Wortfamilien einer Sprache möglich (siechen: Sucht), **äußere E.** vergleicht das Wortgut verwandter Sprachen (Zimmer zu grch. demo »ich baue«). → Volksetymologie

Philipp Etter

📖 *Duden »E.«. Herkunftswörterbuch der deutschen Sprache, hg. v.* G. DROSDOWSKI. *Mannheim u. a.*

Rudolf Eucken

Walter Eucken

Eugen, Prinz von Savoyen-Carignan (Ausschnitt aus einem Gemälde)

[2]*1989.* – *Etymolog. Wörterbuch des Deutschen, hg. v.* W. PFEIFER. *Neuausg. München 1995.* – KLUGE, F.: *Etymolog. Wörterbuch der deutschen Sprache, bearb. v.* E. SEEBOLD. *Berlin* [23]*1995.*

Etymon [grch.] *das,* Grund-, Stammwort.

Etzel, mhd. Name des Hunnenkönigs Attila, erstmals in der Mitte des 12. Jh. in der »Kaiserchronik« belegt; edler, ritterl. Heidenkönig in der mhd. Heldenepik (im »Nibelungenlied« als Gemahl Kriemhilds). Der Atli der nord. Sage ist grausam, er erschlägt die Brüder seiner Frau Gudrun und wird von ihr getötet.

Etzlaub, Erhard, Kartograph, Mathematiker und Astronom, *um 1462, †1532; fertigte u.a. eine Umgebungskarte von Nürnberg (1492) und 1501 die »Romwegkarten«, d.h. Landstraßenkarten von Mitteleuropa für Rompilger.

Eu, chem. Symbol für →Europium.

EU, Abk. für →**E**uropäische **U**nion.

Euböa (ngrch. Evia), zweitgrößte Insel Griechenlands, rd. 170 km lang, 3 655 km², 209 900 Ew.; Hauptort ist Chalkis; durch den schmalen Golf von E. (eine Brücke und Fähren) vom mittelgrch. Festland getrennt. E. ist überwiegend gebirgig (bis 1743 m ü. M.) mit kleinen fruchtbaren Ebenen, bes. im W (Anbau von Wein, Oliven, Zitrusfrüchten, Getreide); der N ist bewaldet, die O-Küste felsig und ohne Häfen. Abgebaut werden Magnesit, Braunkohle und Marmor. – Die im Altertum von Ioniern bewohnte Insel wurde 146 v. Chr. römisch und später Bestandteil des Byzantin. Reiches. 1205 geriet E. unter lombard., 1366 unter venezian. Herrschaft. 1470–1830 war die Insel türkisch.

Eucharistie [grch. »Danksagung«] *die,* in der christl. Urgemeinde zunächst die Danksagung innerhalb der Feier des Abendmahls; seit Ausgang des 1. Jh. in der frühen Kirche allg. Bez. für die Abendmahlsfeier, später wird die E. liturgisch zur E.-Feier (kath. Kirche), Abendmahlsfeier (evang. Kirchen) und Feier der göttl. Liturgie (orth. Kirchen) ausgeformt.

In der *kath. Kirche* die in der E.-Feier mittels der Konsekration erwirkte, als wahrhaft, wirklich und wesentlich verstandene Gegenwart des erhöhten Gottmenschen Jesus Christus mit Leib und Blut unter den Gestalten von Brot und Wein. Auf dem Konzil von Trient (1551) wurde die eucharist. Gegenwart Christi als →Transsubstantiation bestimmt, die durch die Konsekration von Brot und Wein vollzogen wird (→Abendmahl).

📖 *Die Diskussion über Taufe, E. u. Amt 1982–1990, hg. vom Ökumen. Rat der Kirchen, Kommission für Glauben u. Kirchenverfassung. A. d. Engl. Frankfurt am Main u. a. 1990.* – SLENCZKA, N.: *Realpräsenz u. Ontologie. Göttingen 1993.*

Eucharistische Kongresse, internat. kath. Tagungen zur Verehrung der Eucharistie und zur Förderung ihres Kultes seit 1881; nach 1945 in vierjährigem Turnus.

Eucken, 1) Rudolf Christoph, Philosoph, *Aurich 5. 1. 1846, †Jena 16. 9. 1926, Vater von 2); knüpfte an den dt. Idealismus (bes. J. G. Fichte) an und formte ihn zu einem sozialethisch verstandenen, schöpfer. Aktivismus um; wandte sich im Sinne eines ethisch verwurzelten Geisteslebens gegen den Intellektualismus der Gelehrtenphilosophie und eine dem Technischen verfallene Scheinkultur. 1908 erhielt E. den Nobelpreis für Literatur. – *Werke:* Die Einheit des Geisteslebens in Bewußtsein und Tat der Menschheit (1888), Mensch und Welt (1918).

2) Walter, Volkswirtschaftler, *Jena 17. 1. 1891, †London 20. 3. 1950, Sohn von 1); Begründer der Freiburger Schule. E. trat für eine Wirtschaftsordnung ein, die durch staatl., marktkonforme Maßnahmen (z. B. Monopolkontrolle) gesichert ist. Seine Ideen übten starken Einfluss auf die Wirtschaftspolitik in der Bundesrep. Dtl. aus. – *Werke:* Die Grundlagen der Nationalökonomie (1940), Grundsätze der Wirtschaftspolitik (1952).

Eudämonismus *der,* die Lehre, nach der alles menschl. Handeln durch das Streben nach (der unterschiedlich definierten) Glückseligkeit (Eudämonie) bestimmt wird. Sokrates, Platon, Aristoteles sahen die Erfüllung in einem tugendhaften Leben. Andere dagegen (Epikur, J. Locke u. a.) streben das Erleben von Lust im Sinne von Schmerzlosigkeit und Seelenruhe an (→Hedonismus). Der **individuelle (individualist.) E.** setzte allein das Glück des Einzelnen als Maßstab; zugleich entwickelte sich der Gedanke, dass das Glück des Einzelnen im Streben nach Glück für andere gefunden werden solle (F. Hutcheson). Aus diesem **Sozial-E.** entwickelte sich der →Utilitarismus (J. Bentham, J. S. Mill).

Eudokia (Eudoxia), byzantinische Kaiserin, †6. 10. 404; Tochter des fränk. Feldherrn Bauto; ⚭ mit Kaiser Arkadios; beeinflusste die Reichspolitik; Mutter Kaiser Theodosios' II.

Eudoxos von Knidos, grch. Mathematiker, Naturforscher und Philosoph der 1. Hälfte des 4. Jh. v. Chr., war Schüler der Platon. Akademie und gründete eine eigene Schule in Athen. Seine Untersuchungen zum Kegelschnitt sind in die Lehre Euklids eingegangen, ebenso ist Aristoteles von seinem Modell der Planetenbewegungen angeregt worden. Seine »Erdumwanderung« entwickelte eine Theorie von der Krümmung der Erde.

Eugen, Prinz von Savoyen-Carignan, österr. Heerführer, *Paris 18. 10. 1663, †Wien 21. 4. 1736, Sohn von Eugen Moritz Prinz von Savoyen-Carignan und der Olympia Mancini, Nichte des Kardinals Mazarin. Von Ludwig XIV. zur geistl. Laufbahn bestimmt, floh er 1683 nach Wien und trat in das kaiserl. Heer ein. Im Großen Türkenkrieg (1683–99) wurde er 1693 Feldmarschall, erhielt 1697 den Oberbefehl und errang am 11. 9. 1697 den entscheidenden Sieg gegen die Türken bei Zenta. Im Span. Erbfolgekrieg führte er 1701/02 die siegreichen Kämpfe gegen die Franzosen in Oberitalien, errang die Siege bei Höchstädt (1704, mit dem Herzog von Marlborough) und Turin (1706) und, wieder mit Marlborough, bei Oudenaarde (1708) und Malplaquet (1709). 1707 zum Reichsfeldmarschall ernannt, führte er im Auftrag des Kaisers 1714 die Friedensverhandlungen von Rastatt und Baden. Im Türkenkrieg 1714/16–18 errang er den Sieg bei Peterwardein (1716) und eroberte Belgrad (1717). 1716–24 war er Statthalter der Österr. Niederlande. Er galt als fähigster Feldherr seiner Zeit; als weit blickender polit. Berater orientierte er sich an der Idee der Staatsräson. Als Freund der Kunst und Wiss. ließ er u. a. Schloss Belvedere in Wien erbauen.

📖 OPPENHEIMER, W.: *Prinz E. von Savoyen. Feldherr – Staatsmann – Mäzen. Lizenzausg. München 1996.*

Euklid:
Relief von Andrea Pisano am Campanile des Doms von Florenz (um 1340; Original im Dommuseum)

Eugénie [øʒe'ni, frz.], Kaiserin der Franzosen (1853–70), Gemahlin Napoleons III., * Granada 5. 5. 1826, † Madrid 11. 7. 1920; Tochter des span. Grafen de Montijo; trug durch ihren polit. Einfluss zum Glanz wie zum Sturz des 2. Kaiserreichs bei. Sie stützte den Papst gegen die italien. Nationalbewegung, trieb zur mexikan. Expedition, förderte in der dt. Frage die antipreuß. Kräfte und gehörte 1870 zur Kriegspartei; lebte seit der frz. Niederlage im Exil.

Eugenik [grch., Lehre von der »guten« Erbveranlagung] *die* (Erbgesundheitslehre, Erbhygiene), von dem brit. Naturforscher F. Galton 1883 geprägte Bez. für die Lehre von der Verbesserung des Erbguts. Ziel eugen. Maßnahmen ist es, unter Anwendung genet. Erkenntnisse den Fortbestand günstiger Erbanlagen in einer menschl. Population zu sichern und zu fördern **(positive E.)** sowie die Ausbreitung nachteiliger Gene einzuschränken **(negative** oder **präventive E.)**. In der Zeit des Nationalsozialismus wurde mit der E. der Massenmord an geistig und körperlich behinderten Menschen begründet (→ Euthanasie).

📖 *Medizin u. Gesundheitspolitik in der NS-Zeit, hg. v.* N. FREI. *München 1991.* – WEINGART, P. *u. a.: Rasse, Blut u. Gene. Geschichte der E. u. Rassenhygiene in Deutschland. Frankfurt am Main* [2]*1996.*

Eugenol *das*, ein ungesättigtes Phenol (4-Allyl-2-methoxyphenol) in äther. Ölen, bes. Basilikum- und Nelkenöl; Riechstoff.

Euglena, Gattung einzelliger Flagellaten, meist grün, mit rotem Augenfleck; in nährstoffreichem Süßwasser.

Euhomininen [grch.-lat.], Unterfamilie der Hominiden mit der Gattung → Homo.

Eukalyptus [grch.] *der* (Eucalyptus), australisch-polynes. Gattung der Myrtengewächse, z. T. über 100 m hohe Bäume oder Sträucher mit ledrigen immergrünen Blättern. Versch. Arten enthalten stark riechendes äther. Öl (E.-Öl), das technisch und medizinisch verwendet wird. Einige Arten, v. a. der bis 40 m hohe **Fiebergummibaum** (Eukalyptus globulus), wurden zur Trockenlegung von Sümpfen oder zur Wiederaufforstung angepflanzt.

Eukalyptus:
Zweig des Fiebergummibaums mit Blüten

Eukaryonten [grch.] (Eukaryoten, Eukaryota), zusammenfassende Bez. für alle Organismen, deren Zellen einen echten Zellkern besitzen.

Euklid (grch. Eukleides), grch. Mathematiker, lehrte um 300 v. Chr. in Alexandria. Sein Werk »Die Elemente« gilt als das einflussreichste Mathematikbuch aller Zeiten; hierin fasst E. die mathemat. Kenntnisse seiner Zeit zusammen. Es sind 13 Bücher erhalten, das sog. 14. Buch stammt von Hypsikles (2. Jh. v. Chr.), das 15. vermutlich von Damaskios (6. Jh. n. Chr.) Weitere Werke E.s befassen sich mit geometr. Optik, Kegelschnitten, Musiktheorie und astronom. Problemen.

Euklid von Megara, grch. Philosoph, * um 450, † um 370 v. Chr.; Begründer der megarischen Schule. E. gab dem sokrat. Grundbegriff des Guten eine metaphys. Wendung, indem er das eine unbewegl., unveränderl. Sein der Eleaten mit dem Guten identifizierte und in ihm, ähnlich wie Platon, das Vernünftige und Göttliche sah.

euklidische Geometrie [nach Euklid], Teil der Geometrie, der auf dem Parallelenaxiom basiert: Durch einen außerhalb einer Geraden liegenden Punkt kann zu dieser Geraden nur eine einzige Parallele gezogen werden. Ggs.: nichteuklid. Geometrie.

Eugénie,
Kaiserin der Franzosen (Stich nach einem Gemälde von Franz Xaver Winterhalter, um 1860)

euklidischer Algorithmus [nach Euklid], Verfahren zur Bestimmung des größten gemeinsamen Teilers zweier positiver natürl. Zahlen durch schrittweise Division mit Rest.

euklidischer Lehrsatz [nach Euklid] (Kathetensatz), geometr. Satz: Im rechtwinkligen Drei-

Eulen 1): Der Raufußkauz jagt (außer in der Arktis) ausschließlich nachts

eck ist das Quadrat über einer Kathete a flächengleich dem Rechteck aus der Hypotenuse c und der Projektion der Kathete auf die Hypotenuse p ($a^2 = p \cdot c$).

euklidischer Raum [nach Euklid] *Mathematik:* allg. der anschaul. dreidimensionale →Raum.

Eulaliasequenz (Eulalialied), ältestes erhaltenes frz. Literaturdenkmal, um 881 nach einer lat. Sequenz (Messgesang) zu Ehren der hl. Eulalia von Mérida (Spanien) entstanden, die um 300 zwölfjährig den Märtyrertod erlitt.

Eulen, 1) (Strigiformes) Ordnung der Vögel mit rd. 145 Arten; die meisten E. jagen im Dunkeln Kleinsäuger, auch Vögel, Insekten und Würmer, die sie mit den Füßen packen und mit den spitzen Krallen töten. Ihre unbewegl. Augen sind nach vorn gerichtet, der Gehörsinn ist gut entwickelt. – Einige E.-Arten werden als »Käuze« bezeichnet. Die größte E. ist der →Uhu; weit verbreitet in Wäldern ist die **Waldohr-E.** (Asio otus). Die **Sumpfohr-E.** (Asio flammeus) nistet in Moorgebieten und auf nassen Wiesen. In lockeren Baumbeständen, an Felsen und Gemäuern lebt der **Steinkauz** (Athene noctua), in großen Nadelwäldern der seltene **Raufußkauz** (Aegolius funereus), in den Alpen und im Schwarzwald der z.T. tagsüber jagende **Sperlingskauz** (Glaucidium passerinum). Bis in die Parks und Gärten der Städte hat sich der rindenfarbige **Waldkauz** (Strix aluco) ausgebreitet. Die **Schleier-E.** (Tyto alba) lebt oft im Gebälk von Türmen und in altem Mauerwerk. Nord- und osteurop. E. sind **Schnee-E.** (Nyctea scandiaca), **Sperber-E.** (Surnia ulula) und **Habichtskauz** (Strix uralensis). Alle E. stehen unter Naturschutz.

2) Familie der Schmetterlinge, →Eulenschmetterlinge.

Eulen

Eulen nach Athen tragen

Seit alters wurden Eulen und ihr Ruf in Zusammenhang mit Tod, Dunkelheit und Unglück gebracht, so z.B. in Ägypten, Indien, China, bei den Etruskern, Kelten, Griechen und Römern; in der Bibel gelten Eulen als unreine Tiere. Auch Hexenzauber wurde in Verbindung mit Eulen gesehen. In Athen wurde die Eule (eigentlich der Steinkauz) zum heiligen Tier der Stadtgöttin Athena, weil sie auf der Akropolis in größeren Anzahlen nistete. Als Tier der Athena war die Eule das Sinnbild der Weisheit und der Wissenschaft. Außerdem galt sie als Unglücksbote, als Wetterprophet oder auch als Mittel zur Abwehr von Blitz und Hagel, das am Scheunentor befestigt wurde. Das Bild der Eule findet sich – zusammen mit dem der Göttin – seit dem 6. Jahrhundert v. Chr. auf attischen Münzen.

Entweder von diesen Münzen oder vom häufigen Vorkommen der Eulen auf dem Athener Burgberg wird die Redensart »Eulen nach Athen tragen« im Sinne von »etwas Überflüssiges tun« abgeleitet. Sie geht auf den Ausspruch »Wer hat die Eule nach Athen getragen?« in der Komödie »Die Vögel« von Aristophanes zurück.

Eulenberg, Herbert, Schriftsteller, *Mülheim (heute zu Köln) 25. 1. 1876, †Kaiserswerth (heute zu Düsseldorf) 4. 9. 1949; schrieb mit romant. Fantasie historische Dramen, v.a. aber biograph. Skizzen bedeutender Menschen (»Schattenbilder«, 1910ff.).

Eulenburg, obersächs. Uradelsgeschlecht, erstmals 1170 erwähnt, urspr. in Eilenburg, dann in der Mark Meißen, Böhmen und in der Lausitz, seit dem 14. Jh. in Preußen ansässig; 1786 in den preuß. Grafenstand erhoben:

1) Friedrich Albrecht Graf zu, *Königsberg (Pr) 29. 6. 1815, †Berlin 2. 4. 1881, Onkel von 2); 1862–78 (Rücktritt) preuß. Min. des Innern, unterstützte Bismarck im Verfassungskonflikt. Seine Kreisordnung (1872) stärkte die Selbstverwaltung.

📖 Lange, G.: *Die Bedeutung des preuß. Innenministers F. A. Graf zu E. für die Entwicklung Preußens zum Rechtsstaat. Berlin 1993.*

2) Philipp, Fürst zu E. und Hertefeld (seit 1900), *Königsberg (Pr) 12. 2. 1847, †Schloss Liebenberg (bei Templin) 17. 9. 1921, Neffe von 1); war 1894–1903 Botschafter in Wien, hatte als Freund und Vertrauter Wilhelms II. großen Einfluss auf dessen Politik, förderte die Laufbahn B. von Bülows; wurde 1906 Zentralfigur einer v.a. von M. Harden provozierten Affäre, die mit ihren Vorwürfen (Homosexualität, Meineid) das Ansehen des Kaisers schwer schädigte.

Eulengebirge (poln. Góry Sowie), ein dem Hauptkamm der Sudeten nach O vorgelagerter, größtenteils aus Gneis bestehender Gebirgskamm zw. Waldenburger Bergland im NW und Reichensteiner Gebirge im SO, in Polen. Höchste Erhebung ist mit 1015 m ü.M. die Hohe Eule (Wielka Sowa).

Eulenschmetterlinge (Eulenfalter, Eulen, Noctuidae), größte Familie der Schmetterlinge mit über 25 000 Arten; Flügelspannweiten 1–7 cm, bei der brasilian. **Rieseneule** (Thysania agrippina) bis 30 cm; Vorderflügel mit charakterist. »Eulenzeichnung«. Die oft nackten Raupen leben tagsüber in Bodenstreu oder Erde **(Erdraupen);** sie fressen nachts, wobei sie vielfach Kulturpflanzen schädigen (Erbsen-, Gemüse-, Kohl-, Wintersaateule, →Forleule). Die **Gammaeule** (Phytometra gamma) ist ein Wanderfalter.

Eulenschmetterlinge: Gammaeule (Spannweite etwa 4 cm)

Eulenspiegel (Ulenspegel), Till oder Tile, Held einer Schwanksamml. (→Volksbücher), die auf einer zu Beginn des 16. Jh. verfassten Kompilation von an E. geknüpften Geschichten und älterem umlaufendem Schwankgut beruht (der niederdt. Urdruck ist nicht erhalten, zahlr. Neudrucke, u. a. Straßburger Drucke 1515 und 1519). »Ein kurtzweilig Lesen von Dyl Ulenspiegel« wurde in die meisten europ. Sprachen übersetzt. Histor. Nachrichten zur Person des E. fehlen weitgehend; der biograph. angeordneten Schwanksamml. zufolge soll er in Kneitlingen (im Braunschweigischen) geboren, in Mölln 1350 gestorben und dort begraben worden sein. In den Schwänken spielt E. Vertretern aller Stände seine Streiche; bekannt v. a. die Schwänke, die auf Wortwitz, auf wörtl. Ausführung eines bildl. Befehls, beruhen. Zahlr. Bearbeitungen, u. a. von J. N. Nestroy, C. de Coster, F. Lienhard, G. Hauptmann; sinfon. Dichtung von R. Strauss »T. E. lustige Streiche« (1890). Als märk. E. gilt **Hans Clauert,** als jüd. **Hersch Ostropoler,** als türk. der **Hodscha Nasreddin.**

📖 AICHMAYR, M. J.: *Der Symbolgehalt der E.-Figur im Kontext der europ. Narren- u. Schelmenliteratur. Göppingen 1991.*

Euler [nach einem schwed. Sportler] (Thorén), im Eiskunstlauf Sprung von rückwärts-auswärts auf rückwärts-einwärts auf das andere Bein bei Hoch- und Seitwärtsspreizen des Spielbeins.

Euler, 1) August, eigtl. A. Reith, Ingenieur, Flugzeugbauer und Flugpionier, *Oelde 20. 11. 1868, †Feldberg (Schwarzwald) 1. 7. 1957; baute die ersten dt. Motorflugzeuge, erhielt 1910 den dt. Flugzeugführerschein Nr. 1, leitete 1918–21 das neu gegr. Reichsluftfahrtamt, bewirkte in dieser Zeit die Zulassung der ersten Luftverkehrsunternehmen in Dtl. und schuf die erste Luftverkehrsordnung.

2) Leonhard, schweizer. Mathematiker, *Basel 15. 4. 1707, †Sankt Petersburg 18. 9. 1783. Seine wiss. Tätigkeit umfasst sämtl. Zweige der reinen und angewandten Mathematik, Physik und Astronomie. Er stellte u. a. die nach ihm ben. Gleichungen für die Flüssigkeitsströmung und für die Kreiselbewegung auf und führte den Begriff des Trägheitsmoments und der freien Drehachse ein. Er vertrat (1746) eine Wellentheorie des Lichts. Zu den Anwendungen der Mathematik gehören die »Musiktheorie« (1739), die »Theorie der Planetenbewegung« (1744), die »Grundsätze der Artillerie« (Ballistik, 1745), die »Theorie des Schiffbaues« (1749) und die »Dioptrica« (1769–71). E. entwickelte aus Ansätzen bei Jakob und Johann Bernoulli die Variationsrechnung und gab 1744 dem Prinzip der kleinsten Wirkung eine schärfere mathemat. Form. Er schuf die moderne Zahlentheorie und die kombinator. Topologie sowie zahlr. Beiträge zur Geometrie, zur Reihenlehre, zur Theorie der Differenzialgleichungen und -geometrie. BILD S. 196

Euler-Chelpin [-'kɛlpi:n], **1)** Hans von, schwed. Chemiker dt. Herkunft, *Augsburg 15. 2. 1873, †Stockholm 7. 11. 1964, Vater von 2); entwickelte neue Methoden zur Untersuchung der Enzyme und Vitamine. 1929 erhielt er mit A. Harden den

Hans von Euler-Chelpin

Eulenspiegel: Titelseite der Straßburger Ausgabe von 1515

Leonhard Euler: Gemälde des schweizerischen Malers Emanuel Handmann (1753; Basel, Öffentliche Kunstsammlung)

Nobelpreis für Chemie für die Erforschung der Gärung von Zuckern und der Gärungsenzyme.

2) Ulf Svante von, schwed. Physiologe, *Stockholm 7. 2. 1905, †ebd. 11. 3. 1983, Sohn von 1); erhielt für seine Untersuchungen über die chem. Natur des Überträgerstoffs Noradrenalin an den Synapsen mit J. Axelrod und B. Katz 1970 den Nobelpreis für Physiologie oder Medizin.

Ulf Svante von Euler-Chelpin

eulersche Formel [nach L. Euler], verknüpft die Exponentialfunktion mit den Winkelfunktionen:

$$e^{iz} = \cos z + i \sin z \quad (\text{mit } i = \sqrt{-1}).$$

eulersche Gerade [nach L. Euler], Gerade, die durch den Schwerpunkt *S*, den Höhenschnittpunkt *H* und den Mittelpunkt des Umkreises *M* eines Dreiecks geht.

eulerscher Polyedersatz [nach L. Euler], geometr. Satz, wonach für ein Polyeder mit *e* Ecken, *k* Kanten und *f* Flächen gilt: $e - k + f = 2$.

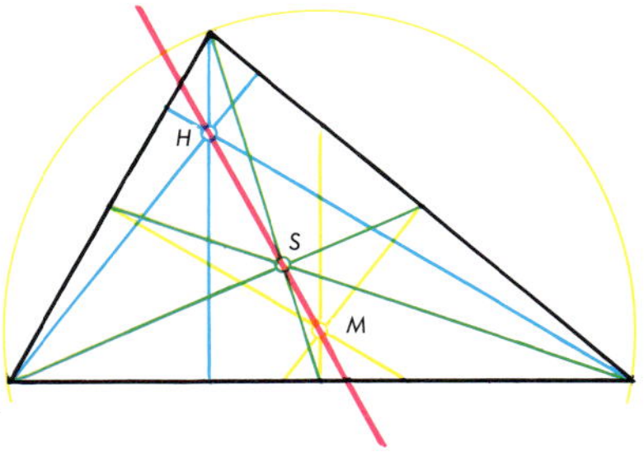

eulersche Gerade (H Höhenschnittpunkt, S Schwerpunkt, M Mittelpunkt des Umkreises eines Dreiecks)

eulersche Zahl [nach L. Euler], Bez. für die Zahl →e.

Eumenes II. Soter, König von Pergamon (seit 197), *vor 221, †159 v. Chr.; Verbündeter Roms. Unter ihm erlebte das Pergamen. Reich seine größte Blüte (u. a. Bau des Pergamonaltars).

Eumeniden, *grch. Mythos:* →Erinnyen.

Eunuch [grch. »Betthüter«] *der,* Kastrat, Haremswächter.

Eunuchismus *der,* Veränderungen beim Mann durch Fehlen oder Funktionsuntüchtigkeit der Hoden (Entwicklungsdefekt, operative Beseitigung [→Kastration]) vor der Pubertät. Der Mangel an männl. Geschlechtshormonen bewirkt Hoch- oder Riesenwuchs mit langen Gliedmaßen, Unterentwicklung der sekundären Geschlechtsmerkmale (geringe Körper-, Bart- und Schambehaarung, hohe »Kastratenstimme«), der Muskulatur, der Geschlechtsorgane, der Sexualität, auch Störungen der psych. Entwicklung. Beim **Eunuchoidismus** mit nur teilweisem Hormondefizit sind diese Symptome weniger ausgeprägt.

Eupatoria, Stadt auf der Krim, →Jewpatorija.

Eupatriden [grch. »Söhne edler Väter«], Standesbez. der herrschenden Adelsgeschlechter im antiken Athen.

Eupen, Stadt in der Prov. Lüttich, im deutschsprachigen Teil Belgiens, 17100 Ew.; Woll-, Röhren-, Elektroind., Brauereien, Gerberei, Großmolkerei, Schokoladenherstellung. – Aus dem 18. Jh. sind u. a. einige barocke Patrizierhäuser von dem Aachener Stadtbaumeister J. J. Couven (*1701, †1763) erhalten, der auch den Hochaltar (1740) zur doppeltürigen Barockkirche St. Nikolaus (1721 begonnen) schuf. – Das zunächst zum Herzogtum Limburg gehörende E. erhielt 1808 Stadtrecht, fiel 1815 an Preußen und kam 1920 zus. mit Malmedy zu Belgien.

Eupen-Malmedy, Grenzgebiet in O-Belgien, Teil der Prov. Lüttich; rd. 1036 km²; wurde 1920 mit seiner zu 45% deutschsprachigen Bev. aufgrund des Versailler Vertrags nach einer nichtgeheimen Volksbefragung unter Druck an Belgien abgetreten. 1940–45 von Dtl. annektiert; endgültige Grenzziehung 1956 durch ein Abkommen zw. der Bundesrep. Dtl. und Belgien.

📖 DOEPGEN, H.: *Die Abtretung des Gebietes von E.-M. an Belgien im Jahre 1920. Bonn 1966.*

Euphorbia [grch.-lat.], die Pflanzengattung →Wolfsmilch.

Euphorie [grch.] *die,* Zustand einer – objektiv als unangemessen bewerteten – gehobenen Stimmung und eines gesteigerten Antriebs, z. B. unter Einfluss von Alkohol, Arzneimitteln, Rauschgiften und bei Gehirnerkrankungen.

Euphorion, der auf den Inseln der Seligen geborene geflügelte Sohn des Achill und der Helena,

Euphronios: Kelchkrater mit der Darstellung von Herakles und Antaios (zwischen 510 und 505 v. Chr.; Paris, Louvre)

keine myth. Gestalt, sondern eine dichter. Erfindung des 1. Jh. n. Chr.; in »Faust II« Sohn des Faust und der Helena; in dieser Gestalt verherrlichte Goethe den engl. Dichter Byron.

Euphranor, grch. Maler und Bildhauer des 4. Jh. v. Chr. vom (korinth.?) Isthmus; schuf Wandbilder für die Stoa Eleutherios an der Agora in Athen sowie zahlr. Statuen, jedoch gelangen bisher keine Zuweisungen.

Euphrat *der* (arab. Al-Furat, türk. Fırat), der größte Strom Vorderasiens, mit dem Murat 3380 km lang; entsteht aus den Quellflüssen **Karasu** (Westl. E.) und **Murat** (Östl. E.) im Hochland O-Anatoliens (Türkei), durchbricht den östl. Taurus, quert als Fremdlingsfluss das syrisch-irak. Tafelland, umschließt mit dem Tigris das weite unterirak. Tiefland (in diesem Zwischenstromland entwickelten sich die Kulturen Mesopotamiens) und vereinigt sich mit diesem Fluss zum Schatt el-Arab. – Zur Bewässerung und Energiegewinnung wurden Staudämme in der Türkei bei Keban (seit 1974; Kraftwerksleistung: 1240 MW), Karakaya (seit 1987; 1800 MW) sowie bei Urfa (Atatürkstaudamm seit 1983 im Bau; 2400 MW geplant; 1. Ausbaustufe seit 1992 in Betrieb), in Syrien bei Tabqa (seit 1978; 800 MW; Assadstausee: 630 km^2), in Irak bei Haditha (seit 1986; 600 MW) sowie umfangreiche Wasserregulierungsanlagen im irak. Tiefland errichtet. Seit 1988 ist der Thartharkanal zw. E. und Tigris fertig gestellt.

Euphronios, attischer Vasenmaler, tätig um 515–490 v. Chr.; einer der Hauptmeister des frühen rotfigurigen Stils; bemalte v. a. große Gefäße mit großfigurigen Bildkompositionen, u. a. Kelchkrater mit Herakles und Antaios (zw. 510 und 505 v. Chr.; Paris, Louvre).

Euphrosyne → Chariten.

Euphuismus *der,* ein nach J. Lylys Roman »Euphues« (2 Tle., 1578 und 1580) benannter manierist. Stil des Frühbarock mit reich gegliederten Satzkonstruktionen, spitzfindigen Wortspielen und überladenen Bildern.

Eupolis, einer der drei Meister der alten attischen Komödie, † bald nach 412 v. Chr.; Zeitgenosse und Konkurrent des Aristophanes, schrieb polit. Stücke in der Zeit des Peloponnes. Krieges (»Demoi«, 412).

Eurasien, zusammenfassende Bez. für Europa und Asien, bildet die größte zusammenhängende Landmasse der Erde (rd. 54 Mio. km^2).

EURATOM, Abk. für → **Eur**opäische **Atom**gemeinschaft.

Eure [œ:r], **1)** *die,* linker Nebenfluss der Seine, 225 km lang, entspringt im Hügelland der Perche, mündet bei Rouen.

2) Dép. in der Normandie, Frankreich, 6040 km^2, (1990) 513900 Ew.; Hptst. ist Evreux.

Eureca [Abk. für engl. **Eur**opean **re**trievable **ca**rrier, »europ. rückholbarer Träger«], erstes unbemanntes, rückholbares Forschungslabor, das im Auftrag der ESA gebaut und im Juli 1992 von der amerikan. Raumfähre Atlantis ausgesetzt wurde. E. führt auf einer Erdumlaufbahn Versuche im Bereich der Bio- und Werkstoffwiss. unter Bedingungen der Schwerelosigkeit aus.

Eure-et-Loir [œre'lwa:r], Dép. in Frankreich, im Orléanais, 5880 km^2, (1990) 395500 Ew.; Hptst. ist Chartres.

Euregio, Abk. für **Eu**ropäische **Regio**n, grenzüberschreitende Zusammenarbeit kommunaler Körperschaften in Grenzregionen. Schwerpunkte liegen im wirtsch., sozialen und kulturellen Be-

Eureca: Das Forschungslabor wird am Manipulatorarm der Raumfähre Atlantis über dem Persischen Golf ausgesetzt (1992)

reich. Neben der dt.-niederländ. E. (Sitz: Gronau) entstanden weitere Vereinigungen in anderen europ. Grenzräumen.

Eurich, König der Westgoten (466–84), †Arles Dez. 484; machte sich von Rom unabhängig und vergrößerte sein Reich in SW-Frankreich nach N bis zur Loire, nach O bis zu den Alpen und nach S bis zur Meerenge von Gibraltar. Der Arianer E. ließ erstmals westgot. Recht im **Codex Euricianus** aufschreiben.

Euripides (grch. Euripides), der jüngste der drei großen athen. Tragiker, *485/484 oder um 480, †Anfang 406 v. Chr. in Makedonien am Hof von König Archelaos. Von den 92 ihm zugeschriebenen Dramen sind außer zahlr. Fragmenten vollständig erhalten: die Tragödien »Alkestis« (438), »Medea« (431), »Hippolytos« (428), »Andromache« (um 429), »Die Herakliden« (um 430), »Herakles«, »Die Hiketiden« (Schutzflehenden), »Hekabe«, »Die Troerinnen« (415), »Elektra«, »Helena« (412), »Iphigenie bei den Tauriern« (um 412), »Der Kyklop« (Satyrspiel), »Ion« (um 412), »Orest« (408), »Die Phoenissen« (nach 412, vor 408), »Iphigenie in Aulis« (nach 406), »Die Bakchen« (nach 406). E.' Wirkung ging weit über die des Aischylos und des Sophokles hinaus. Das belegen u. a. die unteritalien. Vasenbilder mit euripideischen Szenen.

Ausgabe: Sämtl. Tragödien. Nach der Übersetzung v. J. J. Donner bearb. v. R. Kannicht, 2 Bde. Stuttgart ^{2}1958, Nachdr. 1984.

🕮 Murray, G.: *E. u. seine Zeit. A. d. Engl. Darmstadt ^{2}1969.*

Euro: Die vom Rat des Europäischen Währungsinstituts (EWI) 1996 ausgewählten Gestaltungsentwürfe (links Vorderseite, rechts Rückseite)

Euro, Abk. **EUR,** Name der Währung der Europ. Union; 1 E. = 100 Cent (Eurocent). Der E. soll spätestens am 1. 1. 2002, drei Jahre nach Beginn der dritten Stufe der Europ. Wirtschafts- und Währungsunion in Umlauf gebracht werden. Für die Banknoten sind als Nennwert 5, 10, 20, 50, 100, 200 und 500 E. vorgesehen, für Münzen als höchster Nennwert 2 Euro.

Eurocard *die,* →Kreditkarte.

Eurocheque [-ʃɛk] *der,* Abk. **ec** (Euroscheck), Barscheck, der in Verbindung mit einer Ausweiskarte **(ec-Karte)** vom bezogenen Kreditinstitut bis zu einem bestimmten Höchstbetrag (seit 1985 400 DM) eingelöst wird; auch Kaufhäuser, Hotels u. a. nehmen E. an. E. werden in allen europ. Staaten u. a. Reiseländern eingelöst. Die in Dtl. ausgegebenen ec-Karten sind Magnetstreifenkarten, die den Zugang zum elektron. Geldverkehr (u. a. Nutzung von Geldausgabeautomaten, verbunden mit einer persönl. Identifikationsnummer [PIN]) ermöglichen. Seit 1996 sind mit einem Chip ausgestattete ec-Karten im Umlauf, die als elektron. Geldbörse genutzt werden können.

Eurocity [-sɪtɪ], Abk. **EC,** im Fernreisezugverkehr mit dem Ausland eingesetzte →Intercityzüge; die Bez. EC wurde mit dem Sommerfahrplan 1987 eingeführt.

Eurocontrol, 1960 gegr. europ. Organisation für Flugsicherung; Mitgliederstaaten: Belgien, Dtl., Frankreich, Großbritannien, Irland, Luxemburg, Niederlande und Portugal; Aufgaben: Festlegung gemeinsamer Ziele und mittelfristiger Pläne; Sitz: Brüssel.

Eurodollar, Guthaben in Dollar oder in einer anderen konvertierbaren Währung, die bei Banken außerhalb des betreffenden Währungsgebietes gehalten und für Laufzeiten bis zu sechs Monaten gehandelt werden. Der **E.-Markt** ist wichtigster Teil des Eurogeldmarktes (→Euromarkt).

Eurofighter 2000 [-faɪtə-], seit 1988 in der Entwicklung befindl. Kampfflugzeug, an dem die NATO-Partner Dtl., Großbritannien, Italien und Spanien beteiligt sind. Urspr. konzipiert unter der Bez. European Fighter Aircraft (Abk. EFA), in Dtl. auch als Jäger 90 bekannt, ist der E. 2000 ein einsitziges Jagdflugzeug mit zwei Triebwerken, Deltaflügel und Entenflügeln, einer Leermasse von 9,75 t, einer maximalen Geschwindigkeit von Mach 1,9 in 11000 m Höhe, einem Aktionsradius von 565 km und mit einer Bewaffnung von Luft-Luft-Raketen mittlerer und kurzer Reichweite sowie einer 27-mm-Kanone. Nach Fertigstellung der beiden ersten Protoypen fand der offizielle Erstflug 1994 statt. Vor dem Hintergrund des beendeten Ost-West-Konflikts hatten die an der Entwicklung beteiligten Staaten Ende 1992 vereinbart, den von der Industrie genannten Systempreis von 133 Mio. DM um bis zu 30% zu senken. Um dies zu erreichen, wurden die militär. Anforderungen an das nun E. 2000 genannte Flugzeug neu festgelegt, die Entwicklungsphase verlängert sich hierdurch bis 2002. Insgesamt sollen 620 Maschinen gebaut werden, davon 180 für die Bundesluftwaffe.

Eurokommunismus, bes. Mitte der 1970er-Jahre auftretende Tendenzen innerhalb mehrerer westeurop. kommunist. Parteien, unabhängig von der kommunist. Weltbewegung sowjet. Prägung autonome Wege zum Sozialismus zu beschreiten. Unter Zurückstellung zweier Forderungen der marxistisch-leninist. Herrschaftstheorie, der Diktatur des Proletariats und des proletar. Internationalismus, bekannte sich der E. auch für den Fall einer sozialist. Gesellschaftsordnung zum Parteienpluralismus, zum Recht aller auf organisierte Opposition, auf Meinungs-, Presse- und Religionsfreiheit sowie auf periodisch wiederkehrende freie Wahlen. Der E. wurde v.a. vertreten von den Kommunist. Parteien Italiens und Spaniens, zeitweilig auch von der Kommunist. Partei Frankreichs.

📖 *E., ein dritter Weg für Europa?, hg. v.* H. Richter *u.* G. Trautmann. *Hamburg 1979.*

Eurokorps [-ko:r], am 5. 11. 1993 in Dienst gestellter multinationaler militär. Verband, dessen Aufstellung auf dem 59. dt.-frz. Gipfeltreffen am 22. 5. 1992 beschlossen wurde. Der offiziellen dt.-frz. Einladung an die WEU-Staaten, sich am E. zu beteiligen, folgten Belgien, Luxemburg und Spanien. Der gemeinsame Korpsstab in Straßburg führt im Frieden unmittelbar nur wenige Truppenteile, so v.a. die dt.-frz. Brigade. Im Ernstfall übernimmt er das Kommando noch über andere belg., dt., frz., luxemburg. und span. Truppenteile. In seinem Auftrag ist das E. an die Nordatlant. Allianz gebunden. Der neue Großverband ist ein »zentraler Baustein in einer späteren europ. Verteidigungsstruktur«. Unter Wahrung der Bestimmungen der UN-Charta übernimmt das E. seit dem 1. 10. 1995 folgende Aufträge: Verteidigung der Mitgl. der WEU und der NATO, Teilnahme an Maßnahmen zur Aufrechterhaltung und Wiederherstellung des Friedens, Teilnahme an humanitären Einsätzen.

Euripides: »Opferung der Iphigenie«, Darstellung einer Szene aus »Iphigenie in Aulis« auf einem Wandgemälde in einem Haus in Pompeji (heute Neapel, Nationalmuseum)

Euromarkt, die Gesamtheit der internat. Finanzmärkte, an denen Gläubiger-Schuldner-Beziehungen in einer Währung außerhalb ihres Ursprungslandes entstehen (z.B. Eurodollarmarkt, Euro-DM-Markt). Die Geschäfte werden in einer i.d.R. für beide Marktparteien fremden Währung abgewickelt. Die E. unterliegen bisher keinerlei Kontrollen durch nat. oder internat. Währungsbehörden. Traditionelle Zentren sind v.a. die Bankplätze London, Luxemburg, New York; Teilmärkte: **Eurogeldmarkt** für Handel mit kurzfristigen Termingeldern; **Eurokapitalmarkt** (Euro-

Eurofighter 2000

bondmarkt) umfasst den Markt für internat. Anleihen, z.B. Eurobonds; **Eurokreditmarkt** umfasst den Handel mit mittelfristigen Krediten (zw. ein und zehn Jahren). Die Übergänge zw. den Teilmärkten sind fließend. Eurogeld- und Eurokreditmarkt sind v.a. durch den Roll-over-Kredit, Eurokapital- und Eurogeldmarkt durch die Floating rate notes verknüpft.

Euronet, Abk. für **Euro**päisches Daten**net**z, seit 1980 in der EG bestehendes Fernmeldenetz, über das Informationen aus wiss.-techn. Bereichen von dem Datenbank-Verbundsystem **DIANE** (Abk. für **D**irect **I**nformation **A**ccess **N**etwork for **E**urope) abgerufen werden können. E.-DIANE verbindet mehr als 150 Datenbanken, die von westeurop. Informationsanbietern betrieben werden. Der Zugriff erfolgt über gemietete Standleitungen oder über öffentl. Fernsprech- und Datennetze.

Euronotes [-nəʊts, engl. ˈjʊərəʊnəʊts], meist auf US-Dollar lautende Schuldtitel mit Laufzeiten bis zu einem Jahr, die Schuldner erster Bonität (z.B. Staaten, Banken, Großunternehmen) an internat. Finanzmärkten platzieren. E. sind kurzfristige Geldmarktpapiere, die sich aus den in den USA gebräuchl. Commercial Papers entwickelten; sie verknüpfen einen Konsortialkredit (z.B. Roll-over-Kredit) mit einer Anleihefinanzierung (z.B. Floating rate notes). E. zählen zu den Finanzinnovationen; sie wurden erstmals 1980 geschaffen.

Europa, 1) *Astronomie:* kleinster Mond des Planeten Jupiter. 1995 wurde auf ihm eine sauerstoffhaltige Atmosphäre entdeckt.

2) *grch. Mythos:* die Schwester des →Kadmos, durch Zeus in Stiergestalt auf die Insel Kreta entführt, Mutter des →Minos.

Europa, mit einer Fläche von rd. 10,5 Mio. km² nach Australien der kleinste Erdteil; etwa 7% der Landfläche entfallen auf Inseln. Mit (1995) 727 Mio. Ew. hat E. aber eine fast ebenso große Bev. wie der Doppelkontinent Amerika. E., der Westteil der Alten Welt, ist die stark gegliederte westl. Halbinsel Asiens, mit dem es den Kontinent Eurasien bildet; aufgrund seiner kulturellen und histor. Rolle wird es aber als selbstständiger Erdteil betrachtet.

Lage: Als konventionelle Grenzen gegen Asien gelten Ural, Uralfluss, Kasp. Meer und die Manytschniederung bis zum Asowschen Meer. Von Vorderasien und Afrika trennen es Schwarzes Meer, Bosporus, Marmarameer, Dardanellen, Mittelmeer und die Straße von Gibraltar. Im W und NW bildet der Atlant. Ozean mit seinen Nebenmeeren die Grenze. Größte Halbinseln sind die Skandinavische, die Iberische, die Apennin- und die Balkanhalbinsel; größte Inseln sind Großbritannien, Island und Irland. Als Nordspitze E.s gilt gemeinhin das →Nordkap in Norwegen, tatsächlich ist es aber Knivskjelodden, 4 km weiter westlich (71° 11' 08'' n. Br.), der südlichste Punkt des europ. Festlandes befindet sich in Spanien (Punta Marroquí, 36° n. Br.), der westlichste in Portugal (Kap Roca, 9°30' w. L.), der östlichste in Russland (im Polarural, bei 66° ö. L.).

Oberflächengestalt: Vom Uralgebirge aus erstreckt sich in Richtung W ein breites Tiefland, die Osteurop. Ebene (Russ. Ebene), die ohne scharfe Grenze in das mitteleurop., an Ost- und Nordsee angrenzende Tiefland übergeht, das keilförmig bis nach N-Frankreich reicht. Es ist im N überwiegend von eiszeitl. Ablagerungen, im S von Löss überdeckt. Skandinavien wird von einem fast 2500 m hohen alten Gebirgsrumpf (Kaledon. Gebirge) durchzogen, der auf den Brit. Inseln seine Fortsetzung findet (1343 m ü.M.). Den Landschaftscharakter im SO Skandinaviens bestimmen die Ebenen und Bergländer im Bereich des Balt. Schildes. Die vielgestaltigen Mittelgebirgsräume Mittel- und West-E. umfassen die Reste des Varisk. Gebirges und die jüngeren, aus Sedimenten bestehenden Schichtstufenländer. Vereinzelt treten Zeugnisse eines noch jüngeren Vulkanismus auf. Die Rumpfschollengebirge, Beckenlandschaften und Hügelländer sind unter 2000 m ü.M. hoch. Im S begrenzt diesen Landschaftsraum ein Zug junger Faltengebirge, der vom Atlant. Ozean bis zum Schwarzen Meer reicht; er setzt sich zusammen aus den Pyrenäen (bis 3404 m ü.M.), den Alpen (höchste Erhebung E.s: Montblanc 4808 m ü.M.), den Karpaten (bis 2663 m ü.M.), dem Balkan (bis 2375 m ü.M.) und Zweigen auf der Apennin- und Balkanhalbinsel. In Süd-E. kommen häufiger jungvulkan. Bildungen vor (Vesuv, Ätna, Liparische Inseln, Santorin). In das weite Teile der Iber. Halbinsel einnehmende Hochland und in N-Italien sind ausgedehnte Tieflandbecken eingeschaltet. – Der längste Strom E.s, die Wolga (3530 km), mündet in das Kasp. Meer, der zweitgrößte, die Donau (2858 km), in das Schwarze Meer. Die bed. Zuflüsse des

Europa

Das gemeinsame Haus Europa

Mit diesem bildlichen Ausdruck wird die Zusammengehörigkeit, die gemeinsame politische Zukunft aller europäischen Nationen einschließlich der GUS-Staaten beschworen. Er stammt aus der bildhaften Sprache des sowjetischen Politikers Michail Gorbatschow. In seinem 1987 erschienenen Buch »Perestroika und neues Denken für unser Land und die ganze Welt« prägte er die Formulierung »Europa, unser gemeinsames Haus«, die bald von vielen Politikern Westeuropas aufgegriffen wurde. Ein ähnliches Bild verwendete schon Kurt Tucholsky im Eröffnungsartikel für die erste österreichische Ausgabe der Wochenschrift »Die Weltbühne«: »Europa ist ein großes Haus« (Wiener Weltbühne I, 1; 29.9.1932, S. 1).

Europa
0 250 500 750 km
© Geographisch-Kartographisches Institut Meyer
ISLAND
Reykjavík
IRLAND
Dublin
GROSSBRITANNIEN
LONDON
BIRMINGHAM
FRANKREICH
PARIS
SPANIEN
MADRID
PORTUGAL
Lissabon
ANDORRA
BELGIEN
Brüssel
NIEDERLANDE
Amsterdam
LUX.
DEUTSCHLAND
BERLIN
HAMBURG
MÜNCHEN
SCHWEIZ
Bern
LIECHT.
ÖSTERREICH
WIEN
ITALIEN
ROM
MAILAND
TURIN
NEAPEL
SAN MARINO
VATIKANSTADT
MONACO
MALTA
Valletta
DÄNEMARK
Kopenhagen
NORWEGEN
Oslo
SCHWEDEN
Stockholm
FINNLAND
Helsinki
ESTLAND
Tallinn
LETTLAND
Riga
LITAUEN
Vilnius
WEISSRUSSLAND
MINSK
POLEN
WARSCHAU
TSCHECH. REP.
PRAG
SLOWAK. REP.
Preßburg
UNGARN
BUDAPEST
SLOW.
Ljubljana
KROATIEN
Zagreb
BOSNIEN U. HERZEG.
Sarajevo
JUGOSLAWIEN
BELGRAD
MAKED.
Skopje
ALBANIEN
Tirana
GRIECHENLAND
Athen
BULGARIEN
SOFIA
RUMÄNIEN
BUKAREST
MOLDAWIEN
Chişinău
UKRAINE
KIEW
ODESSA
CHARKOW
RUSSLAND
MOSKAU
ST. PETERSBURG
NISCHNI NOWGOROD
SAMARA
KASAN
PERM
JEKATERINBURG
TSCHELJABINSK
UFA
WOLGOGRAD
ROSTOW AM DON
KASACHSTAN
GEORGIEN
TIFLIS
ARMENIEN
JEREWAN
ASERBAIDSCHAN
BAKU
TÜRKEI
ANKARA
ISTANBUL
ZYPERN
Nikosia
SYRIEN
LIBANON
Beirut
IRAK
BAGDAD
IRAN
TÄBRIS
MAROKKO
Rabat
CASABLANCA
ALGERIEN
ALGIER
TUNESIEN
Tunis
ATLANTISCHER OZEAN
EUROPÄISCHES NORDMEER
Nordsee
Barentssee
Schwarzes Meer
Kaspisches Meer
MITTELLÄNDISCHES MEER
Golf von Biskaya
Nördl. Polarkreis

Mittelmeers sind Po, Rhone und Ebro, der Ostsee Weichsel und Oder, der Nordsee Elbe, Rhein und Themse und des offenen Atlant. Ozeans Loire, Duero und Tajo. Seen sind bes. zahlreich im N von E., die größten sind Ladoga- und Onegasee. Auch das Alpengebiet hat viele, eiszeitlich entstandene Seen (Genfer See, Vierwaldstätter See, Bodensee, Gardasee u. a.), im Ungar. Tiefland liegt der Plattensee.

Klima: E. liegt mit Ausnahme des hohen N (arkt. Klima) und des äußersten SO an der unteren Wolga (sommerheißes Kontinentalklima) im Westwindgürtel der gemäßigten Breiten. Infolge warmer Meeresströme (Golfstrom) und der vorherrschenden Westwinde hat E. ein milderes Klima als ihm seiner geograph. Breite nach zukommt, bes. in Westeuropa. Drei umfangreiche Luftdrucksysteme steuern das Klima: das Islandtief, das Azorenhoch und das jahreszeitlich wechselnde Druckgebiet über Asien (im Sommer ein Wärmetief, im Winter ein ausgedehntes Kältehoch); Letzteres ist von grundlegender Bedeutung für den Unterschied zw. dem Klima Nord- und Mittel-E. und dem Mittelmeerklima. In Süd-E. ist der Sommer heiß und trocken. In N- und Ost-E. erhöhen sich landeinwärts die jahreszeitl. Gegensätze zw. hartem, schneereichem Winter und warmem, trockenem Sommer. Die Verteilung der Niederschläge hängt mit den ozean. Winden zusammen: Im O fällt die Hauptregenzeit auf den Sommer, im W sind die reichlich fallenden Niederschläge über das ganze Jahr verteilt. Reliefunterschiede beeinflussen in hohem Maße die regionale Niederschlagsverteilung.

Vegetation und *Tierwelt* sind bestimmt durch die Wärmezunahme von N nach S und den Übergang von ozean. zu kontinentalem Klima von W nach O. Im nördlichsten Teil E.s, im skandinav. Hochgebirge und in Island, herrscht Tundra mit Moosen, Flechten und Zwergstrauchheiden und den Polartieren wie Ren, Schneehase, Polarfuchs, Lemming u. a. vor. Darauf folgt südwärts von Finnland und N-Russland bis zu den Gebirgen Süd-E.s ein breiter Waldgürtel, im N vorwiegend Nadelwälder, in Mittel- und West-E. Laub- und Mischwälder, die durch Kulturland stark auf die Gebirge und unfruchtbare Böden zurückgedrängt sind. Hier hat sich auch deren Tierwelt (Fuchs, Dachs, Marder, Hirsch, Reh, Nagetiere) erhalten. Wolf, Luchs, Bär u. a. sind weitgehend vom Aussterben bedroht. Der Süden Ost-E.s von der unteren Donau bis zur unteren Wolga gehört zum pont. Steppengebiet, das bis zum Schwarzen Meer, dem Kaukasus und der Halbwüste der Kasp. Senke reicht. Die Hochgebirge tragen über der Waldgrenze (1000 bis 2500 m ü. M.) alpine Gehölze und Matten mit alpinen Tierarten (Gämse, Murmeltier). Im → Mittelmeerraum sind die immergrünen hartlaubigen Eichen- und Kiefernwälder weitgehend durch Macchien und Gariden ersetzt; es überwiegen Wärme und Trockenheit liebende Tierarten.

Europa: Staatliche Gliederung (Stand 1995)[1]

Staat	Staatsform	Fläche in km^2	Ew. in 1000	Hauptstadt
Albanien	Rep.	28748	3441	Tirana
Andorra	Fürstentum	453	68	Andorra la Vella
Belgien	Königreich	30519	10113	Brüssel
Bosnien und Herzegowina	Rep.	51129	3459	Sarajevo
Bulgarien	Rep.	110912	8769	Sofia
Dänemark	Königreich	43077	5181	Kopenhagen
Deutschland	Rep.	356978	81539	Berlin
Estland	Rep.	45226	1530	Tallinn (Reval)
Finnland	Rep.	338145	5107	Helsinki
Frankreich	Rep.	543965	57981	Paris
Griechenland	Rep.	131957	10451	Athen
Großbritannien und Nordirland	Königreich	244101	58395	London
Irland	Rep.	70284	3553	Dublin
Island	Rep.	103000	269	Reykjavík
Italien	Rep.	301268	57187	Rom
Jugoslawien	Rep.	102173	10849	Belgrad
Kroatien	Rep.	56538	4495	Zagreb
Lettland	Rep.	64600	2557	Riga
Liechtenstein	Fürstentum	160	31	Vaduz
Litauen	Rep.	65300	3700	Vilnius (Wilna)
Luxemburg	Großherzogtum	2586	406	Luxemburg
Makedonien	Rep.	25713	2163	Skopje
Malta	Rep.	316	366	Valletta
Moldawien	Rep.	33700	4432	Chişinău
Monaco	Fürstentum	1,95	32	Monaco
Niederlande	Königreich	40844	15503	Amsterdam/ Den Haag
Norwegen	Königreich	323895	4337	Oslo
Österreich	Rep.	83858	7968	Wien
Polen	Rep.	312683	38388	Warschau
Portugal[2]	Rep.	92389	9823	Lissabon
Rumänien	Rep.	238391	22835	Bukarest
Russland	Rep.	17075400	147000	Moskau
davon in Europa		4238500		
San Marino	Rep.	60,6	25	San Marino
Schweden	Königreich	449964	8780	Stockholm
Schweiz	Rep.	41293	7202	Bern
Slowak. Rep.	Rep.	49036	5353	Preßburg (Bratislava)
Slowenien	Rep.	20251	1946	Ljubljana
Spanien[3]	Königreich	504782	39621	Madrid
Tschech. Rep.	Rep.	78864	10296	Prag
Ukraine	Rep.	603700	51380	Kiew
Ungarn	Rep.	93032	10115	Budapest
Vatikanstadt		0,44	1	
Weißrussland	Rep.	207600	10141	Minsk
abhängige Gebiete				
von Dänemark				
Färöer		1399	47	Tórshavn
von Großbritannien				
Gibraltar		6,5	28	
Kanalinseln		194	148	Saint Hélier Saint Peter Port
Man		572	74	Douglas

[1] ohne die europ. Teile der Türkei (23764 km^2) und Kasachstans (rd. 50000 km^2). – [2] mit Azoren und Madeira. – [3] Spanien insgesamt.

Bevölkerung: E. ist die Heimat der Europiden. Die Einwohnerzahl stieg von (1650) 100 Mio. über (1900) 403 Mio. auf (1995) 727 Mio.; die bevölkerungsreichsten Staaten sind, abgesehen von Russland, Dtl., Italien, Großbritannien, Frankreich, Spanien und Polen. Mit einer mittleren Bev.dichte von 100 Ew./km² steht E. an der Spitze aller Erdteile, doch ist die Bev. sehr ungleichmäßig verteilt, z.B. 3 Ew./km² auf Island und 380 Ew./km² in den Niederlanden. Ein relativ hoher Prozentsatz der Bev. lebt in Städten, in Belgien, Schweden, Dänemark, Dtl., den Niederlanden und Großbritannien 65 bis über 80%, in Albanien, Portugal, Rumänien, Bulgarien und Irland nur 35 bis 45%. – In E. werden heute über 60, meist indogerman. Sprachen gesprochen. Rd. 35% der Bev. sprechen slaw. Sprachen, rd. 30% german. Sprachen und 27% roman. Sprachen. In nur wenigen Ländern gesprochene Sprachen sind Baskisch, die kelt. Sprachen (Bretonisch, Irisch, Schottisch-Gälisch, Walisisch), die balt. Sprachen (Lettisch, Litauisch), Neugriechisch, Albanisch, die ural. Sprachen (Estnisch, Finnisch, Lappisch, Ungarisch), Maltesisch und Turksprachen. Über ganz E. verbreitet sind das Jiddische und Romani.

Geschichte

Vorgeschichte und Altertum: Eine Besiedlung seit dem Altpaläolithikum wird durch vorgeschichtl. Fundstellen in fast ganz E. bezeugt. Aus dem Mittelpaläolithikum stammen die Neandertalerfunde. Im Jungpaläolithikum bildeten sich eine sesshaftere Lebensweise und bessere Jagdtechniken aus; erste Kunstwerke (u.a. Höhlenmalerei) stammen aus dieser Zeit. Im Neolithikum kam es zur Ausbildung zahlr. regionaler Kulturformen, für die v.a. die Keramik, aber auch Grabformen typisch waren. Bereits im Neolithikum entstandene Beziehungen zw. den Teilen E.s vertieften sich in der Bronzezeit ebenso wie Einflüsse aus den Hochkulturen des östl. Mittelmeerraums (v.a. über Südost-E.). Die eisenzeitl. Kulturen breiteten sich aus dem ägäischen Raum über Italien und die Balkanhalbinsel nach Mittel- und West-E. aus (weiterführende Darstellung der Vor- und Frühgeschichte →Mitteleuropa, →Mittelmeerraum, →Nordeuropa, →Osteuropa und →Westeuropa). Der histor. Raum der klass. Antike rund um das Mittelmeer gehört zwar zu drei Erdteilen, die grch. Kultur, von den Römern übernommen und umgeformt, bildet aber in Verbindung mit dem Christentum die prägende Grundlage der europ. Geschichte.

Mittelalter: Durch Germanen und Araber wurde die Kultureinheit der antiken Welt zerbrochen. In der Völkerwanderung gerieten die Ostgermanen in den Einflussbereich der römisch-antiken Kulturwelt. Im westgot. Reich finden sich Frühformen der für das MA. charakterist. Verbindung von Antike, Germanentum und Christentum, doch wurde durch den Arabereinbruch 711 der Großteil der Iber. Halbinsel E. entfremdet. Eigentl. Wegbereiter des abendländ. MA. wurden die westgerman. Franken, die im 5./6. Jh. das röm. Gallien unterwarfen und auch nach dem german. Mittel-E.

Europa

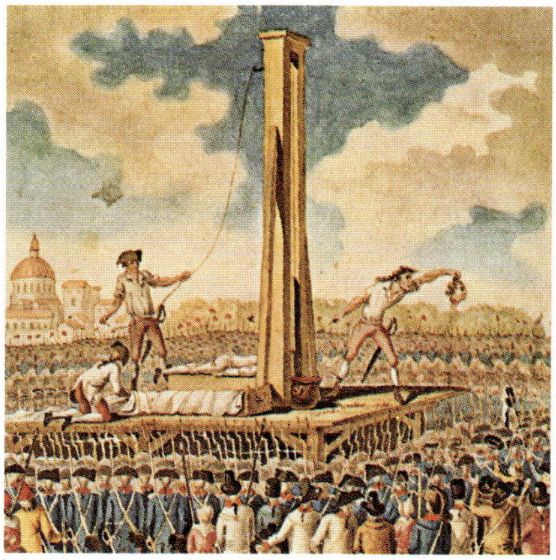

1

2

3

4

5

| **1** Französische Revolution (1789–99), Hinrichtung Ludwigs XVI. in Paris auf der Place de la Concorde, 21. Januar 1793 (zeitgenössisches Gemälde eines anonymen französischen Malers) | **2** Zweiter Koalitionskrieg (1798–1801/02), Kampf der Österreicher, Russen und Franzosen auf der Teufelsbrücke am Sankt-Gotthard-Pass, 1799 (Gemälde von Johann Baptist Seele, 1802; Stuttgart, Staatsgalerie) | **3** Hochkonjunktur der deutschen Industrie im Wilhelminischen Zeitalter (1890–1918); Teilansicht der 1811 von Friedrich Krupp gegründeten Gussstahlfabrik (Gemälde, 1912) | **4** Im ersten Weltkrieg (1914–18) wurde als Mittel der Kriegsführung erstmals Gas eingesetzt; Maulesel und Soldaten mit Gasmaske | **5** Blick in einen Schützengraben

| 6

| 7

| 8

| 9

| 10

| 11

| **6** Adolf Hitler und Benito Mussolini am 3. August 1938 in Rom
| **7** Zweiter Weltkrieg (1939–45); Landung der alliierten Truppen der Anti-Hitler-Koalition in der Normandie im Juni 1944
| **8** Deutsch-französische Aussöhnung; Charles de Gaulle und Konrad Adenauer am 5. September 1962 in Bonn
| **9** Wende in der Tschechoslowakei; Václav Havel spricht am 10. Dezember 1989 vor der Bürgerrechtsbewegung auf dem Prager Wenzelsplatz
| **10** Die Invasion russischer Truppen in Tschetschenien im Dezember 1994 stürzte Russland in eine schwere Krise
| **11** Ende der Kriegshandlungen im früheren Jugoslawien; jeder Stein der »Klagemauer« vor dem Uno-Hauptquartier in Zagreb ist mit dem Namen einer toten oder vermissten Person beschrieben

griffen, sodass sich ein Miteinander von Romanen und Germanen entfalten konnte. 754 ging das Fränk. Reich jenes enge Bündnis mit der röm. Kirche ein, das mit der Kaiserkrönung Karls d. Gr. 800 für das mittelalterl. Reich bestimmend wurde.

Das Reich Karls d. Gr. umfasste das langobard. Italien, Mittel-E. und dessen Vorfeld sowie Spanien bis zum Ebro. Seine polit., sozialen und kulturellen Strukturen (Lehnswesen, Grundherrschaft, Kirchen- und Verwaltungssystem, karoling. Schrift) wirkten sich ebenfalls in den christl. Kleinkönigreichen des nördl. Spanien, in England und in Dänemark aus. Auch nach den Teilungen des Fränk. Reiches 843–880 blieben die Nachfolgestaaten noch lange einander zugeordnet. Durch die Verbindung der Röm. Kaiserwürde mit dem dt. Regnum 962 leitete Otto I., d. Gr., für mehrere Jh. die polit. Vormachtstellung des Hl. Röm. Reiches in E. ein. Doch gab es neben dem Byzantin. Reich bis dahin noch ein drittes, das heidn. Europa. Im späten 9. Jh. brachen die Magyaren über die Karpaten in den Donau-Theiß-Raum ein und durchstreiften Mittel-E. bis zur Schlacht auf dem Lechfeld 955, ehe sie ein einheitl. (christl.) Staatsgebilde aufbauten. Vom N her plünderten seefahrende Normannen die Küsten und Flusslandschaften. Schwed. Waräger waren maßgeblich an der Gründung des Kiewer Reichs (988/989 durch Byzanz christianisiert) beteiligt. Die bis zum 11. Jh. an vielen Stellen E. sesshaft und christlich gewordenen Normannen schufen bes. in England und auf Sizilien Vorbilder für die Staaten des Spätmittelalters.

Die Spannungen zw. der östl. und westl. Kirche führten 1054 zum Morgenländ. Schisma. Byzanz hatte im Zeitalter der Kreuzzüge neue Kontakte mit dem Westen. Doch der 4. Kreuzzug führte 1204 zur vorübergehenden Zerstörung des Byzantin. Reiches (1261 teilweise Wiederherstellung) und zur Errichtung des Lat. Kaiserreichs von Konstantinopel bzw. der »fränk.« Kreuzfahrerstaaten in Griechenland. Der offene Kampf zwischen römisch-dt. Kaiser und Papst (Investiturstreit) endete mit der Erschütterung des universalen Anspruchs des Kaisertums (Ende des 11. Jh.).

Kennzeichen des 12. Jh. ist neben den polit. Auswirkungen der Kreuzzüge das kulturelle Vorrücken der Romanen. Neue Formen des Fernhandels und des städt. Lebens waren in Italien und Frankreich am stärksten ausgeprägt. Das Papsttum, unter Innozenz III. auch politisch führend, geriet nach 1250 unter frz. Einfluss und schließlich in die völlige Abhängigkeit im Avignonischen Exil (1305/09–76). Das Kaisertum war seit dem Ende der Dynastie der Staufer (1254/1268) durch Wahlkönigtum und Erstarken der Territorialfürsten politisch geschwächt. In Frankreich und England, die im →Hundertjährigen Krieg (1337–1453) um die Vorherrschaft in West-E. kämpften, begann die Ausformung des neuzeitl. Staates. Mit den portugies. und span. Entdeckungsfahrten des 15./16. Jh. wurde die europ. Überseeexpansion eingeleitet. Zunehmend trat das Bürgertum hervor, die Wirtschaft nahm im 15. Jh. Züge des Frühkapitalismus an. Von Italien strahlten Frühhumanismus (seit dem 14. Jh.) und Renaissance (seit 1450) ins übrige E. aus; nur im östl. E. kam es zu keiner solchen Entwicklung, v. a. aufgrund äußerer Bedrohungen durch die Mongolen (Goldene Horde) und Osmanen. Mit der Eroberung Konstantinopels durch die Osmanen 1453 endete die tausendjährige Geschichte des Byzantin. Reiches.

Neuzeit: Den Machtkampf zw. Frankreich und dem zur europ. Großmacht aufsteigenden Haus Österreich konnte Kaiser Karl V. bis 1544 für sich entscheiden. Er herrschte über einen halb E. umfassenden Machtblock mit Besitzrecht in der Neuen Welt. Karl V. scheiterte in seinem Anspruch auf die universale Führung der Christenheit sowohl bei der Abwehr der (mit Frankreich verbündeten) Osmanen als auch beim Versuch, gemeinsam mit dem Papst die Einheit der Kirche gegen die Reformation wieder herzustellen. Mit den frz. Hugenottenkriegen (1562–98) begann eine Reihe konfessioneller Bürgerkriege, die den →Dreißigjährigen Krieg bestimmten und mit dem 1. Nord. Krieg (1655–60) endeten. Die Niederlage der Armada 1588 signalisierte den Niedergang Spaniens und den beginnenden Aufstieg Englands als Seemacht.

Der Westfäl. Friede (1648) am Ende des Dreißigjährigen Krieges schrieb eine neue Friedens- und Staatenordnung fest; in ihr nahm Frankreich eine Vorrangstellung im kontinentalen West-E. und Schweden in Nord-E. ein. Unter Ludwig XIV. entstand in Frankreich ein für E. beispielgebender moderner Machtstaat des →Absolutismus. England ging mit der »Glorreichen Revolution« 1688 richtungweisend zum Konstitutionalismus über und baute außenpolitisch seine maritime Weltstellung auf. Das im Span. Erbfolgekrieg 1713/14 von Großbritannien durchgesetzte Prinzip des Gleichgewichts der europ. Mächte verhinderte bis zu Napoleon I. jeden Versuch, E. imperial zu beherrschen. Dazu trug auch der gleichzeitige Aufstieg Russlands zur europ. Großmacht bei. Im Siebenjährigen Krieg (1756–63) erkämpfte sich Preußen gegen Österreich seine europ. Großmachtposition und Großbritannien gegen den frz. Rivalen seine Weltmachtstellung.

Die Frz. Revolution von 1789, die im Erbe der Aufklärung die Proklamation universaler Menschenrechte, die Entstehung von Nationalismus, Liberalismus und Demokratie brachte, erschütterte E. fundamental. Der napoleon. Versuch der

Beherrschung E.s, der die europ. Staatenordnung nachhaltig gefährdete und das Ende des Hl. Röm. Reiches (1806) besiegelte, scheiterte am Widerstand der europ. Hauptmächte und der erwachenden nat. Kräfte. Die Restauration des alten Mächtesystems auf dem Wiener Kongress 1814/15 und Metternichs antirevolutionär-sozialkonservative Sicherheitspolitik trugen der Dynamik der bürgerl. Konstitutions- und Nationalbewegung nicht Rechnung. Die frz. Julirevolution 1830 wurde von West-E. bis Skandinavien Anstoß für die Errichtung moderner Verfassungsstaaten. Die europ. Revolutionsbewegung 1848 endete in konstitutionellen Kompromissen mit den alten Fürstenstaaten bzw. in neoabsolutist. Ansätzen. Wirtschaftlich blieb Großbritannien führend in der Welt, doch gewann Preußen mit dem Dt. Zollverein an Bedeutung. Die infolge des Industrialisierungsprozesses rasch anwachsenden Arbeitermassen organisierten sich seit der 2. Hälfte des 19. Jh. allmählich in gewerkschaftl. und polit. Vereinigungen.

Das durch die Errichtung des italien. Nationalstaats (1860–70) und die Gründung des Dt. Reichs (1871) neu ausbalancierte europ. Mächtegleichgewicht wurde zunehmend bedroht durch nat. Autonomiebewegungen in Ost- und Südost-E., die angesichts der Schwächung des Osman. Reichs und der Donaumonarchie Auftrieb erhielten und wiederholt Balkankrisen auslösten. Der v. a. durch die Rivalität und Expansionspolitik (Imperialismus) der europ. Großmächte verursachte 1. Weltkrieg, in dem die Mittelmächte der Entente unterlagen, führte zum Zerfall der Vielvölkerstaaten Österreich-Ungarn und Osman. Reich und zu tief greifenden innenpolit. Erschütterungen in zahlr. Ländern (z. B. Februar- und Oktoberrevolution in Russland 1917, Novemberrevolution in Dtl. 1918). Die USA, die 1917 in den Krieg eingegriffen hatten, zogen sich nach 1920 wieder weitgehend aus E. zurück (Nichtbeitritt zum Völkerbund). Die in den Pariser Vorortverträgen (1919/20) verankerte territoriale Neuordnung E.s erwies sich als Quelle von Spannungen und Revisionsforderungen (insbes. seitens des durch den Versailler Vertrag niedergehaltenen Dtl.). In Russland entstand nach dem Sturz der Zarenherrschaft und der Machtergreifung der Bolschewiki unter Lenin erstmals ein kommunist. Staat (seit 1922 UdSSR), der sich einem Bürgerkrieg sowie der militär. Intervention der Westmächte (1918–21/22) ausgesetzt sah. Die meisten Territorien, die sich dem russ. Machtbereich 1917/18 durch ihre Proklamation zu unabhängigen Staaten entzogen hatten, wurden ab 1920 (zumeist durch Einmarsch der Roten Armee) zu Sowjetrep. umgeformt und schließlich in die UdSSR eingegliedert (u. a. Georgien, Armenien, Aserbaidschan, 1940 schließlich auch die balt. Republiken). Seit Mitte der 20er-Jahre errichtete J. W. Stalin ein totalitäres Herrschaftssystem in der Sowjetunion (→Stalinismus, →Sowjetunion, Geschichte). Vor dem Hintergrund der wirtsch. Krise der Zwischenkriegszeit und unter Einsatz nationalist. sowie rassist. Ideologie konnten sich in einigen europ. Ländern autoritäre bzw. faschist. Regime etablieren; in Italien übernahm 1922 der Faschismus unter B. Mussolini die Macht, in Dtl. 1933 der Nationalsozialismus unter A. Hitler, dessen außenpolit. Ziele Raumgewinn (v. a. in Ost-E.) und Weltmachtstellung waren. Auch in Spanien, Portugal sowie in Ost- und Südost-E. setzten sich autoritäre Regierungsformen durch. Das mit Italien und Japan verbündete Dtl., dessen expansiven Bestrebungen die Westmächte mit einer Beschwichtigungspolitik zu begegnen versuchten (1938 Münchner Abkommen), entfesselte 1939 mit dem Überfall auf Polen den 2. Weltkrieg, nachdem es kurz zuvor mit der UdSSR einen (nur bis 1941 eingehaltenen) Nichtangriffspakt abgeschlossen und darin mit dieser das östl. E. in Interessensphären aufgeteilt hatte.

Am Ende des verheerenden Krieges stand die Zerschlagung der faschist. Systeme in Italien und Dtl., aber auch die Teilung des aus seiner weltmachtpolit. Rolle verdrängten E. in ein unter Hegemonie der UdSSR stehendes kommunist. Staatensystem in Ost- und Mittel-E. (Ostblock) und die unter Einfluss der USA stehenden westeurop. Länder (NATO-Staaten). Im Zeichen des nun aufbrechenden Ost-West-Konflikts (→Kalter Krieg) kam es 1949 auch zur staatl. Spaltung Deutschlands. Den politisch-wirtsch. und militär. Zusammenschlüssen des Ostblocks (1949 RGW, 1955 Warschauer Pakt) standen ein westl. Bündnissystem (seit 1949 NATO) und die im Rahmen einer westeurop. Einigungsbewegung gebildeten Institutionen und Organisationen (u. a. 1949 Europarat, 1954 Westeurop. Union, 1957 EWG, 1960 EFTA) gegenüber. Erhebungen gegen das stalinist. System (1953 in der DDR, 1956 in Ungarn) und reformkommunist. Bewegungen (1968 in der Tschechoslowakei) wurden von der UdSSR bzw. Staaten des Warschauer Pakts militärisch unterdrückt. Die nach Erreichen des atomaren Patts zw. den Blöcken seit den 60er-Jahren in Gang gekommene Entspannungspolitik (→Entspannung) wurde durch den sowjet. Einmarsch in Afghanistan (1979) und die dadurch bedingte Abkühlung im Ost-West-Verhältnis gefährdet.

Erneute Bewegung kam in die polit. Entwicklung durch die von M. Gorbatschow 1985 eingeleitete Politik von →Glasnost und →Perestroika; sie schuf Voraussetzungen für substanzielle Fortschritte in der Abrüstungspolitik (u. a. Abbau der atomaren Kurz- und Mittelstreckenraketen in E.

aufgrund des INF-Vertrages), zugleich strahlte sie auf die anderen kommunist. Länder E.s aus und bewirkte 1989/91 tief greifende polit. Veränderungen. In Polen, Ungarn, der DDR, der Tschechoslowakei, Rumänien, Bulgarien und Albanien musste die kommunist. Reg. zumeist unter dem Druck von Massenprotesten zurücktreten. Die kommunist. Parteien gaben ihr Machtmonopol auf und gerieten in die Rolle der polit. Opposition. Die ehem. Volksrepubliken lösten sich von ihrer sozialist. Zielsetzung (entsprechende Änderungen der Staatsnamen) und begannen mit der Einführung marktwirtsch. Elemente und eines pluralist. Parteiensystems. Die Auflösung der »sozialist. Staatengemeinschaft« führte zum Zerfall ihrer gemeinsamen wirtsch. sowie militärisch-polit. Strukturen wie RGW und Warschauer Pakt und beendete den Kalten Krieg.

Mit der Wiederherstellung der Einheit Dtl.s im Okt. 1990 und deren außenpolit. Absicherung (Zwei-plus-vier-Verhandlungen, Verträge mit den östl. Nachbarländern) fand eines der zentralen Nachkriegsprobleme in E. (»deutsche Frage«) eine friedl. Lösung. Die unter kommunist. Herrschaft entstandenen Staatenföderationen in Ost-E. zerfielen 1991/92, was zu einer erhebl. Veränderung der polit. Landkarte führte. Nachdem sich Estland, Lettland und Litauen im Aug. 1991 als unabhängige Rep. von der UdSSR losgesagt hatten, entstand nach dem endgültigen Zerfall dieses multinat. Staates im Dez. 1991 aus elf ehem. Sowjetrepubliken die →GUS als lockere instabile Staatenverbindung. Aus dem im Bürgerkrieg 1991/92 auseinander gebrochenen Jugoslawien gingen die unabhängigen Rep. Bosnien und Herzegowina, Kroatien, Slowenien und (das erst 1993 völkerrechtlich anerkannte) Makedonien hervor; Serbien bildete im April 1992 mit Montenegro einen jugoslaw. Reststaat. Das Streben der Slowakei nach Eigenständigkeit ließ die Tschechoslowakei zerfallen. Jahrzehntelang unterdrückte Nationalitätenkonflikte riefen in einigen Staaten blutige, z.T.

Gebiete des Hauses Habsburg:
- Deutsche Linie
- Spanische Linie

Kgr. = Königreich	Hzm. = Herzogtum	Dauph. = Dauphiné	Span.N. = Spanische Niederlande
Kfsm. = Kurfürstentum	Fsm. = Fürstentum	H. = Holstein	Grenze d. Hl. Röm. Reiches
Ghzm. = Großherzogtum	Rep. = Republik	Ing.-Ld. = Ingermanland	0 200 400 km
Ehzm. = Erzherzogtum	D. = Dobrudscha	R. = Roussillon	

Europa nach dem Westfälischen Frieden (1648), der den Dreißigjährigen Krieg beendete

DIE EUROPÄISCHEN GROSSMÄCHTE 1789
Grenze des Deutschen Reiches
Polen vor den Polnischen Teilungen
Spanische Bourbonen
Österreichische Habsburger
Sardinische Monarchie
Polnische Teilungen
1. Teilung 1772
2. Teilung 1793
3. Teilung 1795
an Russland
an Preußen
an Österreich
0 100 200 300 400 500 km

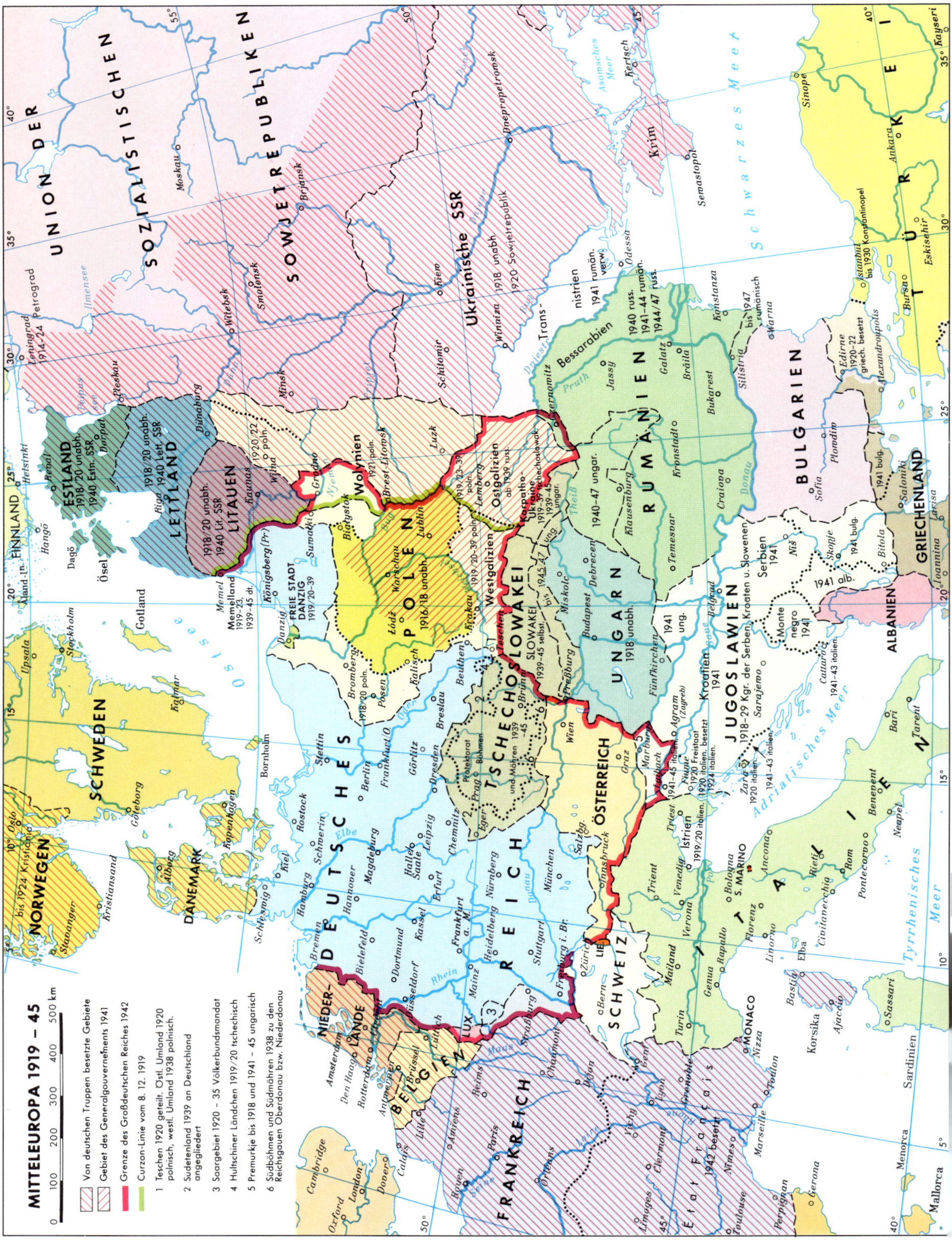
MITTELEUROPA 1919 – 45
0 100 200 300 400 500 km
Von deutschen Truppen besetzte Gebiete
Gebiet des Generalgouvernements 1941
Grenze des Großdeutschen Reiches 1942
Curzon-Linie vom 8. 12. 1919
1 Teschen 1920 geteilt. Östl. Umland 1920 polnisch, westl. Umland 1938 polnisch.
2 Sudetenland 1939 an Deutschland angegliedert
3 Saargebiet 1920 – 35 Völkerbundsmandat
4 Hultschiner Ländchen 1919/20 tschechisch
5 Premurkje bis 1918 und 1941 – 45 ungarisch
6 Südböhmen und Südmähren 1938 zu den Reichsgauen Oberdonau bzw. Niederdonau
NORWEGEN
SCHWEDEN
FINNLAND
ESTLAND
1918/20 unabh.
1940 Estn. SSR
LETTLAND
1918/20 unabh.
1940 Lett. SSR
LITAUEN
1918/20 unabh.
1940 Lit. SSR
UNION DER SOZIALISTISCHEN SOWJETREPUBLIKEN
DÄNEMARK
DEUTSCHES REICH
FREIE STADT DANZIG
1919/20-39
POLEN
1916/18 unabh.
NIEDER-LANDE
BELGIEN
LUX
FRANKREICH
SCHWEIZ
ÖSTERREICH
TSCHECHOSLOWAKEI
UNGARN
1918 unabh.
RUMÄNIEN
JUGOSLAWIEN
1918–29 Kgr. der Serben, Kroaten u. Slowenen
BULGARIEN
ALBANIEN
GRIECHENLAND
ITALIEN
TÜRKEI
Ukrainische SSR
État Français
1942 besetzt

bürgerkriegsähnl. Auseinandersetzungen hervor (z. B. in Moldawien zw. der rumänischstämmigen Bev.mehrheit und der russisch-ukrain. Minderheit, die eine autonome Dnjestr-Rep. ausrief). Die Russ. Föderation wurde in ihren Randgebieten mit dem Separatismus einzelner Völker konfrontiert (z. B. der Tschetschenen).

Der Gedanke des »gemeinsamen europ. Hauses« gewann nach Aufhebung der polit. Spaltung E.s eine neue Dimension. Die 1991/92 um zahlr. neue osteurop. Mitglieder erweiterte KSZE bemühte sich (zunächst wenig erfolgreich) um Vermittlung in den in Ost-E. aufgebrochenen bewaffneten Konflikten; zu einem gesamteurop. Anliegen entwickelte sich die Wirtschaftshilfe für die mit einem schweren ökonom. Erbe ringenden osteurop. Staaten. Während sich in Ost-E. der gesellschaftl. Neubeginn mit einer staatl. Zersplitterung verband, schritt die noch unter den Bedingungen des Ost-West-Konflikts konzipierte wirtsch.-polit. Union der EG-Staaten (u. a. In-Kraft-Treten des Europ. Binnenmarktes am 1. 1. 1993) voran und erhielt mit den Verträgen von Maastricht (Febr. 1992) eine programmat. Grundlage. Die Kontroverse in versch. Ländern der EG über das Vertragswerk (in Dänemark erst nach Bewilligung von Ausnahmeregelungen durch ein zweites Referendum im Mai 1993 angenommen) führte zu zeitweiligen Differenzen innerhalb der Gemeinschaft und verdeutlichte, dass sich die angestrebte →Europäische Union im Spannungsfeld zw. einzelstaatl. Sonderinteressen und gesamteurop. Erfordernissen bewegt.

📖 *Handbuch der europ. Geschichte, hg. v.* T. Schieder, *7 Bde. in 8 Tlen. Stuttgart* [1-4]*1968–96.* – *Handbuch der europ. Volksgruppen, bearb. v.* M. Straka. *Wien u. a. 1970.* – *Handbuch der europ. Wirtschafts- u. Sozialgeschichte, hg. v.* W. Fischer *u. a., 6 Bde. Stuttgart 1980–93.* – *Ethnogenese europ. Völker, hg. v.* W. Bernhard *u. a. Stuttgart 1986.* – Geiss, I.: *E. Vielfalt u. Einheit. Eine histor. Erklärung. Mannheim u. a. 1993.* – Gasteyger, C.: *E. zwischen Spaltung u. Einigung, 1945 bis 1993. Darstellung u. Dokumentation. Neuausg. Bonn 1994.* – Brown, P.: *Die Entstehung des christl. E. A. d. Engl. München 1996.* – *Hb. der europ. Integration. Strategie – Struktur – Politik der Europ. Union, hg. v.* M. Röttinger *u.* C. Weyringer. *Wien* [2]*1996.* – Schönenberg, R. *u.* Neugebauer, J.: *Einführung in die Geologie E.s. Freiburg im Breisgau* [7]*1997.*

Europa, Picos de ['pikɔz ðe eu̯-], verkarstete Kalkgebirgskette des Kantabrischen Gebirges, Spanien, höchster Gipfel ist der Torre de Cerredo mit 2 648 m. ü. M. Die Gebirgskette wurde 1995 unter Einbeziehung des Nationalparks Montaña de Covadonga (169 km^2) zum Nationalpark P. de E. erklärt (650 km^2).

Europabrücke, 785 m lange Brücke (größte Pfeilerhöhe 198 m) über das Silltal südlich von Innsbruck, Tirol; erbaut 1959–63.

Europacup [-kʌp], →Europapokal.

Europadörfer, Einrichtungen der von D. G. →Pire 1950 gegründeten »Hilfe für heimatlose Ausländer« (Sitz: Huy, Belgien). E. dienen dazu, ausländ. Familien und ihre Kinder zu integrieren. E. gibt es in Dtl., Österreich und Belgien, in Dtl. u. a. in Aachen (Sitz des dt. Vereins), Augsburg, Euskirchen und Wuppertal.

Europäerreben, die aus europ. und vorderasiat. Wildformen der Echten Weinrebe hervorgegangenen Kultursorten der Weinrebe; sind reblausanfällig. (→Amerikanerreben)

Europaflagge, 1) 1949–93 Flagge der Europ. Bewegung, seitdem Symbol der Union Europ. Föderalisten (→Europa-Union Deutschland); ein weiß ausgespartes grünes E; 2) offizielle Flagge des Europarates (1955) und der Europ. Gemeinschaften (1986) und seit ihrer Gründung Symbol der EU, seit 1993 auch der Europ. Bewegung; auf blauem Grund ein Kreis von zwölf goldgelben Sternen (für die einst zwölf Mitgl.staaten der EG).

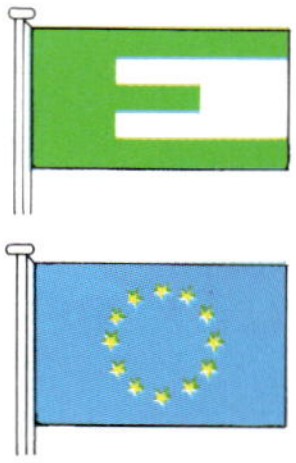

Europaflagge: Symbol der Union Europäischer Föderalisten (oben), darunter die offizielle Flagge des Europarates und der Europäischen Gemeinschaften sowie Symbol der Europäischen Union und der Europäischen Bewegung

Europagedanke, →europäische Einigungsbewegung.

Europahymne, 1972 vom Ministerkomitee des Europarates zur europ. Hymne erklärte »Ode an die Freude« aus der 9. Sinfonie (1822–24) von Beethoven. Am 21. 4. 1986 wurde die E. (zus. mit der Europaflagge) von den EG-Außenmin. nach Absprache mit dem Europarat als einheitl. Symbol für alle europ. Institutionen festgelegt.

Europäische Artikelnummerierung, →EAN-System.

Europäische Atomgemeinschaft, Abk. **EURATOM,** zus. mit der EWG durch die Röm. Verträge vom 25. 3. 1957 (am 1. 1. 1958 in Kraft getreten)

Europabrücke über das Silltal in Österreich (1959–63)

errichtete supranationale Organisation mit eigener Rechtspersönlichkeit, seit 1967 organschaftlich mit der EWG und EGKS verbunden, Teil der Europ. Gemeinschaften; Sitz: Brüssel. Ihre Aufgabe ist die Förderung, Koordinierung und Kontrolle der Forschung, Nutzung und Entsorgung im Kernenergiebereich der Mitgl.länder. Sie soll darüber hinaus die Gemeinschaft mit Kernbrennstoffen versorgen, die Sicherheit entsprechender Anlagen überwachen, einen gemeinsamen Markt auf dem Kernenergiegebiet schaffen sowie die Verbindung zu dritten Staaten und internat. Organisationen unterhalten. In den 70er-Jahren verlagerte sich der Schwerpunkt der Arbeit auf die Grundlagenforschung (auch Kernfusion).

Europäische Bank für Wiederaufbau und Entwicklung, → Osteuropabank.

Europäische Bewegung, internat. Organisation zur Förderung der europ. Einigung, gegr. 1948. Mitgl. sind (1995) Nationale Sektionen in 20 europ. Ländern, 18 internat. Organisationen, des Weiteren Nationalkomitees als assoziierte Mitgl. und assoziierte internat. Organisationen. Organe sind u.a. der Bundesrat, das Exekutivkomitee und die Generalversammlung. Die E. B. unterhält versch. spezielle Einrichtungen, u.a. in Dtl. das Institut für Europ. Politik (Bonn). Symbol der Bewegung ist die → Europaflagge.

Europäische Demokratische Union, Abk. **EDU,** Vereinigung christlich-demokrat. und konservativer Parteien Europas (gegr. 1978).

europäische Einigungsbewegung, das nach dem 1. Weltkrieg einsetzende polit. Bemühen um den Zusammenschluss der parlamentarisch-demokrat. Staaten Europas; fußt auf dem wesentlich älteren **Europagedanken,** den schon die Philosophen der Aufklärung mit dem eth. Ziel einer europ. Rechts- und Friedensordnung in Form eines Völkerbundes verknüpften. Bis ins 19. Jh. konzentrierte sich die Europapolitik jedoch auf die Herstellung und Erhaltung des → europäischen Gleichgewichts (»Konzert der europ. Mächte«). Politisch organisierte sich die e. E. erstmals in der 1923 von R. N. Graf Coudenhove-Kalergi begründeten → Paneuropa-Bewegung. Der Plan des frz. Außenmin. A. Briand für den föderativen Zusammenschluss der europ. Staaten (1929–30) scheiterte. Nach dem 2. Weltkrieg fand der Gedanke der polit. Einigung Europas, zuerst (1946) nachdrücklich von W. Churchill vertreten, ein starkes Echo. Es entstanden zahlreiche internat. Vereinigungen, die sich 1948 zur → Europäischen Bewegung zusammenschlossen.

Auf der völkerrechtl. Ebene gab die e. E. den Anstoß zur Gründung des → Europarates (1949); sie förderte die Bildung übernat. Organisationen (1951 Montanunion, 1952 Europ. Verteidigungsgemeinschaft, 1957 EWG, EURATOM). Während in den 60er-Jahren auf Regierungsebene infolge der auf nationalstaatl. Souveränität bedachten Politik des frz. Präs. C. de Gaulle der Zusammenschluss der westeurop. Staaten stockte, konzentrierte die Europ. Bewegung ihre Bemühungen auf die Erweiterung und den organisator. Ausbau der → Europäischen Gemeinschaften. Der von diesen getragene europ. Einigungsprozess war während des Ost-West-Konflikts aufgrund der polit. Teilung Europas auf W-Europa beschränkt. Mit der → Einheitlichen Europäischen Akte vertieften die Staaten der EG ihre Zusammenarbeit. Nach dem Zusammenbruch der kommunist. Ordnung in Ostmittel- und O-Europa (zw. 1989 und 1991) stellt sich die Aufgabe, die Staaten dieses Raumes zunehmend einzubeziehen. Die Aufnahme von Staaten aus diesem Raum in den Europarat (zuerst Ungarn 1990) und der Beitritt der nach dem Zerfall der Sowjetunion und Jugoslawiens neu entstandenen Republiken zur → Konferenz über Sicherheit und Zusammenarbeit in Europa (KSZE) waren Schritte in diese Richtung. Die von mehreren Staaten Ostmittel- und Osteuropas angestrebte rasche Einbindung in den europ. Einigungsprozess (z.T. Anträge zur Aufnahme in die EG) wird jedoch erschwert durch eine zunehmende staatl. Zersplitterung dieser Region, häufig verbunden mit Nationalitätenkonflikten bzw. Bürgerkriegen. Als europ. Gremien versuchen EG und KSZE (seit 1995 OSZE, Abk. für → Organisation für Sicherheit und Zusammenarbeit in Europa) hier zu vermitteln. – Die Verträge von Maastricht (Febr. 1992), die innerhalb der EG als programmat. Grundlage der Europ. Union nicht unumstritten sind, hoben den Einigungsprozess auf eine neue Stufe (→ Europa, Geschichte). Am 1. 1. 1993 trat der → Europäische Binnenmarkt in Kraft als einer der wesentl. Voraussetzungen einer → Europäischen Wirtschafts- und Währungsunion (EWWU).

Europäische Energiecharta [-k-], im Dez. 1991 von 45 Staaten unterzeichneter Vertrag über die Zusammenarbeit bei der umweltfreundl. Nutzung der Energieressourcen und die Einbindung Osteuropas in das westeurop. Energieleitungssystem.

Europäische Freihandelsassoziation (engl. European Free Trade Association, Abk. EFTA), am 4. 1. 1960 als Reaktion auf die EWG gegründete und am 3. 5. 1960 in Kraft getretene Freihandelszone. Gründungsmitgl. waren Dänemark, Großbritannien, Norwegen, Österreich, Portugal, Schweden und Schweiz. 1973 traten Großbritannien und Dänemark, 1986 Portugal sowie 1995 Finnland (EFTA-Mitgl. seit 1985), Österreich und Schweden der EG bzw. EU bei und schieden aus der EFTA aus. Heutige Mitgl. sind Island (seit

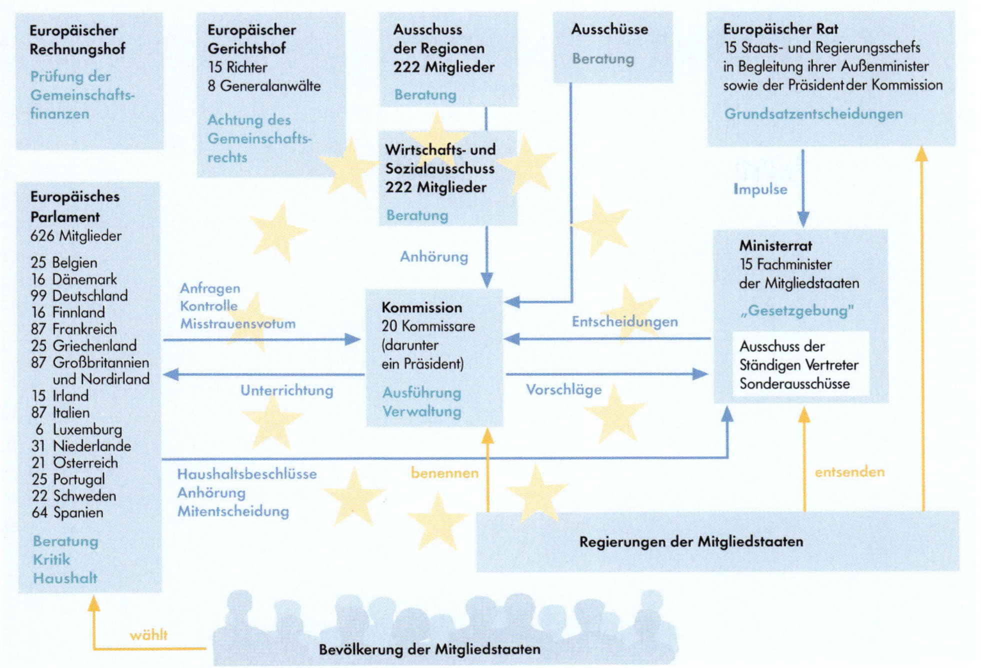

Europäische Gemeinschaften: Das Zusammenspiel ihrer Organe

1970), Liechtenstein (seit 1991), Norwegen und die Schweiz; Sitz: Genf. Wichtige Organe sind der EFTA-Rat und das Sekretariat. Der im EFTA-Vertrag festgelegte Abbau von Handelszöllen (ausgenommen landwirtsch. Erzeugnisse) und Ausfuhrbeschränkungen zw. den Mitgl.ländern wurde bis 1967 erreicht. Am 2. 5. 1992 schufen die Außenmin. der EG- und der EFTA-Staaten durch Vertrag den →Europäischen Wirtschaftsraum.

Europäische Gemeinschaften, Abk. **EG,** gemeinsame Bez. für die mit der europ. Einigungsbewegung nach dem 2. Weltkrieg entstandene **Europ. Wirtschaftsgemeinschaft (EWG),** die **Europ. Gemeinschaft für Kohle und Stahl (EGKS)** und die **Europ. Atomgemeinschaft (EURATOM).** Mit dem am 1. 11. 1993 in Kraft getretenen Vertrag von Maastricht wurden die EG die »1. Säule« der →Europäischen Union. Der Vertrag von Maastricht hat den EWG-Vertrag von 1957 um Vorschriften ergänzt, die über die rein wirtsch. Integration hinausgehen, und die EWG umbenannt in Europ. Gemeinschaft. Die Abk. EG steht seither sowohl für diese Gemeinschaft als auch für die drei ursprüngl. Gemeinschaften. Die 15 Mitgl.länder (1998) sind Belgien, Dänemark, Dtl., Finnland, Frankreich, Griechenland, Großbritannien, Irland, Italien, Luxemburg, die Niederlande, Österreich, Portugal, Schweden und Spanien; zahlreiche weitere Länder haben Aufnahmeanträge gestellt (z. B. die Türkei, Zypern und viele osteurop. Länder); offizielle Beitrittsverhandlungen wurden 1998 mit Polen, Ungarn, Tschechien, Estland, Slowenien und Zypern aufgenommen. Obwohl die drei E. G. nach wie vor formalrechtlich nebeneinander und mit eigener Rechtspersönlichkeit und Zuständigkeit bestehen, haben sie bereits seit 1967 gemeinsame Organe; die wichtigsten sind: das →Europäische Parlament; der Rat (Ministerrat), der als letztlich über die Sekundärrechtssetzung entscheidendes Organ aus je einem Vertreter eines Mitgl.landes auf Ministerebene besteht, sodass für Dtl. auch Landesminister entsandt werden können, wenn sie nach innerstaatl. Recht befugt sind, für die Reg. verbindlich zu handeln; seit 1975 die Tagungen der Staats- und Reg.chefs im →Europäischen Rat; die aus 20 Mitgl. bestehende Kommission (Europ. Kommission), die das Initiativrecht (Vorschlagsrecht) für alle Sekundärrechtsakte hat und außerdem für den Erlass von Durchführungsverordnungen zuständig ist. Die Kommission hat auch exekutive Durchgriffsbefugnisse, v. a. im Wettbewerbsbereich. Weitere Organe sind: der →Europäische Gerichtshof, der **Europ. Rechnungshof** (in Luxemburg; 15, auf sechs Jahre vom Rat ernannte Mitgl.) sowie der Wirtschafts- und Sozialausschuss (222 Mitgl.) und der Ausschuss der Regionen (222 Mitgl.), der zu Fragen der Regionalförderung gehört werden muss.

🕮 Hilf, M.: *Die Organisationsstruktur der E. G. Rechtl. Gestaltungsmöglichkeiten u. Grenzen. Berlin u. a. 1982.* – WEIDENFELD, W.: *30 Jahre EG. Bilanz der europ. Integration. Bonn 1987.* – *Handbuch der europ. Integration. Strategie – Struktur – Politik der Europ. Union, hg. v.* M. RÖTTINGER *u.* C. WEYRINGER. *Wien* ²*1996.* – *Weitere Literatur:* → *Europäische Union,* → *Europarecht*

Europäische Gemeinschaft für Kohle und Stahl, Abk. **EGKS** (Montanunion), durch den Pariser Vertrag vom 18. 4. 1951 zw. Belgien, der Bundesrep. Dtl., Frankreich, Italien, Luxemburg und den Niederlanden gegründete supranat. Organisation zur Errichtung eines gemeinsamen Marktes für Kohle und Stahl. Die EGKS geht auf die Initiative des frz. Außen-Min. R. Schuman zurück (»Schumanplan«) und bildet den Anfang der europ. Integration nach 1945. Die EGKS ist eine Teilorganisation der → Europäischen Gemeinschaften. Die urspr. Organe der EGKS sind nach In-Kraft-Treten des Fusionsvertrages von 1965 am 1. 7. 1967 weitgehend in den gemeinsamen Organen der EG aufgegangen. Ziele sind u. a. die Unterstützung der Kohle und Stahl produzierenden Unternehmen (Kredite für Investitionen), Sicherung der Versorgung durch Kontrolle der Preisgestaltung und Gewährung von Anpassungsbeihilfen an Arbeitnehmer. Angesichts der Stahlkrisen wurden von der EGKS entgegen ihren Zielen auch Beihilfen an Unternehmen gezahlt.

Europäische Investitionsbank, Abk. **EIB,** 1958 gegründetes öffentlich-rechtl. Kreditinstitut der EG; Aufgaben: Gewährung von Krediten und Bürgschaften, v. a. zur Erschließung weniger entwickelter Gebiete, zur Modernisierung von Unternehmen oder zur Schaffung von Arbeitsplätzen sowie für Projekte von gemeinsamem Interesse für mehrere Mitgl.staaten. Neuere Aufgaben sind die Finanzierung von Infrastrukturmaßnahmen (v. a. Verkehr, Energie, städtebaul. Entwicklung, Telekommunikation) sowie die Errichtung des Europ. Investitionsfonds und die Beteiligung an Vorhaben von Kohäsionsfonds und der Europ. Strukturfonds; Sitz: Luxemburg.

Europäische Kernenergie-Agentur, → Nuclear Energy Agency.

Europäische Konvention zum Schutze der Menschenrechte und Grundfreiheiten, → Menschenrechte.

Europäische Liberale, Demokraten und Reformer, Abk. **ELDR,** europ. Zusammenschluss liberaler Parteien, gegr. 1976 unter der Bez. **Föderation liberaler und demokratischer Parteien der Europäischen Gemeinschaft,** fordert u. a. einen Katalog europ. Grundrechte und bekennt sich zur Marktwirtschaft. Förderte den Ausbau der Europ. Gemeinschaft (EG) zur Europ. Union (EU), bes. die Realisierung der Wirtschafts- und Währungsunion. Bei den Direktwahlen zum Europ. Parlament gewannen die ELDR 1989: 45, 1994: 43 Mandate.

Europäische Organisation für Kernforschung, → CERN.

Europäische Pflanzenschutz-Organisation, Abk. **EPPO** (für engl. **E**uropean **P**lant **P**rotection **O**rganization), Organisation, die internat. notwendige Pflanzenschutz- und Quarantänemaßnahmen in Europa koordiniert und die dazu notwendigen Gesetze mit den einzelnen Ländern abstimmt.

Europäische Politische Zusammenarbeit, Abk. **EPZ,** Bez. für die institutionalisierte Zusammenarbeit der EG-Staaten in außenpolit. Fragen. Ausdruck der engen Beziehungen zw. EPZ und Europ. Rat ist das gemeinsame Generalsekretariat in Brüssel. Dem Vertrag von Maastricht (unterzeichnet am 7. 2. 1992) gemäß wurde sie unter dem Namen → Gemeinsame Außen- und Sicherheitspolitik eine der drei Säulen der Europ. Union.

Europäischer Ausrichtungs- und Garantiefonds für die Landwirtschaft, Abk. **EAGFL,** als Fonds zur Finanzierung der gemeinsamen Agrarpolitik Bestandteil des Haushalts der EG; finanziert die Kosten der → Agrarmarktordnungen der EG sowie strukturpolit. Maßnahmen.

Europäischer Binnenmarkt, am 1. 1. 1993 in Kraft getretene Vereinbarung auf dem Weg zur wirtsch. Integration in der Europ. Gemeinschaft mit dem Ziel der Schaffung einer → Europäischen Wirtschafts- und Währungsunion. Danach ist die EG ein Raum ohne Binnengrenzen, in dem der freie Verkehr von Waren, Personen, Dienstleistungen und Kapital (»Vier Freiheiten«) gewährleistet ist. Die Bestimmungen sollen u. a. sicherstellen, dass 1) beim Warenaustausch grundsätzlich keine Grenzkontrollen mehr stattfinden, 2) ein freier Geld-, Kapital- und Zahlungsverkehr gewährleistet ist, 3) der Dienstleistungsbereich liberalisiert wird (Öffnung der Märkte für nat. Banken und Versicherungen oder Kommunikationswege) und 4) zugunsten der Freizügigkeit der Personen die Grenzkontrollen entfallen (→ Schengener Abkommen). Außerdem dürfen Staatsangehörige von EG-Staaten in anderen EG-Staaten freien Aufenthalt und freie Niederlassung wählen, sie haben die freie Wahl des Arbeitsplatzes und können die wechselseitige Anerkennung ihrer Berufsabschlüsse verlangen.

📖 *Die Vollendung des Binnenmarktes, hg. von der Kommission der Europ. Gemeinschaften, 6 Bde. Luxemburg 1992.*

Europäische Rechtsakademie Trier, öffentl. Stiftung des Privatrechts, Sitz: Trier, getragen von Luxemburg, der Bundesrep. Dtl., den dt. Bundesländern, der Stadt Trier sowie einem Förderverein, 1991 auf Initiative des Europ. Parlaments gegründet; Ziele: Vertiefung der Kenntnisse des europ. Gemeinschaftsrechts durch Fortbildungsveranstaltungen und Schaffung eines internat. Forums für den europarechtl. Dialog.

Europäischer Filmpreis, →European Film Academy.

Europäischer Gerichtshof, Abk. **EuGH,** 1957 errichtetes einheitl. Gericht der drei Europ. Gemeinschaften, Sitz: Luxemburg; besetzt mit 15 Richtern und acht Generalanwälten. Der EuGH ist u. a. zuständig für die Auslegung der Gründungsverträge und des sekundären Gemeinschaftsrechts (→Europarecht). Er entscheidet auch über die Rechtmäßigkeit des Handelns von Rat, Kommission und Mitgl.staaten. Mit Wirkung vom 25. 9. 1989 wurde der EuGH durch ein »Gericht erster Instanz« verstärkt, das sich v. a. mit Klagen von Bediensteten der EG sowie mit Wettbewerbssachen befasst; gegen seine Entscheidungen ist Revision beim EuGH möglich.

Europäischer Gerichtshof für Menschenrechte, Kontrollorgan der Europ. Menschenrechtskonvention des Europarates (→Menschenrechte), 1959 neben der Europ. Kommission für Menschenrechte eingerichtet; Sitz: Straßburg. Bis 1994 konnte der nichtständige E. G. f. M. nur von den Mitgl.staaten des Europarates oder durch die Europ. Kommission für Menschenrechte, an die sich Staaten und Einzelpersonen zuerst wenden mussten, mit Beschwerden befasst werden. Seither können Einzelpersonen den Gerichtshof unmittelbar anrufen. Eine 1994 unterzeichnete Reform des Beschwerdeverfahrens, die erst nach Ratifizierung durch alle Mitgl.staaten des Europarats in Kraft treten kann, sieht die Schaffung eines einheitl. ständigen E. G. f. M. unter Wegfall der Kommission vor. Die Urteile des E. G. f. M. sind für die Vertragsstaaten der Europ. Menschenrechtskonvention verbindlich.

Europäischer Gewerkschaftsbund, Abk. **EGB,** Spitzenorganisation von 62 nat. Arbeitnehmerorganisationen aus 28 europ. Staaten und 14 europ. Branchengewerkschaften, sog. Europ. Gewerkschaftsverbände (Stand Dez. 1996); gegr. 1973, Sitz: Brüssel.

Europäischer Investitionsfonds [-fɔ̃], Abk. **EIF,** 1994 geschaffener Fonds zur Förderung von Investitionen kleiner und mittlerer Unternehmen sowie zur Förderung der Infrastrukturvorhaben im Rahmen der Transeurop. Netze; Sitz: Luxemburg.

Europäischer Rat, Tagungen (zweimal jährlich) der Staats- und Reg.chefs sowie der Außenminister der EG-Staaten; seit 1975 als Gremium institutionalisiert, erhielt 1986 durch die →Einheitliche Europäische Akte erstmals eine vertragl. Grundlage. Im Vertrag von Maastricht (1992/93) wurde er offiziell als Institution der EU verankert. Der E. R. kann rechtsverbindl. Beschlüsse fassen.

Europäischer Rechnungshof, Kontrollorgan der →Europäischen Gemeinschaften.

Europäischer Regionalfonds [-fɔ̃], Abk. **EFRE,** 1975 gegründeter Fonds der EG zur Verringerung regionaler Ungleichgewichte, seit 1979 werden die Mittel nach Länderquoten vergeben.

Europäischer Sozialfonds [-fɔ̃], aufgrund des EWG-Vertrags 1960 errichteter Fonds zur Finanzierung der Gemeinschaftsaufgaben im Rahmen der Sozialpolitik. 1983 wurde der E. S. ein von der EG-Kommission verwalteter Teil des allg. EG-Haushalts und als Instrument der Beschäftigungspolitik eingesetzt. Seit 1993 ist er Teil des Europ. Strukturfonds und konzentriert sich auf die Bekämpfung von Langzeit- und Jugendarbeitslosigkeit; er ist nicht auf bestimmte Regionen oder Länder beschränkt.

Europäischer Wirtschaftsraum, Abk. **EWR,** die zw. den Mitgl.staaten von EG und EFTA vertraglich vereinbarte und 1994 in Kraft getretene Integration der beiden Zusammenschlüsse zur Schaffung eines großen europ. Binnenmarkts. Der EWR setzt sich zusammen aus den 15 EU-Staaten und drei EFTA-Staaten (die Schweiz lehnte die Teilnahme in einer Volksabstimmung ab).

Durch den Vertrag gelten auch für die EFTA-Mitgl. die »Vier Freiheiten« (freier Verkehr von Waren, Dienstleistungen, Kapital und Personen) des Europ. Binnenmarktes, und die Zusammenarbeit wird auf den Verbraucherschutz, die Umwelt- und die Sozialpolitik sowie die Abstimmung im Finanz- und Währungsbereich (nicht aber auf die EG-Agrarpolitik) ausgedehnt. Dabei haben die EFTA-Länder keine Entscheidungsgewalt, sondern nur Mitsprache- und Anhörungsrechte. EWR-Organe sind der EWR-Ministerrat, der Gemischte Ausschuss (Gemeinsamer EWR-Ausschuss) als Ausführungsgremium und der Gemeinsame Parlamentar. Ausschuss.

europäisches Gleichgewicht (engl. Balance of Power), polit. Grundsatz, seit dem 16. Jh. bes. von England aufgestellt, fordert die Aufrechterhaltung oder Wiederherstellung eines Gleichgewichts der Kräfte unter den europ. Mächten; kein Staat soll so viel Macht erlangen dürfen, dass ihm nicht alle Übrigen mit gleicher Macht als Gegengewicht entgegentreten könnten. Dieser Grundsatz wurde von Großbritannien zur Abwehr der Vormachtstellung einer einzelnen Macht auf dem europ. Festland benutzt, so gegen Ludwig XIV. und Napoleon I. Im Ergebnis des 1. Weltkriegs, in dem sich die Mittelmächte und die Entente gegenüberstanden, wurde das e. G. stark erschüttert. Nach dem 2. Weltkrieg bildete sich ein Gleichgewicht zw. den von den USA und der UdSSR ge-

Europäisches Parlament: Auf einer der größten Baustellen Frankreichs entsteht in Straßburg (seit 1996) das neue Gebäude des Europäischen Parlaments; im Bild die Südseite des Gebäudes

führten Machtblöcken, die Europa politisch, militärisch und wirtschaftlich teilten, heraus. Mit dem Ende des Ost-West-Konflikts trat die →europäische Einigungsbewegung in den Vordergrund.

Europäisches Hochschulinstitut, 1972 von den Mitgl.staaten der EG gegründete und 1976 in Fiesole bei Florenz eröffnete Hochschule (für Bewerber mit abgeschlossenem Studium) mit den Abteilungen Geschichts- und Kulturwiss., Wirtschaftswiss., Rechtswiss., Politik- und Sozialwissenschaft. Das E. H., an dem Dozenten aus versch. europ. Ländern lehren, dient der Forschung im Sinne des Gedankens der europ. Einheit (zwei- bis dreijähriges Studium mit Promotion).

Europäische Sicherheitskonferenz, →KSZE.

Europäische Sozialcharta [-k-], im Rahmen des Europarats 1961 unterzeichneter Vertrag über soziale Rechte (1964 von der Bundesrep. Dtl. ratifiziert). Von den 19 sozialen Rechten sind sieben sog. Kernrechte (von denen mindestens fünf für jeden Mitgl.staat bindend sind): Recht auf Arbeit, Vereinigungsrecht, Recht auf Kollektivverhandlungen, Recht auf soziale Sicherheit, Recht auf Fürsorge, Recht auf sozialen gesetzl. und wirtsch. Schutz der Familie, Recht der Wanderarbeitnehmer auf Schutz und Beistand.

Europäisches Parlament, parlamentar. Organ der →Europäischen Gemeinschaften, Sitz: Straßburg; Tagungen des Plenums und der Ausschüsse (zurzeit 20) finden auch in Brüssel statt; das Generalsekretariat ist in Luxemburg. Das E. P. setzt sich seit dem 1. 1. 1995 aus 626 Abg. zusammen. Während bis 1979 die Abg. mittelbar über die nat. Parlamente in das E. P. entsandt wurden, werden sie seither durch die Bev. der Mitgl.länder direkt gewählt. Die Wahlperiode beträgt fünf Jahre. Jedes Land besetzt gemäß seiner Bev.größe eine bestimmte Anzahl von Sitzen, zw. 99 (Dtl.) und sechs (Luxemburg). Die gewählten Abg. bilden unabhängig von ihrer Nationalität Fraktionen und arbeiten in Ausschüssen zusammen. Ein Petitionsausschuss sowie ein Bürgerbeauftragter sind für Beschwerden und Bitten der Bürger der EU-Staaten zuständig. Die Abg. wählen einen Präs., der das E. P. vertritt und die Sitzungen leitet, sowie 14 Vizepräsidenten. Die Aufgaben und Befugnisse des E. P. sind – zuletzt durch den Vertrag von Maastricht – kontinuierlich erweitert worden. Es übt Kontrollrechte gegenüber der Kommission aus (Zustimmungsrecht bei Einsetzung einer neuen Kommission insgesamt, Interpellationsrecht, Misstrauensvotum) und kann zur Klärung wesentl. Sachverhalte Untersuchungsausschüsse einsetzen. Das E. P. verfügt über kein Initiativrecht bei der Rechtsetzung, nimmt jedoch durch Zusammenarbeit und Mitentscheidung gestaltend daran teil. Bei der Festsetzung des Haushaltes der Gemeinschaft ist es mitbestimmungsberechtigt.

europäisches Patent, Patent, das aufgrund einer einzigen Anmeldung beim Europ. Patentamt erteilt wird und Schutz in den Signatarstaaten des Europ. Patentübereinkommens (EPÜ) bietet. Das e. P. besteht neben dem Gemeinschaftspatent und dem nat. Patent.

Europäisches Patentamt, Abk. **EPA,** als Organ der europ. Patentorganisation errichtete und seit 1978 tätige Behörde zur vereinfachten Erteilung und Verwaltung eines europ. Patents nach dem Europ. Patentübereinkommen von 1973 und einem Gemeinschaftspatent nach dem Gemein-

Europäische Südsternwarte: Blick auf die Anlage der Sternwarte mit 16 Teleskopen auf dem chilenischen Berg La Silla

schaftspatentübereinkommen von 1975 (GPÜ) in der Fassung der Vereinbarung über Gemeinschaftspatente von 1989 (VPG); Sitz: München (Zweigstelle in Den Haag, weitere Dienststellen in Berlin und Wien).

Europäische Strukturfonds [-fɔ̃], Oberbegriff für versch. Programme der EU zur Abschwächung des wirtsch. und sozialen Gefälles. Zu den E. S. zählen der →Europäische Regionalfonds, der →Europäische Sozialfonds, der →Europäische Ausrichtungs- und Garantiefonds für die Landwirtschaft und neuerdings das Finanzinstrument für die Ausrichtung der Fischerei.

Europäische Südsternwarte (engl. European Southern Observatory, Abk. ESO), von acht Mitgl.ländern getragene europ. Organisation zur astronom. Forschung am südl. Sternenhimmel; gegr. 1962, Sitz: Garching bei München. Die E. S. betreibt auf dem chilen. Berg La Silla (2400 m ü. M.) eine Sternwarte mit 16 Teleskopen, u. a. das **New Technology Telescope** (Abk. **NTT**) auf der Basis aktiver bzw. adaptiver Optik; das NTT ist der Vorläufer des **Very Large Telescope** (Abk. **VLT**), das aus vier 8-m-Spiegeln mit adaptiver Optik besteht und auf dem 2664 m hohen Cerro Paranat im trockenem N Chiles bis zum Jahr 2001 fertig gestellt sein soll (im Mai 1998 wurde das erste Teleskop in Betrieb genommen).

Europäisches Währungsinstitut, Abk. EWI, eine im Rahmen der Errichtung der Europ. Wirtschafts- und Währungsunion zum 1. 1. 1994 gebildete Organisation mit eigener Rechtspersönlichkeit als Vorstufe der →Europäischen Zentralbank; Aufgaben: Koordination der Geldpolitiken der souverän bleibenden nat. Notenbanken, Stärkung ihrer Zusammenarbeit, Vorbereitung der Errichtung des Europ. Systems der Zentralbanken und der Europäischen Zentralbank; Überwachung des Europ. Währungssystems und Fortführung der Aufgaben des Europ. Fonds für währungspolit. Zusammenarbeit. Geleitet wird es von einem Rat, der sich aus einem Präs. und den Präs. der Notenbanken der EG-Staaten zusammensetzt; Sitz: Frankfurt am Main.

Europäisches Währungssystem, Abk. **EWS,** Wechselkurssystem der EG-Länder, das am 13. 3. 1979 in Kraft getreten ist. Ziel: größere wirtsch. Stabilität, bes. von Preisen und Wechselkursen, Erleichterung des Güter- und Kapitalverkehrs, gemeinsame Währungspolitik, Stabilisierung des internat. Währungs- und Wirtschaftssystems. Dem EWS gehören die Zentralbanken aller Mitgl.länder der EU an. Allerdings nehmen Griechenland, Großbritannien und Schweden nicht am Wechselkurs- bzw. Interventionssystem teil.

Kernstück des EWS bildet die **Europ. Währungseinheit,** engl. **European Currency Unit** (Abk. **ECU**), die innerhalb des EWS als Rechen- und Bezugsgröße der Wechselkurse sowie von den Zentralbanken als Zahlungsmittel und Reservewährung verwendet wird. Das EWS beinhaltet einen Wechselkurs und Interventionsmechanismus: Die Teilnehmerländer legen Leitkurse, ausgedrückt in ECU, fest, aus denen sich die bilateralen Leitkurse (»Kreuzparitäten«) ermitteln lassen. Um die bilateralen Leitkurse sind Bandbreiten (obere und untere Interventionspunkte) von ±15% (bis Juli 1993 ±2,25%) festgelegt. Die jeweiligen Notenbanken müssen sicherstellen, dass die Bandbreiten eingehalten werden. Bis Ende 1993 war der Europ. Fonds für währungspolit. Zusammenarbeit (EFWZ) Teil des EWS, dessen Aufgaben (Zusammenfassung der EWS-Kreditmechanismen, Saldenausgleich) 1994 vom Europ. Währungsinstitut übernommen wurden. Das EWS wird stufenweise von der →Europäischen Wirtschafts- und Währungsunion ergänzt.

Europäisches Wiederaufbauprogramm, →ERP.

Europäische Union, Abk. **EU,** nach dem am 1. 11. 1993 in Kraft getretenen Vertrag über die EU (Vertrag von Maastricht) vom 7. 2. 1992 die »neue Stufe bei der Verwirklichung einer immer engeren Union der Völker Europas, in der die Entscheidungen möglichst bürgernah getroffen werden«, also ein weiterer Schritt im europ. Einigungsprozess, der in dieser Form bereits seit 1972 erklärtes Ziel der Mitgl. der EG ist. Die EU wird von drei »Säulen« getragen: den drei bisherigen EG, ergänzt

Europäische Union: Die drei Säulen der Europäischen Union

durch eine gemeinsame Außen- und Sicherheitspolitik, die auf längere Sicht eine gemeinsame Verteidigungspolitik einschließen soll, und durch eine Zusammenarbeit der Mitgl.staaten in den Bereichen Justiz und Inneres. Weitere Ziele sind die Förderung des sozialen und wirtsch. Fortschritts durch einen Raum ohne Binnengrenzen und die Errichtung einer europ. Wirtschafts- und Währungsunion sowie die Einführung einer Unionsbürgerschaft. Die EU ist eine neuartige Staatenverbindung, die als Staatenbund oder Internat. Organisation eigener Art bezeichnet wird, in deren Rahmen sowohl die EG als auch die Mitgl.staaten ihre eigene Rechtspersönlichkeit bewahren. Die Organe der EG (bes. Kommission, Rat, Parlament) sind Organe der EG, nicht der EU. Der EU gehören 15 Mitgl. an.

📖 PEFFEKOVEN, R.: *Die Finanzen der Europ. Union. Mannheim u. a. 1994.* – BOLDT, H.: *Die Europ. Union. Geschichte, Struktur, Politik. Mannheim u. a. 1995. – Die Europäische Union. Rechtsordnung u. Politik, Beiträge v.* B. BEUTLER *u. a. Baden-Baden* [4]*1993.* – THUN-HOHENSTEIN, C. *u.* CEDE, F.: *Europarecht. Das Recht der Europäischen Union unter besonderer Berücksichtigung des EU-Beitritts Österreichs. Wien* [2]*1996.*

Europäische Verteidigungsgemeinschaft, Abk. **EVG,** übernat. Verteidigungsorganisation, eine im Pariser Vertrag vom 27. 5. 1952 vorgesehene Verteidigungsgemeinschaft Belgiens, der Bundesrep. Dtl., Frankreichs, Italiens, Luxemburgs und der Niederlande. Die militär. Grundeinheiten sollten bis zur Divisionsstärke national geschlossen bleiben, die höheren Einheiten hingegen, das Kommando und die Versorgungsorganisation sollten übernational zusammengesetzt, Ausrüstung, Uniformierung Bewaffnung, Ausbildung und Dienstzeit vereinheitlicht werden.

Der EVG-Vertrag fußte auf einem Plan des frz. Verteidigungsmin. R. Pleven **(Plevenplan),** der die bes. von den USA gewünschte Beteiligung dt. Streitkräfte an der Verteidigung W-Europas mit den v. a. von frz. Seite gehegten Befürchtungen vor einer dt. Wiederbewaffnung abzustimmen suchte. Der Vertrag wurde 1954 vom frz. Parlament abgelehnt.

Europäische Volkspartei, Abk. **EVP,** Föderation der christlich-demokrat. Parteien der EG-Länder, gegr. 1976; Sitz: Brüssel.

Europäische Währungseinheit, →Europäisches Währungssystem.

Europäische Währungsunion, →Europäische Wirtschafts- und Währungsunion.

Europäische Weltraumagentur, →ESA.

Europäische Wirtschaftliche Interessenvereinigung, Abk. **EWIV,** Typ einer jurist. Person des europ. Rechts, der aufgrund einer VO des Rates der EG vom 31. 7. 1985 mit Wirkung ab dem 1. 7. 1989 gegründet werden kann, um die grenzüberschreitende Zusammenarbeit zu fördern. Gründungsmitgl. können natürl. und jurist. Personen aus EG-Staaten sein, jedoch müssen mindestens zwei von ihnen ihren Sitz in verschiedenen EG-Staaten haben. Die EWIV wird in dem Land, in dem sie ihren Sitz hat, registriert und erlangt dadurch Rechtsfähigkeit.

Europäische Wirtschaftsgemeinschaft, Abk. **EWG** (frz. Communauté Économique Européenne, Abk. CEE, engl. European Economic Community, Abk. EEC), die durch den Vertrag von Rom **(Röm. Verträge),** unterzeichnet am 25. 3. 1957 (in Kraft getreten am 1. 1. 1958) zw. den Staaten Belgien, Bundesrep. Dtl., Frankreich, Italien, Luxemburg und den Niederlanden begründete überstaatl. Gemeinschaft zum Zweck der wirtsch. Integration; Sitz in Brüssel und Luxemburg. Am 1. 1. 1973 traten Dänemark, Großbritannien und Irland, am 1. 1. 1981 Griechenland, am 1. 1. 1986 Spanien und Portugal, am 1. 1. 1995 Finnland, Österreich und Schweden bei. Durch den am 1. 11. 1993 in Kraft getretenen Maastrichter Vertrag zur Gründung der Europ. Union ist die EWG in Europäische Gemeinschaften umbenannt worden.

Die erste Stufe der wirtsch. Integration der Gemeinschaft war die Errichtung eines **gemeinsamen Marktes.** Sie umfasst alle Maßnahmen, die einen freien Waren-, Dienstleistungs-, Personen- und Kapitalverkehr gewährleisten, die Freizügigkeit der Arbeitnehmer innerhalb der Gemeinschaft sichern und zur Vereinheitlichung des Wirtschaftsrechts beitragen. Diese »Vier Freiheiten« wurden durch den →Europäische Binnenmarkt weitgehend verwirklicht.

Besonders wichtig für die Errichtung eines freien Warenverkehrs innerhalb der Gemeinschaft war die Bildung einer **Zollunion.** Diese führte zu einem schrittweisen Abbau der Ein- und Ausfuhrzölle aller Waren und zum Verbot mengenmäßiger Einfuhrbeschränkungen der Mitgl.staaten untereinander. Dazu gehören ferner Bestimmungen über einheitl. Zolltarife im Warenaustausch mit Drittländern (Außenzölle). Die Einbeziehung der Erzeugung von und des Handels mit landwirtsch. Produkten **(gemeinsamer Agrarmarkt)** in den Integrationsprozess des gemeinsamen Marktes hat aufgrund der unterschiedl. Strukturen und Organisationen der einzelstaatl. Märkte eine Anzahl besonderer Probleme mit sich gebracht, die nicht mit den Mitteln zur Schaffung eines allg., freien Warenverkehrs gelöst werden konnten. Um die vertragl. Ziele der EWG auf landwirtsch. Gebiet zu erreichen, einigten sich die Mitgl.staaten auf die Grundlinien einer gemeinsamen →Agrarpolitik

(→Agrarmarktordnungen der EG). Zur Finanzierung der gemeinsamen Agrarpolitik wurde der →Europäische Ausrichtungs- und Garantiefonds für die Landwirtschaft (EAGFL) gegründet. 1993 wurde die Agrarpolitik mit dem Ziel reformiert, die Überproduktion zu verringern und die Einkommenssicherung statt über Aufkaufpreise durch Ausgleichszahlungen an die Landwirte zu erreichen.

Im Sinne einer größeren Freizügigkeit im **Personenverkehr** und **Niederlassungsrecht** verpflichten sich die Mitgl.staaten, alle rechtl. Bestimmungen zu beseitigen, durch die Personen und Gesellschaften an der Ausübung ihrer wirtsch. Tätigkeiten gehindert werden. Zur Herstellung der Freizügigkeit gehört auch die Verwirklichung jener Bedingungen, die es den Arbeitnehmern innerhalb der EWG ermöglichen, ungeachtet ihrer Staatszugehörigkeit unter gleichen Voraussetzungen hinsichtlich Beschäftigung, Entlohnung und sozialer Sicherheit ihren Arbeitsplatz zu wählen.

Der EWG-Vertrag sah zunächst lediglich für die Bereiche Wettbewerb, Landwirtschaft und Fischerei sowie Verkehr eine gemeinsame Politik vor. Mit unterschiedlich ausgeprägten Gemeinschaftskompetenzen sind inzwischen weitere Politikbereiche hinzugekommen: Wirtschafts- und Währungspolitik, Sozialpolitik, Umweltpolitik, die Bereiche Bildung, Kultur, Gesundheit, Verbraucherschutz, Transeurop. Netze, Industrie und Forschung sowie technolog. Entwicklung. Die gemeinsame Wettbewerbspolitik verbietet alle Absprachen zw. Unternehmen, die eine Verhinderung, Einschränkung oder Verfälschung des Wettbewerbs innerhalb des gemeinsamen Marktes bezwecken oder bewirken. Um die missbräuchl. Ausnutzung einer beherrschenden Stellung eines Unternehmens auf dem gemeinsamen Markt besser durchzusetzen, wird seit 1990 eine europ. Fusionskontrolle durchgeführt. Auch die den Wettbewerb beeinträchtigenden Subventionen sind verboten.

1979 fasste der Ministerrat eine Grundsatzentschließung (Werner-Plan) zur Verwirklichung einer →Europäischen Wirtschafts- und Währungsunion. Wichtig für dessen Umsetzung war eine enge währungspolit. Zusammenarbeit, die schließlich zur Schaffung des →Europäischen Währungssystems führte.

Die Strukturpolitik und die Regionalpolitik dienen dazu, die Unterschiede im wirtsch. Entwicklungsstand zw. einigen Regionen der EU zu beseitigen. Zur Förderung strukturschwacher (v. a. hohe strukturelle Arbeitslosigkeit, niedrige Pro-Kopf-Einkommen) Gebiete wurde der Europ. Regionalfonds geschaffen. Durch Darlehen und Bürgschaften unterstützt die Europ. Investitionsbank Projekte zur Beseitigung regionaler Benachteiligungen. Im Bereich der Sozialpolitik steht eine umfassende Harmonisierung der einzelstaatl. Vorschriften noch aus; die EG kann lediglich Mindestvorschriften erlassen. Zur Finanzierung sozialpolit. und in letzter Zeit arbeitsmarktpolit. Maßnahmen wurde der Europ. Sozialfonds geschaffen.

Die **Außenwirtschaftspolitik** enthält als ein wesentl. Element ein gemeinsames Zolltarifsystem gegenüber Drittländern, das durch den Min.rat der EG festgelegt wird und an das die Mitgl.staaten ihre Tarifsysteme so anpassen, dass sie den Warenaustausch mit Drittländern unter gleichen Bedingungen durchführen. Ein weiteres bed. Element der gemeinsamen Außenhandelspolitik ist die schrittweise Abtretung einzelstaatl. Rechte an die Kommission der EG, Handelsabkommen mit Drittländern zu vereinbaren. Mit zahlr. Ländern im Mittelmeerraum und mit EFTA-Mitgl. sind entsprechende Abkommen geschlossen worden. Aufgrund des »Systems allgemeiner Präferenzen« können Entwicklungsländern bei der Einfuhr von Halb- und Fertigprodukten in den gemeinsamen Markt Zollpräferenzen eingeräumt werden. Den Staaten, die intensivere wirtsch. Beziehungen zur Gemeinschaft pflegen wollen, wird von der EWG die Möglichkeit der Assoziierung eingeräumt. Mit den Staaten des Mittelmeerraumes wurden Assoziierungsabkommen geschlossen (Türkei: 1964; Malta: 1971; Zypern: 1973); 70 Länder (1997) des afrikan., karib. und pazif. Raumes (AKP-Staaten) sind seit 1975 durch die →Lomé-Abkommen mit der EWG verbunden. Verträge über Zusammenarbeit bestehen u. a. außerdem mit der ASEAN und dem Andenpakt. Entsprechende Abkommen (»Europa-Abkommen«) gibt es auch mit den an einem EG-Beitritt interessierten mittel- und osteurop. Staaten. Zur Finanzierung sozialer Einrichtungen und zur Förderung der Investitionstätigkeit in den assoziierten Ländern wurde ein Europ. Entwicklungsfonds (EEF) eingerichtet.

📖 *Kommentar zum EWG-Vertrag, hg. v.* H. VON DER GROEBEN *u. a., 4 Bde. Baden-Baden [4]1991. – Handbuch des EG-Wirtschaftsrechts, hg. v.* M. A. DAUSES. *Loseblatt-Ausg. München 1993 ff. – Europ. Integration, hg. v.* R. OHR. *Stuttgart 1997.*

Europäische Wirtschafts- und Währungsunion, Abk. **EWWU** (Wirtschafts- und Währungsunion, Abk. WWU), nach dem Maastrichter Vertrag in drei Stufen zu realisierende engste Form einer wirtsch. Integration im Rahmen der EU. Im Mittelpunkt der ersten Stufe (Mitte 1990 bis Ende 1993) stand die Vollendung des Europ. Binnenmarkts sowie die stabilitätspolitisch orientierte Koordination der Wirtschafts- und Finanzpolitik einerseits und der Geld- und Währungspolitik andererseits. Die Einbeziehung aller EG-

Währungen in den Wechselkursverbund des →Europäischen Währungssystems scheiterte dagegen an Währungsturbulenzen im Sommer 1993, in deren Folge die Bandbreiten im Europ. Währungssystem auf 15 % ausgeweitet wurden.

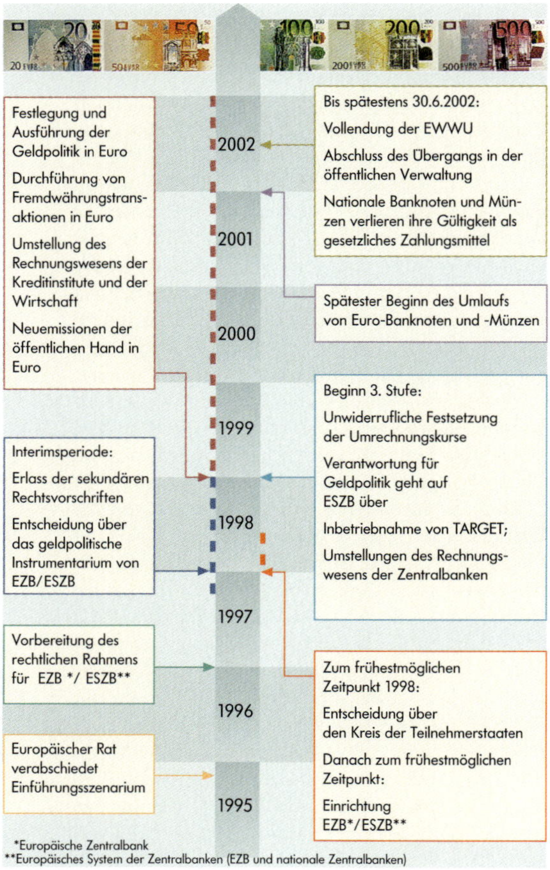

Zeitplan des Übergangs zur einheitlichen europäischen Währung Euro

Seit dem 1. 1. 1994 läuft die zweite Stufe, zu deren wichtigsten Maßnahmen die Gründung des Europ. Währungsinstituts als Vorläufer der künftigen Europ. Zentralbank zählt. Seit Beginn der zweiten Stufe, in der die wirtsch., fiskal. und monetären Konvergenz der Mitgl.länder gestärkt werden soll, gilt grundsätzlich ein Verbot, öffentl. Defizite durch die Notenbanken zu finanzieren.

Mit dem Eintritt in die dritte Stufe, die gemäß Maastrichter Vertrag spätestens 1999 beginnen soll, geht die Verantwortung für die gemeinsame Geldpolitik auf das Europ. System der Zentralbanken (ESZB) über. Außerdem werden die Wechselkurse der beteiligten Länder untereinander unwiderruflich fixiert und die Umrechnungskurse der nat. Währungen zur neuen Europawährung, dem Euro, festgelegt und das europ. Zahlungsverkehrsystem TARGET wird eingesetzt.

Die Teilnahme an der EWWU ist von der Erfüllung folgender **Konvergenzkriterien** abhängig: a) Die durchschnittl. Inflationsrate darf höchstens 1,5 Prozentpunkte über derjenigen der drei preisstabilsten Länder liegen. b) Der langfristige Nominalzins darf im Verlauf eines Jahres vor dem Konvergenztest höchstens 2 Prozentpunkte über denjenigen der drei Mitgl.staaten mit den niedrigsten Inflationsraten liegen. c) Das jährl. Haushaltsdefizit darf 3 % des Bruttoinlandsprodukts (BIP) nicht überschreiten, es sei denn, die Quote ist erheblich und laufend zurückgegegangen. d) Der öffentl. Schuldenstand, bezogen auf das BIP, darf 60 % nicht übersteigen, es sei denn, die Quote ist hinreichend rückläufig.

Im Sept. 1996 einigten sich die Finanz-Min. und die Notenbank-Präs. der EU-Staaten auf einen Stabilitätspakt zur Einhaltung der Konvergenzkriterien nach Beginn der EWWU, auf einen neuen, flexiblen Wechselkursmechanismus zw. den künftigen EWWU-Staaten und den Ländern, die nicht sofort an der EWWU teilnehmen können (EWS II). Als Vorteile der EWWU gelten insbesondere der Wegfall der Wechselkursrisiken sowie währungsbedingter Transaktions- und Kurssicherungskosten, erhöhte Planungssicherheit für Investitionen und die Beseitigung währungsbedingter Wettbewerbsverzerrungen.

🕮 MARQUARDT, R.-M.: *Vom europ. Währungssystem zur Europ. Wirtschafts- u. Währungsunion. Frankfurt am Main u. a. 1994.*

Europäische Zentralbank, Abk. **EZB,** zum 2. 6. 1998 (der geplanten dritten Stufe der Europ. Wirtschafts- und Währungsunion) zu gründende Institution, die zus. mit den Notenbanken der Mitgl.länder das **Europäische System der Zentralbanken (ESZB)** bildet und somit für die Geldpolitik und die Sicherung der Preisniveaustabilität zuständig ist. Die EZB besitzt eine eigene Rechtspersönlichkeit; Sitz ist Frankfurt am Main. Die EZB und das ESZB sind unabhängig. Die Beschlussorgane der EZB sind der EZB-Rat und das Direktorium (mit Präs., Vize-Präs. und vier weiteren Mitgliedern). Vorläufer der EZB ist das Europ. Währungsinstitut.

Europakanal, Teil des →Rhein-Main-Donau-Großschifffahrtsweges.

Europapokal (Europacup), *allg.:* Pokalwettbewerb für Sportler europ. Länder (Einzelsportler, Vereinsmannschaften, Ländervertretungen; je nach Sportart verschieden). Im *Fußball* gibt es den E. der Landesmeister (seit 1956) und den E. der Pokalsieger (seit 1961).

Europarat (engl. Council of Europe, frz. Conseil de l'Europe), internat. Organisation europ.

Staaten zur Wahrung des gemeinsamen europ. Erbes und zur Förderung des wirtsch. und sozialen Fortschritts, gegr. auf der Londoner Konferenz von 1949. Gründungsmitgl. waren: Belgien, Dänemark, Frankreich, Großbritannien, Irland, Italien, Luxemburg, Niederlande, Norwegen und Schweden. Bis Mitte 1996 stieg die Zahl der Mitgl.länder auf 32 (seit 1990 auch osteurop. Staaten). Kanada, die USA und Japan haben Beobachterstatus. Sitz des E. ist Straßburg. Organe: die **Beratende Versammlung,** bestehend aus den von den nationalen Parlamenten entsprechend der Größe der Mitgl.-staaten entsandten Abg., das **Min.komitee** (die Außenmin. der Mitgl.staaten oder ihre Stellv.), das **Generalsekretariat** und der **Kongress der Gemeinden und Regionen Europas.** Der E. erlässt keine unmittelbar geltenden Rechtsakte, seine Organe erlassen Entschließungen und Empfehlungen, u.a. die Europ. Konvention zum Schutze der Menschenrechte und Grundfreiheiten, die Europäische Sozialcharta, das Europ. Übereinkommen zur Bekämpfung des Terrorismus (27. 1. 1977), das Europ. Datenschutzabkommen (28. 1. 1981), die Konvention gegen Folter und entwürdigende Behandlung (26. 11. 1987). 1995 verabschiedete der E. die Konvention zum Schutz von Minderheiten, 1996 die Konvention zur Bioethik.

Beim E. besteht ein →Europäischer Gerichtshof für Menschenrechte. – Über die Flagge des E. →Europaflagge.

Europarecht, i.w.S. das sich im Wesentlichen seit dem Ende des 2. Weltkrieges entwickelnde Recht der zwischenstaatl. Integration Europas; i.e.S. das Recht der Europ. Gemeinschaften (EG-Recht oder Gemeinschaftsrecht). Das Gemeinschaftsrecht ist eine autonome Rechtsordnung, die mit der intensiven Integration der Mitgl. der Europ. Gemeinschaften entstand und welches im Unterschied zum Völkerrecht in den Mitgl.staaten der EG unmittelbar Anwendung findet. Es wird untergliedert: a) in das **primäre Gemeinschaftsrecht,** das aus den Gründungs-, Beitritts- und sonstigen Änderungsverträgen zu den Europ. Gemeinschaften besteht (z.B. EWG-Vertrag von 1957); b) in das **sekundäre Gemeinschaftsrecht,** d.h. das von den Organen der Gemeinschaften erlassene **Folgerecht,** nämlich Verordnungen, Richtlinien, Entscheidungen und Stellungnahmen. Ziel der gemeinschaftsrechtl. Regelungen ist die Rechtsangleichung zw. den Mitgl.staaten zur Erleichterung

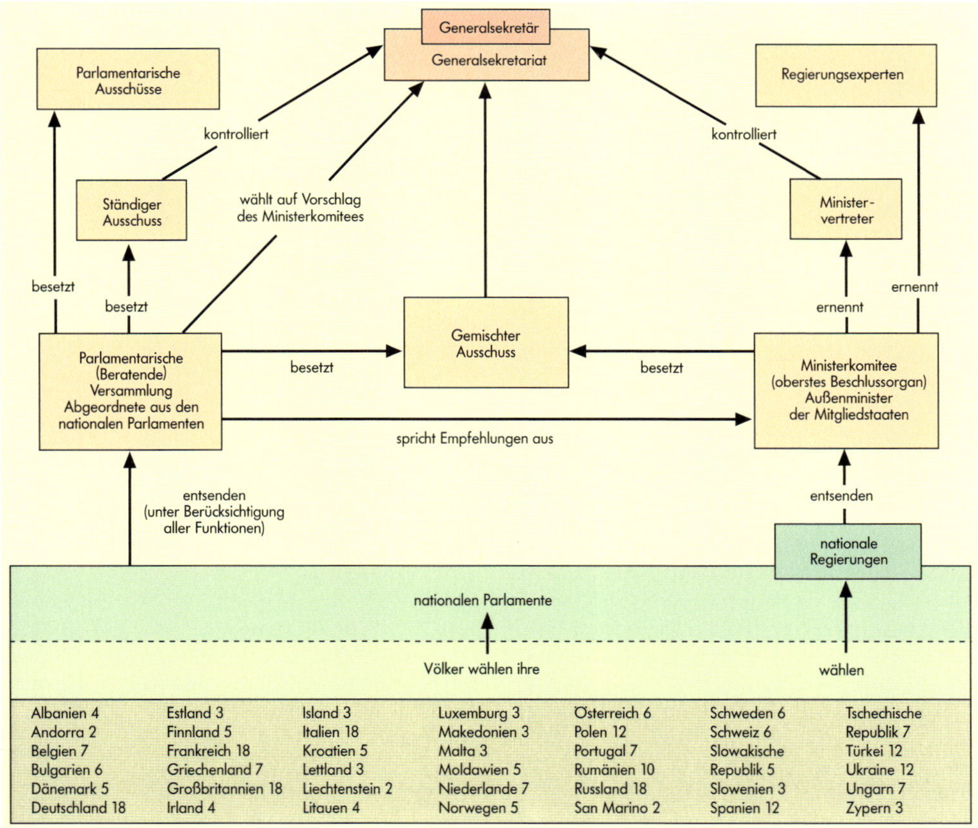

Europarat: Aufbau seiner Organe

Eurostar: Die seit 1994 zwischen London und Paris/Brüssel eingesetzten Hochgeschwindigkeitszüge erreichen eine Spitzengeschwindigkeit von 300 km/h

Eurotunnel: Eine der zwei 1994 nach mehr als sechsjähriger Bauzeit fertiggestellten eingleisigen Tunnelröhren (Durchmesser 7,6 m) unter dem Ärmelkanal

der internat. Zusammenarbeit. Die Klärung von Zweifelsfragen bei der Auslegung des Gemeinschaftsrechts ist Aufgabe des Europ. Gerichtshofes. Die Umsetzung des E. wird in Dtl. durch Art. 24 GG erleichtert.

📖 ROHDE, C.: *E. Schnell erfasst. Berlin u. a. 1995.* – NICOLAYSEN, G.: *Europarecht, 2 Bde. Baden-Baden 1991–96.*

Europareservat, Bez. für bes. wichtige und hinreichend geschützte Landschaftsteile, i. d. R. ausgewiesene Naturschutzgebiete und Feuchtgebiete von internat. Bedeutung. Der Titel E. wird vom Bird Life International vergeben, kann aber, wenn sich die Schutzbedingungen verschlechtern, wieder aberkannt werden. In Dtl. gibt es z. Z. 18 E., u. a. Nordfries. Wattenmeer, Dümmer, Kühkopf-Knoblauchsaue und Federsee.

Europaschiff, Typschiff (Motorgüterschiff) der europ. Binnenschifffahrt, 80–85 m lang, 9,50 m breit, 2,50 m Tiefgang, 1350 t Tragfähigkeit; danach werden Querschnitt, Wassertiefe und Schleusen wichtiger Binnenwasserstraßen bemessen.

Europastraßen
Verkehrsschild

Europaschulen, mehrsprachige Schulen von der Grundschule bis zur höheren Schule (Europ. Abitur) bes. für Kinder von Beamten der EG.

Europastraßen, Fernstraßen des internat. Verkehrs in Europa, die durch Verkehrsschilder (weißes E und weiße Nummer auf grünem Grund) gekennzeichnet sind. Seit 1975 findet eine Neustrukturierung statt (Rasterprinzip); danach werden Hauptfernverkehrsstraßen mit E 1 bis E 95 bezeichnet, Zubringer- und Verbindungsstraßen mit E und dreiziffriger Zahl.

Europa-Union Deutschland, überparteilicher, unabhängiger polit. Verband, der sich für die europ. Einigung auf demokrat. und föderalist. Grundlage einsetzt und die Schaffung einer europ. Föderation anstrebt; gegr. am 9. 12. 1946 in Syke (bei Bremen). Die E.-U. D. ist die dt. Sektion der **Union Europäischer Föderalisten** (Symbol: → Europaflagge).

Europa-Welle, *Rundfunk:* Mittelwellenbereich von 1400 bis 1600 kHz, in dem viele europ. Sender (auch dt.-sprachige) konzentriert sind.

European Business School [jʊərə'pi:ən 'bɪznɪs 'sku:l, engl.], Abk. **EBS,** 1971 gegründete private Fachhochschule für Betriebswirtschaft und Wirtschaftsinformatik (Sitz: Oestrich-Winkel, Rheingau-Taunus-Kreis) mit Schwesterschulen in Paris, London und Phoenix (Arizona).

European Film Academy [jʊərə'pi:ən - ə'kædəmɪ, engl.], 1991 aus der European Cinema Society (gegr. 1988) hervorgegangene Organisation zur Förderung des europ. Films; Sitz: Berlin; verleiht jährlich den **Europ. Filmpreis,** gen. **Felix** (in Form einer Statuette) in versch. Kategorien (u. a. bester Film, Einzelleistungen, Gesamtwerk).

Europide, typolog. Kategorie für die Gesamtheit der in Europa, Nordafrika und dem Westteil Asiens einheim. Menschen, deren auffälligstes Kennzeichen die Pigmentarmut von Haut, Haar und Augen ist. Die versch. Erscheinungsbilder haben zeitlich und geographisch vielfach fluktuiert und unterliegen auch heute noch Veränderungen, die nicht genetisch bedingt sind.

Europium *das,* chem. Symbol **Eu,** Seltenerdmetall aus der Gruppe der → Lanthanoide. Ordnungszahl 63, relative Atommasse 151,96, Dichte 5,26 g/cm^3, Schmelzpunkt 826 °C, Siedepunkt 1439 °C. – E. ist ein eisengraues, schmiedbares Metall; es wird verwendet als Aktivator in Leuchtmassen der Farbfernsehschirme und als Neutronenabsorber in der Kerntechnik.

Europol, Abk. für Europäisches Polizeiamt, 1994 errichtete Behörde der Staaten der EU mit Sitz in Den Haag. E. befasst sich mit der Sammlung, Auswertung und Verknüpfung von Informationen zur länderübergreifenden Bekämpfung v. a.

des Terrorismus, Drogen- und Menschenhandels, der Nuklearkriminalität und Geldwäscherei (→organisierte Kriminalität); eigene Handlungsbefugnisse besitzt E. nicht.

Europoort ['ø:ro:po:rt], die 1958–81 gebauten Hafenanlagen von Rotterdam, Niederlande; bes. Erz-, Kohle-, Container- und Erdölhafen.

Euroscheck, →Eurocheque.

Eurostar, Name der Hochgeschwindigkeitszüge, die seit 1994 London direkt mit Paris und Brüssel verbinden, wobei für die Verbindung zw. Frankreich und Großbritannien der Fahrweg des →Eurotunnels benutzt wird. E. ist eine Kooperation zw. den frz. Eisenbahnen (SNCF), den belg. Eisenbahnen (SNCB/NMBS) und der European Passenger Services Ltd. in Großbritannien. Auf den Hochgeschwindigkeitsstrecken in Frankreich und Belgien werden 300 km/h, im Eurotunnel 160 km/h erreicht.

Euskirchen 2): Das romanische Taufbecken in der Pfarrkirche Sankt Martin (12.-15. Jh.) stammt aus dem 12. Jahrhundert

Eurotunnel, der 1994 fertig gestellte Eisenbahntunnel zw. Fréthun (bei Calais), Frankreich, und Cheriton (bei Folkestone), Großbritannien, unter dem Ärmelkanal, bestehend aus drei Röhren (für den Zugverkehr in jeweils einer Richtung sowie ein Servicetunnel), Gesamtlänge 50,45 km.

Eurovision, Einrichtung der Union der Europ. Rundfunkorganisationen zum Austausch von Fernsehprogrammen und Nachrichtenbeiträgen; gegr. 1954; Sitz: Genf.

Eurydike [auch -'di:ke:] (lat. Eurydice), *grch. Mythos:* Gemahlin des →Orpheus.

Eury|ökie [grch.] *die,* das Vermögen einiger Tier- und Pflanzenarten, in sehr unterschiedl. Biotopen zu leben.

Eurystheus, *grch. Mythos:* König von Mykene, Tiryns und Midea in Argolis; er trug Herakles die 12 Arbeiten auf.

Eurythmie [grch. »schöne Bewegung«] *die, Anthroposophie:* die von R. Steiner geschaffene Bewegungskunst, die geistige Inhalte durch eine neuartige Gebärdensprache darzustellen sucht.

Euskadi, bask. Name des →Baskenlandes.

Euskirchen, 1) Kreis im RegBez. Köln, NRW, 1249 km², (1996) 182600 Einwohner.

Euskirchen 2)
Stadtwappen

2) Krst. von 1) in NRW, am NO-Rand der Eifel, 52100 Ew.; Papierverarbeitung, Maschinen-, Zucker-, Glas-, Tiernahrungs-, Elektro- und Steinzeugindustrie. – Kath. Pfarrkirche St. Martin (12.–15. Jh.) mit einer roman., in der Gotik erweiterten Pfeilerbasilika; Antwerpener Schnitzaltar (um 1520), roman. Taufbecken (12. Jh.). – E. erhielt 1302 Stadtrechte, 1355 kam es an das Herzogtum Jülich.

Eustachi-Röhre (Ohrtrompete), von dem italien. Anatomen B. Eustachi (*1520, †1574) entdeckte Verbindung zw. Nasenrachenraum und Mittelohr; dient zur Belüftung des Mittelohrraumes.

Eustachius, legendärer Märtyrer um 120/130, wird als einer der vierzehn Nothelfer verehrt; neben Hubertus Patron der Jäger.

eustatische Bewegungen, Schwankungen des Meeresspiegels durch Veränderungen in der Gesamtwassermenge der Weltmeere, die durch wechselnde Bindung des Wassers in großen Schnee- und Eismassen bedingt sind, z. B. Hebung des Wasserspiegels bei verstärktem Abschmelzen des Eises.

Eurovision
Symbol

Eutektikum [grch.] *das,* festes Gemenge zweier Stoffe (z. B. Metalllegierungen), die in festem Zustand nicht, in flüssigem dagegen völlig miteinander mischbar sind. Eine Flüssigkeit, die gerade die **eutektische Zusammensetzung** hat, erstarrt ohne Änderung der Zusammensetzung und hat die tiefste Erstarrungstemperatur **(eutektische Temperatur)** des Systems.

EUTELSAT, Abk. für **E**uropean **Tel**ecommunications **Sat**ellites, Reihe von Nachrichtensatelliten

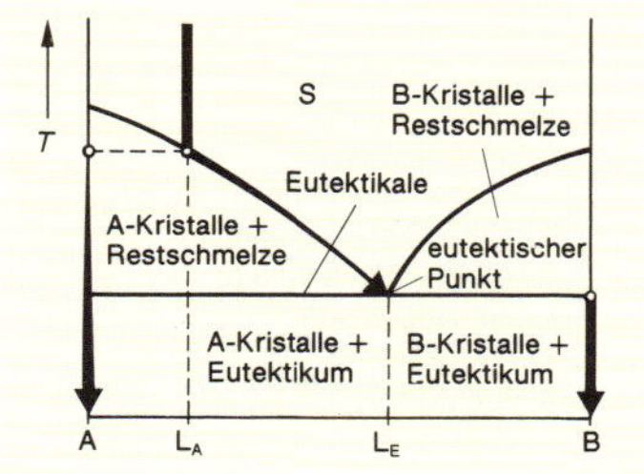

Eutektikum: Metallurgisches Zustandsdiagramm eines Zweistoffsystems aus den Metallen A und B bei vollständiger Löslichkeit in flüssigem Zustand (Schmelze S) und vollständiger Unlöslichkeit in festem Zustand; Ordinate: absolute Temperatur T, Abszisse: Zusammensetzung; L_A Zusammensetzung einer A-reichen Legierung, L_E eutektische Zusammensetzung einer eutektischen Legierung, des Eutektikums

Eutin: Blick auf die Stadt und den Großen Eutiner See

zur Übermittlung von Telefongesprächen, Fernseh- und Hörfunkprogrammen sowie zur Datenübertragung.

Euter, paarig angelegte (zwei oder vier) Milchdrüsen in der Leistengegend weibl. Huftiere. Das E. entwickelt sich unter Hormonwirkung bei Eintritt der Geschlechtsreife, die volle Ausbildung erfolgt während der Säugeperiode. Die produzierte Milch gelangt durch Milchgänge in ein Becken (»Zisterne«), aus dem sie mithilfe von Zitzen vom Jungtier aufgenommen wird. Überzählige Zitzen werden als Afterzitzen bezeichnet. Wichtige E.-Erkrankungen sind der →gelbe Galt und die →Holsteinische Euterseuche.

Euterpe [grch.], *grch. Mythos:* Muse der lyr. Dichtung; dargestellt mit der Doppelflöte.

Euthanasie [zu grch. euthanasía »schöner Tod«] *die,* Sterbehilfe für unheilbar Kranke und Schwerstverletzte mit dem Zweck, ihnen ein qualvolles Ende zu ersparen. Die Euthanasie i.w.S. hat mehrere Bedeutungen: 1) Tötung auf Verlangen (aktive E.); 2) a) Hilfe beim Sterben ohne Lebensverkürzung, b) Hilfe zum Sterben mit in Kauf genommener Lebensverkürzung (passive E.). – *Recht:* Die Bestimmungen des StGB verwenden den Begriff E. nicht; die absichtl. und aktive Lebensverkürzung ist auch dann, wenn sie auf ausdrückl. und ernstl. Verlangen eines Sterbenden erfolgt, strafbar (→Tötung auf Verlangen). Außerordentlich umstritten ist die →Sterbehilfe.

Eutin
Stadtwappen

Geschichte: Der Begriff E. findet sich bereits in der griechisch-röm. Antike; er bedeutete jedoch nur die bestimmte Todesart und bezog sich nicht auf das Eingreifen eines Menschen in den Sterbeverlauf. Erstmals F. Bacon (1605) sah die Schmerzlinderung bei Sterbenden als eine ärztl. Aufgabe an. In den Kreisen des Monistenbundes begann 1913 die Diskussion um die Straffreiheit einer E. mit gezielter Lebensverkürzung als Tötung auf Verlangen von Sterbenden und unheilbar Kranken. Das Recht des Individuums auf einen angenehmen Tod ist auch Programmpunkt der seit den 1930er-Jahren v.a. in den angelsächs. Ländern entstehenden E.-Gesetze.

Unter der irreführenden Tarn-Bez. »E.« führte die nat.-soz. Reg. in Dtl. ein Programm (1940–45) zur systemat. Tötung missgebildeter Kinder (Gehirnmissbildung) und erwachsener Geisteskranker durch. Sie konnte sich dabei auf eine sozialdarwinistisch geprägte Humangenetik stützen, die unter der Bez. »Rassenhygiene« bereits in der Zeit der Weimarer Rep. vertreten worden war (K. Binding, A. Hoche: »Die Freigabe der Vernichtung lebensunwerten Lebens«, 1920). Die »Tötung lebensunwerten Lebens« – so auch die nat.-soz. Terminologie –, die seit 1938 offen propagiert wurde, ging auf eine Zustimmung Hitlers zur Gewährung des »Gnadentodes durch namentlich zu bestimmende Ärzte« zurück, die auf den 1. 9. 1939 datiert wurde. Zw. Anfang 1940 und dem 23. 8. 1941, dem Zeitpunkt, an dem die Mordaktion aufgrund kirchl. Proteste (v.a. des Bischofs Graf von Galen, 1941) gestoppt wurde, fielen dem nat.-soz. E.-Programm bis zu 100000 Menschen zum Opfer. Unter strengerer Geheimhaltung wurde die Mordaktion von Sept. 1941 bis Mitte 1944 (in einigen Anstalten bis Apr. 1945) fortgesetzt; ihr fielen noch einmal 20000 bis 30000 Menschen zum Opfer. Nach Kriegsende erfolgte in zahlr. Fällen eine Verurteilung von Ärzten und Pflegepersonal.

📖 *Dokumente zur »E.«, hg. v.* E. Klee. *Frankfurt am Main 11.–12. Tsd. 1992.* – Schmuhl, H.-W.: *Rassenhygiene, Nationalsozialismus, E. Von der Verhütung zur Vernichtung »lebensunwerten Lebens«, 1890–1945. Göttingen ²1992.* – Klee, E.: *»E.« im NS-Staat. Die »Vernichtung lebensunwerten Lebens«. Lizenzausg. Frankfurt am Main 21.–22. Tsd. 1994.* – Beck, C.: *Sozialdarwinismus, Rassenhygiene, Zwangssterilisation u. Vernichtung »lebensunwerten« Lebens. Bonn ²1995.* – Bastian, T.: *Furchtbare Ärzte. Medizinische Verbrechen im Dritten Reich. München ²1996.*

Euthymides, grch. Vasenmaler des rotfigurigen Stils, tätig um 510–490 v.Chr.; einer der führenden Meister der att. rotfigurigen Vasenmalerei am Übergang vom spätarchaischen zum frühen strengen Stil (→Vase).

Eutin, Krst. des Landkreises Ostholstein, Schlesw.-Holst., in der Holstein. Schweiz zw. dem Großen und Kleinen Eutiner See, 17100 Ew.; Landesbibliothek, Ostholsteinmuseum; Landespolizeischule; Elektro-, Papier-, Metallwarenind.; Sommerspiele auf der Freilichtbühne im Schlosspark. – Spätroman. Michaeliskirche; Barockschloss (urspr. Wasserburg) mit engl. Garten. – Um 1143 als Marktort gegr., kam E. 1156 an das Bistum Oldenburg und erhielt 1257 Lüb. Recht. E. war Residenz der Bischöfe und der evang., seit 1586 stets gottorfischen Fürstbischöfe; seit 1803 Hptst. des Fürstentums Lübeck und seit 1919 des oldenburg. Landesteils Lübeck, der 1937 preußisch wurde.

Eutonie [grch.] *die,* normaler Spannungszustand von Muskeln und Gefäßen; Ggs.: Dystonie.

Eutrophie [grch.] *die,* normaler Ernährungszustand eines Säuglings; Ggs.: →Dystrophie.

Eutrophierung [grch.], unerwünschte Anreicherung eines Gewässers an Nährstoffen, bes. an Phosphor- und Stickstoffverbindungen (hauptsächlich durch Einleiten von Abwässern und Abschwemmung von Düngemitteln). Führt zur Übervermehrung von Pflanzen (v.a. Algen) und tier. Plankton (erhebl. Verminderung des Sauerstoffgehaltes des Wassers).

Eutropius, röm. Geschichtsschreiber des 4. Jh. n. Chr., verfasste im Auftrag des Kaisers Valens (364–78) einen Abriss der röm. Gesch. (»Breviarum ab urbe condita«) von der Gründung Roms bis 364 n. Chr.

eV, Einheitenzeichen für →Elektronvolt.

e. V., Abk. für **e**ingetragener **V**erein.

Eva [hebr. »Leben«], nach 1. Mos. 3,20 Frau Adams und Stammmutter des Menschengeschlechts.

Evakuierung [lat.], **1)** *allg.:* Räumung einer Wohnung, einer Stadt oder eines Gebietes von der Zivilbev. aus militär. oder Sicherheitsgründen.

2) *Physik:* das Entleeren, Auspumpen eines Raumes, um ein Vakuum herzustellen.

Evangeliar [grch.-lat.] *das,* liturg. Buch mit dem vollständigen Text der vier Evangelien. Prachtvoll geschmückte E. sind bes. aus dem frühen MA. erhalten.

Evangelienharmonie, eine aus den vier Evangelien zusammengearbeitete einheitl. Darstellung der Geschichte Jesu, die die Widersprüche in den Aussagen der einzelnen Evangelien zu glätten versucht. Älteste E. ist das Diatessaron des Tatian (um 170). E. genannte freie Nachgestaltungen des Lebens Jesu sind das ahd. Epos des Mönchs Otfried von Weißenburg und der Heliand (9. Jh.). Nach dem heutigen Stand der Bibelkritik ist eine Harmonisierung nicht möglich, weil die Evangelien weder histor. Texte sind noch sein wollen, sondern christl. Bekenntnisse in unterschiedl. Weise ablegen.

Evangelikale *der,* Vertreter einer theolog. Richtung, die die unbedingte Autorität des N. T. im Sinne des Fundamentalismus vertritt.

Evangelisation [grch. »Verkündigung der frohen Botschaft«] *die,* urspr. Bezeichnung für jede Verkündigung des →Evangeliums, dann in den evang. Kirchen für das Bemühen, die Bevölkerung in kath. Gebieten für sich zu gewinnen. Heute meint E. die Erstverkündigung im Unterschied zur regelmäßigen Gemeindepredigt.

evangelisch, dem Evangelium gemäß; mit der Reformation setzte sich e. als Selbstbez. ihrer Anhänger durch. Luther bezeichnete die durch ihn aufgrund seiner Bibelstudien vertretenen Ansichten als e. und brachte damit das zentrale Anliegen der →Reformation zum Ausdruck. Heute werden als e. die prot. Kirchen bezeichnet, die aus der Reformation hervorgegangen sind.

Evangelische Akademien, Einrichtungen der evang. Landeskirchen zur Diskussion von Fragen der Zeit. Als Stätten des Gesprächs und der Besinnung führen sie Theologen und Nichttheologen zusammen; gemeinsam werden Antworten von der Basis des christl. Glaubens her gesucht. Die erste Tagung einer E. A. fand 1945 in Bad Boll statt. Bald wurden in allen dt. evang. Landeskirchen E. A. gegründet. Die Leitungen der E. A. sind im »Leiterkreis der E. A. in Dtl. e. V.« (Sitz Bad Boll) zusammengefasst. In acht europ. Ländern bestehen ähnl. Inst., die mit dem Leiterkreis der dt. E. A. im Europ. Leiterkreis zusammengeschlossen sind.

Evangeliar: Seite aus dem Evangeliar Ottos III. (um 1000; München, Bayerische Staatsbibliothek)

Evangelische Allianz, Abk. **EA,** seit 1846 übernat. Vereinigungen der evang. Christen, die nicht organisator. Einheit anstrebt, sondern Individuen auf Vereinsbasis anspricht. Aus der E. A. hervorgegangen ist z. B. der CVJM (1855).

Evangelische Gemeinschaft, seit 1850 in Dtl. Bez. für die **Albrechtsleute,** eine aus der Erweckungsbewegung hervorgegangene, dem Methodismus nahe stehende, von J. Albrecht 1800 gegründete evang. Freikirche; unterhält ausgedehnte Missionsarbeit; Predigerseminar in Reutlingen.

Evangelische Kirche der Union, Abk. **EKU,** institutioneller Zusammenschluss der luther. und ref. Kirchen; am 1. 4. 1954 hervorgegangen aus der »Evang. Kirche der altpreuß. Union«. Die EKU ist eine Union von sieben selbstständigen Landeskirchen: Evang. Kirche Anhalts, Evang. Kirche in Berlin-Brandenburg, Evang. Kirche der schles. Oberlausitz, Pommersche Evang. Kirche, Evang. Kirche im Rheinland, Evang. Kirche der Kirchenprovinz Sachsen, Evang. Kirche von Westfalen. 1972–90 war die EKU verwaltungstechnisch in die Bereiche Bundesrep. Dtl. und DDR unterteilt. Seit 1992 gibt es wieder eine gemeinsame Synode.

Evangelische Kirche in Deutschland, Abk. **EKD,** der Bund der luther., ref. und unierten Kirchen Dtl. nach der in Eisenach beschlossenen Grundordnung vom 13. 7. 1947. 1969–91 umfasste die EKD die 17 Gliedkirchen in der Bundesrep. Dtl. und Berlin (West). Die Gliedkirchen des seit 1969 separaten »Bundes der Evang. Kirche in der DDR« traten am 28. 6. 1991 in Coburg wieder der EKD bei. Die nunmehr 24 Gliedkirchen der EKD haben rd. 25,8 Mio. Mitgl., davon 4,6 Mio. in den östl. Bundesländern. Der EKD angeschlossen sind die »Evang. Brüderkirche in Dtl.« (→Brüdergemeinde) und der »Bund evang.-ref. Kirchen Dtl.«.

Organe: Die **Synode** der EKD umfasst 160 Mitglieder. Sie hat die Aufgabe, kirchl. Gesetze zu beschließen und Stellungnahmen zu kirchl. und gesellschaftl. Fragen abzugeben. Sie tritt i. d. R. einmal jährlich zusammen. Die **Kirchenkonferenz** wird von den Kirchenleitungen der Gliedkirchen gebildet. Jede Gliedkirche ist mit einer Stimme vertreten. Sie wirkt bei der Wahl des Rates und bei der Gesetzgebung mit. Der **Rat** der EKD übt die Leitung und Verwaltung der EKD aus und vertritt sie nach außen. Er hat 18 Mitgl. und tagt i. d. R. einmal im Monat. Seine Mitgl. werden von der Synode und der Kirchenkonferenz auf sechs Jahre gewählt. **Amtsstellen** der EKD sind die Kirchenkanzlei in Hannover (mit Außenstellen in Bonn und Berlin) und das kirchliche Außenamt in Frankfurt am Main. In Bonn ist der Rat der EKD durch einen Bevollmächtigten vertreten.

Kirchenmitgliedschaft: Der einzelne evang. Christ ist Mitgl. seiner Gemeinde und seiner Landeskirche (Mitgl. der EKD sind allein die Gliedkirchen). Die Mitgliedschaft ist an Taufe und Wohnsitz geknüpft: Wer in einer evang. Kirche die Taufe empfangen und seinen Wohnsitz im Bereich einer EKD-Gliedkirche hat, ist damit Mitgl. dieser Kirche. Verlegt er seinen Wohnsitz in das Gebiet einer anderen EKD-Gliedkirche, so wird er dort Kirchenmitglied.

Geschichte: Der erste Versuch eines größeren Zusammenschlusses der seit der Reformation entstandenen Landeskirchen führte 1848 in Wittenberg zu einem Kirchentag. Ziel war die Bildung eines evang. Kirchenbundes für Deutschland. Das Projekt scheiterte zunächst am gegenseitigen Misstrauen. 1852 folgte die Gründung der Eisenacher Konferenz. Sie trat in der Folgezeit regelmäßig zusammen, behandelte aber eher sekundäre Fragen. In der Frage des kirchl. Zusammenschlusses führte ihre Tätigkeit zu keinen grundlegenden Ergebnissen. Ihr ausführendes Organ war seit 1903 der »Deutsche Evang. Kirchenausschuss«. Die rechtl. und organisator. Selbstständigkeit der einzelnen Landeskirchen blieb auch nach dem Ende des Staatskirchentums 1918 erhalten. 1919 kam es zum Zusammenschluss im »Deutschen Evang. Kirchentag«, der 1921 die Verf. des Deutschen Evang. Kirchenbundes annahm. Dieser wurde 1933 unter maßgebl. Einfluss der →Deutschen Christen zur »Deutschen Evang. Kirche« umgewandelt, die sich als dt. evang. »Reichskirche« im Sinne der nat.-soz. Kirchenpolitik verstand und nach dem »Führerprinzip« von einem »Reichsbischof« (→Müller, Ludwig) geleitet wurde. – Als Gegenbewegung gegen die damit verbundenen Versuche der Verfälschung von Lehre und Verkündigung entstand die →Bekennende Kirche (→Kirchenkampf). Die Neuordnung der Gesamtkirche wurde nach dem Kriegsende 1945 unter dem Namen EKD verwirklicht.

evangelische Presse, konfessionell-kirchliche Druckerzeugnisse evang. Prägung. Dachorganisation der regionalen evang. Presseverbände ist das »Gemeinschaftswerk der Evang. Publizistik«, GEP, Sitz: Frankfurt am Main.

evangelische Räte [zu Evangelium] (lat. Consilia evangelica), nach kath. Lehre Gehorsam, Jungfräulichkeit oder Keuschheit und Armut, die als Ratschläge Jesu gelten, aus dem N. T. jedoch mit dieser Klarheit nicht zu entnehmen sind. Im Ggs. zu den Geboten sind die e. R. für Laien nicht verpflichtend, aber Inhalt der Ordensgelübde.

Evangelischer Bund, 1886 in Erfurt gegr. Vereinigung »zur Wahrung der dt.-protest. Interessen« gegenüber dem röm. Katholizismus nach dem →Kulturkampf. Heute will der E. B. die Botschaft der Reformation in den konfessionellen und gesellschaftl. Dialog einbringen.

Evangelischer Kirchentag, →Kirchentag.

evangelische Soziallehre, →Soziallehren der christlichen Kirchen.

Evangelische Zentralstelle für Weltanschauungsfragen, Abk. **EZW,** 1960 gegr. Einrichtung der EKD; Sitz: Berlin. Sie hat die Aufgabe, die religiösen und weltanschaul. Strömungen der Zeit zu beobachten und die geistige Auseinandersetzung der Kirche mit der Zeit zu fördern. Vorläufer war 1919–35 die »Apologet. Centrale«.

Evangelisch-Lutherische Freikirche, →Altlutheraner.

evangelisch-reformiert, Bez. für die Mitglieder reformierter Konfessionsgemeinschaften, die v. a. auf die Reformatoren U. Zwingli und J. Calvin zurückgehen.

Evangelisch-sozialer Kongress, Arbeitsgemeinschaft zur Förderung der christl. Sozialarbeit und sozialen Aufklärung, 1890 von A. Stoecker, L. Weber, A. von Harnack u. a. gegründet.

Evangelistar *das,* liturg. Buch mit ausgewählten Evangelien- und Episteltexten (Perikopen) zum Vorlesen bei der Messe.

Evangelisten: Jacob Jordaens, »Die vier Evangelisten« (um 1625; Paris, Louvre)

Evangelisten, seit dem 3. Jh. Bez. für die mutmaßl. Verfasser der vier Evangelien: Matthäus, Markus, Lukas und Johannes. In der kirchl. Überlieferung gelten sie als Apostel bzw. deren Nachfolger; seit dem 4. Jh. mit Sinnbildern, den **E.-Symbolen,** dargestellt: Löwe = Markus, Mensch = Matthäus, Stier = Lukas, Adler = Johannes. Oft vertreten die Symbole, die auf die in Kap. 4 der Offenbarung beschriebene Vision zurückgehen, die E. selbst. – Heute Bez. für evang. Prediger, bes. in der Erweckungsbewegung und den Freikirchen.

Evangelisti [-dʒ-], Franco, italien. Komponist, *Rom 21. 1. 1926, †ebd. 28. 1. 1980; gründete 1961 in Rom das Ensemble »Nuova Consonanza«; lehrte 1969–72 elektron. Musik in Rom.

Franco Evangelisti

Evangelium [grch. »frohe Botschaft«] *das,* die Botschaft Jesu vom Kommen des Gottesreiches und ihre schriftl. Fixierung in den vier Schriften des N. T. über sein Leben und Wirken: Matthäus, Markus, Lukas, Johannes. Die ersten drei E., in Inhalt und Aufbau einander ähnlich, werden die synopt. E. genannt (→Synoptiker). Vom älteren Markus-E. sind Matthäus und Lukas abhängig. Zudem wird bei diesen die Wirkung einer Schrift (»Logienquelle«, wiss. Bez. »Q«) angenommen, die v. a. authent. Aussprüche Jesu enthalten hat. Das Markus-E. wurde um 70 n. Chr. geschrieben, das E. des Matthäus und Lukas zw. 80 und 100 n. Chr. Das E. des Johannes wurde zw. 100 und 150 n. Chr. verfasst; es will, vom grch. Denken beeinflusst, der christl. Gemeinde v. a. eine theolog. Deutung der Person und Sendung Jesu geben. – Neben diesen von der Kirche für kanonisch (→Kanon) erklärten E. gibt es eine größere Zahl von z. T. verloren gegangenen apokryphen E. (→Apokryphen).

Evans ['evənz], **1)** Sir (seit 1911) Arthur, engl. Archäologe, *Nash Mills (bei London) 8. 7. 1851, †Oxford 11. 7. 1941; Prof. in Oxford; begann seine Forschungen 1893 auf Kreta, entdeckte im Zuge seiner 1900 begonnenen Ausgrabungen in Knossos den sagenhaften Palast des Minos; aufgrund seiner Grabungen erstellte er eine Chronologie der minoischen Kultur (→ägäische Kultur).

2) Bill, eigtl. William John, amerikan. Jazzmusiker (Pianist, Komponist), *Plainfield (N. J.) 16. 8. 1929, †New York 15. 9. 1980; sein Stil beeinflusste die Pianisten des Freejazz.

Geraint Evans

3) Sir (seit 1971) Geraint Llewellyn, brit. Sänger (Bariton), *Pontypridd 16. 2. 1922, †Aberystwyth 19. 9. 1992; wurde v. a. bekannt als Mozart-Interpret sowie als Falstaff (G. Verdi) und als Wozzeck (A. Berg).

4) Gil, eigtl. Ian Ernest Gilmore Green, amerikan. Jazzmusiker (Arrangeur, Komponist, Pianist), *Toronto 13. 5. 1912, †Mexiko 20. 3. 1988; gilt als einer der einflussreichsten Arrangeure des modernen Jazz.

Gil Evans

Evaporation [lat.] *die,* →Verdunstung.

Evaporit *der,* durch Verdunstung des Wassers in abgeschnürten Meeresbecken oder in Salzpfannen und -seen entstandenes Gestein, z. B. Salzabscheidungen des Zechsteinmeeres wie Steinsalz, Gips.

Evdokimova, Eva, amerikan. Tänzerin, *Genf 1. 12. 1948; debütierte 1966 beim Königlich-Dän. Ballett in Kopenhagen, kam 1969 als Solotänzerin an die Dt. Oper Berlin (seit 1973 Primaballerina), wo sie bis 1985 klass. und moderne Rollen tanzte.

Evektion [lat.] *die,* von Ptolemäus entdeckte Störung der Mondbewegung mit einer Periode von 32 Tagen.

Mount Everest: Blick von Süden auf den höchsten Berg (über 8 800 m) der Erde (Mitte); rechts daneben die beiden Gipfel Lhotse (8 516 m) und Nuptse (7 879 m)

Eventualbudget [-bydʒe, frz.] (Eventualhaushalt), zusätzl. Ausgaben im öffentl. Haushaltsplan, die nur im Bedarfsfall und konjunkturgerecht eingesetzt werden sollen; i. d. R. durch Schuldenaufnahme finanziert.

August Everding

Everding, August, Regisseur und Theaterleiter, *Bottrop 31. 10. 1928; wurde 1963 Intendant der Münchner Kammerspiele, inszenierte seit 1975 auch Opern; 1973–77 war er Intendant der Hamburg. Staatsoper, 1977–82 der Bayer. Staatsoper, 1982–93 Generalintendant der Bayer. Staatstheater. Seit 1989 ist er Präs. des Dt. Bühnenvereins und seit 1991 der dt. Sektion des Internat. Theater-Instituts.

Everdingen [-ŋə], Allaert van, niederländ. Maler, Radierer, getauft Alkmaar 18. 6. 1621, begraben Amsterdam 8. 11. 1675; reiste 1644 nach Norwegen und Schweden, malte bes. skandinav. Gebirgslandschaften mit Wasserfällen, die J. van Ruisdael beeinflusst haben.

Mount Everest

Aufgrund der Wetterverhältnisse ist eine Besteigung des höchsten Berges der Erde nur im Dezember/Januar, vor dem Monsun im April/Mai und nach dem Monsun im Oktober möglich. Allerdings sollte man sich rechtzeitig anmelden, wenn man eine Gipfeltour unternehmen will. Die Termine für mögliche Expeditionen sind auf Jahre hin ausgebucht, da jeweils höchstens zwei gleichzeitig (und auf verschiedenen Routen) durchgeführt werden dürfen.

Everest ['evərɪst], Sir (seit 1861) George, brit. Ingenieuroffizier, *Gwernvale (Wales) 4. 7. 1790, †London 1. 12. 1866; leitete 1823–43 die trigonometr. Vermessung Indiens. Nach ihm wurde der Mount Everest benannt.

Everest, Mount [maʊnt 'evərɪst] (tibet. Chomolungma, Tschomolungma, nepalesisch Sagarmatha [»Himmelskönig«]), höchster Berg der Erde, im O-Himalaja, an der Grenze zw. Nepal und China (Tibet), nach der 1992 gleichzeitig von nepales. und chines. Seite durchgeführten Neuvermessung 8 846 m ü. M. Das ganzjährig schneebedeckte Bergmassiv (Schneegrenze bei rd. 5 800 m Höhe) ist Nährgebiet für vier bed. Gletscher. Die Erstbesteigung glückte am 29. 5. 1953 dem Neuseeländer E. P. Hillary und dem Sherpa Tenzing Norgay, die Besteigung ohne Sauerstoffgeräte am 8. 5. 1978 R. Messner und P. Habeler und nochmals am 20. 8. 1980 R. Messner im Alleingang.

📖 MESSNER, R.: *E. Expedition zum Endpunkt. Neuausg. München u. a. 1995.*

Everglades ['evəgleɪdz], Sumpfgebiet im S von Florida (USA), Teile im N um den Okeechobeesee werden durch Entwässerung ackerbaulich genutzt. Im S besteht seit 1947 (1934 beschlossen) der **E. National Park** (5 660 km²; UNESCO-Welterbe) als Schutzgebiet für Pflanzen (Gräser, Mangroven u. a.) und Tiere (Alligatoren, Flamingos, Pelikane, Schlangen, Pumas u. a.); starker Fremdenverkehr. – Die E. sind Rückzugsgebiet für einen Teil der Seminolen-Indianer.

Evergreen ['evəgri:n; engl. »immergrün«] *der,* Musikstück, das auch nach längerer Zeit noch unverändert populär ist; die entsprechende Bez. im Jazz ist »Standard«, im Rock und Pop »Oldie«.

EVG, Abk. für →**E**uropäische **V**erteidigungs**g**emeinschaft.

Evidenz [lat. »Augenfälligkeit«] *die, Philosophie:* unmittelbare, mit besonderem Wahrheitsanspruch auftretende, intuitive Einsicht. Bei Platon liegt E. vor, wenn es sich um die Ideenschau handelt; bei R. Descartes, wenn eine Vorstellung klar und deutlich erfasst wird; in E. Husserls Phänomenologie im Fall der Schau eines objektiven Wesenssachverhalts.

Evidenzzentrale, Erfassungsstelle der Dt. Bundesbank, bei der nach § 14 Kreditwesen-Ges. die Kreditinst., Versicherungen und Sozialversicherungsträger vierteljährlich alle Kreditnehmer melden müssen, die bei ihnen mit mehr als 3 Mio. DM verschuldet sind (auch Wechselobligo).

Evokation [lat.] *die,* **1)** *allg.:* Erweckung von Vorstellungen, Assoziationen (bes. in der Dichtung).

2) *Recht:* im MA. das Recht des Königs, jeden Prozess vor sein Hofgericht zu ziehen; in der Goldenen Bulle von 1356 verzichtete der König hierauf gegenüber den Kurfürsten. Heute innerhalb der Staatsanwaltschaft das Recht der übergeordneten Behörde, Verfahren an sich zu ziehen und wieder abzugeben, so in Abgabenstrafsachen (§ 386 AO) oder in Staatsschutzsachen das E.recht des

Évora: Vor dem barocken Bau des Bischofspalastes (16./17. Jh.; heute Museum) stehen die Reste eines römischen Tempels (2. oder 3. Jh.); im Hintergrund kann man die Türme der frühgotischen Kathedrale erkennen

Generalbundesanwalts (§ 74 Gerichtsverfassungsgesetz).

Evolute [lat.] *die,* geometr. Ort der Krümmungsmittelpunkte einer ebenen Kurve. Wenn man einen die E. berührenden Faden im Berührungspunkt befestigt und in dauernd gespannter Lage der E. mehr und mehr anschmiegt, so beschreibt der andere Endpunkt die urspr. Kurve, die **Evolvente** genannt wird.

Evolution [lat.] *die,* die langsame, kontinuierlich fortschreitende Entwicklung (im Unterschied zur Revolution) in versch. (v.a. großräumigen) Zusammenhängen und Beziehungen, z.B. kosmolog. E. (→Kosmologie, →Urknall), →chemische Evolution. In der *Biologie* bezeichnet E. den Verlauf der Stammesgesch. von den niedrigsten Organisationsstufen des Lebens bis zu den heutigen hoch organisierten Formen. E. erfolgt, weil **E.-Faktoren** (→Hardy-Weinberg-Gesetz) wirken, bes. Mutation, Rekombination, Selektion, Isolation und Zufall. (→Abstammungslehre)

evolutionäre Erkenntnistheorie, Richtung innerhalb der neueren Erkenntnistheorie, die das menschl. Erkenntnisvermögen als Produkt der biolog. Evolution betrachtet: Nur die Art überlebt, deren Erkenntniswerkzeuge der Außenwelt optimal angepasst sind. Hauptvertreter: K. Lorenz, J. Piaget, G. Vollmer, R. Riedl.

Evolutionismus *der,* natur- und kulturphilosoph. Lehre von der Evolution. In der 2. Hälfte des 19. Jh. war der E., der die Evolution (Entwicklung und Fortschritt als Urkräfte) als das dem Universum zugrunde liegende Gesetz betrachtet, die herrschende philosophische Strömung (H. Spencer, E. Haeckel).

Evolutionstheorie, →Abstammungslehre.

Évora ['ɛvurə], Hptst. des Distrikts É., im Alentejo, Portugal, 38 900 Ew.; Erzbischofssitz; Handelszentrum für Agrarprodukte (Vieh, Getreide, Öl, Kork); Landmaschinenbau, Elektroind.; bed. Fremdenverkehr. E. hat seit 1979 wieder eine Univ. (schon 16.–18. Jh.). – Das histor. Zentrum wurde von der UNESCO zum Weltkulturerbe erklärt: röm. Tempelruine (2. oder 3. Jh.), frühgot. Kathedrale (1186 begonnen), festungsartige Kirche São Brás (1485), ehem. Lóios-Kloster im Emanuelstil, São Francisco (Ende 15. Jh.) mit Knochenkapelle (17. Jh.), Alte Univ. (1551), ehem. Bischofspalast (16./17. Jh.). – Schon in röm. Zeit ein bed. Waffenplatz; diente im Spät-MA. häufig als königl. Residenz.

Evorsion [lat.] *die,* aushöhlende Wirkung von im Wasser wirbelnden Steinen und Sandkörnern, →Kolk.

Evren, Kenan, türk. General, *Alaşehir (Prov. Manisa) 1. 1. 1918; den Ideen Atatürks (»Kemalismus«) zugewandt, seit 1977 Generalstabschef, führte den Militärputsch vom Sept. 1980 und war danach bis 1989 Staatspräsident. BILD S. 230

Évreux [ev'rø], Hptst. des frz. Dép. Eure, in der Normandie, 51 500 Ew.; Metall-, Textil- u.a. Industrie. – Kathedrale Notre-Dame (12./13. Jh., bis ins 17. Jh. Umbauten) mit bed. Glasfenstern (14. Jh.), ehem. Bischofspalast (15. Jh.), Uhrturm (15. Jh.). – Als **Mediolanum Aulercorum** Hptst. der kelt. Aulerker-Eburoviker; 52 v. Chr. römisch, eine der blühendsten Städte Galliens, wurde am Ende des 4. Jh. Bischofssitz und kam 911 zum Herzogtum Normandie. Die danach neu geschaffene

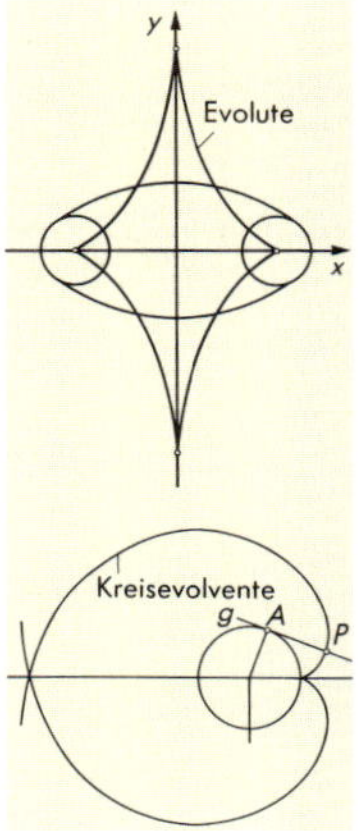

Evolute einer Ellipse (oben); darunter Beispiel einer Evolvente, und zwar einer Kreisevolvente, die der Punkt *P* beschreibt, wenn die Gerade g auf dem Kreis abrollt (*A* Berührungspunkt)

Everglades: In dem am Rand der Tropen gelegenen Sumpfgebiet bestimmen Grasflächen mit kleinen Baumgruppen das Landschaftsbild

Évreux: »Engel mit Orgel«, Glasfenster (14. Jh.) in der Kathedrale Notre-Dame (12./13. Jh.)

Grafschaft É. fiel im 12. Jh. und endgültig 1404 an die frz. Krone.

Evros, grch. Name des Flusses → Maritza.

Évry [eˈvri], Hptst. des frz. Dép. Essonne, südl. von Paris, 48 900 Ew.; gehört zu den fünf Neuen Städten in der Region Paris; kath. Bischofssitz (Kathedrale von M. Botta, 1991–95); Forschungsinst. für Informatik und Raumfahrt, Luftfahrt und elektrotechn. Industrie.

Kenan Evren

Evzonen [altgrch. »Wohlgegürtete«, im Sinne von Leichtbewaffnete], ehem. königlich-grch. Leibgarde; in Nationaltracht mit Fes und Fustanella; nach Abschaffung der Monarchie mit Wach- und Repräsentationsaufgaben betraut.

Ewiger Jude: Holzschnitt von Gustave Doré (1856) in einer Buchausgabe von Eugène Sues Roman »Der ewige Jude« (London, Britisches Museum)

Ewald, Name zweier angelsächs. Priestermönche, nach ihrer Haarfarbe »der Schwarze« und »der Weiße«, erlitten als Missionare bei den Sachsen um 695 den Märtyrertod; Heilige, Tag: 3. 10.

Ewald, 1) Georg Heinrich August von (seit 1841), evang. Theologe, Orientalist, *Göttingen 16. 11. 1803, †ebd. 4. 5. 1875; einer der »Göttinger Sieben«; arbeitete über hebr. Sprache, Exegese des A. T. und Geschichte des israel. Volkes.

2) Johannes, dän. Dichter, *Kopenhagen 18. 11. 1743, †ebd. 17. 3. 1781; von Klopstock beeinflusster Dramatiker; seinem Singspiel »Die Fischer« (1779) entstammt die dän. Nationalhymne.

Ewe, sudanides Volk in der Regenwaldzone Westafrikas, in SO-Ghana, S-Togo und S-Benin; die etwa 2 Mio. Menschen sind in mehr als 100 Stämme unterteilt. Ihre Sprache, das Ewe, wird als Verkehrssprache über das Gebiet der E. hinaus verwendet. Die E. sind Bauern, Fischer und Händler; hoch entwickeltes Kunsthandwerk (Weberei, Töpferei).

Ewenken (früher Tungusen), Volk mit → tungusischer Sprache in Sibirien, im Gebiet zw. Jenissei und Ochotsk. Meer sowie im südl. Transbaikalien, in den nordöstl. Ebenen Chinas und der Mongolei; in Russland leben rd. 30 000. Der **Autonome Kreis der E.** in der Russ. Föderation liegt im O der Region Krasnojarsk, im Mittelsibir. Bergland, umfasst 767 600 km^2 mit (1991) 25 000 Ew. (u. a. 67,5 % Russen, 14,1 % Ewenken); Hauptort ist Tura. Wirtsch. Grundlagen bilden Pelztierjagd und -zucht, Rentierzucht und Graphitabbau.

Ewers, Hanns Heinz, Schriftsteller, *Düsseldorf 3. 11. 1871, †Berlin 12. 6. 1943; schrieb fantast. Erzählungen und Romane, in denen er erot. und okkultist. Motive verwendet: »Alraune« (1911), »Vampir« (1921).

EWG, Abk. für → **E**uropäische **W**irtschafts**g**emeinschaft.

ewige Anbetung, *kath. Kirche:* die ununterbrochene (Tag und Nacht) Verehrung des Allerheiligsten (der konsekrierten Hostie). Die e. A. wird v. a. in Klöstern gepflegt.

ewige Anleihe, Anleihe ohne fixierte Laufzeit, deren Tilgung nicht im Voraus festgelegt oder nicht vorgesehen ist.

Ewiger Jude, der zu ewiger Wanderung verurteilte Jude **Ahasverus.** Nach der Legende darf der E. J. nirgends ruhen und muss ewig unstet über die Erde wandern, als Strafe dafür, dass er Christus geschlagen oder ihm bei seinem Gang zur Kreuzigung eine kurze Rast versagt hat. Man will ihn zu den verschiedensten Zeiten gesehen haben. Frühe Stufen der Sage stammen aus dem 13. Jh. Ihre spätere Gestalt erhielt sie um 1600 durch die »Kurtze Beschreibung und Erzählung von einem Juden mit Namen Ahasverus«; dichter. Behandlung später u.a. bei Goethe (Eposfragment, 1774), C. F. Schubart (lyr. Rhapsodie, 1787), A. von Arnim (Drama, 1811), C. R. Maturin (Roman, 1820), E. Sue (Roman, 1844), P. Lagerkvist (zwei Romane, 1956 und 1960), S. Heym (Roman, 1981).

Ewiger Landfriede, das auf dem Reichstag zu Worms am 7. 8. 1495 beschlossene Reichsgesetz, das das mittelalterl. Fehderecht abschaffte. Ansprüche sollten nur noch auf dem Rechtsweg geltend gemacht werden. Die Wahrung des E. L. wurde dem neu geschaffenen Reichskammergericht als oberster Rechtsinstanz übertragen.

ewiges Leben, → Unsterblichkeit.

ewiges Licht (ewige Lampe), in kath. Kirchen ein mit Öl oder Wachs gespeistes Licht vor jedem Tabernakel, in dem das Allerheiligste aufbewahrt wird, als Zeichen der Gegenwart Christi in der Eucharistie.

Ewige Stadt, häufige Bez. für die Stadt Rom.

Ewigkeit, 1) Zustand der Zeit; E. als endloser Fluss der Zeit, unendl. Dauer. In diesem Sinne ist gemäß christl. Dogmatik die menschl. Seele ewig (unsterblich); 2) Zustand jenseits der Zeit; Zeitlosigkeit. E. in diesem Sinn kommt allein Gott zu, der in einem unendl., unveränderlichen Jetzt alle Zeit umspannt.

EWIV, Abk. für → **E**uropäische **W**irtschaftliche **I**nteressen**v**ereinigung.

EWS, Abk. für → **E**uropäisches **W**ährungs**s**ystem.

EWWU, Abk. für → **E**uropäische **W**irtschafts- und **W**ährungs**u**nion.

ex, ex... [lat.], aus, heraus, z.B. Exkurs, Export; auch ehemalig, z.B. Exminister.

Exa, Vorsatzzeichen **E** (→ Vorsätze), steht für den Faktor 10^{18} (Trillion); z.B.: 1 Exajoule = 1 EJ = 10^{18} J.

exakte Wissenschaften, diejenigen Wissenschaften, die entweder messende (experimentelle) Methoden verwenden oder deren Ergebnisse auf log. oder mathemat. Beweisen beruhen (u.a. Mathematik, Physik, Logik); der Begriff e. W. ist wissenschaftstheoretisch umstritten.

Examen [lat.] *das,* Prüfung.

Exanthem [grch.] *das,* der → Ausschlag.

Exaration [lat.] *die, Geomorphologie:* ein Prozess der → Glazialerosion.

Exarch [grch.] *der,* **1)** im Byzantin. Reich der Statthalter eines Exarchats.

2) bis zum 5. Jh. den Patriarchen vergleichbarer unabhängiger Oberbischof über mehrere Bistümer; heute in den Ostkirchen ein übergeordneter Leiter von Kirchengemeinden, die nicht im Territorium ihres Patriarchats liegen.

Exarchat *das,* byzantin. Verwaltungsbezirk in Afrika (Sitz: Karthago) und Italien (Sitz: Ravenna), der seit 584 einem Statthalter, dem Exarchen, unterstellt war; dieser vereinigte polit. und militär. Gewalt in seiner Hand. Das E. Afrika bestand bis 697 (Eroberung Karthagos durch die Araber), das E. Italien bis 751 (Eroberung Ravennas durch die Langobarden).

Exaudi [lat. »erhöre«], der 6. Sonntag nach Ostern.

exc., excud., Abk. für lat. excudit, »hat (es) geprägt«, auf Kupferstichen hinter dem Namen des Druckers (Verlegers).

ex cathedra [lat. »vom Stuhl« (Petri)], Bez. der Lehrentscheidungen, die der Papst als oberster Hirt und Lehrer der Kirche mit dem Anspruch der → Unfehlbarkeit verkündet; danach allg.: von maßgebender Seite, abschließend.

Exceptio [lat. »Ausnahme«] *die,* die Einrede im röm. Zivilprozess; **E. doli,** die Einrede der Arglist oder des Betruges, aus dem Grundsatz von Treu und Glauben fußendes Abwehrrecht gegen missbräuchlich geltend gemachtes Recht.

Exchequer [ɪksˈtʃekə; engl. »Schachbrett«] *das,* das brit. Schatzamt. Es besteht seit dem 11. Jh., mit eigenem Gerichtshof **(Court of E.)** seit dem 13. Jh.; besondere E. bestanden für Schottland und Irland bis 1832/33. – **E.-Bill,** Schatzwechsel der brit. Regierung; **E.-Bond,** Schatzanweisung; **Chancellor of the E.,** Titel des brit. Schatzkanzlers (Finanzmin.). – In Kanada ist **E. Court** das oberste Gericht für Urheber- und Patentstreitigkeiten, für Seeangelegenheiten und Amtshaftungsklagen.

Excimer [ɪkˈsaɪmə; von engl. **exci**ted di**mer,** »angeregtes Dimer«], meist kurzlebige, durch Anlagerung eines angeregten an ein nicht angeregtes Molekül gebildete Molekülkomplexe, die als Zwischenstufen z.B. bei photochem. und Energieübertragungs-Prozessen eine Rolle spielen. Sind die zusammentretenden Moleküle voneinander verschieden, so spricht man von **Exciplexen** (engl. **exci**ted com**plexes**). – Die E.- bzw. Exciplexbildung bei Edelgas-Halogen-Molekülen wird beim **E.-Laser** genutzt, einem äußerst leistungsstarken Impulslaser im ultravioletten Spektralbereich.

Exciton, *Festkörperphysik:* → Exziton.

Exedra [grch.] *die,* in der Antike nischenartiger offener oder überdachter Raum als Erweiterung eines Saals oder einer Halle, der sich frei oder mit einer Säulenstellung auf einen Hof oder Platz öffnet. In der frühchristl. Basilika wurde die E. übernommen (später als Apsis bezeichnet).

Exegese [grch.] *die,* Auslegung von Schriftwerken, Rechtsquellen und bes. der Hl. Schrift. Die theolog. E. fragt nach dem Verhältnis von geschichtl. und heilsgeschichtl., von unmittelbarem Wortsinn und mittelbarem, allegor. Sinn. Der historisch-krit. Aspekt dieses Problems wurde zuerst von der evang. Bibelwissenschaft gesehen. Die E.

Exekias: Schale mit der Darstellung der Meerfahrt des Dionysos (um 530 v. Chr.; München Staatliche Antikensammlung)

untersucht heute bes. die literar. Formen der Bibel und den existenzialen Schriftsinn. Die kath. Bibelwissenschaft hat die historisch-krit. Methode übernommen, sieht jedoch die Ergebnisse ihrer Forschung bes. in ihrem Bezug zum dogmat. Schriftsinn.

📖 BERGER, K.: *E. des Neuen Testaments. Heidelberg u. a.* ^{3}*1991. – E. des Alten Testaments. Einführung in die Methodik, Beiträge v.* G. FOHRER *u. a. Heidelberg u. a.* ^{6}*1993.*

Exekias, attischer Töpfer und Meister der schwarzfigurigen Vasenmalerei, tätig um 550–530; mehrere Gefäße tragen seine Signatur (u. a. Schale mit der Meerfahrt des Dionysos, um 530 v. Chr.). Er konzentrierte seine szen. Darstellungen auf wenige Figuren im offenen Raum. (→Vase)

Exekution [lat.] *die, Recht:* bes. in *Österreich* Bez. für die Zwangsvollstreckung, geregelt durch die E.-Ordnung (EO) vom 27. 5. 1896.

Exekutive [lat.] *die,* die vollziehende Gewalt **(Exekutivgewalt),** die gesamte Staatstätigkeit mit Ausnahme der gesetzgebenden (Legislative) und der rechtsprechenden Gewalt (Judikative; →Gewaltenteilung). Träger der E. ist in einer parlamentar. Demokratie die vom Vertrauen des Parlaments abhängige Regierung (und die ihr unterstellte Verwaltung), in einer Präsidialdemokratie der Präsident.

Exempel [lat.] *das,* **1)** *allg.:* Beispiel, Muster.

2) *Literaturwissenschaft:* kurze, belehrende Einfügung, aus der antiken Rhetorik in die dt. Literatur übernommen, bes. beliebt im MA., häufig in Predigten (Predigtmärlein) verwendet, verwandt mit dem →Bispel.

Exemplar [lat.] *das,* Einzelstück (aus einer Reihe gleichartiger Gegenstände oder Lebewesen).

exemplarisches Lernen, eine Unterrichtsweise, die anstelle vollständiger Stoffdarbietung themat. Schwerpunkte der didakt. Arbeit setzt, die dem Schüler an ausgewählten Beispielen das selbsttätige Verständnis übergreifender Bezüge ermöglichen sollen.

Exemtion [lat.] *die,* **1)** *kath. Kirchenrecht:* die Herausnahme von Gebieten, natürl. und jurist. Personen aus der Jurisdiktion des zunächst zuständigen kirchl. Amtsträgers und direkte Unterstellung unter den nächsthöheren Amtsträger.

2) *Völkerrecht:* die →Exterritorialität.

Exequatur [lat. »er vollziehe«] *das,* **1)** die einem Konsul vom Aufenthaltsstaat erteilte, auf den Konsularbezirk beschränkte Zustimmung zur Ausübung seiner Befugnisse.

2) Urteil, das ein im Ausland gefälltes Gerichtsurteil im Inland für vollstreckbar erklärt.

Exequien (Exsequien) [lat.], *kath. Liturgie:* die Riten, mit denen ein Verstorbener zum Grab geleitet wird (Requiem, Prozession zum Grab, Begräbnis).

Exergie *die, techn. Thermodynamik:* der in wirtschaftlich verwertbare Form umwandelbare Teil der zugeführten Energie (z. B. in Wärmekraftmaschinen). Der für die prakt. Nutzung verloren gehende, wirtschaftlich wertlose Teil heißt **Anergie.**

Exilliteratur: Deutsche Ausgabe des im Exil in Mexiko entstandenen Romans »Das siebte Kreuz« von Anna Seghers; die Erstausgabe erschien 1942 in englischer Sprache

Exerzieren [lat.], das Einüben von Tätigkeiten im Rahmen der militär. Ausbildung.

Exerzitien (lat. Exercitia spiritualia), *kath. Kirche:* Zeiträume der Besinnung und geistl. Übungen, die zurückgezogen unter Besinnung auf die Grundlagen des christl. Lebens und unter Anleitung des E.-Priesters verbracht werden. Ihre klass. Form erhielten sie durch Ignatius von Loyola.

Exeter ['eksɪtə], Stadt in der engl. Cty. Devon, am Exe, 95600 Ew.; anglikan. Bischofssitz; Univ.; Papier-, Metall-, Textil- und Druckindustrie. – Hochgot. Kathedrale Saint Peter (erbaut 1275–1365) mit Doppeltürmen über dem Querhaus (von dem 1133 geweihten Vorgängerbau), Gildenhaus (Guildhall, urspr. 1160; 1330 und 1466/84 umgebaut). – Hauptort der kelt. Dumnonier, kam im 7. Jh. zu Wessex. Um 675/685 wurde in E. ein angelsächs. Kloster errichtet, in dem der hl. Bonifatius seine erste Ausbildung erhielt; seit 1050 Bischofssitz.

Exhalation [lat. »Ausatmung«] *die, Geologie:* Ausströmen von Gasen aus Vulkanen, Laven und Spalten (Fumarole, Mofette).

Exhaustionsmethode [spätlat. exhaustio »Ausschöpfung«], ein bereits in der Antike entwickeltes Verfahren zur Bestimmung von Flächen- bzw. Rauminhalten gekrümmter Figuren und Körper, indem man das Gebilde mit einer Folge von immer größer werdenden, durch Geraden oder Ebenen begrenzten Figuren »ausschöpft«.

Exhibitionismus [lat. exhibitio »das Vorzeigen«] *der,* bes. bei Männern vorkommende, auf sexuellen Lustgewinn gerichtete Neigung zur Entblößung der Geschlechtsteile in Gegenwart anderer Personen. In Dtl. ist der E. von Männern nach § 183 StGB strafbar (nur auf Antrag verfolgt, außer bei besonderem öffentl. Interesse). In *Österreich* (§ 218 StGB) und der *Schweiz* (Art. 203 StGB) als »öffentl. unzüchtige Handlung« erfasst.

Exhumierung [zu lat. exhumare »ausgraben«], im Strafverfahren das Ausgraben und Untersuchen von Leichen auf Anordnung der Justiz, um beim Verdacht einer strafbaren Handlung Beweis zu erheben (in Dtl. §§ 87 ff. StPO).

Exil [lat.] *das,* meist aus polit. Gründen bedingter Aufenthalt im Ausland nach Verfolgung, Verbannung, Ausbürgerung oder Flucht. (→Emigration)

Exilliteratur (Emigrantenliteratur), Literatur, die während eines (meist aus polit., rass. oder religiösen Gründen) erzwungenen oder freiwilligen Exils entstand. I. w. S. werden auch Werke nicht exilierter Autoren, die nur im Ausland publizieren können, als Teil der E. betrachtet. E. gibt es seit frühesten Zeiten, wenn staatl. Unterdrückung, Zensur, Schreibverbot oder Verbannung Schriftsteller u. a. zur Emigration zwangen (z. B. Hipponax und Ovid in der Antike, Dante im MA.). Bed. moderne E. ist ein großer Teil der Werke G. Büchners, H. Heines und L. Börnes, ebenso Werke des poln. Dichters A. Mickiewicz.

Eine große Gruppe bildet die literar. Produktion der während des Nationalsozialismus aus rass. oder polit. Gründen im Exil lebenden v. a. dt. und österr. Schriftsteller (T. W. Adorno, W. Benjamin, E. Bloch, B. Brecht, H. Broch, A. Döblin, L. Feuchtwanger, Else Lasker-Schüler, Heinrich, Klaus und Thomas Mann, R. Musil, E. M. Remarque, J. Roth, Anna Seghers, Nelly Sachs, F. Werfel, E. Canetti, P. Zech, A. Zweig, S. Zweig, C. Zuckmayer u. a.). In den Zentren Paris, Amsterdam, Stockholm, Zürich, Prag und Moskau (nach Ausbruch des Krieges in den USA, Mexiko, Argentinien und Palästina) entstanden neue Verlage, Emigrantenvereinigungen und v. a. Emigrantenzeitungen und -zeitschriften. Die veröffentlichte E. ist künstlerisch, inhaltlich und formal uneinheitlich; häufig gewinnt die Idee der Humanität und die entschiedene Opposition gegen den Nationalsozialismus Gewicht.

Die E. kann als die repräsentative dt. Lit. der Jahre 1933–45 angesehen werden, da im Heimatland fast ausschließlich nat.-soz. Literatur Anerkennung fand und auch die Werke der Schriftsteller der →inneren Emigration (u. a. E. Wiechert, R. Schneider, W. Bergengruen, E. Kästner) unterdrückt wurden. Eine neue Emigrationsbewegung entstand innerhalb Dtl.s, als sich viele Schriftsteller von der DDR distanzierten und deshalb in ihren Publikationsmöglichkeiten beschränkt wurden; diese Autoren siedelten in die Bundesrepublik Dtl.

Exeter: Die im 13./14. Jh. erbaute Kathedrale Saint Peter gehört zu den Hauptwerken der englischen Gotik (1870–77 restauriert)

über oder wurden ausgebürgert (W. Biermann, R. Kunze, Sarah Kirsch u. a.).

Die längste Exilgeschichte des 20. Jh. hat die russ. Literatur (u. a. M. Gorki, I. A. Bunin, A. A. Amalrik, I. A. Brodski, A. I. Solschenizyn). Weitere bed. Autoren weist u. a. die poln. E. (C. Miłosz), die tschech. (P. Kohout, M. Kundera), die ungar. E. (G. Lukács), die rumän. E. (M. Eliade), die lateinamerikan. E. und die E. vieler asiat. und afrikan. Staaten auf. Eine besondere Stellung nimmt die E. der jüd. Autoren (→jiddische Literatur) ein. Zu einer einmaligen Form der Emigration mit geheimen, wechselnden Orten führte der 1989 gegen den brit. Schriftsteller S. Rushdie gerichtete Mordaufruf des Ayatollah Khomeini.

📖 WALTER, H.-A.: *Deutsche E. 1933–1945, auf mehrere Bde. ber. Neuausg. Stuttgart 1978 ff.* – STRELKA, J.: *E. Grundprobleme der Theorie, Aspekte der Geschichte u. Kritik. Bern u. a. 1983.* – *E. 1933–1945, hg. v.* W. KOEPKE *u.* M. WINKLER. *Darmstadt 1989.* – KASACK, W.: *Die russ. Schriftsteller-Emigration im 20. Jh. Beiträge zur Geschichte, den Autoren u. ihren Werken. München 1996.*

Exilregierung, nach dem Völkerrecht ein außerhalb des eigenen Staatsgebiets tätig werdendes Organ, das für sich in Anspruch nimmt, die höchsten staatl. Funktionen im eigenen Staatsgebiet auszuüben und diesen Anspruch auch mit Zustimmung und Unterstützung des Aufenthaltsstaates verwirklicht oder zu verwirklichen sucht. Der E. stehen alle Rechte zu, die ihr bei einer Tätigkeit auf dem eigenen Staatsgebiet zukämen. Sie verliert ihren Status als legitime Reg. nach dem Grundsatz der Effektivität, wenn eine im Land selbst etablierte Reg. die Anerkennung der Staatengemeinschaft wirksam und dauerhaft durchgesetzt hat.

Existenz [lat.] *die,* **1)** *allg.:* das tatsächliche Vorhandensein von Dingen und Gegenständen.

2) *Philosophie:* zentraler Begriff der →Existenzphilosophie, der die Seinsart des Menschen im Unterschied zu der der Dinge charakterisiert. Gegen die abstrakte, verallgemeinernde Begrifflichkeit des Hegelschen Systems gewandt, bezeichnet S. Kierkegaard mit E. die Einmaligkeit und Innerlichkeit des vereinzelten Ichs. Dieses sei gegenüber allem Bewusstsein und Denken das Tiefere und Ursprüngliche. – Für K. Jaspers schließt E. einen Appell ein: Der existenzielle Mensch muss offen sein für seine eigenen Möglichkeiten, darf sich nicht in dogmat. Wahrheiten, Begriffen und Systemen verhärten. – Diesen Aspekt des Offenseins enthält auch Heideggers E.-Begriff: Als E. findet sich der Mensch zwar immer schon in die Welt geworfen vor, zugleich überschreitet er sie aber beständig auf die Zukunft hin. – Mit seinem E.-Begriff betont J.-P. Sartre die Tatsache, dass der Mensch in seinem Wesen (Essenz) nicht festgelegt sei, sondern zunächst nur da sei und sich zu entwerfen habe: Die Existenz geht der Essenz voraus.

Existenzanalyse, von V. E. Frankl begründete psychoanalyt. Behandlungs- und Forschungsmethode, bei der die Geschichte eines Individuums auf Sinn- und Wertbezüge durchforscht wird (Sinngebungsbedürfnis); zu unterscheiden von der existenzialen Analyse M. Heideggers, die die Strukturen des menschl. Daseins als solche herausarbeitet.

Existenzaussage (Existenzialaussage), eine Aussage, in der behauptet wird, dass es mindestens einen Gegenstand gibt, auf den ein bestimmter (genannter) Prädikator zutrifft, z. B. »Es gibt ein weißes Fahrrad«.

Existenzgründung, i. e. S. die Gründung eines Unternehmens, i. w. S. die Aufnahme einer selbstständigen Tätigkeit, die ggf. mit einer Gewerbeanmeldung verbunden ist. E. werden von Bund (v. a. die Ministerien für Wirtschaft sowie für Forschung und Technologie), öffentlich-rechtl. Sonderkörperschaften (Industrie- und Handelskammern, Kreditanstalt für Wiederaufbau, Dt. Ausgleichsbank u. a.) und den Länderregierungen mit ihren Sonderprogrammen gefördert, u. a. durch Finanzhilfen.

existenzial [lat.] (existenziell), auf das unmittelbare Dasein bezogen.

Existenzialilen, in der Fundamentalontologie M. Heideggers die Wesensmerkmale (»Seinscharaktere«) des menschl. Daseins, im Ggs. zu den Wesensmerkmalen der Dinge, den Kategorien; grundlegende E. sind z. B. die Befindlichkeit, die Angst, das In-der-Welt-Sein, die Geworfenheit.

Existenzialismus *der,* →Existenzphilosophie.

Existenzminimum, materielle Güter und Dienste, die ein Mensch zur Bestreitung seines Lebens benötigt. Es wird unterschieden zw. dem **phys. E.** und dem **sozialen** oder **kulturellen E.** Ersteres beinhaltet nur die existenznotwendigen Güter, Letzteres auch den Bedarf zur Realisierung des Lebensunterhalts und zur Aufrechterhaltung von Beziehungen zur Umwelt (Teilnahme am gesellschaftl. und kulturellen Leben). – In der Einkommensteuer wird das E. durch einen Grundfreibetrag berücksichtigt, der von der Besteuerung ausgenommen ist. Aufgrund einer Entscheidung des Bundesverfassungsgerichts wurde dieses **steuerl. E.** mit dem Jahressteuer-Ges. 1996 erhöht auf (1996) 12 095 DM (1998: 12 365 DM; 1999 13 067 DM; bei Ehepaaren jeweils das Doppelte). In der Sozialhilfe sollen die Regelsätze das E. garantieren.

Existenzphilosophie, Oberbegriff für seit Ende der 1920er-Jahre in Dtl. entstandene, seit den 40er-Jahren bes. in Frankreich aufgegriffene philosoph. Richtungen, die auf einem subjektivist., individualist. Begriff der menschl. Existenz aufbauen, anknüpfend an S. Kierkegaard, der die Einsamkeit des Menschen vor Gott und die Grundbefindlichkeit der Angst entdeckte, und die Lebensphilosophie von F. Nietzsche, H. Bergson und W. Dilthey. Die Grundzüge der E. spiegeln die zeitgenöss. Situation des Menschen, die Erschütterung seines Daseins in den politisch-histor. Entwicklungen seit dem 1. Weltkrieg, wider. Bestimmende Aspekte sind dementsprechend die Grunderfahrungen bzw. existenziellen Erlebnisse von Angst, Sorge, »Geworfenheit«, Tod, Scheitern, Ekel, Nichts und der Absurdität der Welt. Die E. stellt den Versuch dar, in Abkehr von den traditionellen metaphys. Entwürfen und der rational-techn. Welterklärung und -beherrschung zu einer neuen Sinnfindung durch die Betonung des persönl. Vollzugs in der Verwirklichung von Existenz zu gelangen, sei es im Rahmen einer Neuerschließung von Sein und Transzendenz (M. Heidegger, K. Jaspers), sei es im Rückgang auf die Subjektivität des einsamen Ich, das sich angesichts des Nichts und der Absurdität zu dem machen muss, was es ist (J.-P. Sartre). – In Heideggers Fundamentalontologie ist der Ausgangspunkt der Analyse das Wesen des menschl. Daseins in seiner »Alltäglichkeit« (existenziale Analytik), als Grundbestimmung des Daseins (Existential) die »Sorge«, als Horizont des Seinsverständnisses die Zeitlichkeit. Durch die Grundverfassung des Daseins als In-der-Welt-sein wird die erkenntnistheoret. Entgegensetzung von Subjekt und Objekt aufgehoben; damit wird das isolierte Subjekt und Bewusstsein zu einem abgeleiteten, nicht ursprüngl. Phänomen. – Die »Existenzerhellung« K. Jaspers' (1932) nutzt die Erkenntnisse wiss. Welterklärung, überschreitet sie aber im Hinblick auf die »mögl. Existenz« des Individuums. Die Selbstwerdung des Menschen vollziehe sich in Grenzsituationen (Leiden, Tod, Schuld, Angst, Schicksal, Liebe). – In Frankreich als **Existenzialismus** bezeichnet, fand die E. bes. in der von J.-P. Sartre im Ausgang von G. W. F. Hegel, E. Husserl und bes. M. Heidegger entwickelten, atheistisch, pessimistisch, später marxistisch orientierten Philosophie Verbreitung und hatte bes. anfangs im Sinne eines allg. Lebensstils größeren Einfluss auf die Jugend. – Das Denken von A. Camus betont stärker den humanen Aspekt mitmenschl. Solidarität in der Revolte gegen die Absurdität des Daseins; M. Merleau-Ponty entwickelte eine phänomenologisch vorgehende Bewusstseinstheorie. Hervorragende Vertreter einer christl. E. sind bes. G. Marcel und J. Wahl. Einflüsse des frz. Existenzialismus sind in der italien. E. u. a. bei N. Abbagnano, E. Grassi greifbar.

In der *Theologie* wurde die E. auf prot. Seite bes. bei K. Barth und R. Bultmann, auf kath. u. a. bei K. Rahner wirksam; in der Psychologie, bes. in der Tiefenpsychologie, bei L. Binswanger (Daseinsanalyse) und E. Drewermann, in der humanist. Psychoanalyse E. Fromms, bei V.-A. Gebsattel, V. E. Frankl (Existenzanalyse) und L. Szondi (Schicksalsanalyse). – Dichter der E. sind vor allem R. M. Rilke und F. Kafka.

🕮 HEIDEGGER, M.: *Über den Humanismus. Frankfurt am Main* [9]*1991.* – HEIDEGGER, M.: *Sein u. Zeit. Tübingen* [17]*1993.* – SARTRE, J.-P.: *Der Existentialismus ist ein Humanismus. A. d. Frz. Neuausg. Reinbek 1994.* – CAMUS, A.: *Der Mythos von Sisyphos. Ein Versuch über das Absurde. Reinbek 366.–375. Tsd. 1995.* – SARTRE, J.-P.: *Das Sein u. das Nichts. Versuch einer phänomenolog. Ontologie. A. d. Frz. Neuausg. Reinbek 15.–18. Tsd. 1995.*

Exitus [lat. »Ausgang«] *der, Medizin:* Kurzform für **E. letalis,** tödl. Ausgang einer Krankheit.

Exklave [lat.-frz.] *die,* → Enklave.

Exkommunikation [lat.] *die* (früher Kirchenbann), *kath. Kirche:* strafweiser Ausschluss eines Kirchenmitglieds aus der Gemeinschaft der Gläubigen und damit die Beschränkung von Mitgliedsrechten (bes. von Vollzug und Empfang der Sakramente).

Exkremente [lat.], unverdaul. Teile der aufgenommenen Nahrung, die vom menschl. oder tier. Körper ausgeschieden werden (→ Kot, → Harn).

Exkretion [lat.] *die,* die Ausscheidung von Abfallprodukten **(Exkreten)** aus dem Stoffwechsel von Lebewesen, bes. von stickstoffhaltigen Resten aus dem Proteinstoffwechsel: Ammoniak (Einzeller, Schwämme), Harnsäure (Reptilien, Vögel, Insekten), Harnstoff (Fische, Amphibien, Säugetiere). E.-Organ der Wirbeltiere ist v. a. die Niere. Exkrete bei den Pflanzen sind z. B. Alkohole, Harze und äther. Öle.

Exkulpation [lat.] *die, Recht:* Rechtfertigung.

Exkurs [lat.] *der,* bewusste Abschweifung vom eigentl. Thema; Behandlung eines Nebenthemas, z. B. als Anhang zu wiss. Werken.

Exkursion [lat.] *die,* Lehr- und Studienfahrt unter wiss. Leitung.

Exlibris [lat. »aus den Büchern«] *das* (Bücherzeichen, Bucheignerzeichen), auf die Innenseite des Vorderdeckels eines Buches geklebter Zettel mit dem Namen des Besitzers; der Text beginnt meist mit den Worten ex libris (daher der internat. gebräuchl. Name E.); oft auch mit künstler. Schmuck, der den Lebensbereich des Besitzers charakterisiert. Die frühesten im Druckverfahren hergestellten E. stammen aus dem letzten Jahrzehnt des 15. Jh. Viele bed. Künstler haben E. in Holzschnitt, Kupferstich usw. geschaffen (A. Dürer, L. Cranach d. Ä., in neuerer Zeit M. Liebermann, M. Slevogt, L. Corinth, M. Klinger, O. Eckmann, H. Vogeler, F. Masereel). BILDER S. 236

Exmatrikulation [lat.] *die,* Streichung eines Studenten aus der Matrikel beim Verlassen einer Hochschule.

Exlibris: Hans Thoma, Ex libris Johanna Rettich (um 1910)

ex nihilo nihil (fit) [lat. »Nichts entsteht aus nichts«], philosoph. Grundsatz, der die Ewigkeit aller Dinge behauptet und, im Ggs. zur Schöpfungslehre steht; von Lukrez u.a. formuliert.

exo... [grch.], außen, außerhalb.

Exodos [grch. »Auszug«] *der,* das Auszugslied des Chors in der grch. Tragödie, auch der Schlussteil der Tragödie.

Exodus [grch.-lat.] *der,* **1)** Auszug, bes. des Volkes Israel aus Ägypten.

2) in der Vulgata Name des 2. Buches Mose.

ex officio [lat.], Abk. **e.o.,** von Amts wegen, kraft Amtes.

Exlibris: Alfred Kubin, Ex libris Kurt Otte (1923)

Exogamie [grch.] *die,* eine Heiratsordnung, nach der eine Ehe nur außerhalb der eigenen Gruppe (Kaste, Sippe, Stamm) geschlossen werden darf; Ggs.: Endogamie.

exogen [grch.], **1)** *allg.:* durch äußere Ursachen bedingt; Ggs.: endogen.

2) *Geowissenschaften* (außenbürtig): auf Kräften beruhend, die von außen auf die Erdkruste einwirken (z.B. Wasser, Atmosphäre, Organismen), u.a. bei Verwitterung, Abtragung, Ablagerung.

3) *Medizin:* außerhalb des Organismus entstehend; von außen her in den Organismus eindringend (Stoffe, Krankheitserreger oder Krankheiten).

Exokarp (Ektokarp) [grch.] *das, Botanik:* meist ledrig-derbe äußerste Wandschicht der Frucht; durch Wachsbeläge (z.B. Zwetschge) oder Haarüberzüge (z.B. Pfirsich, Aprikose) verdunstungshemmend. (→Endokarp, →Mesokarp)

exokrin [grch.], das Sekret nach außen bzw. in Körperhohlräume absondernd; **exokrine Drüsen,** →Drüsen.

Exon *das,* →Mosaikgene.

Exophthalmus [grch.] *der* (Glotzauge), die Verlagerung des Augapfels nach vorn, beidseitig bei →Basedow-Krankheit, meist einseitig bei Geschwülsten in der Augenhöhle.

EXOR [Abk. für engl. **ex**clusive **or** »ausschließendes Oder«] (Antivalenz, Exklusiv-ODER), Verknüpfung der →Schaltalgebra.

ex oriente lux [lat.], aus dem Osten (kommt) das Licht (urspr. auf den Sonnenaufgang, später auf Christentum und Kultur bezogen).

Exorzismus [grch.] *der,* Beschwörung, bes. Austreibung von Dämonen und Geistern durch Wort und Geste. Die kath. Kirche übt bis heute den E. mit Erlaubnis des zuständigen Bischofs bei Besessenheit.

Exotarium [grch.-lat.] *das,* Anlage (meist in Zoos), in der exot. Tiere unter naturnahen Bedingungen gehalten und zur Schau gestellt werden.

exotherm, [grch.] chem. oder physikal. Prozesse, die unter Freisetzung von Wärme ablaufen; Ggs.: endotherm.

exotisch [grch.], fremdländisch, bes. aus den Tropen.

exotische Atome, Atome, bei denen ein Elektron oder ein Proton durch ein anderes Elementarteilchen gleicher Ladung ersetzt ist; i.w.S. jeder atomähnl., kurzlebige gebundene Zustand zweier entgegengesetzt geladener Teilchen. Bei einem **myon. Atom** ist ein Elektron der Atomhülle durch ein negativ geladenes Myon ersetzt. **Protonium** besteht aus einem Proton und einem Antiproton, **Positronium** aus einem Positron und einem Elektron, **Myonium** aus einem positiv geladenen Myon und einem Elektron, **Pionium** aus einem Pion und einem entgegengesetzt geladenen Myon. Ein **Hyperatom** enthält im Atomkern neben den Nukleonen ein Hyperon.

Exotismus [grch.] *der,* Einstellung, Grundhaltung, die sich durch eine in besonderem Maße positive Bewertung für das jeweils Fremde auszeichnet und diesem eine bes. Anziehung zuschreibt.

exp, Funktionszeichen für die →Exponentialfunktion.

Expander [engl.] *der,* dehnbares Übungsgerät zur Kräftigung der Muskulatur, das an zwei Griffen auseinander gezogen wird.

Expansion [lat.] *die,* **1)** *allg.:* Ausdehnung.

2) *Geologie:* Bez. für die Ausdehnung der Meeresböden durch →Sea-Floor-Spreading bei der Plattentektonik.

3) *Kosmologie:* (E. des Weltalls) aufgrund der →Rotverschiebung des Lichtes ferner Galaxien (→Hubble-Effekt) angenommene Theorie der zeitlich fortschreitenden räuml. Ausdehnung des Weltalls, nach der sich alle Galaxien voneinander wegbewegen.

4) *Physik:* die →Ausdehnung.

5) *Wirtschaft:* Aufschwungphase im Konjunkturverlauf (→Konjunktur).

Expansionspolitik, im 19. Jh. die Tendenz vieler Großmächte, durch Annexionen oder durch die staatl. Inbesitznahme überseeischer Kolonien ihr Territorium zu erweitern. Dabei ging es v. a. um die Schaffung von wirtsch., strateg. und polit. Interessensphären.

Expatriation [lat.] (Expatriierung) *die,* die Ausbürgerung, Entzug der →Staatsangehörigkeit.

Expedition [lat.] *die,* **1)** *allg.:* Forschungsreise; veraltet auch: Feldzug.

2) *Wirtschaft:* Versandabteilung eines Unternehmens mit **Expedienten** als Sachbearbeitern.

Expektoranzilen [lat.], Mittel, die den Auswurf aus verschleimten und entzündeten Atemwegen fördern, indem sie zähes Bronchialsekret verflüssigen oder verstärkten Abtransport bewirken. Sie finden als Hustenmittel (z. B. Ammoniumchlorid, Fenchelfrüchte, Anisöl) Verwendung.

Expektoration [lat.] *die,* Abhusten und Entleeren von Auswurf aus den Atemwegen, auch Bez. für den Auswurf selbst.

Experiment [lat.] *das,* methodisch-planmäßige Herbeiführung von reproduzierbaren, meist variablen Umständen zum Zwecke wiss. Beobachtung; wichtigste empir. Methode der Naturwiss., aber auch anderer empirisch vorgehender Wiss. (z. B. Psychologie, z. T. auch Soziologie). Während man in der Antike an der Beobachtung der möglichst ungestörten natürl. Abläufe interessiert war, greift das moderne E. gezielt in die Natur ein. Heute ist ein grundsätzlich neues Verständnis des E. erforderlich, da sich die Beobachtungen in vielen Bereichen nur statistisch durchführen lassen und eine nicht zu eliminierende Wechselwirkung zw. Beobachter und Beobachtetem besteht.

experimentelle Dichtung, umstrittene Bez. für Literatur, in der sich ein freier dichter. Umgang mit Sprache und Erprobung neuer (bes. formaler) literar. Ausdrucksmöglichkeiten zeigt; charakteristisch sind Strukturdurchbrechungen in Grammatik, Syntax und Semantik, Experimente mit stilist. Mitteln, Metaphern, Themen, Collage- und Montagetechniken, Aufnahme musikal. und bildl. Darstellung (daher auch **akust.** oder **visuelle Dichtung**), Veränderung der Autorenrolle durch Computereinsatz (zufallsabhängige Verfahren, automat. Niederschrift) und insbes. Aufhebung des traditionellen Erzählprinzips. Die e. D. i. e. S. wurde erst im Zuge der tief greifenden Krise der europ. Kultur zu Beginn des 20. Jh. möglich. Wichtige Autoren: u. a. H. Ball, C. Einstein, J. Joyce, Gertrude Stein; nach dem 2. Weltkrieg: →Nouveau Roman, in der deutschsprachigen Lit.: u. a. H. Heißenbüttel, E. Jandl, Friederike Mayröcker, F. Mon.

📖 HARTUNG, H.: *Experimentelle Literatur u. konkrete Poesie. Göttingen 1975.* – SCHMID-BORTENSCHLAGER, S.: *Konstruktive Literatur. Gesellschaftl. Relevanz u. literar. Tradition experimenteller Prosa-Großformen im dt., engl. u. frz. Sprachraum nach 1945. Bonn 1985.*

experimentelle Musik, Bez. für versch. seit den 1950er-Jahren praktizierte Kompositionsweisen experimentellen Charakters. Hierzu gehören insbes. die Arten der elektroakust. Musik, speziell die →konkrete Musik, die →elektronische Musik und die →Computermusik. Darüber hinaus wird auch die →Aleatorik, die der improvisator. Freiheit und dem spontanen Einfall während der Interpretation breiten Raum lässt, als e. M. angesehen.

Experte [lat.] *der,* Sachverständiger.

Expertensystem, *Informatik:* Computer- und Programmsystem aus dem Bereich der künstl. Intelligenz, das Expertenwissen über ein spezielles Fachgebiet (z. B. medizin. Diagnostik, Suche nach Bodenschätzen) speichert, Schlussfolgerungen daraus zieht und zu konkreten Problemen des Gebiets Lösungen anbietet, d. h. Aufgaben übernehmen kann, die bisher Experten lösen mussten.

Expertise [frz.] *die,* schriftl. Gutachten eines Sachverständigen.

Explantation [lat. »Auspflanzung«] *die,* Entnahme von Körpergeweben oder Körperorganen zur Transplantation oder zur Gewebezüchtung (Gewebekultur) in geeigneten Nährflüssigkeiten zu Studienzwecken.

explizit, *Mathematik:* nach einer bestimmten Variablen aufgelöst, z. B. bei Gleichungen mit mehreren Variablen; Ggs.: implizit.

Exploration [lat.] *die,* Erforschung, Erkundung.

Explorer [ɪksˈplɔːrə; engl. »Kundschafter«], Gruppe amerikan. Forschungssatelliten der NASA mit breiter Zielsetzung, z.B. Aeronomie-, Astronomie- und Radioastronomiesatelliten, Satelliten zur Beobachtung von Mikrometeoriten, Geodäsie-, Strahlungswarn- sowie Technologiesatelliten.

Explosion [lat.] *die,* schlagartige Verbrennung von Gemischen aus brennbaren Gasen, Dämpfen oder Stäuben mit Luft oder Sauerstoff, führt durch Entstehung von Verbrennungsgasen und durch Temperaturanstieg zu einer plötzl. Volumenvergrößerung und ist von einem Knall, häufig auch von zerstörender Wirkung (E.-Druck, Stoßwellen) begleitet. Je nach Geschwindigkeit der Zersetzungsreaktion wird zw. → Deflagration (bis 1 km/s) und → Detonation (über 1 km/s) unterschieden. Ohne Stoßwellen und viel langsamer (1–100 cm/s) läuft die → Verpuffung ab.

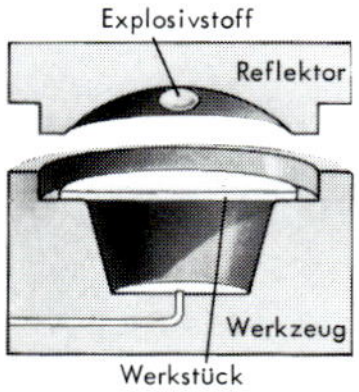

Explosionsumformung

Explosionsumformung, *Fertigungstechnik:* das Pressen eines ebenen Blechs oder eines vorgeformten Hohlkörpers in die Form mithilfe eines Druckstoßes, der durch Detonation eines Sprengstoffes in einer z.B. mit Wasser gefüllten Hohlform erzeugt wird. Je nach verwendetem Explosivstoff und Übertragungsmedium können sehr hohe Umformgeschwindigkeiten (z.B. 2000 m/s in Wasser) erreicht werden.

Explosivlaut, ein Verschlusslaut, → Laut.

Explosivstoffe, feste, flüssige oder gelatinöse explosionsfähige Stoffe, die zum Sprengen **(Sprengstoffe),** Treiben (**Treibmittel,** z.B. für Geschosse), Zünden (→ Zündmittel) sowie für pyrotechn. Zwecke (→ Pyrotechnik) hergestellt werden. – **Gewerbl. Sprengstoffe** werden im Bergbau, für Straßenbauten, Steinbrüche u.a. verwendet. Zu ihnen gehören Gesteinssprengstoffe (z.B. Ammonite, Ammon-Gelite), die für Sprengarbeiten ohne Schlagwettergefahr zugelassen sind, und → Wettersprengstoffe für den Kohlenbergbau. Ein im Bohrloch angewendeter E. muss ein hohes Arbeitsvermögen haben, das v.a. von der Gasausbeute (Schwadenvolumen) und der bei der Explosion freigesetzten Wärme abhängig ist. Bei **militär. Sprengstoffen** (z.B. für Granaten, Minen) wird häufig eine hohe Brisanz (Stoßdruck) angestrebt, z.B. mit Hexogen und Nitropenta. Trinitrotoluol (TNT) ist sehr unempfindlich gegen Stoß und Schlag und daher für militär. Zwecke bes. geeignet. Die Schlagempfindlichkeit von E. wird mit einem Fallhammer bestimmt. Die niedrigsten **Schlagenergien** (in Joule), die eine Explosion auslösen, sind für Nitroglycerin 0,2, für Ammon-Gelite 2,0, für Nitropenta 3,0, für Hexogen 7,4 und für TNT 15. – **Plastiksprengstoffe** sind knetbare Mischungen aus brisanten Sprengstoffen mit Plastifizierungsmitteln wie Wachs oder Vaseline.

Das dt. Sprengstoff-Ges. i.d. F.v. 17. 4. 1986 regelt die Einfuhr von und den Verkehr mit explosionsgefährl. Stoffen; Verstöße gegen seine Vorschriften werden mit Freiheits- und Geldstrafe oder als Ordnungswidrigkeiten mit Geldbuße belegt. Die Herbeiführung einer Gemeingefahr durch Explosion und die Vorbereitung eines Sprengstoffdelikts werden nach §§ 311, 311b StGB mit Freiheitsstrafe von 6 Monaten bis zu 5 Jahren bedroht. Ähnl. Regelungen finden sich im *österr.* (§§ 173–175) und im *schweizer.* StGB (Art. 224–226).

Valie Export: »SIT DOWN STAND UP«, Computerarbeit (1989; Privatbesitz)

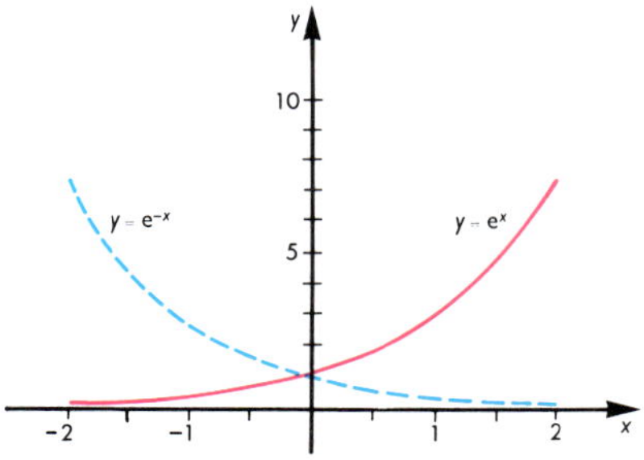

Exponentialfunktion e^x und e^{-x}

Exponat [lat.-russ.] *das,* Ausstellungsstück.

Exponent [lat.] *der, Mathematik:* (Hochzahl) Bez. für die hochgesetzte Zahl bei → Potenzen oder → Wurzeln.

Exponentialfunktion, jede Funktion $f(x) = a^x$ mit positiver reeller Basis *a,* wobei die unabhängige Veränderliche als Exponent vorkommt. Bes. wichtig ist die E. mit der Basis e **(e-Funktion,** Funktionszeichen **exp);** sie wird definiert durch die Reihe

$$e^x = \exp x = 1 + x + \frac{x^2}{2!} + \frac{x^3}{3!} + \ldots$$

Umkehrfunktion der E. ist die → Logarithmusfunktion. E. sind v.a. in Physik und Biologie von Bedeutung, da sich viele Naturerscheinungen gemäß einer E. verhalten (→ Radioaktivität).

Export, Valie, österr. Medienkünstlerin, * Linz 17. 5. 1940; seit 1995 Prof. an der Kunsthochschule

Expressionismus

| 1

| 2

| 3

| 4

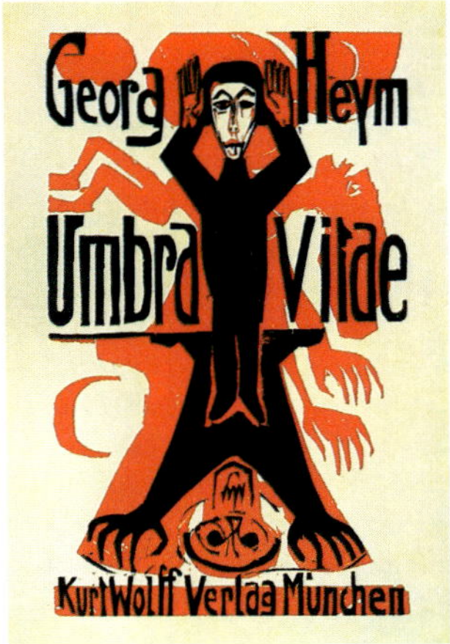

| 5

| 6

| **1** Alexej von Jawlensky, »Der rote Schal« (1909; Privatbesitz) | **2** Michel de Klerk, Johan Melchior van der Mey und Piet Kramer, »Scheepvaarthuis« in Amsterdam (1911–16) | **3** Ernst Barlach, »Berserker« (1910; Hamburg, Ernst-Barlach-Haus) | **4** Emil Nolde, »Grablegung« (1915; Stiftung Seebüll Ada und Emil Nolde) | **5** Titelblatt der Gedichtsammlung »Umbra vitae« von Georg Heym mit einem Holzschnitt von Ernst Ludwig Kirchner (1924) | **6** Ernst Barlach, »Hockende Alte« (1933; Köln, Museum Ludwig)

für Medien in Köln; erforscht in Performance-Aktionen, Fotografien, Computerarbeiten und (Dokumentar-)Filmen u.a. die Wechselwirkung zw. Emotion und Bewusstsein.

Exportbier, untergäriges, meist helles Gerstenvollbier; Stammwürzegehalt 12–13%.

Exportförderung, staatl. und private Maßnahmen zur Steigerung der Ausfuhr eines Landes. Wichtige Mittel staatl. E. sind Exportsubventionen, Steuererleichterungen, Kreditvergünstigungen, Ausfuhrgarantien und -bürgschaften, Information und Beratung (z.B. durch die Bundesstelle für Außenhandelsinformation). Maßnahmen zur E. sind z.T. umstritten, da sie die internat. Arbeitsteilung beim Freihandel beeinträchtigen können.

Exposé [-'ze:, frz.-lat.] *das,* 1) Darlegung, kurze Erläuterung; 2) Entwurf, bei der Filmherstellung →Film.

Exposition [lat.] *die,* **1)** *Fotografie:* Belichtung.

2) *Literatur* und *Film:* erster Teil einer dramat. Handlung, in dem die Verhältnisse und Zustände, aus denen der dramat. Konflikt entwickelt wird, einschließlich der Vorgeschichte enthalten sind; im Film die Einführung in die Vorgeschichte.

3) *Musik:* die Themenaufstellung in der Sonatensatzform; auch das erste Auftreten des Themas in der →Fuge.

Expressionismus *der,* Begriff zur Bez. einer alle Künste umfassenden Stilrichtung des frühen 20. Jh., v.a. in Deutschland.

Bildende Kunst: Kennzeichnend ist die Darstellung innerer Wirklichkeitserlebnisse. Psych. Impulse, Affekte, Befindlichkeiten u.a. werden durch eine großflächige, scharf konturierte Formsprache mit starken Farb- und Proportionskontrasten verdeutlicht. Zur Steigerung des Ausdrucks wurde – neben der Flächigkeit – das Mittel der Deformation eingesetzt. Als Wegbereiter gelten u.a. P. Gauguin, V. van Gogh, F. Hodler, J. Ensor und H. de Toulouse-Lautrec. In Dtl. ist der Beginn des E. 1905 mit der Gründung der →Brücke anzusetzen, der neben den Gründungsmitgl. E. L. Kirchner, E. Heckel und K. Schmidt-Rottluff auch M. Pechstein, O. Mueller und (kurzzeitig) E. Nolde angehörten. Auch frühe Werke von Künstlern des →Blauen Reiters in München zählen zum E. Ein weiteres Zentrum wurde Berlin durch die 1910 von H. Walden gegr. Ztschr. »Sturm« und die gleichnamigen Ausstellungen, aber auch durch den Zuzug der Brückekünstler aus Dresden (1910). Eine eigene Variante des E. bildeten die »rhein. Expressionisten« (H. Nauen, H. Campendonk u.a.). Expressionist. Elemente finden sich auch im Werk M. Beckmanns, C. Rohlfs' und Paula Modersohn-Beckers. Eigenständige Formen des E. entwickelten sich u.a. in Österreich (O. Kokoschka, A. Kubin, E. Schiele) und Belgien (C. Permeke, G. de Smet). Als frz. Parallele zum dt. E. kann der Fauvismus betrachtet werden; außerdem finden sich u.a. im Werk der Franzosen G. Rouault und C. Soutine expressionist. Züge. In der Bildhauerkunst traten v.a. W. Lehmbruck und E. Barlach hervor. Nach 1945 lebten Elemente des histor. E. im →abstrakten Expressionismus, im →Actionpainting, im →Tachismus, in der Malerei der Gruppe →Cobra oder in der →Art brut und bei den →Neuen Wilden wieder auf.

Architektur: Expressionist. Tendenzen zeigen v.a. die Werke H. Poelzigs (Großes Schauspielhaus in Berlin, 1918/19; nicht erhalten), L. Mies van der Rohes (Projekte eines Bürogebäudes an der Berliner Friedrichstraße, 1919), E. Mendelsohns (Einsteinturm in Potsdam, 1919/20), P. Behrens' (Verwaltungsgebäude der Hoechst AG, 1920–24) sowie das 2. Goetheanum von R. Steiner in Dornach (1924–28) und das »Scheepvaarthuis« in Amsterdam (M. de Klerk, J. M. van der Mey, P. Kramer, 1911–16). Zu den wichtigen schriftl. Zeugnissen gehören u.a. der Briefwechsel der →Gläsernen Kette sowie die Publikationen B. Tauts (Die Stadtkrone, 1919; Alpine Architektur, 1920).

Literatur: Nahezu gleichzeitig mit dem E. in der bildenden Kunst entwickelte sich in Dtl. der E. als eine literar. Generationsbewegung der etwa zw. 1875 und 1895 Geborenen, bei stark individueller Ausprägung übereinstimmend in der Radikalität der die Tradition durchbrechenden Kunsttheorie und -praxis. Der literar. E. wirkte sich mit chiffrenhaft verknappter, stark verdichteter und rhythmisch ausgreifender Sprache zunächst bes. in der Lyrik aus (G. Trakl, G. Heym, F. Stadler, E. Stramm, J. van Hoddis, J. R. Becher, Y. Goll, G. Benn u.a.), dann im symbolhaft gestalteten Drama (u.a. C. Sternheim, W. Hasenclever, G. Kaiser, E. Toller, B. Brecht, E. Barlach), jedoch auch in der erzählenden Prosa (C. Einstein, A. Döblin, G. Heym u.a.). Typisch für den E. waren zahlr., oft nur kurzlebige Ztschr. der expressionist. Gruppen (»Der Sturm«, 1910–32; »Die Aktion«, 1911–32; »Die weißen Blätter«, 1914–21), Manifeste und Anthologien. Weiteres →deutsche Literatur, →Film, →Theater.

Musik: Nach Vorankündigungen bei R. Strauss und M. Reger, mit A. Schönbergs »George-Liedern« op. 15 (1908/09), findet der musikal. E. seinen Höhepunkt in Schönbergs einaktigen Opern und dem Melodram »Pierrot lunaire« op. 21 (1912), ferner in A. von Weberns Miniaturen und Liedern, bes. den »Trakl-Liedern« op. 14 (1917–21) sowie in A. Bergs »Wozzeck« (1914–21). Er klingt aus im gelösten Spiel von Schönbergs Serenade op. 24 (1920–23) und in Vertonungen expressionist. Dramen (O. Kokoschka, A. Stramm) durch E. Krenek und P. Hindemith. An die Stelle der Dreiklänge treten vieltönige Dissonanzen, an die regelmäßig gegliederter Melodien Prosamelodik (musikal. Prosa), an die der traditionellen Gattungen und Formen kurze, konzentrierte Stücke. Die funktionsharmonisch bestimmte Tonalität ist ebenso aufgegeben (atonal) wie die klass. Akzentrhythmik. Die traditionellen Momente werden meist bis zum Umschlag gesteigert.

📖 *Theorie des E., hg. v.* O. F. Best. *Neuausg. Stuttgart 1982, Nachdr. 1994. – E. Literatur u. Kunst 1910–1923, bearb. v.* P. Raabe *u.* H. L. Greve, *Ausst.-Kat. Deutsches Literaturarchiv, Marbach 22.–23. Tsd. 1990.* – Raabe, P.: *Die Autoren des literar. E. Ein bibliograph. Handbuch. Stuttgart* ²*1992.* – Vietta, S. *u.* Kemper, H.-G.: *E. München* ⁵*1994.*

expressis verbis [lat. »mit ausdrückl. Worten«], ausdrücklich, deutlich.

Expressstraßen, in der Schweiz autobahnähnlich ausgebaute Straßen (Richtungsfahrbahnen, kreuzungsfrei); Autobahnzubringer.

Expropriation [lat.] *die,* →Enteignung.

Exsequilen [lat.], →Exequien.

ex ship [-ʃɪp, engl.] (ab Schiff), Kosten- und Risikoklausel im Außenhandelsgeschäft: Verkäufer trägt Kosten und Risiken der Ware bis zu dem Zeitpunkt der Übergabe der Ware an den Käufer an Bord des Schiffes im benannten Hafen.

Exsikkantia [lat.], *Medizin:* die →austrocknenden Mittel.

Exsikkator [lat.] *der,* gläsernes, meist evakuierbares Laborgerät mit aufgeschliffenem Deckel zum Trocknen oder zum trockenen Aufbewahren von (feuchtigkeitsempfindl.) Substanzen über einem Trockenmittel.

Exsikkose [lat.] *die,* Austrocknung des Körpers durch erhebl. Wasser- und Salzverluste, z.B. bei unstillbarem Erbrechen oder lang dauernden Durchfällen.

Exspiration [lat.] *die,* Ausatmung, Teil der →Atmung.

exspiratorischer Akzent (Druckakzent), den german. Sprachen eigener Akzent, der auf der Verstärkung des Stimmtons beruht.

Exstirpation [lat.] *die,* operative Entfernung eines erkrankten Organs oder einer gut abgegrenzten Geschwulst.

Exsudat [lat.] *das,* Absonderung bei →Ausschwitzung.

Exsudation [lat.] *die,* **1)** *Geologie:* Verdunstung der Bodenfeuchtigkeit durch Sonneneinstrahlung in Trockengebieten, verbunden mit Ausscheidung von Mineralstoffen, wie Gips und Salzen, z.B. bei der Krustenbildung.

2) *Medizin:* die →Ausschwitzung.

exsudative Diathese, angeborene Neigung des kindl. Organismus, auf leichte äußere Reize mit Haut- (Ekzem, Milchschorf u.a.) und Schleimhauterkrankungen (Katarrhe der oberen Luftwege) zu reagieren.

extempore [lat., eigtl. »aus dem Zeitabschnitt heraus«], aus dem Stegreif, unvorbereitet. – **Extempore,** *das,* improvisierte Einlage; Stegreifspiel.

Extender [lat.] *der,* →Füllstoffe.

Extensionsverband (Streckverband), unter Zug wirkender Verband zum Einrichten von Knochenbrüchen, Verrenkungen oder zum Entlasten von Gelenken und Wirbelsäulenabschnitten.

extensiv, *Landwirtschaft:* auf große Flächen bezogen; Ggs.: intensiv.

extensive Größen, *Physik:* →intensive Größen.

Extensoren, die →Streckmuskeln.

Exter, Alexandra, ukrain. Malerin, *Belestok (bei Kiew) 6. 1. 1882, †Paris 17. 3. 1949; lebte seit 1924 in Paris; bed. Künstlerin der russ. Avantgarde; als Bühnen- und Kostümbildnerin zahlr. Entwürfe für Theater und Film sowie für Ausstellungsdekorationen.

Exterieur [-ri'ør, frz.] *das,* das Äußere, Außenseite; äußere Erscheinung.

extern [lat.], draußen befindlich, auswärtig.

Externsteine, in einzelne Felstürme aufgelöste Sandsteinfelsgruppe im östl. Teutoburger Wald bei Horn-Bad Meinberg (Kr. Detmold, NRW); möglicherweise urspr. eine german. Kultstätte. Wohl um 1000 wurden in den Felsen zwei Kapellen eingehauen, die die hl. Stätten von Jerusalem nachahmen sollten. An der Außenfront des Felsens findet sich ein Relief mit der Kreuzabnahme Christi (um 1130). BILD Teutoburger Wald

Exterritorialität [lat.] *die,* kraft Völkerrechts zugunsten bestimmter Personen und Sachen bestehende Ausnahme von der Gerichtsbarkeit und Zwangsgewalt (nicht von der Rechtsordnung insgesamt) des Gebietsstaates. E. genießen: ein fremdes Staatsoberhaupt mit seinem Gefolge, diplomat. Vertreter mit Angehörigen, Gesandtschaftsgebäude, Vertreter der Staaten bei internat. Konferenzen und Organisationen, Gebäude und Beamte dieser Organisationen, Richter des Internat. Gerichtshofes, fremde Truppenteile bei genehmigtem Durchzug oder Stationierung in einem fremden Staat sowie Kriegsschiffe und Militärflugzeuge bei abgestimmtem Aufenthalt in fremden Hoheitsgebieten.

Extinktion [lat.] *die,* **1)** *allg.:* Auslöschung, Erlöschen.

2) *Optik:* die Schwächung von Strahlung beim Durchgang durch Materie infolge von Streuung und Absorption.

3) *Psychologie:* das Verlöschen von Gedächtnisinhalten oder bedingten Reflexen (Abbau der Reiz-Reaktions-Verknüpfung).

extra dry [-draɪ, engl.], Geschmacksrichtung v.a. bei Schaumweinen: recht herb (Zuckergehalt 12–20 g/l).

extragalaktisch (außergalaktisch), außerhalb des Milchstraßensystems (der Galaxis); Ggs.: galaktisch.

extrakorporale Befruchtung, die →In-vitro-Fertilisation.

Extrakt [lat.] *der,* **1)** *allg.:* Auszug; Zusammenfassung der wesentl. Punkte eines Texts.

2) *Pharmazie* und *Lebensmitteltechnologie:* der eingedickte Auszug aus pflanzl. oder tier. Stoffen.

Extraktion [lat.] *die,* **1)** *Chemie:* selektives Herauslösen bestimmter Substanzen aus flüssigen **(Flüssig-Flüssig-E., Solvent-E.)** oder festen **(Fest-Flüssig-E., Auslaugung)** Stoffgemischen mithilfe von Lösungsmitteln (E.-Mitteln). Die **Flüssig-Flüssig-E.** wird als therm. Trennverfahren v.a. eingesetzt, wenn die zu trennenden Komponenten nahe beieinander liegende Siedepunkte haben, →azeotrope Gemische bilden oder wenn mehrere Komponenten mit unterschiedl. Siedepunkten gleichzeitig abgetrennt werden sollen. Eine einfache einstufige Flüssig-Flüssig-E. gelingt durch Schütteln des zu trennenden Gemisches mit dem Lösungsmittel in einem Scheidetrichter. Techn. Anlagen arbeiten meist mehrstufig mit mehreren in Serie geschalteten Misch- und Beruhigungsapparaten (Mixer-Settler) oder Kolonnen. Bei der **Fest-Flüssig-E.** wird der zerkleinerte Feststoff z.B. in E.-Türmen oder auf Siebbändern

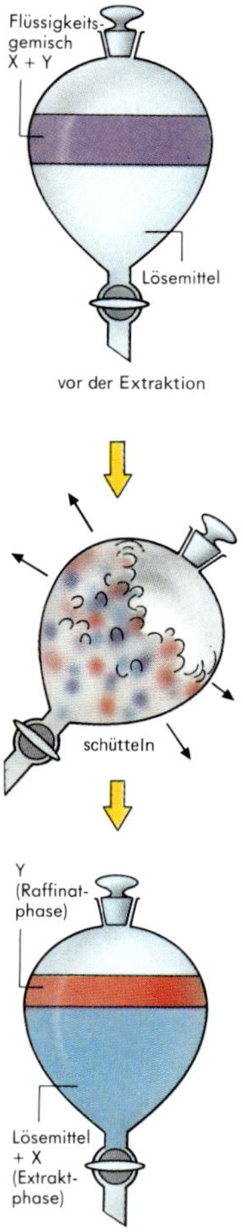

Extraktion 1): Schema der einstufigen Flüssig-Flüssig-Extraktion im Scheidetrichter

mit Lösungsmittel behandelt. Ein neues Verfahren ist die **Hochdruck-E.** mit überkrit. Gasen. Das Verfahren dient zur Zerlegung fester oder flüssiger Stoffgemische mit Gasen, z.B. zur Entkoffeinierung von Kaffee mit Kohlensäure.

2) *Medizin:* operatives Herauslösen eines Körperteils, z.B. eines Zahnes, der Augenlinse bei Staroperation; auch das geburtshilfl. Herausziehen des Kindes.

Extraktivdestillation [lat.], therm. Verfahren zur Trennung von Flüssigkeitsgemischen, die durch →Destillation nicht trennbar sind. Bei der E. wird mit einem selektiv wirkenden Zusatzstoff gearbeitet. Eine technisch wichtige Anwendung der E. ist die Abtrennung von Benzol aus Pyrolysebenzin.

Extraordinarius [lat.] *der,* →Professor.

Extrapolation [lat.] *die,* Fortsetzung einer mathemat. oder statist. Beziehung, z.B. einer Funktionskurve, über den Definitionsbereich hinaus, zur näherungsweisen Bestimmung unbekannter Werte. (→Interpolation)

extrapyramidal [lat.], *Anatomie:* außerhalb der Pyramidenbahn befindlich. – Das **extrapyramidale System** ist die Gesamtheit von Nervenzellen, die in bestimmten Gehirnabschnitten liegen und zus. mit dem Pyramidenbahnsystem die Skelettmuskulatur innervieren sowie Muskeltonus und Bewegungsabläufe regulieren.

Extrasystole [lat.-grch.] *die,* innerhalb des normalen Herzrhythmus vorzeitig einsetzende Herzaktion. E. beruhen auf Fehlsteuerungen der Herznerven oder auf organ. Herzerkrankungen, z.B. Herzmuskelentzündung.

extraterrestrisch [lat.], außerhalb der Erde auftretend.

Extra|uteringravidität [lat.] (Extrauterinschwangerschaft), jede sich außerhalb der Gebärmutterhöhle entwickelnde Schwangerschaft. Der häufigste Sitz einer E. ist der Eileiter **(Eileiter- oder Tubenschwangerschaft);** diese entsteht, wenn dem befruchteten Ei die Weiterwanderung durch einen unterentwickelten, entzündeten oder durch Narben verwachsenen Eileiter versperrt ist. Seltener kommt es zur Einnistung in der Bauchhöhle **(Bauchhöhlenschwangerschaft)** oder im Eierstock **(Eierstockschwangerschaft).** Die gefährlichste Komplikation der E. ist eine zwischen der 6. und 9. Schwangerschaftswoche auftretende Blutung in die Bauchhöhle, der Blutverlust kann zur Verblutung führen. Symptome sind bei allen Formen der E. nach Ausbleiben der Menstruation und normalen Schwangerschaftsbeschwerden plötzl. wehenartige, einseitig auftretende Schmerzen im Unterleib durch die Einbettung des Eies am falschen Ort sowie Blutungen. *Behandlung:* sofortige Operation. Bei Verdacht sofort Notarzt rufen.

Extravaganten [lat. »die außerhalb Umherschweifenden«], Bestandteil des kath. Kirchenrechts (Corpus Iuris Canonici). Die E. enthalten die im Dekret Gratians nicht oder noch nicht verwerteten päpstl. Entscheidungen (Dekretalen).

Extraversion [lat.], in der Psychologie C. G. Jungs: nach außen orientierte Charaktereinstellung; Ggs.: Introversion.

extrazellulär [lat.], außerhalb der Zelle gelegen; Ggs.: intrazellulär.

Extremadura (Estremadura), autonome Region in W-Spanien, zw. Hauptscheidegebirge und Sierra Morena, umfasst die Prov. Badajoz und Cáceres, 41 634 km², (1991) 1,062 Mio. Ew.; Hptst. ist Mérida. Die wellige Rumpffläche wird durch ein Gebirgssystem in einen N-Teil mit dem Becken des mittleren Tejo und einen S-Teil mit dem Becken des mittleren Guadiana geteilt. Die Böden in den Ebenen sind sehr fruchtbar, im raueren N überwiegen extensive Viehwirtschaft, im S weite, intensiv genutzte Bewässerungsgebiete. Die E. ist dünn besiedelt und wenig industrialisiert.

Extremalprinzipi|en, vorwiegend die Mechanik betreffende Aussagen über das Verhalten physikal. Systeme, wobei eine bestimmte Größe bei der Bewegung einen Extremwert (meist ein Minimum) annimmt. Die E. sind gleichwertig zu den newtonschen Axiomen, sind oft aber leichter zu handhaben. – Man unterscheidet **Differenzialprinzipien** (z.B. Prinzip der virtuellen Verschiebung, d'alembertsches Prinzip), bei denen benachbarte Systemzustände verglichen werden, und **Integralprinzipien** (Prinzip der kleinsten Wirkung, fermatsches und Hamilton-Prinzip), bei denen das Verhalten des Systems während endlicher Zeiten auf benachbarten Bahnkurven verglichen wird.

Extremismus [lat.] *der,* Haltung, die Unbedingtheit und Ausschließlichkeit in den polit. Ziel-

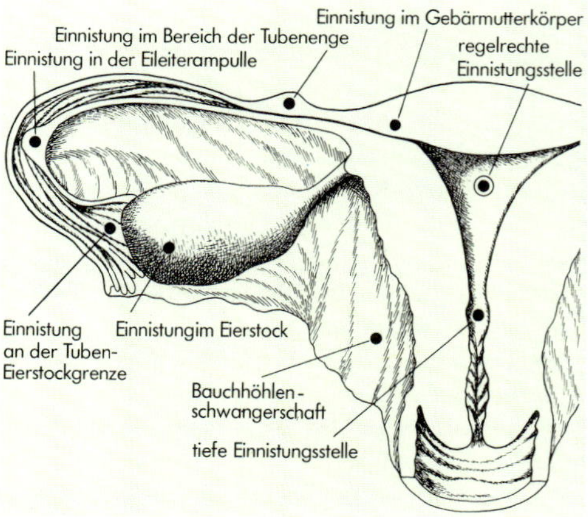

Extrauteringravidität: Mögliche Einnistungsstellen des befruchteten Eies

setzungen (→Radikalismus) mit der Infragestellung des Rechtsstaatsprinzips und des gesellschaftl. Pluralismus verbindet sowie Gewalt als Mittel der Politik nicht ausschließt. Es gibt sowohl einen Rechts- als auch einen Linksextremismus.

Extremistenbeschluss, →Radikalenerlass.

Extremitäten, die →Gliedmaßen.

Extremwert (Extremum), größter **(Maximum)** oder kleinster **(Minimum)** Wert einer Funktion, der **lokaler** oder **relativer E.** heißt, wenn er nur in einer Umgebung der betrachteten Stelle extrem ist, dagegen **absoluter E.,** wenn er für den gesamten Definitionsbereich extrem ist.

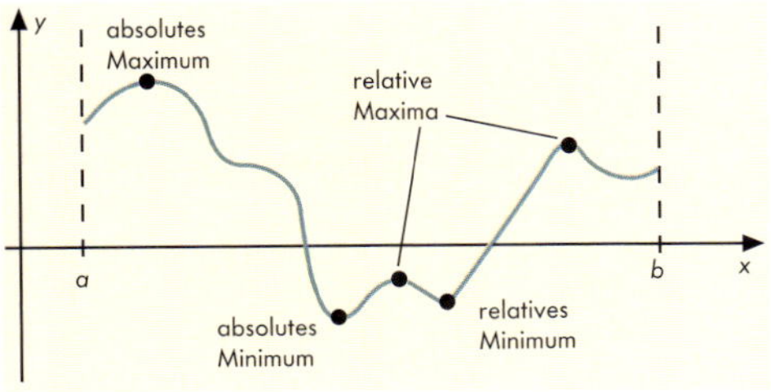

Extremwert: Die Extremwerte einer Funktion $y = f(x)$ mit dem Definitionsbereich [a, b]

Extruder [lat.-engl.] *der,* Schneckenstrangpresse, mit der v. a. thermoplast. Kunststoffe in kontinuierl. Verfahren u. a. zu Schläuchen, Bändern, Stangen, Rohren verarbeitet werden. E.-Verfahren werden zunehmend auch in der industriellen Lebensmittelverarbeitung angewendet, u. a. in der Teigwarenindustrie.

Extrusion [lat.] *die,* Aufdringen zähflüssiger vulkan. Gesteinsschmelzen, meist unter Bildung von Stau- und Quellkuppen.

Extrusivgesteine, →Vulkanite.

Exulanten [lat.], Verbannte, bes. die im 16./17. Jh. aus den habsburg. Erbländern, Schlesien und (im 18. Jh.) aus dem Erzstift Salzburg vertriebenen Protestanten.

Exulzeration [lat.] *die,* Geschwürbildung.

Exxon Corp. ['ɛksən kɔ:pə'reɪʃn], größter Erdöl- und Energiekonzern der Erde, Sitz: Flemington (N. J.; Hauptverwaltung: Irving, Tex.); hervorgegangen aus einer von J. D. →Rockefeller und M. Clark 1863 gegr. Erdölraffinerie, die nach mehreren Fusionen 1882 von der neu gegr. Standard Oil Co. of New Jersey übernommen wurde, von 1892 bis 1972 Firmierung als Standard Oil Co. (New Jersey); im Dez. 1998 Bekanntgabe der Absicht mit der Mobil Corp. zu fusionieren (bislang größte Fusion der Ind.geschichte. Die E. C. verfügt über rd. 300 Tochterges. (u. a. in Dtl. die Esso AG) sowie Raffinerien in zahlr. Ländern.

Exzellenz [lat. »Erhabenheit«] *die,* Titel, schon in der spätröm. Kaiserzeit, nicht scharf geschieden von →Eminenz, stand seit dem 17. Jh. den höchsten Beamten und Militärs zu (zuvor seit dem Früh-MA. fürstl. Titel); im Dt. Reich und Österreich 1919 abgeschafft; heute als Anrede für Botschafter, Gesandte und Bischöfe üblich.

Exzenter [lat.] *der,* Kurbeltrieb, der entsteht, wenn eine Kreisscheibe außerhalb des Kreismittelpunktes (außermittig) gelagert wird und bei Drehung um die Drehachse der Welle schwingt. Der E. wandelt eine Dreh- in eine Hubbewegung quer zur Drehachse um. Der Abstand zwischen Kreismittelpunkt und Mittelpunkt der Lagerung, die Exzentrizität e, entspricht dem wirksamen Kurbelradius.

exzentrisch, *Geometrie:* außerhalb des Mittelpunkts liegend; Ggs. konzentrisch. BILD S. 244

Exzentrizität *die, Geometrie:* bei einem Kegelschnitt der Abstand eines Brennpunktes vom Mittelpunkt **(lineare E.)**; die lineare E., geteilt durch die halbe Hauptachse, heißt **numer. Exzentrizität.**

Exzerpt [lat.] *das,* schriftl. Auszug aus einem Text.

Exzision [lat.] *die,* das Herausschneiden eines Gewebes oder Organteils zur Beseitigung eines Krankheitsherds, auch zur operativen Wundversorgung sowie Entnahme einer Gewebeprobe **(Probe-E.)** u. a. für eine mikroskop. Analyse.

Exziton [lat.] *das* (Exciton), ein →Quasiteilchen der Festkörperphysik: der durch die Coulomb-Wechselwirkung erzeugte gebundene Zustand zw. einem Elektron im Leitungsband und einem Loch im Valenzband **(Elektron-Loch-Paar)** eines Halbleiters.

Eyb, Albrecht von, humanist. Übersetzer, *Schloss Sommersdorf (bei Ansbach) 24. 8. 1420, †Eichstätt 24. 7. 1475. Seine Hauptleistung ist die Formung dt. Kunstprosa nach lat. Muster; übersetzte auch Schriften von Plautus.

Eyck [ɛjk], Jan van, niederländ. Maler, *Maaseik (Prov. Limburg) um 1390, begraben Brügge 9. 7. 1441; seit 1425 im Dienst Philipps des Guten von Burgund, seit etwa 1430 meist in Brügge tätig, vollendete 1432 den Genter Altar in Sint Baafs in Gent, der, ungeachtet der künstler. Beteiligung seines Bruders Hubert van E. (*um 1370, †1426), als sein Hauptwerk gilt. Mit dem Genter Altar beginnt die neue realist. Epoche in der Geschichte der Malerei nördlich der Alpen. Ausgehend von der niederländ. Buchmalerei sind alle Einzelheiten mit äußerster

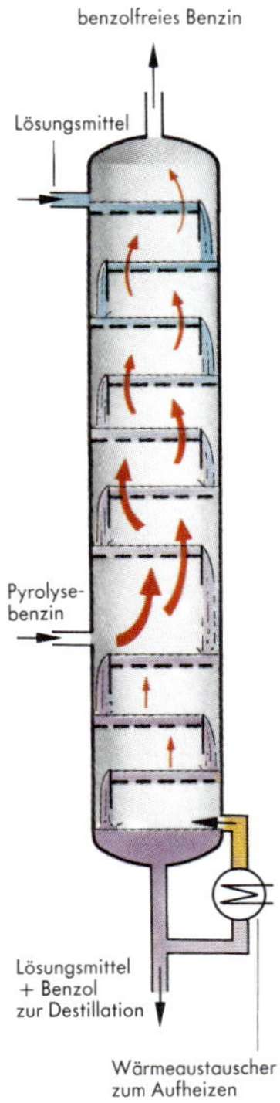

Extraktivdestillation: Schema der Gewinnung von Benzol aus Pyrolysebenzin durch Extraktivdestillation

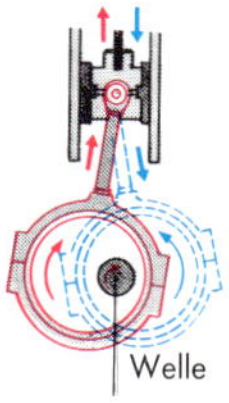

Exzenter

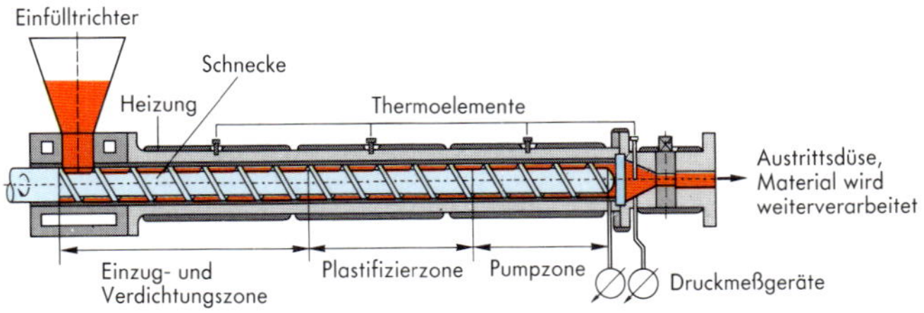

Extruder: Schema eines Extruders

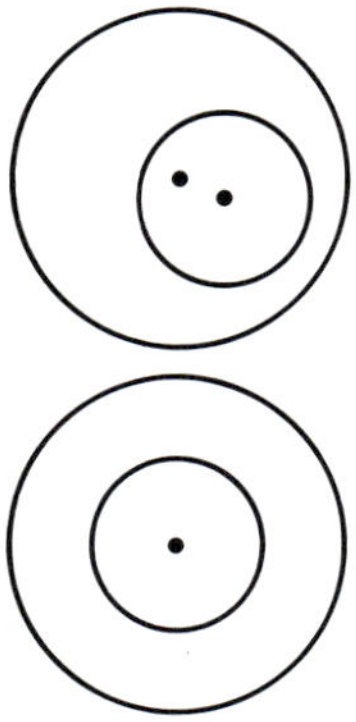

exzentrisch: exzentrische (oben) und konzentrische Kreise

Gaston Eyskens

Schärfe und Sachtreue geschildert und durch das reiche Leben von Farbe und Licht zu räumlich-atmosphär. Einheit zusammengefasst. J.v.E. schuf ferner das Doppelbildnis des Kaufmanns Giovanni Arnolfini und seiner Frau Giovanna Cenami, 1434 (London, National Gallery), Madonna des Kanonikus Georg van der Paele, 1434–36 (Brügge, Groeningemuseum), die Madonna des Kanzlers Nicholas Rolin, um 1437 (Paris, Louvre) sowie u.a. kleine Madonnentafeln und Bildnisse.

📖 PÄCHT, O: *Van Eyck – Die Begründer der altniederländ. Malerei. München 1989.*

Eyrehalbinsel ['ɛə-; nach dem brit. Australienforscher E.J. Eyre, *1815, †1901], Halbinsel in Südaustralien zw. der Großen Austral. Bucht (im W) und dem Spencergolf; Weizenanbau, Schafzucht; Eisenerztagebau.

Eyresee ['ɛə-; nach E.J. Eyre, der ihn 1840 entdeckte], meist ausgetrocknete, abflusslose Salzpfanne in Südaustralien, 8000 bis 15000 km², 12 m u.M. (tiefste Stelle des Kontinents); füllt sich nur selten und dann nur teilweise mit Wasser; südlich des E. Kupfer-, Uran-, Edelmetallvorkommen.

Eysenck, Hans Jürgen, brit. Psychologe dt. Herkunft, *Berlin 4. 3. 1916, †London 4. 9. 1997; emigrierte 1934 und war 1955–84 Prof. in London; Studien bes. zur Persönlichkeitsforschung und Verhaltenstherapie.

Eyskens ['ɛjskəns], **1)** Gaston, belg. Politiker, *Lier (Prov. Antwerpen) 1. 4. 1905, †Löwen 3. 1. 1988, Vater von 2); Prof. der Wirtschaftswiss. in Löwen, Mitgl. der Christl. Volkspartei, mehrmals Finanzmin., setzte in seiner 1. Amtszeit als Min.-Präs. (1949–50) eine Volksabstimmung über den Verbleib König Leopolds III. auf dem Thron durch, in seiner 2. Amtszeit (1958–61) die Entlassung Belgisch-Kongos in die Unabhängigkeit. 1968–72 zum 3. Male Ministerpräsident.

2) Mark, belg. Politiker, *Löwen 29. 4. 1933, Sohn von 1); Rechts- und Wirtschaftswissenschaftler, Mitgl. der Christl. Volkspartei, war 1981 Min.-Präs., 1981–85 Wirtschafts-, 1985–88 Finanz- und 1989–92 Außenminister.

Jan van Eyck

Der am Hof von Neapel tätige Humanist Bartolommeo Fazio beschreibt 1456 den sinnlich-erotischen Reiz eines heute verlorenen Gemäldes Jan van Eycks:

»Frauen von ungewöhnlicher Schönheit, dem Bade entsteigend, die die intimeren Körperteile in geziemender Schicklichkeit mit einem dünnen Leinenschleier verhüllen, ... eine von ihnen zeigt nur das Gesicht und die Brust, die Rückseite ihres Körpers ist aber in einem Spiegel, der an der Wand gegenüber gemalt ist, zu erkennen, sodass du sowohl ihren Rücken als auch ihre Brust sehen kannst. In demselben Gemälde befindet sich eine wie wirklich brennende Lampe ... Pferde und Menschen in winzig kleinem Maßstab sowie Berge, Wälder, Dörfer, Burgen mit solcher Kunstfertigkeit ausgeführt, dass du eines 50 Meilen vom anderen entfernt glaubst.«

Jan van Eyck: »Giovanni Arnolfini und seine Frau« (1434; London, National Gallery)

Eysler, Edmund, eigtl. Eisler, österr. Komponist, *Wien 12. 3. 1874, †ebd. 4. 10. 1949; komponierte über 50 Operetten und Singspiele (u.a. »Die gold'ne Meisterin«, 1927).

Eyth, Max von (seit 1896), Ingenieur und Schriftsteller, *Kirchheim unter Teck 6. 5. 1836, †Ulm 25. 8. 1906; wirkte seit 1861 mit bei J. Fowlers Konstruktion eines Dampfpflugs, den er in der Landwirtschaft vieler Länder einführte; gründete 1885 die Dt. Landwirtschaftsgesellschaft in Berlin; verfasste auch autobiograph. Berichte und lebendige Erzählungen aus der Welt der Technik.

Ez., Abk. für **Ez**echiel (A. T.), israelit. Prophet, →Hesekiel.

Ezzelino da Romano, Ghibellinenführer, *Onara (heute zu Tombolo, Prov. Padua) 25. 4. 1194, †Soncino (bei Cremona) 1. 10. 1259; Schwiegersohn Kaiser Friedrichs II., herrschte seit 1236 als Stadtherr (Signore) in Verona und Vicenza, später auch in Padua, Belluno, Feltre und Trient; berüchtigt durch seine Grausamkeit.

Ezzo, Bamberger Chorherr, Teilnehmer an der Kreuzfahrt des Bischofs Gunther von Bamberg nach Jerusalem (1064/65), soll auf dem Pilgerzug den lat. Hymnus »Von den Wundern Christi« (um 1060) gedichtet haben, eine heilsgeschichtl. Darstellung des Weltgeschehens von der Schöpfung bis zur Erlösung durch Christus.

f, F, 1) stimmloser labiodentaler Reibelaut (→Laut); der 6. Buchstabe des dt. Alphabets.

2) Abk. **f.**, *Pl.* **ff.**, für **f**olgende (Seite, Jahr).

3) *Chemie:* **F**, chem. Symbol für →Fluor.

4) *Einheitenzeichen:* **f** für →Fermi; **F** für →Farad.

5) *Formelzeichen: F* für die →Faraday-Konstante, den →Flächeninhalt, die →freie Energie; ***F*** für die →Kraft; *f* für die Brennweite (→Brennpunkt) und die Frequenz.

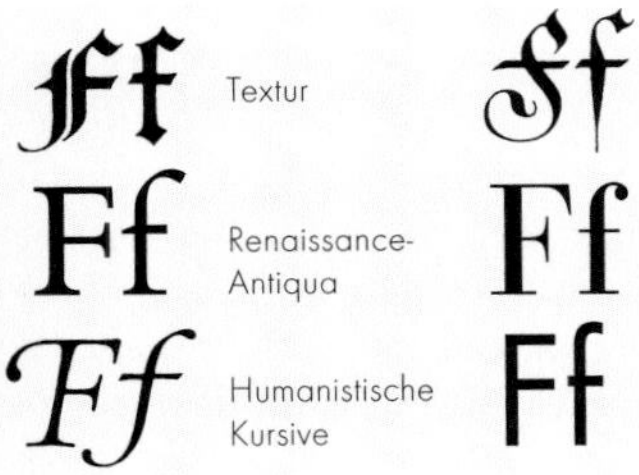

Druckschriftvarianten des Buchstabens **F**

6) *Mathematik: f*, Symbol für →Funktion.

7) *Münzwesen:* **F**, Kennbuchstabe auf dt. Reichsmünzen nach 1872 für die Münzstätte Stuttgart, auf preuß. 1750–67 für Magdeburg, auf österr. seit 1765 für Hall in Tirol, auf frz. 1539–1772 für Angers.

8) *Musik:* **f**, der 4. Ton der C-Dur-Tonleiter, auch Zeichen für forte und für f-Moll; **F**, Zeichen für F-Dur.

9) *Vorsatzzeichen:* **f** für →Femto.

°F, Einheitenzeichen für →Grad Fahrenheit.

Fa, frz. und italien. Bez. für den Ton f; in der Solmisation der 4. Ton jeder Durtonart.

Faaker See, See im Westteil des Klagenfurter Beckens, Kärnten, Österreich, 554 m ü. M., 2,2 km² groß, bis 30 m tief; bis 27 °C warmer Badesee.

Fabbri, Diego, italien. Dramatiker, *Forlì 2. 7. 1911, †Riccione 14. 8. 1980; schrieb von L. Pirandello und U. Betti beeinflusste Dramen, meist mit religiösen Motiven, u. a. »Prozeß Jesu« (1955) um die Rechtmäßigkeit der Verurteilung Jesu; auch Drehbücher.

Fabel [von lat. fabula »Erzählung«, »Sage«], **1)** die einer epischen oder dramat. Dichtung zugrunde liegende Handlung.

2) epische Kurzform; eine in Vers oder Prosa abgefasste, meist kurze Erzählung mit lehrhafter Tendenz, in der zumeist Tiere (aber auch Pflanzen) menschl. Verhaltensweisen und Eigenschaften verkörpern. In ihrem antithet. Aufbau (gegensätzl. Positionen zweier oder mehrerer Tiere), in der Darstellung einer dramat. Handlungsumkehr und der Ausrichtung auf eine Schlusspointe zielt die F. auf Versinnbildlichung einer allgemein gültigen Sentenz, auf eine religiöse, moral. oder prakt. Belehrung oder Kritik. – F. finden sich im volkstüml. Erzählgut vieler Völker. Als Vater der europ. F. gilt Äsop. Als mittelalterl. Schullektüre waren lat. Sammlungen in Europa verbreitet. Nach großer Beliebtheit in Humanismus und Reformation (H. Sachs) wurde die dt. F. erst im 18. Jh. (Aufklärung) wieder bevorzugt, während J. de La Fontaine im Jh. davor die frz. F. zum Höhepunkt literar. Kleinkunst entwickelte. An die Stelle der moral. Belehrung trat nun die Betonung bürgerl. Lebensklugheit. Als dt. Fabeldichter ragen F. von Hagedorn, C. F. Gellert und J. W. L. Gleim hervor. Der auf die äsop. Tradition zurückgreifende G. E. Lessing beschloss zugleich die Entwicklung der dt. F. im 18. Jahrhundert. BILD S. 246

📖 DITHMAR, R.: *Die F. Gesch., Struktur, Didaktik. Paderborn u. a.* [7]*1988. – Die dt. u. lat. F. in der frühen Neuzeit, hg. v.* A. ELSCHENBROICH, *2 Bde. Tübingen 1990.* – HOLZBERG, N.: *Die antike F. Eine Einführung. Darmstadt 1993.*

Fabeltiere, Fantasiegeschöpfe, die in Religion, Mythos, Dichtung, Kunst und Heraldik eine große Rolle spielen, u. a. →Drache, →Einhorn, →Phönix; auch Mischwesen aus versch. Tieren, v. a. →Basilisk, →Greif, →Pegasus.

Faber, Jakobus, eigtl. Jacques Lefèvre d'Étaples (lat. F. Stapulensis), frz. Theologe und Humanist, *Étaples (bei Boulogne-sur-Mer) um 1450, †Nérac (bei Agen) 1536; bed. Bildungsreformer und Wegbereiter des frz. Protestantismus; übersetzte 1526 die Bibel ins Französische. Seine Bibelkommentare beeinflussten den jungen Luther.

Fabergé [fabɛr'ʒe], russ. Goldschmiedefamilie, Juweliere; ihr bedeutendstes Mitglied, Peter Carl F. (* Sankt Petersburg 18. 5. 1846, † Lausanne 24. 9. 1920), übernahm 1870 die Leitung der 1842 gegr. väterl. Firma in Sankt Petersburg; bekannt wurden neben Miniaturen aus Gold und Edelsteinen v. a. seine seit 1884 im Auftrag des Zaren angefertigten Ostereier.

🕮 *F., Juwelier des Zarenhofes, hg. v.* A. VON SOLODKOFF, *Ausst.-Kat. Museum für Kunst u. Gewerbe Hamburg. Heidelberg 1995.*

Fabian Society ['feɪbjən sə'saɪətɪ; engl. »Fabier-Gesellschaft«], Vereinigung brit. Intellektueller (S. und B. Webb, G. B. Shaw, H. G. Wells u. a.), entstanden 1883/84, suchte in Ablehnung des »Manchester-Liberalismus (→Manchestertum) und zugleich als Gegnerin des marxist. Klassenkampfgedankens den Sozialismus in verfassungsgemäßer Evolution zu verwirklichen. Sie nannte sich nach dem röm. Feldherrn Quintus Fabius Maximus Verrucosus Cunctator, dessen durch Geduld und Abwarten bestimmte erfolgreiche Taktik sie bei der Vergesellschaftung der Wirtschaft anwenden wollte. Die F. S. war an der Gründung der →Labour Party beteiligt und nahm großen Einfluss auf deren Programm. 1938 erneuerte sie sich als Arbeitskreis innerhalb der Labour Party.

🕮 WITTIG, P.: *Der engl. Weg zum Sozialismus. Die Fabier u. ihre Bedeutung für die Labour Party u. die engl. Politik. Berlin 1982.*

Fabius, altröm. Patriziergeschlecht **(Fabier),** das seit dem 5. Jh. v. Chr. in Rom eine führende Stellung innehatte; Kampf und Niederlage des Geschlechts gegen Veji (477) wurden von der Legende ausgestaltet. Im 4. und 3. Jh. wirkten die Fabier entscheidend am Aufstieg Roms mit. Quintus F. **Maximus Verrucosus,** * um 280, † 203 v. Chr., war mehrfach Konsul, wurde im 2. Pun. Krieg nach der Niederlage am Trasimen. See 217 zum Diktator ernannt, erhielt wegen seiner nach der Niederlage von Cannae (216) erfolgreichen Kriegführung des hinhaltenden Widerstandes gegen Hannibal den Beinamen **Cunctator** (»der Zauderer«).

gen peide vogel unde thier · Ein groszer krieg wart
gar schir · Hyder wente er het recht · Do komen rit=
ter unde knecht · Der streit wart grosz und hert · Sy
hettẽ gerne erwert · Dẽ vogeln do ein wãg gescha=
ach · An eim do das ersach · Die fledermausz liesz ir
schar · Und flog zu den thiẽrẽ dar · Sie sazten sich
wider die diet · Als ir verzagtes herz riet · Sie flog
do man ir bedorffte wol · Des was sie lasters vol ·
Der adeler gestosẽ kam · Vil sere schrei er die vogel
an · Er gab in herz unde mut · Als noch vil der rec
ken thut · Und machtẽ blosz die fledermausz · Dū
stiessen sie vil schnelle ausz · Do wart ir das zu pusz
gegeben · Das sie des nachts ir leben · Speisen und
auch fliegẽ sol · Der do zwaiẽ auch dinet wol · Das

Fabel 2): Seite aus der von dem Mönch und Dichter Ulrich Boner verfassten mittelhochdeutschen Fabelsammlung »Der Edelstein«, kolorierter Holzschnitt (Erstdruck 1461; Wolfenbüttel, Herzog-August-Bibliothek)

Carl Fabergé leitete ab 1870 die Goldschmiedefirma, in der dieses Osterei mit einem Modell des Kreuzers »Pamyat Azova« von Werkmeister Michael Perchin für Zar Alexander III. hergestellt wurde, Länge 7,8 cm (1891; Moskau, Rüstkammer-Museum)

Fabius [fa'bjys], Laurent, frz. Politiker, * Paris 20. 8. 1946; Mitgl. der Sozialist. Partei, enger Mitarbeiter F. Mitterrands; 1984–86 war er MinPräs., 1988–92 Präs. der Nationalversammlung und 1992–93 Vors. der Sozialist. Partei. Im Okt. 1995 übernahm er die Leitung der sozialist. Fraktion in der Nationalversammlung.

Fabliaux [-bli'o], im mittelalterl. Frankreich schwankhafte, von Spielleuten vorgetragene Erzählungen in paarweise gereimten, meist achtsilbigen Versen; bezeugt seit Mitte des 12. Jh. bis ins 14. Jh.; überliefert sind etwa 150 Fabliaux. Stoffe der F. wurden u. a. von G. Boccaccio, F. Rabelais und Molière wieder verwendet.

Fabre [fabr], Jan, fläm. Maler, Choreograph, Bühnenbildner und Regisseur, * Antwerpen 14. 12. 1958; als »Universalkünstler« eingestuft; zeigte seine Arbeiten, die er als »Blaue Stunde« bezeichnet, auf der documenta 8. Neuere Werke sind u. a. die Choreographie »The sound of one hand clapping« (1990), die Oper »Silent screams, difficult dreams« (1992) und das Mysterienspiel »Universal Copyrights 1&9« (1995).

Fábri, Zoltán, ungar. Filmregisseur, *Budapest 15. 10. 1917, †ebd. 23. 8. 1994; wirkte zunächst beim Theater; Filme, meist zur jüngsten ungar. Geschichte, sind u.a. »Professor Hannibal« (1956), »Das fünfte Siegel« (1976), »Die Ungarn« (1977), »Bálint Fábian begegnet Gott« (1980).

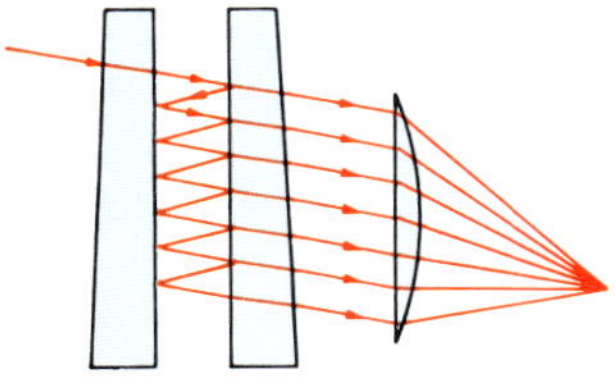

Fabry-Pérot-Interferometer: Die verspiegelten Innenflächen der leicht keilförmigen Glas- oder Quarzplatten sind genau parallel justiert, dies führt zu einer feinen Aufspaltung des einfallenden Strahls

Fabricius, 1) David, Theologe und Astronom, *Esens (Landkreis Wittmund) 1564, †Osteel (Landkr. Aurich) 7. 5. 1617, Vater von 3); entdeckte 1596 den veränderl. Stern Mira.

2) Ernst, Historiker, *Darmstadt 6. 9. 1857, †Freiburg im Breisgau 22. 3. 1942; war 1888–1926 Prof. in Freiburg und leitete seit 1902 die Reichslimeskommission, für die er das Werk »Der obergermanisch-rät. Limes des Römerreiches« (14 Bde., 1894–1938) herausgab.

3) Johannes, Astronom, *Osteel (Landkr. Aurich) 8. 1. 1587, †Marienhafe (Landkr. Aurich) um 1615, Sohn von 1); entdeckte 1610 die Sonnenflecken und schloss daraus auf die Rotation der Sonne.

Fabrik [frz.], vorherrschende Form des Ind.betriebes, gekennzeichnet durch eine stark mechanisierte Produktion, räuml. Zentralisation der Arbeitsplätze und hohe Arbeitsteilung, die den Einsatz un- oder angelernter Arbeitskräfte ermöglicht. Die F. löste als Produktionsform die Manufaktur ab. Um den Automatisierungsgrad zu erhöhen wird in modernen F. häufig die computerunterstützte Fertigung (CIM) eingesetzt.

Fabrikmarke, → Marke.

Fabrikschiff, Fischereispezialschiff, das auf See die Fische der zugehörigen Fangboote oder des eigenen Fangs versand- und verbrauchsfertig verarbeitet.

Fabritius, Carel, holländischer Maler, getauft Beemster (Prov. Nordholland) 27. 2. 1622, †Delft 12. 10. 1654; 1640–43 Schüler von Rembrandt, seit 1650 in Delft tätig. Seine perspektivisch-illusionist. Raumdarstellungen und die klaren, dunklen Formen vor lichten Gründen beeinflussten P. de Hooch und J. Vermeer van Delft.

Fabry-Pérot-Interferometer [fa'bri pe'ro-; nach den frz. Physikern C. Fabry, *1867, †1945, und A. Pérot, *1863, †1925], ein Interferometer aus zwei hochreflektierend verspiegelten, leicht keilförmigen ebenen Planplatten, deren Innenflächen exakt parallel zueinander justiert sind; dient der genauen Wellenlängenmessung und zur Untersuchung der Fein- und Hyperfeinstruktur von Spektrallinien, die mit Gitter- oder Prismenspektrometern nicht aufgelöst werden können.

Fabula [lat.], Erzählung, Sage, Fabel, Schauspiel.

Facelifting ['feɪslɪftɪŋ, engl.] *das* (Lifting), Maßnahme der kosmet. Chirurgie, die operative Straffung der Gesichtshaut zur Beseitigung altersbedingter Falten (auch Doppelkinn oder Hängebacken) durch Herausschneiden von Hautstreifen aus den Randpartien des Gesichts (Haaransatz, Ohr- und Kinnbereich).

Facette [fa'sɛtə, frz.] *die,* angeschliffene Fläche, v.a. bei Edelsteinen und Glas.

Facettenauge, → Auge.

Fach, *Weberei:* durch Heben und Senken der Kettfäden gebildeter Zwischenraum zum Einführen des Schussfadens.

Facharbeiter, Arbeiter, der eine Lehre in einem anerkannten Lehrberuf abgeleistet und die Abschlussprüfung (Gesellen-, F.-Prüfung) abgelegt hat.

Facharzt, Arzt, der nach der Approbation durch vier- bis sechsjährige Weiterbildung besondere Kenntnisse auf einem Spezialgebiet der Medizin erworben hat.

Fachbereich, auf Vorschlag des Wissenschaftsrats neu geschaffene, heute überwiegend an die Stelle der Einteilung in Fakultäten getretene orga-

Laurent Fabius

Carel Fabritius: »Torwache« (1654; Schwerin, Staatliches Museum)

nisator. Grundeinheit für Forschung und Lehre an den Hochschulen, in der verwandte Disziplinen zusammengefasst werden; von der F.-Versammlung als Kollegialorgan geleitet.

Fächel, Form des Blütenstandes.

Fächer: Faltfächer aus Frankreich mit einem geschnitzten und bemalten Gestell aus Elfenbein sowie einem Fächerblatt aus Papier mit Deckfarbenmalerei (Mitte des 18. Jh.; Salzburg, Museum Carolino Augusteum)

Fächer, Handgerät zur Erzeugung eines Luftstromes, das über den zweckgerichteten Einsatz hinaus (Anfachen des Feuers, Kühlung) Bedeutung fand. Der F. trat im Altertum im Orient und Fernen Osten als Wedel auf und wurde auch zum Zeichen der Herrscherwürde. Der **Fahnen-F.,** bei dem das F.-Blatt (Pergament, Geflecht) seitlich am Stil befestigt ist, kam im 16. und 17. Jh. aus der Türkei nach Mitteleuropa. Der schaufelförmige **Rund-F.** mit Stiel wurde im 16. und 17. Jh. an Kette oder Band hängend am Gürtel getragen. Der in Europa noch übl. **Falt-F.** stammt aus Japan und verbreitete sich über Spanien in Europa im 16. Jh. Unter Ludwig XIV. wurde er zum Luxusgegenstand und vielfach künstlerisch gestaltet (u. a. durch J. A. Watteau und F. Boucher).

Fächerfische (Istiophoridae), Familie der Makrelenfische; trop. Hochseefische mit spindelförmigem Körper, schwertartig ausgezogenem Oberkiefer und segelähnl. Rückenflosse; z. B. der rd. 3,5 m lange **Atlant. F.** (Istiophorus albicans) und der bis 2,5 m lange **Weiße Marlin** (Makaira albida).

Fächerflügler (Strepsiptera), Insektenordnung mit mehr als 400 Arten, deren Larven, Puppen und Weibchen bes. in Hautflüglern parasitieren. Das frei lebende Männchen lebt nur wenige Tage und kann keine Nahrung aufnehmen; das Weibchen ist ein schlauchförmiges Gebilde, dessen Vorderende aus dem Wirt herausragt.

Fächerpalmen, Gruppe der → Palmen.

Fachhochschule, Abk. **FH,** Hochschuleinrichtung mit relativ spezialisiertem Studienangebot von rd. 40 Fachrichtungen (z. B. Bauingenieurwesen, Betriebswirtschaft); z. T. aus höheren Fachschulen, Akademien und v. a. Ingenieurschulen hervorgegangen. In achtsemestrigem Studium vermitteln sie das → Diplom (FH) der versch. Fachrichtungen. Das Zeugnis der F. schließt die allg. Hochschulreife ein. Voraussetzung zum Besuch der F. ist der Abschluss der → Fachoberschule (Fachhochschulreife) oder das Abitur mit Berufsausbildung und zweijähriger Berufspraxis. Die F. wurden z. T. in Gesamthochschulen eingegliedert. – *Österreich* und die *Schweiz* kennen die Bez. höhere Fachschule, Technikerschule, Ingenieurschule, auch Hochschule.

Fachinformation, Abk. **FI,** veröffentlichtes Wissen, das zum Zwecke der Erfüllung fachl. Aufgaben erfasst, aufbereitet und zur Verfügung gestellt wird. FI-Dienste sind: Fach- und Spezialbibliotheken, aber auch Referateztschr. und sog. F.-Zentren (FIZ). F. werden zunehmend in elektron. Form (elektron. FI, → Datenbanken) bereitgestellt.

Fachlehrer, Lehrkraft mit der Lehrbefähigung für bestimmte (meist 2–3) Lehrfächer oder eine Fächergruppe **(Fachgruppenlehrer);** generell an Haupt-, Berufs-, Fach-, Realschulen und Gymnasien; im Unterschied zum Klassenlehrer der Grundschule.

Fachoberschule, zweijährige Einrichtung des berufl. Schulwesens, die zur Fachhochschulreife führt. Nach fachlich geprägten Schultypen gegliedert, umfasst die F. ein einjähriges Praktikum (Klasse 11) mit Teilzeitschulbesuch und eine schul. Ausbildung (Klasse 12); Ersteres wird bei Nachweis einer Berufsausbildung erlassen. Voraussetzung zum Eintritt in die F. ist die Fachschulreife; Zugangsmöglichkeit bieten Vorbereitungsklassen an den F., die Berufsgrundbildung und die Berufsfachschule.

Fachschaft, Zusammenschluss von Studenten des gleichen Studienfachs oder der gleichen Studienrichtung mit dem Ziel der Wahrung und Durchsetzung student. Interessen.

Fachschule, eine berufsbildende Tages- oder Abendschule, die nach Abschluss einer Berufsausbildung zur berufl. Weiterbildung oder zum Erwerb besonderer Qualifikationen (Spezialisierung, Meisterprüfung) besucht wird. Die Ausbildung dauert bei Vollzeitunterricht zw. 6 Monaten und 3 Jahren, bei Teilzeitunterricht 6–8 Semester.

Fachschulreife, mittlerer Bildungsabschluss des berufl. Bildungswesens, der in Berufsaufbauschulen und Berufsfachschulen sowie in Bad.-Württ. an Berufsoberschulen erworben wird.

Fachsprache, Sprache zur Verständigung innerhalb eines bestimmten Sachbereichs; die F. berühren sich aufgrund ihres spezif. Wortschatzes mit den Berufssprachen und mit den → Sondersprachen, stehen jedoch auch in enger Wechselbeziehung zur Standardsprache.

Fachwerk, eine ebene oder räuml. Baukonstruktion aus starr miteinander verbundenen Stäben i. d. R. aus Holz, Stahl oder Aluminiumlegierungen, für den Bau frei gespannter Hallen, von Dachtragwerken und Brücken (Fachwerkträger).

Fachwerkbau, Skelettbauweise (für Häuser), bei der ein Rahmenwerk aus Holz als tragendes Gerippe errichtet wird. Die entstehenden Fächer werden mit Stroh-Lehm-Gemisch auf Holzgeflecht oder (v. a. in Nord-Dtl.) mit Ziegeln ausgefüllt. – Vorstufen gab es im Altertum in Vorderasien, in der kretisch-myken. Baukunst und in der seit dem Neolithikum üblichen Ständerbauweise in Mittel- und S-Europa. Vollständiger F. trat jedoch erst im Röm. Reich der Kaiserzeit auf. Wichtig für die Verbreitung des F. war das Vorkommen von Eichenholz. Im MA. wurde der F. in Dtl. für Bauten im bürgerl. wie im ländl. Bereich vorherrschend. Die ältesten bekannten Beispiele aus dem 14. Jh. zeigen den F. auf hoch entwickelter Stufe und lassen auf längere Tradition schließen. In seiner künstlerisch reichsten Form trat der F. im 16. und 17. Jh. auf; seit dem späteren 16. Jh. begann er hinter dem Steinbau zurückzutreten; im 18. Jh. im bürgerl. Wohnbau nur noch als betont billige Bauweise, im ländl. Bereich dagegen noch lange verwendet. Aus dem 18. Jh. sind zahlreiche Fachwerkkirchen erhalten. BILD S. 250

📖 BINDING, G. *u. a.: Kleine Kunstgesch. des dt. Fachwerkbaus. Darmstadt* ^{4}*1989.* – GERNER, M.: *F. Entwicklung, Gefüge, Instandsetzung. Stuttgart* ^{7}*1994.*

Fachwirt, kaufmänn. Führungskraft der mittleren Ebene; die Ausbildung erfolgt neben der berufl. Tätigkeit an kaufmänn. Fachschulen u. a. Fortbildungseinrichtungen.

Faciạlis, → Fazialis.

Fackel, 1) *allg.:* Beleuchtungsmittel aus grobem Gewebe, getränkt mit Wachs, Teer, Harz u. a.; gilt als Sinnbild des Erhellens, in der Antike Attribut mehrerer Gottheiten.

2) *Astronomie:* (Sonnen-F.) helleres Gebiet in Photo- und Chromosphäre der Sonne in Form unregelmäßiger Flecken, meist in der Umgebung von Sonnenflecken, die eine erhöhte Sonnenaktivität anzeigen.

Fackel, Die, kulturkrit. Zeitschrift 1899–1936, hg. von K. Kraus in Wien (seit 1912 allein von Kraus geschrieben).

Factoring ['fæktərɪŋ, engl.] *das,* Methode der Absatzfinanzierung, bei der eine Hersteller- bzw. Händlerfirma ihre Forderungen aus Warenlieferungen gegen Vergütung an ein Finanzierungsinst. **(Factor)** verkauft; dieses übernimmt Kreditrisiko und Mahnwesen. Der Lieferant erhält den Gegenwert der Forderungen vor ihrem Verfall.

📖 *Factoring-Handbuch, hg. v.* K. F. HAGENMÜLLER *u.* H. J. SOMMER. *Frankfurt am Main* ^{2}*1987.*

FAD, Abk. für → **F**lavin**a**denin**d**inucleotid.

Fadẹjew, Alexandr Alexandrowitsch, eigtl. A. A. Bulyga, russ. Schriftsteller, *Kimry (Gebiet Twer) 24. 12. 1901, † (Selbstmord) Peredelkino (bei Moskau) 13. 5. 1956; schrieb Romane und Erzählungen über die Zeit des Bürgerkrieges (»Die Neunzehn«, 1927) und den 2. Weltkrieg, so den Roman »Die junge Garde« (1945, 2. Fassung 1951), der als Beispiel für den sozialist. Realismus gilt.

Alexandr Alexandrowitsch Fadejew

Faden, 1) *Heraldik:* Balken, Schrägbalken oder Pfahl von sehr geringer Breite.

2) *Metrologie:* a) ein altes Tiefenmaß zw. 1,624 und 2,20 m, in Großbritannien und den USA als **Fathom** mit 1,8288 m noch gültig; b) ein altes dt. Längenmaß, regional unterschiedlich, meist etwa 1,8–2 m.

3) *Textiltechnik:* linienförmiges textiles Gebilde aus verdrillten (versponnenen) Natur- oder Kunstfasern, z. B. Garn, Seide, Zwirn, Schnur.

Fadenglas, Kunstglas, bei dem dünne Fäden, meist aus weißem Milchglas, in ein durchsichtiges Grundglas eingeschmolzen werden. Durch Verdrehen des heißen Glases ergeben sich spiralige Windungen, durch Wiederholen des Vorgangs mit anderen Fadenrichtungen netzartige Muster. – Diese Technik erlebte ihre Blüte im 16. Jh., zuerst in Venedig (Murano), später auch in Deutschland. BILD S. 251

Fadenkreuz, eine in der objektivseitigen Brennebene des Okulars eines Fernrohrs oder Mikroskops angebrachte Markierung in Form zweier rechtwinklig sich kreuzender Fäden oder in eine Glasplatte eingeätzter feiner Striche; dient als Ziel- oder Einstellvorrichtung. BILD S. 250

Fadenmikromẹter (Okularschraubenmikrometer), beim Fernrohr oder Mikroskop benutztes Mikrometer zum Messen kleiner Abstände oder Winkel. Es besteht aus einem Metallrahmen, der ein eingespanntes Fadenkreuz innerhalb der objektivseitigen Brennebene des Okulars messbar zu bewegen erlaubt.

Faden

roter Faden

Die Redewendung im Sinne von »leitender, verbindender Grundgedanke; Grundmotiv« geht auf Goethes Roman »Die Wahlverwandtschaften« (2, 2 und 2, 4) zurück, wo die alles verbindende Hauptidee im Tagebuch Ottiliens mit dem durchlaufenden roten Faden im Tauwerk der englischen Marine verglichen wird:

»Sämtliche Tauwerke der königlichen Flotte ... sind dergestalt gesponnen, dass ein roter Faden durch das Ganze durchgeht, den man nicht herauswinden kann, ohne alles aufzulösen ... Ebenso zieht sich durch Ottiliens Tagebuch ein Faden der Neigung und Anhänglichkeit, der alles verbindet und das Ganze bezeichnet ... Manches Eigene von innigerem Bezug wird an dem roten Faden wohl zu erkennen sein.«

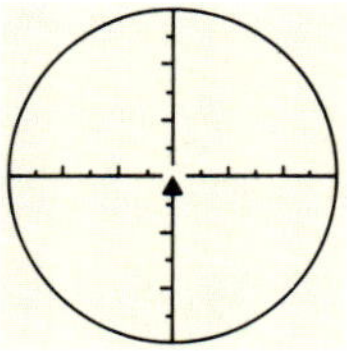

Fadenkreuz

Fadenwürmer (Nematoden, Nematodes), artenreichste Klasse der Schlauchwürmer mit mehrschichtigem Hautmuskelschlauch. F. leben frei im Boden oder im Süß- und Meerwasser oder parasitieren in Pflanzen und Tieren (einschließlich Mensch), z. B. Haken-, Spul-, Madenwürmer.

Fadenzähler, Lupe mit etwa sechsfacher Vergrößerung, um die Kett- und Schussfadenzahl von Textilien u. a. zu bestimmen.

Fading ['feɪdɪŋ; engl. »Schwund«] *das,* **1)** *Funktechnik:* (Fadingeffekt) →Schwunderscheinungen bei Mehrwegeausbreitung von elektromagnet. Wellen.

2) *Kfz-Technik:* Nachlassen der Bremswirkung von Reibungsbremsen infolge Erwärmung beim Dauerbremsen.

Fadinger, Stephan, *um 1570, ⚔ 5. 7. 1626 bei der Belagerung von Linz; Führer des oberösterr. Bauernaufstands gegen die gewaltsame Rekatholisierung und die bayer. Besetzung.

Fado ['faðu; portugies. »Schicksal«] *der,* in Portugal in den 20er-Jahren des 19. Jh. aufgekommenes, traurig gestimmtes Lied, geradtaktig, in stark synkopiertem Rhythmus.

Faeces [lat.] *Pl.* (Fäzes), →Kot.

Faenza, italien. Stadt in der Emilia-Romagna, Prov. Ravenna, 53 700 Ew.; Keramikmuseum und -schule; keram. Industrie. Nach F. wurde das in der Renaissance zur Vollendung entwickelte keram. Kunsthandwerk der Stadt →Fayence genannt. – Dom San Pietro (1581 geweiht), Palazzo del Podestà (12. Jh.). – F. gehörte 1509–1860 meist zum Kirchenstaat.

Faesi, Robert, schweizer. Schriftsteller, *Zürich 10. 4. 1883, †Zollikon 18. 9. 1972; schrieb in der Tra-

Fachwerkbau

Der Fachwerkbau weist regional eine größere Variationsbreite auf als der Massivbau. Besonders mannigfaltig sind die landschaftlichen Spielarten des Fachwerkbaus in Deutschland. Die Gestaltungsmerkmale reichen von verzierten Verstrebungen und Balkenköpfen über figürlichen Schmuck und Zierfüllungen bis zu aufwendigen Fernstererkern

1

2

3

4

| **1** Vorlaubenhäuser am Markt von Hirschfelde bei Zittau, Oberlausitz | **2** Hof Wehlburg aus Wehdel, Niedersachsen (1750; seit 1972 im Museumsdorf Cloppenburg)

| **3** Kornspeicher in alemannischer Fachwerkbauweise in Geislingen an der Steige (16. Jh.) | **4** Das Albrecht-Dürer-Haus in Nürnberg (Mitte 15. Jh., nach 1945 wiederhergestellt)

Faenza: Der im 12. Jh. erbaute Palazzo del Podestà, in dem das Verwaltungsoberhaupt der Stadt residierte, liegt wie der 1581 geweihte Dom San Pietro an der Piazza del Popolo

dition des schweizer. Realismus v.a. Erzählungen und Romane aus der Zürcher Geschichte.

Fafnir (Fafner), *nord. Sage:* der von Siegfried (Sigurd) erschlagene Drache, Hüter des Nibelungenhorts. Durch das Bad im Drachenblut erlangte Siegfried Unverwundbarkeit. Das Motiv verwendete R. Wagner in »Der Ring des Nibelungen«.

Făgăraș [fəgəˈraʃ] (dt. Fogarasch), Stadt im Bezirk Kronstadt, in Siebenbürgen, Rumänien, am Alt, 45 700 Ew.; chem., Nahrungsmittelind., Maschinenbau. – Burganlage mit Innenhof und vier Ecktürmen (14.–17. Jh.).

Fagopyrismus [lat.] *der,* der → Buchweizenausschlag.

Fagopyrum [lat.], die Pflanzengattung → Buchweizen.

Fagott [italien. »Bündel«] *das,* Holzblasinstrument aus zwei eng zusammengebundenen Röhren von etwa 2,60 m Gesamtlänge mit fünf Grifflöchern, 20–24 Tonklappen, s-förmigem Metallanblasröhrchen, dem das Doppelrohrblatt aufgesteckt wird; Umfang von $_1$A oder $_1$B bis es^2 (das **Kontra-F.** steht etwa eine Oktave tiefer). Es klingt in der Tiefe voll und dunkel, in der Höhe etwas näselnd, in der Mittellage anmutig. – Das F. entstand im 16. Jh., war im Barock meist Generalbassinstrument und ist heute im Orchester das tiefste Instrument der Holzbläser. BILD Holzblasinstrumente

Fagus [lat.], die Pflanzengattung → Buche.

Fahd [faxd] (F. Ibn Abd al-Asis), König von Saudi-Arabien (seit 1982), * Riad um 1920; 1962–75 Innenmin., von König Chalid 1975 zum Kronprinzen und 1. stellv. MinPräs. ernannt, übte unter diesem die eigentl. Regierung aus. Unter Aufrechterhaltung der feudalist. Strukturen seines Landes verfolgte F. bei der wirtsch. und technolog. Entwicklung Saudi-Arabiens einen pragmat. Kurs. Unter dem Eindruck des 1. Golfkrieges (1980–88) verstärkte er die Zusammenarbeit mit den Golfstaaten und beteiligte sein Land im 2. Golfkrieg (1991) an der Allianz gegen Irak. 1986 setzte F. für sich die Anrede »Wächter der beiden Heiligen Stätten« (Mekka und Medina) durch.

Fahd, König von Saudi-Arabien

Fähe [ahd. foha »Füchsin«] *die,* weibl. Tier bei Fuchs, Marder, Iltis, Wiesel, Nerz.

Fähigkeit, im Ggs. zur Begabung auch auf Lernprozesse zurückgehende Gesamtheit der psych. und phys. Bedingungen, die die Ausführung einer bestimmten Verrichtung (Leistung) ermöglicht.

Fahlband, durch Kiese (v.a. Schwefel- und Kupferkies) imprägnierte, fahl glänzende bandförmige Zone in metamorphen Gesteinen.

Fahlberg, Constantin, Chemiker russ. Herkunft, * Tambow 22. 12. 1850, † Nassau 15. 8. 1910; entdeckte den künstl. Süßstoff → Saccharin.

Fahlerze, kubisch kristallisierende Kupfererzminerale, oft mit Gehalt von Silber, Zink, Eisen und Quecksilber; grau, metallisch glänzend, meist derb; wichtige F. sind der **Tetraedrit** (Antimon-F., $Cu_{12}Sb_4S_{13}$) und der **Tennantit** (Arsen-F., $Cu_{12}As_4S_{13}$). F. sind weit verbreitet und kommen v.a. auf hydrothermalen Erzlagerstätten vor.

Fahlleder, pflanzlich-synthetisch gegerbtes, naturfarbenes, stark gefettetes Schuhoberleder aus Rindshäuten.

Fahndung, Maßnahmen von Staatsanwaltschaft und Polizei zur Ermittlung flüchtiger oder gesuchter Personen (z.B. Straftäter, Zeugen) oder von Sachen (Sach-F.) im Strafverfahren. Die vielfältigen Mittel der F. umfassen im Inland z.B. den

Fadenglas: Flakon aus farblosem Glas mit weißen Fadeneinlagen, venezianische Arbeit (um 1600; Halle, Staatliche Galerie Moritzburg)

Steckbrief, Auskünfte bei Behörden und zentralen Registern, die Suche über Medien sowie das Aussetzen von Belohnungen, im Ausland die Suche über Interpol. Besondere F.-Methoden sind die Raster- und die Schleppnetz-F. Bei der **Raster-F.** erfolgt ein Abgleich personenbezogener gespeicherter Daten nach bestimmten Prüfungsmerkmalen (Rastern), um Personen festzustellen, die ermittlungsbedeutsame Merkmale aufweisen; sie bedarf richterl. Anordnung oder Bestätigung (in Eilfällen) und ist nur bei Straftaten von erhebl. Bedeutung zulässig (§ 98 a ff. StPO). **Schleppnetz-F.** ist die Bez. für eine nach § 163 d StPO räumlich und zeitlich begrenzt zulässige F., bei der Daten über die Identität von Personen sowie tatrelevante Umstände gespeichert werden, die bei einer grenzpolizeil. Kontrolle oder bei einer Kontrollstelle angefallen sind. Diese Maßnahme bedarf schriftliche richterl., bei Gefahr im Verzug staatsanwaltl. oder polizeil. Anordnung und ist nur zur Aufklärung bestimmter schwerer Straftaten und Ergreifung der Tatverdächtigen erlaubt.

Fahneneid

Der Eid, den in der Antike die griechischen Rekruten (Epheben) schwören mussten (von der Stele aus Acharnai):

»Ich werde die heiligen Waffen nicht entehren; nicht werde ich den Kameraden an meiner Seite im Stich lassen, wo immer ich eingesetzt werde; und ich werde die heiligen und geheiligten Gesetze achten; und ich werde das Vaterland nicht in verringerter Macht, sondern allein und gemeinsam mit allen anderen größer und besser (den Künftigen) weitergeben; und ich werde denen, die zu Recht regieren, gehorchen, ebenso den bestehenden und in Zukunft zu Recht beschlossenen Gesetzen; und ich werde die Heiligtümer der Ahnen ehren. Ich schwöre bei den Göttern Agraulos, Hestia, Enyo, Enyalios, Ares und Athena Areia, Zeus, Thallo, Auxo, Hegemone, Herakles; bei den Grenzen des Vaterlandes; beim Weizen der Gerste, den Weinstöcken, Olivenbäumen und Feigenbäumen (der Heimat).«

Fahne [ahd. fano, eigtl. »Tuch«, gekürzt aus gundfano »Kampftuch«], **1)** *allg.:* ein- oder mehrfarbiges, leeres oder mit herald. Figuren geschmücktes Stoffstück meist symbol. Bedeutung, das an einer Stange (F.-Stange) einseitig dauerhaft oder beweglich befestigt ist. – Die F. als Kampf- und Siegeszeichen und als Herrschaftssymbol war schon den altoriental. Völkern, den Römern (als Feldzeichen), Germanen und Arabern bekannt. Die Kirche entwickelte im 10. Jh. zu liturg. Zwecken eigene Kirchen-F. Im 12. Jh. wurde die F. auch Belehnungssymbol (→ Fahnlehen). Als Hoheitszeichen war die F. u. a. Wahrzeichen der Gerichtsbarkeit, v. a. des Blutbanns (Blut-F.). Im militär. Bereich entwickelte sich die F. (bis zum 16. Jh. häufig Banner oder Panier, bei der Reiterei **Standarte** gen.) vom Richtungs- und Sammelzeichen zum Symbol der militär. Ehre und Treue; spätestens 1918 hatte sie ihren Wert als takt. Feldzeichen verloren. An ihren symbol. Wert knüpfen die Bataillons-F. der Bundeswehr (seit 1965) an. – F. werden auch von Körperschaften geführt, z. B. Vereine, Studentenverbindungen, Zünfte. – Die Ausdrucksmittel von internat. Bedeutung, z. B. für die militär. Kapitulation (weißes Tuch), die Arbeiterbewegung (rot), Genfer Konvention (weiße F. mit rotem Kreuz) oder (früher) pestverseuchte Ortschaften (gelb), sind eigtl. keine F., sondern Flaggen.

📖 *F.n u. ihre Symbole, Beiträge v.* P. M. Mäder *u.* G. Mattern, *Ausst.-Kat. Schweizerisches Landesmuseum, Zürich 1993.*

2) *Botanik:* Teil der Schmetterlingsblüte (→ Schmetterlingsblütler).

3) *graf. Gewerbe:* (Korrekturfahne), Korrekturabzug des noch nicht umbrochenen Schriftsatzes.

4) *Jägersprache:* die lang herabhängenden Haare am Schwanz (Rute) der Jagdhunde.

5) *Zoologie:* Teil der Vogelfeder (→ Federn).

Fahneneid, der militär. Diensteid (Treue- und Gehorsamseid), durch den das Dienstverhältnis und die mit ihm verbundenen Pflichten nicht begründet, sondern lediglich bekräftigt werden. In der Bundeswehr leisten die Soldaten keinen F. im eigentl. Sinn. Berufssoldaten und Soldaten auf Zeit leisten auf die Truppenfahne einen »Diensteid«, in dem sie schwören, der Bundesrep. Dtl. treu zu dienen und das Recht und die Freiheit des dt. Volkes tapfer zu verteidigen. Wehrpflichtige legen ein »feierl. Gelöbnis« gleichen Inhalts ab.

Fahnenflucht (Desertion), eigenmächtiges Sichentfernen (Verlassen) oder Fernbleiben eines Soldaten von seiner Truppe oder Dienststelle, um sich (im Unterschied zur → eigenmächtigen Abwesenheit) dem Wehrdienst dauernd oder für die Zeit eines bewaffneten Einsatzes zu entziehen oder die Beendigung des Wehrdienstverhältnisses zu erreichen. Die F. ist mit Freiheitsstrafe bis zu fünf Jahren, oder, wenn sich der Täter innerhalb eines Monats stellt, bis zu drei Jahren bedroht (§ 16 Wehrstrafgesetz). Für Zivildienstpflichtige gilt Entsprechendes (§§ 52 f. Zivildienstges.). In *Österreich* (§§ 8 f. Militärstrafges.) und der *Schweiz* (»Ausreißen«, Art. 83 Militärstrafges.) gilt Ähnliches.

Fahnlehen, im mittelalterl. Hl. Röm. Reich ein vom König unmittelbar verliehenes Lehen mit herzogl. Amtsgewalt; die Investitur erfolgte durch Überreichung einer Fahne als Sinnbild des Heerbannes.

Fähnlein, im 16. und 17. Jh. unter einer Fahne zusammengeschlossener Truppenteil von 300–600 Mann Fußvolk oder 250 Reitern.

Fahrdynamik, Teilgebiet der techn. Mechanik (Fahrzeugmechanik), das sich mit den auf ein Fahrzeug wirkenden Kräften und den daraus resultierenden Fahrzeugbewegungen in Längs-, Quer- und Vertikalrichtung befasst.

Fähre, Wasserfahrzeug zum Transport von Personen, Gütern und Landfahrzeugen über Gewässer, oft als regelmäßige Verbindung. **See-F.** sind seetüchtige Schiffe mit aufklappbaren Bug- oder Heckpforten für Kraftfahrzeuge (Auto-F.) oder Eisenbahnen (Eisenbahn-F. bzw. Trajekt) oder als kombinierte Eisenbahn-Kraftwagen-F. gebaut. **Fluss-F.** sind kahnähnl. Wasserfahrzeuge mit nur einem nicht überdachten Deck für Kraftfahrzeuge und Personen. Sie gibt es als Ketten- bzw. Seil-F. (die sich an einer Kette bzw. einem Seil vorwärts ziehen), Gier-F. (Antrieb durch stromseitiges Pendelseil und Strömungsdruck), Schwebe-F. (unter Brückenkonstruktion laufend) oder F. mit übl. Motor- und Propellerantrieb. (→Roll-on-roll-off-Schiff)

Fahren (Fahrsport), *Pferdesport:* Prüfungen von Pferdegespannen (Ein-, Zwei-, Vier- oder Mehrspänner) bei Pferdeleistungsprüfungen, unterteilt in **Gebrauchsprüfungen** für Wagenpferde, **Dressurprüfungen,** bei denen die gleichmäßige Ausbildung und das harmon. Zusammenpassen des Gespanns bewertet werden, **Gelände-** und **Streckenfahren,** ferner das **Hindernisfahren** auf einem Parcours in beliebiger Gangart.

Fahrende (fahrende Leute, fahrendes Volk), seit dem MA. alle nichtsesshaften Personen und Gewerbegruppen, bes. wandernde Hausierer, Scherenschleifer, Kesselflicker, Gaukler, Taschenspieler, Kunstreiter, Fechter, Athleten, Akrobaten, Zauberer, Marktschreier, Wahrsager, Landstreicher und Zigeuner. F. zählten zu den »unehrl. Gewerben« und waren rechtlich benachteiligt. Der fahrende Scholar als herumziehender Student war bes. im 15./16. Jh. eine Gestalt des Schwanks.

📖 SCHUBERT, E.: *Fahrendes Volk im Mittelalter. Bielefeld 1995.*

Fahrenheit, Daniel Gabriel, Physiker, * Danzig 24. 5. 1686, † Den Haag 16. 9. 1736; verbesserte das Thermometer durch Füllung mit Quecksilber anstelle von Weingeist und führte die **F.-Skala** ein (→Grad Fahrenheit, **°F**). In ihr wird der Gefrierpunkt des Wassers mit 32 °F, der Siedepunkt mit 212 °F bezeichnet. Die F.-Skala ist in den englischsprachigen Ländern üblich.

📖 KANT, H.: *Gabriel Daniel F., René-Antoine Ferchault de Réaumur, Anders Celsius. Leipzig 1984.*

Fahrerflucht, umgangssprachl. Bez. für →Verkehrsunfallflucht.

Fahr|erlaubnis, behördl. Erlaubnis, auf öffentl. Straßen ein Kfz mit einer durch die Bauart bestimmten Höchstgeschwindigkeit von mehr als 6 km/h zu führen (Ausnahmen bei Krankenfahrstühlen bis 10 km/h, Fahrrädern mit Hilfsmotor bis 25 km/h und Mofas). Die F. ist zu erteilen, wenn der Antragsteller seine Befähigung durch eine Fahrprüfung unter Beweis gestellt hat, er in Sofortmaßnahmen am Unfallort unterwiesen worden ist und keine Tatsachen vorliegen, die die Annahme erlauben, dass er zum Führen von Kfz ungeeignet ist (§§ 4 ff. Straßenverkehrszulassungsordnung, StVZO). Seit 1986 wird die F. bei erstma-

Einteilung der Fahrerlaubnisse

Deutschland:

Klasse 1: Krafträder (Zweiräder, auch mit Beiwagen) mit einem Hubraum von mehr als 50 cm³ oder mit einer durch die Bauart bestimmten Höchstgeschwindigkeitvon mehr als 50 km/h;

Klasse 1a: Krafträder der Klasse 1, jedoch mit einer Nennleistung von nicht mehr als 25 kW und einem Verhältnis von Leistung/Leergewicht von nicht mehr als 0,16 kW/kg;

Klasse 1b: Leichtkrafträder;

Klasse 2: Kfz, deren zulässiges Gesamtgewicht (einschließlich dem eines aufgesattelten Anhängers) mehr als 7,5 t beträgt, und Züge mit mehr als 3 Achsen (wobei Achsen mit einem Abstand von weniger als 1,0 m voneinander als eine Achse gelten) ohne Rücksicht auf die Klasse des ziehenden Fahrzeugs;

Klasse 3: alle Kfz, die nicht zu einer der anderen Klassen gehören;

Klasse 4: Kleinkrafträder, Fahrräder mit Hilfsmotor;

Klasse 5: bestimmte, maschinell angetriebene Krankenfahrstühle, Zug- oder Arbeitsmaschinen mit einer durch die Bauart bestimmten Höchstgeschwindigkeit von nicht mehr als 25 km/h.

Die Erlaubnis kann auf einzelne Fahrzeugarten dieser Klassen beschränkt werden.

Die Fahrerlaubnis der Klasse 1 wird nur erteilt, wenn der Bewerber die Fahrerlaubnis der Klasse 1a mindestens schon zwei Jahre besitzt und eine ausreichende Fahrpraxis erworben hat (mindestens 4 000 km). Außerdem gibt es Sonderregeln (§ 5 Abs. 3 StVZO) für früher erworbene Fahrerlaubnisse.

Leichtkrafträder mit einer durch die Bauart bestimmten Höchstgeschwindigkeit von mehr als 80 km/h dürfen nur von Inhabern einer Fahrerlaubnis der Klasse 1b geführt werden, die das 18. Lebensjahr vollendet haben.

Ferner berechtigen:

1) Fahrerlaubnisse der Klasse 1 zum Führen von Fahrzeugen der Klassen 1a, 1b, 4 und 5,
2) Fahrerlaubnisse der Klasse 1a zum Führen von Fahrzeugen der Klassen 1b, 4 und 5,
3) Fahrerlaubnisse der Klasse 1b zum Führen von Fahrzeugen der Klassen 4 und 5,
4) Fahrerlaubnisse der Klasse 2 zum Führen von Fahrzeugen der Klassen 3, 4 und 5,
5) Fahrerlaubnisse der Klasse 3 zum Führen von Fahrzeugen der Klassen 4 und 5,
6) Fahrerlaubnisse der Klasse 4 zum Führen von Fahrzeugen der Klasse 5.

Beim Abschleppen eines Kraftfahrzeugs genügt die Fahrerlaubnis für die Klasse des abschleppenden Fahrzeugs.

Die Erteilung der Fahrerlaubnisse ist an Mindestaltersgrenzen gebunden; niemand darf führen (§ 7 StVZO):

1) Kfz der Klasse 2 vor Vollendung des 21. Lebensjahrs,
2) Kfz der Klasse 1 vor Vollendung des 20. Lebensjahrs,
3) Kfz der Klassen 1a oder 3 vor Vollendung des 18. Lebensjahrs,
4) Kfz der Klassen 1b, 4 oder 5 vor Vollendung des 16. Lebensjahrs,
5) andere Kfz vor Vollendung des 15. Lebensjahrs.

Gemäß Einigungsvertrag bleiben die Fahrerlaubnisse und Führerscheine der DDR unbefristet und grundsätzlich im bisherigen Umfang gültig. 1997 wurde ein Europäischer Führerschein eingeführt.

ligem Erwerb für die Dauer von zwei Jahren auf Probe erteilt. Der Nachweis der F. wird im Führerschein dokumentiert.

Erweist sich jemand als ungeeignet zum Führen von Kfz, muss ihm die F. entzogen werden, allg. durch die Verw.behörde (§4 Straßenverkehrs-Ges., StVG) oder im Rahmen eines Strafverfahrens durch das Gericht (befristet zw. sechs Monaten und fünf Jahren, bei bestimmten Delikten dauernd), wenn die Straftat im Zusammenhang mit dem Führen eines Kfz begangen wurde (§69 StGB); die strafgerichtl. Entziehung der F. ist im Unterschied zum →Fahrverbot eine Maßregel der Besserung und Sicherung. Fahren ohne F. ist als Straftatbestand in §21 StVG mit Freiheitsstrafe bis zu einem Jahr oder mit Geldstrafe bedroht.

F.-Klassen: **1:** Krafträder mit Hubraum über 50 cm³ und mit einer bauartbestimmten Höchstgeschwindigkeit von mehr als 50 km/h; **1a:** Krafträder der Klasse 1, jedoch mit einer Nennleistung von nicht mehr als 25 kW und einem Verhältnis von Leistung/Leergewicht von nicht mehr als 0,16 KW/kg; **1b:** Leichtkrafträder; **2:** Kfz mit zulässigem Gesamtgewicht über 7,5 t oder Züge mit mehr als drei Achsen; **3:** alle Kfz, die nicht zu einer anderen Klasse gehören; **4:** Kleinkrafträder und Fahrräder mit Hilfsmotor mit einem Hubraum bis 50 cm³ und bis 50 km/h Höchstgeschwindigkeit; **5:** Krankenfahrstühle bis 30 km/h Höchstgeschwindigkeit und Kfz bis 25 km/h Höchstgeschwindigkeit.

Es berechtigen: a) F. Klasse 1 auch zum Führen von Kfz Klassen 1a, 1b, 4 und 5; b) F. Klasse 1a auch zum Führen von Kfz Klassen 1b, 4 und 5; c) F. Klasse 1b auch zum Führen von Kfz Klassen 4 und 5; d) F. Klasse 2 auch zum Führen von Kfz Klassen 3, 4 und 5; e) F. Klasse 3 auch zum Führen von Kfz Klassen 4 und 5; f) F. Klasse 4 auch zum Führen von Kfz Klasse 5. Das Mindestalter zum Erwerb der F.: Klasse 2 ab Vollendung des 21. Lebensjahres; Klasse 1 ab Vollendung des 20. Lebensjahres; 1a und 3 ab Vollendung des 18. Lebensjahres; 1b, 4, 5 ab Vollendung des 16. Lebensjahres, andere Kfz ab Vollendung des 15. Lebensjahres. Die nach den Vorschriften der DDR erteilten F. und Führerscheine bleiben im Umfang der dadurch nachgewiesenen Berechtigung gültig. Die Ausfertigung der Führerscheine erfolgt nunmehr in den Mitgl.ländern der EU einheitlich. Früher ausgestellte Führerscheine behalten Gültigkeit.

In *Österreich* bedarf das Lenken eines Kfz einer behördlichen **Lenkerberechtigung** aufgrund des Kraftfahr-Ges. vom 23. 6. 1967; die Erteilungs- und Entziehungsvoraussetzungen ähneln denen in Dtl. In der *Schweiz* ist ein **Führerausweis** Voraussetzung für das erlaubte Lenken eines Kfz auf öffentlichen eidgenöss. Straßen (Bundes-Ges. über den Straßenverkehr vom 19. 12. 1958, Bundes-Ges. über die Zulassung von Personen und Fahrzeugen zum Straßenverkehr vom 27. 10. 1976). Die Rechtsverhältnisse sind ähnlich wie in Dtl. und Österreich.

Fahrgeräusch, aus versch. Teilschallquellen eines Kfz (Motor, Auspuffanlage, Getriebe u.a.) während der Fahrt erzeugtes Geräusch. Messverfahren und Grenzwerte für F. sind in den EG-Richtlinien von 1981 definiert.

Fahrgestell, das Fahrwerk beim →Flugzeug.

Fahrlässigkeit, das Unterlassen der pflichtmäßigen Besonnenheit und Sorgfalt. a) *Strafrecht:* Hat der Handelnde die objektiv erforderl. und ihm auch persönlich mögl. Sorgfalt außer Acht gelassen und nicht vorausgesehen, dass er den Tatbestand

Einteilung der Fahrerlaubnisse (Fortsetzung)

Österreich:

Gruppe A:	Motorräder;
Gruppe B:	Kraftwagen bis 8 Plätze und 3 500 kg Gesamtgewicht;
Gruppe C:	schwere Kraftwagen bis 8 Plätze;
Gruppe D:	größere Kraftwagen, allenfalls mit leichten Anhängern;
Gruppe E:	Kraftwagen mit schweren Anhängern;
Gruppe F:	Zugmaschinen bis 40 km/h;
Gruppe G:	selbst fahrende Arbeitsmaschinen.

Schweiz:

Kategorie A:	Motorräder mit einem Hubraum von mehr als 125 cm³;
Kategorie A 1:	Kleinmotorräder und Motorräder mit einem Hubraum bis 125 cm³;
Kategorie A 2:	Klein- und dreirädrige Motorfahrzeuge mit einem Leergewicht von nicht mehr als 550 kg;
Kategorie B:	Motorwagen und dreirädrige Motorfahrzeuge – ausgenommen jene der Kategorie A 2 – mit einem Gesamtgewicht von nicht mehr als 3 500 kg und mit nicht mehr als acht Sitzplätzen außer dem Führersitz;
Kategorie C:	Motorwagen zur Güterbeförderung mit mehr als 3 500 kg Gesamtgewicht;
Kategorie C 1:	Personenwagen, Feuerwehrmotorwagen und Wohnmotorwagen mit mehr als 3 500 kg Gesamtgewicht;
Kategorie D:	Motorwagen zur Personenbeförderung mit mehr als 3 500 kg Gesamtgewicht und mehr als acht Sitzplätzen außer dem Führersitz;
Kategorie D 1:	Motorfahrzeuge – ausgenommen jene der Kategorien A und A 1 – zur gewerbsmäßigen Personenbeförderung bis 3 500 kg Gesamtgewicht; es können mehr als acht Sitzplätze außer dem Führersitz vorhanden sein;
Kategorie D 2:	Motorfahrzeuge – ausgenommen jene der Kategorien A und A 1 – zur nichtgewerbsmäßigen Personenbeförderung bis 3 500 kg Gesamtgewicht; es können mehr als acht Sitzplätze außer dem Führersitz vorhanden sein;
Kategorie E:	Anhänger von mehr als 750 kg Gesamtgewicht an Motorwagen der Kategorie B, C oder D;
Kategorie F:	Motorfahrzeuge mit einer Höchstgeschwindigkeit bis 45 km/h, unter Ausschluss gewerbsmäßiger Personentransporte;
Kategorie G:	landwirtschaftliche Motorfahrzeuge.

Das Mindestalter beträgt:
14 Jahre für Führer von Motorfahrzeugen der Kategorie G;
16 Jahre für Führer von Motorfahrzeugen der Kategorie F und von Motorfahrzeugen, für die ein Führerausweis nicht erforderlich ist;
18 Jahre für Führer von Motorfahrzeugen der Kategorien A 1, A 2, B und E, C und E, C 1 und E, D 2 und D 2 und E;
21 Jahre für Führer von Motorfahrzeugen der Kategorie D.

der strafbaren Handlung verwirklichen könne, so liegt **unbewusste F.** vor. **Bewusste F.** ist gegeben, wenn er die Verwirklichung des Tatbestandes zwar für möglich gehalten hat, jedoch darauf vertraute, dass sie nicht eintreten werde (→Schuld). b) *Zivilrecht:* Fahrlässig handelt, wer die im Verkehr erforderliche Sorgfalt außer Acht lässt. Der Schuldner haftet für vorsätzl. und fahrlässiges Verhalten, sofern im Einzelfall nicht etwas anderes bestimmt ist (§ 276 BGB). Unterschieden wird u. a. **einfache** und **grobe F.** (→Verschulden)

Fahrleitung, bei elektr. Bahnen eine Leitung, der der Strom mittels Stromabnehmer entnommen wird. Die F. ist entweder eine dritte Schiene oder eine Oberleitung. Für Drehstrombahnen und elektr. Omnibusse sind F. zweipolig, für Eisenbahnen und Straßenbahnen einpolig, wobei die Schienen die Rückleitung bilden.

Fahrnis (fahrende Habe), *Recht:* Bez. für bewegl. Sachen (→Sache).

Fahrrad: Herren- (links) und Damenfahrrad mit Aluminiumrahmen und Nabenschaltung

Fahrrad, ein zweirädriges, einspuriges Fahrzeug, das mit Muskelkraft durch Tretkurbeln (selten über eine Kardanwelle) angetrieben wird. Das Gleichgewicht beim Fahren wird durch Verlagern des Körpergewichts und durch Lenken des Vorderrads gehalten. Die Räder haben eine stabilisierende Kreiselwirkung. Im Rahmen aus nahtlos gezogenem Stahlrohr oder aus Leichtmetall sind die Vorderradgabel mit der Lenkstange, das Tretlager und das Hinterrad gelagert. Die Kröpfung der Vorderradgabel bewirkt den für die Stabilisierung und das Lenken wichtigen Nachlauf. Von der Lenkstange aus sind eine (Vorderrad) oder zwei Felgen-, Trommel- oder Rollenbremsen zu betätigen. An den Naben der Räder sind die Speichen tangential und schräg zur Radebene befestigt. Die Speichen sind durch Nippel an den Felgen gleichgespannt. Die Felgen tragen Schlauch und Mantel (Decke) der Bereifung. Das Hinterrad wird i. d. R.

Fahrrad: Hochrad aus England (1882)

durch Kettenübersetzung angetrieben. Die Übersetzung beträgt 1:2 bis 1:4, d. h., bei einer Umdrehung der Tretkurbel dreht sich das Hinterrad zwei- bis viermal. Viele F. haben eine Gangschaltung zur Änderung des Übersetzungsverhältnisses. Die Getriebe bestehen entweder aus mehreren Planetenrädern (Nabenschaltung, →Planetengetriebe) oder aus mehreren Kettenrädern mit versch. Durchmesser (Kettenschaltung). Es gibt auch Kombinationen von Naben- und Kettenschaltung. Der →Freilauf ermöglicht, das F. ohne Betätigen der Tretkurbel rollen zu lassen. Bei Nabenschaltung kann der Freilauf eine Rücktrittbremse (Hinterrad) enthalten.

Beim **Herren-F.** hat der Rahmen die Form eines Dreieckfachwerks, beim **Damen-F.** ist das Oberrohr heruntergezogen und zur Erhöhung der Festigkeit durch Stege mit dem Unterrohr verbunden. Nach Verwendungszweck und Bauart unterscheidet man u. a. Stadträder, Tourenräder, Mountainbikes, Trekkingräder, Rennsporträder sowie die Sonderbauarten Klapp-, Falt- und Liegeräder, Tandemrad (Zwei-Personen-Rad) und Spezial-

Fahrrad: Mountainbike mit Kettenschaltung

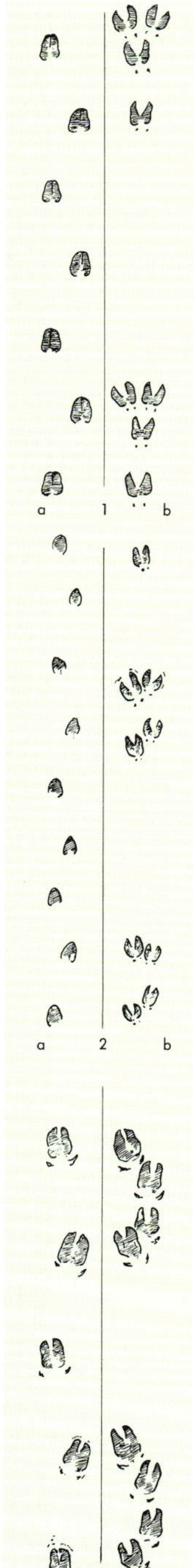

Fährte: Abdrücke verschiedener Tiere im Ziehen (a) und auf der Flucht (b): 1 Edelhirsch; 2 Reh; 3 Schwarzwild

räder für artistische Vorführungen (z. B. Einrad). Geländesporträder wie Mountainbikes und Trekkingräder sind mit grobstolliger breiter Bereifung und Kettenschaltungen ausgerüstet, die bis zu 24 und mehr Gänge besitzen können. Nabenschaltungen, wie sie oftmals Stadt- und Tourenräder haben, werden heute mit bis zu sieben Gängen gebaut, eine Marktneuheit ist die 12-Gang-Nabe.

Recht: Die Straßenverkehrszulassungsordnung schreibt vor, dass F. mit einer hell tönenden Glocke (keine Radlaufglocke), zwei voneinander unabhängigen Bremsen, einem Scheinwerfer mit höchstens drei Watt Nennleistung, einer roten Schlussleuchte, einem roten Rückstrahler und einem roten Großflächenrückstrahler, Pedalen mit gelben Rückstrahlern sowie mit mindestens zwei nach beiden Seiten wirkenden gelben Speichenrückstrahlern an jedem Rad oder mit reflektierenden weißen Streifen an den beiden Reifen ausgerüstet sein müssen. Die Beleuchtungseinrichtungen müssen auch am Tage betriebsbereit sein. Radfahrer unterliegen den allg. Verkehrsvorschriften. Sie müssen grundsätzlich hintereinander fahren und den rechten Seitenstreifen benutzen, wenn kein Radweg vorhanden ist. Sie dürfen sich nicht an Fahrzeuge anhängen oder freihändig fahren. Kinder bis zum vollendeten 8. Lebensjahr müssen mit F. Gehwege benutzen.

Geschichtliches: Der bad. Forstmeister C. Drais von Sauerbronn baute 1817 eine »Laufmaschine« (Draisine). Erst das mit Pedalen versehene **Veloziped** (P. Michaux, 1867) setzte sich allmählich durch. Zeitweise vergrößerte man das Vorderrad **(Hochrad).** Die Anordnung der Pedale zw. den Rädern mit einem Kettenantrieb zum Hinterrad erfand J. K. Starley (1884). Um 1875 wurden Vollgummireifen verwendet; 1888 entwickelte J. P. Dunlop den Luftreifen, 1894 E. Sachs den Freilauf.

📖 Winkler, F. *u.* Rauch, S.: *Fahrradtechnik. Konstruktion, Fertigung, Instandsetzung. Bielefeld* [8]*1993.*

Fahrrinne, gekennzeichneter Bereich in Flussläufen und Küstengewässern mit ausreichender Wassertiefe für die Schifffahrt.

Fahrsport, *Pferdesport:* → Fahren.

Fahrsteig, ein vorwiegend zur Personenbeförderung (z. B. auf Bahnhöfen, Flughäfen, Ausstellungsgeländen) eingesetztes horizontales oder nur leicht geneigtes Förderband. Der F. entspricht in seinem Aufbau der → Rolltreppe.

Fahrstuhl, → Aufzug.

Fahrt, 1) *Luftfahrt:* die Geschwindigkeit eines Luftfahrzeugs relativ zur umgebenden Luft.

2) *Schifffahrt:* die Geschwindigkeit eines Schiffes in Knoten, in der Binnenschifffahrt in km/h.

Fährte, die auf dem Boden hinterlassenen Abdrücke der Hufe des Schalenwilds (Elch-, Rot-, Dam-, Reh-, Muffel- und Schwarzwild); bei Hase, Kaninchen und Raubwild **Spur,** bei Federwild **Geläuf** genannt. Der einzelne Abdruck der F. heißt Trittsiegel. Der Jäger schließt aus der Art der F. auf die Beschaffenheit des Wildes.

Fahrtmessanlage, bordseitige Einrichtung zur Bestimmung der Schiffsgeschwindigkeit relativ zum umgebenden Wasser. Die Messung erfolgt mittels → Log.

Fahrtrichtungsanzeiger, Blinkanlage zur Anzeige der beabsichtigten Fahrtrichtungsänderung von Kraftfahrzeugen. F. sind in Dtl. gesetzlich vorgeschrieben (→ Blinkleuchten).

Fahrtschreiber (Tachograph), Messgerät zur Überwachung der Fahrweise von Kraftfahrzeugen. Auf der Diagrammscheibe werden Geschwindigkeit, Wegstrecke und Zeitgruppen (Fahrt- und Haltezeit oder Lenk-, Arbeits- und Ruhezeit für Fahrer) über der Uhrzeit aufgezeichnet. F. sind für bestimmte Kraftfahrzeuge (schwere Lkw und Busse) gesetzlich vorgeschrieben.

Fahruntüchtigkeit, die mangelnde Fähigkeit, ein Fahrzeug im Verkehr sicher zu führen. Dauernde F. hindert die Erteilung einer Fahrerlaubnis oder begründet deren Entziehung. Wer im Zustand der F. ein Fahrzeug (nicht notwendig ein Kfz) führt, kann straf- oder ordnungswidrigkeitenrechtlich verfolgt werden, z. B. wegen Transport- oder Straßenverkehrsgefährdung (§§ 315 a, 315 c StGB). Im Falle alkoholbedingter F. beginnt die strafbegründende absolute F. von Kraftfahrern in Dtl. bei einem Blutalkoholgehalt von 1,1 ‰ (bei Radfahrern bei 1,6 ‰).

Fahrverbot, Nebenstrafe (neben Freiheits- oder Geldstrafe) für ein Delikt, das bei oder im Zusammenhang mit dem Führen eines Kraftfahrzeugs begangen worden ist. Das F. kann für ein bis drei Monate erlassen werden (§ 44 StGB) und untersagt das Führen eines Kfz im Verkehr; während der Dauer des F. wird der Führerschein amtlich verwahrt. Das F. ist von der Entziehung der Fahrerlaubnis zu unterscheiden. Auch bei Ordnungswidrigkeiten im Straßenverkehr kann ein F. angeordnet werden (§§ 24–25 Straßenverkehrs-Ges.).

Fahrwasser, alle zusammenhängenden Bereiche eines Gewässers, die von Wasserfahrzeugen bis zu einem bestimmten maximalen Tiefgang befahren werden können, aber außerhalb der → Fahrrinne i. Allg. nicht bes. ausgebaut und nicht gekennzeichnet sind.

Fahrwerk, Teile eines Kfz, die der Radaufhängung und Lenkung sowie der Führung der Räder dienen. (→ Kraftwagen)

Fahrzeug, Fortbewegungsmittel (Land-, Wasser-, Luft-, Raum-F.) mit Eigen- oder Fremdantrieb zur Beförderung von Personen oder Lasten.

Fahrzeugbrief (Kraftfahrzeugbrief), für jedes Kfz bei der erstmaligen Zulassung ausgestelltes Dokument, das der Sicherung des Eigentums und anderer Rechte am Fahrzeug dient. Die Zulassungsstelle trägt das amtl. Kennzeichen und die Personalien dessen, für den das Kfz zugelassen wird, ein. Der Verlust des F.s ist der zuständigen Zulassungsstelle anzuzeigen (§§ 20, 25 StVZO). Der F. ist Beweisurkunde, d.h., die Veräußerung des Kfz ohne Vorlage des F. schützt den Erwerber nicht in seinem guten Glauben an die Veräußerungsbefugnis des Verkäufers. Für Anhänger gibt es entsprechend den **Anhängerbrief.**

Faial, Insel der Azoren, zu Portugal, 173 km², rd. 21 000 Ew., Hauptort und -hafen ist Horta; vulkan. Ursprungs, erdbebengefährdet, im Kraterrand Gordo de Caldeira bis 1043 m ü. M.

Faijum [arab., aus kopt. p-jom »das Seeland«] (Fayum, El F.), Oasenlandschaft in der Libyschen Wüste mit dem **Karunsee** (223 km², leicht salzhaltig, fischreich, 45 m u. M.), fruchtbarste Ackerbauprovinz Oberägyptens, durch den Jussufkanal vom nur wenige Kilometer entfernten Nil her bewässert; hat als Provinz 1827 km² und (1991) 1,81 Mio. Ew., Hauptstadt ist **El-F.** (Medinet el-F.; 227 000 Ew., landwirtsch. Fakultät, Baumwoll- und Wollverarbeitung). – Das F. war urspr. großenteils Sumpfland (mit dem viel größeren Mörissee), das die Pharaonen der 12. Dynastie durch Deich und Kanalanlagen entwässerten. Im F. wurden viele Mumienporträts (→ Mumie) gefunden.

Fairbanks ['feəbæŋks], Stadt in Zentralalaska, USA, am Chena River, 22 600 Ew.; kath. und anglikan. Bischofssitz; Univ.; Endpunkt der Eisenbahnlinie von Seward (756 km) und der Alaskastraße, internat. Flughafen. – 1902 nach Goldfunden gegründet.

Fairbanks ['feəbæŋks], **1)** Douglas, sen., amerikan. Filmschauspieler, * Denver (Col.) 23. 5. 1883, † Santa Monica (Calif.) 12. 12. 1939, Vater von 2); Mitgründer der »United Artists Corporation Inc.«, wurde bekannt als Darsteller in Abenteuerfilmen und romant. Filmmärchen (»Der Dieb von Bagdad«, 1924).

2) Douglas, jr., amerikan. Filmschauspieler, * New York 9. 12. 1909, Sohn von 1); Marineoffizier im 2. Weltkrieg, Diplomat; hatte ersten Erfolg mit dem Tonfilm »Katharina die Große« (1934); Mitorganisator der CARE-Aktion.

Fair Deal ['feə 'di:l; engl. »gerechter Anteil«], wirtschafts- und sozialpolit. Programm, vorgelegt 1949 von Präs. H. S. Truman, nach dem in Anknüpfung an Roosevelts New Deal der Einzelne einen gerechten Anteil am volkswirtschaftl. Gesamtertrag erhalten sollte. Es forderte u.a. ein Beschäftigungs- und Wohnungsbauprogramm, Erziehungshilfen und Abbau der Rassenschranken. Aufgrund der Widerstände im Kongress konnte Truman nur einen kleinen Teil des F. D. verwirklichen.

fairer Handel ['feər-], entwicklungspolitisch motivierte Form des Handels, der folgende Merkmale erfüllt: Einkauf direkt beim Erzeuger, garantierter Mindestpreis, langfristige Lieferverträge. In Dtl. werden vom »TRANSFAIR Verein zur Förderung des fairen Handels mit der Dritten Welt e. V.« (Sitz Köln) Lizenzen an Unternehmen verkauft, die sich an die Bedingungen des f. H. halten und das TRANSFAIR-Siegel führen dürfen. Aus den Lizenzeinnahmen wird die Bildungs- und Öffentlichkeitsarbeit über gerechtere weltwirtschaftl. Strukturen finanziert.

Faisal, Könige von Irak und Saudi-Arabien, → Feisal.

Faisalabad (bis 1979 Lyallpur), Stadt in der Prov. Punjab, Pakistan, im Zwischenstromland von Chenab und Ravi, 1,1 Mio. Ew.; Univ.; Düngemittel-, Chemiefaser-, pharmazeut., Textilindustrie. – Gegr. 1890.

Faijum: Große unterschlächtige Wasserräder zur Bewässerung der Beckenlandschaft am Jussufkanal

Faistauer, Anton, österr. Maler, * Sankt Martin bei Lofer (Bez. Zell am See) 14. 2. 1887, † Wien 13. 2. 1930; gelangte von P. Cézanne ausgehend zu einem freien Kolorismus; schuf u.a. Fresken im Salzburger Festspielhaus (1926).

Faistenberger, Tiroler Maler- und Bildhauerfamilie der Barockzeit; bed. Vertreter: Andreas (* 1646, † 1735), Hofbildhauer in München, arbeitete für die Theatinerkirche; Simon Benedikt (* 1695, † 1759) arbeitete v.a. in Tirol (Wand- und Deckenmalereien).

Fäkalien [lat.], die Exkremente (→ Kot, → Harn).

Fakir [arab. faqīr »arm«] *der,* urspr. ein muslim. Asket und Bettler in islam. Ländern, später auch

Fakir auf einem Nagelbett

Bez. für hinduist. Asketen in Indien, die heimat- und besitzlos umherstreifen. Unter den F. finden sich Mitglieder religiöser Orden, die sich durch asket. Übungen (Yoga) von der Bindung an die Sinnendinge zu lösen suchen.

Otto Falckenberg

Faksimile [lat. fac simile »mach ähnlich!«] *das,* originalgetreue Wiedergabe von Vorlagen, bes. von Handschriften.

Faksimiledruck (Faksimileproduktion), fast vorlagengetreue Wiedergabe von Handschriften, Frühdrucken, Gemälden u.a. mittels eines Druckverfahrens.

Faktion [lat. »Partei«, »Gruppe«] *die,* veraltet für eine leidenschaftlich kämpfende polit. Partei oder Interessengruppe.

Faktitivum *das, Wortbildung:* ein von einem Adjektiv abgeleitetes Verb, das eine Wirkung ausdrückt, z.B. hart – härten; halb – halbieren.

Adalbert Falk

Faktizität [zu lat. factum »Tatsache«], i.w.S. Tatsächlichkeit, Gegebenheit. I.e.S. bezeichnet M. Heidegger in seiner Philosophie des Daseins mit F. die Tatsache, dass dem Menschen sein eigenes Sein überantwortet ist: Er hat sein Sein zu sein; er ist nicht nur so gegeben wie ein Ding.

Faktor [lat.] *der,* **1)** *allg.:* maßgebl. Bestandteil, wichtiger Gesichtspunkt.

2) *Mathematik:* Zahl oder Größe, die mit einer anderen multipliziert wird.

Faktorei, bis zum 19. Jh. Bez. für eine (überseeische) Handelsniederlassung europ. Kaufleute.

Peter Falk

Faktorenanalyse (Faktoranalyse), mathematisch-statist. Methode, die in der Psychologie u.a. Wiss. zur Ordnung, Klassifikation und Reduktion beobachteter Merkmalszusammenhänge verwendet wird. Das Verfahren soll aus den →Korrelationen einer Anzahl von Variablen (z.B. Ergebnisse psycholog. Tests oder Messwerte) die gemeinsamen Faktoren erschließen, die der Vielfalt der beobachteten Phänomene zugrunde liegen.

Faktorenaustausch, svw. →Crossing-over.

Faktur (Faktura) [italien.] *die, Wirtschaft:* Rechnung.

Fakultät [von mlat. facultas »Wissensgebiet«] *die,* **1)** *Hochschulwesen:* Teilkörperschaft in wiss. Hochschulen zur Wahrnehmung der Aufgaben in Forschung, Lehre und akadem. Prüfungen. An der Spitze der F. steht der →Dekan. Zu den traditionellen, berufsbezogenen theolog., medizin. und rechtswiss. F. traten Ende des 18. Jh. die philosoph., später die mathematisch-naturwiss. u.a. Nach den Empfehlungen des Wissenschaftsrates wurden in der Bundesrep. Dtl. die F. weitgehend durch die Gliederung in →Fachbereiche abgelöst.

2) *Mathematik:* Zeichen !, endliches Produkt natürlicher Zahlen: $1 \cdot 2 \cdot 3 \cdot \ldots \cdot n = n!$ (gesprochen n-Fakultät) mit $0! = 1$ und $1! = 1$; z.B. ist $5! = 1 \cdot 2 \cdot 3 \cdot 4 \cdot 5 = 120$.

fakultativ [lat.], wahlfrei (z.B. Unterricht).

Fakultätsreife (fachgebundene Hochschulreife), die auf eine Fachrichtung beschränkte Studienberechtigung an einer wiss. Hochschule. Die F. wird an Berufsoberschulen (Bayern) und techn. Oberschulen (Bad.-Württ.) erteilt. An techn., wirtschaftlichen und ernährungswiss. Gymnasien kann sowohl die fachgebundene als auch die allgemeine Hochschulreife erlangt werden.

Falange [fa'laŋxe, span.] *die,* Kurzbezeichnung der span. Staatspartei unter General Franco, 1934 entstanden aus der F. Española (1933 gegr. von J. A. Primo de Rivera) und den nat. Syndikalisten (Juntas de Ofensiva Nacional-Sindicalista, Abk. J. O. N. S.), vereinigte sich 1937 mit den traditionalist. Karlisten zur **F. Española Tradicionalista y de las J. O. N. S.**

In dem von Faschismus und Nationalsozialismus beeinflussten Parteiprogramm (1934) strebte die F. den totalitären Führerstaat und ein Korporativsystem an; außenpolit. Ziel war die Hegemonie Spaniens im span. Sprachraum. Nach dem Wahlsieg der Volksfront im Febr. 1936 wurde sie von der republikan. Regierung als Partei faschist. Typs verboten. Zu Beginn des Span. Bürgerkriegs (Juli 1936) schloss sie sich dem Aufstand General Francos an. Dieser übernahm 1937 die Führung der F. und baute diese zu einem »Sammelbecken nat. Kräfte« um. Nach dem Sieg Francos (1939) im Bürgerkrieg wurde die F. allein zugelassene Staatspartei und Basis eines diktator. Reg.-Systems. Das Programm der F. wurde 1958 zur Staatsdoktrin erklärt, die F. selbst zum **Movimiento Nacional** erhoben. Nach Francos Tod (1975) verlor die F. an Einfluss. Im Zuge der Demokratisierung Spaniens löste sie der span. Ministerrat 1977 auf.

📖 BÖCKER, M.: *Ideologie u. Programmatik im span. Faschismus der Zweiten Republik. Frankfurt am Main u.a. 1996.*

Falascha [amhar. »Vertriebene«] (Falasha, Schwarze Juden, Selbstbez. Beta Israel), die äthiopiden Juden, die im Bereich des Tanasees lebten;

vermutlich Nachkommen von Äthiopiern, die durch frühe jüd. Missionare bekehrt worden waren. Von den etwa 25 000 F. wanderten 1984/85 10 000 und im Mai 1991 weitere 15 000 nach Israel aus.

📖 *Der vergessene Stamm. Die äthiop. Juden u. ihre Geschichte, Beiträge v.* R. C. SCHNEIDER *u.* E. BAITEL. *Wien 1995.*

Fạlbe, gelblich cremefarbenes Pferd mit dunklem Mähnen- und Schweifhaar.

Fạlbel, dicht gefältelter oder gereihter Besatzstreifen aus leichtem Stoff oder Spitze; v.a. in der Mode des Rokokos.

Fạlckenberg, Otto, Regisseur, *Koblenz 5. 10. 1873, †München 25. 12. 1947; Mitgründer des Kabaretts »Elf Scharfrichter«, leitete 1917–44 die Münchner Kammerspiele; bed. auch als Schauspiellehrer.

Falconet [-'nɛ], Étienne-Maurice, frz. Bildhauer, *Paris 1. 12. 1716, †ebd. 24. 1. 1791; künstler. Leiter der Porzellanmanufaktur in Sèvres; sein Hauptwerk ist das Reiterstandbild Peters d. Gr. in Sankt Petersburg, wo er sich 1766–78 aufhielt.

Faliẹri, Marino, Doge von Venedig (seit 1354), *1274, †(hingerichtet) Venedig 17. 4. 1355; versuchte durch einen (fehlgeschlagenen) Staatsstreich 1355, die Adelsrep. in eine erbl. Signoria umzuwandeln. – Dramen von G. Byron (1821), C. Delavigne (1829); Novelle »Doge und Dogaressa« von E. T. A. Hoffmann (1819); Oper von G. Donizetti (1835).

Fạlk, 1) Adalbert, preuß. Politiker, *Metschkau (heute Mieczków, bei Breslau) 10. 8. 1827, †Hamm 7. 7. 1900; schuf 1872–79 als Kultusmin. Simultanschulen, verbesserte Ausbildung sowie Stellung der Lehrer und spielte eine führende Rolle im →Kulturkampf. Wegen ihres liberalen Gedankenguts war seine Politik nicht unumstritten.

2) Johannes Daniel, Schriftsteller und Pädagoge, *Danzig 26. 10. 1768, †Weimar 14. 2. 1826; schrieb neben Goethe-Erinnerungen (1832) das Weihnachtslied »O du fröhliche«. F. gründete eine Erziehungsanstalt für gefährdete Kinder.

3) [fɔ:k], Peter, amerikan. Schauspieler, *New York 16. 9. 1927; debütierte 1955 am Off-Broadway; wurde weltweit populär durch die TV-Serie »Columbo« (ab 1967, als Serie seit 1971).

Fạlke, bildhafte Bez. für den Verfechter einer kompromisslosen Linie bei der Verfolgung polit. (bes. außenpolit.) Interessen; Ggs.: Taube.

Fạlke, Konrad, schweizer. Schriftsteller und Literarhistoriker, eigtl. Karl Frey, *Aarau 19. 3. 1880, †Eustis (Fla.) 28. 4. 1942; schrieb u.a. den Roman »Der Kinderkreuzzug«, 1924), Herausgeber der Monatsschrift »Maß und Wert« (1937–40, mit T. Mann); übersetzte Dantes »Divina Commedia« (1921).

Étienne-Maurice Falconet: Das während seines Aufenthalts in Sankt Petersburg 1766–78 geschaffene Reiterstandbild Peters des Großen wurde erst 1782 enthüllt

Falken (Falconidae), Familie der Greifvögel mit 60 Arten, in Europa vertreten durch Arten der Gattung **Falco,** die in offenem Gelände jagen und sich durch einen zahnartigen Höcker des Oberschnabels **(F.-Zahn)** sowie durch lange, schmale, spitz zulaufende Flügel von anderen Greifvögeln unterscheiden. Der in Mitteleuropa verbreitete (jetzt seltenere) **Wanderfalke** (Falco peregrinus) jagt fliegende Vögel bis zur Größe von Enten. Ihm ähnlich ist der in SO-Europa heim. **Würgfalke** (Falco cherrug), der außer Vögeln auch Nagetiere schlägt. Der **Gerfalke** (Falco rusticolus) Norwegens und Islands tritt in Grönland fast weiß auf (Grönländischer Jagdfalke, Falco rusticolus candicans). Viel kleiner als die vorgenannten sind unter den heim. F. **Baumfalke** (Falco subbuteo), **Rotfußfalke** (Falco vespertinus) und **Turmfalke** (Falco tinnunculus), am kleinsten der **Merlin** (Falco columbarius). Der Baumfalke macht Jagd auf fliegende Insekten und kleine Vögel. Der oben rostbraune Turmfalke ergreift seine Beute (Mäuse, Insekten) fast nur am Boden. Der nordeuras. Merlin ist ein Vogeljäger, der gesellige Rotfußfalke SO-Europas ein Insektenfresser. – Über **Falkenjagd** (Falknerei, Falkenbeize) →Beize.

📖 *F., bearb. v.* M. TENNESEN. *A. d. Amerikan. Braunschweig 1992.*

Falken (von oben): Turmfalke und Wanderfalke

Fạlkenau an der Ẹger, Stadt in der Tschech. Rep., →Sokolov.

Fạlkenberg [-bærj], Hafenstadt und Badeort in S-Schweden, am Kattegat zw. Helsingborg und Göteborg, 38 300 Ew.; Werft, Holzverarbeitung, Waggonfabrik; Brauerei. – F. war schon im MA. ein bed. Handelsort, er erhielt 1525 Stadtrecht.

Fạlkenhausen, Alexander von, General, *Rittergut Blumenthal (bei Neisse, heute Nysa)

Falkenstein 1): Die im Kern aus dem 12. Jh. stammende Befestigungsanlage wurde um 1600 umfassend ausgebaut

29. 10. 1878, †Nassau 31. 7. 1966; war 1934–39 in China militärischer Berater Chiang Kai-scheks und 1940–44 Militärbefehlshaber in Belgien und N-Frankreich. Wegen seiner Verbindung zum Widerstand befand er sich 1944/45 im KZ. Nach dem Kriege wurde er 1951 in Belgien wegen seiner Tätigkeit als Militärbefehlshaber zu 12 Jahren Zwangsarbeit verurteilt, aber im selben Jahr noch freigelassen.

Fạlkenhayn, Erich von, General, *Burg Belchau (bei Graudenz, heute Grudziądz) 11. 9. 1861, †Schloss Lindstedt (bei Potsdam) 8. 4. 1922; 1913–15 preuß. Kriegsmin., im 1. Weltkrieg 1914–16 als Nachfolger H. v. Moltkes Chef des Generalstabs des dt. Feldheeres. Nach dem Scheitern seines Versuchs, die Kriegsentscheidung im W (Schlacht um Verdun) zu erreichen, wurde F. 1916 durch Hindenburg abgelöst; danach war F. 1916/17 Armeeführer im Feldzug gegen Rumänien und 1917/18 auf dem vorderasiat. Kriegsschauplatz (Ernennung zum türk. Marschall); danach führte er die 10. Armee in Weißrussland.

Falklandinseln
Wappen

Fạlkenstein, **1)** Burg im Landkreis Aschersleben-Staßfurt, Sa.-Anh., am Harzrand auf einem Felsen über dem Selketal, 325 m ü. M., im Kern aus dem 12. Jh., um 1600 umgebaut; heute Jagdmuseum.

2) Fạlkenstein/Vọgtl., Stadt im Vogtlandkreis, Sachsen, an der Göltzsch, 9 100 Ew.; Gardinen-, Wäsche- und Spitzenherstellung, Armaturenfabrik; nahebei Göltzschtalsperre (Fassungsvermögen 1,2 Mio. m^3). – F. erhielt als Bergbauort schon 1463 Stadtrecht.

Falkirk ['fɔ:lkə:k], Local Authority im O Schottlands, südöstlich von Stirling, 299 km^2, (1993) 142 600 Ew.; Hauptort ist Falkirk.

Fạlklandinseln [nach Lord Falkland] (Malwinen, engl. Falkland Islands, span. Islas Malvinas), Inselgruppe im südl. Atlant. Ozean, rd. 600 km östlich der Küste Argentiniens, brit. Kronkolonie, 12 173 km^2, (1991) 2 100 Ew., Hauptort ist Stanley (auf Ostfalkland) mit 1 600 Ew. Die beiden Hauptinseln (Ost- und Westfalkland), durch den 20 km breiten **Falklandsund** voneinander getrennt, haben das Relief eines Tafellandes (Westfalkland bis 705 m ü. M.: Mount Adam); die Küsten sind stark gegliedert. Es herrscht hochozean. und nebelreiches Klima mit milden Wintern und kühlen Sommern. Schafzucht ist der einzige Erwerbszweig von Bedeutung (Ausfuhr von Wolle und Häuten), etwas Fischerei. Seit 1985 Flughafen für schwere Transportflugzeuge 50 km von Stanley.

Geschichte: Die F. wurden im 16. Jh. entdeckt (nach brit. Angaben 1592 durch den engl. Kapitän J. Davis, aus argentin. Sicht bereits 1520 durch Teilnehmer der Magalhães-Expedition). 1764 ließen sich Franzosen auf Ostfalkland und 1765 Briten auf Westfalkland nieder, 1767–70 wurden sie von den Spaniern verdrängt. 1820 nahm die La-Plata-Konföderation (Argentinien) die 1811 von den Spaniern aufgegebenen Inseln in Besitz. 1833 besetzte Großbritannien die F. wegen ihrer strateg. Bedeutung, erhob sie zur Kronkolonie und wies in der Folgezeit alle Besitzansprüche Argentiniens zurück, das sich bis heute als Rechtsnachfolger Spaniens sieht. Im April 1982 besetzten argentin. Truppen die In-

Falklandinseln: In Stanley auf der Insel Ostfalkland wohnen 1 600 Menschen

seln, die nach vergebl. Vermittlungsversuchen der UN bis zum 14. 6. 1982 von brit. Streitkräften zurückerobert wurden (Falklandkrieg). Bis 1985 bildeten die F. zus. mit Südgeorgien und den Süd-Sandwichinseln die brit. Kronkolonie Falkland Islands and Dependencies. – Im 1. Weltkrieg besiegte ein brit. Flottenverband bei den F. am 8. 12. 1914 ein von Vizeadmiral Graf Spee geführtes dt. Kreuzergeschwader.

📖 DOLZER, R.: *Der völkerrechtl. Status der Falkland-Inseln (Malvinas) im Wandel der Zeit. Heidelberg 1986.* – MACK, C. E.: *Der Falkland-(Malvinas)-Konflikt. Frankfurt am Main u. a. 1992.*

Falkner (Falkenier, Falkonier, Beizjager), ein Jäger, der mit abgerichteten Greifvögeln (meist Falken) jagt (→Beize).

Falkọne [frz.-italien.] *die* (Falkonett), leichtes Geschütz des 15. bis 17. Jh., auf einem Fahrgestell (→Lafette) von einem Pferd gezogen.

Falköping ['fɑ:ltçø:pɪŋ], Stadt in Schweden, 31 800 Ew.; wichtiger Marktort; Textil-, Zementindustrie. – Die frühgeschichtl. Thingstätte erhielt schon im 12. Jh. Stadtrecht.

Fall, 1) *Grammatik:* →Kasus.

2) *Physik:* Bewegung eines Körpers unter dem Einfluss der Schwerkraft, speziell im Schwerefeld der Erde. Wirkt außer der zum Erdmittelpunkt gerichteten Schwerkraft keine zusätzl. Kraft auf den Körper, ist also insbesondere kein Luftwiderstand vorhanden (z. B. in einem →Fallturm), so spricht man vom **freien F.** Unabhängig von ihrer Masse und Form fallen (aus der Ruhestellung) alle Körper gleich schnell; die Bewegung ist gleichmäßig beschleunigt. F.-Geschwindigkeit v und F.-Weg h sind mit der →Fallbeschleunigung g und der F.-Zeit t über die **F.-Gesetze** verknüpft:

$$h=\frac{1}{2}g\cdot t^2,\quad v=g\cdot t,\quad v=\sqrt{2gh}.$$

Ist der fallende Körper dem Luftwiderstand ausgesetzt, so strebt seine Geschwindigkeit nach anfänglich beschleunigter Bewegung einem konstanten Wert zu.

Fạll, Leo, österr. Operettenkomponist, *Olmütz 2. 2. 1873, †Wien 16. 9. 1925. Erfolgreich waren bes. »Der fidele Bauer« (1907), »Die Dollarprinzessin« (1907), »Der liebe Augustin« (1912), »Die Rose von Stambul« (1916), »Madame Pompadour« (1923).

Falla ['faʎa], Manuel de, span. Komponist, *Cádiz 23. 11. 1876, †Alta Gracia (Prov. Córdoba, Argentinien) 14. 11. 1946; lebte 1907–14 in Paris, danach in Granada, seit 1939 in Argentinien. F. verband span. Nationalkolorit mit Elementen des frz. Impressionismus (C. Debussy, M. Ravel). Er schrieb u. a. Ballette (»Der Liebeszauber«, 1915; »Der Dreispitz«, 1919), die Oper »La vida breve« (1913), Klavierstücke, das Konzert »Nächte in spanischen Gärten« (1915), ein Cembalokonzert (1923–26), Lieder.

📖 PAHLEN, K.: *M. de F. u. die Musik in Spanien. Mainz u. a. 1994.*

Fạllada, Hans, eigtl. Rudolf Ditzen, Schriftsteller, *Greifswald 21. 7. 1893, †Berlin 5. 2. 1947; schilderte in seinen sozialkrit. Romanen mit lebensnahen Dialogen das Milieu der »kleinen Leute«, ihre Ratlosigkeit und ihre Lebenstapferkeit (»Bauern, Bonzen und Bomben«, 1931; »Kleiner Mann – was nun?«, 1932; »Wer einmal aus dem Blechnapf frißt«, 1934; »Wolf unter Wölfen«, 1937; »Jeder stirbt für sich allein«, 1947; »Der Trinker«, hg. 1950; »Ein Mann will hinauf«, hg. 1953). 1994 erschien der 1939 entstandene Roman »Dies Herz, das dir gehört«.

📖 MANTHEY, J.: *H. F. Reinbek 47.–48. Tsd. 1996.* – LIERSCH, W.: *H. F. Sein großes kleines Leben. Neuausg. Reinbek 1997.*

Hans Fallada

Hans Fallada

»Wer einmal aus dem Blechnapf frisst«

Der 1934 erschienene Roman von Hans Fallada mit diesem Titel erzählt die Geschichte eines entlassenen Strafgefangenen, dem es nicht gelingt, sich wieder in die Gesellschaft einzugliedern. – Das Zitat gibt der Überzeugung Ausdruck, dass ein Mensch, der einmal aus der bürgerlichen Ordnung herausgefallen ist, es sehr schwer hat, sich von diesem Makel zu befreien, dass er nur schwer in der Gesellschaft wieder Fuß fassen kann.

Fallbeil, die →Guillotine.

Fallbeschleunigung (Gravitationsbeschleunigung, Schwerebeschleunigung), Zeichen g, Beschleunigung, die ein frei fallender Körper im Gravitationsfeld eines Himmelskörpers, speziell der Erde (Erdbeschleunigung) erfährt. Bei rotierenden Körpern überlagert sich der zur reinen Gravitationswirkung entgegengerichtete Anteil der Zentrifugalkraft. Die F. nimmt (gemäß dem Gravitationsgesetz) mit wachsender Entfernung von der Erdoberfläche ab und infolge der Erdabplattung vom Äquator ($g\approx 9{,}78\ \mathrm{m/s^2}$) nach den Polen ($g\approx 9{,}83\ \mathrm{m/s^2}$) zu; infolge inhomogener Masseverteilungen treten zusätzlich lokale Schwankungen auf (→Schwereanomalie). Die F. ist somit ortsabhängig. Als gerundeten Wert verwendet man in mittleren Breiten $g=9{,}81\ \mathrm{m/s^2}$, die **Norm-F.** beträgt $g_n=9{,}80665\ \mathrm{m/s^2}$.

Leo Fall

Fallbö, heftige, abwärts gerichtete Luftströmung; dabei können kräftige Windscherungen auftreten.

Fallbrücke, 1) röm. Belagerungsmaschine, mit deren Hilfe die Belagerer die feindl. Festungsgräben zu überdecken suchten; 2) Zugbrücke.

Fallschirm (von links): Sportfallschirm mit Steuerschlitzen und Stabilisierungsflächen und Rechteckgleiter

Fallbügelschreiber (Punktschreiber), elektr. Messgerät zur Registrierung eines Messwerts auf bewegtem Papier. Der Zeiger wird periodisch auf das Papier gedrückt, dadurch werden die Messwerte als Punktfolge festgehalten.

Fälldin, Thorbjörn, schwed. Politiker, *Högsjö (Gem. Ramvik, Västernorrland) 24. 4. 1926; Landwirt, 1971–85 Vors. der Zentrumspartei, war 1976–78 und 1979–82 Ministerpräsident.

Fallschirm

1797 wird gelegentlich als Jahr des ersten Fallschirmabsprungs genannt. Tatsächlich sprang damals André Jacques Garnerin erstmals aus einer Höhe von etwa 1000 Metern. Frankreich war zu dieser Zeit das Zentrum der Entwicklung, und auch die Brüder Montgolfier führten bei ihren Ballonfahrten Fallschirme mit. Den ersten nachweisbaren Absprung wagte übrigens S. Lenormand bereits 1783. Die Geschichte reicht aber noch ein Stück weiter zurück, denn schon um 1495 fertigte Leonardo da Vinci eine Zeichnung von einem Fallschirm an. Auch bei Fausto Veranzio finden wir eine Beschreibung, etwa 1616 in seinem Maschinenbuch, und es gibt Vermutungen, dass dieser Fallschirm auch wirklich ausprobiert wurde.

Erprobt oder nicht: Bis in die Zeiten der Montgolfiers blieben mögliche Versuche jedenfalls auf hohe Bauwerke beschränkt. Überdies waren die frühen Fallschirme häufig mit starren Konstruktionen versteift. Erst um die Jahrhundertwende entwickelte eine Frau die heutige Form: Käthe Paulus erfand eine Packhülle, in die der Schirm gerollt wurde, sodass er nun bequem mitzuführen war. Die häufigen Abschüsse von Ballonbeobachtern zu Beginn des Ersten Weltkrieges sorgten dann für die breite Einführung.

Falle, Vorrichtung zum Fang von Tieren; zugelassen sind in Dtl. nach dem Bundesjagd-Ges. nur F., die entweder lebend fangen oder sofort töten.

Fallen, *Geologie:* →Streichen und Fallen.

Fallersleben, seit 1972 Stadtteil von →Wolfsburg.

Fallgatter (Fallgitter), vor Toren herablassbares Gatter aus unten zugespitzten und mit Eisen beschlagenen Balken.

Fallgrube (Fanggrube), abgedeckte Grube zum Fang von Wild; in Dtl. verboten.

Fallhammer, ein →Maschinenhammer.

Fallhöhe, *Wasserbau:* senkrechte Höhendifferenz zw. Bezugshorizonten, die für eine Wasserkraftnutzung wichtig sind.

Fälligkeit, Zeitpunkt, zu dem der Gläubiger die Leistung vom Schuldner verlangen kann und der Schuldner sie bewirken muss (→Leistungszeit).

Fallingbostel, Krst. des Landkreises Soltau-F., Ndsachs., in der südl. Lüneburger Heide, 11 700 Ew.; Kneippheilbad und Luftkurort; Nahrungsmittelindustrie. – Südöstlich von F., im Truppenübungsplatz Bergen, liegen die **Sieben Steinhäuser,** eine Gruppe von Großsteingräbern aus der Jungsteinzeit. – Das um 990 erwähnte F. erhielt 1949 Stadtrecht und wurde 1953 Kneippbad.

Fall Line ['fɔːl 'laɪn, engl.] (Fall-Linie), Geländestufe im O der USA zw. der Atlant. Küstenebene und dem Piedmontplateau; durch Gesteinsunterschiede konnten sich die Flüsse stark einschneiden (Bildung von Wasserfällen); hier endete die Schifffahrt ins Binnenland.

Fallot-Kardiopathilen [fa'lo-; frz., nach dem frz. Arzt E. L. A. Fallot, *1850, †1911], angeborene Herzfehler.

Fall-out ['fɔːlaʊt, engl.] *der,* ein →radioaktiver Niederschlag.

Fallrecht, Rechtsordnung, die auf richterl. Entscheidungen exemplar. Fälle beruht, sich künftig an diesen ausrichtet und durch sie fortgebildet wird, z.B. das **Case Law** des angloamerikan. Rechts. Der Ggs. ist das Gesetzesrecht, das Sachverhalte allg. und losgelöst vom Einzelfall regelt.

Fallreep, in Fahrtrichtung an der Schiffswand schräg nach oben führende, einziehbare Treppe aus Holz oder Leichtmetall. Das **See-F.** (Jakobsleiter) ist eine Strickleiter mit festen Sprossen.

Fallschirm, schirmförmiges Gebilde aus Naturseide, Baumwolle oder Chemiefasern zur Minderung der Sinkgeschwindigkeit fallender Körper. Neben den bislang überwiegend verwendeten **Rundkappenschirmen,** die allein durch Vergrößerung des Luftwiderstands die gewünschte Sinkgeschwindigkeit von etwa 5 m/s erreichen, werden zunehmend F. verwendet, deren Schirmkappe sich in Form einer rechteckigen gewölbten Fläche entfalten, die bei einer der Fallbewegung überlagerten Horizontalbewegung noch eine aerodynamisch erzeugte Auftriebskraft liefern **(Flügelschirme** oder **Rechteckgleiter).** Die Schirmkappe ist durch Fangleinen und eine abtrennbare Kupplung mit dem Gurtzeug verbunden, das am fallenden Körper befestigt ist. Bei Sport-F. kann die Form der Kappe über Steuerleinen während des Falles verändert und damit die Fallrichtung beeinflusst werden. Kappe und Fangleinen werden in gefaltetem Zustand in einen Packsack eingelegt. Zur Entfaltung des Schirmes wird der Packsack durch manuelle Betätigung **(manueller F.)** oder durch eine mit dem Luftfahrzeug verbundene Aufziehleine **(automat. F.)** geöffnet. Nach der Verwendung unterscheidet man Rettungs-F., Sprung-F. (für sportl. und militär. Zwecke) und Lasten-F., nach Anordnung des Packsacks am Körper des Trägers Brust-F., Rücken-F. und Sitzfallschirme.

Fallschirmjäger, Soldaten, die mit Fallschirmen über dem Einsatzgebiet aus Flugzeugen abspringen (→Luftlandetruppen).

Fallschirmsport (Fallschirmspringen), sportlich betriebener Absprung mit Fallschirm aus speziellen Flugzeugen in versch. Disziplinen mit unterschiedl. Wettbewerbsgedanken. Es werden Einzel- und Gruppensprünge, Tages- und Nachtsprünge, Höhen-, Ziel-, Figuren- und Formationssprünge, entweder mit sofortiger, meist mit verzögerter Fallschirmöffnung unterschieden. Weltmeisterschaften werden seit 1951, Europameisterschaften seit 1975 ausgetragen. Der F. gehört zum Flugsport.

Fallstudi|e (Casestudy), Methode bes. der empir. Sozialforschung: Untersuchung eines Einzelfalls (Individuum, soziale Gruppe, Institution) zur Gewinnung repräsentativer Daten.

Fallsucht, *Medizin:* die →Epilepsie.

Fallturm, Laboranlage für Mikrogravitation: Eine etwa 100 m hohe Fallröhre wird luftleer gepumpt; eine in ihr im freien →Fall herunterfallende Kapsel erlaubt Kurzzeitexperimente (rund 4 Sekunden) unter Schwerelosigkeit. Der F. an der Universität Bremen ist 146 m hoch.

Fällung (Ausfällen), Abscheiden eines gelösten Stoffs als unlösl. Niederschlag durch Zugabe fester, flüssiger oder gasförmiger **F.-Mittel.** F. kann u.a. ausgelöst werden durch chem. Reaktion des F.-Mittels mit der zu fällenden Substanz, durch Änderung des pH-Werts oder durch Überschreiten des →Löslichkeitsprodukts. **F.-Reaktionen** dienen zum qualitativen Nachweis von Elementen oder Verbindungen aufgrund eines charakterist. Niederschlags.

Fallwind, großräumige, abwärts gerichtete Luftströmung in der Atmosphäre, z.B. der Föhn (warm) und die Bora (kalt).

Falmouth ['fælməθ], Stadt und Seebad (mit mildem Klima und subtrop. Vegetation) an der Südküste Englands in der Cty. Cornwall, 18500 Ew.; Reparaturwerft, Maschinenbau; Küstenfischerei.

Falschaussage (falsche uneidliche Aussage), die uneidl., vorsätzlich falsche Aussage eines Zeugen oder Sachverständigen vor Gericht oder einer anderen zur eidl. Vernehmung zuständigen Stelle, ist mit Freiheitsstrafe bis zu fünf Jahren bedroht (§153 StGB). Strafmilderung oder Absehen von Strafe sind im Falle von Aussagenotstand, bes. zugunsten von Angehörigen, sowie bei rechtzeitiger Berichtigung durch den Täter möglich. – Ähnl. Regelungen gelten in *Österreich* (§§288 ff. StGB). In der *Schweiz* ist auch die falsche Parteiaussage im Zivilverfahren (»Beweisaussage«) strafbar (Art. 306 ff. StGB).

Falschbe|urkundung, Herstellen einer echten, aber inhaltlich falschen Urkunde, zu unterscheiden von der →Urkundenfälschung. Die F. (»schriftl. Lüge«) ist als solche nicht strafbar, kann aber unter anderen Aspekten, z.B. als Betrug strafbar sein. Strafrechtlich verfolgt wird die F. als **F. im Amt** (§348 StGB, Freiheitsstrafe bis zu fünf Jahren oder Geldstrafe), wenn ein Beamter vorsätzlich eine rechtlich erhebl. Tatsache falsch beurkundet. Nach §271 StGB strafbar ist die **mittelbare F.** (Freiheitsstrafe bis zu einem Jahr oder Geldstrafe), bei der der Täter, bes. durch vorsätzlich falsche Angaben, bewirkt, dass beweiserhebl. Umstände in öffentl. Urkunden falsch beurkundet werden; eine damit verbundene Bereicherungsabsicht wirkt strafverschärfend. Ähnl. Regeln enthalten die StGB *Österreichs* (§§228, 331) und der *Schweiz* (Art. 253, 317).

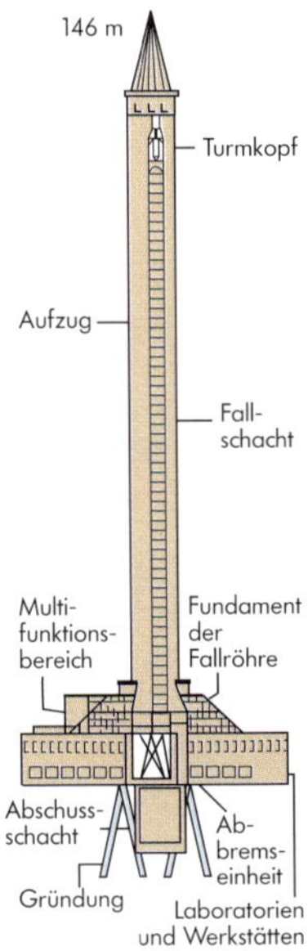

Fallturm: Aufbau des 146 m hohen Fallturms Bremen

Fallschirmsport: Sternbildung durch eine Gruppe von zehn Springern beim Formationsspringen

Falscheid, die tatsächlich falsche eidl. Aussage, die der Schwörende für wahr hält. Beruht die Unkenntnis auf Fahrlässigkeit, wird der F. mit Freiheitsstrafe bis zu einem Jahr oder Geldstrafe (§ 163 StGB) geahndet; korrigiert sich der Aussagende rechtzeitig durch Widerruf, bleibt er straflos. Wer einen anderen zum F. verleitet, wird nach § 160 StGB mit Freiheitsstrafe bis zu zwei Jahren oder Geldstrafe bestraft. (→ Meineid)

falsche Verdächtigung, → Verdächtigung.

Falschfarbenfotografie, fotograf. Aufzeichnen der unterschiedl. (unsichtbaren) Infrarotreflexionen von Objekten durch nicht dem Objekt entspr. Farben mit einem Falschfarbenfilm. Der Film weist mindestens zwei verschieden sensibilisierte Schichten auf, von denen eine infrarotempfindlich ist; er wird farbentwickelt. Anwendung in Land- und Forstwirtschaft, beim Umweltschutz und bei der Weltraumforschung.

Falschmünzerei, → Geld- und Wertzeichenfälschung.

Fälschung, das Herstellen eines unechten Gegenstandes oder das Verändern eines echten Gegenstandes (Falsifikat) zur Täuschung im Rechtsverkehr. Das Strafrecht kennt u. a. → Geld- und Wertzeichenfälschung, F. technischer Aufzeichnungen und → Urkundenfälschung.

F. von *Kunstwerken* entstehen durch die betrüger. Nachbildung oder Veränderung eines Kunstwerkes oder die bewusste falsche Angabe über Herkunft, Alter und Künstler, um einen größeren (Kunst-)Wert vorzutäuschen. Nachahmungen und eindeutige F. sind bereits aus der Antike bekannt. In der Renaissance wurden Antiken gefälscht und auch Werke bed. Zeitgenossen (z. B. Dürers Grafik). Als die größten Fälscher der Neuzeit wurden H. van Meegeren mit Werken J. Vermeers und L. Malskat mit got. Wandmalereien im Dom zu Lübeck bekannt. Aufsehen erregte 1984 der Skandal um die Zuschreibungen der bei der Suche nach Skulpturen A. Modiglianis aus einem Kanal in Livorno geborgenen Plastiken. Bei Zweifeln an der Echtheit von Kunstwerken können Materialuntersuchungen durchgeführt werden: → Altersbestimmung bei Altertümern, Materialvergleiche, Alterssprünge im Unterschied zu künstl. Brüchen, bei Bildern Infrarot-, Ultraviolett-, Röntgenaufnahmen (bringen evtl. jüngere, übermalte Bilder zum Vorschein oder echte Fragmente und spätere Ergänzungen).

Die F. von *Urkunden* war im MA. sehr verbreitet und wurde meist von Fürsten oder Klöstern veranlasst, um sich Rechte oder Besitz zu sichern. Bekannt sind auch F. mittelalterl. und späterer Geschichtsquellen. Diese F. entstanden aus falschem Ehrgeiz, polit. oder religiösen Gründen, zur Begründung von Erbansprüchen usw.; grch. und lat. Texte sind vielfach gefälscht worden. Die berühmtesten kirchl. F. sind die Konstantin. Schenkung und die Pseudoisidorischen Dekretalen.

Auch auf dem Gebiet der *Dichtung* sind F. oft vorgekommen, z. B. der fälschlich als Übersetzung aus dem Altgälischen angegebene »Ossian« J. Macphersons (1760 ff.) und die angeblich alttschech. Gedichte enthaltende »Königinhofer Handschrift« aus Prag (1817).

🕮 DÖPFNER, K.: *Der Restaurierungsbetrug. Eine strafrechtsdogmat. Untersuchung zu Formen der Kunstverfälschung. Lübeck 1989. – Gefälscht! Betrug in Politik, Literatur, Wissenschaft, Kunst u. Musik, hg. v.* K. CORINO. *Neuausg. Frankfurt am Main 1996.*

Fälschung technischer Aufzeichnungen, → Urkundenfälschung.

Fälschung von Vordrucken für Euroschecks und Euroscheckkarten, das Herstellen, Verschaffen, Feilhalten oder Überlassen falscher Vordrucke in Gebrauchsabsicht, wird nach § 152 a StGB mit Freiheitsstrafe von 1 bis zu 10 Jahren bedroht (minder schwere Fälle: Geld- oder Freiheitsstrafe bis zu 5 Jahren).

Falsett [italien.] *das,* männl., mit Brustresonanz verstärkte Kopfstimme. – Die **Falsettisten** sangen

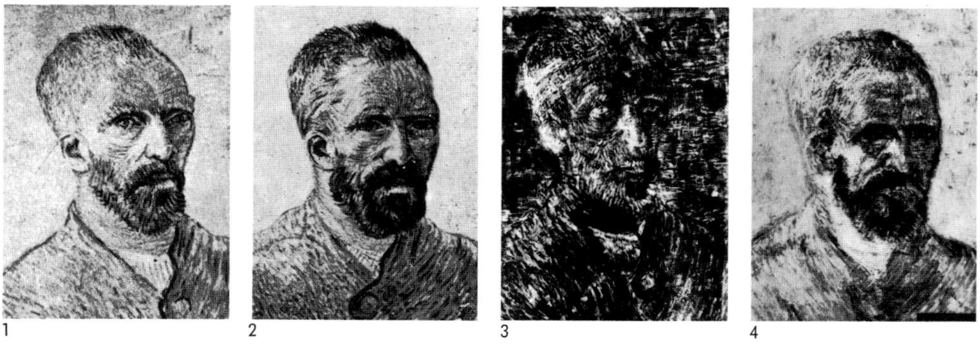

Fälschung: 1 gefälschtes Selbstporträt Vincent van Goghs; 2 echtes Selbstporträt van Goghs; 3 Röntgenaufnahme der Fälschung; 4 Röntgenaufnahme des echten Vergleichsbildes

im 16./17. Jh. die Alt-, gelegentlich auch die Sopranpartien v.a. in der geistl. Chormusik.

Falsifikat [lat.] *das,* gefälschter Gegenstand, →Fälschung.

Falsifikation *die, Wissenschaftstheorie:* →Verifikation.

Falstaff ['fɔ:lstɑ:f], Sir John, kom. Figur in Shakespeares »Heinrich IV.« und in den »Lustigen Weibern von Windsor«, ein beliebter alter Ritter, Schlemmer, Feigling und Prahlhans mit Geist und Witz; Opernfigur u.a. bei G. Verdi (1893).

Falster, Ostseeinsel südlich von Seeland, Dänemark, 514 km^2, bis 44 m ü.M., 45 000 Ew.; an der Vogelfluglinie, von Lolland durch den Guldborgsund, von Seeland durch Storstrømmen getrennt (beide Sunde von Brücken überspannt); hügelige Moränenlandschaft; Weizen-, Zuckerrüben- und Obstbau; Fremdenverkehr; Hauptort ist Nykøbing. Von Gedser im S Eisenbahnfähre nach Rostock-Warnemünde und Autofähre nach Lübeck-Travemünde.

Falsterbo [-bu:], Seebad auf der Halbinsel Skanör an der SW-Spitze Südschwedens; vor der Küste der Orte F. und Skanör lagen im MA. die Fangplätze der hanseat. Heringsfischerei.

Falsus Procurator [lat.] *der, Recht:* eine Person, die als Vertreter ohne Vertretungsmacht handelt (→Vertretung ohne Vertretungsmacht).

Faltboot, zerlegbares Paddelboot.

Falte, *Geologie:* durch seitl. Druck und Einengung **(Faltung)** entstandene Verbiegungsform urspr. ebener Gesteinsschichten. Die Einbiegungen einer F. nennt man **Mulde, Synkline** oder **Synklinale,** die Aufwölbungen **Sattel, Gewölbe, Antikline** oder **Antiklinale.** Wichtige F.-Elemente sind: die **F.-Achse,** eine längs des **F.-Scheitels** oder Scharniers gedachte Linie; die **F.-Ebene,** in der die F.-Achsen sämtl. Schichten einer F. liegen; die **F.-Schenkel** oder **-Flügel** umschließen den **F.-Kern;** der **First,** die höchste Sattelerhebung, die **Basis,** das Muldentiefste; der **F.-Spiegel,** eine gedachte Ebene als Verbindung der First- oder Basislinien; die **Vergenz,** die Neigungsrichtung der Achsenebene. Im F.-Kern liegen beim Sattel die ältesten, bei der Mulde die jüngsten Gesteine. Bei gleichmäßiger Biegung entstehen einfache, aufrechte oder stehende F. mit nahezu senkrechter Achsebene und symmetrisch zu den Muldenachsen einfallenden Schenkeln. Je nach ihrer Lage werden folgende F.-Formen unterschieden: **stehende F.** (mit senkrechter Achsenebene), **schiefe F., überkippte F.** (wenn beide F.-Flanken in die gleiche Richtung einfallen) und **liegende F. (Deck-F.),** wenn sich der Sattel weit über die vorgelagerte Mulde legt. In besonderen Fällen taucht die Achsenebene unter die Horizontale und bildet dadurch eine **Tauchfalte. Isoklinal-F.** sind durch starke Einengung entstanden und weisen daher weitgehend parallel verlaufende F.-Schenkel auf. **Koffer-F.** sind durch flachen Scheitel und fast rechtwinklig abgesetzte steile Schenkel gekennzeichnet. Parallel gerichtete, aber schräg hintereinander gestaffelte F. nennt man **Kulissenfalten.** F. treten meist nicht einzeln, sondern zu mehreren geschart oder gebündelt **(F.-Schar, -Bündel, -System)** auf. Durch Abtauchen der Sattelachse oder Auftauchen der Muldenachse entsteht im Schnittbild mit der Horizontalen umlaufendes Streichen der Schichten. Der **Luftsattel** ist im geolog. Schnitt die zeichner. Ergänzung abgetragener F.-Teile. Nach dem Faltungsvorgang werden folgende »F.-Typen« unterschieden: **Biege-F.** (Knick-F.), **Scher-F.** und **Fließ-F.,** die durch Übergänge verbunden sein können. **Faltengebirge** sind u.a. Alpen, Karpaten, Pyrenäen und Rocky Mountains.

📖 Möbus, G.: *Tektonik. Eine method. Einführung für Studium u. Praxis. Leipzig 1989.*

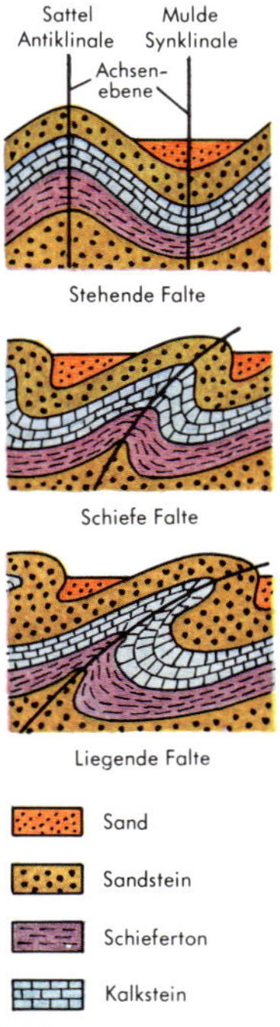

Falte

Faltenwespen, zu den Stechimmen gehörende →Wespen.

Falter, →Schmetterlinge.

Falterblumen, Pflanzen, deren Blüten von Schmetterlingen bestäubt werden, z.B. Arten der Gattung →Buddleia.

Fălticeni [fəlti'tʃenj], Stadt im Bezirk Suceava, NO-Rumänien, 30 900 Ew.; größte Flachs- und Hanfspinnerei Rumäniens; Möbelind., Sägewerke.

Faltstuhl, klappbarer Stuhl aus zwei scherenförmigen, durch Querhölzer verbundenen Teilen, mit Stoff- oder Ledersitz; schon im alten Ägypten, in Griechenland und Rom bekannt; in N-Europa bereits in der Bronzezeit, dann bes. im MA. verbreitet.

Faltung, *Geologie:* →Falte, →Faltungsphasen.

Faltungsphasen, Zeiten stärkerer gebirgsbildender Tätigkeit durch Faltung, die, verhältnismäßig kurzzeitig, längere Zeiten tektonischer Ruhe unterbrechen.

Faltwerk, 1) *Bautechnik:* räuml. Tragwerk aus Stahlbeton, Spannbeton oder Stahlblech (bes. im Behälter- und Hallenbau), bei dem ebene Platten in Form eines Prismas oder Pyramidenstumpfes zusammengesetzt sind.

2) *Kunst:* geschnitztes Ornament in Form gradliniger Falten, an Möbeln u.a. in Spätgotik und Renaissance, bes. in Nord-Dtl. und den Niederlanden.

Falun, Hptst. des schwed. VerwBez. Kopparberg, 54 700 Ew.; Mittelpunkt der Bergbaulandschaft Bergslagen und der Landschaft Dalarna; Kupfererzabbau seit etwa 1000 n.Chr., einst weit berühmt, jetzt nur noch Abbau von Schwefelkies, Blei- und Zinkerz; Textil-, chem., Lederind., Waggon- und Maschinenbau. – F. entstand 1288 als Bergwerkssiedlung. 1687 beendete eine Bergsturzkatastrophe die Blütezeit des Kupfererzbergbaus.

Falun

*Im Bergwerk der schwedischen Stadt Falun wurde 1670 ein junger Bergmann verschüttet, dessen Leiche 1719 aufgefunden wurde. Durch Vitriolwasser war die Leiche konserviert worden, und die inzwischen betagte Braut des Bergmanns erkannte ihren Geliebten wieder. Der Vorfall wurde 1808 durch den Naturforscher Gotthilf Heinrich Schubert (*1780, †1860) in Deutschland bekannt. Die wichtigsten literarischen Bearbeitungen des Stoffes sind: »Unverhofftes Wiedersehen« von Johann Peter Hebel (1810), »Die Bergwerke von Falun« von E. T. A. Hoffmann (1819) und Hugo von Hoffmannsthals Drama »Das Bergwerk von Falun« (1899).*

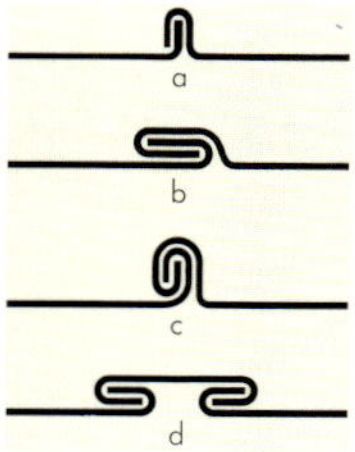

Falz 2): a Stehender einfacher Falz; b liegender einfacher Falz; c stehender doppelter Falz; d Deckfalz (Falzung mit besonderem Falzstreifen)

Falz, 1) *Buchbinderei:* alle Stellen eines Buches, an denen das Material gefaltet wurde oder wie ein Scharnier bewegt werden kann.

2) *Fertigungstechnik:* formschlüssige Verbindung von Blechen, die durch Umbiegen und Ineinanderschieben der Ränder hergestellt wird.

3) *Holzbearbeitung:* Aussparung oder Vertiefung zum guten Ineinandergreifen von Hölzern, Steinen und Ziegeln.

Falzen, 1) *Buchbinderei:* Papierbogen durch Falten das gewünschte Format geben.

2) *Lederherstellung:* gegerbtes Leder durch Abnehmen feiner Späne auf Falzmaschinen auf gleiche Dicke bringen.

Falzziegel, → Dachziegel.

Fama [lat.] *die,* im alten Rom Personifikation des Gerüchts **(Frau F.),** im MA. Verkörperung des ird. Ruhms, heute allg. Gerücht, Nachrede.

Famagusta, Hafenstadt im O der Insel Zypern; seit 1974 unter türkisch-zypr. Verw.; 67 200 Ew.; Univ.; vor der türk. Besetzung bekannter Badeort. – Ummauerte Altstadt mit drei Stadttoren, Kastell (v. a. 15. Jh.). Die im Stil der frz. Gotik erbaute Kathedrale (1291–1324, geweiht 1326) wurde durch den Anbau eines Minaretts nach 1571 in eine Moschee (Lala-Mustafa-Moschee) umgewandelt.

Familiaren [lat.], *kath. Kirchenrecht:* Bedienstete eines Klosters oder zur päpstl. Familie gehörende Personen.

Famili|e [lat. familia »Hausstand«], **1)** *biolog. Systematik:* (Familia) systemat. Kategorie, in der näher verwandte Gattungen zusammengefasst werden; in der Zoologie gekennzeichnet durch die Endung **-idae,** in der Botanik durch **-aceae.**

2) *Recht:* a) als Groß-F. der Kreis der durch Ehe und Verwandtschaft miteinander verbundenen Personen, hat z. B. bei der gesetzl. Erbfolge Bedeutung; b) i. e. S. die Ehegatten und deren Kinder (nicht die Partner einer eheähnl. Gemeinschaft).

3) *Sozialgeschichte, Soziologie:* soziale Gruppe, die in der heutigen Ind.gesellschaft i. d. R. aus den Eltern und ihren (unselbstständigen) Kindern besteht **(Kern-F.** oder **Klein-F.).** Im allg. Sprachgebrauch wird oft auch die Verwandtschaft als F. bezeichnet; zur besseren Abgrenzung des Begriffes ist in der F.-Soziologie deshalb der gemeinsame Haushalt für eine F. konstitutiv. Beschränkt sich die F. allein auf die Ehepartner, spricht man von **Gatten-F.,** fehlt ein Elternteil, von **unvollständiger F.,** leben über die Kern-F. hinaus noch (verwandte) Personen im Haushalt, von **erweiterter F.** Die F.-Formen sind abhängig von der jeweiligen Wirtschafts- und Sozialstruktur. Neben der Regelung der Geschlechtsbeziehung ist heute die primäre Sozialisation der Kinder die wichtigste soziale Funktion der modernen Familie. In früheren Gesellschaften hatte die F. dagegen zusätzlich häufig Kult-, Gerichts-, Schutzfunktionen (auch Altersversorgung durch hohe Kinderzahl) und wirtsch. Funktionen. Aufgrund zunehmender berufl. Tätigkeit der Frau wird heute immer mehr die strikte Arbeitsteilung durch partnerschaftl. Erledigung der zu bewältigenden Aufgaben ersetzt **(Gefährten-F.).** Obwohl die Zahl der nichtehel. Lebensgemeinschaften und Alleinerziehenden zugenommen hat, ist die F. die häufigste Lebensform geblieben, wobei es aber Änderungen gibt: späterer Zeitpunkt der Eheschließung, niedrigere Kinderzahl sowie eine stärkere Erwerbstätigkeit von Frauen und Müttern.

Geschichte: Schon vor dem MA. besaß die Sippe bzw. die F. (bis zum 16. Jh. Weib und Kind bzw. Haus, dann zunächst lat. **familia** gen.) Bedeutung für Wirtschaftsleben, Volkskultur und Recht; ihrer

Famagusta: Die im Stil der französischen Gotik 1291–1324 erbaute Kathedrale Hagios Nikolaos (1326 geweiht), die durch den Anbau eines Minaretts (links) nach der türkischen Eroberung (1571) in die Lala-Mustafa-Moschee umgewandelt wurde

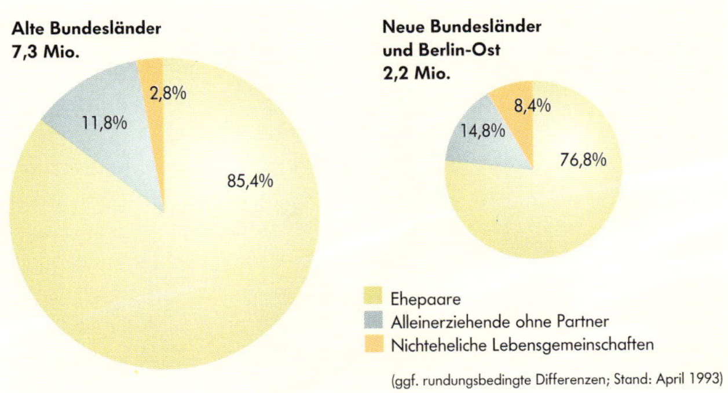

Familie 3): Eltern-Kind-Gemeinschaften mit Kindern unter 18 Jahren in Deutschland

Sicherung wurde im Erb- und Eherecht des Feudal- wie auch später des bürgerlich geprägten Staates große Aufmerksamkeit geschenkt. – In der Agrargesellschaft waren v.a. Formen der erweiterten F. vorherrschend: 1. die **generationale F.,** in der Söhne mit Frauen und Kindern unter der Herrschaft des Vaters verblieben; 2. die Gemeinschaft mehrerer Kern-F., die **Groß-F.,** die dadurch entstand, dass die Söhne nach dem Tod des Vaters nicht auseinander gingen, sondern mit ihren Frauen und Kindern gemeinsam Grund und Boden des Vaters bewirtschafteten. – Die fortschreitende Ausbildung des Lehnswesens und des Feudalsystems führte zu unterschiedl. F.-Formen im bäuerl. und im adlig-feudalen Bereich. Mit der Entstehung der Städte seit dem 12. Jh. entwickelten sich neue, stärker von Beruf und Stand geprägte F.-Formen (Handwerker- und Kaufmanns-F.). Der seit dem 11. Jh. sich allmählich durchsetzende Sakramentscharakter der Ehe führte zur christlich geprägten Hausgenossenschaft bzw. Haushalts-F., bei der alle zum Haus (deshalb gleichbedeutend mit F. gebraucht) gehörenden Personen (Hausgenossen, z.B. unmündige und mündige Kinder, Alte, Verwandte, Gesinde, Gesellen) unter dem Mundium (»Schutz«) des F.-Vaters zur F. zählten. Der Zerfall der Hausgenossenschaft durch die zunehmende Ausprägung der bürgerl. F., endgültig durchgesetzt im 18. Jh., sowie der Übergang zur Ind.gesellschaft im 19. Jh. führten zur seitdem dominierenden Rolle der Kern- oder Klein-F. mit ihrer strikten Rollen- und Arbeitsteilung, wonach der Vater durch seine Arbeit außer Haus den Lebensunterhalt sicherte und die Mutter für Haushalt und Kindererziehung verantwortlich war. Häufig war aber die Mitarbeit von Frau und Kindern nötig, um in Bauern- und Handwerker-F. den F.-Betrieb aufrechtzuerhalten oder, bes. im 19. Jh., in Landarbeiter- und Proletarier-F. (seit etwa 1850 bevölkerungsstatistisch größte Sozialgruppe) den kärgl. Lebensunterhalt zu sichern. – In Adels-F. waren F.-Verbände lange Zeit vorherrschend (bes. F.-Fideikommisse). – Auf dem Dorf erhielt sich, am längsten in Großbauern-F., die patriarchalisch geprägte Groß-F. bis weit ins 20. Jahrhundert.

📖 BEUYS, B.: *Familienleben in Deutschland. Neue Bilder aus der dt. Vergangenheit. Reinbek 25.–28. Tsd. 1990.* – *Vom Patriarchat zur Partnerschaft. Zum Strukturwandel der F., Beiträge v.* M. MITTERAUER *u.* R. SIEDER. *München* ⁴*1991.* – HETTLAGE, R.: *Familienreport. Eine Lebensform im Umbruch. München 1992.* – *Im Blickpunkt: F.n heute, hg. vom Statist. Bundesamt. Stuttgart 1995.* – SIEDER, R.: *Sozialgesch. der F. Frankfurt am Main* ⁴*1995.* – *Gesch. der F., hg. v.* A. BURGUIÈRE *u. a., auf 4 Bde. ber. A. d. Frz. Frankfurt am Main u. a. 1996 ff.* – WEBER-KELLERMANN, I.: *Die dt. F. Versuch einer Sozialgesch. Neuausg. Frankfurt am Main 1996.*

Famili|enberatung, →Eheberatung.

Famili|enbuch, **1)** (Familienchronik) ein privates Buch, in dem die für die Familie und ihre Ahnen wichtigen Ereignisse, z.B. Geburten, Eheschließungen, Todesfälle, eingetragen sind sowie wichtige Urkunden und Familienfotos mit verbindenden Texten gesammelt werden.

2) ein vom Standesbeamten geführtes Personenstandsbuch, das den jeweiligen Personenstand der Familienangehörigen ersichtlich macht. Das F. wird im Anschluss an die Eheschließung angelegt und enthält u.a. Angaben zur Person der Ehegatten und deren Eltern, die Staatsangehörigkeit und den Familiennamen. Es wird durch Aufnahme bedeutsamer Veränderungen ständig fortgeführt (§§ 12 ff. Personenstands-Ges.). – F. entstanden in Dtl. im Zusammenhang mit der Schaffung der Personenstandsregister (1876) und sind seitdem – in Ablösung der Kirchenbücher – bedeutende geneaolog. Quellen.

Famili|enforschung, svw. Genealogie.

Famili|engericht, Abteilung des Amtsgerichts, die ausschl. in Familiensachen entscheidet. Das F. ist mit einem Einzelrichter besetzt. In bestimmten Familiensachen besteht Anwaltszwang. Rechtsmittelinstanz der F. ist das Oberlandesgericht. Familiensachen sind ehebezogene Streitigkeiten wie Ehesachen (bes. Ehescheidung) und Scheidungsfolgesachen (Umgangs- und Sorgerecht für gemeinsame Kinder, Unterhalt, Versorgungsausgleich, Hausratverteilung, Güterrechtsansprüche).

📖 HEINTSCHEL-HEINEGG, B. VON: *Das Verfahren in Familiensachen. Schwerpunkte, Begriff der Familiensache, Zuständigkeit, ... Neuwied u. a.* ⁴*1997.*

Famili|engüter, das Grundeigentum, dessen Verbleib innerhalb einer bestimmten Familie festgelegt war, z.B. als Familienfideikommisse; bereits im 19. Jh. weitgehend abgeschafft.

Famili|enkasse, →Kindergeld.

Famili|enlastenausgleich, →Kinderlastenausgleich.

Famili|enname, →Name.

Famili|enplanung, alle Maßnahmen, um die Anzahl und den Zeitpunkt der Geburten in der Familie unter Berücksichtigung der individuellen und gesellschaftl. Lebensbedingungen zu planen. Dazu gehören Methoden zur Begrenzung (z.B. durch Verbreitung von empfängnisverhütenden Mitteln) und auch zur Steigerung der Kinderzahl; Sterilisation und Abtreibung werden nicht zu den Methoden der F. gezählt. Die freie und verantwortungsvolle Elternschaft gehört seit 1968 zu den Menschenrechten.

Famili|enpolitik, Maßnahmen zum Schutz, zur Förderung und Gesunderhaltung der Familien, bes. auch zum Ausgleich ihrer wirtschaftl. Belastungen durch Kinder: Zahlung von Kindergeld, Erziehungsgeld, Ausbildungs-, Mietbeihilfen, Steuererleichterungen (Kinderlastenausgleich), Fahrpreisermäßigungen u.a. In Dtl. gehört die F. zum Aufgabenbereich des Bundesministeriums für Familie und Senioren.

Famili|enrecht, die Gesamtheit der in Bezug auf Ehe und Verwandtschaft geltenden Rechtsregeln, im Wesentlichen geregelt im 4. Buch des BGB (§§ 1297 ff.), ergänzt u.a. durch das Ehe-Ges. vom 20. 2. 1946 (dessen Aufhebung im Rahmen einer Reform des Kindschaftsrechts beabsichtigt ist) und das Personenstands-Ges. vom 8. 8. 1957. Das F. des BGB umfasst die Bestimmungen über die bürgerl. Ehe (Verlöbnis, Wirkungen der Ehe im Allgemeinen, ehel. Güterrecht), Ehescheidung und Scheidungsfolgen (Unterhalt, Versorgung), Verwandtschaft (Abstammung, Unterhalt, Stellung des nichtehel. Kindes, elterl. Sorge), Annahme als Kind (Adoption), Vormundschaft, Betreuung und Pflegschaft.

Der Begriff der Familie wird im BGB nicht eigens definiert, v.a. weil hier Fragen individueller Rechtsbeziehungen einzelner Familienmitglieder zueinander im Vordergrund stehen und der Begriff der Familie nur vereinzelt auftaucht. Der das Privatrecht beherrschende Grundsatz der Vertragsfreiheit gilt im F. nur eingeschränkt.

Das *österr.* F. ist im 1. Teil des ABGB (§§ 44–283) ähnlich wie in Dtl. geregelt. – Das *schweizer.* ZGB behandelt im 2. Teil unter diesem Titel und mit ähnl. Gliederung dieselben Gebiete.

📖 HENRICH, D.: *F. Berlin u. a.* [5]*1995.* – MÜNCH, E. M. VON: *Ehe- u. Familienrecht von A–Z. München* [13]*1996.*

Famili|ensoziologie, älteste spezielle Soziologie, die nach dem Zusammenhang von Familienformen, der Rolle der Familie und der allg. Gesellschaftsentwicklung fragt und die Familie als soziale Gruppe untersucht.

Amintore Fanfani

Famili|enstand, *Bevölkerungsstatistik:* die Angabe, ob eine Person ledig, verheiratet, verwitwet oder geschieden ist.

Famili|enversicherung, in der gesetzl. Krankenversicherung der Grundsatz, dass mitversicherte Familienangehörige des Mitgl. (unterhaltsberechtigter Ehegatte und Kinder) den gleichen Anspruch auf Leistungen haben (außer Krankengeld) wie dieses. Die Voraussetzungen für die F. sind in § 10 SGB V geregelt.

Family ['fæmɪlɪ; engl. »Die Familie«] (bis 1978 Children of God, bis 1992 F. of love), 1969 aus der Jesus-People-Bewegung in den USA entstandene Gemeinschaft, die von ihrem Gründer »Moses« D. Berg (* 1919) geleitet wird (durch »MO-Briefe«). Die in abgeschlossenen Wohngemeinschaften lebenden Mitgl. verbreiten die Bibelinterpretationen und Endzeitvisionen ihres Führers.

Famulus [lat. »Diener«, »Gehilfe«] *der,* **1)** im MA. ein bevorzugter Unfreier, der dem König oder Grundherrn ehrenvolle persönl., auch Waffendienste leistete (später: Knappe).

2) *Hochschulwesen:* 1) bis Ende des 19. Jh. Student, der einem Hochschullehrer Dienste leistete (später: Assistent); 2) Medizinstudent während des Praktikums in Arztpraxen, Krankenhäusern u.a.

Fanarioten, →Phanarioten.

Fanatismus [lat.] *der,* das blinde und aggressive Verfolgen eines Ziels, das ohne Bezug auf die Gesamtwirklichkeit zur absoluten Norm erhoben wird. Der Fanatiker schaltet Selbstkritik und Einwände aus und ist fremden Anschauungen gegenüber blind und (oder) intolerant. Der F. kann sich zu Massenbewegungen ausweiten (Inquisition, Hexenprozesse, Massenpsychosen, Rassenwahn).

📖 HOLE, G.: *F. Der Drang zum Extrem u. seine psycholog. Wurzeln. Freiburg im Breisgau u. a. 1995.*

Fanck, Arnold, Filmregisseur und -autor, * Frankenthal (Pfalz) 6. 3. 1889, † Freiburg im Breisgau 28. 9. 1974; Begründer der Freiburger Kameraschule, erweiterte den Ski- und Bergsteigerfilm zur eigenen Gattung des Naturspielfilms (u.a. »Die weiße Hölle vom Piz Palü«, 1929; »Der weiße Rausch«, 1931).

Fandango [span. aus portugies.] *der,* span. Volkstanz im $^3/_4$- oder $^3/_8$-Takt mit Gitarren- und Kastagnettenbegleitung.

Fanfani, Amintore, italien. Politiker, * Pieve Santo Stefano (Prov. Arezzo) 6. 2. 1908; Wirtschaftswissenschaftler, 1954–59 und 1973–75 Gen.-Sekr. der Democrazia Cristiana (DC), deren sozialreformator. Flügel er vertrat. Ab 1947 mehrfach Min., war er 1954, 1958–59, 1960–63, 1982–83 und 1987 MinPräs. sowie 1968–73, 1976–82 und 1985–87 Senatspräsident.

Fanfare [frz.] *die, Musik:* 1) lange, ventillose Trompete; 2) das Trompetensignal (auf Töne des

Dreiklangs); 3) kurzes Musikstück, meist für Trompeten und Pauken.

Fang, das Maul der Hunde und Raubtiere. (→Fänge 1)

Fang (Pangwe), Bantuvolk im südl. Kamerun, Äquatorialguinea und N-Gabun. Die etwa 1 Mio. F. leben als Hackbauern im trop. Regenwald. Ihre Holzschnitzkunst war bis zur ersten Hälfte des 20. Jh. hoch entwickelt (Wächterfiguren und -köpfe für den Ahnenkult).

Fangarme, →Tentakel.

Fänge, *Jägersprache:* 1) die Eckzähne der Hunde und Raubtiere (→Fang); 2) die mit Krallen bewehrten Zehen der Greifvögel und Eulen.

Fanggrube, →Fallgrube.

Fanggürtel, um den Stamm von Obstbäumen angebrachte Wellpappestreifen oder Strohseile, in denen sich Insektenlarven (z.B. vom Apfelwickler) verpuppen können, die dann durch Verbrennen der F. vernichtet werden.

Fanghaken, Haken unter dem Rumpf von Flugzeugen zur Landung auf Flugzeugträgern. Der Haken erfasst quer zum Landedeck gespannte **Fangseile,** wodurch die Ausrollstrecke stark verkürzt wird.

Fangheuschrecken, veraltete Bez. für die →Fangschrecken.

Fangio ['faŋxio], Juan Manuel, argentin. Automobilrennfahrer, *Balcarce (Prov. Buenos Aires) 24. 6. 1911, †Buenos Aires 17. 7. 1995; war 1951, 1954–57 Weltmeister, gewann 46 Rennen zw. 1949 und 1957.

Fang Lizhi [-lidʒi], chines. Bürgerrechtler, *Peking 12. 2. 1936; Astrophysiker, Prof. an der TU Hefei, 1985–89 Vizepräs. der Akademie der Wissenschaften, in den 1980er-Jahren einer der Vordenker der Demokratiebewegung, floh nach deren blutiger Niederschlagung Anfang Juni 1989 in die US-Botschaft; konnte im Juni 1990 in die USA ausreisen.

Fanglomerat [zu engl. fan »Fächer« und (Kon)glomerat] *das* (Schlammbreccie), *Geologie:* fächerartig ausgebreitete, ungeschichtete, aus wenig gerundeten Gesteinsbrocken im feinkörnigen Grundmaterial bestehende Ablagerungen, die i.d.R. in aridem Klima aus Schlammströmen entstehen.

Fango [italien. »Schlamm«] *der,* Mineralschlamm vulkan. Ursprungs, Ablagerung auf dem Boden heißer Quellseen oder aus verwittertem Basalttuff. Der mit heißem Wasser angerührte Mineralschlamm hilft in Packungen und Umschlägen bes. bei rheumat. Erkrankungen, Leber-Galle-Leiden und Frauenkrankheiten.

Fangschaltung, vermittlungstechn. Einrichtung zur Feststellung der Rufnummer des anrufenden Fernsprechteilnehmers. F. werden bei Belästigung durch anonyme Anrufer oder zur Feststellung von Störungen eingesetzt.

Fangschnur, *Militärwesen:* urspr. an Achsel und Helm befestigte Schnur, die beim Ritt den Verlust der Kopfbedeckung verhindern sollte. In der Bundeswehr ein Abzeichen, eine geflochtene Schnur aus Metallgespinst, an der Schulter getragen (→Schulterschnur).

Fangschrecken (Mantodea), räuberisch lebende Insekten, 1–16 cm lang, mit bewegl., abgerundet-dreieckigem Kopf und zusammenklappbaren Fangorganen (Vorderbeine), die erhoben getragen werden. Manche tropische Arten sind blatt- oder astförmig getarnt. (→Gottesanbeterin, →Teufelsblume)

Fangschuss, *Jagd:* aus der Nähe abgegebener Schuss zum Töten angeschossenen Wildes.

Fano, Stadt in den Marken, Italien, Prov. Pesaro e Urbino, 55000 Ew.; Seebad am Adriat. Meer; Textil-, Schuhindustrie; Fischerei. – In der Altstadt Reste einer röm. Stadtmauer mit einem Augustusbogen (2 n. Chr.); romanisch-got. Dom (1113–40; Fresken von Domenichino); mehrere Paläste, u.a. Palazzo della Ragione (1299).

Fanø, Insel an der W-Küste Jütlands, Dänemark, 56 km², rd. 3000 Ew.; Fischerei, Seebäder; Hauptorte sind Nordby und Vesterhavsted.

Fanon [fa'nɔ̃], Frantz, afroamerikan. Schriftsteller und polit. Theoretiker, *Fort-de-France (Martinique) 20. 7. 1925, †Bethesda (Md.) 6. 12. 1961; Arzt, schloss sich 1954 in Algier der FLN an. Sein Buch »Die Verdammten dieser Erde« (1961), in dem er (auf Marx, Freud und Lenin aufbauend) die Notwendigkeit gewaltsamer antikolonialer Revolution zu begründen suchte, übte großen Einfluss in der Dritten Welt aus. Von F. stammen die Parolen »Blackpower« und »Black America«.

Fang: Ahnenfigur aus Holz

Fano: Augustusbogen (2 n. Chr.)

fantastischer Realismus: William Blake, »Elohim erschafft Adam« (1795; London, Tate Gallery)

Fantasia [span.] *die,* Reiterspiel in Algerien und Marokko, bei dem auf galoppierenden Pferden akrobat. Kunststücke gezeigt werden.

Fantasie [grch.] (Phantasie) *die,* **1)** *Musik:* (italien. Fantasia) ein Instrumentalstück mit freier, häufig improvisationsähnlicher Gestaltung ohne feststehende formale Bindung. Seit dem frühen 16. Jh. (Orgelmusik) gebräuchlich, war die F. bis zum Beginn des 18. Jh. mit Formen wie Ricercar, Präludium, Tokkata oder Capriccio weitgehend identisch. Als Opern-, Walzer-, Marsch-F. u. Ä. bezeichnete man im 19. Jh. potpourriartige Bearbeitungen entsprechender Werke. Im 20. Jh. kommt der Titel F. (außer in der Orgelmusik) nur noch selten vor.

Henri Fantin-Latour: »Atelier des Batignolles« (1870; Paris, Musée d'Orsay)

2) *Philosophie, Psychologie:* Vorstellung, Vorstellungsvermögen, Einbildungskraft; die schöpfer. Fähigkeit des menschl. Geistes, neue Vorstellungsbilder hervorzubringen und zu kombinieren.

fantastischer Realismus, *Kunst:* Mitte der 1950er-Jahre aufgekommene Bez., die sich zunächst nur auf die Maler der →Wiener Schule des phantastischen Realismus bezog. – I. w. S. auch Bez. für eine visionäre Malerei, die bis ins 18. Jh. zurückreicht und der Künstler wie J. H. Füßli, W. Blake, C. D. Friedrich, A. Böcklin u. a. ganz oder teilweise zuzurechnen sind.

Fantasy ['fæntəsɪ, engl.] *die,* →Sciencefiction.

Fantin-Latour [fãtɛ̃la'tu:r], Henri, frz. Maler, *Grenoble 14. 1. 1836, †Buré (Orne) 25. 8. 1904; stand den Impressionisten nahe, blieb aber der tradierten Malkultur verpflichtet. Gruppenbildnisse der Freunde, u. a. »Atelier des Batignolles« (1870; Paris, Louvre), ein Porträt É. Manets im Kreis gemeinsamer Freunde, Blumenstillleben, Fantasieszenen zur Musik von Wagner, Berlioz u. a. sind seine wichtigsten Themen.

FAO, Abk. für engl. **F**ood and **A**griculture **O**rganization, Fachorganisation der UNO für Ernährung, Landwirtschaft, Fischerei und Forstwesen, gegr. 1945; Sitz: Rom. Wichtigste Aufgaben: Verbesserung, Sicherung und Erweiterung der weltweiten Nahrungsmittelversorgung, Bekämpfung der Hungersnöte, Durchführung von Entwicklungsprojekten, Genehmigung von Nahrungsmittelhilfen im Rahmen des Welternährungsprogramms.

Farabi (Abu Nasr Mohammed al-F., Alfarabi), islam. Philosoph, *Wasidsch (Distr. Farab, Turkestan) um 870, †bei Damaskus 950; bedeutender Kommentator der aristotel. und neuplaton. Philosophie, Schriften zur Ethik, Politik, Mathematik und Musiktheorie. Von der neuplaton. Emanationslehre beeinflusst, deutet F. das Seiende als in verschiedenen Gradabstufungen des Seins aus dem einen göttl. Sein entspringend. (→Ibn Sina)

Farad [nach M. Faraday] *das,* Einheitenzeichen **F,** SI-Einheit der elektr. Kapazität. Ein Kondensator hat die Kapazität 1 F, wenn eine elektr. Ladung von 1 Coulomb (C) eine Spannung von 1 Volt (V) an ihm erzeugt: 1 F = 1 C/1 V.

Faraday ['færədɪ], Michael, brit. Physiker und Chemiker, *Newington Butts (heute zu London) 22. 9. 1791, †Hampton Court Green bei London 25. 8. 1867; bildete sich nach einer Buchbinderlehre autodidaktisch, wurde 1813 Laboratoriumsgehilfe bei H. Davy und 1825 dessen Nachfolger als Direktor des Laboratoriums der Royal Institution, danach auch Professor für Physik und Chemie. F. entdeckte das Benzol im Leuchtgas, die elektromagnet. Induktion, die Selbstinduktion, die dielektr. und diamagnet. Erscheinungen, die Drehung der Polarisationsebene des Lichts durch ein magnet. Feld (**F.-Effekt,** →Magnetooptik) und die Grundgesetze der Elektrolyse. F. führte den Begriff der elektr. und magnet. Kraftlinien ein und konstruierte den ersten Dynamo.

Werke: Experimental researches in electricity, 3 Bde. (1844–55); Experimental researches in chemistry and physics (1859).

LEMMERICH, J.: *M. F. 1791–1867. Erforscher der Elektrizität. München 1991.*

Faraday-Käfig: Künstlich erzeugter Blitzeinschlag in einen mit einer Person besetzten Faraday-Käfig

Faraday-Käfig ['færədı-; nach M. Faraday], allseitig geschlossene Hülle aus leitfähigem Material, in die kein äußeres elektr. Feld eindringen kann (Abschirmung). Das äußere Feld induziert zwar eine Ladung auf der Oberfläche, aber das Innere des Käfigs bleibt feldfrei. F. sind z.B. Autos, Flugzeuge und das ein Gebäude umgebende Drahtsystem einer Blitzschutzanlage.

Faraday-Konstante ['færədı-; nach M. Faraday], Formelzeichen *F*, physikal. Konstante der Elektrolyse, Produkt aus Avogadro-Konstante N_A und Elementarladung *e*; sie gibt die Ladungsmenge **(Faraday-Ladung)** an, die zur elektrolyt. Abscheidung von 1 Mol eines chemisch einwertigen Stoffs nötig ist: $F = N_A \cdot e = 96\,485{,}31$ C/mol.

faradaysche Gesetze ['færədı-], die 1833/34 von M. Faraday aufgestellten Zusammenhänge zw. dem Stromfluss bei der Elektrolyse und den an den Elektroden abgeschiedenen Stoffmengen. Nach dem **1. f. G.** ist die Masse *m* einer aus einem Elektrolyten abgeschiedenen Stoffmenge der durchflossenen Ladung Q proportional, $m = c\,Q$; *c* heißt das **elektrochem. Äquivalent** des abgeschiedenen Stoffes. Nach dem **2. f. G.** scheiden gleiche Elektrizitätsmengen aus verschiedenen Elektrolyten gleiche Äquivalentgewichte der Stoffe ab.

Farah Diba, Kaiserin von Iran (1967–79), *im iran. Aserbaidschan 15. 10. 1938; ⚭ seit 1959 mit Schah Mohammed Resa Pahlewi (†1980); ging 1979 ins Exil (seit 1980 in Ägypten).

Farandole [frz.] *die* (provenzal. Farandoulo), ein schon im 14. Jh. genannter und noch heute getanzter provenzal. Kettenreigen in mäßig schnellem 6/8-Takt. Die F. kommt auch in der Kunstmusik vor (z.B. bei G. Bizet).

Farbabweichung, *Optik:* →Abbildungsfehler.

Farbanpassung (Homochromie), farbl. Übereinstimmung oder Ähnlichkeit von Organismen mit ihrer Umgebung. Zur **passiven F.** gehören u.a. die Farbgleichheit vieler Insekten mit ihrer Futterpflanze, die Ähnlichkeit des Farbkleides mancher Organismen mit dem Boden und die unterschiedl. Färbung der meisten Fische (dunkler Rücken, heller Bauch) Tiere mit **aktiver F.** ändern ihre Farbe entsprechend ihrer Umgebung, z.B. Chamäleon, Laubfrosch (→Farbwechsel). BILD S. 272

Farbband, farbgetränktes oder einseitig beschichtetes Seiden-, Baumwoll- oder Chemiefaserband (auch mit mehrfarbigen Streifen); dient als Farbträger v.a. für Schreibmaschinen.

Farbbücher (Buntbücher), amtl. Veröffentlichungen zur Regierungspolitik, bes. zur Außenpolitik (in farbigem Umschlag): **Weißbücher** (Dtl., erstmalig 1876; Portugal), **Rotbücher** (Österreich, Spanien, z.T. USA), **Gelbbücher** (Frankreich, China), **Grünbücher** (Italien, Rumänien, Mexiko), **Graubücher** (Dänemark, Japan), **Orangebücher** (Niederlande, bis 1917 Russland), **Blaubücher** (Großbritannien, erstmalig 1624).

Daneben werden auch nichtamtl. Bücher vorwiegend polem. Inhalts als F. herausgegeben. Die

Michael Faraday

Michael Faraday

Das ernste und auf wenige Ziele konzentrierte Arbeiten Faradays trieb zeitweise lebensfremde Blüten. In einem Gedicht aus dem Jahr 1816 malt er die verheerenden Folgen aus, die für einen Mann die Liebe zu einer Frau hat:

»Was ist die Plage und Seuche
des menschlichen Lebens?
Es ist die Liebe.
Und was ist der Fluch,
den häufig eine Frau bringt?
Es ist die Liebe.
Was ist die Kraft, die des Mannes
festesten Verstand ruiniert?
Was täuscht seinen Gastgeber leider
so freundlich, und macht dumme
Narren aus solchen, die vorher
Weise waren?
Es ist die Liebe«.

Als Faraday sich kurz darauf trotzdem verliebte, hatte er große Mühe, nicht nur mit den stürmischen und ungewohnten Schwankungen des eigenen Lebensgefühls zurechtzukommen, sondern auch seiner Geliebten, Sarah Barnard, die das Gedicht auf Umwegen zu sehen bekommen hatte, ernste und glaubhafte Abbitte zu tun. Es verging einige Zeit, bis sie am 12. Juni 1821 schließlich heirateten. (Das Gedicht ist entnommen aus J. Lemmerich: »Michael Faraday 1791–1867: Erforscher der Elektrizität«)

Farbanpassung: Passive Farbanpassung eines Krokodilfischs an den Untergrund des Roten Meeres

Farbe weist dabei auf den polit. Hintergrund hin (z. B. das »Braunbuch über Reichstagsbrand und Hitlerterror«, 1933, von W. Münzenberg).

Farbe, 1) eine durch Licht ausgelöste und durch das Auge vermittelte Sinnesempfindung (→Farbensehen); die wahrgenommene F. ist keine physikal. Eigenschaft der Gegenstände, wird jedoch im Sprachgebrauch für die auslösende Lichtstrahlung selbst oder für stoffl. →Farbmittel verwendet. An den **bunten F.** nimmt man einen **Farbton** wahr (gelb, rot, blau, grün), der versch. stark ausgeprägt sein kann **(Sättigung),** und eine **Helligkeit.** Fehlt der F. der Farbton, ist die Sättigung null, und es liegt eine **unbunte F.** vor (Weiß, Grau, Schwarz).

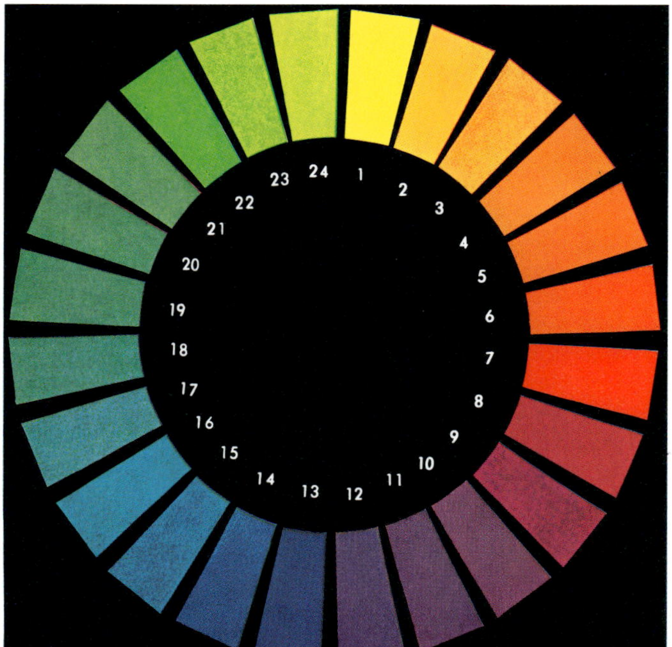

Farbe 1): Der 24-teilige ostwaldsche Farbtonkreis entsteht durch Zusammenbiegen des Spektrums von weißem Licht unter der Einschaltung von Purpur zwischen Violett und Rot

Mit diesen drei Größen lässt sich jede Farbe eindeutig charakterisieren; dies wird in der →Farbmetrik ausgenützt. – Die Helligkeitsempfindung bei nicht selbstleuchtenden Flächen **(Körper-F.)** wird vom Auge stets relativ zu den Helligkeiten gleichzeitig gesehener anderer Flächen beurteilt **(bezogene F.).** Bei selbstleuchtenden Objekten (Lichtquellen) ist dem Auge ein solcher Bezug nicht möglich; deshalb wird deren Helligkeit durch das photometr. Maß der Leuchtdichte beschrieben. Eine **freie F.** wird wahrgenommen, wenn durch geeignete Mittel (z. B. durch Abbildung der Farbfläche in die Augenpupille) Form, Raumlage und Oberflächenstruktur der gesehenen Fläche unsichtbar gemacht sind.

Die Folge der Farbtöne läuft in sich zurück: Auf Gelb folgen Orange, Rot, Violett, Blau, Blaugrün, Grün, Gelbgrün und dann wieder Gelb. Daher wird die Reihe der Farbtöne häufig in einem Kreis, dem **Farbkreis** oder **Farbtonkreis,** angeordnet, von dem v. a. zwei Arten üblich sind: Bei der einen Art stehen sich **Komplementär-, Gegen-** oder **Ergänzungs-F.** (solche, die sich bei additiver Mischung zu Unbunt kompensieren lassen, z. B. Gelb-Violettblau, Purpur-Grün) diametral gegenüber, z. B. im ostwaldschen Farbtonkreis; bei der anderen Art sind die Farbtöne so angeordnet, dass gleich großen Empfindungsunterschieden gleich große Abstände im Kreis entsprechen, z. B. im Farbsystem DIN 6164. Beide Prinzipien lassen sich nicht miteinander vereinbaren.

Eine F. eines bestimmten Farbtons lässt sich in zweierlei Weise abwandeln: Durch additive Zumischung von gleich hellem Grau kann man den Farbtoncharakter immer mehr zurücktreten lassen; die urspr. Helligkeit bleibt unverändert und die Sättigung wird vermindert. Durch Abdunkeln der gegebenen F., d. h. eine additive Zumischung von Schwarz, bleiben Farbton und Sättigung unverändert; nur die Helligkeit nimmt ab, und es entstehen F. derselben **Farbart.** Da außerdem der Farbton geändert werden kann, ergibt sich eine dreifache Variationsmöglichkeit der F.: Die F. ist »dreidimensional«, d. h., drei voneinander unabhängige Bestimmungen sind zur eindeutigen Beschreibung einer Farbempfindung notwendig; diese Dreidimensionalität ist im physiolog. Vorgang des **Farbensehens** begründet.

Auf den Gesetzen der additiven →Farbmischung beruht die →Farbmetrik; sie liefern auch die Grundlage für die Farbmessung, die z. B. für Farbfestlegungen und Farbtoleranzvereinbarungen wichtig ist.

📖 PAWLIK, J.: *Theorie der F. Eine Einführung in begriffl. Gebiete der ästhet. Farbenlehre. Köln [9]1990.* – GAGE, J.: *Kulturgesch. der F. Von der Antike bis zur Gegenwart. A. d. Engl. Ravensburg 1994.*

Farbendruck: Verfahren des Vierfarbendrucks: Durch Farbfilter (1 a, 2 a, 3 a) werden von der Vorlage Farbauszüge (1 b, 2 b, 3 b) hergestellt, dazu eine Schwarzaufnahme (4); das »Zusammensehen« verschiedenfarbiger Punkte ergibt Mischfarben (1 c); durch Übereinanderdrucken der verschiedenen Farben (2 c, 3 c, 5) entsteht ein Farbbild; ein vergrößerter Ausschnitt (6) zeigt die Farb- und Mischfarbpunkte

2) *Elementarteilchenphysik:* (Farbladung) ein Freiheitsgrad der Quarks (→Quantenchromodynamik).

Farbechtheit, Widerstandsfähigkeit einer Färbung gegen Säuren, Alkalien, Oxidationsmittel, Reiben, Licht, Schweiß, Waschen u.a. Die Echtheitsprüfungen sind genormt.

Farbenblindheit, →Farbenfehlsichtigkeit.

Farbendruck (Mehrfarbendruck), Illustrationsdruck zur farb- und tonwertähnl. Wiedergabe farbiger Halbtonvorlagen in allen Druckverfahren. Hierzu benutzt man beim **Drei-F.** drei Teilfarbauszüge (Druckformen): je eine für Gelb, Magenta (Purpur) und Cyan. Durch Übereinanderdruck dieser drei Farben lassen sich zus. mit dem Weiß des Bedruckstoffes alle Mischfarben erzielen. Die Herstellung dieser drei Druckformen erfolgt durch fotograf. Ausfilterung der einzelnen Farbanteile bei der Aufnahme sowie durch Retusche und Fertigung der einzelnen Druckformen. Beim **Vier-F.** kommt eine weitere Druckform (meist Schwarz) zur Unterstützung der Zeichnung und zur Verbesserung des Schwarzgehalts hinzu. Die Dreifarbenskala wird vorwiegend in Tiefdruck, vor allem bei farbigen Zeitschriften, angewendet. Am häufigsten wird die Vierfarbenskala benutzt. Zur möglichst originalgetreuen Wiedergabe von Vorlagen (z.B. Gemälde) ist im Offset- bzw. Lichtdruck mitunter eine Verwendung von mehr als vier Farben nötig.

Farbenfehlsichtigkeit (Dyschromasie, Farbensinnstörung), meist angeborene oder erworbene Abweichung vom normalen Farbenempfinden bzw. Farbenunterscheidungsvermögen. Man unterscheidet: **Farbenasthenopie,** schnelle Ermüdbarkeit des (sonst normalen) Farbensehens; **Farbenamblyopie,** selektiv herabgesetztes Farbenunterscheidungsvermögen; **Farbenanomalie,** als F.

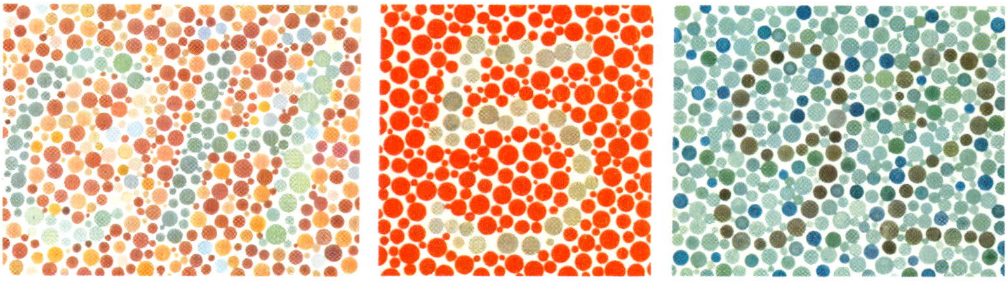

Farbenfehlsichtigkeit (von links): Normalsichtige erkennen in erster Linie die Farbunterschiede und lesen CH, Farbenfehlsichtige lesen nach den Helligkeitsunterschieden 31; die graue 5 wird bei Rotgrünstörung infolge der hierbei erhöhten Kontrastwirkung als grünlich angesehen; bei Blaugelbstörung ist die 92 nicht erkennbar

i.e.S. entweder mit verminderter Empfindungsfähigkeit für eine bestimmte Farbe **(anomale Trichromasie),** vollständig fehlender Empfindungsfähigkeit für eine Farbe **(Dichromasie)** oder aber mit dem völligen Verlust des Unterscheidungsvermögens für Farben überhaupt durch Ausfall der Farbensehfunktion der Netzhautzapfen **(Monochromasie, Achromatopsie, totale Farbenblindheit).** Der Funktionsausfall aller Zapfentypen kommt sehr selten vor (etwa bei 0,01% der Menschen), meist liegt eine partielle Farbenblindheit vor (am häufigsten Rotgrünblindheit). Nach der Young-Helmholtz-Theorie des Farbensehens beruht die anomale Trichromasie gewöhnlich auf einer verminderten Empfindungsfähigkeit der rot- oder grünempfindl. Elemente (**Protanomalie** = Rotschwäche; **Deuteranomalie** = Grünschwäche), wesentlich seltener der blauempfindlichen (**Tritanomalie** = Blauschwäche). Bei der Dichromasie ist ein Zapfentyp vollständig ausgefallen (**Protanopie** = Rotblindheit, **Deuteranopie** = Grünblindheit, **Tritanopie** = Blaublindheit). Für viele Berufe ist das genaue Erkennen von Farben erforderlich (z.B. Piloten, Kraftfahrer) und muss vor Beginn der Berufsausbildung (z.B. durch Farbtafeln, Anomaloskop) überprüft werden.

Farben-Helligkeits-Diagramm, Abk. **FHD,** Zustandsdiagramm, das die scheinbare Helligkeit der Sterne in Abhängigkeit vom →Farbenindex darstellt. Das FHD ist dem →Hertzsprung-Russell-Diagramm gleichwertig.

Farbenfehlsichtigkeit

John Dalton ist nicht nur der Vater der chemischen Atomtheorie, sondern er entwickelte auch einen Test zur Untersuchung von Farbenfehlsichtigkeiten. Er stellte für sich selbst eine Farbenblindheit fest und glaubte, dass diese auf einer Blaufärbung des Augenmediums beruhe. Nach Untersuchung von Resten seines Auges, das nach seiner testamentarischen Anordnung im getrockneten Zustand erhalten geblieben war, stellten Forscher vor kurzem fest, dass Dalton das Protein einer Zapfenart fehlte und er grünblind war.

Farbenhören (frz. Audition colorée), das Wahrnehmen von Farben beim Hören von Tönen, Harmonien, Musik. Oft werden dabei hohe Töne mit hellen Farben verbunden, tiefe mit dunklen. Im Ggs. dazu kann ein Farbreiz Klangempfindungen auslösen. (→Farbenmusik, →Synästhesie).

Farbenindex, bei einem Fixstern die Differenz seiner Helligkeit in zwei versch. Spektralbereichen. Der gebräuchlichste F. ergibt sich aus der Differenz von Blau- und Gelbhelligkeit. Der F. ist ein Maß für die Intensitätsverteilung der Strahlung und damit der Temperatur des Sterns.

Farbenlehre, die Wiss. von der Farbe, im naturwiss. Sinn von der Farbe als physiologisch-opt. Erscheinung. Sie basiert somit auf Erkenntnissen aus Physik, Biologie, Physiologie und Psychologie. Teilgebiete sind u.a. die Lehre vom →Farbensehen und die →Farbmetrik; F. ist auch die Lehre vom Sinneserlebnis Farbe und seinen Wirkungen, wozu Fragen der Farbästhetik, des Farbklimas und der Farbenharmonie gehören. – Goethes »Farbenlehre« (1810) nimmt eine Sonderstellung ein; sie behandelt v.a. die Physiologie und die psycholog. Wirkung der Farben und vertritt im Ggs. zu Newton die Einheitlichkeit des weißen Lichts.

📖 ITTEN, J.: *Kunst der Farbe. Ravensburg* ^{22}*1995.*

Farbenmusik (Farblichtmusik, Farbe-Ton-Kunst), die künstler. Verbindung von Farblicht und Musik. Die Bemühungen, ein sinnvoll aufeinander bezogenes gleichzeitiges Erleben von Tönen und Farben mittels neuartiger Instrumente zu ermöglichen und damit ein Gesamtkunstwerk zu schaffen, reichen bis in das 17. Jh. zurück. Anfang des 20. Jh. gab es Versuche mit Farbenklavieren bei A. N. Skrjabin und A. László. Eine Verbindung von Ton und Farbe strebte W. Kandinsky mit seiner Bühnenkomposition »Der Gelbe Klang« (1912) an. In der Nachfolge Kandinskys und Skrjabins stehen zahlreiche Versuche der letzten Jahre, so u.a. J. A. Riedls audiovisuelle Elektronik, D. Schönbachs Environments und Multimediaopern sowie P. Sedgleys Light-Sound-Demonstrationen.

Farbenraum, → Farbmetrik.

Farbensehen, die beim Menschen, den Wirbeltieren und bei vielen Wirbellosen vorhandene Fähigkeit, mit ihren Augen Farben unabhängig von ihren Helligkeitswerten aufgrund der Wellenlänge des Lichtes zu unterscheiden. Träger dieser Funktion sind die für das Tagessehen bestimmten Zapfen in der Netzhaut des Auges. Der Mensch sieht trichromatisch, d.h., alle Farbeneindrücke entstehen entsprechend dem Erregungszustand der drei vorkommenden Zapfentypen (Rot, Grün, Blau). Innerhalb eines bestimmten Wellenlängenbereichs (380 nm bis 750 nm) der elektromagnet. Strahlung (sichtbarer Spektralbereich) kann das menschl. Auge etwa 160 Farbtöne unterscheiden. Im Grün- (um 500 nm) und im Rotbereich (um 620 nm) ist die Unterscheidungsfähigkeit am besten (2 nm). Aus der Mischerregung zweier oder aller drei Zapfentypen ist entsprechend einer additiven Farbmischung die Vielfalt der etwa 500 000 Farbempfindungen erklärbar **(Dreikomponententheorie, Dreifarbentheorie, Young-Helmholtz-Theorie).** Farbkontraste und farbige Nachbilder erscheinen in der Komplementärfarbe. Die Wahrnehmung von Farben beruht auf komplexen Mechanismen, an denen das ganze Sehsystem vom Auge bis zur Hirnrinde beteiligt ist.

Farbensymbolik, vornehmlich in Kult und Brauchtum lebendige Bedeutung der Farben, heute meist nur noch sinnbildlich verstanden. Die Sinngebung der Farben ist in den versch. Kulturen uneinheitlich und wandelt sich mit den Zeiten. In der mittelalterl. Malerei ist Gold z.B. Zeichen für das göttl. Licht, Grün die Farbe der Barmherzigkeit oder der Neugeburt, des neuen Lebens aus dem Glauben, Hochrot die Farbe der Liebe oder des Heiligen Geistes. – Gelegentlich sind Farben zum Symbol bestimmter Religionen geworden, z.B. Grün – Islam, Gelb – Lamaismus, Weiß – Parsismus. – Zur F. der christl. Kirchen → liturgische Farben. – Auf nichtreligiösem Gebiet tritt die symbol. Bedeutung von Farben vorrangig in den Fahnen der Nationen zutage, aber auch in der Kennzeichnung polit. Bewegungen: Rot für Kommunismus, Sozialismus, Schwarz für Anarchismus, Faschismus, Konservatismus, Braun für den Nationalsozialismus, Grün für landwirtsch. oder Umweltschutzorganisationen. Auch der Darstellung psychischer Befindlichkeiten dienen Farben: Grün verweist auf Hoffnung, Gelb steht für Neid, Schwarz für Trauer.

📖 RIEDEL, I.: *Farben in Religion, Gesellschaft, Kunst u. Psychotherapie. Stuttgart* [14]*1996.*

Färberdistel, die Färberpflanze → Saflor.

Färberei, wichtiges Textilveredlungsverfahren, das in allen Verarbeitungsstufen und -zuständen möglich ist. Die Verfahren sind bei den versch. Fasern (pflanzlich, tierisch oder vollsynthetisch) unterschiedlich und hängen von den verwendeten Farbmitteln ab. Meist werden Lösungen oder Dispersionen mit Farbstoffen oder anderen farbgebenden Substanzen in wässrigem Medium oder organ. Lösungsmitteln verwendet.

Färberröte (Krapp, Rubia tinctorum), aus dem Mittelmeerraum stammendes Rötegewächs mit gelbl. Blüten. Der Farbstoff der roten Wurzel (Alizarin) war im Altertum bereits Indern, Ägyptern, Griechen und Römern bekannt und diente zum Färben von Stoffen.

Färberröte
(Höhe 50–80 cm)

Farbfeldmalerei (engl. Color-Field-Painting), eine Ende der 1950er-Jahre in den USA entstandene Malerei, die sich auf reine Farbflächen beschränkt und auf raumillusionist. Wirkungen verzichtet (Helen Frankenthaler, M. Louis, K. Noland, A. Reinhardt, F. Stella).

Farbfernsehen. Das Grundprinzip beruht auf der Umwandlung von Farbtönen und Farbsättigungen in elektr. Signale und deren Rückumwandlung, wobei Informationen zur Helligkeit (Luminanzsignal), Farbsättigung und Farbton (zus. Chrominanzsignal) erforderlich sind. Aus der additiven Mischung der Farben Rot, Grün und Blau lassen sich alle anderen Farben unter Berücksichtigung der menschl. Farbempfindlichkeit darstellen. Farbsättigung und Farbton können zwei voneinander unabhängigen Größen, wie z.B. Betrag und Phase einer Schwingung, zugordnet werden. Hierauf beruhen die Farbfernsehübertragungs-

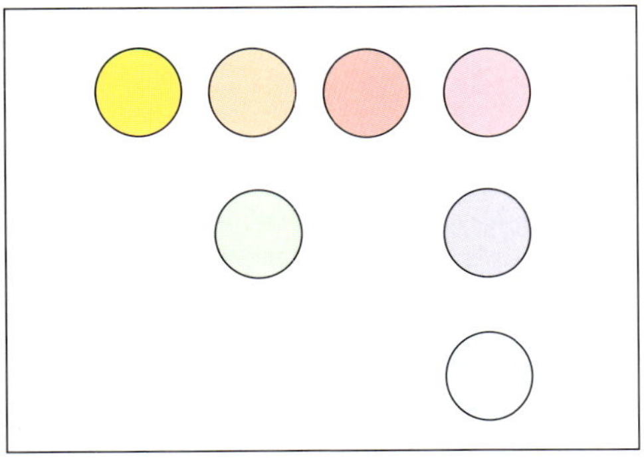

Farbenlehre

Diese Farbenscheiben stammen aus Goethes Farbenlehre. Die Farbscheibchen der zweiten und dritten Zeile sahen für die beiden Studenten, an denen Goethe die Farbenblindheit entdeckte, genauso aus wie die jeweils darüber liegenden. Goethe glaubte, den beiden fehle die Blauempfindung. Blaublindheit ist allerdings sehr selten. Heute weiß man, dass Goethes Probanden rotblind waren. Das konnte beinahe 200 Jahre später an einem Urenkel des einen Probanden mit modernen Methoden bewiesen werden. Dieser 88-jährige Herr hatte das Gen durch die weibliche Linie geerbt.

systeme NTSC und PAL. Ein weiteres verbreitetes System ist das in Frankreich entwickelte SECAM-System. Hier erfolgt die Übertragung des Helligkeitssignals wie beim NTSC- und PAL-System, die der Farbdifferenzsignale aber nicht mehr gleichzeitig (simultan), sondern nacheinander (sequenziell). Bei neueren Systemen wie D2-MAC und HDTV werden die Bild- und Tonsignale nacheinander digital übertragen. (→Fernsehen)

Farbfilm, →Film, →Farbfotografie.

Farbfernsehen

Das Farbfernsehen begann in der Bundesrepublik Deutschland am 25.08.1967, als der damalige Außenminister Willy Brandt um 10.57 Uhr in der Messehalle A der Berliner Internationalen Funkausstellung auf einen roten Startknopf drückte. Dieser historische Akt ist gleichzeitig auch die Geschichte einer Panne: PAL-Erfinder Walter Bruch erzählt in seinen Erinnerungen, dass kurz nach dem Knopfdruck ein Anruf von der BBC aus Großbritannien meldete, dass das Umschaltsignal nicht aufgezeichnet werden konnte. »Wir haben sofort … das Band unserer Aufzeichnungsmaschine kontrolliert – und siehe da: auch bei uns war das Umschaltsignal nicht vorhanden. In tagelanger Arbeit haben wir dann diesen Umschalteffekt auf dem Band nachproduziert. Wir haben simuliert und nachträglich die Farbe ins Bild gegossen.«

Farbfilter, ein →Lichtfilter.

Farbfotografie, fotograf. Verfahren zum Herstellen farbiger Bilder (Diapositive, Aufsichtsbilder) und kinematograph. Filme. Zur Farbwiedergabe dient heute fast ausschließlich die subtraktive Farbmischung im Mehrschichtenfarbfilm. Wird das Spektrum des weißen Lichts in die drei Grundfarben Blau, Grün und Rot eingeteilt, die in der additiven Farbmischung wieder weißes Licht ergeben, so ergeben je zwei Farben davon in ihrer Mischung die Farben der subtraktiven Farbmischung (Gelb = Rot und Grün, Purpur = Rot und Blau sowie Blaugrün = Blau und Grün). Umgekehrt lassen Filter dieser Farben jeweils die beiden Spektralanteile hindurchtreten und absorbieren den dritten Teil (ein Gelbfilter lässt Rot und Grün durchtreten und absorbiert Blau). Zwei Filter hintereinander lassen nur noch ein Spektraldrittel durchtreten (Gelb- und Purpurfilter lassen nur noch Rot durchtreten), drei Filter hintereinander absorbieren alle Farben (sie erscheinen grau bis schwarz). – Auf der Grundlage der subtraktiven Farbmischung wurde der Mehrschichtenfarbfilm mit drei übereinander gegossenen, bes. sensibilisierten Silberhalogenidschichten (und einer Gelbfilterschicht), in denen jeweils die drei farbigen Teilbilder entstehen, entwickelt. Jede Schicht enthält einen Farbstoffbildner, der die Komplementärfarbe zur Farbempfindlichkeit der Schicht entwickelt; in der oberen, blauempfindl. Schicht entsteht der gelbe Farbstoff, in der mittleren, grünempfindl. Schicht der purpurne und in der unteren rotempfindl. Schicht der blaugrüne Farbstoff bzw. das gelbe, purpurne und blaugrüne Teilbild. Beim Negativfilm entstehen bei der Farbentwicklung in den einzelnen Schichten die Farben, die in ihrer Gesamtwirkung etwa komplementärfarbig zu den Farben der Vorlage sind. Der Farbumkehrfilm liefert ein farbrichtiges Dia, nach Erstentwicklung in einem Schwarzweiß-Negativentwickler, diffuser Zweitbelichtung, bei der alle bisher nicht reduzierten Silberhalogenide entwickelbar werden, und anschließender Farbentwicklung.

Farbmischung (von links): Additive Farbmischung und subtraktive Farbmischung

Farbgläser, farbige Gläser, hergestellt durch Farbzusatz zur Glasschmelze und nachträgl. Wärmebehandlung **(Anlaufgläser).**

Farbgleichung, Darstellung des Ergebnisses einer additiven Farbmischung in Form einer linearen Vektorgleichung.

Farbkörper, →Farbmetrik.

Farbkreis, →Farbe.

Farblack, durch Umsetzung von lösl. Farbstoffen mit Metallsalzen, Tannin oder Brechweinstein auf der Faser erzeugte Pigmente (kein Lack im Sinne der Anstrichtechnik).

Farbladung, →Farbe.

Farblichtmusik, →Farbenmusik.

Farbmetrik, die Lehre von den Maßbeziehungen zw. den Farben. In der **Farbvalenzmetrik (niedere F.)** gilt nur das Gleichheitsurteil des Auges; hier werden die Farbmerkmale durch versch. Maßsysteme **(Farbsysteme)** erfasst, die u.a. in Farbenkarten (Farbatlanten) dargestellt sind (z.B. Mansell, Ostwald, DIN 6164). Das **Normvalenzsystem** beschreibt eine Farbe (→Farbvalenz) als Summe dreier Mischungswerte, der **Normfarbwerte** X, Y, Z (DIN 5033); häufig werden auch **Normfarbwertanteile** x, y $[x = X/(X+Y+Z)$, $y = Y/(X+Y+Z)]$ angegeben. Bei der graf. Darstellung der Farbart in der zweidimensionalen **Farbtafel** dienen *x, y* als rechtwinklige Koordinaten der Farborte. Bei dreidimensionaler Darstellung werden Farbvalenzen durch Ortsvektoren (Farbvektoren) wiedergegeben und bauen so den **Farbenraum** auf; hierin grenzt der **Farbkörper** das körperl. Gebilde ab, in dem alle Körperfarben ihren Ort haben. – In der **höheren F. (Farbempfindungsmetrik)** wird der Farbreiz in Beziehung zur Farbwahrnehmung gesetzt.

Farbmischung, eine Mischung von Farben, in deren Ergebnis eine von den Ausgangsfarben unterschiedl. Mischfarbe entsteht. Eine **additive F.** ist eine Kombination mehrerer →Farbvalenzen. Sie kommt zustande, wenn zwei oder mehr versch. Farbreize gleichzeitig (z.B. durch Übereinanderprojektion) oder in rascher period. Folge (z.B. durch eine rotierende Farbscheibe) die gleiche Netzhautstelle erregen oder wenn sie unterhalb der Auflösungsgrenze des Auges dicht nebeneinander liegende Netzhautpunkte treffen (wie beim Farbfernsehen oder Farbrasterdruck). Die additive F. gehorcht einfachen Gesetzen, die die Grundlage für die Farbenlehre bilden. Von **subtraktiver** oder **multiplikativer F.** spricht man, wenn Farbstoffe gemischt werden (Farbkasten) oder Strahlung durch hintereinander angeordnete Farbfilter spektral beeinflusst wird. Im Unterschied zur additiven ist die subtraktive F. ein physikalisch-opt. Vorgang.

Farbmittel, nach DIN Sammelname für alle farbgebenden Stoffe. (→Pigmente, →Farbstoffe)

Farbstich, *Farbfotografie:* die in einer Farbe schwach merkliche Neigung zu einer Nachbarfarbe, verursacht durch falsche Belichtung oder Beleuchtung, nicht einwandfreies Fotomaterial oder Verarbeitungsfehler.

Farbstoffe, organ. Stoffe, die zur Farbgebung verwendet werden, und die im Ggs. zu →Pigmenten im Anwendungsmedium löslich sind. F. lassen sich nach dem Verwendungszweck in Textil-F., Lebensmittel-F. u.a. einteilen. – **Natürl. F.** sind pflanzl. oder tier. Ursprungs. So unterscheidet man u.a. Holz-, Blüten-, Blut-F. Einige (z.B. Purpur) waren schon im Altertum bekannt, Indigo und Krapp waren über Jahrhunderte die wichtigste Textilfarbe. Beschränkte Bedeutung haben heute z.B. Betanin, Carotin, Carminsäure. – Mauvein war der erste **synthet. F.,** der Mitte des 19. Jh. aus Produkten des Steinkohlenteers hergestellt wurde. Synthet. F. beherrschen heute mit mehreren tausend Produkten den Markt. Sie lassen sich nach charakteristischen chem. Gruppen (Chromophore) einteilen, z.B. Azo-, Formazan-, Methin-F. **Textil-F.** müssen aus dem Färbebad (Flotte) gleichmäßig auf die Faser aufziehen. Manche Textil-F. lassen sich nur für bestimmte Fasern verwenden. Zum Färben von Polyamidfasern (Nylon) sind **Säure-F.** geeignet, für Polyacrylfasern **kation. F.,** für Polyesterfasern **Dispersions-F.; Entwicklungs-F.** werden erst auf der Faser synthetisiert. **Direkt-F. (substantive F.)** lassen sich direkt auf Baumwolle aufziehen; diese wird jedoch heute meist mit **Reaktiv-F.** gefärbt oder bedruckt. (→Küpenfarbstoffe)

Farbstofflaser, →Laser mit einer Farbstofflösung als aktivem Medium; seine Wellenlänge kann verändert (»durchgestimmt«) werden.

Farbtafel, →Farbmetrik.

Farbtemperatur, in Kelvin (K) angegebene Temperatur des →schwarzen Körpers, bei der dieser Licht gleicher Farbe (spektraler Intensitätsverteilung) wie die zu kennzeichnende Lichtquelle aussendet.

Farbtonkreis, →Farbe.

Färbung, natürl. oder künstl. Farbgebung in toten oder belebten Körpern, konstant oder periodisch wechselnd. Bei Mensch und Tieren entsteht

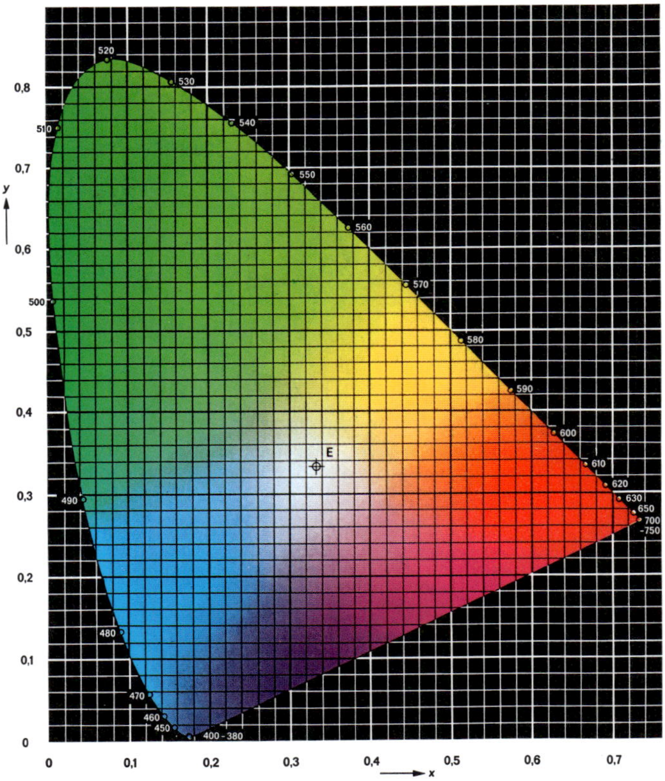

Farbmetrik: Farbtafel nach DIN 5033, in die die sichtbaren Farben ihrer Farbart nach eindeutig eingeordnet sind; die Normfarbwertanteile *x* und *y* bestimmen den Farbort einer Farbart; beim Farbort E der Mittelpunktsvalenz ($x = 0{,}333$; $y = 0{,}333$) liegt Unbunt (Weiß, Grau bis Schwarz je nach Helligkeit); die durch höchste Farbsättigung ausgezeichnete Randkurve setzt sich aus dem Spektralfarbenzug (mit Lichtwellenlängen in nm) und der Purpurlinie zusammen

die F. 1) durch Körperflüssigkeiten, z.B. Blut, so bei roten Lippen und Wangen, dem roten Kamm der Hühner; 2) durch Pigmente (chem. Farben) in Haaren und Federn oder in →Chromatophoren; 3) durch Strukturfarben (physikal. Farben), die Schillereffekt bewirken, z.B. Schuppen der Schmetterlingsflügel. Bei Pflanzen vorherrschend ist die durch das Chlorophyll hervorgerufene Grünfärbung. Carotinoide sind beteiligt an der Gelb-, Orange- oder Braunfärbung von Blüten und Früchten sowie an der Herbstfärbung der Blätter. Rot- und Blaufärbung bewirken die Anthocyane.

Farbvalenz, Maß für die Farbempfindung; kennzeichnet diejenige Wirkung eines Farbreizes, die für sein Verhalten in der additiven →Farbmischung maßgebend ist. Jede F. kann aus drei Maßzahlen *X, Y, Z* **(Farbmaßzahlen),** die nicht durch Mischung auseinander hervorgehen, bzw. einen Ortsvektor im dreidimensionalen Farbenraum (→Farbmetrik) charakterisiert werden.

Farbwechsel, Änderung der Körperfärbung bei Tieren. Man unterscheidet zw. dem langsam ablaufenden **morpholog. F.,** bei dem es durch Veränderung der Chromatophorenzahl (bzw. Pigmentmenge) oder durch Einlagerung neuer, anderer Pigmente (wie bei der Mauser) zu einem relativ lange andauernden Zustand kommt, und dem **physiolog. F.,** der auf einer Wanderung schon vorhandener Pigmente in den Chromatophoren beruht. Dieser F. erfolgt relativ schnell und kann sich rasch wieder umkehren (z.B. zur Tarnung).

Farce ['fars(ə); frz. »Füllsel«] *die,* **1)** *allg.:* sinnentleerte Zeremonie, billiger Scherz, Verhöhnung.

2) *Kochkunst:* (Fülle) fein gemahlenes Fleisch, Geflügel, Wild oder Fisch, mit Zutaten angerührt; zum Füllen von Fisch, Fleisch, Geflügel u.a.

3) *Literatur:* derb-komisches Lustspiel. In Frankreich seit dem Ende des 14. Jh. belegt, urspr. für volkstüml. Einlagen (daher der Name) in geistl. Mysterien- und Mirakelspielen. Heute oft gleichbedeutend mit Posse verwendet, kann auch in die Nähe der Groteske oder Satire rücken (→Pathelin).

Fareham ['feərəm], Stadt in S-England, in der Cty. Hampshire, 88500 Ew.; Hafen im Innern des Portsmouth Harbour; Boots- und Maschinenbau, Baustoff- und Bekleidungsindustrie.

Farẹl, Guillaume, schweizer. Reformator, *Gap (Dép. Hautes-Alpes) 1489, †Neuenburg 13. 9. 1565; brach 1521 mit der kath. Kirche; floh 1523 nach Basel; führte 1535 die Reformation in Genf ein, zog Calvin dorthin, wurde mit diesem 1538 aus Genf verwiesen, lebte in Neuenburg, wo er die ref. Kirche organisierte; schuf die erste frz. reformierte Liturgie.

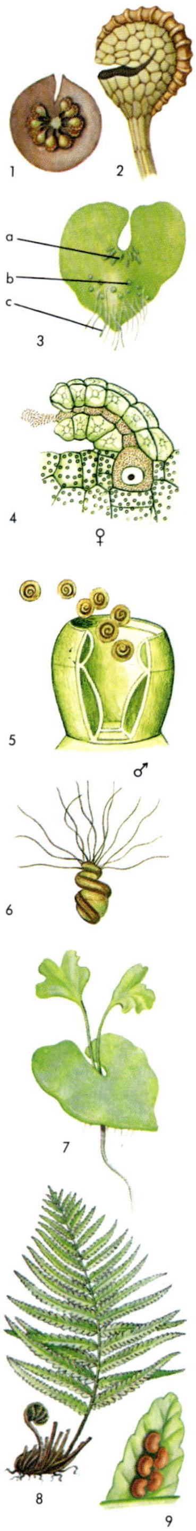

Farne: Entwicklung des Wurmfarns: 1 Schleier mit Sporenkapsel; 2 aufgesprungene Sporenkapsel; 3 Vorkeim von der Unterseite mit weibl. (a) und männl. Geschlechtsorganen (b) sowie Wurzelhaaren (c); 4 weibl. Geschlechtsorgan mit befruchteter Eizelle; 5 männl. Geschlechtsorgan mit Spermatozoiden; 6 Spermatozoid; 7 Vorkeim mit junger Pflanze; 8 Wurzelstock mit jungem und ausgewachsenem Blatt; 9 Blattfieder von der Unterseite mit Schleiern

Fạrfa, Benediktinerabtei nordöstlich von Rom (gegr. im 6. Jh.); in der Abteikirche Santa Maria (Neubau 1492) Fresken (Mitte des 16. Jh.).

Fargue [farg], Léon-Paul, frz. Lyriker, *Paris 4. 3. 1876, †ebd. 24. 11. 1947; beeinflusst u.a. von S. Mallarmé und J. Laforgue; Dichter der Stadt Paris, deren Wandlung seit der »Belle Époque« er mit starker Suggestionskraft beschrieb (u.a. in »D'après Paris«, lyr. Prosa, 1932; »Der Wanderer durch Paris«, Skizzen, 1939).

Farịn [aus lat. farina »Mehl«] *der,* meist gelb bis braun gefärbter Verbrauchszucker aus Raffinerieabläufen.

Fạ̈ringer, die Bewohner der →Färöer.

Farm [engl.] *die,* urspr. Bez. für größeres, pachtweise genutztes Landgut, heute in angelsächs. Ländern für landwirtsch. Betriebe aller Art. In Dtl. Bez. für spezialisierte Betriebe (Geflügel-, Pelztierfarm).

Farman [far'mã], Henri, frz. Flieger und Flugzeugkonstrukteur, *Paris 26. 5. 1874, †ebd. 18. 7. 1958; urspr. Rennfahrer, baute mit seinem Bruder Maurice F. (*Paris 1877, †ebd. 1964) die ersten brauchbaren Doppeldecker, gründete die **F.-Flugzeugwerke** in Boulogne-Billancourt, stellte als Flieger mehrere Weltrekorde auf.

Farnborough ['fɑːnbərə], Stadt in S-England, in der Cty. Hampshire, 45500 Ew.; brit. Forschungszentrum für Flugzeugbau und Weltraumfahrt; jährliche Flugschau.

Farne (Filicopsida, Pteropsida, Filicatae), Klasse der Farnpflanzen mit rd. 10000 Arten; vorwiegend krautige Pflanzen mit großen, meist gestielten und gefiederten Blättern (Farnwedel). Auf der Unterseite der (in der Jugend stark eingerollten) Blätter befinden sich die Sporenbehälter (Sporangien), die meist in kleinen Gruppen (Sori) zusammenstehen und häufig von einer zarten Hülle (Schleier oder Indusium) umhüllt oder klappenförmig überdeckt werden. – Charakteristisch für die F. ist der Wechsel von zwei Generationen. Beide Generationen, **Gametophyt** und **Sporophyt** (die eigentl. Farnpflanze), leben selbstständig. Aus einer Spore entwickelt sich ein Gametophyt (Prothallium, Vorkeim); auf ihm bilden sich die männl. und weibl. Geschlechtsorgane. Die Befruchtung der Spermatozoid- und Eizellen ist nur in Wasser (feuchter Untergrund, Tautropfen) möglich. Aus der befruchteten Eizelle entsteht der ungeschlechtl. Sporophyt. Aus seinen Sporangien lösen sich die Sporen, die wieder zu Gametophyten auswachsen. – Die F. sind größtenteils Bewohner schattiger und feuchter Orte, deshalb am mannigfaltigsten im trop. Regenwald; im Nebelwald treten auch baumförmige F. auf. Nur widerstandsfähigere

Arten, z.B. der Adler-F., reichen bis in subarkt., arkt. und alpine Gebiete. Als Zierpflanzen dienen u.a. →Geweihfarne.

📖 *Steinbachs Naturführer, Bd. 20: Flechten, Moose, F. Europ. Arten. München 1991.*

Farnese, italien. Adelsgeschlecht, aus dem Papst Paul III. (1534–49) stammt. Er verlieh 1545 seinem natürl. Sohn Pier Luigi F. (ermordet 1547) das neu geschaffene Herzogtum →Parma und Piacenza; bed. Kunstmäzen. Dessen Enkel Alessandro F. (*1545, †1592), Sohn der Margarete von Parma, Tochter Karls V., war seit 1578 span. Statthalter der Niederlande, wo er den Süden mit Antwerpen wieder unter span. Herrschaft brachte. 1731 starb das Haus F. im Mannesstamm aus. – Der Bau des **Palazzo F.** in Rom wurde 1514 von A. da Sangallo d. J. begonnen und 1546 von Michelangelo fortgeführt (Fresken v.a. von Annibale Carracci). Die **Farnes. Sammlungen** von Bildwerken der Antike (Farnes. Stier, Farnes. Herakles u.a.) befinden sich im Archäolog. Nationalmuseum in Neapel.

Farnese: Farnesischer Stier, römische Nachbildung eines um 50 v. Chr. entstandenen griechischen Originals der Bildhauer Apollonios und Tauriskos von Tralleis (2. Jh. n. Chr.; Neapel, Museo Archeologico Nazionale)

Farnesina, Villa im Stadtteil Trastevere in Rom, für den Bankier A. Chigi 1508–11 von B. Peruzzi erbaut, später im Besitz der Farnese. Im Innern Fresken von Raffael und seinen Schülern.

Farnpflanzen (Pteridophyta), Abteilung der Pflanzen mit den Klassen: Urfarne (Psilophytopsida; ausgestorben), Gabelblattgewächse (Psilotopsida), Bärlappgewächse (Lycopodiopsida), Schachtelhalmgewächse (Equisetopsida) und →Farne.

Faro ['faru], Hptst. des Distrikts F. in der Algarve, an der S-Küste Portugals, 32000 Ew.; Museen; Hotelfachschule; Fischhandel, Korkverarbeitung; Jachthafen, Flugplatz. – Kathedrale (Wiederaufbau 1755) mit Azulejoschmuck.

Faröer (föröisch Føroyar, dän. Færøerne), zu Dänemark gehörende Inselgruppe im Nordatlantik, zw. Schottland und Island, 1399 km², (1994) 44500 Ew. Von den rd. 25 Felseninseln und zahlr. Schären sind 17 bewohnt. Die größte Insel ist Streymoy (Strømø) mit der Hptst. Tórshavn. Die baumlose Moränendecke über den Basalt- und Tuffschichten ist dank des milden feuchten Klimas mit Wiesen, Mooren und Heide bedeckt; die Küsten sind durch Fjorde stark gegliedert. Die Bewohner **(Färinger)** haben eine eigene Sprache (→färöische Sprache), Dänisch wird aber in allen Schulen unterrichtet. Haupterwerbszweig, noch vor der früher dominierenden Schafzucht, ist die Fischerei (Dorsch, Hering).

Geschichte: Die seit 650 von kelt. Mönchen besiedelten F. wurden im 8./9. Jh. von norweg. Wikingern erobert; sie gehörten 1035–1380 zu Norwegen, mit dem sie dann an Dänemark fielen. Auch nach der Lösung Norwegens von Dänemark (1814) blieben die F. dänisch und erhielten 1948 Selbstverwaltung mit eigener Volksvertretung (Lagting; Løgting); im dän. Folketing sind sie mit zwei Abg. vertreten.

Faröer

Wappen

Flagge

färöische Sprache (färingische Sprache), eine der →germanischen Sprachen. Sie ging wie das eng verwandte Isländische aus dem Altnordischen hervor; von etwa 40000 Menschen auf den Färöern gesprochen. V. U. Hammershaimb schuf um 1846 die auf etymolog. Prinzipien aufbauende färöische Schriftsprache.

Farrell ['færəl], James T. (Thomas), amerikan. Schriftsteller, *Chicago (Ill.) 27. 2. 1904, †New York 22. 8. 1979; naturalist. Erzähler in der Nachfolge von T. Dreiser und J. Joyce; in seinen Arbeiten stellt er das Leben der Armen und Ausgestoßenen dar; Trilogie »Studs Lonigan« (1932–35).

Farrère [fa'rɛːr], Claude, eigtl. Frédéric-Charles Bargone, frz. Schriftsteller, *Lyon 27. 4. 1876, †Paris 21. 6. 1957; schrieb zahlr. exotisch-farbige Romane, deren Handlung meist vor dem Hintergrund gegensätzlicher europ. und oriental. Kulturen spielt (»Opium«, 1904; »Die Schlacht«, 1909).

Farrow ['færəʊ], Mia, amerikan. Filmschauspielerin, *Los Angeles (Calif.) 9. 2. 1945; wurde 1968 mit »Rosemaries Baby« (von R. Polanski) bekannt; seit 1982 v.a. in Filmen von W. Allen u.a. »Der große Gatsby« (1978), »Zelig« (1983), »The Purple Rose of Cairo« (1985), »Hannah und ihre Schwestern« (1986), »Alice« (1991).

Mia Farrow

Farrukhabad, Stadt in Uttar Pradesh, Indien, 160800 Ew.; Agrarzentrum, Baumwollverarbeitung, Metallindustrie.

Fars, Provinz in Iran, in den südl. Ketten des Zagrosgebirges, 120006 km², (1991) 3,54 Mio. Ew.;

Hptst. ist Schiras. – Das Gebiet von F., altpers. **Parsa,** grch. **Persis,** war nach pers. Besiedlung im 8. Jh. v. Chr. der Kernraum des pers. Reiches.

Färse, weibl. Rind vor dem ersten Kalben.

Farsi, →persische Sprache.

Faruk I.
König von Ägypten

Faruk I., König von Ägypten (1936–52), *Kairo 11. 2. 1920, †Rom 18. 3. 1965; Sohn Fuads I., nahm 1951 den Titel »König Ägyptens und des Sudans« an. Seine probritische Haltung sowie Korruptionsvorwürfe führten in Ägypten zu einer wachsenden Opposition; 1952 wurde er gestürzt und zum Verlassen des Landes gezwungen.

Farvel, Kap (grönländ. Uummanarsuaq), die Südspitze Grönlands, auf der der Hauptinsel vorgelagerten Eggerinsel.

fas (F. A. S.), Abk. für engl. **f**ree **a**longside **s**hip, Handelsklausel (Incoterms); Verkäufer trägt Kosten und Gefahren bis zur Lieferung längsseits des Schiffs im Hafen.

Fasanen [grch.] (Phasianinae), Unterfamilie der Fasanenartigen, z. B. mit dem in Asien verbreiteten →Jagdfasan, dem grünen **Schiller-F.** (Phasianus versicolor) aus Japan, dem **Gold-F.** (Chrysolophus pictus) aus dem südl. China, dem **Diamant-F.** (**Amherst-F.,** Chrysolophus amherstiae) der Bergwälder W-Chinas, dem langschwänzigen **Königs-F.** (Syrmaticus reevesi) Mittelchinas, dem **Kupfer-F.** (Syrmaticus soemmeringii) Japans, dem südchines. **Silber-F.** (Gennaeus nycthemerus). Viele Arten sind heute in ihrem Bestand bedroht.

Fasanen: 1 Goldfasan (Männchen); 2 Silberfasan (Männchen)

Fasanenartige (Phasianidae), weltweit verbreitete Familie der Hühnervögel mit rd. 200 Arten; meist Bodenbewohner; Männchen häufig auffallend gefärbt, mit großen Schmuckfedern. Zu den F. zählen u. a. die →Fasanen, →Feldhühner, →Truthühner, →Perlhühner, →Pfauen.

Fasanerie *die,* Fasanenzucht, -garten.

Fasces [lat.] bei den Römern die von →Liktoren den obersten Beamten vorangetragenen Rutenbündel mit Beil, Symbol der Amts- und Strafgewalt der röm. Magistrate. – Im italien. Faschismus ab 1926 offizielles Staatssymbol.

Fasces: Darstellung auf einem römischen Relief von einem Grabbau der Kaiserzeit (heute Rom, Kreuzgang von San Paolo fuori le mura)

Fasch, 1) Carl Friedrich, Komponist, *Zerbst 18. 11. 1736, †Berlin 3. 8. 1800, Sohn von 2); Cembalist Friedrichs II.; gründete 1791 die Berliner Singakademie.

2) Johann Friedrich, Komponist, *Buttelstedt (bei Weimar) 15. 4. 1688, †Zerbst 5. 12. 1758, Vater von 1); seit 1722 Hofkapellmeister in Zerbst; schrieb Kirchenkantaten, Messen, Ouvertüren, Sinfonien, Konzerte u. a.

Faschine [von lat. fasces] *die,* walzenförmiges Reisigbündel, durch Draht zusammengehalten; im Wasserbau zum Befestigen von Ufern oder Gewässersohlen.

Fasching [mhd. vaschanc »Ausschank des Fastentrunks«], →Fastnacht.

Faschismus [italien. von fascio »Rutenbündel«] *der,* zunächst Eigenbez. einer polit. Bewegung, die unter Führung von B. Mussolini 1922–45 in Italien die beherrschende polit. Macht war und ein diktator. Reg.system trug; später für alle extrem nationalist., nach dem Führerprinzip organisierten antiliberalen und antimarxist. Bewegungen, Ideologien oder Herrschaftssysteme, die seit dem 1. Weltkrieg die parlamentar. Demokratien abzulösen suchten.

Der F. in Italien: Den ersten »Fascio di combattimento« (Kampfbund) gründete Mussolini 1919 in Mailand. 1921 wurde die faschist. Partei gegründet (Partito Nazionale Fascista), die von Mussolini als »Duce« (Führer) autoritär geleitet wurde. Die scharfe Frontstellung gegen den revolutionären Sozialismus und Kommunismus sicherte ihm in der Nachkriegskrise Italiens Anhänger auch in Bürokratie, Armee und kath. Kirche. Kernorganisation war die militärisch ausgebildete Nationalmiliz (Schwarzhemden), der u. a. die vormilitär. Erziehung oblag, die bereits mit der →Balilla begann. – Auf dem Parteikongress in Neapel (1922) entschloss sich Mussolini zum Staatsstreich; am 28. 10. 1922 traten rd. 26 000 Schwarzhemden unter Führung der →Quadrumvirn den »Marsch auf Rom« an; die Regierung wurde gestürzt, Mussolini vom König zum Reg.chef ernannt. Durch Propaganda, rücksichtslosen Machtgebrauch und Terror (1924 Ermordung des sozialist. Abg. Matteotti) übernahmen die Faschisten vollständig die Staatsgewalt und beherrschten bald alle Lebensbereiche. Die Mandate der antifaschist. Opposition (»Aventinianer«: bürgerl. Parteien, Sozialisten und Kommunisten) wurden 1926 für ungültig erklärt, die Parteiorganisationen aufgelöst, die Justiz gleichgeschaltet und die Pressefreiheit aufgehoben. Das parlamentar. System wurde durch den Korporativstaat verdrängt (1939), doch behielt die staatl. Organisation gegenüber der faschist. Partei eine gewisse Selbstständigkeit; der totalitäre Staat verkörperte sich in der persönl. Machtfülle Mussolinis. Eines der wichtigsten faschist. Gesetze war die »Carta del lavoro« (Arbeitsverfassung), die mit diktator. Mitteln soziale Fortschritte zu erzielen suchte. Rassist. Vorstellungen übernahm der italien. F. erst mit der engeren Zusammenarbeit mit dem dt. Nationalsozialismus (Achse Berlin–Rom). Bereits im Span. Bürgerkrieg hatte Mussolini gemeinsam mit dem nat.-soz. Dtl. interveniert. Im Juni 1940 trat Italien auf dt. Seite in den 2. Weltkrieg ein. Die militär. Niederlagen führten zum Sturz Mussolinis durch den konservativ-monarchistischen Flügel im »Großrat des Faschismus« (24./25. 7. 1943). Damit verlor der F. in Italien seine polit. Macht. Die im Sept. 1943 in Oberitalien errichtete faschist. »Repubblica Sociale Italiana« konnte sich bis April 1945 nur mit Unterstützung der dt. Besatzungsmacht halten. (→Italien, Geschichte)

F. allgemein: Die Verallgemeinerung des F.-Begriffs von einer zeitlich und national begrenzten Eigenbez. zur Gattungsbez. einer bestimmten Herrschaftsart ist umstritten, bes. für den →Nationalsozialismus in Dtl. Im übrigen Europa gab es in den 1920er- und 1930er-Jahren folgende faschist. Bewegungen: *Spanien:* →Falange, *Großbritannien:* British Union of Fascists, *Frankreich:* Croix-de-feu, Francismus, Parti Populaire Français, *Niederlande:* Nationaal-Socialistische Beweging, *Belgien:* Rexbewegung, *Norwegen:* Nasjonal Samling, *Schweiz:* Frontismus, *Österreich:* Heimwehren, *Ungarn:* Pfeilkreuzler, *Rumänien:* Eiserne Garde, *Slowakei:* Hlinka-Garde, *Kroatien:* Ustascha. Auslöser waren die sozialen und polit. Veränderungen nach dem 1. Weltkrieg und die Furcht vor der seit der russ. Oktoberrevolution 1917 offenen Möglichkeit einer sozialen Revolution.

Faschismus: Italienische Faschisten beim Marsch auf Rom am 28. 10. 1922; im Vordergrund (mit Krawatte) Benito Mussolini

Mit →Neofaschismus bezeichnet man Strömungen und Parteien, die nach 1945 an die Tradition des F. anknüpften.

📖 WIPPERMANN, W.: *Europ. F. im Vergleich. (1922–1982). Frankfurt am Main* ³*1991.* – NOLTE, E.: *Der F. in seiner Epoche. Action française, italien. F., Nationalsozialismus. Neuausg. München u. a.* ⁴*1995.* – WIPPERMANN, W.: *Faschismustheorien. Darmstadt* ⁶*1995.* – HORNUNG, K.: *Das totalitäre Zeitalter. Bilanz des 20. Jh.s. Tb.-Ausg. Berlin 1997.* – LAQUEUR, W.: *F. Gestern – heute – morgen. A. d. Engl. Berlin 1997.*

Faschodakrise, britisch-frz. Kolonialkonflikt um die Herrschaft über den Sudan 1898/99; entstand, als brit. und frz. Truppen 1898 in dem am Weißen Nil gelegenen Ort Faschoda (Kodok) aufeinander stießen. Die dadurch heraufbeschworene Kriegsgefahr wurde beigelegt durch den Sudanvertrag vom 21. 3. 1899, in dem Frankreich auf das obere Nilgebiet verzichtete, wofür Großbritannien den westl. Sudan als frz. Interessengebiet anerkannte.

Fase [frz.], durch Bearbeiten einer Kante entstandene, abgeschrägte Fläche.

Faser [mhd. vase »loser Faden«], langes, feines Gebilde, das zu Garnen versponnen werden kann, wobei man Natur-F. (z. B. Baumwolle, Wolle) und Chemie.-F. unterscheidet. (→Fasern)

Fasergeschwulst, das →Fibrom.

Fasermetallurgie, die Herstellung von Formkörpern aus Draht, Metallfasern oder -wolle mittels Pressdruck und Wärme. Fasermetallkörper sind bes. schlagfest und porös; sie werden für hoch beanspruchbare Teile (Lagerschalen, Turbinenschaufeln) und Filter verwendet.

Fasern, mehr oder weniger lang gestreckte Strukturen im pflanzl. und tier. Organismus, bestehend aus einzelnen Zellen, Zellsträngen, Zellstrangbündeln oder auch Teilen von Zellen. F. sind bei Mensch und Tieren Bestandteile des Bindegewebes, der Muskeln und der Nerven.

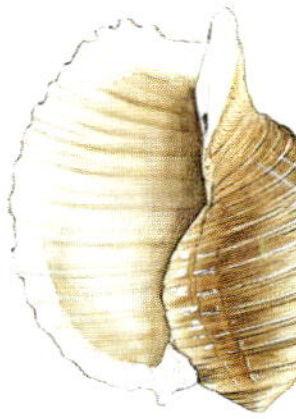

Fassschnecken: Tonnenschnecke (Durchmesser bis 25 cm)

Faseroptik (Fiberoptik), 1) Teilgebiet der Optik, das sich mit der Übertragung von Licht und Bildinformationen durch fortgesetzte Totalreflexion in →Lichtleitern befasst; 2) Bez. für alle aus gebündelten Glas- oder Kunststofffasern bestehenden opt. Bauelemente zur Informationsübertragung.

Faserstoff, Stoffe mit einer ausgeprägten Faserstruktur. Sie zeichnen sich durch eine parallele Anordnung aller an ihrem Aufbau beteiligten Moleküle oder kleinen Kristallbereiche aus.

Fasnacht (Fasnet), →Fastnacht.

Fasolt, in der dt. Heldensage ein Riese, von Dietrich von Bern besiegt.

Fass, **1)** aus Holzdauben zusammengesetztes bauchiges Gefäß von rundem oder ovalem Querschnitt, das an zwei Seiten durch einen Boden geschlossen ist und durch Reifen zusammengehalten wird; heute oft aus Metall oder Kunststoff hergestellt oder durch Stahl- oder Glasbehälter ersetzt.

2) früheres dt. Hohlmaß zw. rd. 50 und 1700 l.

Brigitte Fassbaender

Fassatal (italien. Val di Fassa), das Tal des oberen Avisio (Etschzufluss) in den Dolomiten, zw. Rosengarten und Marmolada, Südtirol; Hauptorte sind Vigo di Fassa, Campitello und Canazei. Die ladin. Sprache im F. wird zunehmend vom Italienischen verdrängt.

Fassbaender, Brigitte, Sängerin (Alt), *Berlin 3. 7. 1939; bed. Interpretin der Hosenrollen in Opern von W. A. Mozart und R. Strauss; auch Oratorien- und Liedsängerin; seit 1995 Operndirektorin in Braunschweig.

Fassbinder, der →Böttcher.

Rainer Werner Fassbinder

Fassbinder, Rainer Werner, Schriftsteller, Schauspieler, Regisseur, *Bad Wörishofen 31. 5. 1945, †München 10. 6. 1982; 1968 Leiter des »antitheaters« in München (bis zu dessen Auflösung Anfang der 70er-Jahre), 1974/75 des Frankfurter Theaters am Turm (TAT). Seine Theaterstücke (u.a. »Katzelmacher«, 1968, Film 1969; »Preparadise sorry now«, 1969; »Der Müll, die Stadt und der Tod«, 1976) und Filme (»Die bitteren Tränen der Petra von Kant«, 1970; »Angst essen Seele auf«, 1973; »Fontane Effi Briest«, 1972–74; »Die Ehe der Maria Braun«, 1978; »Lili Marleen«, 1980; »Berlin Alexanderplatz«, Fernsehserie in 14 Folgen nach dem Roman von A. Döblin, 1980; »Lola«, 1981; »Die Sehnsucht der Veronika Voss«, 1982; »Querelle«, 1982) zeichnen Außenseiter und Randgruppen der Gesellschaft. – R. Gabrea drehte über F. den Film »Ein Mann wie Eva« (1984, mit Eva Mattes als F.).

📖 SPAICH, H.: *R. W. F. Leben u. Werk. Weinheim 1992.* – THOMSEN, C. B.: *R. W. F. Leben u. Werk eines maßlosen Genies. A. d. Dän. Hamburg 1993.*

Fassschnecken (Tonnenschnecken, Doliolidae), im Atlant., Ind. und Pazif. Ozean sowie westl. Mittelmeer räuberisch lebende Familie der Vorderkiemer. Die Speicheldrüsen der **Tonnenschnecke** (Tonna galea) sondern Asparagin- und Schwefelsäure ab, die die Beutetiere lähmen und deren Kalkskelette zersetzen.

Fassung, **1)** *Elektrotechnik:* Halte- und Kontaktvorrichtung bei elektr. Leuchten zur Aufnahme des Lampensockels.

2) *Goldschmiedekunst:* dauerhafte Befestigung von Edelsteinen und Perlen in Metall.

3) *Kunst:* farbige Bemalung eines plast. Bildwerkes durch den Fassmaler. Unter einer F. versteht man den vollständigen, meist komplizierten Aufbau: u.a. die oft modellierende Grundierung mit Kreide- oder Gipsgrund, das Belegen der Fugen mit Leinwand, die Vergoldung und die Lasierung naturbelassener Teile. Die meisten Bildwerke der Antike waren auf F. angelegt, der Verlust bedeutet eine Entstellung des Gesamtkunstwerks.

4) *Literatur:* die einem literar. Text vom Autor bei der Niederschrift gegebene Form bzw. deren Umarbeitungen; bei älterer Literatur die versch. Aufbereitungen des Stoffes oder Werkes in den versch. Handschriften.

Fast, Howard Melvin, eigtl. Walter Ericson, amerikan. Schriftsteller, *New York 11. 11. 1914; schrieb histor. Romane (»Die letzte Grenze«, 1941; »Spartakus«, 1952); bekannt wurde die R.-Tetralogie »Die Einwanderer« (1977), »Die Nachkommen« (1978), »Die Arrivierten« (1979), »Die Erben« (1985); 1943–56 Mitgl. der KP (»The naked god«, Autobiographie, 1957); schrieb unter dem Pseudonym E. V. **Cunningham** Kriminal- und Detektivromane.

Fastebene, *Geomorphologie:* →Rumpffläche.

Fasten, in den versch. Religionen eine Form der Askese; Motive sind Reinigung des Körpers, Sammlung von Willenskräften, der Wunsch, Buße zu tun und zu innerer Einkehr zu gelangen. Durch F. erzeugte ekstat. Zustände, Visionen und Träume stellen im Verständnis des Gläubigen einen direkten Kontakt zu dem verehrten Gott bzw. dem Göttlichen her. In den großen Weltreligionen ist das F. meist an bestimmte Zeiten gebunden, z.B. im Islam an den →Ramadan. Die kath. Kirche kennt zwei F.-Zeiten (vor Ostern und Weihnachten). Gebotene Fasttage sind (seit 1966) der Aschermittwoch und der Karfreitag. An diesen Tagen gilt das Abstinenzgebot (Enthaltung von

Fleischspeisen, nur eine Hauptmahlzeit). Zum F. verpflichtet sind alle Kirchenangehörigen vom vollendeten 18. bis beginnenden 60. Lebensjahr. Die evang. Kirche kennt keine F.-Gebote.

Fastenkur (Heilfasten), Nahrungsentzug unter ärztl. Kontrolle als zeitlich begrenzte diätet. Maßnahme. Man unterscheidet **Vollfasten** (→Nulldiät) und **Saftfasten** (mit Obst- und Gemüsesäften) für einige Tage oder für 2–4 Wochen. Meist ist jedoch die →Reduktionsdiät geeigneter.

Fastenzeit, *kath. Kirche:* →Fasten.

Fastnacht [zu ahd. fasta »Fasten(zeit)« und naht »Vorabend«], urspr. der Abend vor der Fastenzeit, seit dem 15./16. Jh. v. a. die letzten drei Tage, auch die vorhergehende Woche, seit dem 19. Jh. meist die vom Dreikönigstag bis Aschermittwoch dauernde Zeit des Frohsinns, verbunden mit Tanzveranstaltungen, Maskeraden u. a. Vergnügungen, mit Höhepunkt und Ende am F.-Dienstag. Es entwickelte sich ein vielgestaltiges Brauchtum in fast allen dt. Ländern, was auch die Fülle der landschaftl. Bezeichnungen bezeugt; so begeht das Rheinland den **Karneval,** Mainz und Umgebung **Fastnacht,** das Elsass, Baden, die dt.sprachige Schweiz und Vorarlberg die **Fasnet,** Franken die **Fosnat,** Bayern und Österreich den **Fasching.** Prägend für die heutige Form der F.-Feier wurde 1820/30 der oberdt. Raum. – Grundlegendes Motiv der versch. F.-Bräuche dürften die bevorstehenden, zur Enthaltsamkeit mahnenden Fasten- und Bußwochen sein. Die F.-Bräuche des MA. sind bes. gut in den Städten fassbar und hier wesentlich von Erscheinungsformen des öffentl. Festwesens geprägt. Bis ins 14. Jh. dominieren zur F. Reiterspiele der Patrizier, dann entwickelt sich ein vielgestaltiges Maskenbrauchtum (z. B. Schembartlaufen in Nürnberg). Den vielfach groben und exzessiven Brauchhandlungen des Spät-MA. folgen im 16. Jh. neue Schau- und Vorführbräuche der Handwerker. In der Barockzeit blühte die F. als prunkvolles Kostümfest an den Fürstenhöfen und beeinflusste mit ihren motiv. Ausformungen die bürgerl. F. der Städte bis ins 19. Jh. Wichtige Einflüsse auf die künstler. Ausgestaltung kamen seit etwa 1700 aus Italien. – Öffentl. Feiern mit Tanz, Spiel, Umzügen, Heischebräuchen und mannigfachen Formen der Verkleidung charakterisieren die F. als Zeit, in der die gewohnte Ordnung außer Kraft gesetzt ist und im Gewand des Narren verspottet wird, z. B. Etablierung einer »Gegenregierung« (Elferrat; zuerst 1829 in Aachen gebildet), Übergabe des Rathausschlüssels an die Narren u. a. Vielfach wurde in der Geschichte die »Ventilfunktion« der F. bedeutsam, etwa im satirisch gewendeten Widerstand gegen kirchl. Institutionen seit dem 15. Jh. oder gegen die frz. Besatzung im Rheinland Anfang des 19. Jh., wovon sich v. a. in Rosenmontagsumzügen (zuerst 1823 in Köln durchgeführt) zeitkrit. Elemente erhalten haben.

Fastnachtsspiel, ältester gattungsmäßig ausgebildeter Typ des weltl. Dramas in dt. Sprache, v. a. in Nürnberg entwickelt im Rahmen stadtbürgerl. Fastnachtsfeiern, d. h. vermummter Fastengesellschaften; literarisch greifbar etwa zw. 1430 und 1600. Es lassen sich zwei Typen unterscheiden: das Reihenspiel (H. Rosenplüt), hervorgegangen aus einer Folge derb-kom. Sprüche, und das Handlungsspiel (H. Folz), das oft an spätmittelalterl. Schwänke anknüpft. Seinen künstler. Höhepunkt erlebte das F. im 16. Jh. durch H. Sachs. – Das der Fastnacht zeitlich benachbarte jüd. →Purimfest wurde gleichfalls als Spielrahmen genutzt; das Purimspiel überdauerte die eigtl., um 1650 endende F.-Tradition bis ins 18. Jahrhundert.

📖 CATHOLY, E.: *Fastnachtspiel. Stuttgart 1966.* – *Fastnachtspiel – Commedia dell'arte. hg. v.* M. SILLER. *Innsbruck 1992.*

Fastnachtsspiel: Titelholzschnitt eines Fastnachtsspiels von Hans Folz (um 1480)

Faszi|e [lat. »Binde«] *die, Anatomie:* bindegewebige Umhüllung von Muskeln oder Muskelgruppen sowie von Organen.

Fatah [fa'tax; von arab. fath »Sieg«, »Eroberung«] (Al-F., El-F.), militante palästinens. Kampforganisation, Kern der PLO, gegr. 1958 von palästinens. Arabern, begann 1965 unter Führung von J. →Arafat mit Guerillaaktionen gegen Israel. Nach Zerschlagung der von Jordanien aus operierenden Kampfverbände der F. durch die jordan. Armee 1970 und 1971 wurde der Libanon die wichtigste Operationsbasis der F. Unter dem militär. Druck Israels mussten die Kampfverbände der PLO 1982 den Libanon verlassen.

Fatalismus [zu lat. fatalis »vom Schicksal bestimmt«] *der,* Glaube an Vorherbestimmung, ergebungsvoller Schicksalsglaube.

Fata Morgana [italien. Fee Morgana] *die,* eine →Luftspiegelung, die v. a. in Wüstengebieten Wasserflächen vorgaukelt und entfernte Teile einer Landschaft näher rückt.

Fatehpur-Sikri [fə'teɪpʊə-], Stadt im Bundesstaat Uttar Pradesh, N-Indien, westlich von Agra, 17 900 Ew. – Die weitgehend erhaltene Mogulstadt mit Freitagsmoschee und vielen Palästen ist UNESCO-Weltkulturerbe. – 1569 von Akbar gegr., 1574–86 Hptst. des Mogulreiches. BILD S. 284

Father Divine ['fɑːðə dɪ'vaɪn, engl.], Würdebezeichnung für den farbigen Baptisten George Baker, *1877 (?), †Woodmont (Pa.) 10. 9. 1965; gründete 1915 F. D.'s Peace Mission, die ihre Aufgabe darin sieht, auf Erden die Gottesherrschaft zu errichten; Sitz: Philadelphia (Pa.).

Fathom ['fæðəm, engl.] *das,* →Faden.

Fatiha [arab. »die Eröffnende«] *die,* die 1. Sure (Abschnitt) des Korans, das Hauptgebet der Muslime.

Fatehpur Sikri: Diwan-i-Khas, das Audienzgebäude (um 1569–75) des Großmoguls Akbar war ein Zentrum der Gelehrten

William Faulkner

Fatima, jüngste Tochter des Propheten Mohammed und der →Chadidja, *Mekka 606, †Medina 632; Mutter von Hasan und Husain, gilt als Ahnfrau der Fatimiden; von den Schiiten als Mitglied der »Hl. Familie« hoch verehrt.

Fátima, kath. Wallfahrtsort im Distr. Santarém, Mittelportugal, 7200 Ew.; neobarocke Basilika (1953 geweiht). Drei Kinder hatten hier 1917 jeweils am 13. der Monate Mai bis Okt. Marienerscheinungen, die 1930 von der kath. Kirche für glaubwürdig erklärt wurden. F. wurde zum Ausgangspunkt einer christl. Erneuerung in Portugal und der Marienverehrung schlechthin.

Fatimiden, von Fatima abstammende islam. Dynastie schiit. Richtung (909–1171). Die F. nahmen in der Prov. Ifrikija in Nordafrika (im späteren Tunesien) ihren Ausgang. Nach 970 wurde Ägypten ihr Herrschaftszentrum, das durch sie eine materielle und kulturelle Blütezeit erlebte. Von Ägypten dehnten sie ihre Macht nach Syrien und Palästina aus. Sultan Saladin (Dynastie der Aijubiden) setzte ihrer Herrschaft ein Ende.

Fatjanowokultur, kupferzeitliche Kulturgruppe (um 2000 v. Chr.) Zentralrusslands, ben. nach einer Fundstelle bei dem Dorf Fatjanowo (Gebiet Jaroslawl); u. a. steinerne und kupferne Streitäxte, Feuersteingeräte, schnur-, stich- und stempelverzierte Gefäße.

Fatra, zwei waldreiche Mittelgebirgszüge in der Slowakei: **1) Kleine F.,** von der Waag durchflossener Gebirgszug der Westkarpaten, im Vel'ký Kriván bis 1709 m ü. M.; Fremdenverkehr.

2) Große F., Gebirgszug der Westkarpaten südlich der Waag, im Ostredok bis 1592 m ü. M.

Fatshan [-ʃ-], Stadt in China, →Foshan.

Faubourg [fo'bu:r, frz.] *der,* Vorstadt, außerhalb der Befestigungsanlage erbaut; heute oft Name von Straßen und Stadtteilen, die früher Vorstädte waren (z. B. in Paris F. Saint-Germain).

Faulbaum (Rhamnus frangula), in Europa und NW-Asien beheimatetes Kreuzdorngewächs feuchter Wälder mit grünlich weißen Blüten und roten, später schwarzvioletten giftigen Steinfrüchten; die Rinde wird als Abführmittel verwendet.

Faulbrut, durch Bakterienbefall hervorgerufene, seuchenartig auftretende, meldepflichtige Krankheit der Honigbienenbrut; gekennzeichnet durch schleimige Zersetzung der Larven.

Faules Meer, Seitenbecken des Asowschen Meeres, →Siwasch.

Faulgas, das →Biogas.

Faulhaber, Michael von (seit 1913), kath. Theologe, *Heidenfeld (heute zu Röthlein, Kreis Schweinfurt) 5. 3. 1869, †München 12. 6. 1952; Prof. für A. T., seit 1917 Erzbischof von München und Freising, seit 1921 Kardinal; stellte sich (mit seiner Verteidigung des A. T.) entschieden gegen den Rassismus und gegen die Kirchenfeindlichkeit des Nationalsozialismus.

Faulkner ['fɔ:knə], William, amerikan. Schriftsteller, *New Albany (Miss.) 25. 9. 1897, †Oxford (Miss.) 6. 7. 1962. Hauptthema seiner Werke sind der geistig-kulturelle Untergang des amerikan. Südens sowie die Anfänge eines neuen Erwachens. Raum und Figuren von Yoknapatawpha County in Mississippi und die Zerfallserscheinungen der aristokrat. Oberschicht erlangen in der Darstellung universell-symbolische Bedeutung (»Schall und Wahn«, R., 1929; »Als ich im Sterben lag«, R., 1930; »Licht im August«, R., 1932; »Absalom, Absalom!«,

Faulbaum (von links): Krone des Gemeinen Faulbaums und dessen Früchte in verschiedenen Reifestadien

R., 1936; »Griff in den Staub«, R., 1948; »Requiem für eine Nonne«, R., 1951; Trilogie »Das Dorf«, »Die Stadt«, »Das Haus«, 1959; »Die Spitzbuben«, 1962). F. verwendete Mittel wie die Technik des Stream of Consciousness, den Wechsel der Erzählperspektiven. 1949 erhielt er den Nobelpreis für Literatur.

🕮 NICOLAISEN, P.: *W. F. Reinbek 1995.*

Fäulnis, anaerobe, bakterielle Zersetzung stickstoffhaltiger Substanzen, v.a. von Proteinen unter Entwicklung von z.T. übel riechenden Verbindungen (u.a. Ammoniak, Kohlenmonoxid, Schwefelwasserstoff); einige wirken giftig. F. kommt im Darm der Fleischfresser und im Dickdarm des Menschen vor. (→ Verwesung)

Fäulnisdyspepsie, akute Darmstörung mit Gasbildung und Durchfall, bei der es sich im Unterschied zur Gärungsdyspepsie um gesteigerte Fäulnis proteinhaltigen Materials handelt; verursacht durch überreiche Aufnahme proteinhaltiger Speisen oder übermäßige Absonderung proteinhaltigen Darmsaftes.

Faulschlamm, 1) *Abwasserreinigung:* in Kläranlagen im Faulbehälter entstehender Schlamm.

2) *Bodenkunde:* (Sapropel) schwarzer Schlamm am Boden nährstoffreicher Gewässer, bildet ein feinkörniges, graues bis schwarzes, bitumenreiches Sediment mit organ. Resten. Verfestigt ergeben sich **Sapropelite,** z.B. bestimmte Kohlen, Öl- und Kupferschiefer.

Faultiere (Bradypodidae), Familie der Zahnarmen mit zwei Gattungen in den Wäldern des trop. Mittel- und Südamerika; an Blätternahrung und an das Leben in Bäumen angepasste Tiere, die sich langsam, fast immer mit dem Rücken nach unten hängend, an den langen Krallen der starken Gliedmaßen bewegen. Die Körpertemperatur beträgt 24–35 °C. Im Pelz wachsen Algen und schmarotzen Kleinschmetterlinge. Zu den **Zweifinger-F.** gehört der olivgraue bis -braune **Unau,** zu den **Dreifinger-F.** gehören das aschgraue **Ai** und das **Kragen-F.** mit schwarzem Schulter- und Halskragen.

Faultiere: Dreifingerfaultier

Faun (Faunus), altröm. Naturgott, Schirmherr der Herden. Sein Fest waren die **Luperkalien.** Später wurde er dem grch. Gott Pan gleichgesetzt und wie dieser gehörnt und bocksbeinig dargestellt; die **Faune,** lüsterne Waldgeister, entsprechen den grch. Satyrn.

Fauna [lat.], altitalische Feld- und Waldgöttin, Gemahlin des Faun.

Fauna [lat.] *die,* die Tierwelt eines bestimmten Gebietes.

Fatima

Fatima war die einzige Tochter, die Mohammed Enkel schenkte: ihre beiden Söhne Hasan und Husain. In der späteren schiitischen Tradition kam sie, die wahrscheinlich schon kurz nach dem Tod ihres Vaters starb und historisch keine erkennbare Rolle spielte, zu großen Ehren: Wohl in Analogie zur christlichen Marienverehrung wird sie Frau der Frauen oder auch Jungfrau genannt; auch bei ihrer Empfängnis war der Engel Gabriel beteiligt.

Faure [fɔːr], **1)** Edgar, frz. Politiker, *Béziers 18. 8. 1908, †Paris 30. 3. 1988; Rechtsanwalt, Mitgl. der Radikalsozialist. Partei, seit 1940 in der Widerstandsbewegung tätig, gehörte 1945–46 der frz. Anklagevertretung bei den Nürnberger Prozessen an. F. war 1952 und 1955–56 MinPräs. Nach Auseinandersetzungen mit seiner Partei (1955/56 ausgeschlossen) näherte er sich den Gaullisten. Er befürwortete 1958 die Berufung General C. de Gaulles zum MinPräs. Vor dem Hintergrund der Studentenunruhen leitete er 1968 als Unterrichtsmin. eine Univ.reform ein. 1971–78 war F. Präs. der Nationalversammlung.

Edgar Faure

2) Félix, Reeder, 6. Präs. der Frz. Republik (1895–99), *Paris 30. 1. 1841, †ebd. 16. 2. 1899; gemäßigter Republikaner; unter ihm wurde 1897 das frz.-russ. Bündnis abgeschlossen.

Fauré [fɔ're], Gabriel Urbain, frz. Komponist, *Pamiers (Dép. Ariège) 12. 5. 1845, †Paris 4. 11. 1924; verarbeitete Einflüsse der frz. und der dt. Romantik; entwickelte unter Wahrung der Harmonik bes. die Satzkunst; schrieb Opern (»Prométhée«, 1900; »Pénélope«, 1913), Orchesterwerke, Kammermusik, Lieder, Requiem (1888) u.a.

Gabriel Fauré

Faust, Johannes (oder Georg), Arzt, Astrologe und Schwarzkünstler, *Knittlingen (Enzkreis) um 1480, †Staufen im Breisgau 1536 (oder kurz vor 1540); studierte nach 1507 wohl Theologie in Heidelberg; war u.a. 1513 in Erfurt, 1520 in Bamberg, 1528 in Ingolstadt, 1532 in Nürnberg. F. stand in Verbindung mit humanist. Gelehrtenkreisen und hatte anscheinend Kenntnisse auf dem Gebiet der Naturphilosophie (»magia naturalis«) der Renaissance. – Aus Berichten über F., verschmolzen mit älteren Zaubergeschichten, entstand die **F.-Sage,**

Johannes Faust: Johann Wolfgang von Goethe, »Erscheinung des Erdgeistes in Fausts Studierstube«, Bleistiftzeichnung (um 1811; Weimar, Goethe-Nationalmuseum)

die zur Grundlage eines Volksbuches wurde (Erstausgabe »Historia von D. Johann Fausten« 1587 bei J. Spies in Frankfurt am Main, geht mit einer um 1575 niedergeschriebenen Wolfenbüttler Handschrift auf eine gemeinsame, nicht erhaltene Vorlage zurück; 1599 neu bearbeitet von G. Widmann in Hamburg, 1674 von J. N. Pfitzer gekürzt). Das älteste überlieferte F.-Drama ist »The tragical history of Doctor Faustus« (1604, entstanden wohl vor 1589) von C. Marlowe; es schließt sich eng an das (spiessche) F.-Buch an. Den Anfang bildet der F.-Monolog, in dem F. sich der Magie verschreibt (festes Bauelement fast aller späteren F.-Dramen). F.-Spiele waren bei den engl. Komödianten in Dtl. (zuerst 1608 in Graz bezeugt) und später bei den dt. Wandertruppen beliebt, worauf dann das Puppenspiel vom Doktor F., das seit 1746 bezeugt ist, fußt. G. E. Lessing sah in seinem F.-Drama in Fausts Streben nach Wissen erstmals nicht Vermessenheit und Aufbegehren gegen Gott. Die Dichter des Sturm und Drang fassten F. als titan. Persönlichkeit auf (Maler Müller, F. M. Klinger sowie der junge Goethe mit seinem »Urfaust«, entstanden 1772–75, erhalten in einer Abschrift des Fräuleins von Göchhausen; erschienen 1887). Durch Goethe wird das F.-Drama zum Menschheitsdrama, verwirklicht in der Endfassung des Werkes (Teil I, 1808; Teil II, hg. 1832): In einer doppelten Wette Mephistopheles' mit dem »Herrn« und mit F. geht es um das Streben des Menschen nach Selbstverwirklichung, das für den Nihilisten Mephistopheles nur Selbsttäuschung ist und daher in dumpfem Genuss enden muss. Im 19. Jh. bearbeiteten u. a. C. D. Grabbe und N. Lenau, im 20. Jh. P. Valéry und T. Mann den Stoff. – Bilder zu Goethes F. schufen P. Cornelius, E. Delacroix, E. Barlach u. a. F.-Opern von L. Spohr (1816), C. Gounod (1859), A. Boito (1868), F. Busoni (1925); eine F.-Ouvertüre komponierte R. Wagner, eine F.-Sinfonie F. Liszt. Ausgewählte Teile vertonten R. Schumann und G. Mahler; auch »Fausts Verdammung« von H. Berlioz knüpft an Goethe an.

Faustkeil: Altsteinzeitlicher Faustkeil aus Feuerstein (Wien; Kunsthistorisches Museum)

📖 CONRADT, M. *u.* HUBY, F.: *Die Geschichte vom Doktor F. München 1980.* – HARTMANN, H.: *Faustgestalt, Faustsage, Faustdichtung. Berlin* 5*1989.* – *Das Faustbuch von 1587. Provokation u. Wirkung, hg. v.* R. AUERNHEIMER *u.* F. BARON. *München 1992.* – HUCKE, K.-H.: *Figuren der Unruhe. Faustdichtungen. Tübingen 1992.*

Fausta (Flavia Maxima F.), röm. Kaiserin, * wohl 298, † (ermordet) Trier 326; seit 307 Gemahlin Konstantins d. Gr., Mutter von Konstantin II., Constantius II. und Constans; soll die Hinrichtung ihres Stiefsohns Crispus erwirkt haben, wurde bald danach auf Befehl Konstantins d. Gr. getötet.

Faustball, auf einem 50 m×20 m großen Hartplatz betriebenes Rückschlagspiel zweier Mannschaften von je fünf Spielern. Der 320 bis 380 g schwere Hohlball (Umfang 62 bis 68 cm) ist mit Faust oder Unterarm so über eine in 2 m Höhe gespannte Leine zu schlagen, dass der Gegner den Ballwechsel nicht regelgerecht fortsetzen kann. Spielzeit 2×15 min. Der Ball darf nacheinander von höchstens drei Spielern einer Mannschaft mit jeweils einer Bodenberührung geschlagen werden. Gegnerische Fehler ergeben je einen Punkt.

Fäustel, kurzstieliger schwerer Hammer.

Faustfeuerwaffe, einhändig zu gebrauchende Handfeuerwaffe (Pistole, Revolver).

Faustina, 1) F. d. Ä., * 104/105, † 140/141, Mutter von 2); Gemahlin des Kaisers Antoninus Pius.

2) F. d. J., * Rom 125, † Halala (heute Ulukışla, Kappadokien) 176, Tochter von 1); war Gemahlin des Kaisers Mark Aurel.

Jean Fautrier: »Geisel« (1945; Privatbesitz)

Faustkampf, das → Boxen.

Faustkeil, vorgeschichtliches, meist aus Feuerstein gefertigtes, keilförmiges, beidseitig flächenretuschiertes Mehrzweckgerät; kennzeichnender Werkzeugtypus (Leitform) der **F.-Kulturen,** zu denen v.a. das Acheuléen (Altpaläolithikum) und das Micoquien (Mittelpaläolithikum) zählen. (→ Altsteinzeit)

Faustrecht, eine Rechtsordnung, in der Ansprüche durch gewaltsame Maßnahmen des Einzelnen durchgesetzt werden, früher z.B. die Blutrache und Fehde, im modernen Recht nur als Ausnahme zulässig (z.B. → Notwehr).

Fauteuil [fo'tœ:j, frz.] *der,* vollständig gepolsterter Sessel.

Fautrier [fotri'e], Jean, frz. Maler und Grafiker, *Paris 16. 5. 1898, †Châtenay-Malabry (Dép. Hauts-de-Seine) 21. 7. 1964; löste sich um 1928 ganz vom gegenständl. Bezug und wurde neben P. Soulages, Wols und H. Hartung wichtiger Mitbegründer der → informellen Kunst in Frankreich.

Fauves [fo:v; frz. »Wilde«], eine zuerst im Pariser Herbstsalon 1905 geschlossen aufgetretene Gruppe von Malern, die, den dt. Expressionisten verwandt, im Ggs. zu den Impressionisten den Ausdruck durch starke, kaum abschattierte Farben zu steigern suchten **(Fauvismus).** Anregungen bezogen sie von der afrikan. und ozean. Kunst, ebenso von mittelalterl. Glasfenstern und alten Holzschnitten. Zu den F. gehörten u.a. H. Matisse, M. de Vlaminck, A. Marquet, G. Rouault, R. Dufy, A. Derain. Die Gruppe löste sich zw. 1907 und 1909 auf.

Favelas [portugies.], die Elendsquartiere (Slums) in den Großstädten Brasiliens.

Favre [fa:vr], **1)** Jules, frz. Politiker, *Lyon 21. 3. 1809, †Versailles 19. 1. 1880; scharfer Gegner Napoleons III. und neben A. Thiers Führer der demokrat. Republikaner. Als Außenmin. (Sept. 1870 bis Aug. 1871) unterzeichnete er den Frankfurter Frieden.

2) Louis, schweizer. Ingenieur, *Chêne-Bourg (Kt. Genf) 26. 1. 1826, †19. 7. 1879 im Gotthardtunnel, dessen Erbauer er war.

Favus [lat. »Honigwabe«] *der,* → Erbgrind.

Fawkes [fɔ:ks], Guy, engl. Verschwörer, *York 1570, †London 31. 1. 1606 (nach Entdeckung der → Pulververschwörung hingerichtet). Der Tag, an dem der Anschlag stattfinden sollte (5. 11. 1605), wird noch heute als **Guy-Fawkes-Day** gefeiert.

Fax, → Telefax.

Fayalit [nach der Azoreninsel Faial] *der,* gelbl. bis grünschwarzes Mineral, ein → Olivin, tritt v.a. als Gemengeteil basischer magmat. Gesteine auf.

Faye [faj], Jean-Pierre, frz. Schriftsteller, *Paris 19. 7. 1925; Vertreter der Avantgardeliteratur der 1960er- und 1970er-Jahre; experimentelle Lyrik, Romane (»Pulsschläge«, 1962; »Die Schleuse«, 1964; »Les Troyes«, 1970) und Essays; beschäftigt sich u.a. mit dem Zusammenhang zw. Sprache und Totalitarismus (»Totalitäre Sprachen«, 1972; »Dictionnaire politique portatif en cinq mots«, 1982).

Fayence [fa'jãs; frz., nach → Faenza] *die* (Majolika), tonkeram. Erzeugnis, dessen poröser roter oder ockerfarbener Scherben mit einer farbigen oder weiß deckenden Zinnglasur bedeckt ist. Nach dem Formen werden die Stücke getrocknet, bei etwa 800 °C gebrannt und nach dem Erkalten in das zinkoxidhaltige Glasurbad getaucht. Die Glasurmasse bleibt als Überzug auf dem Stück haften und wird bei einem 2. Brand bei etwa 1100 °C aufgeschmolzen. Farbige Muster können entweder vor dem Glasurbrand mit Scharffeuerfarben (wegen der hohen Temperatur beschränkt auf Blau, Mangan, Gelb, Grün, Rot, Braun und Schwarz) oder auf die fertig glasierten Stücke mit Muffelfarben aufgetragen werden. Die Muffelfarben werden in einem 3. schwachen Brand eingebrannt.

Tonwaren mit gefärbten Bleiglasuren (ohne Zinn) sind schon im 4. Jt. v. Chr. in Ägypten hergestellt worden, ebenso im Bereich der ägäischen Kultur. Echte F. sind erst seit 500 v. Chr. in Mesopotamien und Persien nachweisbar. Wahrscheinlich unabhängig davon entstanden F. sehr früh auch schon in China und Indien. Die Araber brachten die Lüster-F. nach Spanien. Italien wurde von dort mit F.-Waren versorgt, v.a. von Mallorca aus (daher Majolika). Von Italien gelangte die F. nach Frankreich, wo sich im 17./18. Jh. ein besonderer Dekorationsstil ausbildete, und nach den Niederlanden, wo sie seit dem 16. Jh., bes. in Delft seit

Fayence: Stockelsdorfer Ofen (1773; Hamburg, Museum für Kunst und Gewerbe)

Fauves: Maurice de Vlaminck, »Das Haus von Chatou« (1908; Privatbesitz)

dem 17. Jh., als Nachahmung chines. Porzellane Weltruhm erlangte. Von Delft aus wurden seit 1660 in Dtl. die ersten Fabriken gegründet. Um 1800 wurde die F. durch engl. Steingut verdrängt.

📖 GRAESSE, J. G. T. *u.* JAENNICKE, E.: *Führer für Sammler von Porzellan u. F., neu bearb. v.* L. BEHSE. *A.d. Frz. München* [27]*1991.*

Fayum (El-F.), ägypt. Oasengebiet, → Faijum.

Fazenda [-z-; portugies. »Besitz«] *die,* in Brasilien vorwiegend ackerwirtschaftlich genutzter landwirtsch. Großbetrieb.

Fazetie [lat. »Witz«] *die,* epigrammatisch zugespitzte, meist satir. oder erot. Kurzerzählung, urspr. in lat. Prosa. Ihr Schöpfer ist der Florentiner G. F. Poggio Bracciolini. Seine »Libri facetiarum IV« (entstanden 1438–52, hg. 1471, dt. »Schwänke und Schnurren«) wurden in Dtl. Vorbild für Sammlungen in lat. (H. Bebel) und dt. Sprache (J. Wickram).

fazial [zu Fazies], zum Gesicht gehörend.

Fazialis *der* (Facialis, Nervus facialis, Gesichtsnerv), der VII. Gehirnnerv, der die mim. Muskulatur des Gesichts versorgt.

Fazialislähmung (Fazialisparese, Gesichtslähmung, Gesichtsmuskellähmung), Schädigung des Fazialis, die teilweisen oder totalen Ausfall der mim. Gesichtsmuskulatur zur Folge hat (herunterhängender Mundwinkel, unvollständiger Augenlidschluss); tritt bei Erkrankungen der Ohrspeicheldrüse, des Ohres, des Hirnstammes und bei Schädelbrüchen auf.

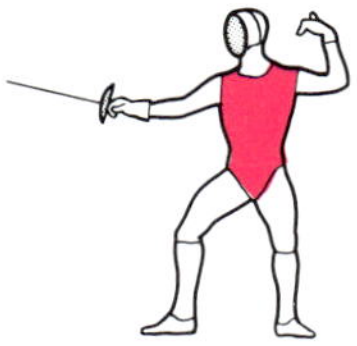

Florettfechten

Säbelfechten

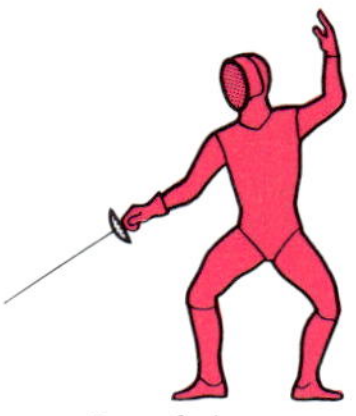

Degenfechten

Fechten: Treffflächen

Fazies [lat. »äußere Gestalt«, »Gesicht«] *die,* Gesamtheit der petrograph. und paläontolog. Merkmale eines Sediments, die von den geograph. und geolog. Verhältnissen des Abtragungs- und Ablagerungsraums bestimmt werden. **Die Petro-** oder **Litho-F.** kennzeichnet den petrograph. Aufbau, die **Bio-F.** den Fossilinhalt des Gesteins. Man unterscheidet außerdem zwischen terrestr. F. **(Land-F.)** und mariner F. **(Meeres-F.).**

Fazilität [lat.] *die,* einem Kunden von der Bank eingeräumte Kreditmöglichkeit, die bei Bedarf bis zu einer bestimmten Höhe in Anspruch genommen werden kann.

FBI [efbiːˈaɪ, engl.], Abk. für **F**ederal **B**ureau of **I**nvestigation, die dem Bundesjustiz-Min. unterstehende Bundeskriminalpolizei der USA, 1908 als Bureau of Investigation eingerichtet, seit 1935 FBI; Sitz: Washington (D. C.). Aufgaben: Aufklärung von Verstößen gegen Bundesstrafrecht, Sammlung von erkennungsdienstl. Unterlagen und Beweismaterial, Spionage- und Sabotageabwehr, Staatsschutz und Schutz des Präsidenten.

FCKW, Abk. für → **F**luor**c**hlor**k**ohlen**w**asserstoffe.

FDGB, Abk. für → **F**reier **D**eutscher **G**ewerkschafts**b**und.

FDJ, Abk. für → **F**reie **D**eutsche **J**ugend.

FDP, 1) F. D. P., Abk. für → **F**reie **D**emokratische **P**artei.

2) Abk. für **F**reisinnig-**D**emokratische **P**artei der Schweiz.

Fe, chem. Symbol für → Eisen.

Feasibility-Studie [fiːzəˈbɪlətɪ-, engl.], Untersuchung über die wirtsch. Realisierbarkeit einer Produktionsanlage oder eines techn. Projekts. Im Rahmen der F.-S. spielen Marktanalysen, Standortfragen, Rohstoffpreise sowie der Anfall von Nebenprodukten und Schadstoffen eine Rolle.

Feature [ˈfiːtʃə; engl. »Merkmal«, »Eigenschaft«, »Besonderheit«] *das,* auch *die,* Begriff aus der Fachsprache der angloamerikan. Publizistik: 1) der Hauptfilm eines Filmprogramms, allg. der Spielfilm; 2) der aus bestimmtem Anlass durch Aufmachung bes. herausgestellte Text- oder Bildbeitrag; 3) seit 1945 in der dt. Rundfunksprache an den medialen Möglichkeiten des *Hörfunks* orientierte Sendegattung, die auf eine geschlossene Spielhandlung verzichtet und zumeist aktuelle Ereignisse unter Verwendung funkgerechter Ausdrucksmittel (Reportage, Dokument, Tonzitat, Kommentare, Statement, Dialog, elektroakust. Effekte, Interview) meist mit Mitteln der Montage aufbereitet. Das F. bei *Film* und *Fernsehen,* das undramat. Stoffe, Tatbestände und Sachverhalte gestaltet, hat primär dokumentar. Charakter, besitzt jedoch gegenüber der Dokumentation v.a. durch dramaturg. Mittel größere Eindringlichkeit.

Febronianismus *der,* nach dem Pseudonym »Justinus Febronius« des Trierer Weihbischofs Nikolaus von Hontheim (* 1701, † 1790) benannte, im 18. Jh. entstandene kirchenpolit. Richtung, deren Ziel die Stärkung des Episkopalismus bei gleichzeitiger Zurückdrängung der päpstl. Primatansprüche in Dtl. war. Getragen wurde der F. durch die Erzbischöfe von Köln, Mainz, Trier und Salzburg, die eine von Rom weitestgehend unabhängige dt. Nationalkirche erstrebten.

Februar [zu lat. februare »reinigen«], der zweite Monat des Jahres mit 28, in einem Schaltjahr mit 29 Tagen; alter dt. Name: **Hornung.**

Februarrevolution, 1) die frz. Revolution vom 24. 2. 1848 (→ Frankreich, Geschichte).

2) die russ. Revolution vom März (nach altem Stil Februar) 1917 (→ Russland, Geschichte).

fec., Abk. für → **fec**it.

Fécamp [feˈkã], Hafenstadt in der Normandie, Dép. Seine-Maritime, Frankreich, 21100 Ew.; Werften, Herstellung von Fischkonserven und Likör (Bénédictine); Seebad; Handels- und Fischereihafen. – Frühgotische Kirche der ehem. Abtei (12. Jh.). – Die Benediktinerabtei (Ursprungsort des Benediktinerlikörs), um 600 gegr., war seit 1001 Zentrum monast. Reformen.

Fechner, Gustav Theodor, Naturforscher und Psychologe, *Groß-Särchen (heute zu Knappensee, bei Hoyerswerda) 19. 4. 1801, †Leipzig 18. 11. 1887; lehrte Physik, Psychophysik, Ästhetik und Naturphilosophie. Er gilt als Begründer der experimentellen Sinnesphysiologie (→Weber-Fechner-Gesetz) und erarbeitete eine psycholog. Ästhetik. Die Welt betrachtete er als beseelt (»Tagesansicht«, im Ggs. zur »Nachtansicht« des physikalisch-mathemat. Weltbildes), das Stoffliche lediglich als Außenseite des Daseins.

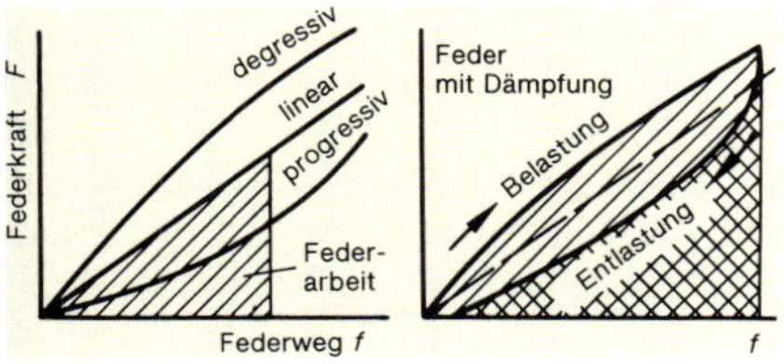

Feder 2): Federkennlinien

Fechser, unterirdische Abschnitte vorjähriger Triebe, aus deren Knospen sich im Frühjahr die neuen Laubsprosse bilden, z.B. bei Hopfen und Wein.

Fechten, Zweikampfsportart, bei der der Gegner mit einer bestimmten Waffe regelgerecht getroffen werden soll, ohne dass man selbst getroffen wird oder man dem gegner. Treffer zeitlich deutlich zuvorkommt. Es gibt Degen und Florett als Stoßwaffen (für Männer und Frauen) und Säbel als Hieb- und Stoßwaffe (ausschl. für Männer). Die **Fechtbahn (Planche)** ist 14 m lang und 1,80 bis 2 m breit und beim F. mit elektroautomat. Trefferanzeige mit einem Strom führenden Belag bedeckt. Die Fechtkleidung besteht aus Fechtanzug mit metallisierter gültiger Trefffläche, die bei den versch. Waffen unterschiedlich ist, Fechtmaske und -handschuhen. Die effektive Kampfzeit beträgt bei Gefechten auf 5 Treffer 6 min und ist ggf. vorzeitig beendet, wird aber bei Unentschieden um 1 Treffer verlängert. (Gesamt-)Gefechte in entscheidenden Runden erfordern jeweils zwei Sieggefechte zu 5 Treffern (2:0, 2:1). Ein Kampfleiter entscheidet über die Gültigkeit der Treffer, weil bei Florett und Säbel (sog. konventionelle Waffen) der gegner. Angriff vor dem eigenen pariert werden muss. Über das student. F. →Mensur.

Fechter, Paul, Schriftsteller, *Elbing (heute Elbląg) 14. 9. 1880, †Berlin 9. 1. 1958; bedeutender Literarhistoriker (»Der Expressionismus«; 1914; »Geschichte der dt. Literatur«, ³1952); schrieb auch humorvolle Berlin- und Ostpreußenromane.

fecit [lat. »(er) hat gemacht«], Abk. **fec.,** auf Bildwerken in Verbindung mit dem Künstlernamen, bes. auf Kupferstichen, auch neben →invenit.

Fed, Abk. für das →**Fed**eral Reserve System.

Fedajin [arab. »Opferbereite«] *der* (Fedayeen), Name der im Untergrund gegen Israel kämpfenden palästinens. Araber.

Feddersen Wierde, vorgeschichtl. Wurt 15 km nördlich von Bremerhaven; ständig bewohnt etwa 50 v.Chr. bis 450 n.Chr., bestand in der Blütezeit im 3. Jh. aus 28 großen, dreischiffigen Hallenhäusern mit vereinigtem Wohn- und Stallteil.

Feder, 1) *Holztechnik:* bei Holzverbindungen eine angefräste Leiste zur Verbindung zweier Brettkanten durch Eingreifen in den ausgearbeiteten Schlitz (Nut).

2) *Maschinenbau:* Maschinenelement, das aufgrund seiner elast. Eigenschaften bei Verformung Arbeit aufnehmen kann und beim Entlasten diese mit Reibungsverlusten (Dämpfung) wieder abgibt (Rückfederung). F. dienen als Arbeitsspeicher (Uhrwerk), Kraftmesser (F.-Waagen), zur Stoß- und Schwingungsdämpfung (Fahrzeugbau) sowie zur Kraftverteilung und zum Kraftausgleich (Spannwerkzeuge). F. lassen sich nach der Art ihres Werkstoffes, ihrer Gestalt und der Art der Beanspruchung einteilen. F. sind zumeist aus Stahl, für besondere Anforderungen aus nichtmetall. Werkstoffen (z.B. Gummi, Luft). Nach Art des Kraftangriffes werden biege- und drehbeanspruchte sowie zugdruckbeanspruchte F. unterschieden. Die Gestalt von F. ist unterschiedlich (z.B. Blatt-, Spiral-, Teller-, Schrauben-F.) und v.a. von der Beanspruchungsart und dem Verwendungszweck abhängig. Kennzeichnend für jede F. ist die **F.-Kennlinie,** die progressiv, linear oder degressiv verlaufen kann. Je steiler die Gerade im F.-Diagramm verläuft, desto geringer ist bei gleicher Kraft der F.-Weg und desto steifer (härter) ist die F. Die Kennlinien für Be- und Entlastung fallen bei dämpfungsarmen (reibungsfreien) F. zusammen.

3) *Zoologie:* →Federn.

Federal Bureau of Investigation ['fedərəl bjʊə'rəʊ ɔf ɪnvestɪ'geɪʃn, engl.], →FBI.

Federalist, The [ðə 'fedərəlɪst; engl.], von A. Hamilton, J. Madison und J. Jay unter dem gemeinsamen Pseudonym »Publius« 1787/88 verfasste Zeitungsaufsätze, die die amerikan. Verfassung erläuterten. Bereits 1788 von Hamilton in zwei Bänden herausgegeben, gelten sie als klass. Werk der polit. Literatur.

Federal Reserve System ['fedərəl rɪ'zə:v 'sɪstɪm], Abk. **Fed,** Geld- und Kreditsystem der USA, geschaffen durch Ges. von 1913, später laufend umgestaltet durch Ergänzungsgesetze. Das Gebiet der USA ist in 12 Bankbezirke mit je einer **Federal Reserve Bank** (F. R. B., Bundesreservebank) eingeteilt. Die F. R. B. sind gemeinwirtschaftlich organisiert, ihr Kapital wird von den Mitgl.banken aufgebracht. Ihre Geschäfte entsprechen den übl. Aufgaben einer Zentralbank (Aus-

Gustav Theodor Fechner

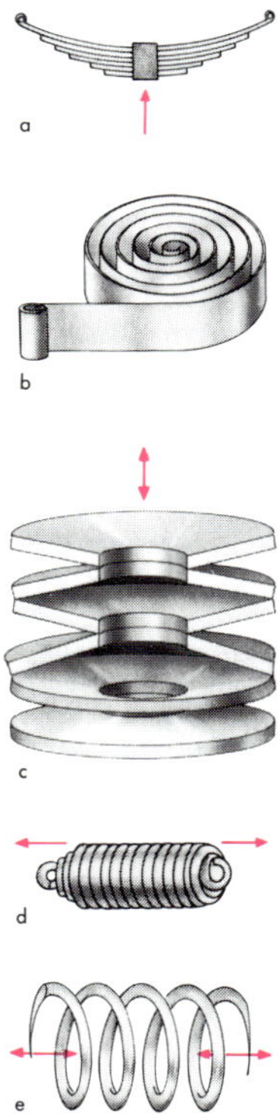

Feder 2):
a Blattfeder,
b Spiralfeder,
c Tellerfeder (Schnittbild),
d Schraubenzugfeder,
e Schraubendruckfeder

Die meisten **Federn** *hat der Schwan: rund 25 000; Möwen haben nur rund 6 000 und Enten rund 12 000 Federn.*

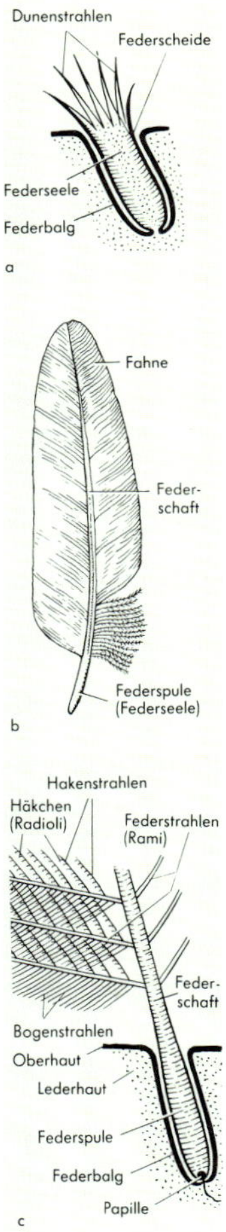

Federn: a Entwicklung der Feder, b Konturfeder, c Feinbau der Konturfeder

gabe von Banknoten, geld- und kreditpolit. Maßnahmen). An der Spitze des Banksystems steht der Board of Governors of the F. R. S. (Bundesbankrat) in Washington, der die Ausgabe der Noten **(Federal Reserve Notes)** und die gesamte Bankpolitik überwacht. Der Board of Governors besteht aus sieben vom Präs. der USA mit Zustimmung des Senats auf 14 Jahre ernannten Mitgliedern; er ernennt je drei Direktoren für die 12 Bundesreservebanken (jeweils sechs weitere Direktoren werden von den Mitgliedsbanken gewählt), deren größte die **Federal Reserve Bank of New York** ist; sie schließt als einzige Bank Geschäfte mit ausländ. Kunden ab.

Federal Style ['fedərəl 'staɪl, engl.], Baustil der amerikan. Architektur, der sich, von engl. Vorbildern (Georgian Style) ausgehend, ab etwa 1780 entwickelte und bis um 1825 vorherrschte. Er löste den Kolonialstil ab. Die Häuser sind vorwiegend aus Ziegelsteinen erbaut, weiß gestrichen oder haben weiße Tür- und Fensterrahmen. Die führenden Architekten waren C. Bulfinch in Boston und Samuel McIntire (*1757, †1811) in Salem (Mass.).

Fédération Internationale des Jeunesses Musicales [federa'sjɔ̃ ɛ̃ternasjɔ'nal deʒø'nɛs myzi'kal, frz.], internat. Vereinigung zur musikal. Förderung der Jugend, gegr. 1940 von M. Cuvilier, Sitz: Brüssel. 1951 kam die Bundesrep. Dtl. als 9. nat. Sektion hinzu (Sitz: Weikersheim).

Federball, das → Badminton.

Federbein, 1) *Kfz-Technik:* Bauelement, bei dem in einer Hülse eine Schraubenfeder mit dem Stoßdämpfer kombiniert ist, bes. bei Krafträdern.

2) *Luftfahrt:* radtragendes und mit gedämpfter Teleskopfederung versehenes Bauteil eines Fahrwerks.

Fe̱derer, Heinrich, schweizer. Schriftsteller, *Brienz 7. 10. 1866, †Zürich 29. 4. 1928; stellte in Romanen (»Berge und Menschen«, 1911) und Erzählungen (»Papst und Kaiser im Dorf«, 1924) Menschen und Landschaften der Schweiz und Mittelitaliens dar.

Federgewicht, Gewichtsklasse im Boxen (Amateure bis 57 kg, im Berufsboxen z. T. bis 57,15 kg), Gewichtheben (bis 60 kg), Ringen (bis 62 kg), Taekwondo (bis 63 kg).

Federgras (Pfriemengras, Stipa), Gattung der Süßgräser, charakteristisch für die Steppen der nördl. Erdhalbkugel; in Mitteleuropa heimisch z. B. das geschützte **Echte F.** (Stipa pennata), mit federartig behaarten Grannen.

Federkrone (Pappus), Haarkelch bei Korbblütlern und Baldriangewächsen zur Windverbreitung der Früchte.

Fe̱derle, Helmut, schweizer. Maler, *Solothurn 31. 10. 1944; Vertreter einer konsequent abstrakten Malerei; geometr. Urformen, seine Initialen H und F, asiat. Zeichen u. a., werden in statischen, farbreduzierten Arbeiten präsentiert.

Federlinge, Insekten, → Haarlinge.

Federman ['fedəmən], Raymond, amerikan. Schriftsteller frz. Herkunft, *Paris 15. 5. 1928; wanderte 1947 nach den USA aus. Seine Romane, u. a. »Alles oder Nichts« (1971), »Take it or leave it« (1976), »Eine Liebesgeschichte oder sowas« (1985), »Betrifft: Sarahs Cousin« (1990), verbinden autobiograph. Themen mit experimentellen Erzähltechniken; auch Gedichte und Literaturkritik.

Fe̱dermann, Nikolaus, Konquistador, *Ulm um 1505, †Valladolid (Spanien) 22. (oder 23.) 2. 1542; kam 1530 im Dienst der Welser nach Coro in Venezuela und erkundete das Landesinnere; drang auf der Suche nach El Dorado 1537–39 bis ins Hochland von Bogotá vor; Mitbegründer der Stadt Bogotá.

Federmessergruppen, Bez. für versch. Kulturgruppen der späten Altsteinzeit in Mitteleuropa; kennzeichnender Steinwerkzeugtyp ist das Federmesser, eine spitz zulaufende Klinge aus Silex mit bogenförmig gestumpftem Rücken.

Federmotten (Federgeistchen, Pterophoridae), Familie der Schmetterlinge mit rd. 600 Arten, deren Vorderflügel meist in zwei, die Hinterflügel in drei federartige Lappen aufgeteilt sind.

Federn (Vogelfedern), charakterist. Horngebilde der Oberhaut der Vögel; bilden die Voraussetzung für den Vogelflug und dienen der Wärmeisolation sowie dem Schutz vor Nässe. Die F. bestehen aus **F.-Kiel (F.-Achse)** und **F.-Fahne.** Der hautnahe, runde Teil des Kiels **(F.-Spule)** steckt in einer Hauttasche **(F.-Balg)** und enthält während des Wachstums blutreiches Gewebe, der restliche markhaltige Abschnitt **(F.-Schaft)** ist kantig und trägt die F.-Fahne. F.-Arten sind **Kontur-** oder **Deck-F.** mit steifem Schaft und fester Fahne; **Daunen-** oder **Flaum-F.** (Dunen), bei denen die Federstrahlen kranzförmig angeordnet sind, also der Federschaft fehlt; **Faden-F.** mit dünnem Schaft und verkümmerter oder fehlender Fahne. Die Farbstoffe der F. wandern in die Oberhautzellen vor deren Verhornung ein. Farbiges Schillern der F. beruht auf der Interferenz des weißen Lichtes an stark abgeflachten Melaninkörnern der Strahlenzellen.

F. wurden bes. von Indianern und Völkern Ozeaniens zu Kopf- und Körperschmuck und anderen Zierarten (z. B. Mosaiken) mit meist kult. oder sozialer Bedeutung verarbeitet. Sie dienten zur Verzierung von Geräten, als Geld (mit F. umwickelte Rollen) oder zur Flugstabilisierung von Pfeilen. Im Abendland zierten F. seit dem MA. festl. Kopfbedeckungen von Männern und Frauen (Helmzier, Pfauenhut, Federbusch), bevor sie seit dem Ende des 17. Jh. hauptsächlich nur noch in der

Frauenmode Verwendung fanden (Hutputz, Fächer, Boa, Muff u.a.). Über die Kleidung hinaus besitzen F. seit Jahrhunderten Bedeutung als Kissen- und Bettfüllungen (Daunen). Vor Erfindung der Stahl-F. wurden Kiele von Gänse- und Schwanen-F. zu Schreibgeräten zugeschnitten.

Federzeichnung: Pisanello, Allegorie der Luxuria (um 1425/30; Wien, Albertina)

Federsee, verlandender Moränenstausee bei Bad Buchau in Oberschwaben, Bad.-Württ., 1,4 km^2 groß, bis 2,8 m tief; See und Röhrichtgürtel wurden 1939 unter Naturschutz gestellt. Im Umkreis des ehem. Ufers mittelsteinzeitl. Fundstellen sowie neolith. und bronzezeitl. Dorfanlagen (Aichbühl, Dullenried u.a.). Die Wasserburg Buchau, eine Moorsiedlung der jüngeren Bronzezeit, konnte in ganzem Umfang ausgegraben werden.

Federspiel [mhd. vederspil »Jagdvogel«] (Vorlass), *Jägersprache:* Kissen mit zwei Vogelflügeln, gespickt mit einem Fleischbrocken, um den Beizvogel zum Falkner zurückzulocken. Danach wurde früher die gesamte Beizjagd als F. bezeichnet.

Federspiel, Jürg, schweizer. Schriftsteller, Filmkritiker und Reporter, *Zürich 28. 6. 1931; schreibt vielschichtige Erzählungen und Romane in sachl. Sprache (u.a. »Orangen und Tode«, Erz., 1961; »Der Mann, der Glück brachte«, Erz., 1966; »Paratuga kehrt zurück«, Erz., 1973; »Die Liebe ist eine Himmelsmacht. 12 Fabeln«, 1985; »Geographie der Lust«, R., 1989); auch Hörspiele, Dramen.

Federung, Anordnung von →Federn zw. bewegl. Maschinenteilen; bei Fahrzeugen elast. Verbindung zw. den Achsen und dem Aufbau (Rahmen), wobei neben den Federelementen auch die Luftreifen federnd wirken.

Federwaage, →Waage.

Federwechsel, die →Mauser.

Federweißer (Sauser), fast durchgegorener, kohlensäurehaltiger Traubenmost, dessen Hefe sich abzusetzen beginnt; Vorstufe des Weins.

Federwild (Flugwild), die jagdbaren Vögel.

Federzeichnung, mit Feder (v.a. Gänsekiel, seit dem 12. Jh.) und Tusche oder Tinte (auch farbig, z.B. Sepia) ausgeführte Zeichnung auf (früher oft grundiertem) Papier, z.T. ein- oder mehrfarbig getönt (laviert) oder weiß gehöht; eine der ältesten Techniken der →Zeichnung.

Fedin, Konstantin Alexandrowitsch, russ. Schriftsteller, *Saratow 24. 2. 1892, †Moskau 15. 7. 1977; schloss sich 1921 den Serapionsbrüdern an; Romane (»Städte und Jahre«, 1924; »Frühe Freuden«, 1945; »Ein ungewöhnlicher Sommer«, 1949; »Die Flamme«, 1961–67), auch Erzählungen. 1959 wurde F. Erster Sekretär des sowjet. Schriftstellerverbandes.

Konstantin Alexandrowitsch Fedin

Fedtschenko, Alexei Pawlowitsch, russ. Naturforscher und Asienreisender, *Irkutsk 7. 2. 1844, †(verunglückt) am Montblanc 15. 9. 1873; erforschte 1868–71 zus. mit seiner Frau das Gebiet des Syrdarja (Kysylkum, Alaigebirge). Nach ihm ist der **F.-Gletscher,** mit 77 km der längste außerarkt. Gletscher, im Pamir (Tadschikistan) benannt.

Fee [frz.], zauberkundiger weibl. Naturgeist der kelt. Mythologie; in Quellen, Grotten oder Wäldern lebend. Sie helfen den Menschen, bestrafen aber Undankbare und Neugierige. Der Feenglauben verschmolz früh mit den antiken Vorstellungen der Schicksalsgöttinnen (Moiren), doch blieben die F. mit der Natur verbunden. Im dt. Volksglauben spielen sie kaum eine Rolle, an ihrer Stelle stehen hier Frau Holle u.a. Gestalten. Aus der altfrz. Dichtung wurden die F. in die mhd. höfische Dichtung übernommen. Feengestalten erschienen dann bes. in der engl., span. und italien. Literatur; von großer Wirkung waren die aus der Volksüberlieferung schöpfenden Märchen von G.F. Straparola (16.Jh.) und G. Basile (17.Jh.).

Feed-back ['fi:dbæk, engl.] *das,* →Rückmeldung.

Feerie [feə'ri, frz.] *die,* szen. Aufführung einer Feengeschichte unter Verwendung raffinierter bühnentechn. Mittel und mit großem Kostüm- u.a. Ausstattungsaufwand; bes. seit Ende des 17.Jh. in England und Frankreich beliebt.

Jürg Federspiel

Fegefeuer [zu mhd. vegen »reinigen«] (lat. Purgatorium), *kath. Glaubenslehre:* seit dem 11.Jh. das Läuterungsgeschehen nach dem Tode des Menschen. Die in der Gnade Gottes sterben, werden durch die Sühnetat Gottes und die Fürbitte der Kirche im F. gereinigt und vollendet. Die Lehre vom F. kann nicht direkt aus der Bibel begründet werden. Deshalb und aus ihrem Gnadenverständnis heraus wird sie von der evang. Theologie scharf abgelehnt. – Eindrucksvolle dichter. Darstellung des F. in Dantes »Divina Commedia«.

Feh (Grauwerk), Handelsbez. für den Pelz sibir. und nordosteurop. Unterarten des Eichhörnchens.

Fehde: Ein Bote überbringt der Stadt Bern einen Fehdebrief, Miniatur aus einer Chronik des schweizerischen Chronisten Diebold Schilling (1485)

Fehde [ahd. (gi)fēhida, zu gifēh »feindselig«] Feindseligkeit, Privatkrieg zw. zwei Freien oder ihren Sippen in german. Zeit und im MA.; zunächst außerrechtlich, später von der Rechtsordnung anerkannt. Die F. diente der Wiederherstellung der verletzten Sippenehre. Von der auch im Bauernstand verbreiteten →Blutrache unterschied sich später die F. durch die gebotene, aber häufig missachtete Wahrung ritterl. Formen. Kirche und Staat haben, z.B. durch Gottes- und Landfrieden, durch das Erfordernis der vorherigen Erschöpfung des Rechtswegs, der Ankündigung (F.-Brief), der Waffenverbote für Bauern, des Friedensschutzes für Personen und Sachen, des Sühnezwangs (»Urfehde«) u.Ä., die F. einzudämmen versucht; im →Ewigen Landfrieden (1495) wurde sie verboten.

Fehde

Am 7. August 1495 verkündete König Maximilian I. mit Zustimmung des Reichstages zu Worms das allgemeine Verbot der Fehde für alle Zeiten:

»Und darauf haben wir alle offen vehde und verwarung durch das gantz reich aufgehebt und abgetan, heben auch die hiemit auf und tun die ab von Römischer kunigklicher machtvolkumenhait in und mit kraft diß briefs.«

Fehdehandschuh, bei der ritterl. Fehde der Handschuh, der dem zum Zweikampf Herausgeforderten zugeworfen wurde.

Fehlbelegungsabgabe, seit 1982 Ausgleichszahlungen von Mietern einer öffentlich geförderten Wohnung, wenn ihr Einkommen die Einkommensgrenze nach §25 des 2. Wohnungsbau-Ges. um mehr als 20% überschreitet.

Fehldruck, mangelhafter, mit textl. oder techn. Fehlern behafteter Auflagendruck u.a. von Wertpapieren, Banknoten, Briefmarken (oft hoher Sammlerwert).

Fehler, 1) *Datenverarbeitung:* →Error.

2) *Mathematik:* Abweichung eines Wertes x_i vom wahren Wert x oder vom mittleren Wert $\bar{x}$ (arithmet. Mittel), wobei $|x-x_i| = \Delta x_i$ (gesprochen »Delta x_i«) der **absolute F.** und $\Delta x_i/x$ der **relative F.** ist.

Bei Messungen treten vermeidbare **systemat. F.** (z.B. bedingt durch fehlerhafte Messinstrumente, gesetzmäßig schwankende Versuchsbedingungen) und unvermeidbare **zufällige F.** auf, die statistisch vorkommen. Der **durchschnittl. F.** einer Messreihe aus x_i (i=1,2,...,n) Werten berechnet sich zu:

$$\frac{1}{n}\sum_{i=1}^{n}\Delta x_i^2.$$

Die Differenzen $x-x_i$ bzw. $\bar{x}-x_i$ werden auch wahrer bzw. scheinbarer F. der einzelnen Messwerte genannt. Überträgt sich der F. einer Größe auf eine andere, von dieser abgeleiteten Größe, so spricht man von **F.-Fortpflanzung.** Zur Darstellung der Verteilung von F. bei hinreichend vielen Einzelmessungen hat sich die gaußsche F.-Kurve (→Normalverteilung) bewährt. – Das Rechnen mit fehlerbehafteten Größen ist Gegenstand der **F.-Rechnung.** Sie befasst sich insbes. mit statist. Methoden zur Erfassung von F. und der **F.-Abschätzung,** d.h. der Bestimmung einer Größe **(F.-Schranke, F.-Grenze),** die mit Sicherheit kleiner ist als der Betrag des F. (→Genauigkeit).

3) *Recht:* →Mangel.

4) *Statistik:* →Streuung.

Fehlererkennung, *Informationsverarbeitung:* Erkennung von Übertragungsfehlern beim Empfänger einer Nachrichtenstrecke mithilfe **Fehler erkennender Codes.** Bei den Fehlern kann es sich um gestörte oder verfälschte Zeichen handeln, die entweder nicht der zwischen Sender und Empfänger vereinbarten Codierungsvorschrift entsprechen oder falsche Informationen liefern.

Fehlerortsbestimmung, systemat. Ermittlung der genauen Lage und ggf. der Art eines Fehlers in einem Kabel, Gerät oder System durch elektr. Messungen. Man unterscheidet Impedanz-, Laufzeit- bzw. Impuls-Echo- und Kennungsmessungen.

Fehlerspannungsschutzschalter, →Schutzschaltung.

Fehlerstromschutzschalter, →Schutzschaltung.

Fehlfarbe, 1) beim Kartenspiel die Farbe, die nicht Trumpf ist; auch Farbe, die im Blatt eines Spielers fehlt.

2) Zigarre mit missfarbigem Deckblatt.

Fehlgeburt (Abort, Abortus), Abgang einer Frucht mit Nachgeburt (mit einem Gewicht unter 1000 g) ohne nachweisbare Lebenszeichen (Herzschlag, Atmung) bis zur 28. Schwangerschaftswoche. Die **unvollständige F.** (inkompletter Abort) ist eine F., bei der Teile der Frucht oder Nachgeburt nicht ausgestoßen werden; die **vollständige F.** (kompletter Abort) führt zum Abgang der Frucht und der gesamten Nachgeburt. Im Anschluss an eine F. wird zur Vermeidung von Blutungen und aufsteigenden Infektionen meist eine Ausschabung vorgenommen.

Fehlhandlung (Fehlleistung), Störungen beim Vollzug bes. automatisierter Handlungen (z.B. Versprechen, Vergessen, Verschreiben, Verlieren); gewöhnlich durch Ermüdung, Konzentrationsmangel oder Erregtheit verursacht; von der Psychoanalyse als Wirkung verdrängter Vorstellungen oder Affekte gedeutet.

Fehling, Jürgen, Regisseur, *Lübeck 1. 3. 1885, †Hamburg 14. 6. 1968; bis 1944 meist am Berliner Staatstheater tätig, vereinigte in seinen Inszenierungen gesteigerten Ausdruck – vom Expressionismus herkommend – mit oft musikal. Stilisierung.

Fehling-Lösung [nach dem Chemiker H. von Fehling, *1812, †1885], aus Kupfersulfatlösung und einer Seignettesalz- sowie Weinsäurelösung bestehendes Reagenz zum Nachweis von Zucker (z.B. im Harn) u.a. reduzierenden Verbindungen, v.a. von Aldehyden.

Fehlordnung, Abweichungen der Realkristalle in ihrem strukturellen Aufbau sowie in ihrer chem. Zusammensetzung vom idealkristallinen Aufbau der Festkörper.

Fehlschluss (Paralogismus), **1)** *Ethik:* in G. E. Moores »Principia ethica« (1903) als naturalistischer F. die fälschl. Identifizierung eines Wertes oder Zweckes mit dem Begriffsinhalt von »gut«.

2) *Logik:* Schluss, bei dem logisch nicht gültige Schlussweisen angewendet werden.

Fehlsichtigkeit, →Brechungsfehler des Auges.

Fehlzündung, →Zündung.

Fehmarn, Ostseeinsel, 185 km², gehört zu Schlesw.-Holst., 13000 Ew.; Hauptort ist Burg auf Fehmarn (5900 Ew.). Die Insel ist durch den **F.-Sund** von der Halbinsel Wagrien, durch den **F.-Belt** von der dän. Insel Lolland getrennt. Seit dem Bau der →Vogelfluglinie verstärkter Tourismus. BILD S. 294

Fehn [mhd. venne »Sumpf«, »Moorland«] (Vehn, Venn, Feen, Fenn), sumpfiges, mooriges Gelände, oft in Hochmoor übergehend.

Fehnkoloni|en, in Moorgebieten der Niederlande und NW-Deutschlands zur Entwässerung und Urbarmachung angelegte Bauernsiedlungen.

Fehrbellin, Stadt im Kr. Ostprignitz-Ruppin, Brandenburg, am Rhinluch, 3100 Ew.; Herstellung

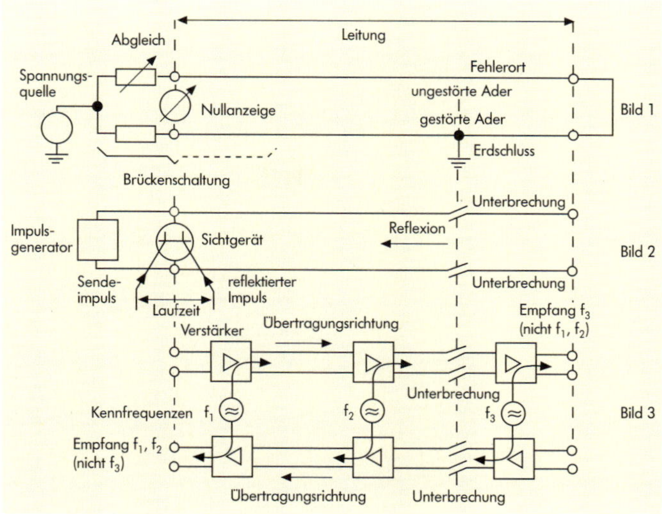

Fehlerortsbestimmung: Impedanzmessung (Bild 1); Laufzeit- bzw. Impuls-Echo-Messung (Bild 2); Kennungsmessung (Bild 3)

von techn. Textilien. – In der Schlacht bei F. siegte der Große Kurfürst am 28. 6. 1675 über die Schweden.

Fehrbellin Stadtwappen

Fehrenbach, Konstantin, Politiker (Zentrum), *Wellendingen (heute zu Bonndorf im Schwarzwald) 11. 1. 1852, †Freiburg im Breisgau 26. 3. 1926; 1920–21 Reichskanzler; seine Regierung scheiterte an der Reparationsfrage (→Reparationen).

Feichtmayr, Künstlerfamilie, →Feuchtmayer.

Feiertage, allg. arbeitsfreie Tage, festl. Tage. Man unterscheidet gesetzl. und kirchl. F. An gesetzl. F. erhalten Arbeitnehmer, auch solche in Heimarbeit, normalen Lohn, der ohne den F. angefallen wäre. Arbeitnehmer, die unmittelbar vor oder nach F. unentschuldigt der Arbeit fernbleiben, haben keinen Anspruch auf Bezahlung des F. (F.-Entgeltfortzahlungs-Ges. vom 2. 8. 1951). Für am F. geleistete Arbeit wird meist ein tarifvertraglich vereinbarter Zuschlag bezahlt. An kirchl. F. (→Festtage), die nicht gesetzl. F. sind, besteht grundsätzlich kein Arbeitsverbot, aber beschränkter gesetzl. F.-Schutz, bes. zur Teilnahme an Gottesdiensten. Die Festlegung von F. geschieht i. Allg. aufgrund der F.-Gesetze der Länder, nur ausnahmsweise durch den Bund (Tag der Dt. Einheit).

Jürgen Fehling

In *Österreich* ist neben den traditionellen, auch in Dtl. anerkannten F. der 26. 10. als National-F. festgelegt. – In der *Schweiz* sind F. überwiegend kantonal geregelt, National-F. ist der 1. 8. (Bundesfeier).

Feige [lat.], *Botanik:* 1) (Ficus) Gattung der Maulbeergewächse mit etwa 1000, hauptsächlich trop. Arten; bekannte Arten sind Feigenbaum,

Konstantin Fehrenbach

Fehmarn: Die 963 m lange Brücke über den Fehmarnsund (1963 vollendet) als Teil der Vogelfluglinie

Feigenbaum: Seitenast mit Früchten (oben) und Längsschnitt durch eine Frucht (Länge 3–10 cm)

Gummibaum und Maulbeerfeigenbaum. Die **Birken-F.** (Ficus benjamina) ist eine beliebte Zimmerpflanze. 2) Frucht des →Feigenbaumes.

Feigenbaum (Ficus carica), Art der Gattung Feige, wild wachsend vom Mittelmeergebiet bis NW-Indien, kultiviert und eingebürgert in vielen trop. und subtrop. Ländern. – Der wild wachsende F. bildet drei Feigengenerationen mit unterschiedl. Früchten pro Jahr, davon essbare im Sept. **(Fichi)** und ungenießbare im April/Mai **(Mamme)** und im Juli **(Profichi).** Die aus dem wilden F. entwickelte Kulturform tritt in zwei Varietäten auf, wovon die **Bocksfeige** (Holzfeige) nur männl. Blüten hat und keine essbaren Früchte hervorbringt. Die **Kulturfeige** (Essfeige) hat nur weibl. Blüten und bildet drei Generationen **Fiori di fico** (April bis Juni), **Pedagnuoli** (Juni bis Nov., Haupternte) und **Cimaruoli** (Sept. bis Jan.). – Die Feige gen. Frucht des F. ist ein grüner oder violetter Steinfruchtstand. Essbar (mit fleischigem, zuckerhaltigem Fruchtfleisch) sind nur Feigen, deren weibl. Blüten von der Feigenwespe bestäubt wurden. Feigen werden frisch oder getrocknet gegessen. – Seit dem 1. Jh. n. Chr. im westl. Mittelmeerraum kultiviert; Symbol der Fruchtbarkeit und des Wohlbefindens.

Feigenblatt, bildl. Ausdruck für schamhafte Verhüllung nach 1. Mos. 3,7.

Feigenkaktus, eine →Opuntie.

Feigenwespe (Blastophaga psenes), rd. 2,5 mm lange Erzwespe, wichtig für die Befruchtung der Feigenblüten.

Feigl, Herbert, Philosoph, *Reichenbach (heute zu Kostelní Bříza, bei Eger) 14. 12. 1902; seit 1940 Prof. an der Univ. von Minnesota; Vertreter des neopositivist. Wiener Kreises; wollte das →psychophysische Problem mit einer sprachlich demonstrierbaren Identitätslehre lösen.

Feigwarze, warzenartige Hautwucherung (→Kondylom).

Feile, Werkzeug aus gehärtetem Stahl zur spanabhebenden Bearbeitung von Metall, Holz, Kunststoffen u. a. Die Oberfläche ist mit vielen Schneiden (Hieben) besetzt. Einhieb-F. haben eine Schar paralleler Schneiden, F. mit Doppel- oder Kreuzhieb zwei sich kreuzende Scharen paralleler Schneiden, F. mit Pocken- oder Raspelhieb spitze Erhöhungen. Dem Querschnitt nach werden unterschieden Flach-, Vierkant-, Dreikant-, Halbrund-, Rund-, Schwert-, Messer-, Nadel-F. u. a., der durch die F. erreichbaren Oberflächengüte nach Schrupp-, Feinschlicht-, Schlichtfeile.

Feinen, das Reinigen (Desoxidieren und Entschwefeln) von Stahl im Elektroofen mittels reduzierender Schlacke.

Feingehalt (Feinheit, Feine), der Gehalt an Edelmetall in einer Legierung, bei Gold und Silber in Promille (Gewichtsanteil des Edelmetalls an 1000 Teilen der Legierung); früher Angabe bei Gold in Karat, bei Silber in Lot; z. B. »900er-Gold« mit 900 Teilen Gold, 100 Teilen Zusatzmetallen (entspricht 21,6 Karat) oder »925er-Silber« (entspricht 14,8 Lot).

Feingewicht, das Gewicht des in einer Legierung enthaltenen Edelmetalls.

Feininger, 1) Andreas, amerikan. Fotojournalist dt. Herkunft, *Paris 27. 12. 1906, Sohn von 2); studierte Architektur am Bauhaus, später Mitarbeiter von Le Corbusier; ab 1939 in den USA, 1943 freier Publizist für die Zeitschrift »Life«; veröffentlichte Bildbände und Fachbücher.

2) Lyonel, amerikan. Maler und Grafiker dt. Abstammung, *New York 17. 7. 1871, †ebd. 13. 1. 1956, Vater von 1); lehrte 1919–33 am Bauhaus (Herausgeber der Bauhausbücher), kehrte 1936 in die USA zurück, nachdem die Nationalsozialisten seine Bilder als »entartet« deklariert hatten. F. begann als Karikaturenzeichner, malte, angeregt vom Kubismus, Straßen, Architekturen und Meeresbilder, komponiert aus prismatisch gebrochenen, sich in zarten Tönen überblendenden Formen.

📖 Hess, H.: *L. F. Stuttgart 1959, Nachdr. Stuttgart 1991.* – Deuchler, F.: *L. F. Sein Weg zum Bauhaus-Meister. Leipzig 1996.*

Feinmechanik, Teilgebiet der →Feinwerktechnik, das sich mit der Herstellung mechanisch arbeitender Geräte hoher Präzision befasst. (→optische und feinmechanische Industrie)

Feinmessokular, an Mikroskopokularen eine Einrichtung, mit der die Intervalle von Messskalen weiter unterteilt werden können. Ein F. auf mechan. Grundlage ist das **Okularschraubmikrometer,** bei dem eine Strichplattenskala mithilfe einer eingebauten Messschraube verschoben werden kann. Beim **Koordinatenmessokular** sind zwei Strichplattenskalen senkrecht gegeneinander verschiebbar. Bei F. auf opt. Grundlage werden ein oder mehrere Maßstabstriche durch opt. Mittel gegen die Okularstrichplatte verschoben.

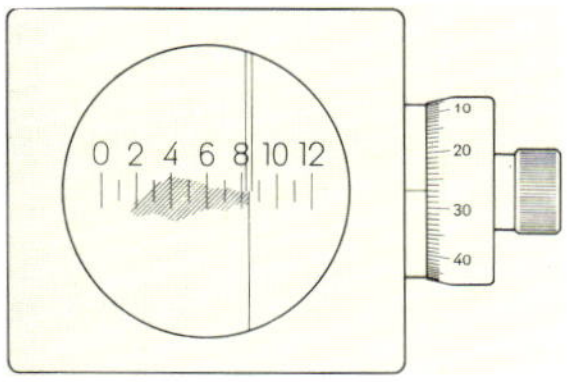

Feinmessokular: Schema eines Okularschraubmikrometers (rechts Messschraube)

Feinmesstechnik, allg. die Technik jeder Art von Präzisionsmessungen; umfasst bes. die Grundlagen, Arbeitsmethoden und Instrumente bei genauen Messungen der Abmaße und der Oberflächengüte von Lehren und Bauteilen in Maschinenbau, Feinmechanik u.a. Die verwendeten Feinmessgeräte beruhen meist auf opt. (Interferometer, Interferenzkomparator, Messmikroskop), mechan. (Schieblehre, Messschraube, Messuhr), elektr. (Sensor) oder auch auf pneumat. (Blasen eines Luftstroms mit konstantem Druck gegen die Messfläche) Verfahren.

Feinnadelbiopsie, Form der →Biopsie; durch Punktion mit einer bes. feinen Kanüle werden Gewebsproben (unter Ultraschallkontrolle) entnommen, die zytologisch untersucht werden; bei Erkrankungen der Prostata, der Leber u.a. zur diagnost. Klärung angewendet.

Lyonel Feininger: »Umpferstedt I« (1914; Düsseldorf, Kunstsammlung Nordrhein-Westfalen)

Feinstruktur, *Physik:* 1) der Aufbau der Materie im Bereich submikroskop. Dimensionen; 2) in der *Spektroskopie* die bei genügend hoher Auflösung sichtbar werdende Struktur der Spektrallinien (Aufspaltung in mehrere eng benachbarte Komponenten, sog. Multipletts), die von der Wechselwirkung zw. Spin und Bahndrehimpuls der Elektronen herrührt. Die Größe der F.-Aufspaltung ist eng mit der **(sommerfeldschen) F.-Konstanten** α verknüpft: $\alpha = \mu_0 c e^2/(2h) \approx 1/137$ (μ_0 = magnetische Feldkonstante, c = Vakuumlichtgeschwindigkeit, e = Elementarladung, h = Planck-Konstante). Noch feiner ist die →Hyperfeinstruktur aufgespalten.

Feinstrukturanalyse, die →Röntgenstrukturanalyse.

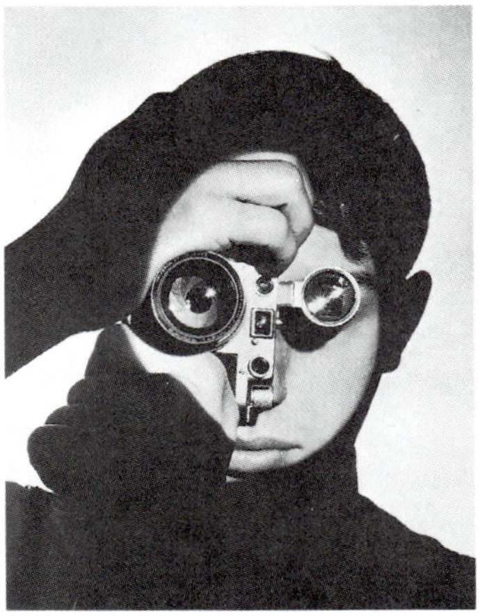

Andreas Feininger »The Photojournalist« (1955)

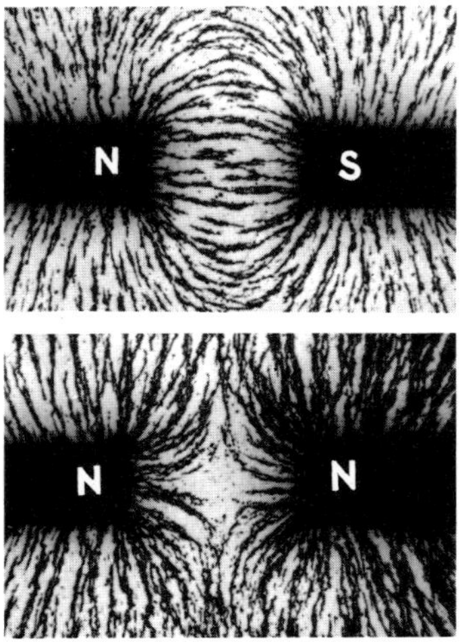

Feld 3): Mit Eisenfeilspänen verdeutlichte magnetische Feldlinien zwischen einem Nord- und einem Südpol sowie in der Nähe zweier Nordpole

Feintaster (Feinzeiger), Messgeräte, die kleine Maßunterschiede oder Längenänderungen (bis zu 0,1 µm) stark vergrößert anzeigen.

Feinwerktechnik, Zweig der Technik, der sich mit dem Bau feiner messtechnischer, mechan., elektrischer, opt. und akust. Geräte befasst, z.B. Feinmess-, Schreib-, Registrier-, Zählgeräte, Kraft-, Geschwindigkeits- (Tachometer, Zeitschreiber) und Drehmomentmessgeräte, Rechenmaschinen, Waagen, opt. Verschlüsse und Laufwerke, Uhren, Musikinstrumente sowie Präzisionswerkzeuge.

Feira de Santana ['fejra di-], Stadt im Bundesstaat Bahia, Brasilien, 406400 Ew.; Textilind.; Zentrum eines Agrargebiets (Rinder, Tabak).

Feisal (Faisal), Herrscher:

Feisal I., König von Irak

Irak: **1) F. I.,** *Mekka 20. 5. 1885, †Bern 8. 9. 1933; aus dem Hause der Haschimiten, beteiligte sich im 1. Weltkrieg maßgeblich an Vorbereitung und Durchführung des Aufstandes der Araber gegen das Osman. Reich. 1920 in Syrien zum König gewählt, musste er jedoch bald frz. Interessen weichen und ging nach der Besetzung von Damaskus durch frz. Truppen außer Landes. Mit brit. Hilfe wurde er 1921 König von Irak. In Verhandlungen mit der brit. Regierung erreichte er bis 1932 die Anerkennung der irak. Unabhängigkeit.

Saudi-Arabien: **2) F. ibn Abd al-Asis ibn Saud,** *Riad Nov. 1906, †(ermordet) ebd. 25. 3. 1975; Sohn Ibn Sauds, 1953–64 Kronprinz, 1958–60 und seit 1962 MinPräs., bestieg 1964 den Thron, bekämpfte ägypt. Führungsansprüche in der arab. Welt und fügte sein Land seit etwa 1967 in die Front gegen Israel ein.

Feisterling, ein Pilz, →Krause Glucke.

Feisthirsch, Hirsch kurz vor der Brunft; Feistzeit: August bis September.

Feiung, natürl. aktive Immunisierung durch Krankheitserreger im Verlauf einer Erkrankung, bei der **stillen F.** ohne äußere Krankheitszeichen.

Felber, René, schweizer. Politiker, *Biel 13. 3. 1933; Mitgl. der SPS, gehörte 1981–87 dem Staatsrat des Kt. Neuenburg an. Als Bundesrat 1988–93 Leiter des Departements des Äußeren, setzte er sich für den Beitritt der Schweiz zum EWR ein.

Felber Tauern, Pass in den Hohen Tauern, →Alpenstraßen (ÜBERSICHT).

Felchen, →Renken.

Feld, 1) *Heraldik:* der Hintergrund, in dem ein Wappenbild steht.

2) *Naturwissenschaften:* allg. die eindeutige, i. Allg. stetige Zuordnung von Ereignissen zu den Punkten eines abstrakten Raumes, z.B. in der Mathematik die Zuordnung mathemat. Größen (Skalar-F. u.a.), in der Informatik von Daten (Daten-F.), in der Wahrscheinlichkeitsrechnung von Ereignissen (Ereignis-F.).

3) *Physik:* die Gesamtheit der allen Punkten des mit einem besonderen physikal. Zustand verbundenen Raumes zugeordneten Werte von physikal. Größen, den sog. **F.-Größen,** die orts- und i. Allg. auch zeitabhängig sind. Der Begriff des F. ist grundlegend für die gesamte Physik. Nach der mathemat. Struktur der F.-Größen unterscheidet man **Skalar-F.** (z.B. alle Potenzial-F., Temperatur-F.), **Vektor-F.** (Kraft-F., elektromagnet. F.), **Tensor-F.** (mechan. Spannungs-F. bei deformierten elast. Körpern) und **Spinor-F.** (zur Beschreibung von Fermionen).

Die physikalisch mögl. räumlich-zeitl. Änderungen der F.-Größen werden durch **F.-Gleichungen,** meist partielle Differenzialgleichungen, eingeschränkt. Lokale F.-Gleichungen verknüpfen nur F.-Größen in benachbarten Raum- und Zeitpunkten und drücken damit die (im Ggs. zur →Fernwirkung) angenommene Vorstellung der Nahwirkung aus.

Vektor-F. lassen sich durch F.-Linienbilder veranschaulichen. Hierin stimmen die Tangenten der **F.-Linien** in jedem Raumpunkt mit der Richtung der F.-Größen überein, während die F.-Liniendichte ein Maß für den Betrag der F.-Größe **(F.-Stärke)** ist; z.B. nimmt beim elektr. F. einer geladenen Kugel (→Elektrizität) die F.-Liniendichte und damit der Betrag der elektr. F.-Stärke $\boldsymbol{E}$ nach außen hin ab; $\boldsymbol{E}$ ist die F.-Größe (der F.-Vektor) des elektr. Feldes. Beispiele für Vektor-F. sind **Kraft-F.,** d.h. jedes auf Probekörper Kräfte ausübende F. (z.B. Gravitations-F.). Deren als **Kraftlinien** bezeichnete F.-Linien können z.B. bei magnet. F. mit Eisenfeilspänen sichtbar gemacht werden (→Magnetismus). Je nach der Struktur eines Vektor-F. unterscheidet man zw. **Quellen-F.,** bei denen die F.-Linien von sog. Quellen ausgehen und in Senken enden, und **Wirbel-F.,** die nur in sich geschlossene F.-Linien haben. Ein F. heißt homogen, wenn jedem Raumpunkt die gleiche F.-Größe zugeordnet ist.

Während Dichte-, Geschwindigkeits-, Temperatur-F. u.a. seit dem Erkennen der atomist. Struktur der Materie als nur für eine grobe makroskop. Beschreibung der Materie brauchbare, auf mikroskop. Strukturen zurückführbare Hilfsbegriffe angesehen werden, sind heute die versch. zur Beschreibung von Elementarteilchen u.a. dienenden Materie-F. (→Materie) und die deren Wechselwirkungen vermittelnden →Eichfelder sowie das Gravitations-F. (→Gravitation) als fundamentale physikal. Realitäten zu betrachten.

4) *Sprachwissenschaft:* →Feldforschung, →Wortfeld.

Feldbahn, leicht verlegbare Schmalspurbahn, v.a. in Steinbrüchen und Sägewerken; Spurweite 500–900 mm.

Feldberg, 1) F. (Schwarzwald), Gemeinde und Luftkurort im Kreis Breisgau-Hochschwarzwald, Bad.-Württ., 900–1493 m ü.M., im Gebiet des Feldbergs, 1700 Ew.; Glasbläserei; Fremdenverkehr.

2) höchster Berg des Schwarzwaldes, 1493 m ü.M.; Aussichts- und Fernsehturm, Wetterstation; in der Ostflanke des F. der als Karsee eingetiefte **Feldsee** (1113 m ü.M.).

3) Name zweier Gipfel im Taunus: **Großer F.,** mit 879 m ü.M. höchste Erhebung und der südwestlich vorgelagerte **Kleine F.** (826 m ü.M.); auf dem Großen F. Aussichtsturm, Wetter- und Erdbebenwarte, Fernmelde- und Fernsehsendeturm; auf dem Kleinen F. das Taunus-Observatorium.

Feldeffekt, *Physik:* 1) die →Feldelektronenemission; 2) die Änderung der elektr. Leitfähigkeit eines Halbleiters infolge eines äußeren elektr. Feldes, durch das in einem Halbleiterkanal Ladungen influenziert werden.

Feldeffekttransistor, Abk. **FET,** →Transistor.

Feldelektronenemission (Feldemission, Feldeffekt), Austritt von Elektronen aus kalten Metallen bei Einwirkung eines äußeren Feldes von sehr hoher Feldstärke (etwa 10^6 V/cm).

Feldelektronenmikroskop, linsenloses Elektronenmikroskop nach E. W. Müller, bei dem in einem Vakuumgefäß eine sehr feine Kathodenspitze aus Wolframdraht (Spitzenmikroskop) einem Leuchtschirm gegenübersteht. Legt man eine hohe Spannung (1–10 kV) zw. Kathodenspitze und Anodenbelag an, so treten aus der Spitze infolge der sehr hohen Feldstärke Elektronen aus (Feldelektronenemission), die die Oberfläche praktisch senkrecht verlassen und auf dem Leuchtschirm ein Bild von der Emissionsverteilung der Spitzenkuppe in einer Vergrößerung erzeugen, die gleich dem Verhältnis von Schirmabstand zum Krümmungsradius der Spitze ist. Das Auflösungsvermögen reicht mit etwa $2 \cdot 10^{-9}$ m bis in den molekularen Bereich.

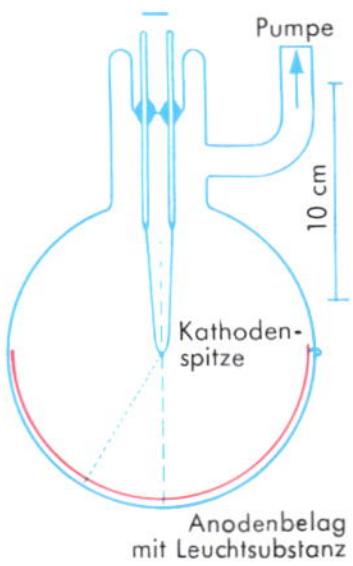

Feldelektronenmikroskop (Schema)

Feldemission, die →Feldelektronenemission.

Feldforschung, 1) *Ethnologie* und *empir. Sozialforschung:* Arbeitsmethode, mit der soziokulturelle Lebensverhältnisse versch. sozialer Gruppen innerhalb der alltägl., vertrauten Umwelt untersucht werden.

2) *Sprachwissenschaft:* die wiss. Analyse von bisher unzureichend oder gar nicht untersuchten (meist nur gesprochenen) Sprachen. Sie umfasst bes. die Befragung von Sprechern, Sammlung des charakterist. Materials der jeweiligen Sprache, Aufzeichnungen in Lautschrift und Bestandsanalyse (unter Einbeziehung beobachteter allg. und kultureller Gegebenheiten); Methoden der F. werden in der Ethnolinguistik und Mundartforschung angewandt.

Feldfrüchte, die auf dem Feld (Acker) angebauten Kulturpflanzen im Ggs. zu Garten- und Waldfrüchten.

Feldgemeinschaft, versch. Formen kollektiven, nichtstaatl. Rechts am Boden, im Unterschied zum freien Landbesitz; z.B. →Allmende.

Feldgendarmerie [-ʒãd-], früher die Militärpolizei; bei der Bundeswehr →Feldjäger.

Feldgleichungen, *Physik:* →Feld.

Feld-Gras-Wirtschaft (Wechselgrünland), eine Form der landwirtsch. Bodennutzung, bei der dieselbe Bodenfläche turnusmäßig wechselnd als Ackerland und als Grünland genutzt wird.

Feldgröße, *Physik:* →Feld.

Feldhäcksler, Erntemaschine, die Grünfutter mäht, aufnimmt, zerkleinert und durch Gebläse auf einen Sammelwagen fördert.

Feldheer, in den Armeen der präsente Teil des Heeres im Unterschied zu den voll mobilmachungsabhängigen territorialen Kräften.

Feldherrnhalle, Bauwerk am Odeonsplatz in München, 1841–44 von F. von Gärtner erbaut. Am 9. 11. 1923 war die F. Ziel eines militanten nat.-soz. Demonstrationszuges (Hitlerputsch).

Feldheuschrecken, →Heuschrecken.

Feldhühner (von links): Rebhuhn und Rothuhn

Feldhühner (Perdicinae), Unterfamilie der Fasanenartigen mit etwa 130 Arten, so Reb-, Rot-, Steinhuhn, Wachtel, Frankoline.

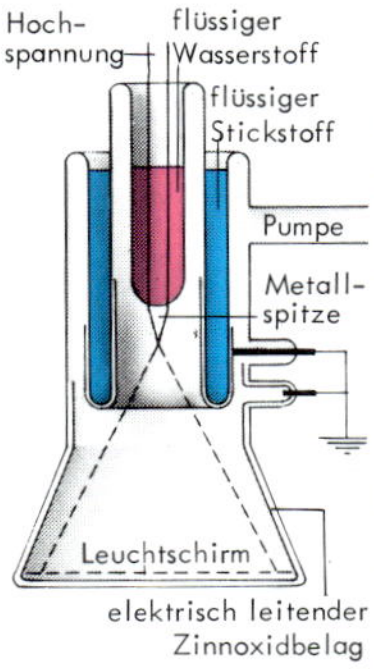

Feldionen-mikroskop (Schema)

Feldhüter, → Feldpolizei.

Feldionenmikroskop, Gerät zur Abbildung und Strukturuntersuchung bes. von Metallen. Durch das starke elektr. Feld (elektr. Feldstärke ca. 10^8 V/cm) vor einer sehr feinen Metallspitze (Krümmungsradius < 0,1 µm), die mit dem positiven Pol einer Hochspannungsquelle verbunden und auf die Temperatur von flüssigem Helium oder Wasserstoff abgekühlt ist, werden die Atome eines auf niedrigem Druck ($<10^{-2}$ Pa) befindl. Edelgases ionisiert (Feldionisation); dies führt zu einem Ionenstrom zwischen Probe und einem gegenüber aufgestellten, als Kathode geschalteten Bildschirm. Entsprechend der Ordnung der Atome auf der Oberfläche wird dieser Ionenstrom räumlich moduliert. Durch die Feldverdampfung werden die Oberflächenatome von der Probe abgetragen. Es können millionenfache Vergrößerungen hergestellt werden, die die einzelnen Atome der Probe erkennen lassen.

Feldjäger, Truppengattung der Bundeswehr zur Aufrechterhaltung der militär. Ordnung und Disziplin, zur Verkehrsregelung und -überwachung sowie zur Sicherung militär. Anlagen. F. nehmen auch die Aufgaben der Strafvollzugs- und Justizpolizei wahr. Besondere Kennzeichen: weiße Mütze, weißes Koppel.

Feldkirch Stadtwappen

Feldkirch, Bezirkshauptstadt in Vorarlberg, Österreich, an der Ill, 26 700 Ew.; Behörden- und Schulstadt; kath. Bischofssitz; Textil-, Holzind.; Fremdenverkehr; Heimatmuseum in der Schattenburg (1. Viertel des 13. Jh.); Ausgangspunkt von Bahn und Straße über den Arlberg. – Altstadt mit spätgot. Pfarrkirche, Bürgerhäuser mit Laubengängen, Reste der Stadtbefestigung. – F., als Stadt um 1190 durch die Grafen von Montfort gegr., wurde von diesen 1375 an die Habsburger verkauft.

Feldkirchen in Kärnten, Bezirkshauptstadt am N-Rand des Klagenfurter Beckens, Österreich, 13 000 Ew.; Textil-, Lederind., Sägewerke; Sommerfrische. – Romanisch-got. Pfarrkirche mit Wandmalereien (13. Jh.).

Feldsalat: Gemeiner Feldsalat

Feldkonstanten, für physikal. Felder charakterist. Naturkonstanten, z.B. die elektr. F. ε_0 (→ Dielektrizitätskonstante) und die magnet. F. μ_0 (→ Permeabilität).

Feldküche, beim Militär Fahrzeug mit Kochkesseln zur Zubereitung warmer Verpflegung für etwa 150 Mann; früher meist Einachsanhänger (volkstümlich Gulaschkanone).

Feldlerche, → Lerchen.

Feldlini|en, *Physik:* → elektrisches Feld, → Feld.

Feldman ['feldmən], Morton, amerikan. Komponist, * New York 12. 1. 1926, † Buffalo (N. Y.) 3. 9. 1987; komponierte mit überwiegend leisen Klängen zahlr. Orchesterwerke (u.a. »Coptic light«, 1986), Oper »Neither« (1977).

Feldmark, Ländereien eines landwirtsch. Betriebes oder der Gemarkung eines Dorfes.

Feldmarschall, im 16. Jh. Befehlshaber der Reiterei, seit dem 18. Jh. höchste Rangstufe der Generale **(General-F.).** Dieser Rang wurde allg. nur im Kriege verliehen.

Feldmaße (Ackermaße), Flächeneinheiten zur Bemessung landwirtschaftlich genutzter Flächen. Gesetzl. Einheit ist das Quadratmeter; zulässig sind auch die Bez. Ar (für 100 m^2) und Hektar (1 ha = 100 Ar). Alte dt. F. sind u.a. Acker, Hufe, Joch, Morgen und Scheffel.

Feldmaus, ein Nagetier, → Wühlmäuse.

Feldplatte, ein Halbleiterbauelement, dessen elektr. Widerstand durch ein von außen einwirkendes Magnetfeld gesteuert wird.

Feldpolizei (Feld- und Forsthüter), die von Gemeinden und Grundeigentümern für Aufgaben des Feld- und Forstschutzes bestellten Privatbediensteten, die infolge Bestätigung durch die dafür zuständige Polizeiaufsichtsbehörde hilfsweise mit polizeil. Funktionen betraut sind; Regelung obliegt den Bundesländern.

Feldpost, *Militärwesen:* tariffreie Postversorgung der Truppen im Krieg. Die erste dt. F. wurde um 1500 unter Kaiser Maximilian I. eingerichtet. Im 1. Weltkrieg unterstand die F. dem Reichspostamt, im 2. Weltkrieg der Wehrmacht.

Feldposten, zur Sicherung der Truppe auf wichtigen Geländepunkten meist in Feindrichtung platzierte militär. Abteilung in der Größenordnung bis zu einem verstärkten Zug; hat die Aufgabe, feindl. Gefechtsaufklärung zu erschweren, die Truppe zu alarmieren und ihr Zeit zum Herstellen der Gefechtsbereitschaft zu geben.

Feldquanten, *Quantenfeldtheorie:* die kleinsten einem Feld zugeordneten Einheiten (Energiequanten) von korpuskularem Charakter; i.e.S. die versch. Bosonen, die Wechselwirkungen zw. Materieteilchen vermitteln: neben den → Photonen als F. des elektromagnet. Strahlungsfelds die → Gluonen und → Vektorbosonen als Vermittler der starken und schwachen Wechselwirkung sowie die hypothet. Gravitonen als Vermittler der Gravitation.

Feldsalat (Ackersalat, Valerianella), Gattung der Baldriangewächse mit etwa 60 Arten auf der Nordhalbkugel; einjährige Kräuter mit grundständiger Blattrosette. Die bekannteste Art ist der **Gemeine F. (Rapunzel,** Valerianella locusta), ein Wildkraut auf Äckern und Wiesen, das in seiner Kulturform als Blattsalat gegessen wird.

Feldschlange, Geschütz des 15. bis 17. Jh. mit kleinem Kaliber und relativ langem Rohr.

Feldspäte (Feldspate), Gruppe der wichtigsten gesteinsbildenden Minerale (50 bis 60% aller Silikatminerale; fast 60 Vol.-% der Erdkruste). Die F.

sind Hauptbestandteil fast aller magmat. und vieler metamorpher Gesteine. Sie bilden zwei Reihen von Mischkristallen, die **Kalknatron-F.** oder **Plagioklase** (triklin und »schief spaltend«) und die **Alkali-F.** oder **Orthoklase** (monoklin und »gerade spaltend«). Die triklin kristallisierenden Kalknatron-F. haben die Zusammensetzungen Albit (Natron-F.), $Na[AlSi_3O_8]$, und Anorthit (Kalk-F.), $Ca[Al_2Si_2O_8]$; als Zwischenglieder unterscheidet man mit steigendem Anorthitgehalt Oligoklas, Andesin, Labradorit und Bytownit. Eine Grenzzusammensetzung der monoklin oder triklin kristallisierenden Alkali-F. ist der Kali-F., $K[AlSi_3O_8]$. Er tritt in den Formen Orthoklas (monoklin), Sanidin (monoklin) und Mikroklin (triklin) auf. Zwischenglieder, $(Na,K)[AlSi_3O_8]$, sind Perthit (Orthoklas mit Albitschnüren), Antiperthit (Orthoklaskriställchen in Albit), Natronsanidin (monoklin) und Anorthoklas (triklin). Die F. sind meist weiße bis grauweiße oder auch unscheinbar gefärbte Minerale. Einige Varietäten der F. mit besonderen opt. Effekten eignen sich als Schmuckstein, z.B. der →Aventurinfeldspat (Sonnenstein; Varietät des Oligoklas mit metall. Schimmer), der Labrador (Labradorit; mit blaugrünem Farbenspiel), der Mondstein (→Adular; Varietät des Orthoklas mit bläul. Schimmer), der Amazonit (blaugrün gefärbte Varietät des Mikroklins).

Feldspatvertreter (Foide), Gruppe wichtiger gesteinsbildender Minerale in SiO_2-ärmeren Magmatiten anstelle von Feldspat, meist farblos oder weiß; z.B. Leucit, Nephelin, →Sodalith, Analcim.

Feldstärke, Bez. für die Feldgröße bei einem Vektorfeld (→Feld), z.B. die elektr. F. $\boldsymbol{E}$ und die magnet. F. $\boldsymbol{H}$.

Feldstecher (Fernglas), kleineres Prismendoppelfernrohr von 10- bis 20facher Vergrößerung (→Fernrohr).

Feldstern, Einzelstern, der nicht Sternhaufen, sondern dem allg. Sternfeld des Sternsystems angehört; Ggs.: Haufenstern.

Feldzeichen:
Altrömische Fahne mit Adler

Feldtheorie, 1) *Physik:* mathematisch-physikal. Formalismus, der es gestattet, jede durch ein →Feld bzw. seine Feldgrößen beschreibbare Erscheinung nach einheitl. Gesichtspunkten zu charakterisieren. Jede speziell-relativist. F. ist eine Nahwirkungstheorie, da sich alle Wirkungen nur mit endl. Geschwindigkeit (Lichtgeschwindigkeit) ausbreiten. Aus der Invarianz gegenüber Koordinatentransformationen folgen in der **allg. F.** die →Erhaltungssätze für Energie, Impuls u.a. der betrachteten Felder. In der **klass. F.** wird der Formalismus der allg. F. auf Felder angewendet, die nicht der Feldquantisierung unterworfen sind. Durch die Quantisierung der klass. F. (→Quantenfeldtheorie) lassen sich die von den Feldquanten vermittelten Wechselwirkungen und der Dualismus von Welle und Teilchen erfassen.

Bedeutende F. sind die →maxwellsche Theorie des elektromagnet. Feldes und die diracsche Theorie des Elektron-Positron-Feldes (→diracsche Wellengleichung). Das Aufstellen einer **einheitl. F.** (→Große Vereinheitlichte Theorie), die allen vier bekannten Wechselwirkungen nur ein einziges Feld zuschreibt, ist ein grundlegendes Ziel der Elementarteilchenphysik.

2) *Psychologie:* die urspr. auf die Gestaltpsychologie zurückgehende umstrittene Auffassung, nach der dem Wahrnehmungsfeld ein physikal. Kraftfeld entsprechen soll, durch das eine analoge Erregungsverteilung in der Hirnrinde erzeugt wird.

Feldversuch, wiss. Versuch im Freiland; Ggs.: Laborversuch.

Feldverweis (Platzverweis, Hinausstellung), in Tor-, Mal- und Korbspielen Ausschluss eines Spielers von der weiteren Teilnahme am Spiel; wird vom Schiedsrichter für (mehrfaches) regelwidriges Verhalten verhängt; hat oft eine Sperre zur Folge.

Feldwaage (magnetische F.), ein →Magnetometer.

Feldwebel [von ahd. weibil »Gerichtsbote«], Unteroffiziersdienstgrad, bis 1945 bei der Artillerie und Kavallerie **Wachtmeister;** in der Bundeswehr unterster Dienstgrad, in dem ein Soldat zum Berufssoldaten ernannt werden kann.

Feldweibel, ein Dienstgrad in der Schweizer Armee.

Feldzeichen, allg. jedes Abzeichen, das die Zugehörigkeit eines Einzelkriegers zu einer Krieg führenden Partei erkennen lässt oder zur Kennzeichnung von Truppenteilen dient; bei den Römern unter verschiedenen, schwer abzugrenzenden Bez. bekannt (»Vexillium«, »Signum«).

In Europa traten im MA. zur Kennzeichnung einzelner Truppenkontingente neben die F. alter Art (z.B. Adlerzeichen in dt. Heeren) seit den Kreuzzügen Fahnen. Als Kennzeichen des Einzelkriegers dienten Wappen des Schildes und Helmzier, bei den Söldnerheeren des späten MA. und der frühen Neuzeit an die Kopfbedeckung gesteckte Zweige, Federn, Stroh- und Laubbüsche. Im 16. und 17. Jh. wurden zunächst breite über die Schulter oder um den Leib gelegte Schärpen in bestimmten Farben üblich, dann schmalere Leib-

1

2

3

4

5

Feldspäte:
1 Orthoklas, Karlsbader Zwilling;
2 Labradorit, angeschliffen;
3 Mikroklin;
4 Amazonit, Spaltstück;
5 Albit, Kristallstufe

Conrad Felixmüller: »Kinderbewahranstalt« (1924; Bielefeld, Städtische Kunsthalle)

binden (Feldbinden). Anstelle dieser F. trat seit dem 18. Jh. im Zuge der einheitl. Uniformierung der Truppen mehr und mehr die Kokarde. Seit dem 19. Jh. benutzt man das Wort F. vorzugsweise als Sammelbegriff für Fahnen und Standarten.

Feldzeugmeister, im 16. und 17. Jh. der Befehlshaber der Artillerie; seit dem 19. Jh. in Dtl. der Chef der Versorgung des Heeres mit Waffen, Munition und Gerät, der **Feldzeugmeisterei,** verantwortlich auch für die Verw. der Zeugämter. In Österreich-Ungarn war F. bis 1908 der zweithöchste Generalsrang.

Felge, *Technik:* der Teil eines Fahrzeugrades, der die Bereifung trägt.

Félibres [fe'librə, frz.], Dichter (um F. Mistral, T. Aubanel, J. Roumanille u. a.), die 1854 den Bund **Félibrige** zur Neubelebung der provenzal. Literatur und Sprache gründeten.

Felicitas, Märtyrerin zu Karthago, †7. 3. 202 oder 203; Sklavin, wurde zum Tod durch wilde Tiere im Amphitheater verurteilt; Heilige, Tag: 7. 3.

Felidae [lat.], wiss. Name der →Katzen.

Felix, der europ. Filmpreis, →European Film Academy.

Felix, Päpste: **1) F. II.** (III.; 483–92), †Rom 1. 3. 492; Römer, bannte 484 den Patriarchen Acacius von Konstantinopel im monophysit. Streit; Folge war das erste Schisma zwischen lat. und Ostkirche (484–519).

2) F. V., →Amadeus VIII.

Felixmüller, Conrad, Maler und Grafiker, *Dresden 21. 5. 1897, †Berlin (West) 24. 3. 1977; Mitbegründer der »Dresdner Neuen Sezession Gruppe 1919«. Dem sozialkritisch engagierten Expressionismus der Frühzeit folgte ein expressiver Realismus. Neben Ölbildern und Aquarellen schuf er ein bed. graf. Werk (bes. Holzschnitte); von den Nationalsozialisten als »entartet« verfemt.

Felix und Regula, nach der Legende Geschwister aus dem heutigen Wallis, die in Turicum (heute Zürich) während der Diokletian. Christenverfolgung hingerichtet wurden (wahrscheinlich 303). Schutzpatrone von Zürich; Heilige; Tag: 11. 9.

Felke, Emanuel, evang. Geistlicher und Naturheilkundiger (»Lehmpastor«), *Kläden (bei Stendal) 7. 2. 1856, †Sobernheim (heute Bad Sobernheim) 16. 8. 1926; wurde bekannt wegen seiner Augendiagnostik und seiner naturheilkundl. Behandlungsmethoden mit Lehmbädern und -packungen.

Fell, Haarkleid der Säugetiere, auch die abgezogene behaarte Haut vor der Verarbeitung.

Fellachen [arab. »Pflüger«], die Ackerbau treibende, Arabisch sprechende, meist muslim. Landbev. im Nahen Osten, bes. in Ägypten.

Fellatio [lat.] *die,* Form des sexuellen Kontaktes, bei der der Penis mit Mund und Zunge gereizt wird.

Fellbach, Große Kreisstadt im Rems-Murr-Kreis, Bad.-Württ., 42 600 Ew.; Schweißtechn. Lehr- und Versuchsanstalt; Maschinen-, Fahrzeug- und Karosseriebau, Metall verarbeitende und Farbenind.; bed. Wein-, Obst- und Gartenbau. – F. erhielt 1933 Stadtrecht.

Philipp Emanuel von Fellenberg

Fellenberg, Philipp Emanuel von, Sozialpädagoge, *Bern 15. 6. 1771, †Hofwil (heute zu Münchenbuchsee, Kt. Bern) 21. 11. 1844; errichtete 1799 unter dem Einfluss von J. H. Pestalozzi auf dem Gut Hofwil bei Bern eine Erziehungsanstalt. Sie umfasste mehrere Schularten von der Armenschule bis zum Gymnasium und war Vorbild für Goethes »Pädagogische Provinz« in »Wilhelm Meisters Wanderjahre«.

Fellini, Federico, italien. Filmregisseur, *Rimini 20. 1. 1920, †Rom 31. 10. 1993; als Drehbuchautor

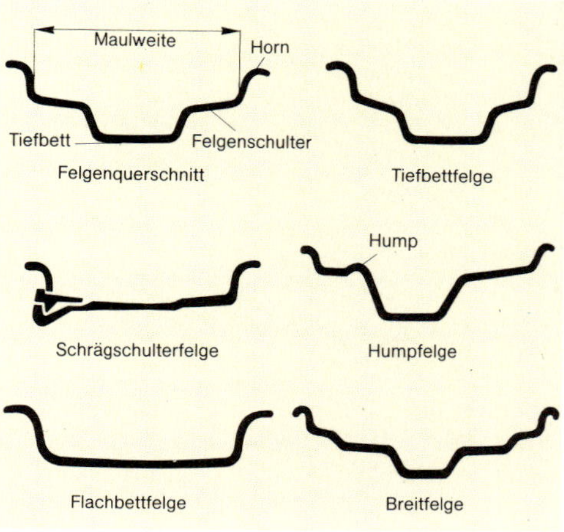

Felge: Bezeichnungen und schematische Darstellung der Bauformen von Kraftfahrzeugfelgen

und Regieassistent maßgeblich an der Entwicklung des Neorealismus beteiligt; arbeitete oft mit seiner Frau Giulietta Masina und M. Mastroianni zusammen. Bekannt wurde er v.a. durch »La Strada« (1954), »Die Nächte der Cabiria« (1956). In »Das süße Leben« (1959) übte F. Kritik an der Äußerlichkeit des Glaubens und an der Dekadenz der italien. Oberschicht; »Roma« (1972) und »Amarcord« (1973) tragen biographische Züge. – *Weitere Filme:* Julia und die Geister (1965); Satyricon (1969); Casanova (1976); Ginger und Fred (1985); Die Stimme des Mondes (1990).

📖 VERDONE, M.: *F. F. Mailand 1994. – Ich, F. Mit einer Filmographie u. einem Verzeichnis der wichtigsten internat. Filmpreise, bearb. v.* C. CHANDLER. *A. d. Amerikan. Neuausg. Reinbek 1996.*

Fellner, Ferdinand, österr. Architekt, *Wien 19. 4. 1847, †ebd. 2. 3. 1916; baute mit H. Helmer (*1848, †1919) in historisierenden Stilen der Gründerzeit bes. Theater, u.a. in Wien (Stadttheater, 1872), Prag (Dt. Theater, 1882), Budapest und Zürich.

Fellow ['felǝʊ; engl. »Genosse«] *der,* **1)** Mitglied einer wiss. Gesellschaft in Großbritannien, bes. der Royal Society (F. R. S.).

2) Collegemitglied, bes. in Oxford und Cambridge, das aufgrund wiss. Leistungen befristet oder auf Lebenszeit ernannt wird. Die Mitgliedschaft **(Fellowship)** ist oft mit Beteiligung an Lehrbetrieb und Verw. verbunden. Fellowship heißen in Großbritannien und in den USA auch Stipendien aus Collegemitteln.

Felsberg, Stadt im Schwalm-Eder-Kr., Hessen, im Tal der Eder; 11 000 Ew.; Metallbau, Baustoffindustrie.

Felsbilder, in allen Erdteilen vorkommende, in Höhlen und Nischen oder an frei liegenden Felsflächen und Blöcken (v.a. mit mineral. Stoffen) gemalte oder gravierte bildhafte Darstellungen. Die jungpaläolith. F. (frankokantabr. Kunst) sind nur

Federico Fellini

Felsbilder

1

2

3

4

5

| **1** Rentier, Ritzzeichnung, Norwegen | **2** kämpfende Bogenschützen, libysche Wüste | **3** Elefant, Malerei, Namibia | **4** Tierherde, Malerei, Lascauxhöhle in Südfrankreich | **5** Speerwerfender Reiter, Saudi-Arabien

Felsendom: Die Kuppel des 691/692 erbauten islamischen Heiligtums wurde 1022 erneuert, die Außenwände sind unten mit Marmorplatten und darüber mit Fayencefliesen (16. Jh.) verkleidet

aus Höhlen bekannt. Die dem Mesolithikum zugehörigen Felsmalereien (O-Spanien, N-Afrika [Tassili N'Ajjer], Australien) finden sich dagegen in offenen Nischen und unter Überhängen, während die Gravierungen in Skandinavien, Karelien, Italien oder im südl. Afrika völlig ungeschützt im Freien auf Felsflächen und Blöcken angebracht sind. Bei den Malereien sind drei Techniken des Farbenauftrags bekannt: 1. Zeichentechnik mit Verwischen nach Art der Pastellmalerei, 2. Pulverisierung des Farbstoffes und Mischung mit Bindemitteln, wobei die Malerei mit Pinseln aus Tierhaaren nach Art der Öl- bzw. Temperatechnik aufgetragen wurde, 3. Pulverisieren der Farbe und Aufstäuben mittels dünner Röhrenknochen. Bei den Gravierungen treten feine Ritzzeichnungen, breite und tiefe Ausschleifungen oder eine flächenhafte Bearbeitung in »Picktechnik« auf. Die stilist. Unterscheidungsmerkmale lassen meist eine relative Datierung zu (bei der Altersbestimmung berücksichtigt man neben archäolog. Kriterien auch naturwiss. Methoden). So lässt sich von der naturnahen, mitunter impressionistisch anmutenden eiszeitl. Höhlenkunst über die in der Form verfestigten, eher expressiv wirkenden Darstellungen der ostspan. Gruppe ein Wandel zur Stilisierung und Abstraktion in den F. des Neolithikums und der Bronzezeit feststellen.

Felsenbirne: Zweige mit Blüten (oben) und Früchten der Gemeinen Felsenbirne

Deutung: Der eiszeitl. Höhlenmalerei liegen vermutlich Vorstellungen von Bildmagie zugrunde, die durch das Abbild zauber. Gewalt über das dargestellte Objekt verleihen sollte (Fruchtbarkeits-, Jagdmagie, Vernichtungs-, Abwehrzauber). Mit dem Wandel der Wirtschafts- und Gesellschaftsform durch Ackerbau und Viehzucht im Neolithikum und in der Bronzezeit und mit dem Wunsch nach Beeinflussung höherer Mächte (Sonnenkult, Verehrung der Fruchtbarkeit der Erde u.a.) kommt es zur abstrakten, symbolhaften Darstellung. In der Eisenzeit treten dann Götterdarstellungen auf. (→ Felsreliefs)

📖 ANATI, E.: *F. Wiege der Kunst u. des Geistes. A. d. Italien. Zürich 1991.* – EVERS, D.: *F., Botschaften der Vorzeit. Leipzig u. a. 1991.* – KÖNIG, M. E.: *Am Anfang der Kultur. Die Zeichensprache des frühen Menschen. Berlin [4]1996.* – LORBLANCHET, M.: *Höhlenmalerei. A. d. Frz. Sigmaringen 1997.*

Felsenbein (Petrosum, Os petrosum), innerster Teil des Schläfenbeins und härtester Abschnitt der Schädelknochen; bildet die knöcherne Hülle für das Innenohr (Labyrinth) der Säugetiere.

Felsenbirne (Felsenmispel, Amelanchier), Gattung der Rosengewächse mit etwa 25 Arten in Nordamerika, Eurasien und N-Afrika; Sträucher oder kleine Bäume. In Mitteleuropa heimisch ist die **Gemeine F.** (Amelanchier ovalis) mit weißen, an der Spitze oft rötl. Blüten.

Felsendom, oktogonaler Kuppelbau (Durchmesser 20,4 m) auf dem Tempelberg in Jerusalem, 691/692 von dem Kalifen Abd al-Malik erbaut. Der Fels wurde als Stätte des Abrahamsopfers verehrt und gehörte bereits zum 1. jüd. Tempelbau, der 587 v. Chr. zerstört wurde. Der F. ist eines der Hauptheiligtümer und ein bed. Pilgerzentrum des Islam, er wird mit der visionären Himmelfahrt Mohammeds verbunden. Im Innern (13./14. Jh.) Marmorinkrustationen, spätantike Säulen- und Kapitellspolien sowie reiche vegetabile Ornamentik und goldgrundige Mosaiken. Der Außenbau wurde im 16. Jh. z. T. mit Fliesen verkleidet.

Felsengebirge, die → Rocky Mountains.

Felsengräber, natürl. oder künstlich ausgehauene Felshöhlen, die als Begräbnisstätte dienten und wie andere Grabformen als Wohnung der Toten verstanden wurden. Bekannt sind v. a. die ägypt. F. bei Giseh, in Beni Hasan, in Assiut, in Theben-West (→ Tal der Könige) und bei Assuan,

Felsengräber: Fassade der Grabstätte des Königs Xerxes I. in der Felswand von Naksch-e Rustam bei Persepolis, nordöstlich von Schiras, Iran

die phönik. F. von Byblos, die F. der Achaimenidenherrscher (Naksch-e Rostam bei Persepolis) sowie die F. der Nabatäer in →Petra. In der Spätantike kamen die →Katakomben auf. Aus Altamerika sind v.a. die monumentalen F. von Tierradentro berühmt.

Felsenkirsche (Steinweichsel, Prunus mahaleb), Art der Rosengewächse in Europa und Vorderasien, in lichten Wäldern und Gebüschen; Strauch oder bis 6 m hoher Baum mit weißen Blüten und kugeligen, schwarzen, bitteren Früchten.

Felsenmeer, das →Blockmeer.

Felsenmispel, die →Felsenbirne.

Felsennelke (Petrorhagia, Tunica), Gattung der Nelkengewächse, meist in den östl. Mittelmeerländern. Heimisch ist die **Steinbrech-F.** (Petrorhagia saxifraga) mit helllila bis rosa gefärbten Einzelblüten.

Felsenröschen, *Botanik:* →Loiseleuria.

Felsenstein, Walter, österr. Regisseur und Theaterleiter, *Wien 30. 5. 1901, †Berlin (Ost) 8. 10. 1975; war seit 1947 Intendant der Kom. Oper in Berlin (Ost); suchte v.a. in Operninszenierungen nach einer text- und partiturgetreuen Darstellung im Sinne des realist. Musiktheaters; forderte als Solisten und im Chor »Sänger-Darsteller«.

Felsentaube, Stammform der Haustaubenrassen (→Tauben).

Felsentempel, in Fels gehauene →Höhlentempel.

felsisch, Bez. für die hellen Minerale in magmat. und metamorphen Gesteinen sowie für diese Gesteine selbst, wenn solche Minerale überwiegen; Ggs.: →mafisch.

Felsmechanik (Gebirgsmechanik), als Teilgebiet der Ingenieurgeologie eine theoret. und angewandte Wiss., die sich mit dem mechan. Verhalten von Fels- und Gesteinsmassen, v.a. bei bautechn. Eingriffen, auseinander setzt und im Fels- oder Felshohlraumbau (z.B. beim Bau von Brücken, Staumauern, Tunneln und Stollen) praktisch-techn. Anwendung findet.

Felsreli|efs, Reliefdarstellungen an Felswänden, bes. im alten Orient; dargestellt sind meist siegreiche Könige, später auch Götterweihungen, häufig mit Inschriften. Älteste F. befinden sich im Sagrosgebirge (Ende 3. Jt. v. Chr.), F. ägypt., assyr. und babylon. Könige am Nahr Al Kalb nördlich von Beirut, assyr. Götterreliefs nördlich von Ninive (um 720 v. Chr.), neuelam. (7. Jh. v. Chr.) in SW-Iran, achaimenid. in Behistan und in →Naksch e rostam, wie auch mittelelam. F. des 2. Jt. v. Chr. Um Schami finden sich parth. F. (110 v. Chr. bis 2. Jh. n. Chr.); in Kleinasien entstanden zw. 1400 und 1200 hethit. Reliefs (u.a. in Yazılıkaya bei Boğazkale).

Felssturz, →Bergsturz.

Felsreliefs: »Prozession der 12 Krieger«, 80 cm hohes Felsrelief in der so genannten kleinen Kammer des Felsenheiligtums Yazılıkaya bei Boğazkale, Türkei (14./13. Jh. v. Chr.)

Felswüste, ein Wüstentyp, bei dem die Oberfläche weitgehend vom Fels des Untergrunds oder grobem Verwitterungsschutt gebildet wird, z.B. die Hammadas in der Sahara. (→Wüste)

Feltre, Stadt in Venetien, Prov. Belluno, Italien, an einem Nebenfluss der Piave, 19 800 Ew.; Univ. (v.a. Sprachen), Museen; Metallindustrie. – Auf einem schmalen Bergrücken die Renaissance-Oberstadt mit zahlr. gut erhaltenen Häusern (Sgraffitodekorationen) und Kirchen.

Feluke [frz.-span.] *die* (Felucke), zweimastiges Küstenfahrzeug im Mittelmeer mit Lateinsegeln (→Galeere).

Femelschlagbetrieb, forstwirtsch. Hochwaldbetriebsform, bei der alle Altersstufen einzeln oder gruppenweise gemischt auf derselben Bestandsfläche vorkommen. Die Nutzungshiebe (älteste, stärkste, kranke Bäume; einzeln oder in Gruppen) dienen zugleich der Naturverjüngung; bes. im Gebirge verbreitet, häufig als Schutzwald.

Fememorde, politisch motivierte Morde, verübt von Geheimgesellschaften oder Untergrundorganisationen, die sich gesetzwidrig richterl. Befugnisse und einen entsprechenden Strafvollzug anmaßen. Bes. in der Zeit der Weimarer Republik führten rechtsradikale Gruppen F. durch. Neben republikan. Politikern (u.a. M. Erzberger, W. Rathenau) waren die Opfer Mitgl. der eigenen Verbände, die sich des Verrats verdächtig gemacht hatten; ähnl. Erscheinungen z.B. im Ku-Klux-Klan.

Femgerichte [mhd. veime »heiml. Gericht«] (Feme, Freigerichte), im späteren MA. die Gerichte Westfalens zur Aburteilung schwerer Rechtsbrüche, die aus den fränk. Grafengerichten hervorgegangen sind. Vors. war der **Freigraf,** Urteilsfinder waren die **Freischöffen,** die Dingstätte wurde **Freistuhl** genannt. Die F. tagten öffentlich als »offenes« Gericht (echtes Ding) für die ge-

Felsenkirsche: Zweige mit Blüten (oben) und Früchten (Größe etwa 1 cm)

Femgerichte: Sitzung eines Femgerichts, Miniatur (Handschrift im Rathaus zu Soest)

wöhnl. Rechtssachen ihres Sprengels oder unter Ausschluss der Öffentlichkeit als »heiml.« oder »stilles« Gericht (gebotenes Ding), besetzt mit dem Freigrafen und sieben Freischöffen, zur Aburteilung auswärtiger Rechtssachen. Wer der Ladung vor die F. nicht Folge leistete, wurde »verfemt«, ihm drohte die Hinrichtung. Seit dem 14. Jh. griff die Wirksamkeit der F. über Westfalen hinaus auf ganz Dtl. über. Durch Abwehrbündnisse der Landesherren und Städte, die das Eingreifen dieser fremden Gerichtsgewalten in ihre Herrschaftsgebiete als Übergriffe empfanden, wurde ihr Einfluss im 15. Jh. gebrochen. Die F. sanken zu Bauerngerichten herab. Um 1810 wurden sie durch die frz. Machthaber in Westfalen beseitigt.

feminin [zu lat. femina »Frau«], weiblich; mit weibl. Genus.

Femininum *das, Sprachwissenschaft:* weibl. Geschlecht (→Genus), weibl. Substantiv.

Feminisierung, Verweiblichung, Gesamtheit der körperl. und psych. Veränderungen beim Mann als Folge einer Minderleistung der männl. Keimdrüsen oder der Nebennierenrinde; gekennzeichnet durch Nachlassen von Libido und Potenz, Hodenatrophie, Ausfall der Geschlechtsbehaarung sowie erhöhte Hormonausscheidung. Krankheitsbedingt tritt F. am häufigsten bei Nebennierenrindentumoren **(adrenale F.)** auf; eine ähnl. Erscheinung findet sich bei Leberzirrhose als Folge ungenügenden Östrogenabbaus in der Leber. Bei versch. Formen von →Intersexualität wird die F. als Behandlungsziel angestrebt.

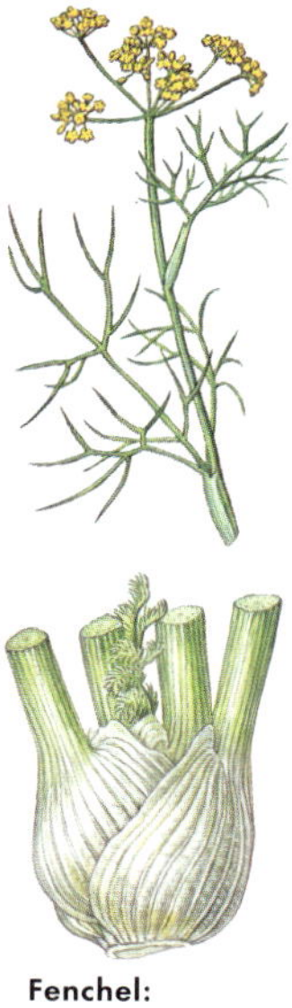

Fenchel: Blüten des Gartenfenchels (oben) und Gemüsefenchel

Feminismus *der,* Richtung innerhalb der →Frauenbewegung.

feministische Philosophie, →Philosophie.

feministische Theologie, vom Feminismus inspirierter Neuansatz theolog. Denkens seit den 1960er-Jahren; parallel zur Theologie der Befreiung und der Theologie der Dritten Welt entstanden. Als **religiöser Feminismus** wendet sich die f. T. vom Christentum, das sie als patriarchale Religion versteht, ab und sucht eine neue feminist. Spiritualität zu entwickeln; als **bibelkritischer Feminismus** behält sie die jesuan. Befreiungsbotschaft bei und vertritt die These der patriarchalen Redaktion des N. T.; als **christl. Feminismus** versucht die f. T., Bibel und Tradition nicht patriarchal zu deuten.

📖 *Frauenbefreiung. Bibl. u. theolog. Argumente, hg. v.* E. MOLTMANN-WENDEL. *München* ⁴*1986. – Wörterbuch der f. T., hg. v.* E. GÖSSMANN. *Gütersloh 1991. – Göttinnen u. Priesterinnen, hg. v.* D. PAHNKE *u.* R. SOMMER. *Gütersloh 1995.*

femisch [Kw. aus lat. **fe**rrum und **m**agnesium], *Petrographie:* Bez. für eisen- und magnesiumreiche Minerale; Ggs.: →salisch.

Femme fatale [famfa'tal; frz. »verhängnisvolle Frau«] *die,* verführer. Frau mit Intellekt, die sich über geltende gesellschaftl. Normen hinwegsetzt.

Femto... [schwed. femton »fünfzehn«], Vorsatzzeichen **f**, ein Vorsatz vor Einheiten für den Faktor 10^{-15} (Billiardstel); z. B. 1 Femtometer = 1 fm = 10^{-15} m.

Femur [lat.] *das,* der Oberschenkel(knochen) (→Bein).

Fenchel (Foeniculum), Gattung der Doldenblütler mit drei Arten im Mittelmeergebiet; gelb blühende, würzig riechende, bis 1,5 m hohe Stauden. Bekannteste Art ist der **Echte F.** (Foeniculum vulgare) mit bis 8 mm langen, gefurchten Spaltfrüchten. Die Unterart **Garten-F.** (ssp. vulgare) wird seit dem Altertum in SO-Europa kultiviert, und zwar in den beiden Sorten: **Gewürz-F.** (**Süßer F.;** var. dulce) als Gewürz und zur Herstellung von F.-Öl und F.-Tee (gegen Husten und Blähungen) sowie **Gemüse-F.** (**Knollen-F., Zwiebel-F.;** var. azoricum) mit zwiebelartig verdickten, grundständigen Blattscheiden (für Gemüse und Salat).

Fendant [fã'dã, frz.], Weißwein aus Gutedeltrauben aus dem Wallis, Schweiz.

Fender [engl.] *der,* Schutzkörper aus Tauwerk, Kork, Holz, Rohrgeflecht oder Gummi gegen Stöße und Scheuern zw. Schiffsbordwand und Anlegestelle oder zw. zwei Schiffen.

Fenek (Fennek) *der,* Art der Echten →Hunde.

Fénelon [fen'lɔ̃], eigtl. François de Salignac de la Mothe-F., frz. Schriftsteller und Theologe, *Schloss Fénelon (Dép. Dordogne) 6. 8. 1651, †Cambrai 7. 1. 1715; als erfolgreicher Pädagoge seit 1689 Erzieher des Thronfolgers, des Enkels Ludwigs XIV., seit 1695 Erzbischof von Cambrai; hervorragender Prediger. Sein Hauptwerk ist der gegen seinen Willen gedruckte Bildungsroman »Die Erlebnisse des Telemach« (1699, bis 1717 verboten), der das Idealbild eines weisen Königtums entwirft. Ab 1688 war F. Anhänger des →Quietismus. Auseinandersetzungen mit J. B. Bossuet, dem Hof sowie Rom führten 1699 zu seiner Verurtei-

Fénelon (anonymer Kupferstich um 1720)

lung und Verbannung in seine Diözese; Wegbereiter der Aufklärung.

🕮 Kapp, V.: *Télèmaque de Fénelon. La signification d'une œuvre littéraire à la fin du siècle classique. Tübingen 1982.*

Fenier [nach der sagenhaften altirischen Kriegertruppe der »Fianna«] (engl. Fenians), die Mitglieder eines 1858 von irischen Emigranten in den USA gegründeten Geheimbundes, der für den Sturz der brit. Herrschaft in Irland kämpfte; verlor nach Niederschlagung eines Aufstandes in Irland (1867) an Bedeutung, gewann jedoch im frühen 20. Jh. seine Bedeutung wieder und war für den irischen Osteraufstand von 1916 mitverantwortlich.

Fennek (Fenek) *der,* Art der Echten → Hunde.

Fennich [aus lat. panicum »Hirse«], → Hirse.

Fennosarmatia [mlat., nach Finnland und lat. Sarmatia »polnisch-russ. Tiefland«], *Geologie:* ein bereits seit dem Präkambrium bestehender Festlandsblock, der die Russ. Tafel, den Ukrain. und den Balt. Schild umfasst.

Fennoskandia [mlat., nach Finnland und lat. Scandia, wohl »Schweden«], *Geologie:* zusammenfassender Name für die Landscholle, die den → Baltischen Schild und die kaledonisch gefalteten Gebiete W-Skandinaviens umfasst.

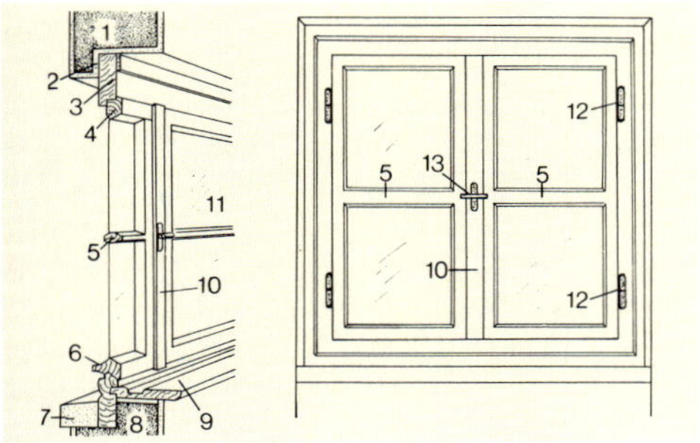

Fenster 1): Schnittzeichnung (links) und Aufsicht eines zweiflügeligen Fensters und dessen Bezeichnungen; 1 Sturz, 2 Anschlag, 3 Blendrahmen, 4 Flügelrahmen, 5 Fenstersprosse, 6 Wetterschenkel, 7 Sohlbank, 8 Brüstung, 9 Fensterbank, 10 Mittelstück mit Schlagleiste, 11 Verglasung, 12 Beschläge, 13 Griff

Fenrir (Fenriswolf), *nord. Mythos:* der gefährlichste Dämon, Sohn Lokis und einer Riesin, Bruder der Hel und der Midgardschlange. Die Asen fesselten ihn mit dem unzerreißbaren Band Gleipnir; kurz vor dem Weltbrand entledigt sich F. seiner Fesseln, tötet Odin, fällt aber selbst durch dessen Sohn Vidar.

Fens, The [ðə 'fenz], Landschaft in O-England, erstreckt sich westlich und südlich des Wash (Nordseebucht); umfasst Seemarschen in Küstennähe, Flussmarschen, Moore und flache Hügel (z. B. Isle of Ely) der zerstörten Kreideschichten weiter landeinwärts. Die F. sind ein Gebiet intensiven Ackerbaus mit Spezialkulturen. – Bereits in der Bronzezeit besiedelt, von den Römern z. T. kultiviert, ab 1639 trockengelegt.

Fenster [ahd. fenstar, von lat. fenestra] *das,* **1)** *Architektur:* in oberirdisch angelegten Gebäuden ein verglastes Ausbauelement zum Verschluss einer Wandöffnung und zum Beleuchten und Belüften eines Innenraumes. Die F.-Öffnung wird unten durch die äußere **Sohlbank** und die innere **F.-Bank (F.-Brett),** seitlich durch die **F.-Laibung** und oben durch den **F.-Sturz** gebildet und unten durch die **F.-Brüstung** begrenzt. Das F. besteht aus F.-Rahmen und F.-Flügel(n) (dieser aus Flügelrahmen, Beschlägen und Verglasung). Ein F. wird nach versch. Gesichtspunkten eingeteilt: a) nach Werkstoff (z. B. Holz-, Metall-, Kunststoff-F.); b) nach Konstruktion des F.-Rahmens (Blendrahmen-, Zargen-, Kasten-F.); c) nach Zahl der hintereinander befindl. Glasscheiben (Einfach-, Doppel-, Dreifach-F.); d) nach Öffnungsart der Flügel (Drehflügel-, Wendeflügel-, Schwingflügel-, Drehkippflügel-, Kipp-, Klapp-F.); e) nach der Lage im Gebäude (Innen-, Außen-F.); f) nach Funktion (Küchen-, Dach-, Keller-F. u. a.).

Geschichte: In prähistor. Zeit gab es lediglich Licht- und Abzugsöffnungen, wie sie auch noch durch frühgrch. und altitalische (bes. etrusk.) Zeugnisse belegt sind. In der minoischen Kultur auf Kreta gab es Aussichts-F.; F. zu den Innenhöfen sind bes. aus der hellenist. Zeit, v. a. aus Delos und von Priene, bekannt, nach der Straße wie zum Garten hinaus in Herculaneum und Pompeji. Die Römer verwendeten als F.-Füllung seit dem 1. Jh. n. Chr. als Erste Glas. – War in der altchristl. und frühmittelalterlichen kirchl. Architektur i. d. R. das F. rundbogig geschlossen und aus einer senkrecht in die Mauer eingeschnittenen Laibung entstanden, so kam in der Romanik das schräg zur Mauerstärke eingeschnittene F.-Gewände auf. Der Verschluss der F.-Öffnung erfolgte v. a. in Kirchen mit Glas (Glasmalerei), das in Bleistege gefasst war und meist in einem in die Mauer eingelassenen Holzrahmen saß. Auf das roman. Rundbogen-F. folgte das spitzbogige der Gotik, das, größer werdend,

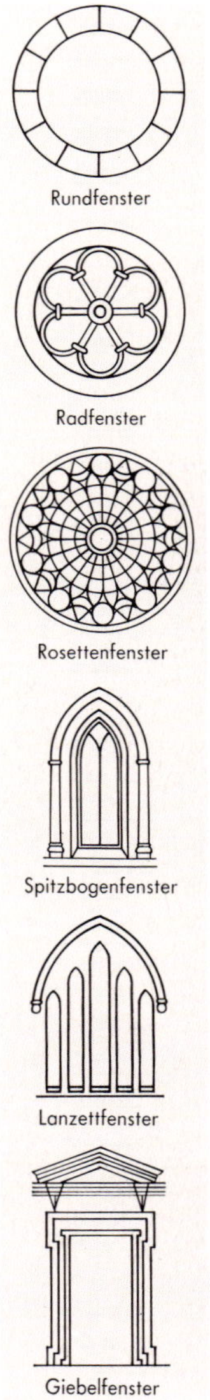

Fenster 1): Historische Beispiele

Roger Fenton: Pflegerin im Krimkrieg, Fotografie aus der ersten Kriegsreportage (1855)

die Wand zunehmend auflöste. In der Renaissance wurde das F. für die Fassade bestimmendes Element, neben dem Rundbogen wurde der gerade F.-Sturz verwendet, und die F. erhielten häufig eine Umrahmung bzw. Verdachung, welche im Barock Giebel- oder Segmentbogenformen annahm, während der Klassizismus wieder gerade Formen bevorzugte. – Nachdem die Architektur des 19. Jh. mit dem Glaspalast der Weltausstellung in London (1851) und dem Münchner Glaspalast (1853–54) eine architekton. Neubewertung des F. versucht hatte, entstand im 20. Jh. mit der Entwicklung des Neuen Bauens eine Glasarchitektur, an deren Ausbildung Dtl., Frankreich, die Niederlande und die USA wesentlich beteiligt sind.

📖 KRÄFTNER, J. *u.* FUSSENEGGER, G.: *F. St. Pölten 1979. – F. Planung, Gestaltung u. Konstruktion, bearb. v.* K. PRACHT. *Stuttgart 1982.*

2) *Datenverarbeitung:* → Windows.

Fensterrose, in der spätroman. und bes. der got. Baukunst ein großes Rundfenster mit radial angeordnetem Maßwerk und Glasmalerei, meist über dem Westportal, auch an den Stirnseiten der Querschiffe; eine Vorstufe ist das Radfenster.

Fenton ['fentən], Roger, brit. Fotograf, * Heywood (heute zu Manchester) 1819, † London 8. 8. 1869; nutzte als Erster die Fotografie zur Kriegsberichterstattung (Krimkrieg 1855).

Feodossija, Stadt und Schwarzmeerkurort an der SO-Küste der Krim, Ukraine, 83 000 Ew.; Strumpf-, Tabakfabrik, Weinkellereien; Badestrand; Hafen. – F., im 6. Jh. v. Chr. als grch. Handelsstadt **Theodosia** gegr., wurde 1266 genuesisch **(Kafa),** 1475 türkisch **(Kefe);** kam 1783 zu Russland.

Ferberit *der,* ein Mineral, → Wolframit.

Ferdinand I., Römischer Kaiser (Kupferstich von Hans Sebald Lautensack, 1556)

Ferdinand (span. und portug. Fernando, italien. Ferdinando), Herrscher:

Hl. Röm. Reich: **1) F. I.,** Kaiser (1556/58–64), * Alcalá de Henares 10. 3. 1503, † Wien 25. 7. 1564; Enkel Maximilians I. und Bruder Karls V.; erhielt 1521/22 die österr. Erblande. Als König von Böhmen und Ungarn (seit 1526) wurde er zum Begründer der habsburg. Donaumonarchie. Sein polit. Einfluss im Reich als Stellvertreter Karls V. vergrößerte sich durch seine Wahl zum Röm. König (1531). In den österr. Erblanden förderte er die Vereinheitlichung der Verwaltung. In Dtl. erstrebte er einen Ausgleich mit den Protestanten (Passauer Vertrag 1552, Augsburger Religionsfriede 1555). Durch die Abdankung Karls V. wurde er 1556 Kaiser (Herrschaftsantritt 1558). Auf dem Konzil von Trient bemühte er sich um Aufhebung des Zölibats und Gewährung des Laienkelchs.

📖 SUTTER FICHTNER, P.: *F. I. Wider Türken u. Glaubensspaltung. A. d. Amerikan. Graz u. a. 1986.*

2) F. II., Kaiser (1619–37), König von Böhmen (1617) und Ungarn (1618), * Graz 9. 7. 1578, † Wien 15. 2. 1637, Enkel von 1); von Jesuiten erzogen, rekatholisierte er die österr. Erblande; seine gegenreformator. Maßnahmen in Böhmen führten zum → Dreißigjährigen Krieg. Gegen Zugeständnisse (v. a. Verzicht auf die Durchführung des → Restitutionsedikts) setzte er die Wahl seines Sohns zu seinem Nachfolger durch. Der Versuch, mit dem Prager Frieden 1635 den Dreißigjährigen Krieg zu beenden, scheiterte durch das Eingreifen Frankreichs.

📖 FRANZL, J.: *F. II. Kaiser im Zwiespalt der Zeit. Graz u. a.* [2]*1989.*

3) F. III., Kaiser (1637–57), * Graz 13. 7. 1608, † Wien 2. 4. 1657, Sohn von 2); befehligte mit M. Gallas das kaiserl. Heer, das die Schweden 1634 bei Nördlingen besiegte, konnte aber die Zersplitterung des Reiches im Westfäl. Frieden (1648) nicht verhindern. In Österreich schuf er eine straffe Verwaltung.

Aragonien: **4) F. II., der Katholische,** König (1479–1516), als Herrscher des vereinigten Spaniens **F. V.,** * Sos del Rey Católico (Prov. Saragossa) 10. 3. 1452, † Madrigalejo (Prov. Cáceres) 23. 1. 1516; seit 1468 König von Sizilien. F. heiratete 1469 Isabella von Kastilien, so wurden Aragonien und Kastilien mit León unter der gemeinsamen Reg. des Herrscherpaars (seit 1496 die »Kath. Könige«) vereinigt. Sie unterwarfen 1492 Granada, den letzten Stützpunkt der Mauren in Spanien. Von Frankreich gewann F. 1504 das Königreich Neapel (dort **F. III.**), ferner 1512 Obernavarra. Im Inneren brachen er und Isabella die Macht des Adels, führten die Inquisition ein, vertrieben die Juden und die Mauren. Sie begründeten die Weltmachtstellung Spaniens im 16. Jahrhundert.

Bulgarien: **5) F. I.,** König (1908–18), * Wien 26. 2. 1861, † Coburg 10. 9. 1948; Prinz von Sachsen-Coburg-Koháry, wurde 1887 zum Fürsten von Bulgarien gewählt, aber erst 1896 von den Großmächten anerkannt. 1908 erklärte er sich zum unabhängigen König (Zar) der Bulgaren. Im Sept. 1915 trat F. an der Seite der Mittelmächte in den 1. Weltkrieg ein. Am 3. 10. 1918 dankte er ab (→Boris 2).

Kastilien und León: **6) F. I., der Große,** König (seit 1037/38), *1016 oder 1018, †León 27. 12. 1065; ab 1035 Alleinherrscher in Kastilien, erwarb 1037 León, erweiterte beide Königreiche im Kampf gegen die Mauren; wurde seit etwa 1054 Kaiser genannt.

7) F. III., der Heilige, König (1217–52), *1201, †Sevilla 31.(?) 5. 1252; vereinigte 1230 endgültig León mit Kastilien, eroberte 1236 Córdoba und 1248 Sevilla; 1239 gründete er die Univ. Salamanca. 1671 heilig gesprochen, Tag: 30. 5.

Neapel: **8) F. I.,** gen. Ferrante, König (1458–94), *Valencia 2. 6. 1431, †Neapel 25. 1. 1494; natürl. Sohn Alfons' V. von Aragonien; setzte sich gegen das Haus Anjou und den aufständ. Adel durch. Sein Hof war ein Mittelpunkt der Renaissance und des Humanismus.

9) F. III., →Ferdinand 4).

10) F. IV., →Ferdinand 14).

Österreich: **11) F. I.,** Kaiser (1835–48), *Wien 19. 4. 1793, †Prag 29. 6. 1875; Sohn Kaiser Franz' I.; war trotz seiner körperl. und geistigen Schwäche aus Legitimitätsgründen zur Thronfolge verpflichtet; die Reg. führte die sog. Staatskonferenz (v. a. Staatskanzler Metternich und Min. Graf Kolowrat-Liebsteinsky); verzichtete am 2. 12. 1848 zugunsten seines Neffen Franz Joseph auf den Thron.

Portugal: **12) F. I., der Schöne** (auch F. der Unbeständige), König (1367–1383), *Lissabon 31. 10. 1345, †ebd. 22. 10. 1383; Sohn und Nachfolger Peters I.; letzter König aus dem Haus Burgund. Seine Absicht, Portugal mit Kastilien zu vereinigen, wurde von den portugies. Cortes vereitelt.

Rumänien: **13) F. I.,** König (1914–27), *Sigmaringen 24. 8. 1865, †Sinaia 20. 7. 1927; Prinz von Hohenzollern-Sigmaringen, Neffe Karls I. von Rumänien; trat 1916 nach dem Willen der Brătianu-Reg. im 1. Weltkrieg auf die Seite der Entente. 1922 in Karlsburg zum ersten »König aller Rumänen« gekrönt.

Sizilien: **14) F. I.,** König beider Sizilien (1816–25), zuvor als **F. IV.** König von Neapel und als **F. III.** König von Sizilien (seit 1759), *Neapel 12. 1. 1751, †ebd. 3. 1. 1825; gelangte auf den Thron, als sein Vater Karl III. König von Spanien wurde; ⚭ seit 1768 mit Maria Carolina, einer Tochter Maria Theresias. 1798/99 und 1805–15 verlor F. Neapel an die Franzosen. 1816 vereinigte er Neapel und Sizilien zum Königreich beider Sizilien. Die Revolte von 1820 erzwang von F. eine Verf., doch stellte er 1821 sein absolutes Regiment mithilfe österr. Truppen wieder her. 1805 stiftete er die Univ. Palermo.

15) F. II., König beider Sizilien (1830–59), *Palermo 12. 1. 1810, †Caserta 22. 5. 1859, Enkel von 14); verfolgte mit großer Härte die Liberalen, bes. nach der Niederwerfung der Revolution von 1848/49; starb an den Folgen eines Attentats (12. 12. 1856).

Spanien: **16) F. VII.,** König (1814–33), *Schloss La Granja de San Ildefonso (bei Segovia) 14. 10. 1784, †Madrid 29. 9. 1833; geriet als Kronprinz in scharfen Gegensatz zu Godoy, dem leitenden Min. seines Vaters Karl IV. Im März 1808 dankte Karl zugunsten F.s ab. Napoleon I. zwang im Mai 1808 auch F. zur Thronentsagung. 1814 zurückgekehrt, hob er die Verf. von 1812 auf und verfolgte die Liberalen mit großer Härte. Die Revolution von 1820 wurde mit frz. Hilfe 1823 niedergeschlagen. Zugunsten seiner Tochter Isabella hob er 1830 durch die Pragmat. Sanktion das sal. Erbfolgerecht auf und verursachte so die Kriege der →Karlisten.

Tirol: **17) F. II.,** Erzherzog von Österreich, *Linz 14. 6. 1529, †Innsbruck 24. 1. 1595; Sohn von 1); ⚭ 1557 in geheimer Ehe mit der Augsburgerin Philippine Welser; war seit 1563 Landesfürst von Tirol und Vorderösterreich; als umsichtiger Regent, der 1548–67 die Statthalterschaft in Böhmen innehatte, kümmerte er sich um die Reform der Staatsverwaltung. Schloss →Ambras machte er zu einem kulturellen Zentrum.

Ferdinand I.,
Kaiser von Österreich

Toskana: **18) F. III.,** Großherzog (1790–1801 und 1814–24), *Florenz 6. 5. 1769, †ebd. 18. 6. 1824; gelangte zur Reg., als sein Vater Leopold II. Kaiser wurde. Durch die Frz. Revolutionskriege verlor er sein Land; 1803 wurde er Kurfürst von Salzburg, 1805 Kurfürst (1806 Großherzog) von Würzburg; 1814 erhielt er die Toskana zurück.

Ferenczi ['fɛrɛntsi], Sándor, ungar. Nervenarzt, *Miskolc 16. 7. 1873, †Budapest 22. 5. 1933; einer der ersten Anhänger S. Freuds.

Ferganạ (bis 1907 Nowy Margelan, bis 1924 Skobelew), Hptst. des Gebiets F., Usbekistan, 226 500 Ew.; Hochschulen; Baumwoll-, Seiden-, Nahrungsmittel-, Düngemittel- u. a. chem. Ind., Erdölraffinerie.

Ferganạbecken, weite, im Innern wüstenhafte Beckenlandschaft in Usbekistan, z. T. auch in Tadschikistan und Kirgistan, von Gebirgsketten des Tienschan im N, Alaigebirge und Turkestankette im S und Ferganakette im O umgrenzt, vom Syrdarja und einem verzweigten Kanalsystem bewässert; kontinentales Klima. Bed. Oasenwirtschaft; auf den fruchtbaren Lössböden werden Baumwolle, Obst, Gemüse und Wein angebaut; Seidenraupenzucht. Bodenschätze (Kohle, Erdöl, Erdgas, Schwefel, Quecksilber, Buntmetalle) förderten Besiedlung und Industrialisierung.

Adam Ferguson

Ferguson ['fə:gəsn], **1)** Adam, schott. Historiker und Philosoph, *Logierait (bei Perth) 20. 6. 1723,

Fermate über Note und Pause

†Saint Andrews 22. 2. 1816; Moralist. Sein Werk »Versuch über die Gesch. der bürgerl. Gesellschaft« (1767) ist die erste Darstellung der Gesch. der durch Arbeitsteilung und Konflikt (u. a. Eigentum) charakterisierten bürgerl. Gesellschaft, deren versch. Klassen er aus den Eigentumsverhältnissen herleitet.

2) Sir (seit 1878) Samuel, irischer Dichter schott. Herkunft, *Belfast 10. 3. 1810, †Howth (heute zu Dublin) 9. 8. 1886; gestaltete in Liedern, Balladen und Epen Motive der irischen Sagenwelt.

Feri|en, 1) (Feriae) *im antiken Rom* die Tage, an denen die Arbeit zu Ehren bestimmter Götter ruhte.

2) *allg.:* mehrtägige oder -wöchige Arbeitspause einer Institution oder eines Betriebs.

Feri|ensachen, *Recht:* → Gerichtsferien.

Ferkel, junges Schwein von der Geburt bis zum Alter von 14–16 Wochen.

Ferkelratten: Biberratten (Körperlänge bis 60 cm, Schwanzlänge bis 40 cm)

Ferkelratten (Baumratten, Capromyidae), Nagetierfamilie mit sieben Gattungen; kurzbeinige Tiere mit kleinen Augen und Ohren und rattenähnl. Gestalt. Außer der **Biberratte** (Nutria, Myocastor coypus; an Flüssen und Seen Südamerikas, u. a. in Dtl. in Pelztierfarmen gezüchtet) leben alle Arten auf den Großen Antillen und einigen Nachbarinseln, z. B. die **Greifschwanz-F.** (Gatt. Capromys) auf Kuba und die **Stummelschwanz-F.** (Gatt. Geocapromys) auf Jamaika.

Fermanagh [fəːˈmænə], Distrikt im SW von Nordirland, beiderseits von Lower Lough Erne und Upper Lough Erne, 1877 km², (1995) 54700 Ew.; Verw.sitz ist Enniskillen.

Pierre de Fermat

Fermat [fɛrˈma], Pierre de, frz. Mathematiker, *Beaumont-de-Lomagne (bei Montauban) 20. 1. 1601, †Castres 12. 1. 1665; erarbeitete sich strenge infinitesimale Methoden (Extremwert- und Tangentenbestimmungen, Quadraturen u. a.), beschäftigte sich mit Wahrscheinlichkeitsproblemen und leitete das Brechungsgesetz der Optik aus dem Minimalprinzip (→ fermatsches Prinzip) ab. Bed. Beiträge zur Zahlentheorie sind die → fermatsche Vermutung und der → fermatsche Satz.

Fermate [italien.] *die, Musik:* Haltezeichen (𝄐) über einer Note oder Pause, das den Noten- oder Pausenwert verlängert.

fermatscher Satz [fɛrˈma-; nach P. de Fermat], **1) kleiner f. S.:** Ist a eine ganze Zahl, die sich durch die Primzahl p nicht teilen lässt, so ist $a^{p-1}-1$ durch p teilbar.

2) großer f. S., die → fermatsche Vermutung.

fermatsches Prinzip [fɛrˈma-; nach P. de Fermat], Grundgesetz der geometr. Optik, nach dem sich Licht zw. zwei Punkten so ausbreitet, dass der opt. Lichtweg (genauer: die Laufzeit des Lichtes) extremal, d. h. ein Minimum ist.

fermatsche Vermutung [fɛrˈma-; nach P. de Fermat] (großer fermatscher Satz), mathemat. Vermutung, die besagt, dass die Gleichung $a^n + b^n = c^n$ für ganze Zahlen $n > 2$ keine ganzzahligen, von null versch. Lösungen hat. Für $n = 2$ wird die Gleichung durch die pythagoreischen Zahlen gelöst, z. B. $3^2 + 4^2 = 5^2$. 1993 legte der brit. Mathematiker A. Wiles einen Beweis der f. V. vor, der nach Änderungen 1995 vollständig zu sein scheint.

Fermentation *die,* Umsetzung biolog. Materialien, die durch Enzyme katalysiert und durch Sauerstoffentzug, Belüftung, Wärme, Licht oder Dunkelheit beeinflusst oder gelenkt wird. Durch F. werden die Aroma- und Farbstoffe gebildet und allg. die Qualität in techn. und ernährungsphysiolog. Hinsicht vorteilhaft verändert. F. finden z. B. bei Gärungen oder bei der Käsebereitung statt. Der Begriff F. wird auch bei der techn. Aufarbeitung von Leder, Flachs, Tabak, Kaffee, Tee u. a. benutzt.

Fermente [lat. fermentum »Gärung«, »Gärstoff«], veraltete Bez. für die → Enzyme.

Fermenter *der* (Bioreaktor), Reaktionsapparat zur Durchführung biochem. Reaktionen (→ Biotechnologie). Für die bes. wichtigen Submersverfahren, bei denen die Mikroorganismen (Hefen, Pilze, Bakterien) in der Nährlösung verteilt sind, werden meist geschlossene Behälter aus Edelstahl verwendet, die u. a. mit Vorrichtungen zur Durchmischung und Kühlung sowie für die Zuführung von steriler Luft, Nähr- und Impflösungen ausgestattet sind.

Fermi [nach E. Fermi] *das,* Einheitenzeichen **f,** 1 f = 10^{-15} m, nichtgesetzl. Einheit in der Kernphysik, ersetzt durch das **Femtometer (fm):** 1 fm = 10^{-15} m.

Fermi, Enrico, italien. Physiker, *Rom 29. 9. 1901, †Chicago (Ill.) 28. 11. 1954; Prof. in Rom, später in den USA, verwendete als Erster Neutronen zur Umwandlung schwerer Atomkerne (dafür 1938 Nobelpreis für Physik), war maßgebend am Bau des ersten Kernreaktors (1942) und der Entwicklung der Atombombe (→ Manhattan-Projekt) beteiligt.

Fermi-Dirac-Statistik [-dɪ'ræk-; nach E. Fermi und P. Dirac] (Fermi-Statistik), Quantenstatistik, die für gleichartige, nicht unterscheidbare Teilchen mit halbzahligem Spin **(Fermionen)** gilt, z.B. für Elektronen, Protonen, Neutronen (→Elementarteilchen). Im Unterschied zur →Bose-Einstein-Statistik dürfen die Besetzungszahlen der einzelnen Energiezustände bei der F.-D.-S. wegen des →Pauli-Prinzips nur die Werte 0 und 1 annehmen. Von besonderer Bedeutung ist die F.-D.-S. bei der Theorie der metall. Leitung (Elektronengas).

Fermi-Energie [nach E. Fermi], in der quantenstatist. Theorie der Festkörper (→Energiebändermodell) die Energiegrenze **(Fermi-Grenze)** der besetzten Elektronenzustände in einem Metall oder Halbleiter am absoluten Nullpunkt der Temperatur. Die zur F.-E. gehörende Fläche konstanter Energie im Wellenvektorraum ist die **Fermi-Fläche.**

Fermi-Gas [nach E. Fermi], Gesamtheit von Fermionen, deren gegenseitige Wechselwirkung vernachlässigt (ideales F.-G.) oder durch ein mittleres Potenzial approximiert werden kann.

Fermionen [nach E. Fermi], Sammelbez. für Teilchen mit halbzahligem Spin, die der →Fermi-Dirac-Statistik gehorchen.

Fermium [nach E. Fermi] *das,* Symbol **Fm,** künstl. radioaktives chem. Element (Transuran) aus der Gruppe der Actinoide. Ordnungszahl 100, Isotope 242–259 mit Halbwertszeiten von 0,38 ms bis zu 100 Tagen (^{257}Fm). – F. verhält sich chem. ähnlich wie Erbium; seine Isotope sind meist Alphastrahler.

Fermo, Stadt in den Marken, Prov. Ascoli Piceno, Italien, nahe der Adria, 35100 Ew.; Erzbischofssitz; Handels- und Landwirtschaftszentrum mit drei Häfen. – In der auf steiler Felsenhöhe gelegenen mittelalterl. Altstadt u.a. Rathaus (1446), erzbischöfl. Palast (1391) und roman.-got. Dom mit röm.-byzantin. Fußbodenmosaik. – F. ist das antike **Firmum Picenum,** das 264 v.Chr. röm. Provinz wurde; fiel durch die Pippinsche Schenkung an den Papst.

Fernandel [-nã'dɛl], eigtl. Fernand Contandin, frz. Filmschauspieler, *Marseille 8. 5. 1903, †Paris 26. 2. 1971; v.a. bekannt als Charakterkomiker in den »Don Camillo und Peppone«-Filmen (1952ff.).

Fernandez [fɛrnã'dɛs], Dominique, frz. Schriftsteller, *Neuilly-sur-Seine 25. 8. 1929; gestaltet in seinen Romanen komplexe Lebenssituationen schwieriger Helden (»Porporino oder die Geheimnisse von Neapel«, 1974; »Die Schule des Südens«, 1991); auch Essays.

Fernández de la Reguera [fɛr'nandɛθ ðe la rrɛ'ɣera], Ricardo, span. Schriftsteller, *Barcenillas (bei Santander) 27. 4. 1912; Verfasser realist. Romane, z.T. aus dem Span. Bürgerkrieg: »Schwarze Stiere meines Zorns« (1950), »Wehrlos unter Waffen« (1954), »Die Einfalt der Liebe« (1956).

Fernández Retamar [fɛr'nandes rrɛta'mar], Roberto, kuban. Schriftsteller, *Havanna 9. 6. 1930; schreibt politisch engagierte Lyrik (»A quien pueda interesar«, 1970; »Aquí«, 1994) sowie literaturwiss. und kulturkrit. Essays (»Kaliban – Kannibale. Essays zur Kultur Lateinamerikas«, 1971).

Fernando de Noronha [-du di no'roɲa], vulkan. Insel im Atlantik, 340 km nordöstlich von Kap São Roque, seit 1988 Teil des Staates Pernambuco, Brasilien; mit Nebeninseln 26 km^2, 1300 Ew.; Hauptort ist Remédios. Sträflingskolonie.

Fernando Póo, früherer Name von →Bioko.

Fernau, Joachim, Schriftsteller, *Bromberg 11. 9. 1909, †München 24. 11. 1988; schrieb Geschichtsdarstellungen in der unterhaltenden Art des Feuilletons, u.a. »Rosen für Apoll. Die Gesch. der Griechen« (1961), »Halleluja. Die Gesch. der USA« (1977).

Ferner [von Firn], in Tirol Bez. für →Gletscher.

Ferner Osten, 1) (engl. Far East) die ostasiat. Randländer des Pazifiks.

2) in Russland Bez. für dessen östl. Randgebiete, v.a. die zum Pazifik entwässernden, einschl. der Tschuktschenhalbinsel, der Halbinsel Kamtschatka, der Insel Sachalin und der Kurilen.

Ferngas, Brenngas, das durch Hochdruckfernleitungen über größere Entfernungen von den Gewinnungsstätten (Kokerei, Raffinerie, Gasfeld) zu den Abnehmern geführt wird, v.a. Erdgas.

Fernglas, →Feldstecher.

Fernheizung, →Fernwärme.

Fernkopieren, ältere Bez. für Telefaxen (→Telefax).

Fernkorn, Anton Ritter von (seit 1860), Bildhauer und Erzgießer, *Erfurt 17. 3. 1813, †Wien 15. 11. 1878; schuf u.a. die Denkmäler auf dem Wiener Heldenplatz (»Prinz-Eugen«, 1860–65).

Fernlenkung (Fernsteuerung), Steuerung eines (unbemannten) Fahrzeugs (Flugzeug, Flugkörper, vorwiegend für militär. Aufgaben, Landfahrzeug, Schiff, Raumflugkörper) durch funktechn., bei kurzen Entfernungen auch drahtelektr., mechan., akust. oder opt. Signale von außen. Das wesentl. Verfahren der F. ist die **Kommandolenkung** von einem Fernlenkstand aus, wo durch Messungen die Bewegungskommandos gebildet und auf das Lenkobjekt übertragen werden. Besondere Formen der Kommandolenkung sind das **Leitstrahlverfahren,** bei dem die Bewegungsbahn des Lenkobjekts durch einen funktechnisch erzeugten Leitstrahl (Schnittlinie zweier gerichteter Strahlungsfelder) vorgeschrieben wird, und das **Zieldeckungsverfahren,** bei dem die Lenkkommandos aus den Abweichungen des Lenkobjekts aus einer

Enrico Fermi

Fernandel

optisch kontrollierten Visierlinie zum Ziel gewonnen werden. – Neben der F. werden auch Verfahren der →Eigenlenkung zur Beeinflussung der Bewegung von Fahrzeugen verwendet.

Fernlenkwaffen, durch Fernlenkung geführte Waffen oder gelenkte Fernwaffen (Waffen großer Reichweite mit Fern- oder Eigenlenkung), die nur zum einmaligen Gebrauch bestimmt sind. Beim Einsatz gegen ruhende Ziele haben gelenkte Waffen (bes. bei großen Entfernungen) eine bessere Treffgenauigkeit und beim Einsatz gegen bewegte Ziele wegen der Nachführmöglichkeit eine größere Treffwahrscheinlichkeit als ungelenkte Waffen. Verwendet werden überwiegend angetriebene Flugkörper sowie in geringerem Umfange auch antriebslose Flug- (Gleitbomben) und getriebene Schwimmkörper (Torpedos).

Fernlicht, Beleuchtung, mit der Kfz zur Fahrbahnbeleuchtung ausgerüstet sein müssen. Die Mindestbeleuchtungsstärke soll 100 m vor dem Fahrzeug mindestens 1 Lux betragen. F. ist nur außerhalb von Ortschaften, wenn keine Blendungsgefahr für Gegenverkehr besteht, erlaubt. Das F. dient auch als Lichthupe.

Fernmeldeanlagen, technische Einrichtungen (Kabel-, Freileitungs-, Kabelkanal-, Übertragungs-, Vermittlungs-, Funk- und Stromversorgungsanlagen), die der Erzeugung, Übertragung und dem Empfang von Nachrichten dienen.

Fernmeldeaufklärung, von speziellen Fernmeldetruppenteilen durchgeführte Tätigkeit, die das Aufklären des gegner. Fernmeldeverkehrs sowie dessen techn., betriebl. und takt. Auswertung umfasst. Die F. ist Teil der elektronischen Kampfführung.

Fernmeldegeheimnis, →Brief-, Post- und Fernmeldegeheimnis.

Fernmeldenetze (Telekommunikationsnetze), Gesamtheit aller Übertragungswege für Sprach-, Text-, Bild- und Bewegtbildinformationen. Man unterscheidet zwischen F.n, die der zweiseitigen Individualkommunikation (z.B. öffentl. Fernsprechnetz) dienen, und solchen, die der Massenkommunikation zur Verfügung stehen, wobei Informationen nur in eine Richtung und an eine Vielzahl von Teilnehmern verteilt werden (z.B. Tonrundfunk- und Fernsehrundfunknetze). Kabelgebundene F. werden heute als Breitbandnetze auf Glasfaserbasis verlegt (→ISDN); nicht kabelgebundene F. sind beispielsweise Mobilfunknetze (→Mobilfunk).

Fernmeldesatelliten, →Nachrichtensatelliten.

Fernmeldetechnik, Bereich der →Nachrichtentechnik, der sich mit den Verfahren und Ausführungsformen elektr. Übertragungs- und Vermittlungstechniken, die der Kommunikation dienen, befasst.

Fernmeldetruppe, Truppengattung des Heeres; zu ihren Hauptaufgaben gehört das Herstellen, Betreiben und Unterhalten von Fernmeldeverbindungen zum Übermitteln von Befehlen, Meldungen u.a. Informationen zwischen Führung und Truppe. Neben den diese Aufgabe wahrnehmenden Fernmeldeverbindungstruppen und den bodenständigen Fernmeldediensten verfügt die F. über Verbände für die elektronische Kampfführung und die »operative Information« (früher »psycholog. Verteidigung«).

Fernmessung, elektr. Übertragung von Messwerten über größere räuml. Entfernungen über Leitungen oder Funk, wobei die Messgröße in eine proportionale elektr. Größe (Stromstärke, Spannung, Frequenz) umgeformt wird. F. werden angewendet, wenn die Messstelle schwer zugänglich ist und/oder die Messdaten zentral erfasst und ausgewertet werden sollen.

Fernordnung, geordnete Aneinanderreihung der Atome in einem kristallinen Festkörper (→Kristall) über makroskop. Bereiche hinweg. Ggs.: →Nahordnung.

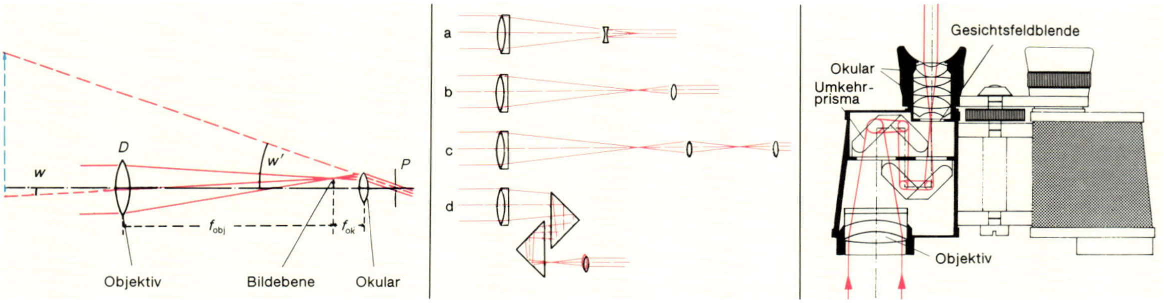

Fernrohr 2) (von links): Die Anordnung der Linsen in einem Fernrohr (Objektivsystem langer Brennweite f_{obj} und Okularsystem kurzer Brennweite f_{ok} im Abstand der Summe der Brennweiten) ergibt eine Vergrößerung des Winkels *w* auf *w'* entsprechend dem Brennweitenverhältnis; diese Winkelvergrößerung ist die Fernrohrvergrößerung; im gleichen Verhältnis zueinander stehen die Durchmesser des Objektivs (*D*) und der Austrittspupille (*P*); Schemata von Fernrohrarten: a holländisches oder galileisches Fernrohr (1608), b astronomisches oder keplersches Fernrohr (1611), c Fernrohr mit Linsenumkehrsystem (Kepler, 1611), d Fernrohr mit Prismenumkehrsystem (Porro, 1854); Schema des Strahlengangs beim Feldstecher mit zwei Umkehrprismen

Fernpass, Pass in den Nordtiroler Kalkalpen, Österreich, 1209 m ü. M.; →Alpenstraßen (ÜBERSICHT).

Fernpunkt, Punkt der verlängerten Augenachse, der beim ruhenden, akkomodationslosen Auge (→Akkommodation) noch scharf gesehen werden kann; er kennzeichnet den Beginn des Bereiches »unendlich« und ist bei Normal- und Übersichtigkeit mehr als 5 m, bei Kurzsichtigkeit weniger als 5 m entfernt.

Fernrohr, 1) *Astronomie:* (lat. Telescopium) kleines Sternbild am Südhimmel; in mittleren und nördl. Breiten nicht sichtbar.

2) *Optik:* (Teleskop) ein opt. Gerät, das entfernte Gegenstände unter einem größeren Sehwinkel zeigt, sie also scheinbar näher rückt. Bei einem **dioptr. F.** (Refraktor), das nur aus lichtbrechenden opt. Bauelementen besteht, entwirft die Gegenstandslinse (Objektiv), bei einem **katoptr. F.** (Reflektor, Spiegel-F.) dagegen ein Hohlspiegel ein Bild des Gegenstandes in der Gesichtsfeldblende (→Spiegelteleskop). **Katadioptr. F.** verwenden Linsen und Spiegel gleichzeitig. Das Bild, das bei sehr fernen Gegenständen im Abstand der Brennweite vom Objektiv liegt, wird durch die Augenlinse (Okular) betrachtet. – Besseres Tiefenunterscheidungsvermögen liefern **Doppel-F.** (z. B. Feldstecher, Scheren-F.), bei denen beidäugige Beobachtung durch zwei miteinander verbundene gleiche F. erfolgt.

Dioptrische F.: Das **holländ.** oder **galileische F.** hat als Objektiv eine Sammel- und als Okular eine Zerstreuungslinse, die um die Differenz ihrer Brennweiten voneinander entfernt sind. Es entsteht kein reelles Zwischenbild. Das zerstreuende Okular erzeugt im Unendlichen ein aufrechtes, virtuelles Bild. Es wird als Doppelrohr mit 2- bis 10facher Vergrößerung als Opern-, Jagd- und Nachtglas verwendet. Bei den **astronom.** oder **keplerschen F.** bestehen Okular und Objektiv aus einer Sammellinse (Abstand = Summe der Brennweiten); sie liefern reelle, vergrößerte, umgekehrte Bilder. Beim **terrestr. F.** wird mit einer dritten Linse eine zweite Umkehrung des Bildes und damit dessen aufrechte Stellung erreicht. Mit 10- bis 30facher Vergrößerung dient es als Zielfernrohr. Wird statt einer Sammellinse ein Prismensatz zur Aufrechtstellung des Bildes benutzt, erhält man ein Prismenglas (6- bis 8fache Vergrößerung). Beim **Scheren-F.** erzeugt ein Abstand der Objektive bis zu einem Meter eine noch weit stärkere plast. Wirkung. – Vergrößerung und Objektivdurchmesser eines F. werden üblicherweise durch ein Zahlenpaar bezeichnet, etwa 8×50. Teilt man die zweite (Objektivdurchmesser) durch die erste Zahl (Vergrößerung), so erhält man ein Maß für die Lichtstärke des Fernrohrs.

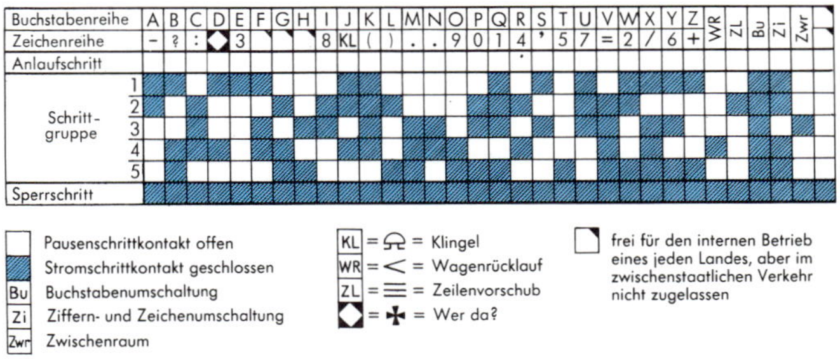

Fernschreiber: Internationales Telegrafenalphabet Nr. 2 (Fünferalphabet)

Geschichte: Das dioptr. F. wurde um 1608 wahrscheinlich von dem niederländ. Brillenmacher J. Lipperhey erfunden. Galilei baute 1609 ohne Kenntnis dieser Erfindung das nach ihm benannte F., mit dem er die Sonnenflecken, die Phasen der Venus, die Jupitermonde, den Saturnring sowie die Natur der Milchstraße entdeckte. Das astronom. F. erfand Kepler, das katoptr. F. wahrscheinlich L. Digges (um 1571) oder N. Zucchius (um 1608).

📖 ROHR, H.: *Das F. für jedermann, bearb. v.* H. ZIEGLER *u.* W. BRUNNER. *Zürich u. a.* 7*1983.* – RIEKHER, R.: *F.e u. ihre Meister. Berlin* 2*1990.* – LEARNER, R.: *Die Geschichte der Astronomie u. die Entwicklung des Teleskops seit Galilei. A. d. Engl. Neuausg. Bindlach 1991.*

Fernschreiber

*Als Erfinder des Fernschreibers gilt Edward Kleinschmidt (*1875, †1977). Er kam als Achtjähriger in die USA und entwickelte bereits mit 15 Jahren den Lochstreifen-Fernschreiber (1914), da ihm der Morsecode zu langsam und umständlich war. Als erste Nachrichtenagentur bediente sich Associated Press (AP) seinerzeit Kleinschmidts Erfindung, die sich dann rasch verbreitete. 1925 gründete er mit seinem einzigen Konkurrenten die Morkrum-Kleinschmidt Company in Chicago, aus der 1928 die Teletype Corporation entstand. Diese wurde 1930 von der American Telephone and Telegraph Company (AT&T) für die damals astronomisch hohe Summe von 30 Millionen Dollar gekauft. Noch im Alter von 92 Jahren verbesserte er seine Erfindung und entwickelte den Hochgeschwindigkeitsbörsentelegrafen, wobei das Gerät gleichzeitig auch stark verkleinert wurde.*

Fernschreiber, als Endgerät der Fernschreibtechnik benutzter schreibmaschinenähnlicher Drucktelegraf (Ein- und Ausgabe im Klartext), der als Sende- und Empfangsanlage arbeitet und als Blatt- oder Streifenschreiber ausgeführt ist. Nach Niederdrücken einer Taste sendet der Fernschreibsender eine für das zu übermittelnde Zeichen charakterist. Gruppe von elektr. Signalen. Der Fernschreibcode hat für jedes Zeichen eine Kombination von fünf (Internationales Telegrafenalphabet Nr. 2) oder sieben (Alphabet Nr. 3 und

5) gleich langen »Schritten«, mit einer Schrittgeschwindigkeit von 50 Bd (→Baud). Der F. arbeitet nach dem Start-Stopp-Prinzip, d.h., Sender, Empfänger und Drucker werden für jedes Zeichen in Gang gesetzt und wieder angehalten. – Der Nachrichtenverkehr über größere Entfernungen wickelt sich heute in Fernschreibnetzen ab. Das bedeutendste Netz ist das **Telexnetz,** ein öffentl. Fernschreibnetz, an das fast alle Länder der Erde angeschlossen sind.

Fernsehempfänger, Gerät zum Empfang und zur Wiedergabe von Fernsehsendungen. Die Rückwandlung der Fernsehsignale erfolgt i. Allg. in der Fernsehbildröhre (→Bildröhre). Nach einer Vorverstärkung werden die als VHF- und UHF-Schwingungen ankommenden Bild-, Ton- und Synchronsignale durch Mischung in den Zwischenfrequenzbereich umgesetzt, verstärkt und anschließend demoduliert. Weiterhin erfolgt eine Trennung der Bild-, Ton- und Synchronsignale; das Bildsignal (Videosignal) dient zur Helligkeitssteuerung der Bildröhre, das Tonsignal wird dem Lautsprecher zur Tonwiedergabe zugeführt, und die Synchronsignale steuern die Ablenkschaltungen in der Weise, dass Zeilen- und Bildwechsel im F. mit denen in der Fernsehkamera synchron erfolgen. Beim Farb-F. übernimmt ein Decoder die Rückgewinnung der drei Farbkomponentensignale Rot, Grün und Blau, mit denen die Farbfernsehröhre ausgesteuert wird. In der Entwicklung befinden sich Bildschirme, die auf der Basis LCD (Flüssigkeitskristallanzeige), Plasmadisplays oder Displays auf der Grundlage der Dünnschichtelektrolumineszenz arbeiten. Für den Empfang von →digitalem Fernsehen sind spezielle F. oder vorschaltbare Decoder erforderlich.

Fernsehen (engl. Television, Abk. TV), drahtlose oder kabelgebundene Übertragung von Bildern bewegter und unbewegter Objekte mit zugehörigem Begleitton für einen großen, mit entsprechenden Empfangsgeräten ausgestatteten Teilnehmerkreis. Mittels Aufnahmeröhre(n) in der Kamera werden bei zeilenweiser Abtastung (nach CCIR-Norm 25-mal je Sekunde 625 Zeilen) die Bilder in elektr. Signale umgewandelt, verstärkt und durch die ebenfalls elektr. Ton- und Synchronsignale ergänzt. Zur Übertragung werden diese Signale über Kabel- oder Richtfunkverbindungen einem Fernsehsender zugeführt, wo die Bild- und Synchronsignale im Bild-, die Tonsignale im Tonsender je einem Träger aufmoduliert und als elektromagnet. Wellen ausgestrahlt werden. Fernsehsendungen können nur mit hohen Sendefrequenzen (ultrakurze elektromagnet. Wellen) übertragen werden, denn die Bildsignale selbst benötigen zur Wiedergabe der Bildeinzelheiten analoge oder digitale elektr. Signale sehr hoher Frequenz (bis zu mehreren MHz). Es werden Ultrakurz- (VHF, very high frequency) und Dezimeterwellen (UHF, ultra high frequency) verwendet, die sich lichtähnlich ausbreiten, weswegen Sendeantennen auf Bergen oder Türmen errichtet werden müssen. Empfang und Wiedergabe erfolgen im Fernsehempfänger (→Bildröhre). Während beim Schwarzweiß-F. das Bildsignal nur Helligkeitswerte überträgt, enthält es beim Farb-F. Helligkeits- und Farbinformationen. Die Farbsignale charakterisieren die roten, blauen und grünen Teilbilder, die in drei Fernsehaufnahmeröhren der Farbfernsehkamera erzeugt und zur Wiedergabe mit Farbfernsehröhren benötigt werden.

Fernsehen. Einschalt- und Sehdauer (in Minuten) **und tägliche Reichweite** (in %)

	Einschaltdauer	Sehdauer		Reichweite		
		Erwachsene	Kinder 3–13 Jahre	Haushalte	Erwachsene	Kinder 3–13 Jahre
Deutschland gesamt						
1993	286	176	94	88	72	60
1994	291	178	93	88	72	59
1995	297	186	95	88	72	60
Deutschland West						
1993	276	168	88	88	70	57
1994	281	170	89	88	70	58
1995	289	181	93	87	71	60
Deutschland Ost						
1993	325	209	112	91	78	67
1994	331	207	105	91	76	63
1995	331	207	101	90	75	61

Die Standardfernsehsysteme sind das **NTSC-** und das **PAL-System,** bei denen die Zuordnung von Farbsättigung und Farbton in zwei voneinander unabhängigen, aber zeitgleichen Größen (z.B. Betrag und Phase einer Schwingung) erfolgt, sowie das **SECAM-System,** bei dem die Übertragung dieser Größen nacheinander erfolgt. Bei den weiterentwickelten Fernsehsystemen stehen die Verbesserung der Wiedergabequalität durch größere Bildschärfe, kräftigere Farben, Flimmerfreiheit und CD-Qualität des Begleittons im Vordergrund. Das Bildformat wird dabei zu einem Breitwandformat mit einem Höhen-Breiten-Bildverhältnis von 9:16 (herkömmlich 3:4). Das **PALplus** (Breitwandverfahren) arbeitet noch mit einer Bildauflösung von 625 Zeilen, dennoch können Farb- und Helligkeitssignale exakter getrennt und somit Cross-Colour-Effekte (flimmernde Farbüberlagerung, regenbogenfarbige Moiréstörungen) vermieden werden. Ein Breitwandsystem der Zukunft ist das **HDTV** (Abk. für engl. High Definition Television). Dieses hochauflösende F. arbeitet mit 1250 Zeilen. Ein analoges HDTV-System ist das europ. **HD-MAC,** bei dem eine analoge Bild- und eine digitale Tonübertragung erfolgt. V.a. in den USA werden derzeit digitale HDTV-Systeme entwickelt (→digitales Fernsehen).

Stark ausgeprägt ist inzwischen das Kabel- und das Satellitenfernsehen. – Beim **Kabelfernsehen** (Abk. **CATV,** von engl. Cable Television) muss ein breitbandiges Kabelnetz zw. Fernsehstudios und dem Territorium vorhanden sein, wobei mehrere Fernsehprogramme übertragen und in Gemeinschaftsempfangsanlagen in die Frequenzbereiche der Fernsehempfänger umgesetzt werden. Über Breitbandkabel sind mehrere Dienste mittels Multiplextechnik empfangbar. Künstl. Erdsatelliten für den direkten Fernsehempfang (z.B. Astra, TDF) erhalten die auszustrahlenden Signale von Bodenstationen, haben hohe Sendeleistung und müssen gut ausgerichtete Antennen aufweisen; bevorzugt werden geostationäre Satelliten. Die (privaten) Empfänger benötigen Parabolempfangsantennen und ein Zusatzgerät, es ist aber auch ein Empfang über Kopfstationen und Kabelanschlüsse, über Bodenstationen und terrestr. Ausstrahlung möglich. In Dtl. verfügt knapp ein Drittel aller Fernsehhaushalte über Satellitendirektempfang, rd. zwei Fünftel über Kabelanschluss. 1996 gab es in Dtl. 32,6 Mio. angemeldete Fernsehgeräte.

In Ind., Wiss. u.a. erfolgt eine Fernsehbildübertragung (auf drahtgebundenem Weg), wenn die direkte Beobachtung erschwert (z.B. Flammenüberwachung), gefährlich (z.B. Kernstrahlung) oder unmöglich ist (z.B. kosm. Objekte in der Raumfahrt), mehrere entfernte Objekte zentral beobachtet (z.B. Verkehrsüberwachung) oder kleine Objekte einem großen Zuschauerkreis zugänglich gemacht werden müssen (z.B. Übertragung von Operationen in Hörsäle).

Technisch und publizistisch ist das F. eine Weiterentwicklung des Hörfunks. Unterschieden werden staatl., öffentlich-rechtl. und privatwirtsch. (kommerzielle) Systeme, wobei in den meisten Ländern Mischformen existieren, in Dtl. seit 1984 das duale Rundfunksystem aus öffentlich-rechtl. und privaten Sendern. Während erstere ihre Kosten größtenteils aus Rundfunkgebühren (1995: ARD rd. 5 Mrd. DM; ZDF 1,6 Mrd. DM) und zu einem geringen, seit 1989 stark zurückgegangenen Anteil aus Werbung bestreiten (1996: ARD 460 Mio. DM; ZDF 480 Mio. DM), finanzieren sich letztere ausschließlich aus Werbeeinnahmen (1996: z.B. RTL 3,25 Mrd. DM, SAT.1 2,5 Mrd. DM) oder aber, wie der 1991 gegründete Pay-TV-Sender »Premiere« und das 1996 gestartete digitale Programmpaket »DF1«, über Zuschauer-Abonnementengelte. Zu den öffentlich-rechtl. Sendeanstalten gehören die ARD mit ihren elf Landesrundfunkanstalten, die ein Erstes Fernsehprogramm und acht Dritte Programme veranstalten, das ZDF, die beiden Kulturprogramme ARTE und

Fernsehen: Modell des ersten in Deutschland hergestellten Bildempfängers mit braunscher Röhre (links) und Nipkow-Scheibe

3sat, der »Kinderkanal«, der Dokumentationskanal Phoenix sowie die Deutsche Welle. Empfangen werden können ferner (1996), größtenteils über Kabel oder Satellit (z.T. verschlüsselt), 26-28 Privatkanäle, darunter die Vollprogramme RTL, RTL2, SAT.1, PRO7, Kabel1 und VOX sowie die Spartenkanäle DSF, Eurosport (Sport), n-tv, CNN (Nachrichten), Nickelodeon (Kinder), tm3 (Frauen), MTV und Viva (Musik). Die öffentlich-rechtl. Sender unterliegen einem gesetzlich fixierten Programmauftrag, der sie zur Grundversorgung der Bev. mit Information, Bildung, Kultur und Unterhaltung verpflichtet; gewährleistet sein müssen ferner tatsächl. Erreichbarkeit, Meinungsvielfalt (Programmausgewogenheit) und Spartenvielfalt. Marktführer unter den Fernsehanstalten ist seit Jahren der Privatsender RTL (1996: 17% Zuschauermarktanteil), ARD und ZDF lagen 1996 mit einer Quote von 14,8 bzw. 14,4% vor SAT.1 (13,2%), darauf folgten die dritten Programme der ARD mit 10,1% und PRO7 mit 9,5% Marktanteil. Die Fernsehnutzung hat in Dtl. seit der Einführung des Kabel- und Satellitenfernsehens leicht zugenommen und liegt bei durchschnittlich 186 Minuten pro Tag. Über das Fernsehen werden, vor Hörfunk (75%) und Tageszeitung (65%), täglich 83% der Bev. ab 14 Jahren erreicht.

Rechtliches. →Rundfunk.

Geschichte. 1843 gab A. Bain das Prinzip der zeilenweisen Abtastung für elektrisch zu übertragende Bilder an. 1883 erfand P. Nipkow den mechan. Bildzerleger (Nipkow-Scheibe), der noch bis in die 30er-Jahre dieses Jh. verwendet wurde. Erst mit der Einführung des Röhrenverstärkers nach dem 1. Weltkrieg begann die eigentl. Entwicklung: 1924/25 erste prakt. Vorführungen in Dtl. (A. Karolus), Großbritannien (J. L. Baird) und den USA

(C. F. Jenkins). Ein tägl. Programm begann in der Bundesrep. Dtl. 1952 der NWDR, dem die weiteren Anstalten folgten. 1966/67 wurde das PAL-Farbfernsehsystem (von W. Bruch) eingeführt. Etwa seit 1990 werden die verbesserten Farbfernsehsysteme PALplus und HDTV eingeführt.

📖 *Internat. Handbuch für Hörfunk u. F., Ausg. 1992/93ff. Baden-Baden u. a. 1992ff.; jährl.; bis Ausg. 1990/91 u. d. T. Internat. Handbuch für Rundfunk u. Fernsehen. – Geschichte des F.s in der Bundesrep. Deutschland, hg. v.* H. Kreuzer *u.* C. W. Thomsen, *5 Bde. München 1993–94.* – Doh, M.: *10 Jahre Privatfernsehen. Gesellschaft, Fernsehlandschaft u. Medienpädagogik im Wandel. München 1994.* – Sichtermann, B.: *F. Berlin 1994.* – Buddemeier, H.: *Illusion u. Manipulation. Die Wirkung von Film u. F. auf Individuum u. Gesellschaft. Stuttgart* ^{2}*1996.* – Schönfelder, H.: *Fernsehtechnik im Wandel. Berlin u. a. 1996.*

Fernsehfilm, ein eigens für die Wiedergabe im Fernsehen hergestellter Dokumentar- oder Spielfilm; auch als Synonym für →Fernsehspiel gebräuchlich.

Fernsehnormen, die Vorschriften über die für eine Fernsehübertragung notwendigen Größen wie etwa Bildwechselzahl, Modulationsart oder Gleichlaufsignale. In den versch. Ländern gelten aus histor. Gründen heute noch versch. Normen. In Europa gibt es mehrere Normen, die zur Kurzbez. mit Großbuchstaben benannt werden. Sie geben u. a. Vorschriften über folgende Größen: Zeilenzahl je Bild (Z), Videobandbreite eines Fernsehkanals (VB), Bild-Ton-Träger-Abstand (BT), Modulationsart für Bild (BM) und Ton (TM), Leistungsverhältnis Bild-/Tonsender (LBT), Restseitenband (RB), Bandbreite eines Fernsehkanals (KB). Große Verbreitung haben z. Z. in Europa die CCIR-Norm und (v. a. in O-Europa) die OIRT-Norm. Nach dem Stockholmer Wellenplan (1952) sind für Fernsehen die Bänder I, III (VHF) sowie IV, V (UHF) vorgesehen. Band II ist dem UKW-Rundfunk vorbehalten.

Fernsehsatellit, als aktiver Sender oder Umsetzer wirkender →Nachrichtensatellit zur Übertragung von Fernsehprogrammen. Für die Übertragung der Programme zwischen zwei Endstellen sind seit 1962 Nachrichtensatelliten wie →INTELSAT im Einsatz. Für die direkte Ausstrahlung von Fernsehrundfunkprogrammen an eine Vielzahl von Empfängern ist der Einsatz von F. realisiert. Wegen des für diesen Zweck angewendeten Frequenzbereiches (GHZ) sind Spezialempfangseinrichtungen erforderlich.

Fernsehseri|e, vielteilige Sendung im Fernsehen; charakteristisch sind lose verbundene Handlungen und in einzelnen Folgen (Serien) wiederkehrende Figuren; Hauptformen sind Familien-F. (Soapopera) und »Krimi«-F., daneben das zur Serie erweiterte →Fernsehspiel.

Fernsehspiel, für das Fernsehen produziertes Stück. Unterschieden werden: das eigentl. F. als eine eigens für das Fernsehen entwickelte Spielform mit dafür konzipierten Stoffen; die F.-Adaption eines Theaterstücks, eines Hörspiels oder einer ep. Vorlage; der Fernsehfilm, das Livespiel; daneben das dokumentar. F. und das Informationen aufbereitende Fernsehfeature. – Dem theater- und literaturorientierten F. der 1950er-Jahre folgten historisch-polit. F. der 60er- und soziale Problem-/Themen-F. der 70er-Jahre, seitdem herrschen erzählende und psycholog. F. vor. Mehrteilige F. bilden den Übergang zur →Fernsehserie.

📖 Hickethier, K.: *Das F. der Bundesrepublik. Themen, Form, Struktur, Theorie u. Geschichte, 1951–1977. Stuttgart 1980.* – *Das Ende der Euphorie. Das deutsche F. nach der Einigung, hg. v.* K. Hickethier *u. a. Münster u. a. 1997.*

Fernsehtelefon, →Bildfernsprechen.

Fernsprechansagedienst, Einrichtung der Dt. Telekom AG zur Übermittlung von Nachrichten, Veranstaltungsterminen und Tipps, z. B. Straßenzustandsbericht, Zeitansage, Kino- und Theaterdienst, Wetterbericht.

Fernsprecher (Telefon), Endgerät zur Umwandlung akust. in elektr. Signale (Mikrofon) und umgekehrt (Fernhörer) für den fernmündl. Informationsaustausch. In einem Mikrofon werden die Schallwellen in Wechselstrom oder in pulsierenden Gleichstrom umgewandelt, der entweder über Leitungen zum Empfänger geführt wird oder die Trägerschwingung eines Senders moduliert. Auf der Empfangsseite werden die elektr. Signale im Fernhörer in Schallwellen zurückverwandelt.

Fernsprecher

Eine der Barrieren, die sich der Ausbreitung des Telefons entgegenstellte, war die Überbrückung großer Entfernungen. Dies gelang erstmals durch den Einsatz von zwischengeschalteten Verstärkerröhren. 1934 waren an einer Verbindung zwischen New York und San Francisco 200 Verstärkerröhren beteiligt. Bei transkontinentalen Ferngesprächen über Hohlleiter kam es später zu Verstärkungsfaktoren von 10^{3600} *(eine Eins mit 3 600 Nullen). Das dürfte die größte Zahl sein, die überhaupt von irgendeiner praktischen Bedeutung ist – wenn man bedenkt, dass das gesamte Universum nur die* 10^{79}*fache Masse des Kerns seines Wasserstoffatoms hat! Um sicherzustellen, dass das Resultat derartig großer Verstärkungen noch ein eindeutiges Abbild der ursprünglichen Sprachsignale ist, bedient man sich des technischen Kunstgriffs der Gegenkopplung. Dabei wird ein Teil der Ausgangsspannung eines Verstärkers rückgeführt und mit negativem Vorzeichen auf den Eingang geschaltet. Auf diese Weise bekommt der Verstärker gewissermaßen »Kenntnis« vom Ergebnis seiner Arbeit und Übersteuerungen korrigieren sich selbst – das Übertragungssystem wird stabiler.*

Mikrofon und Fernhörer sind im Handapparat (»Telefonhörer«) vereinigt. Der F. enhält außerdem die Wähltastatur (früher Wählscheibe), einen Wechselstromwecker und den Gabelumschalter. Bei der Tastenwahl werden beim Drücken einer Taste von einem Transistorgenerator jeweils zwei Tonfrequenzen (von acht möglichen) über die Leitung zur Vermittlungsstelle gesendet, wo eine Rückwandlung der Tonfrequenzsignale in Schaltimpulse stattfindet. Durch die Wähl- bzw. Schaltimpulse wird in der Vermittlungsstelle eine Verbindung hergestellt. Dabei wird zunächst von einem Wechselstromgenerator ein Rufwechselstrom (Frequenz 25 Hz) erzeugt, der im »angerufenen« F. über einen Kondensator durch den Wecker fließt und einen Klingelton erzeugt. Bei Abheben des Telefonhörers schließt der Gabelumschalter die Gleichstromschleife über das Mikrofon, worauf in der Vermittlungsstelle die Verbindung durchgeschaltet wird.

Im Fernsprechverkehr unterscheidet man zw. Sprechstellen desselben und verschiedener Ortsnetze. Im Ortsverkehr werden die Gespräche direkt übertragen, wozu jedes Gespräch eine Leitung erfordert. Im Fernverkehr werden mehrere Gespräche gleichzeitig übertragen. Bei diesem Trägerfrequenzverfahren werden die Sprachfrequenzen (300–3400 Hz) einer höheren Frequenz aufmoduliert. Über Sendefilter (Einseitenbandfilter) werden die Gespräche auf ein Koaxialkabel geschaltet und am anderen Ende durch Empfangsfilter wieder getrennt und demoduliert. Für den Sprechverkehr in Gegenrichtung muss ein zweites System bereitgestellt werden. Ferngespräche im Inlandsverkehr werden teilweise auch über Richtfunk, im Überseeverkehr über Kommunikationssatelliten (Frequenzbereich zwischen 2 und 12 GHz) übertragen. Als Übertragungsmedien werden zunehmend Glasfaserkabel (→Lichtleiter) anstelle von Kupferkabeln eingesetzt. Dies ermöglicht eine rein digitale Vermittlung und Übertragung sowie eine Analog-digital-Wandlung direkt beim Teilnehmer. Die Entwicklung der opt. Nachrichtentechnik ermöglicht hohe Übertragungsgeschwindigkeit und den Aufbau eines universellen Breitbandkommunikationssystems (z.B. ISDN). Über das Fernsprechnetz können außer Sprache auch Daten und Informationen übertragen werden. Die Digitaltechnik ermöglichte auch eine Ausweitung des Leistungsangebots. So sind z.B. das Anklopfen, Makeln, die Anrufweiterschaltung und die Dreierkonferenz möglich. Über genormte Schnittstellen können ISDN-F. (Computertelefone) unmittelbar mit Computern verknüpft werden (CIT, engl. **c**omputer **i**ntegrated **t**elephony, »rechnergestütztes Telefonieren«). Sie verfügen über ein integriertes Modem und einen Speicher. Mit CIT ist z.B. die Integration des Anrufbeantworters in den PC oder das Wählen von der Datenbank aus möglich.

Schnurlose F. bestehen aus einem an die Fernsprechleitung angeschlossenen Basisgerät und einem oder mehreren mobilen Handgeräten. Die Sendeleistung zw. Basis- und Handgerät beträgt 10 mW. Analoge Geräte arbeiten nach dem CT1+-Standard (Abk. von engl. **c**ordless **t**elephone), bei dem 80 Kanäle zur Verfügung stehen. Für digitale schnurlose Telefone wurde 1991 der CT2-Standard (40 Kanäle, bis zu acht Handgeräte) eingeführt. 1992 ist der DECT-Standard (Abk. von engl. **d**igital **e**uropean **c**ordless **t**elephone) für digitale Geräte eingeführt worden. Er bietet 120 Kanäle und ein Basisgerät kann bis zu zwölf Handgeräte bedienen. Bei der drahtlosen Fernsprechübermittlung (Funkfernsprechen, →Mobilfunk) werden elektromagnet. Wellen übertragen.

Geschichte: Nachdem es P. Reis 1859/60 gelungen war, die menschl. Sprache elektrisch zu übertragen, setzte die Fernsprechtechnik mit großem Aufschwung ein, nach der Erfindung des elektromagnet. Telefons durch G. Bell (1876) und des Kohlemikrofons durch T. A. Edison (1877) und D. E. Hughes (1878). 1889 schuf A. B. Strowger mit der Erfindung des Drehwählers die Selbstanschlusstechnik. Die Erfindung der Elektronenröhre und ihr prakt. Einsatz nach dem 1. Weltkrieg gaben den Anstoß zur Ausbildung der heutigen Übertragungstechnik. Am Aufbau des dt. Fernsprechwesens waren H. von Stephan und W. von Siemens führend beteiligt.

📖 KASZYNSKI, G. *u.* SCHÖNHOFF, J.: *Fernsprechendgeräte. Berlin 1991.* – VRIES, J. DE: *Telefon-, ISDN-Installationen. Installation von Endeinrichtungen für öffentl. Telekommunikationsnetze. Grundlagen, Recht, Praxis. Heidelberg 1996.*

Fernsprechgeheimnis, →Brief-, Post- und Fernmeldegeheimnis.

Fernsprechnotrufsäulen, jedermann gebührenfrei zugängl. Fernsprechstellen für Notrufe bei Überfall, Unfall, Panne u.a.; **Polizeirufsäulen** stellen auf Tastendruck eine Sofortverbindung mit automat. Standortmeldung zu einer Polizeidienststelle her. F. an Autobahnen stehen alle 2 km.

Fernsprechtarife, für die Bereitstellung und Nutzung von Fernsprecheinrichtungen erhobene Entgelte. F. sind nach Tageszeit und Entfernung gestaffelt. Mit der Beendigung des Sprachmonopols der Dt. Telekom AG Ende 1997 sind seit 1998 zahlr. private Anbieter mit einer Vielzahl unterschiedl. F. auf den Markt getreten. Sondertarife gibt es u.a. für Mobiltelefone und bestimmte Serviceangebote.

Fernsteuerung, →Fernlenkung, →Fernwirktechnik.

Fernsprecher: Entwicklung des Fernsprechers seit 1900

Fernstraßen, Hauptverbindungen der Straßennetze, die bed. Städte, Ind.zentren oder Ballungsräume verbinden; in der Bundesrep. Dtl. die →Bundesfernstraßen. (→Europastraßen)

Fernstudium, jedes durch Medien vermittelte Studium, z.B. durch Studienbriefe, Rundfunk (Funkkolleg) oder Fernsehen (Telekolleg). Studienbriefe erstellen in enger Kooperation mit den Rundfunkanstalten das »Dt. Institut für Fernstudien«, Tübingen, und die →Fernuniversität in Hagen.

Ferntrauung, im 2. Weltkrieg Eheschließung in Abwesenheit des Mannes; 1946 (brit. Besatzungszone 1949) abgeschafft.

Fernüberwachen, →Fernwirktechnik.

Fernuniversität, Bez. für eine Univ., die ihren Studienbetrieb ausschließlich als →Fernstudium organisiert; in Dtl. die F. – Gesamthochschule in Hagen, eröffnet 1975.

Fernunterricht, von privaten Fernlehrinstituten angebotener, meist berufl. Unterricht (auch Schulabschlüsse), der mittels Studienbriefen erfolgt. Die Fernlehrgänge führen zu internen Abschlussprüfungen oder bereiten auf öffentlichrechtl. Prüfungen vor. Zulassungen für Fernlehrgänge erteilen die Staatl. Zentralstelle für F. (Köln) und das Bundesinst. für Berufsbildung (Berlin).

Fernunterrichtsschutzgesetz, seit dem 1. 1. 1977 gültiges Gesetz zum Schutz der Teilnehmer am Fernunterricht. Derartige Lehrgänge unterliegen nach §§12ff. der behördl. Prüfung und Zulassung. Der Fernunterrichtsvertrag ist schriftlich abzuschließen; er muss Gegenstand, Ziel, Beginn und voraussichtl. Dauer des Lehrgangs sowie die Art des Lehrgangsabschlusses enthalten. Der Gesamtbetrag der Vergütung und die Kündigungsbedingungen sind zu nennen. Dem Teilnehmer steht ein schriftl. Widerrufsrecht innerhalb von zwei Wochen nach Eingang des ersten Lehrmaterials zu (§4). Die erstmalige Kündigung ist zum Ablauf des ersten Halbjahres nach Vertragsschluss möglich (§5).

Fernwärme (Fernwärmeversorgung), in einer zentralen Anlage (z.B. Kraftwerk, speziell Heizkraftwerk) erzeugte, in einem Rohrleitungssystem (F.-Netz) einer Vielzahl von Verbrauchern zur Heizung **(Fernheizung)** oder Warmwassererzeugung zugeleitete Wärme (Transportmedium zumeist Wasser von 140–160 °C und ca. 20 bar), wobei Transport- und Verbraucherleitungen über Wärmetauscher gekoppelt sind. Im Rahmen der →Kraft-Wärme-Kopplung stellt die F. den Versuch dar, die in der Elektrizitätserzeugung ansonsten als Abwärme anfallende Energie gezielt zu nutzen; auch industrielle Abwärme wird als F. genutzt.

Ferrara 2)
Stadtwappen

Fernwirktechnik, Teilgebiet der Nachrichtentechnik (neben Übertragungs-, Regelungs- und Steuerungstechnik), das sich mit Überwachen und Steuern räumlich entfernter Objekte mit signalumsetzenden Verfahren hoher Zuverlässigkeit befasst. Das **Fernüberwachen** bedeutet das Erfassen, Übertragen und Auswerten von »Überwachungsinformation« über den Zustand der Objekte, wobei man Fernmessen (Information ist »Messwert« mit mehr als zwei Zuständen) und Fernanzeigen (Information ist binäre »Meldung«) unterscheidet. Das **Fernsteuern** ist das Eingeben, Übertragen und Ausgeben von »Steuerinformation« zur Beeinflussung der Objekte, wobei man Ferneinstellen (Information ist »Stellwert« mit mehr als zwei Zuständen) und Fernschalten (Information ist binärer »Befehl«) unterscheidet.

Fernwirkanlagen umfassen die Gesamtheit der Stationen, Verbindungen und Warten für einen Funktionsablauf. Sie verwenden vorwiegend elektr. Signale als Träger der Information sowie die Methoden und Verkehrsarten der Nachrichtentechnik (z.B. Codierung, Modulation, Pulscodemodulation, Multiplexsysteme). – Anwendungsbeispiele: a) Meldung von Schaltzuständen, Erfassen von Messwerten und Zählerständen, Erteilen von Schaltbefehlen in der elektr. Energieversorgung, b) Erfassen der Betriebsdaten und Übertragen von Stell- und Steuerbefehlen bei Fernleitungen für Erdöl, Gas und Wasser, c) Verbinden von Stellwerken verschiedener Bahnhöfe mit zentralen Stellwerken im Schienenverkehr, d) Steuerung von Ampeln im Straßenverkehr, e) Überwachung und Steuerung im industriellen Bereich, bei chem. Prozessen und in gefährdeten (z.B. radioaktiven) Zonen, f) Lenken und Betreiben unbemannter Land-, Wasser-, Luft- und Raumfahrzeuge.

Fernwirkung, 1) *Parapsychologie:* →Telepathie, →Telekinese.

2) *Physik:* jede Kraftwirkung, die ohne die Vermittlung des dazwischen liegenden Raumes oder eines Zwischenmediums auftritt. Die **F.-Theorie** wurde seit der Mitte des 19. Jh. zugunsten der **Nahwirkungstheorie** (→Feldtheorie) aufgegeben, da die Annahme einer augenblicklichen (instantanen) F. der in der relativist. Physik postulierten endl. Ausbreitungsgeschwindigkeit von Wirkungen widerspricht.

Ferrara, 1) Provinz in der Emilia-Romagna, Italien, 2632 km^2, (1995) 356200 Einwohner.

2) Hptst. von 1), in der Poebene, 135600 Ew.; Erzbischofssitz; Univ. (gegr. 1391), Museen; Nahrungsmittel-, Textil-, petrochem. Ind., Düngemittelfabrik. – In der von einer Mauer umschlossenen Altstadt liegen das Castello Estense mit Wassergräben (Baubeginn 1385, 1570 erweitert), der roman.

Ferrara 2): Das im späten 14. Jh. mit insgesamt 4 Ecktürmen erbaute Castello Estense wurde 1570 noch erweitert

Dom (begonnen 1135; unvollendeter Campanile) und Adelspaläste, v.a. aus der Renaissance. – F. wurde gegen Ende des 10. Jh. vom Papst dem Markgrafen von Tuszien geschenkt und stand 1264–1598 als Herzogtum meist unter der Herrschaft der Este. Im 15./16. Jh. war es ein glanzvoller Mittelpunkt der italien. Renaissance (Ariosto, Tasso). – **Konzil von F.,** →Reformkonzilien.

Ferrari, 1) Enzo, italien. Automobilfabrikant, *Modena 20. 2. 1898, †ebd. 14. 8. 1988; baute seit 1943 Renn- und Sportwagen unter eigenem Namen.

2) [fɛra'ri], Luc, frz. Komponist, *Paris 5. 2. 1929; ging von der seriellen Musik aus und griff Elemente der Musique concrète auf; entwickelte eine von ihm als »anekdot.« Musik bezeichnete Tonbandmusik, in der er Naturgeräusche, Gespräche und eigene Musik mit Poesie verbindet.

Ferras [fɛ'ra:s], Christian, frz. Violinist, *Le Touquet-Paris-Plage (Dép. Pas-de-Calais) 17. 6. 1933, †Paris 15. 9. 1982; bed. Interpret v.a. klass. Violinkonzerte.

Ferrate [zu lat. ferrum »Eisen«], die Salze der Sauerstoffsäuren des Eisens.

Ferreira [fə'rrɛira], António, portugies. Dichter, *Lissabon 1528, †ebd. 29. 11. 1569; schuf neben F. de Sá de Miranda den klass. portugies. Stil; schrieb die erste portugies. Tragödie (»Tragédia ... de D. Inês de Castro«, um 1558, hg. 1587).

Ferreira de Vasconcelos [fə'rrɛira ðə vaʃkõ'sɛluʃ], Jorge, portugies. Dichter, *Lissabon um 1515, †ebd. um 1585; schrieb u.a. die Prosakomödie »Eufrósina« (1555), ein breit ausgeführtes Sitten- und Charaktergemälde der Zeit.

Ferret, Val [val fɛ'rɛ], Name zweier Alpentäler am O-Hang des Montblancmassivs, die vom Col Ferret (2537 m ü.M.) ausgehen; das schweizer. Val F. (Kt. Wallis) führt als linkes Seitental des Val d'Entremont nach N (bis Orsières), durchflossen von der **Drance de Ferret;** das italien. Val F. mit der **Doire de Ferret,** einem Quellfluss der Dora Baltea, führt nach SW (bis Entrèves) zum Aostatal.

Ferri, Enrico, italien. Kriminologe, Rechtsphilosoph und Politiker, *San Benedetto Po (bei Mantua) 25. 2. 1856, †Rom 12. 4. 1929; führte die von C. Lombroso begründete »positivist.« Schule der Kriminologie fort, betonte bes. die sozialen Ursachen von Verbrechen; hatte maßgebl. Anteil am italien. StGB (1921). F. war sozialist. Abg. (1886–1919), trat 1926 zum Faschismus über.

Ferri... [zu lat. ferrum »Eisen«], veraltet für Verbindungen des 3-wertigen Eisens, heutige Bez.: Eisen(III)-Verbindungen.

Ferrière [fɛr'jɛ:r], Adolphe, schweizer. Pädagoge, *Genf 30. 8. 1879, †ebd. 16. 6. 1960; setzte sich für die Selbsttätigkeit des Schülers in einer »École active« ein; gründete 1921 mit E. Rotten den New Education Fellowship (seit 1927 Weltbund der Erneuerung der Erziehung).

Ferrimagnetismus, Sonderform des →Antiferromagnetismus; in ferrimagnetischen Stoffen (z.B. →Ferrit, Spinell) sind die magnet. Momente antiparallel ausgerichtet und kompensieren sich in ihrer Wirkung teilweise, sodass nach außen eine geringe ferromagnet. Wirkung auftritt.

Ferrit, *der,* Gefügeart in Eisenlegierungen, die unterhalb von 911 °C beständig ist und aus kubisch-raumzentrierten Kristallen des α-Eisens besteht.

Ferritin *das,* Eisen-Eiweiß-Verbindung (bis 25 % Eisen), das der Eisenspeicherung im Organismus dient und für die Regulierung der Resorption des Eisens von Bedeutung ist; kommt in der Dünndarmschleimhaut und v.a. in der Leber vor.

ferritischer Stahl, Stahl, der zum größten Teil aus →Ferrit besteht; hat zumeist einen Kohlenstoffgehalt von weniger als 1 % und wird u.a. mit Chrom, Nickel, Silicium, Aluminium, Magnesium für technische Zwecke legiert. Je nach Kristallstruktur unterscheidet man hart- und weichmagnet. f.S.; hartmagnet. f.S werden als Dauermagneten eingesetzt, weichmagnet., die bei Einwirkung

Enzo Ferrari

Luc Ferrari

Christian Ferras

Enzo Ferrari

Zu Anfang der 1920er-Jahre war Ferrari ein recht bekannter Rennfahrer. Als er im Juni 1923 mit einem Alfa Romeo ein Rennen in Ravenna gewonnen hatte und begeistert gefeiert wurde, kamen die Eltern von Francesco Baracca zu ihm. Baracca war im 1. Weltkrieg der Richthofen Italiens gewesen – der erfolgreichste Jagdflieger und eine Art Nationalheld. Die Eltern Baraccas übergaben damals in Ravenna dem jungen Ferrari das Zeichen, das der Flieger bei allen seinen Luftkämpfen als Talisman mit sich geführt hatte: ein springendes Pferd auf gelbem Grund. Baraccas Flugzeug war immer mit diesem springenden Pferd bemalt gewesen. Jetzt sollte dieser Talisman dem jungen Ferrari Glück bringen. So entstand das Ferrari-Zeichen, das später weltbekannt wurde.

äußerer magnet. Felder ferromagnet. Eigenschaften zeigen und nach deren Entfernung schnell wieder in den unmagnet. Zustand übergehen, werden z.B. in der Hochfrequenztechnik eingesetzt.

Ferro, früherer Name der Kanarischen Insel →Hierro.

Ferro... [zu lat. ferrum »Eisen«], veraltet für Verbindungen des 2-wertigen Eisens; heutige Bez.: Eisen(II)-Verbindungen.

ferro|elektrischer Wandler, Gerät zur Direktumwandlung von Wärme in elektr. Energie durch Ausnutzung der Temperaturabhängigkeit der Kapazität eines Kondensators aus ferroelektr. Material, z.B. Bariumtitanat.

Jules Ferry

Ferro|elektrizität, Erscheinung, die bei gewissen pyroelektr. Substanzen, den **Ferroelektrika,** auftritt. Pyroelektr. Kristalle zeigen spontane elektr. Polarisation, d.h., sie sind bereits ohne ein angelegtes elektr. Feld polarisiert. In einem Ferroelektrikum kann die Richtung der spontanen Polarisation durch ein genügend starkes äußeres elektr. Feld in die Gegenrichtung umgeklappt werden. Die phänomenologisch-makroskop. Beschreibung der F. steht in Analogie zu der des Ferromagnetismus, es treten Domänen (Bereiche mit homogener Polarisation) auf. Beim Erhöhen der elektr. Feldstärke wächst die Polarisation nur bis zu einem bestimmten Wert (ferroelektr. Sättigung); die Polarisation durchläuft in Abhängigkeit von der elektr. Feldstärke eine Hysteresekurve. – Atomistisch wird die spontane Polarisation durch Ionenverschiebung im Kristallgitter verursacht.

Ferrofluid, die →magnetische Flüssigkeit.

Ferrolegierungen, Legierungen des Eisens mit relativ hohen Anteilen anderer Metalle oder

Heinrich von Ferstel: Votivkirche in Wien im Stil der französischen Gotik (1856–79)

Nichtmetalle, z.B. Ferromangan (bis 95% Mangan), Ferrochrom (bis 75% Chrom).

Ferrol (zeitweise El F. del Caudillo), Stadt an der galic. NW-Küste Spaniens, Prov. La Coruña, in einer geschützten Ria des Atlantik; 86300 Ew.; Werften, Docks, Gießereien, Fischerei und Fischkonservenind.; bed. Kriegshafen.

Ferromagnetismus, bereits im Altertum bekannte Erscheinungsform des Magnetismus, die sich in einer spontanen Magnetisierung bestimmter kristalliner Festkörper **(Ferromagnetika)** äußert. Zu ihnen gehören die Elemente Eisen, Nickel und Kobalt sowie Legierungen, deren Komponenten z.T. oder alle **(Heusler-Legierung)** nicht ferromagnetisch sind. Im Magnetfeld haben die Ferromagnetika eine um einige Tausend Mal größere Magnetisierung als para- oder diamagnet. Stoffe. Sie nimmt mit zunehmender Temperatur ab und verschwindet bei einer für den Stoff charakterist. Temperatur, der Curie-Temperatur, oberhalb derer die Substanz nur noch paramagnetisch ist. Die →Permeabilität ist bei Ferromagnetika keine Materialkonstante, sondern hängt in komplizierter Weise vom äußeren Magnetfeld ab (→Hysterese) und erreicht einen Sättigungswert. Ferromagnet. Stoffe können nach außen unmagnetisch wirken, da sich viele spontan magnetisierte, durch Bloch-Wände getrennte homogene Bereiche (Domänen), die Weiss-Bezirke, bilden, deren Magnetisierung sich gegenseitig aufheben kann. – Der F. wird durch die magnet. Momente der Elektronenspins hervorgerufen.

Ferrum [lat.] *das,* →Eisen.

Ferry [fɛ'ri], Jules, frz. Politiker, *Saint-Dié (Dép. Vosges) 5. 4. 1832, †Paris 17. 3. 1893; Linksrepublikaner, Abg. seit 1869; bekämpfte als Unterrichtsmin. (1879–83, mit Unterbrechungen) den Einfluss der geistl. Orden im Schulwesen. Als MinPräs. (1880–81 und 1883–85) betrieb er die Ausdehnung des frz. Kolonialreichs (Tunis, Madagaskar, Tongking).

Ferse, hinterer Teil des menschl. Fußes. Die knöcherne Grundlage bildet das **Fersenbein** (Calcaneus), der größte Fußwurzelknochen.

Fersensporn (Kalkaneussporn), dornartiger Auswuchs am Fersenbein im Bereich einstrahlender Sehnen (Achillessehne, Fußsohlenband); Folge von Überlastung.

Ferstel, Heinrich Freiherr von (seit 1879), österr. Baumeister, *Wien 7. 7. 1828, †Grinzing (heute zu Wien) 14. 7. 1883; war maßgebend am Ausbau Wiens beteiligt (v.a. Bauten der Ringstraße), im Stil der frz. Gotik entstand die Votivkirche (1856–79), im Neurenaissancestil das Museum für angewandte Kunst (1868–71).

Fertigbau (Fertigteilbau), Bauwerk, das auf der Baustelle unter Verwendung vorgefertigter Bauelemente, wie Decken- und Wandplatten, Trägern, Platten und Bindern bei Gebäuden, Fahrbahnplatten und Trägerteilen bei Brücken, zum Gesamtbauwerk zusammengefügt (montiert) wird **(Montagebau).** – Beim F. des Hochbaus **(Fertighaus)** werden die geschosshohen vorgefertigten Elemente **(Fertigbauteile, Fertigteile)** aus Beton, Holz, Kunststoffen u.a. in Fabriken serienmäßig hergestellt. Als Vorteile des F. gegenüber konventionellen Baumethoden gelten v.a. kürzere Bauzeit und niedrigere Kosten.

Fertigung, alle techn. Maßnahmen zur Herstellung von Erzeugnissen. Nach der Zahl gleichartig hergestellter Erzeugnisse unterscheidet man die Prozesstypen **Einzel-F., Sorten-F., Serien-F.** und **Massen-F.,** woraus sich das anzuwendende →Fertigungsverfahren ergibt. Dies hängt stets mit den Organisationstypen der F. zusammen, z.B. die Fließ-F. mit der Serien- und Massen-F. Der F.-Plan ist Grundlage der F.-Kalkulation, in der die planmäßigen Herstellungskosten ermittelt werden.

Fertigungsstraße, Form der Fertigung unter Verwendung von Fließbändern, an denen im Zeittakt verschiedene Fertigungsschritte hintereinander ausgeführt werden, z.B. bei der Montage von Kraftfahrzeugen.

Fertigungstechnik, Teil der industriellen Produktionstechnik, der sich mit der Herstellung geometrisch bestimmter Körper und ihrer Zusammensetzung zu Produkten beschäftigt. Hierzu werden versch. Fertigungsverfahren eingesetzt, deren Wesen darin besteht, Werkstoffe mit Werkzeugen oder Werkzeugmaschinen von einem Rohzustand in ein Zwischen- oder gebrauchsfähiges Endprodukt zu überführen. Ziel ist neben steigender Mengenleistung bei verbesserter Genauigkeit auch die Anpassung der Fertigungseinrichtungen an neue arbeitsphysiolog. Anforderungen.

📖 WARNECKE, H. J.: *Einführung in die F.* Stuttgart [2]1993.

Fertigungsverfahren, alle Verfahren, die in der Fertigungstechnik zur Herstellung oder Veränderung von Werkstücken zur Verfügung stehen. Die Wahl des anzuwendenden F. hängt von der vorgegebenen Werkstückform mit den Abmessungen, Maßtoleranzen, Oberflächengüten sowie von betriebl. Gegebenheiten ab. Es werden unterschieden: 1) **Urformen** wie Gießen, Pressen, Sintern; 2) **Umformen** wie Schmieden, Ziehen, Biegen; 3) **Trennen** mit den Untergruppen Zerteilen (z.B. Abschneiden), Spanen (z.B. Drehen, Bohren, Fräsen, Schleifen), Abtragen (z.B. Elysieren, Ätzen, Erodieren), Zerlegen, Reinigen und Evakuieren; 4) **Fügen** wie Nieten, Schweißen, Kleben; 5) **Beschichten** wie Aufdampfen, Anstreichen, Galvanisieren; 6) **Stoffeigenschaft Ändern** wie Härten, Entkohlen, Nitrieren.

Fertőd: Blick auf den Innenhof des 1760–69 erbauten Barockschlosses der Fürsten Esterházy

Fertilität [lat.], →Fruchtbarkeit; Ggs.: Infertilität.

Fertőd (bis 1950 Eszterháza), Ort in W-Ungarn, südlich des Neusiedler Sees, rd. 3000 Ew.; prachtvolles Barockschloss, 1760–69 unter Fürst N. Esterházy erbaut; heute z.T. Museum. Hier wirkte 1761–90 J. Haydn als Hofmusiker.

Fertő-tó ['fɛrtø:to:], ungar. Name des →Neusiedler Sees.

Ferula [lat.] *die,* Kreuzstab der Päpste, nur noch bei besonderen liturg. Handlungen in Gebrauch.

fes *das, Musik:* Halbton unter f (f mit ♭).

Fes [türk., nach der Stadt Fès] *der* (Fez, Tarbusch), die früher im Orient und auf dem Balkan weit verbreitete rotwollene, kegelförmige Mütze mit flachem Deckel und blauer, schwarzer oder goldener Quaste; bis 1926 in der Türkei, bis 1953 in Ägypten getragen; heute nur noch in Trachten auf dem Balkan.

Fès [fɛs, frz.] (Fez), Provinz-Hptst. im nördl. Marokko, im Vorland des Mittleren Atlas, 562000 Ew.; ein kulturelles und religiöses Zentrum des Landes, Handelsstadt für die Agrarprodukte des fruchtbaren Sebou-Tales; Sitz einer islam. Univ. (gegr. 859) und einer weiteren Univ. (gegr. 1973) sowie geistl. islam. Schulen; bed. Handel und altes Gewerbe (Leder-, Seiden-, Mosaikarbeiten, Färberei); Verkehrsknotenpunkt, internat. Flughafen; Fremdenverkehr. – F. wurde 788/89 und 808 als Doppelstadt gegründet (Residenzen der Idrisiden). Beide Stadtteile wurden im 11. Jh. durch die Almoraviden durch eine Mauer zusammengeschlossen; Blütezeiten im 11./12. Jh., im 13./14. Jh. (1276 Gründung von F. el-Djedid) sowie im 18./19. Jh.; 1911–56 frz. Protektorat. – Die Altstadt

F. el-Bali, eine der am besten erhaltenen mittelalterl. islam. Städte, mit prachtvollen Moscheen, wurde von der UNESCO zum Weltkulturerbe erklärt.

Fessan *der* (Fezan, italien. Fezzan), Wüstenlandschaft in der nördl. Sahara, im SW Libyens; den größten Teil nehmen zwei mit Dünenfeldern bedeckte Becken ein: die Edeien von Ubari im N und die Edeien von Mursuk im S; ferner vulkan. Gebirgsmassive und ausgetrocknete Salzseen. Nur etwa 2% des F. können als Kulturland (Oasen) genutzt werden. Die Bev., v.a. Tuareg und Tubu, lebt in den Oasensiedlungen Mursuk und Sebha oder als Nomaden. – Im äußersten SW zeugen zahlr. Felsgravierungen von einer frühen Jägerkultur. Im 1. Jt. v. Chr. errichteten die Garamanten im F. ein Reich mit der Hauptstadt Garama (Ruinen nur z.T. ausgegraben).

Fessel, *Anatomie:* 1) Teil des Huftierfußes; liegt im Bereich des obersten Zehengelenkes und des ersten Zehengliedes (F.-Bein); 2) beim Menschen der Übergang von der Wade zur Knöchelregion.

Fesselballon: Sperrballon

Fesselballon, durch ein Seil (F.-Seil) über einem festen Ort gehaltener Ballon; entweder kugelförmig oder von lang gestreckter Form mit Stabilisierungsflächen am Heck (Drachenballon). Heute fast nur noch als Instrumententräger für meteorolog. Untersuchungen der unteren Luftschichten oder für Zwecke der Luftwerbung verwendet; früher im Krieg zur Beobachtung der Kampffront und des Artilleriefeuers, als unbemannte Sperrballone zur Sicherung gegen Flugzeugangriffe.

Fesselflug, Flug eines Flugmodells, das durch eine Leine (F.-Leine) zu einem Kreisbahnflug gezwungen wird.

Fesselung, im Strafverfahren zulässige Einschränkung der Bewegungsfreiheit (§ 119 Abs. 5 StPO), wenn die Gefahr besteht, dass der Verhaftete Gewalt anwendet, Widerstand leistet, zu fliehen versucht sowie Selbstmord oder Selbstschädigung begeht. Bei der Hauptverhandlung sollte der Verhaftete ungefesselt sein.

Fest [zu lat. festus »feierlich«], seiner Sinngebung nach eine religiöse Feier; unterlag weitgehender Säkularisierung, enthielt jedoch von Anfang an profane Elemente, war z.B. mit Märkten verbunden (→Volksfeste); integraler Bestandteil der Alltagskultur. Anlass religiöser F. sind zunächst die großen Einschnitte des menschl. Lebens: Geburt, Pubertät, Hochzeit und Tod. In Jägerkulturen veranlassen Beginn und Abschluss der Jagd große Feste. Die Haupt-F. bäuerl. Kulturen richten sich nach dem Vegetationsrhythmus und haben damit als Termine Aussaat und Ernte. Das höf. F., v.a. im Barock, hervorgegangen aus den F. der Patrizier im Spät-MA. und der frühen Neuzeit, war Staatsaktion und Demonstration der Größe des Veranstalters. Im 19. Jh. verbreiteten Schützen-, Turn- und Sänger-F. häufig liberal-bürgerl. Gedankengut. Im 20. Jh. werden F. vielfach vom Marketing überformt. (→Festtage)

📖 *Das F. Eine Kulturgeschichte von der Antike bis zur Gegenwart, hg. v.* UWE SCHULTZ. *München 1988.* – ALEWYN, R.: *Das große Welttheater. Die Epoche der höfischen F.e. München ^{2}1985, Nachdr. 1989. – F.e u. Feiern im Mittelalter, hg. v.* D. ALTENBURG *u. a. Sigmaringen 1991. – Bürgerl. F.e, hg. v.* M. HETTLING *u.* P. NOLTE. *Göttingen 1993.*

Fest, Joachim, Publizist, Berlin 8. 12. 1926; seit 1973 Mitherausgeber der »Frankfurter Allg. Zeitung«, bearbeitet v.a. zeitgeschichtl. Themen (»Hitler – eine Biographie«, 1973; Mithg. der »Gesch. der Bundesrep. Dtl.«, 5 Bde., 1981–85; »Die schwierige Freiheit«, 1993; »Staatsstreich. Der lange Weg zum 20. Juli«, 1994).

Festgeld (feste Gelder), Einlagen bei Kreditinstituten, →Termineinlagen.

Festigkeit, *Werkstoffkunde:* Widerstand, den ein fester Körper den auf ihn wirkenden Kräften gegen Verformung und Bruch entgegensetzt. Als Maß für die F. wird die Kraft, bezogen auf den Querschnitt, angegeben, die für die Formänderung notwendig ist (Einheit: $N/mm^2 = MPa$). Man unterscheidet nach dem zeitl. Verlauf der Belastungsart die **stat. F.** (allmähl. Belastungssteigerung bis zu einer Höchstbelastung) und die **dynam. F.** (schlagartige [bezüglich Schlag-F.] oder schwingende Beanspruchung), nach der Krafteinwirkung die Zug-, Druck-, Schub-, Biege- und Torsions-F. sowie die →Dauerfestigkeit.

Festival [frz. -'val; engl. 'festɪvəl] *das,* →Festspiel.

Festkommadarstellung, →Festpunktdarstellung.

Festkörper, Stoffe im festen Aggregatzustand. Sie besitzen ein definiertes Volumen und eine definierte Form, deren Änderung sie einen großen Widerstand entgegensetzen, da die durch die versch. Arten der →chemischen Bindung räumlich fixierten Bausteine (Atome, Moleküle oder Ionen) ihre feste Anordnung zu halten suchen. Vom F. zu unterscheiden ist der starre Körper, der in der Mechanik eine besondere Rolle spielt, wenn von den elast. Eigenschaften (→Elastizität) der F. abgesehen wird.

Nach der Art der Ordnung der Bausteine unterscheidet man **kristalline** und **amorphe (nichtkristalline) F.** In den kristallinen F. sind die Atome in einer regelmäßigen Gitterstruktur (→Kristall) angeordnet, wobei die Realkristalle in ihrer Struktur infolge Fehlordnungen und Gitterschwingungen versch. stark von der der Idealkristalle abweichen. Viele physikal. Eigenschaften kristalliner F., v.a. die unterschiedl. elektr. Leitfähigkeit von Metallen, Halbleitern und Isolatoren, lassen sich nur quantentheoretisch (→Energiebändermodell) erklären. Amorphe Stoffe (z.B. Glas, Teer, Siegellack) weisen eine regellose statist. Verteilung der Atome und Moleküle auf (Nahordnung); sie können als Flüssigkeiten mit extrem hoher Zähigkeit **(unterkühlte Flüssigkeiten)** aufgefasst werden. Durch die im Vergleich zu den Kristallen schwächeren Bindungskräfte sind amorphe Stoffe leichter verformbar. Während die kristallinen F. einen definierten Schmelzpunkt besitzen, erweichen amorphe F. bei Temperaturanstieg allmählich und gehen erst in den zäh-, dann in den dünnflüssigen Zustand über. Sie lassen sich z.B. durch schnelles Abkühlen von Schmelzen (→metallische Gläser) herstellen. – Zu den besonderen physikal. Phänomenen von F. gehören der →Ferromagnetismus und die →Supraleitung.

📖 *Lehrbuch der Experimentalphysik, begr. v.* L. BERGMANN *u.* C. SCHAEFER, *Bd. 6: F., hg. v.* W. RAITH. *Berlin u.a. 1992.*

Festkörperchemie, Teilgebiet der anorgan. Chemie, das sich mit der Darstellung (→Kristallzüchtung, →Epitaxie) und Untersuchung fester Stoffe beschäftigt, deren chem. und physikal. Eigenschaften stark durch die period. Anordnung der Bausteine in einem ausgedehnten Kristallgitter bestimmt werden.

📖 WEST, A. R.: *Grundlagen der F. A. d. Engl. Weinheim u.a. 1992.*

Festkörperphysik, Teilgebiet der Physik, das sich mit den physikal. Eigenschaften fester Körper und der theoret. Deutung dieser Eigenschaften befasst. Die F. beschäftigt sich bes. mit kristallisierter Materie und geht in ihren Untersuchungen u.a. von der räumlich-period. Anordnung der Gitterbausteine, den elementaren Anregungszuständen und Wechselwirkungen in den Festkörpern aus. Die F. hat wesentl. Erkenntnisse für die techn. Nutzung geliefert. Wichtige Spezialgebiete sind die →Halbleiterphysik, →Oberflächenphysik und die Untersuchung der →Supraleitung.

📖 KITTEL, C.: *Einführung in die F. A. d. Amerikan. München u.a. [10]1993, Nachdr. 1996.* – CHRISTMAN, J. R.: *F. Die Grundlagen. A. d. Engl. München u.a. [2]1995.*

Festkörperschaltung, monolith. →integrierte Schaltung.

Festlandsockel, der →Schelf.

Festmeter, Einheitenzeichen **Fm** oder **fm,** *Forstwirtschaft:* gebräuchl., aber nicht gesetzl. Rechnungs- und Buchungseinheit, entspricht 1 m^3 fester Holzmasse ohne die Zwischenräume der Schichtung; bes. zur Messung von Langnutzhölzern. (→Raummeter)

Joachim Fest

Festnahme, die aufgrund eines richterl. Haft- (Verhaftung) oder Unterbringungsbefehls (→Unterbringung) erfolgende Freiheitsentziehung (§§ 112 ff. StPO). Die **vorläufige F.** ist die ohne richterl. Haftbefehl vorgenommene vorläufige Freiheitsentziehung. Berechtigt zur vorläufigen F. sind Staatsanwaltschaft und Polizei, wenn die Voraussetzungen eines Haft- und Unterbringungsbefehls vorliegen und Gefahr im Verzug ist, d.h. wenn der richterl. Befehl sonst nicht rechtzeitig erwirkt oder vollstreckt werden könnte, ferner jedermann, wenn der Täter auf frischer Tat ertappt wird und fluchtverdächtig ist oder seine Personalien nicht festgestellt werden können. Der Festgenommene ist spätestens am Tage nach der F. dem Amtsrichter vorzuführen (§§ 127, 128 StPO). Dieser muss den Festgenommenen auf seine Rechte (bes. sein Aussageverweigerungsrecht) hinweisen, ihn vernehmen und daraufhin entweder einen Haft- oder Unterbringungsbefehl erlassen oder die Freilassung anordnen. Das Recht zur F. steht auch dem Gläubiger bürgerlich-rechtl. Ansprüche als Selbsthilfe gegen den fluchtverdächtigen Schuldner zu, wenn amtl. Hilfe nicht zur Stelle ist (§ 229f. BGB, §§ 918, 933 ZPO). Allgemein gilt, dass zur Durchsetzung der F. auch Gewalt angewendet werden kann, sofern die Verhältnismäßigkeit gewahrt bleibt. – Ähnl. Regelungen gelten in *Österreich* (§§ 177 ff. StPO, vorläufige Verwahrung) und in der *Schweiz* (Art. 62, 63 des Ges. über die Bundesstrafrechtspflege).

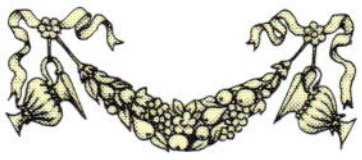

Feston 1)

Feston [fɛs'tɔ̃, frz.] *das,* **1)** *Kunst:* Schmuckmotiv in Form eines Gehänges aus Bändern, Blumen, Früchten und Laubwerk; seit der Antike in Baukunst, Kunstgewerbe und Malerei beliebt.

2) *Stickerei:* Randbegrenzung der Weißstickerei in Bogen oder Zacken.

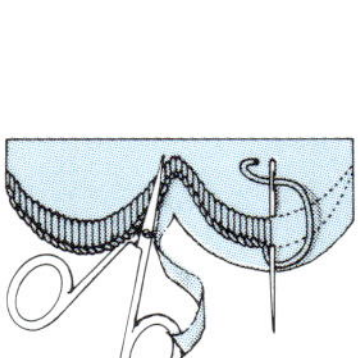

Feston 2)

Festplatte, ein →Magnetspeicher, der fest in einen Computer eingebaut ist. F. zeichnen sich durch schnelle Zugriffszeiten und hohe Speicherkapazität aus.

Festpreis, staatlich festgelegter oder vertraglich vereinbarter Preis, der über oder unter dem jeweiligen Marktpreis liegt. (→Richtpreis)

Festpunkt (Fixpunkt), **1)** *Physik:* Bezugspunkt für eine Temperaturskala, z. B. Siede- oder Gefrierpunkt des Wassers.

2) *Vermessungstechnik:* ein Punkt im Gelände, der genau eingemessen und gekennzeichnet ist.

20,85 →	2 085
3,5 →	0 350
24,35 ←	2 435

Festpunktdarstellung

Festpunktdarstellung (Festkommadarstellung), *Informatik:* Darstellung von Zahlen (Festpunkt-, Festkommazahlen) durch Ziffernfolgen in einem Stellenwertsystem, für die die Position des Kommas bzw. Punktes in der Programmdeklaration festgelegt wird. Der Rechner behandelt Festpunktzahlen als reine Ziffernfolgen, erst im Resultat wird der Stellenwert wieder eingesetzt. Rechenoperationen in F. können wesentlich schneller ausgeführt werden als in Gleitkommadarstellung, das Resultat kann jedoch leicht ungenau sein.

Festspeicher, der →Festwertspeicher.

Festspiel, 1) (Festival) Aufführung von Dramen, Opern, Musikwerken bei festl. Anlass oder im Rahmen von periodisch wiederkehrenden festl. Tagen oder Wochen: F. in Salzburg, Bayreuth, München, Edinburgh u. a.; **Film-F.** u. a. in Cannes, Venedig, Berlin.

2) das zu einem festl. Anlass verfasste Theaterstück selbst; als dramat. Gattung v. a. in der Renaissance und im Barock von Bedeutung.

Feststellungsklage, eine Klageart vor den Zivil-, Arbeits-, Verwaltungs- und Finanzgerichten; sie ist auf Feststellung des Bestehens **(positive F.)** oder Nichtbestehens **(negative F.)** eines Rechtsverhältnisses, der Echtheit oder Unechtheit einer Urkunde oder der Nichtigkeit eines Verwaltungsaktes gerichtet. F. sind subsidiär, d. h. sie sind unzulässig, wenn mit einer Leistungsklage das gleiche Ziel erreicht werden kann.

Festtage, regelmäßig wiederkehrende Feiertage. F. gliedern den Jahres- und Lebenslauf; sie markieren Höhepunkte im Leben des Einzelnen und der Gemeinschaft. Staaten gedenken an Nationalfeiertagen herausragender Ereignisse ihrer Geschichte; alle Religionen kennen regelmäßig wiederkehrende Festtage. – Die ältesten *christl. F.* sind der Sonntag, Ostern und Pfingsten; es folgen als weitere wichtige F. Epiphanias, Weihnachten und Himmelfahrt. Die wichtigsten *jüd. F.* sind neben den beiden Hauptfesten Neujahr und großem Versöhnungstag (Jom Kippur) die drei Wallfahrtsfeste Passah, Schawuot und das Laubhüttenfest. Heiliger Wochentag ist der Sonnabend (Sabbat). Der *Islam* kennt als Hauptfeste das »Fest des Fastenbrechens« (kleiner Bairam) und das »Opferfest« (großer Bairam). Heiliger Wochentag ist der Freitag.

📖 *Religiöse Feste der Juden, Christen u. Moslems. Daten u. Erläuterungen, hg. v.* F. THIELE. *Konstanz* [4]*1990.* – KIRSTE, R. *u. a.: Die Feste der Religionen. Ein interreligiöser Kalender mit einer synopt. Übersicht. Gütersloh 1995.*

Festung, ständig befestigte Anlage zur Sicherung eines strategisch wichtigen Geländeabschnitts oder wichtiger Verkehrsverbindungen. –Mit der Einführung von Feuerwaffen erwies sich die Anlage von Erdwällen mit Brustwehren und von vorn halbrunden Bastionen, die weit in die Gräben vorsprangen, um sie flankierend unter Feuer nehmen zu können, anstelle von Burgmauern und -türmen als zweckmäßig. Der bastionierte Grundriss rund um eine Stadt bestimmte den F.-Bau vom 16. Jh. bis in die 1. Hälfte des 18. Jh., der bedeutendste F.-Baumeister um 1700 war der frz. Marschall S. le Prestre de Vauban. Es folgte im 18./19. Jh. der sternförmige Grundriss mit langen Wällen und abwechselnd ein- und ausspringenden Winkeln. In der 2. Hälfte des 19. Jh. zwang die gesteigerte Leistungsfähigkeit der Artillerie (v. a. durch die gezogenen Geschützrohre) zur Ausweitung und zum weiteren Ausbau der F.-Bauten. Die vor der Kernumwallung liegenden Stützpunkte wurden um mehrere hundert Meter vorgeschoben, um die gegner. Artillerie auf Distanz zum F.-Kern zu halten. Es entwickelte sich die **Fort-F.,** in der die Verteidigung sich von der Kernumwallung auf den Ring der bald kilometerweit vorgeschobenen Außenwerke (Forts und kleinere Zwischenwerke) verlagerte. Beispiele für diese großräumigen F. sind Metz und Paris sowie die im 1. Weltkrieg z. T. heftig umkämpften Städte Lüttich, Antwerpen und Verdun. Zw. den beiden Weltkriegen entstanden ausgedehnte, durchgehende Befestigungsfronten mit stark betonierten, teilweise unterird. Anlagen, versenkbaren Geschütztürmen und Panzersperren (Maginotlinie, Westwall, Atlantikwall).

📖 *Glossarium artis, hg. v.* R. HUBER *u.* R. RIETH, *Bd. 7: F.en. Tübingen u. a.* [2]*1990.* – MEYER, WERNER: *Dt. Burgen, Schlösser u. F.en. Neuausg. Bindlach 1994.* – NEUMANN, H.: *Festungsbaukunst u. Festungsbautechnik. Dt. Wehrbauarchitektur vom XV. bis XX. Jh. Bonn* [2]*1994.*

Festungshaft, früher eine nicht entehrende Freiheitsstrafe (custodia honesta) bei Zweikampf und einigen polit. Straftaten.

festverzinsliche Wertpapiere, mittel- oder langfristige, von der öffentl. Hand, Banken oder Industrieunternehmen ausgegebene und am Rentenmarkt gehandelte Schuldverschreibungen mit gleich bleibendem, bereits bei der Emission ver-

Festung

1

2

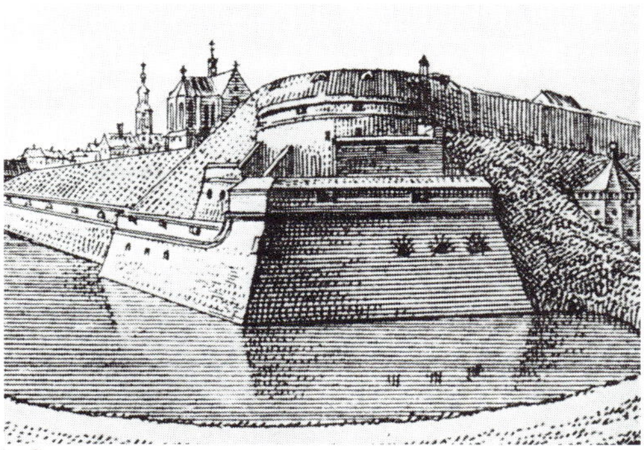

3

4

5

| **1** Deal Castle in der Grafschaft Kent, England, 1539/40 unter König Heinrich VIII. erbaut; deutlich sind die zwei versetzt zueinander angeordneten Bastionenkränze, die die Form der Tudorrose bilden, zu erkennen | **2** Palmanova in der Provinz Udine, Italien, ab 1593 als venezianische Festung Palma angelegt | **3** Bastion Lueg ins Land in Augsburg, Anfang des 17. Jh. von Stadtbaumeister Elias Holl erbaut, Stich | **4** Belfort in Ostfrankreich, seit 1686 zum Schutz der Burgundischen Pforte vom französischen Marschall Vauban ausgebaut | **5** Betonhöckerlinie als Panzersperre, Teil des deutschen Westwalls (1938/39)

brieftem Zinsertrag (öffentl. Anleihen, Obligationen).

Festwertspeicher (Festspeicher), ein Speicher, der zur permanenten Speicherung von Informationen eingesetzt wird. Er dient vorwiegend als Mikroprogrammspeicher, zum Speichern von Standardprogrammen (z.B. für einen automat. Start) oder häufig verwendeten Konstanten, mathemat. Funktionen u.a. Man unterscheidet magnet. F. (Magnetbänder, -platten) und elektron. oder Halbleiter-F., die als integrierte Schaltungen auf Chips realisiert werden. Bei einem **irreversiblen F.** (→ROM) kann der fest eingegebene Inhalt nur ausgelesen, aber nicht mehr verändert werden. **Reversible F.** (→PROM, →EPROM) können dagegen vom Anwender gelöscht und neu programmiert werden.

Fet, Afanassi Afanassjewitsch, russ. Lyriker, *Nowosjolki (bei Mzensk, Gebiet Orel) 5. 12. 1820, †Moskau 3. 12. 1892; schrieb formvollendet-klangvolle Gedichte; auch Übersetzer (u.a. Goethe).

FET, Abk. für **F**eld**e**ffekt**t**ransistor, →Transistor.

fetal [lat.] (fötal), den Fetus betreffend.

Fetisch [von portugies. feitiço »Zauber(mittel)«] *der,* von den Portugiesen zunächst für westafrikan. Götterbilder gebrauchter Ausdruck, dann allgemein für einen Gegenstand, dem eine außernatürl. Kraft zugemessen und der deshalb verehrt wird (F.-Kult).

Fetisch: »Nommo«, ein Leben spendendes Urwesen, fleht mit erhobenen Armen um Regen, Holzfigur der Dogon in Westafrika, Höhe 41,5 cm (Wien, Museum für Völkerkunde)

Fetischismus *der,* **1)** von K. Marx in Gesellschaftstheorie und Sozialphilosophie eingeführter Begriff: Als Waren- bzw. Kapital-F. bezeichnet er die Tatsache, dass Machwerke des Menschen – Waren und Kapital – die gesellschaftl. Produktion beherrschen.

2) *Psychologie:* sexuelle Perversion, bei der Gegenstände als einzige oder bevorzugte Objekte sexueller Erregung und Befriedigung dienen.

Fetographie [lat.-grch.] *die,* → Amniographie.

Fetometrie [lat.-grch.] *die,* das Ausmessen des Fetus im Mutterleib mithilfe der Ultraschalldiagnostik im Rahmen der Schwangerschaftsvorsorge.

Fetopathie [lat.-grch.] *die,* Schädigung der Leibesfrucht nach Abschluss der Organentwicklung, d.h. nach dem 3. Schwangerschaftsmonat; verursacht durch Infektionen, Blutgruppenunverträglichkeit zw. Mutter und Kind sowie Stoffwechselstörungen.

Fetoskopie [lat.-grch.] *die,* Betrachtung des Fetus in der Frühschwangerschaft mit einem durch Bauchdecke und Gebärmutterwand eingeführten Spezialendoskop; aufgrund des dabei bestehenden Fehlgeburtrisikos (3–5 %) ist die F. heute weitgehend durch die Ultraschalldiagnostik ersetzt.

Iring Fetscher

Fetscher, Iring, Politikwissenschaftler, *Marbach am Neckar 4. 3. 1922; befasst sich v.a. mit der Gesch. der polit. Theorien, bes. des Marxismus.

Werke: Der Marxismus. Seine Geschichte in Dokumenten, 3 Bde., (1963–68); Demokratie zw. Sozialdemokratie u. Sozialismus (1973); Überlebensbedingungen der Menschheit (1976); Vom Wohlfahrtsstaat zur neuen Lebensqualität (1983); Die Wirksamkeit der Träume. (1987).

Fettabscheider, Anlage zum Absondern von Fettstoffen aus Abwässern vor der Entwässerungsanlage von z.B. Fleisch- und Wurstfabriken oder Großküchen.

Fettalkohole, geradkettige höhere primäre Alkohole mit 8 bis 22 Kohlenstoffatomen, durch Hydrierung von Fettsäuren aus Fetten und Ölen oder synthetisch hergestellt. Die Schwefelsäureester (F.-Sulfate) und F.-Äthoxylate haben große Bedeutung als biologisch abbaubare Tenside.

Fette, Ester des Glycerins mit einem bis drei Molekülen Fettsäure, die als Stoffwechselprodukte von Pflanzen und Tieren in der belebten Natur weit verbreitet vorkommen. Am häufigsten sind Triglyceride mit drei Fettsäuremolekülen. Die Fettsäuren der natürl. F. sind fast ausnahmslos unverzweigt und von geradzahliger Kettenlänge, weil bei ihrem Aufbau und Abbau im Fettstoffwechsel stets C_2-Einheiten auftreten. Die in den F. am häufigsten enthaltenen Fettsäuren haben eine Kettenlänge von 16 oder 18 C-Atomen, wobei in den tier. F. Palmitin-, Stearin- und Ölsäure überwiegen; pflanzl. F. enthalten zudem noch mehrfach ungesättigte und damit leichter verdaul. Fettsäuren, die die tier. Zelle nicht zu synthetisieren vermag. Bei Zimmertemperatur flüssige F. bezeichnet man als **fette Öle.** In vielen F. finden sich auch gesättigte Fettsäuren geringerer Molekülgröße. Alle natürl. F. enthalten in wechselnden Mengen (meist 0,1–2 %) Begleitstoffe verschiedener Art, bes. Verbindungen aus der Reihe der → Lipoide (u.a. Phosphatide, Cerebroside, Sterine, fettlösl. Vitamine, Carotinoide), die mit den F. die Gruppe der → Lipide bilden.

Die F. sind in reinem Zustand farb-, geruch- und geschmacklos, sie können aber ranzig werden: Beim chem. Verderben der F., bes. durch Autoxidation, entstehen unangenehm riechende Verbindungen. Höhere Temperatur, Licht und Spuren mancher Metalle beschleunigen den Vorgang. Daher schützt man Speise-F. durch Kühlung, Licht- und Luftabschluss. Das biochem. Verderben geht auf den Einfluss von noch im F. enthaltenen Enzymen, bes. Lipasen, oder auf Mikroorganismen zurück (Sauer-, Seifigwerden). Manche Schimmelpilze bauen die Fettsäuren zu Methylketonen ab, die stark unangenehm riechen (Ketonranzigkeit). F. sind leichter als Wasser, in diesem unlöslich, aber löslich in Lösungsmitteln, z.B. Benzol und Tetrachlorkohlenstoff. In äußerst feiner Verteilung bilden sie Emulsionen, die durch Eiweiß u.a. Emulgatoren vor der Anreicherung des F. an der Oberfläche (dem Aufrahmen) geschützt werden können (z.B. Milch). Bei den Ölen unterscheidet

Domenico Fetti: »Melancholie« (um 1620; Paris, Louvre)

Rainer Fetting: »Ricky beim Rasieren« (1983; Privatbesitz)

man je nach dem Sättigungsgrad des Fettsäureanteils **nicht trocknende Öle** (v.a. mit gesättigten und einfach ungesättigten Fettsäuren), **halb trocknende Öle** (mit einfach und zweifach ungesättigten Fettsäuren) und **trocknende Öle,** die durch einen hohen Anteil an bestimmten, mehrfach ungesättigten Fettsäuren charakterisiert sind und wegen ihrer leichten Oxidierbarkeit und Härtung zur Herstellung von Anstrichmitteln verwendet werden. Etwa 23% der Weltproduktion an F. dienen der menschl. Ernährung. Außerdem werden F. als Rohstoff zur Herstellung von Seifen, Waschmitteln, Lacken, Firnissen, Ölfarben, Kunststoffen, Textilhilfsmitteln u.a. verwendet.

📖 *Fett in der Ernährung, hg. v.* D. ROHWEDDER *u.* M. HACKS. *Hamburg u.a. 1991.* – BOCKISCH, M.: *Nahrungsfette u. -öle. Stuttgart 1993.*

Fettfänger, eine Einrichtung in Kläranlagen zum Entfernen und Wiedergewinnen des auf den Abwässern schwimmenden Fettes.

Fettfarbstoffe, fett- und öllösliche Farbstoffe zum Färben von Schmier- und Hydrauliköl, Schmierfetten, Wachsen, für die Kunststoff verarbeitende Ind. und zur Markierung z.B. von Vergaser- und Dieselkraftstoffen und von Heizöl.

Fettfleckenkrankheit, durch das Bakterium Pseudomonas phaseolicola hervorgerufene Krankheit der Gartenbohne mit durchscheinenden, fettig aussehenden, später eintrocknenden Flecken auf Blättern und Hülsen.

Fettflosse (Adipose), flossenähnl. Fortsatz zw. Rücken- und Schwanzflosse; i.d.R. ohne knöcherne Flossenstrahlen, z.B. bei den Lachsartigen, vielen Welsen, den meisten Salmlern.

Fettgeschwulst, das →Lipom.

Fettgewebe, Art des Bindegewebes; Verband von Fettzellen, die durch Einlagerung von Fetttröpfchen in Retikulumzellen entstehen. Das F. enthält das dem Fettstoffwechsel dienende **Speicherfett** oder das druckelast. Polster bildende **Baufett.**

Fetthenne (Sedum), Gattung der Dickblattgewächse; Kräuter und Halbsträucher mit dickfleischigen, Wasser speichernden Blättern. Die europäisch-asiat. **Große F.** (Sedum maximum), ist eine bis 60 cm hohe Staude mit Knollen und gelbl. Blüten. Weitere Arten: die Rasen bildende, bis 15 cm hohe, gelbblütige **Scharfe F.** (**Mauerpfeffer,** Sedum acre), die weiß- bis lilaweiß blühende bis 20 cm hohe **Weiße F.** (Sedum album) und die bläulich grüne, gelb blühende **Felsen-F.** (**Tripmadam,** Sedum reflexum).

Fettherz, durch verstärkte Fettablagerung verändertes Herz; beruht auf Zunahme des dem Herzen normalerweise aufliegenden Fettgewebes oder Umwandlung des zw. den Herzmuskelfasern gelegenen Bindegewebes in Fettgewebe bei Fettsucht; kann zur Beeinträchtigung der Reservekräfte des Herzens führen.

Fetti, Domenico, italien. Maler, *Rom um 1589, †Venedig 16. 4. 1623; 1614 Hofmaler in Mantua, siedelte 1622 nach Venedig über. Den großfigurigen Bildern seiner Frühzeit folgen später kleinfigurige Bibelszenen, die scharfe Beobachtungsgabe mit poet. Empfinden verbinden; Meister des venezian. Hochbarocks.

Fetting, Rainer, Maler, *Wilhelmshaven 31. 12. 1949; Vertreter der →Neuen Wilden, schuf neben männl. Aktdarstellungen, Stadtlandschaften, Landschaften und Stillleben, seit 1986 auch Bronzeplastiken und Combinepaintings.

Fettkohle, eine Steinkohle, →Kohle.

Fettkraut (Pinguicula), Gattung der Wasserschlauchgewächse mit etwa 35 Arten auf der nördl. Erdhalbkugel; in Mitteleuropa vier Arten, darunter das **Gemeine Fettkraut** (Pinguicula vulgaris). Die an moorigen Standorten vorkommenden

Fetthenne: Felsenfetthenne (Höhe 5–30 cm)

Fettkraut: Gemeines Fettkraut (Höhe 5–20 cm)

Fettgewebe

Neben dem normalen weißen Fettgewebe haben einige Winterschlaf haltende Säugetiere und junge Säuger (auch menschliche Säuglinge) ein braunes Fettgewebe, mit dem sie ohne Zittern Wärme bilden können. Beim Säugling kommt es vor allem im Hals- und Brustbereich vor. Die braune Farbe rührt von den eisenhaltigen Cytochromen in den zahlreichen Mitochondrien her. Die freien Fettsäuren werden dort direkt in Wärme umgewandelt. Da das Gewebe reich durchblutet ist, kann die entstehende Wärme schnell durch den ganzen Körper transportiert werden.

Wichtige Fettsäuren (mit Summenformeln)

gesättigt:	
Buttersäure	$C_4H_8O_2$
Valeriansäure	$C_5H_{10}O_2$
Capronsäure	$C_6H_{12}O_2$
Önanthsäure	$C_7H_{14}O_2$
Caprylsäure	$C_8H_{16}O_2$
Pelargonsäure	$C_9H_{18}O_2$
Caprinsäure	$C_{10}H_{20}O_2$
Laurinsäure	$C_{12}H_{24}O_2$
Myristinsäure	$C_{14}H_{28}O_2$
Palmitinsäure	$C_{16}H_{32}O_2$
Margarinsäure	$C_{17}H_{34}O_2$
Stearinsäure	$C_{18}H_{36}O_2$
Arachinsäure	$C_{20}H_{40}O_2$
ungesättigt:	
Ölsäure	$C_{18}H_{34}O_2$
Linolsäure	$C_{18}H_{32}O_2$
Linolensäure	$C_{18}H_{30}O_2$
Eläostearinsäure	$C_{18}H_{30}O_2$
Arachidonsäure	$C_{20}H_{32}O_2$

Pflanzen sind durch Kleb- und Verdauungsdrüsen auf den grundständigen Blättern dem Insektenfang angepasst; in Dtl. unter Naturschutz.

Fettleber, krankhafte Veränderung der Leber, die durch einen abnormen Fettgehalt der Leberzellen (Parenchym) gekennzeichnet ist (Leberverfettung). Die Ursachen sind z. B. übermäßiger Alkoholgenuss, Stoffwechselerkrankungen wie Diabetes mellitus, Fehl- oder Überernährung. Bei rechtzeitiger Ausschaltung der Ursache ist die Leber voll rückbildungsfähig; aus einer chron. F. kann sich eine Leberzirrhose entwickeln.

Fettleibigkeit, die →Fettsucht.

Fettsäuren, die aliphat. einbasigen organ. Säuren (Monocarbonsäuren), die in der Natur v. a. an Glycerin gebunden in Form tier. und pflanzl. Fette und fetter Öle vorkommen und am Aufbau weiterer Naturstoffe beteiligt sind. Die **gesättigten F.** leiten sich von den Paraffinen ab; zu ihnen gehören Ameisen-, Essig-, Propion-, Butter-, Valerian-, Capronsäure und **höhere F.** wie die Palmitinsäure. Die **ungesättigten F.** enthalten eine Doppelbindung (einfach ungesättigte F., z. B. die Ölsäure) oder mehrere Doppelbindungen (mehrfach ungesättigte F., z. B. die Linolsäure). Mehrfach ungesättigte F. haben als **essenzielle F.** (Vitamin F) Bedeutung für den Fettstoffwechsel; sie senken den Cholesterinspiegel des Blutes und beugen so einer Arterienverkalkung vor (neuerdings umstritten); vom Organismus sind sie nicht synthetisierbar, daher in der Nahrung unentbehrlich.

Ernst Freiherr von Feuchtersleben (Stahlstich nach einer Zeichnung (19. Jh.) des österreichischen Malers Joseph Danhauser)

Fettsäuresynthese, biolog. Bildung von Fettsäuren als Komponenten des Fettes in den Zellen; geht von aktivierter Essigsäure, einem Abbauprodukt der Glucose in der Atmung, aus und wird durch Fettsäuresynthetase, einem Multienzymkomplex, gesteuert. Die Essigsäure wird schrittweise durch Kondensation um jeweils zwei Kohlenstoffeinheiten erweitert, bis die geradzahligen Fettsäuren mit 12–18, selten 20 Kohlenstoffatomen entstehen.

Fettsteiß (Steatopygie), extreme Fettablagerung in der Steißregion; häufig bei Hottentotten- **(Hottentottensteiß)** und Buschmannfrauen.

Fettsucht (Fettleibigkeit, Adipositas, Obesitas), abnorme Ansammlung von Körperfett mit entsprechend vermehrter Körpermasse infolge konstitutioneller Disposition, endokriner und Zwischenhirn-Erkrankungen oder durch zu reichl. Nahrungsaufnahme (z. T. aus psych. begründeter Appetitsteigerung). Die F. fördert die Entstehung von Herz-Kreislauf-Erkrankungen und das Auftreten eines Diabetes mellitus. Die Frühsterblichkeit von Fettsüchtigen liegt um 10 % höher als die der Normalgewichtigen. Ziel der Behandlung ist eine negative Energiebilanz durch Einschränkung der Kalorienzufuhr. (→Fastenkur, →Nulldiät, →Reduktionsdiät)

📖 LeBow, M. D.: *Adipositas. Psychotherapie u. Nachbehandlung von Übergewicht bei Erwachsenen. A. d. Engl. Bern u. a. 1991.*

Fettwiese, →Wiese.

Fetus [lat.] *der* (Fötus), die Frucht der höheren Säugetiere und des Menschen im Anschluss an die Embryonalperiode; beim Menschen vom 3. Monat an bis zum Ende der Schwangerschaft

Fetzenfisch (Phyllopteryx), Gattung meeresbewohnender Seenadeln mit zwei Arten in Australien. F. haben verzweigte, bandartige Körperfortsätze; leben zw. Tangen.

Feuchtersleben, Ernst Freiherr von, österr. Lyriker und Essayist, *Wien 29. 4. 1806, †ebd. 3. 9. 1849; Arzt und Dozent für ärztl. Seelenkunde; schrieb »Zur Diätetik der Seele« (1838), Gedichte und Aphorismen.

Feuchtgebiete, unter Natur- oder Landschaftsschutz stehende Landschaftsteile, deren pflanzl. und tier. Lebensgemeinschaften an das Vorhandensein von Wasser gebunden sind, z. B. natürl. Gewässer, Moore, Feuchtwiesen, Küsten, Wattflächen. Großflächige F. in Dtl. sind u. a. Dümmer, Steinhuder Meer, Ammersee, Müritz, Spreewald. (→Ramsar-Konvention)

Feuchtigkeit (Feuchte), **1)** *allg.:* das in anderen Stoffen enthaltene Wasser.

2) *Meteorologie:* der Wasserdampf in der Luft (→Luftfeuchtigkeit).

Feuchtigkeitsmesser, das →Hygrometer.

Feuchtigkeitspflanzen, →Hygrophyten.

Feuchtmayer (Faichtmayr, Feichtmayr), aus Wessobrunn stammende Künstlerfamilie, deren Mitglieder im 17. und 18. Jh. tätig waren; bedeutende Vertreter:

1) Franz Xaver, Stuckator, *Haid (heute zu Raisting) 10. 12. 1705, †Augsburg 1764; schuf virtuose Stuckdekoration u. a. in der Kirche des Klosters Wilten in Innsbruck (1754/55).

2) Johann Michael, Bildhauer, Stuckator, Ornamentstecher, getauft Haid (heute zu Raisting) 5. 8. 1709 oder 25. 9. 1710, †Augsburg 4. 6. 1772; schuf die Stuckdekorationen der ehem. Abteikirchen in

Joseph Anton Feuchtmayer: Hochaltar der Franziskanerkirche in Überlingen (1760)

Zwiefalten, Amorbach und Ottobeuren sowie von Vierzehnheiligen.

3) Joseph Anton, Bildhauer und Stuckator, getauft Linz 3. 6. 1696, † Mimmenhausen (heute zu Salem) 2. 1. 1770; wirkte im Bodenseegebiet, wo er u. a. die Ausstattung der Wallfahrtskirche Birnau (1748–57) und den Hochaltar der Franziskanerkirche in Überlingen (1760) schuf.

Feuchtraumleitung, eine gegen Nässe bes. geschützte elektr. Leitung; entsprechend sind die **Feuchtraumarmaturen** (Schalter, Abzweigdosen u. a.) aus Isolierstoff.

Feuchtsavanne, Vegetationstyp der wechselfeuchten Tropen mit einfacher Trockenzeit. Neben geschlossenem Graswuchs von 2–4 m Höhe sind Baumgruppen und Galeriewälder typisch; v. a. in Afrika südlich und nördlich des tropischen Regenwaldes anzutreffen.

Feuchtwangen, Stadt im Landkreis Ansbach, Mittelfranken, Bayern, 12 000 Ew.; Kunststoffverarbeitung, Textil- und Papierwarenfabrik. – Gut erhaltene Altstadt mit ev. Pfarrkirche (ehem. Stiftskirche, 12./13. Jh., später zahlreiche Umbauten), spätgot. Johanniskirche (15./16. Jh.), Marktplatz mit Fachwerkhäusern und Röhrenbrunnen (1727). – F. war von 1285 bis 1376 Reichsstadt.

Feuchtwanger, Lion, Schriftsteller, * München 7. 7. 1884, † Los Angeles 21. 12. 1958; hielt sich 1933–40 als Emigrant in Frankreich auf, dort 1940 interniert, floh im gleichen Jahr über Spanien und Portugal in die USA. F. war erfolgreich mit zeitkrit., biograph. und histor., kulturgeschichtl. Stoffe aufgreifenden Romanen (»Jud Süß«, 1925; »Die häßliche Herzogin«, 1923, später u. d. T. »Margarete Maultasch«; Trilogie: »Der Wartesaal« mit »Erfolg«, 1930, »Die Geschwister Oppenheim«, 1933 [1949 u. d. T. »Die Geschwister Oppermann«] und »Exil«, 1940; Josephus-Trilogie: »Der jüd. Krieg«, 1932, »Die Söhne«, 1934, »Der Tag wird kommen«, 1945; »Goya«, 1951); schrieb auch Dramen.

Lion Feuchtwanger

📖 DIETSCHREIT, F.: *L. F. Stuttgart 1988.* – STERNBURG, W. VON: *L. F. Ein deutsches Schriftstellerleben. Neuausg. Berlin u. a. 1994.*

Feudalismus [zu lat. feudum »Lehngut«] *der,* eine Form der sozialen, wirtsch. und polit. Ordnung, in der eine adlige Oberschicht vom Herrscher lehnsrechtlich mit Grundherrschaft und polit., militär., verwaltungsmäßigen, richterl. und gesellschaftl. Vorrechten ausgestattet ist. Der **Feudalstaat** war bes. im späten MA. die auf der Grundlage des →Lehnswesens ausgebildete Staatsform, die Vorstufe des späteren →Ständestaats. Im Absolutismus wurden die Privilegien und Zuständigkeiten der Feudalherren durch die monarch. Souveränität und die aufkommende Bürokratie verdrängt. Das wirtsch.-soziale Feudalsystem dauerte jedoch oft noch lange an. In der Geschichtsphilosophie des Marxismus steht der F. als Entwicklungsstufe zw. der antiken Sklavenhaltergesellschaft und dem von der Bourgeoisie getragenen Kapitalismus. Die nichtmarxist. Sozialgeschichte schränkt den F. auf das mittelalterl. Lehnswesen in W- und Mitteleuropa ein.

📖 ANDERSON, P.: *Von der Antike zum F. Spuren der Übergangsgesellschaften. A. d. Engl. Frankfurt am Main [2]1981.* – DUBY, G.: *Die drei Ordnungen. Das Weltbild des F. A. d. Frz. Frankfurt am Main [2]1993.*

Feuer, 1) *allg.:* die äußere, sichtbare Begleiterscheinung einer Verbrennung. Es verbrennen gas-

Feuchtwangen: Der nur teilweise erhaltene spätromanische Kreuzgang (13. Jh.) an der Südseite der evangelischen Pfarrkirche

Feuerameise (Körperlänge 2–6 mm)

Ludwig Feuerbach

förmige und flüssige Stoffe sowie deren Dämpfe mit Flammen, feste Stoffe mit Flammen und/oder Glut. – Im grch. Mythos von Prometheus erscheint das F. als heilig und Eigentum der Götter. Über die Entdeckung des F. berichten zahlr. Sagen, in denen fast immer das Motiv des F.-Raubes wiederkehrt. Das deutet darauf hin, dass der Gebrauch des F. nicht von allen Völkern selbstständig entdeckt, sondern auch übertragen wurde. Bereits vor rd. 400 000 Jahren konnte der → Pekingmensch das F. ständig unterhalten. In Europa ist der Besitz des F. seit der Altsteinzeit bekannt; auch hier handelte es sich zunächst um F.-Bewahrung (z. B. aus Bränden bei Blitzschlag), dann um bewusste Feuererzeugung. Auch die Verehrung des F. ist seit frühester Zeit bekannt (→ Feuerkult).

📖 Rossotti, H.: *F. Vom zündenden Funken zum flammenden Inferno. Heidelberg u. a. 1994.*

2) *Militärwesen:* neben der Bewegung das Hauptelement des bewaffneten Kampfes; das Schießen mit Waffen aller Art bzw. das Einwirken mit diesen auf den Gegner.

3) *Mineralogie:* Farbenspiel bei manchen Kristallen, bes. bei Edelsteinen.

Feueralarm, Alarmierung der Feuerwehrkräfte zur Bekämpfung von Bränden, bei techn. Hilfeleistungen oder Notständen. (→ Feuermeldeanlagen)

Feuer

Die älteste bekannte Feuerstelle in Europa wurde vor 450 000 Jahren im heutigen Ungarn entzündet. Dort, in der Höhle von Vérteszőllős, verbrannte der Homo erectus Tierknochen. Viel älter noch aber sind die Reste von Lagerfeuern, die 1988 in der »Knochenhöhle« von Swartkrans in der Republik Südafrika nachgewiesen wurden: Sie reichen mehr als eine Million Jahre zurück. Zwar verbrannten die Frühmenschen auch Knochen und Fette, die mit heller Flamme brennen, doch der häufigste Brennstoff blieb das Holz. Noch heute dominiert er in vielen ländlichen Gegenden Afrikas den Energieverbrauch. Mit der Technik des Feuermachens konnte der Mensch in unwirtlichere Gegenden vordringen, und bald lernte er auch, Glut zu transportieren. Der Gebrauch von Wärme und Licht mag sogar das Entstehen sozialer Lebensformen gefördert haben. Vor 130 000 Jahren benutzten Menschen in einer Grotte bei Nizza Glut, um einen Raum zu erwärmen. Erste Lampen tauchten vor 18 000 Jahren auf, in denen Fette verbrannt und Dochte aus Fell oder Pflanzenfasern verwendet wurden.

Feuerameise (Solenopsis geminata), 2–6 mm lange, in den amerikan. Tropen und Subtropen vorkommende Art der Knotenameisen, die durch Benagen der Rinde, Knospen, Blätter und Früchte an Nutzpflanzen schädlich werden kann. Ihr Stich ist sehr schmerzhaft.

Feuerbach, 1) Anselm, Maler, *Speyer 12. 9. 1829, †Venedig 4. 1. 1880, Enkel von 3); ausgebildet in Düsseldorf, München, Antwerpen und Paris, ging 1856 nach Rom; 1873–77 Akademieprof. in Wien. F. wurde in seiner künstler. Entwicklung durch seine Stiefmutter Henriette, geb. Heydenreich (*1812, †1892), entscheidend gefördert; sie veröffentlichte nach seinem Tod seine an sie gerichteten Briefe u. d. T. »Ein Vermächtnis« (1882). In seinen monumentalen mytholog. Gemälden von melancholisch-heroischer Stimmung fand seine Kunst ihre endgültige Form.

Werke: Hafis vor der Schenke (1852, Mannheim, Kunsthalle); Iphigenie I (1871, Stuttgart, Staatsgalerie); Medea (1870, München, Neue Pinakothek); Nanna-Porträts in Karlsruhe, Stuttgart und Berlin; Porträts der Stiefmutter in Heidelberg und Berlin.

📖 Ecker, J.: *A. F. Leben u. Werk. München 1991.* – Kupper, D.: *A. F. Reinbek 1993.*

2) Ludwig Andreas, Philosoph, *Landshut 28. 7. 1804, †auf dem Rechenberg bei Nürnberg 13. 9. 1872, Sohn von 3); seit 1828 Privatdozent in Erlangen, gab aufgrund theolog. Anfeindungen wegen seiner Schrift »Gedanken über Tod und Unsterblichkeit« (1830) seine akadem. Laufbahn auf. Urspr. von Hegel und der Kritik an dessen Konzeption vom »absoluten Geist« ausgehend, entwickelte F. seinen anthropolog. Materialismus: Das sinnl. Einzelwesen in Kommunikation mit dem Anderen sei die wahre Wirklichkeit, aus der heraus sich der Mensch, seine Wünsche in eine übersinnl. Welt projizierend, seine Religion schaffe. F.s Anthropologie und Religionskritik wirkten auf K. Marx und F. Engels, auf den dt. Realismus, M. Buber und K. Löwith.

Werke: Das Wesen des Christentums (1841); Grundsätze der Philosophie der Zukunft (1843); Vorlesungen über das Wesen der Religion (1851).

📖 Thies, E.: *L. F. Zwischen Universität u. Rathaus oder die Heidelberger Philosophen u. die 48er Revolution. Heidelberg 1990.* – Sass, H.-M.: *L. F. mit Selbstzeugnissen u. Bilddokumenten dargest. Reinbek 20.–21. Tsd. 1994.*

3) Paul Johann Anselm Ritter von, Jurist, *Hainichen (bei Jena) 14. 11. 1775, †Frankfurt am Main 29. 5. 1833, Großvater von 1), Vater von 2); war Prof. in Jena, Kiel und Landshut, wurde 1817 Präs. des Appellationsgerichts in Ansbach. F. ist der Begründer der modernen dt. Strafrechtslehre, der psycholog. Abschreckungstheorie und der Schöpfer des bayer. StGB von 1813. Er lehrte, dass nicht erst die Strafvollstreckung, sondern bereits die Strafdrohung präventive Wirkung entfalte, also die Bürger vor Straftaten abschrecke. Daraus folge, dass Gesetze allg. bekannt, Tatbestände klar formuliert sein und die Unrechtsfolgen von vornherein feststehen müssten, was in die Formel »nulla poena sine lege« (lat. »keine Strafe ohne Gesetz«), eines der zentralen rechtsstaatlichen Postulate, mündete (Dargelegt in: »Lehrbuch des gemeinen, in Dtl. gültigen peinl. Rechts«, 1801).

Weitere Werke: Kritik des natürl. Rechts... (1796); Anti-Hobbes (1797); Kaspar Hauser. Beispiel eines Verbrechens am Seelenleben des Menschen (1832).

feuerbeständig, *Materialkunde:* →feuerfeste Stoffe.

Feuerbestattung (Einäscherung, Leichenverbrennung), Totenbestattung, bei der der Leichnam durch Feuer in Asche verwandelt wird; bereits im 7. Jh. v. Chr. nachweisbar; gewann seit dem 19. Jh. v. a. aus hygien. (gesundheitspolit.) Gründen an Verbreitung (erstes Krematorium 1874 in Gotha). – Die kath. Kirche hält grundsätzlich an der Erdbestattung fest, doch ist seit 1963 die F. erlaubt.

Recht: In den meisten Bundesländern gilt das ehem. Reichs-Ges. über die F. vom 15. 5. 1934 mit Änderungen fort. In einigen Bundesländern bestehen landesrechtl. Vorschriften. Die Art der Bestattung richtet sich nach dem Willen des Verstorbenen. Der Nachweis wird durch Testament oder eigenhändig unterschriebene Erklärung erbracht. Ist der Wille des Verstorbenen nicht nachweisbar, treffen die bestattungspflichtigen Angehörigen die Bestimmung. Vorzulegen sind: die Sterbeurkunde, amtsärztl. Bescheinigung (nach Leichenschau), polizeil. Bescheinigung, dass kein unnatürl. Tod vorlag. Die Einäscherung darf nur in behördlich genehmigten Anlagen und unter Beachtung bestimmter Vorschriften erfolgen.

Feuerdorn (Pyracantha), Gattung der Rosengewächse; meist immergrüne, dornige Sträucher mit fleischigen Früchten (Steinäpfel). Die Art Pyracantha coccinea (Heimat: S-Europa, SW-Asien) ist ein beliebter Zierstrauch und wird in zahlr. Sorten kultiviert.

Feuerfalter, Schmetterlinge, →Bläulinge.

feuerfeste Stoffe, Werkstoffe und Bauteile (z. B. aus Bauxit, Magnesit, Quarz) mit der besonderen Eigenschaft, hohen Gebrauchstemperaturen zu widerstehen (z. B. in Heizanlagen, Schmelzöfen, Hitzeschild an Weltraumkapseln). Sie sind **feuerhemmend,** wenn sie nach halbstündiger Einwirkung des Feuers nicht selbst brennen und ihren Zusammenhang bewahren; sie sind **feuerbeständig,** wenn sie unter gleichen Bedingungen eineinhalb Stunden lang dem Feuer widerstehen, und **hochfeuerbeständig,** wenn sie der gleichen Prüfung drei Stunden standhalten.

Feuerflunder, eine Art der →Rochen.

feuergefährliche Flüssigkeiten, leicht verdampfbare Flüssigkeiten, z. B. Benzin, Äther, deren Dämpfe sich rasch ausbreiten und an einem offenen Feuer oder durch Funken entzünden können. (→brennbare Flüssigkeiten, →Gefahrstoffe)

Anselm Feuerbach: »Medea« (1870; München, Neue Pinakothek)

Feuerkäfer (Pyrochroidae), Käferfamilie mit rd. 150 Arten, davon drei in Mitteleuropa, u. a. die orangerote **Feuerfliege** (Pyrochroa coccinea). F. leben bevorzugt am Waldrand auf Holz, Blüten, Baumstümpfen, ihre Larven räuberisch unter losen Baumrinden.

Feuerkraut, das Schmalblättrige →Weidenröschen.

Feuerkreuzler (frz. Croix-de-Feu), urspr. eine Frontkämpferorganisation in Frankreich, gegr. 1927, entwickelte sich unter der Führung von F. de la Rocque zu einer faschist. Kampftruppe (1935 260 000 Mitgl.). Nach Auflösung der Organisation schlossen sich viele Mitgl. dem faschist. Parti social français (PSF; 1937 verboten) an.

Feuerkugeln (Bolide), bes. helle →Meteore.

Feuerkult, Verehrung des Feuers als göttl. Macht. Bei den Indern wurde Agni als Feuergott verehrt, bei den Griechen Hephaistos, bei den Römern Vulcanus. Ausgeprägt war der F. bei den Persern, Skythen, Griechen (→Prometheus) und Römern (→Vesta). Spuren des F. finden sich auch bei Kelten, Germanen und Slawen.

📖 GLÖCKNER, H.: *Feuergötter zwischen der Bretagne u. Indien. Frankfurt am Main u. a. 1993.*

Feuerland (span. Isla Grande de la Tierra del Fuego), große, stark vergletscherte Insel (47 000 km²) an der S-Spitze Südamerikas, durch die Magellanstraße vom Festland getrennt; bildet mit einer Inselgruppe den **F.-Archipel** (73 746 km²). F. ist benannt nach den Indianerfeuern, die F. de Magalhães 1520 nachts aufleuchten sah. Der westl. Teil und die Inseln südlich des Beaglekanals (mit der Hoorninsel, auf der Kap Hoorn liegt) gehören zu Chile (Region Magallanes), der östl. zu Argentinien (Nationalterritorium Tierra del Fuego). Im SW erstreckt sich die stark vergletscherte Hauptkordillere (im Cerro Yogan 2 469 m ü. M.), im O flaches Grasland (Schafzucht); Erdöl- und Erdgasförderung.

Feuerdorn: Früchte und Blätter der Feuerdornart Pyracantha coccinea (Höhe 1–2,5 m)

Feuerkäfer: Feuerfliege (Körperlänge etwa 15 mm)

📖 Gaida, K. G.: *Erdrandbewohner.* Köln 1995. – Gebhard, P.: *Patagonien, F.* Rosenheim 1996.

Feuerländer, die (fast ausgestorbenen) Indianer Feuerlands: auf der Hauptinsel die **Selk'nam (Ona),** südlich davon die **Yahgan (Yamana)** und westlich davon die **Alakaluf.** Die Selk'nam waren Jäger und Sammler; Yahgan und Alakaluf lebten umherziehend vom Fischfang, von der Jagd auf Robben, Pinguine, Wale und Wasservögel sowie vom Sammeln von Muscheln, Krabben und Schnecken. Die F. sind in den 1980er-Jahren als Ethnie ausgestorben. An der Küste der Wellingtoninsel haben etwa 50 Alakaluf überlebt.

Feuerlöschboot: Einsatz von Löschkreuzern nach dem Zusammenstoß des Tankers »Olympic Dream« mit dem liberianischen Frachter »August Thyssen« in der Nordsee am 25.1.1987

Feuerleiter, Metallleiter an der Außenseite von großen Gebäuden (Theater, Hotels u.Ä.), kann der Feuerwehr als Zugangs-, gefährdeten Personen als Rückzugsweg dienen.

Feuerleitsystem, → Waffenleitsystem.

Feuerlöschanlagen, ortsfeste Anlagen, die einen Brand unmittelbar nach seinem Ausbruch durch Abgabe geeigneter Löschmittel wirksam bekämpfen oder zumindest begrenzen sollen. F. werden als Raum- und Objektschutzanlagen (für Maschinen, Förderbänder u.a.) eingesetzt, wobei selbstständige F. auf Bildung von Wärme, Rauch oder optisch auf Flammen ansprechen.

Wasser wird in Sprinkler-, Sprühwasseranlagen, Regenvorhängen oder Berieselungsanlagen verwendet. **Sprinkleranlagen** schützen Gebäude mithilfe eines Rohrnetzes, das in regelmäßigen Abständen mit Sprühdüsen (Sprinklern) versehen ist, die sich bei bestimmten Temperaturen selbsttätig öffnen. **Schaumlöschanlagen** für Schwer- oder Leichtschaum dienen bes. zum Schutz von Tankanlagen für brennbare Flüssigkeiten. **Kohlendioxid-Löschanlagen** gibt es als Niederdruck- oder Hochdruckanlagen mit Ausstoß von Kohlendioxid in Form von Schnee, Gas oder Nebel. **Löschpulveranlagen** eignen sich bes. für Raffinerien, **Halon-Löschanlagen** mit leicht verdampfenden halogenierten Kohlenwasserstoffen z.B. für Rechenzentren.

Feuerlöschboot, Spezialwasserfahrzeug mit Wasserwerfern, Schaumrohren u.a. zur Bekämpfung von Bränden auf Schiffen, im Hafengebiet und in Ufernähe. Seetüchtige F. sind die **Löschkreuzer.**

Feuerlöscher, mit bis zu 20 kg Einsatzmasse gefüllte, von Hand tragbare Feuerlöschgeräte, die ihren Löschmittelinhalt (→ Feuerlöschmittel) durch gespeicherten oder bei der Inbetriebsetzung erzeugten Druck selbsttätig ausstoßen. Sie dienen zur sofortigen Bekämpfung von Entstehungsbränden und Kleinbränden und müssen auch von wenig geübten Personen gehandhabt werden können. F. bestehen aus einem druckfesten Behälter, der das Lösch- und meist auch das Treibmittel (z.B. Kohlendioxid) enthält. Durch Betätigung eines Schlagbolzens oder eines Schraub- oder Hebelventils wird das Treibmittel wirksam und drückt das Löschmittel über ein Steigrohr durch die Spritzdüse ins Freie. F. sind typprüfungs- und zulassungspflichtig.

Feuerlöschmittel, flüssige oder dampfförmige Stoffe sowie mehrphasige Systeme (z.B. Schäume, Pulverwolken) zur Brandbekämpfung. F. wirken durch Ersticken (Hemmen der Sauerstoffzufuhr), Abkühlen (z.B. durch Verdampfen von Wasser) oder antikatalytisch (z.B. Halone). Das wichtigste F. ist Wasser. Flüssige Halogenkohlenwasserstoffe (Halone) werden v.a. in der Luftfahrt, Kohlendioxid und Standardlöschpulver für Brände in elektr. Anlagen sowie für Gas- und Flüssigkeitsbrände, ABCD-Löschpulver für Glut- und Metallbrände und Schaumlöschmittel für großflächige Brände von Erdölprodukten verwendet.

Feuermal, ein → Blutgefäßmal.

Feuermeldeanlagen, Gefahrenmeldeanlagen zur Alarmierung von Feuerwehrkräften bei Brandausbrüchen oder sonstigen Gefahrenzuständen unter Angabe des Meldeortes. Öffentlich zugängl. Hauptmelderanlagen übermitteln eine Feuermeldung über Meldungsgeber (Feuermelder) und ein öffentl. Leitungssystem zur Feuerwache. Eine F. besteht aus mehreren Meldungsgebern, dem Leitungsnetz und der Feuermelde-Empfangszentrale in der Einsatzzentrale der Feuerwehr mit der erforderl. Stromversorgung. Es gibt zwei Möglichkeiten der Verbindung zur Feuerwehr: 1) das Schleifensystem, bei dem bis zu 30 Melder in einer Leitungsschleife oder Ringleitung hintereinander geschaltet und vom gleichen Strom durchflossen werden; 2) das Liniensystem, das für jeden Melder einen separaten Stromweg über eine Zweidrahtleitung erfordert.

Meldungsgeber werden handbetätigt **(Druckknopfmelder)** oder reagieren selbstständig. Zu Letzterem gehören **Wärmemelder,** die sich bei Erreichen einer bestimmten Höchsttemperatur schließen oder öffnen (Maximalmelder) oder auf den durch den Brandausbruch entstandenen Temperaturanstieg je Zeiteinheit reagieren (Differenzialmelder), **Flammenmelder,** die auf die von den Flammen ausgehende Infrarotstrahlung reagieren, und Rauchmelder. Zu den **Rauchmeldern** gehören opt. Melder und Ionisationsrauchmelder, die die Feststellung von Brandausbrüchen ermöglichen, lange bevor Flammenbildung oder gefährl. Temperaturerhöhung auftreten. – Sprechmöglichkeit bieten Melder in Fernsprechnotrufsäulen; Notrufmelder für zwei Richtungen (Polizei und Feuerwehr) gibt es als Zusatzgerät zum Münzfernsprecher. Gebührenfreier Notruf im öffentl. Fernsprechnetz in Dtl.: 112.

Feuerprobe, ein →Gottesurteil.

Feuersalamander, ein Lurch, →Molche und Salamander.

Feuerschiff, an navigatorisch wichtigen oder gefährl. Stellen ein als schwimmendes Seezeichen verankertes, bemanntes Spezialschiff mit starkem Leucht- und Funkfeuer und Nebelsignalapparaten; heute auch unbemannt und ferngesteuert oder ersetzt durch entsprechend ausgerüstete Leuchttürme oder Baken.

Feuerschutz, →Brandschutz.

Feuerschutzsteuer, zur Förderung des Brandschutzes von Feuer-, Gebäude- und Hausratversicherungen erhobene Steuer (Ges. vom 21. 12. 1979). Der F. unterliegt der Versicherer bei der Entgegennahme von Entgelten für die Feuerversicherung (Steuersatz von 8% des Versicherungsentgelts). Das Aufkommen fließt den Ländern zu.

Feuerschwamm (Zunderschwamm), Bez. für mehrere zur Familie der Porlinge gehörende Ständerpilze mit harten, holzigen, huf- bis konsolenförmigen Fruchtkörpern; Parasiten an versch. Baumarten, Erreger der Weißfäule; früher zur Zunderherstellung genutzt.

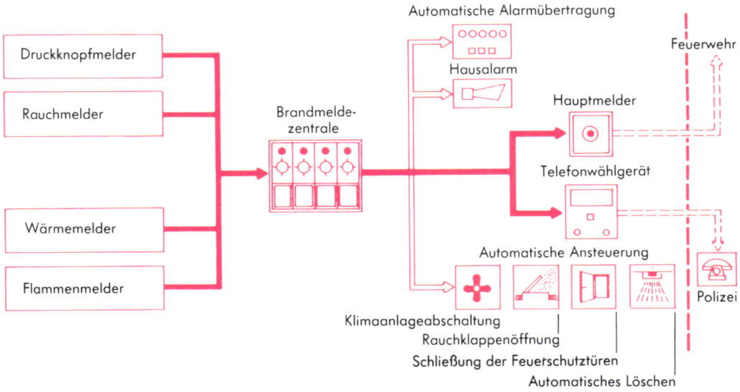

Feuermeldeanlagen

Feuerstein (Flint), dichtes, hartes kieseliges Gestein aus Chalcedon und beigemengtem Opal, leicht zersprengbar zu scharfkantigen Stücken. Der F. und einige ihm eng verwandte Gesteinsarten bildeten den ältesten Rohstoff, der vom Menschen zur Herstellung seiner Geräte verwendet wurde. Der F. war in der ganzen Steinzeit ein wichtiger Handelsgegenstand. Zum Feuerschlagen wurde er bis in die Gegenwart verwendet.

📖 *F.: Rohstoff der Steinzeit – Bergbau u. Bearbeitungstechnik, hg. v.* M. M. Rind, *Ausst.-Kat. Archäologisches Museum der Stadt Kelheim, 1987.*

Feuerschwamm (Breite 10–40 cm)

Feuerstellung, *Militärwesen:* nach takt. Gesichtspunkten ausgewählte Stelle im Gelände, wo eine Einheit oder Teileinheit der Artillerie für den Feuerkampf in Stellung ist oder in Stellung gehen soll.

Feuersturm, Sturm, der durch einen Flächenbrand hervorgerufen wird. Der Sog der aufwärts strömenden, überaus großen Masse von heißen Brandgasen bewirkt eine intensive, zum Zentrum des Brandes gerichtete Windströmung, die Orkanstärken übertreffen kann.

Feuertod, im MA. bes. bei Brandstiftern, Zauberern, Hexen und Ketzern gebräuchl. Vollzugsform der Todesstrafe (Lebendigverbrennen auf dem Scheiterhaufen); auch bei Judenpogromen; im 18. Jh. abgeschafft.

Feuerton, ein aus relativ feinkörniger Rohschamotte und Ton als Bindemittel hergestellter keram. Werkstoff, der v. a. für starkwandige Stücke, z. B. großformatige, sanitärkeram. Erzeugnisse, verwendet wird.

Feuertod: Öffentliche Verbrennung des als Ketzer verurteilten italienischen Bußpredigers Savonarola 1498 in Florenz (zeitgenössisches Gemälde)

Feuerüberfall, *Militärwesen:* für den Gegner nach Zeit und Ort überraschender Überfall mit Feuerwaffen und hoher Schussfolge auf ein bestimmtes Ziel.

Feuerung, Einrichtung zur Erzeugung von Wärme durch Verbrennung von geeigneten Brennstoffen. Für feste Brennstoffe werden **Rost-F.** benutzt, deren Rost aus Eisenstäben besteht, durch dessen Zwischenräume Luft an den brennenden Kohlenstücken vorbeistreicht. Je nach Schornsteinzugstärke werden neben dem natürl. Druckunterschied zusätzl. Einrichtungen, z.B. Saugzugventilator oder Druckbelüftung durch »Unterwindfeuerung«, benutzt, um die erforderl. Zugstärke herbeizuführen. Als Rost dient entweder ein ruhender Planrost oder bei großen Kesseln ein Wanderrost, bei dem die Roststäbe und damit die Kohle so bewegt werden, dass die auf der einen Seite zugeführten Stücke bis zum anderen Ende des Brennraums verbrannt sind. Die Kohle kann auch durch ihr Eigengewicht bewegt werden (Treppenrost) oder durch abwechselnd aufwärts und abwärts bewegte Roststäbe (Schrägrost). Beim Walzenrost, der bes. zur Müllverbrennung entwickelt wurde, werden die Schichten zw. den Walzen immer wieder gewendet und mit dem bereits gezündeten Brennstoff in Berührung gebracht.

Bei F. für staubförmige Brennstoffe wird die feste Kohle vor dem Eintritt in den Brennraum gemahlen und nötigenfalls getrocknet. Zur Verbrennung wird der Staub, mit Luft gemischt, dem Brenner zugeführt. In der **Schmelz-F.** wird die Verbrennungstemperatur auf 1700 °C gebracht, sodass die Schlacke schmilzt und dann in flüssigem Zustand abgeführt werden kann. In der **Zyklon-F.** geschieht dieses Ausscheiden der Schlacke bereits im eigentl. Brenner. Eine bes. schadstoffarme F.-Technik ist die **Wirbelschicht-F.** Durch Zugabe von Kalk werden große Mengen Schwefeldioxid noch im Feuerraum zu Calciumsulfat umgesetzt und in die Asche eingebunden; die günstige Betriebstemperatur (800–900 °C) führt auch zu einer geringeren Stickoxidbildung.

In F. für flüssige Brennstoffe (meist Mineralöl unterschiedl. Viskosität) werden diese vor der Zuführung zum Brenner verdampft oder zerstäubt, wobei sie zur Verminderung der Viskosität zuvor erwärmt werden. **Öl-F.** werden häufig in Industriebetrieben und in Wohnhäusern eingesetzt, v.a. wegen der weitgehend rückstandslosen Verbrennung. Als gasförmiger Brennstoff wird Hochofengas, Koksgas, Erdgas oder Stadtgas benutzt. Die Gase können – ähnlich wie flüssige Brennstoffe – durch eine Düse, mit Luft vermischt, der F. zugeführt werden (Vormischung) oder die Mischung findet erst unmittelbar vor der Zündung am Brenneraustritt statt (Nachmischung).

Der Ausstoß von Schadstoffen (z.B. Schwefeldioxid, Stickstoffoxide, Staub) aus F.-Anlagen ist gesetzlich geregelt. **Großfeuerungsanlagen** der Kraft- und Fernheizungswerke unterliegen der VO über Großfeuerungsanlagen vom 22. 6. 1983. Zur Durchführung des Bundesimmissionsschutzgesetzes wird eine Begrenzung aller Emissionskomponenten (Schwefeldioxid, Stickstoffoxide, Kohlenmonoxid, Halogenverbindungen und Staub) vorgeschrieben. Die Anforderungen der VO sind nach Feuerwärmeleistungsklassen geordnet. Altanlagen müssen seit 1993 den für Neuanlagen geltenden Anforderungen entsprechen. Um dies zu gewährleisten, müssen sie mit Rauchgasentschwefelungs- und Entstickungsanlagen nachgerüstet sein. **Kleinfeuerungsanlagen** in privaten Haushalten, Handwerks- und Gewerbebetrieben, in der Landwirtschaft und in öffentl. Einrichtungen unterliegen der VO über Kleinfeuerungsanlagen vom 15. 7. 1988.

📖 GÖRNER, K.: *Techn. Verbrennungssysteme. Grundlagen, Modellbildung, Simulation. Berlin u.a. 1991.*

Feuerversicherung, Versicherung, die Schäden durch Brand, Blitzschlag und Explosion sowie die dabei unvermeidlich auftretenden Folgeschäden (z.B. durch Löschen, Niederreißen, Ausräumen) ersetzt. Sie haftet nicht für »unechte Brandschäden«, z.B. Sengschäden. Ausgeschlossen sind Schäden durch Krieg, innere Unruhen, Erdbeben, Kernenergie, böswilliges oder grob fahrlässiges Verschulden des Versicherten. Arten der F. sind: einfache F. (Versicherung von Wohn- und Geschäftsgebäuden), landwirtsch. F. (den speziellen Gefahren und Arbeitsabläufen landwirtsch. Betriebe angepasst) und industrielle F.; die Hausratversicherung umfasst ebenfalls Feuerschäden. Für F.-Verträge wird eine Feuerschutzsteuer erhoben.

Feuerwache, stets besetzte Unterkunft der Feuerwehr, in der Fahrzeuge, Geräte und Mannschaften (nur bei Berufsfeuerwehren) ständig in Bereitschaft stehen.

Feuerwaffen, alle diejenigen Rohrwaffen (Geschütze, Handfeuer- und Maschinenwaffen), aus denen ein Geschoss durch Gasdruck, der beim Verbrennen der Pulverladung entsteht, herausgeschleudert wird, z.B. Gewehr, Geschütz.

Feuerwalzen (Pyrosomida), Unterklasse der →Salpen; bilden röhrenförmige Gallertkolonien, die frei im Meer schwimmen; in den paarigen Leuchtorganen im Kiemen-Darm-Bereich bewirken symbiotische Leuchtbakterien ein intensives Leuchten.

Feuerwanze (Pyrrhocoris apterus), meist flügellose mitteleurop. Landwanze; Pflanzensauger; fast immer schwarz und rot oder schwarz und gelb, oft scharenweise am Fuß von Linden.

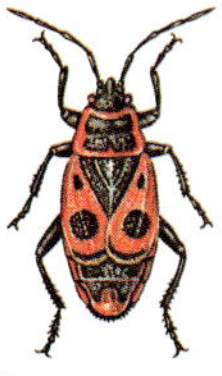

Feuerwanze (Körperlänge 7–12 mm)

Feuerwehr, öffentl. (Berufs-, Pflicht-, freiwillige F.) oder private (Werk-, Betriebs-F.) Einrichtung, deren Hauptaufgaben der abwehrende Brandschutz (Abwehr von Gefahren für Leben, Gesundheit und Sachwerte durch Brände und Explosionen), techn. Hilfeleistung bei Überschwemmungen, Unfällen (z.B. Chemie- und Gefahrgutunfälle), Einsturzgefahren, Umweltkatastrophen, Giftgasalarm u.a. sowie die Mitwirkung im Rahmen des vorbeugenden Brandschutzes (z.B. Maßnahmen zur Verhinderung eines Brandes oder Sicherung der Rettungswege) sind. Vielfach ist der F. auch der Rettungs- und Krankentransportdienst übertragen. Das F.-Wesen ist in Dtl. landesrechtlich z.T. unterschiedlich geregelt.

Feuerwehr: Tanklöschfahrzeug

Die **Berufs-F.** besteht aus Beamten des feuerwehrtechn. Dienstes, die **freiwillige F.** i.d.R. aus ehrenamtlich tätigen Einsatzkräften. Können die F.-Aufgaben auf diese Weise von einer Gemeinde nicht oder nicht ausreichend erfüllt werden, muss eine **Pflicht-F.** aus dienstverpflichteten, nebenamtlich tätigen Einsatzkräften gebildet werden.

Einheiten der F. sind der Trupp (ein Führer und höchstens zwei Truppmänner, Kurzbez. 1/2), die Staffel (Staffelführer, Maschinist und zwei Trupps, 1/5), Gruppe (Gruppenführer, Maschinist, Melder und drei Trupps, 1/8) und der Zug (Zugführer, Gruppenführer, Maschinist, Melder und zwei Gruppen oder einer entsprechenden Anzahl von Staffeln oder Trupps, 1/22). Der **Löschzug** der Berufsfeuerwehr besteht heute meist aus einem Löschgruppenfahrzeug, einem Tanklöschfahrzeug (Wassertank 1600 l, Besatzung 6 Mann) und einem Hubrettungsfahrzeug (Drehleiter, Leiterbühne, Gelenk- oder Teleskopmastbühne). Für Sonderaufgaben stehen Spezialfahrzeuge zur Verfügung: Schlauchwagen, Atemschutzwagen, Rüstwagen, Kranwagen, Strahlenmesswagen, Wasserrettungs- und Bootswagen, mobile Leitstellen, Großtanklöschfahrzeuge, Rüstwagen für Öleinsätze, für Schieneneinsätze, Erdbewegungsgeräte, Löschpulver- und Schaumfahrzeuge, Notarztwagen u.a. Die individuelle Ausrüstung der F.-Leute soll einheitlich sein: u.a. Schutzkleidung, F.-Helm, Hakengurt.

📖 Hornung-Arnegg, W.: *Feuerwehrgeschichte. Brandschutz u. Löschgerätetechnik von der Antike bis zur Gegenwart. Stuttgart* [4]*1995.*

Feuerwerk, → Pyrotechnik.

Feuerwerker, 1) (Pyrotechniker) Chemiebetriebswerker; Tätigkeit: Herstellung und Verwendung von Feuerwerkskörpern.

2) *Militärwesen:* a) urspr. Bez. für Artillerieunteroffiziere, seit Mitte des 19. Jh. nur für solche mit Sonderausbildung im Umgang mit Munition, bes. für deren Lagerung, Materialerhaltung und techn. Sicherung; b) Bez. für die mit dem Entschärfen von Kriegsmunition befassten Spezialisten.

Feuerzangenbowle [-bolə], heißes Getränk aus Wein, karamellisiertem Zucker (und zusätzlichem Alkohol): Ein großes Stück Zucker wird in eine über dem Punschgefäß liegende Feuerzange geklemmt, mit Rum, Arrak oder Weinbrand begossen und angezündet; durch das Schmelzen des Zuckers zu Karamell erhält das Getränk einen würzigen Geschmack.

Feuerzeug, Gerät zur Erzeugung einer Flamme. Das heute übl. **Gas-F.** enthält verflüssigtes Butan oder Propan als Brennstoff. Der Zündfunke wird durch Reiben eines Stahlrädchens an einem Zündstein aus Cereisen oder durch Piezoelektrizität erzeugt.

Feuerwehr: Hubrettungsfahrzeug mit ausgefahrener Drehleiter zum Retten von Menschen aus größeren Höhen

Fibel: Maskenfibel der jüngeren Eisenzeit aus einem keltischen Männergrab von Parsberg, Kreis Neumarkt i. d. Opf., Bronze, Länge 8,9 cm (5. Jh. v. Chr.; Nürnberg, Germanisches Nationalmuseum)

Feuilleton [fœj(ə)'tɔ̃; frz., zu feuillet »(Buch-)Blatt«] *das,* der kulturelle Teil einer Zeitung (Berichte aus dem Kultur- und Geistesleben, Theater-, Kunst-, Film- u. a. Kritiken, Buchbesprechungen, Reiseberichte, Glossen und Abhandlungen zum Zeitgeschehen, Gedichte, Erzählungen, Fortsetzungsromane). Auch die Kulturredaktion einer Zeitung oder Zeitschrift wird F. genannt; ferner der einzelne Beitrag, bes. die geistreich pointierte Betrachtung (als Werk des **Feuilletonisten**). – Vorformen des F. waren im 18. Jh. die Plaudereien der »Moral. Wochenschriften«. Im 19. Jh. haben frz. Schriftsteller sowie H. Heine und die Jungdeutschen den zeitgenöss. F.-Stil entwickelt. Gepflegt wurde das F. bes. in Familienblättern, in der großen Berliner und Wiener Presse.

Feydeau [fɛ'do], Georges, frz. Dramatiker, *Paris 8. 12. 1862, †Rueil (heute Rueil-Malmaison, Dép. Hauts-de-Seine) 5. 6. 1921; schrieb Vaudevilles und zahlreiche erfolgreiche Lustspiele (u. a. »Die Dame vom Maxim« 1899; »Occupe-toi d'Amélie«, 1908), die durch groteske Situationskomik gekennzeichnet sind.

Feyerabend, 1) Paul Karl, Philosoph, *Wien 13. 1. 1924, †Genf 11. 2. 1994; Prof. in Berkeley (Calif.) und Zürich; befasste sich mit Wissenschafts- und Erkenntnistheorie sowie den soziokulturellen Folgen der Wissenschaften; entwickelte eine »anarchist. Erkenntnistheorie«, welche jede rationale Methodologie zugunsten von Kreativität und Spontaneität ablehnt (»Wider den Methodenzwang«, 1975; »Skizze einer anarchist. Erkenntnistheorie«, 1976; »Wissenschaft als Kunst«, 1984; u. a.).

2) Sigmund, Buchdrucker und Verleger, *Heidelberg 1528, †Frankfurt am Main 22. 4. 1590; betrieb in Frankfurt am Main seit 1559 ein bed. Verlagsgeschäft. Führende Holzschnittmeister der Zeit lieferten den Buchschmuck (V. Solis, J. Amman, T. Stimmer).

Feynman ['feɪnmən], Richard Phillips, amerikan. Physiker, *New York 11. 5. 1918, †Los Angeles 15. 2. 1988; verfasste grundlegende Arbeiten zur Theorie der Suprafluidität und des flüssigen Heliums II sowie zur Theorie des Betazerfalls. Für Beiträge zur Quantenelektrodynamik erhielt er 1965 mit J. Schwinger und S. Tomonaga den Nobelpreis für Physik. Seine Lehrbücher begründeten eine neue Physikdidaktik.

📖 MEHRA, J.: *The beat of a different drum. The life and science of R. F.* Neuausg. Oxford 1994.

Feynman-Graphen ['feɪnmən-; nach R. P. Feynman] (Feynman-Diagramme), Diagramme zur anschaul. Darstellung und Berechnung von Wechselwirkungsprozessen (bes. von Zerfalls- und Streuprozessen) zw. Elementarteilchen.

Fez [fɛːz], Stadt in Marokko, →Fès.

Fezan, Landschaft in Libyen, →Fessan.

ff, *Musik:* Abk. für fortissimo (→forte).

FF, Abk. für den frz. Franc (**F**ranc **F**rançais), →Franken.

ff., Abk. für: folgende (Seiten).

FFFF, Abk. für den Turnerwahlspruch: **F**risch, **F**romm, **F**röhlich, **F**rei.

FGG, Abk. für das Gesetz über die Angelegenheiten der →freiwilligen Gerichtsbarkeit.

Fiaker, bes. in Österreich Bez. für eine (zweispännige) Pferdedroschke, auch für ihren Kutscher.

Fiale [grch.] *die,* in der got. Baukunst Ziertürmchen als Bekrönung von Strebepfeilern sowie an Tür- oder Fensterverkleidungen; meist mit vier Giebeln und einem mit einer Kreuzblume abgeschlossenen Helm (»Riese«).

Fianna Fáil [-fɔjl; gäl. »Schicksalskämpfer«], irische polit. Partei, gegr. 1926 von E. de Valera als Sammelbecken aller Gegner des angloir. Vertrages von 1921; betont republikanisch und national (urspr. mit stark antibrit. Akzent), tritt für die Vereinigung des brit. Nordirland mit der Rep. Irland ein. Seit 1932 stärkste Partei, stellte sie seitdem oft den MinPräs. und den Staatspräsidenten.

FIAT SpA, Abk. für **F**abbrica **I**taliana **A**utomobili **T**orino, größtes italien. Kfz-Unternehmen und Holdingges. zahlreicher in- und ausländ. Unternehmen, bes. der Bereiche Hoch- und Tiefbau, Maschinen- und Anlagenbau, Akkumulatoren (CEAG), Flugtechnik, Verlagswesen (La Stampa), Chemie (SNIA), Sitz: Turin; gegr. 1899 von Giovanni Agnelli (*1866, †1945). Produziert werden überwiegend Pkw (Fiat, Autobianchi, Lancia, Ferrari, Maserati), Lkw (IVECO) und Traktoren (New Holland).

Fibel [lat. fibula »Spange«], der Sicherheitsnadel und Brosche ähnl. Gewandnadel vor- und frühgeschichtl. Zeit, die zum Zusammenheften der Kleidung, auch von Haartracht und Haube diente. Unterschieden werden zwei- und eingliedrige F. sowie Scheibenfibeln. Ihr Ursprung liegt nach heuti-

Fiaker

Den »Fiaker« als Bezeichnung für eine Pferdedroschke (und deren Kutscher) verbindet man meist mit der Stadt Wien. Der Name aber leitet sich von einem Eremiten Fiacrius ab, der (im Jahr 610 geboren) im Zuge der iroschottischen Mission nach Gallien gekommen war, wo er das Kloster Breuil gründete und Bischof von Meaux wurde. Rund 1000 Jahre später, um die Mitte des 17. Jahrhunderts, wurden in Paris die Mietkutschen eingeführt, die nach einem Bildnis des heiligen Fiacrius in der Rue Saint-Antoine (wo die ersten Lohnkutschen gehalten wurden) den Namen »fiacres« erhielten, der ihnen als eine Art Segen mit auf den Weg gegeben wurde. Saint-Fiacre ist noch heute vor allem als Schutzpatron der Gärtner – in Frankreich – bekannt.

ger Einschätzung in Europa, im Vorderen Orient war sie erst ab 1000 v. Chr. verbreitet. In Europa kamen F. in der Nord. Bronzezeit im 14. Jh. v. Chr. in Gebrauch, sie erfuhren hier eine sehr differenzierte Entwicklung und zählen daher zu den wichtigsten Leitformen der vor- und frühgeschichtl. Archäologie.

Die **zweigliedrige F.** kommt seit etwa 1400 v. Chr. in Nord-Dtl. und Südskandinavien vor: Nadel und Bügel sind einzeln gefertigt und frei beweglich miteinander verbunden (Hauptformen sind Spiralplatten-, Bogenbügel- und Platten-F.).

Bei der **eingliedrigen F.** sind Nadel und Bügel mittels einer Federspirale elastisch miteinander verbunden. Verbreitet ist sie seit dem 13. Jh. v. Chr. zunächst in S- und SO-Europa, seit der älteren Eisenzeit auch im ehem. Gebiet der zweigliedrigen F. (Hauptformen sind die Violinbogen-F., Bogen-F., Achterschleifenbügel-F. sowie die Brillen-F. aus zwei gegenläufig gewickelten Spiralscheiben aus Bronzedraht). – In der jüngeren Eisenzeit herrschten La-Tène-F., darunter Masken- und Tier-F., vor. Röm. F. liegen in einer Vielzahl von Typen vor (bes. wichtig seit dem 1. Jh. n. Chr. die Augen-F. mit paarweisen Kreisornamenten), ebenso die oft kostbaren Bügel-F. der Völkerwanderungszeit.

Bei der **Scheiben-F.** wird die Funktion des Bügels von einer (meist verzierten) Scheibe übernommen, an der einerseits die Federkonstruktion mit Nadel und andererseits die Nadelrast befestigt ist. Die Scheiben-F., auch mit figürl. »Scheibe« (z. B. in Adlerform), ist von der La-Tène-Zeit bis in das frühe MA. in Gebrauch. Als Gebrauchsgegenstand wurde die F. mit dem Aufkommen geknöpfter Kleidungsstücke im Spät-MA. überflüssig.

🕮 REICHSTEIN, J.: *Die kreuzförmige F. Neumünster 1975.* – KLEIN-PFEUFFER, M.: *Merowingerzeitl. F. u. Anhänger aus Preßblech. Marburg 1993.*

Fibel [Kinderwort aus »Bibel«], Leselernbuch (Abc-Buch), im übertragenen Sinn auch Lehrbuch zur elementaren Einführung in andere Sachbereiche (z. B. Gesundheitsfibel).

🕮 BERGK, M.: *Leselernprozeß u. Erstlesewerke. Analyse des Schriftspracherwerbs u. seiner Behinderungen. Bochum 1980.*

Fiber [lat.], Faser.

Fiberoptik, → Faseroptik.

Fibiger, Johannes, dän. Pathologe, *Silkeborg 23. 4. 1867, †Kopenhagen 30. 1. 1928. F. gelang 1912 die erste experimentelle Krebserzeugung bei Ratten durch Verfütterung von infizierten Küchenschaben (sog. Spiropterakrebs); hierfür erhielt er 1926 den Nobelpreis für Physiologie oder Medizin.

Fibonacci-Folge [-'nattʃi-; nach dem italien. Mathematiker L. Fibonacci, *um 1180, †um 1250], die Folge der Zahlen 1, 1, 2, 3, 5, 8, 13, ..., wobei jedes Glied gleich der Summe der beiden vorangehenden Glieder ist; allg.:

$$a_{n+1} = a_{n-1} + a_n, \text{ mit } a_1 = a_2 = 1.$$

FIBOR, Abk. für **F**rankfurt **I**nter**b**ank **O**ffered **R**ate, Referenzzinssatz für DM-Anleihen mit variablen Zinsen (Floating-Rate-Notes), zu dem international tätige Banken in Frankfurt am Main Geldmarktgeschäfte tätigen; wird als Durchschnitt der Zinsofferten für Drei- und Sechsmonatstermingelder täglich ermittelt. (→ LIBOR)

Fibrille [lat.] *die,* v. a. aus Eiweißen oder Polysacchariden bestehende, nur mikroskopisch erkennbare, lang gestreckte Struktur in pflanzl. und tier. Zellen; wesentl. Bestandteil der pflanzl. Zellwände, der Muskeln und der Grundsubstanz des Bindegewebes.

Fibrin [lat.] *das* (Blutfaserstoff, Plasmafaserstoff), Protein, das bei der Blutgerinnung unter der Wirkung von Prothrombin aus der Vorstufe Fibrinogen entsteht. F. ermöglicht die Blutgerinnung durch seine Fähigkeit zur vernetzenden Polymerisation. Bei der Fibrinolyse wird F. durch Fibrinolysin wieder aufgelöst.

Fibrinolytika [grch.-lat.] (Thrombolytika), Arzneimittel (bes. Streptokinase), die fibrinauflösend wirken; dienen zur Behandlung von Thrombosen und Embolien.

Fibroin [lat.] *das,* ein Faserprotein, Hauptbestandteil des Seidenfadens.

Fibrom [lat.] *das* (Fasergeschwulst), langsam wachsende, vorwiegend aus faserigem Bindegewebe bestehende gutartige Geschwulst, die an den verschiedensten Stellen des Körpers vorkommen und bis Kopfgröße erreichen kann. Die seltene bösartige Form wird als **Fibrosarkom** bezeichnet.

fibrös [lat.], aus derbem Bindegewebe bestehend.

Fibrose *die,* meist entzündlich bedingte Bindegewebevermehrung, z. B. der Lunge, Leber oder Bauchspeicheldrüse; kann zur Funktionsuntüchtigkeit des betroffenen Organs führen.

Fibrozyt [lat.-grch.] *der,* spindelförmige Zelle des → Bindegewebes mit langen Fortsätzen.

Fichte (Picea), Gattung der Kieferngewächse mit über 40 Arten auf der nördl. Erdhalbkugel; immergrüne Nadelbäume mit einzeln stehenden, spiralig um den Zweig gestellten Nadeln und hängenden Zapfen. Die F. i. e. S. ist die **Gemeine F.** (**Rottanne,** Picea abies), der wichtigste Waldbaum N- und Mitteleuropas; wird bis 60 m hoch und bis 1000 Jahre alt; mit spitzer Krone und flacher, weit reichender Bewurzelung; Borke rötlich bis graubraun, in runden Schuppen abblätternd; Nadeln vierkantig, glänzend grün, stachelspitzig; reife Zapfen braun, hängend, als Ganzes abfallend. Von Natur aus kommt die Gemeine F. meist in luft-

Richard P. Feynman

Johannes Fibiger

Fichte: Zweige mit Fruchtzapfen (oben), männlichen (unten links) und weiblichen Blütenständen der Gemeinen Fichte

Hubert Fichte

feuchten Gebirgslagen vor. Sie wird jedoch häufig standortfremd angebaut und ist dann gegenüber Schädlingen bes. anfällig.

Wichtige F.-Arten sind auch einige nordamerikan. Arten: die bis 40 m hohe **Schimmel-** oder **Weiß-F.** (Picea glauca) mit kurzen, blaugrünen Nadeln und 3–5 cm langen, spindelförmigen Zapfen; die anspruchslose, raschwüchsige, bis 90 m hohe **Sitka-F.** (Picea sitchensis) mit blaugrünen, dünnen, stechenden Nadeln; die bis 45 m hohe **Stech-** oder **Blau-F.** (Picea pungens) mit blaugrünen, dicken, stechenden Nadeln. Aus Kleinasien stammt die dicht beastete, bis 50 m hohe **Kaukasus-F.** (Picea orientalis), deren Nadeln die kleinsten von allen F.-Arten sind, vom Balkan die bis 40 m hohe **Omorika-** oder **Serb. F.** (Picea omorika), die wegen der sehr schmalen und tiefen Krone ein beliebter Zierbaum ist.

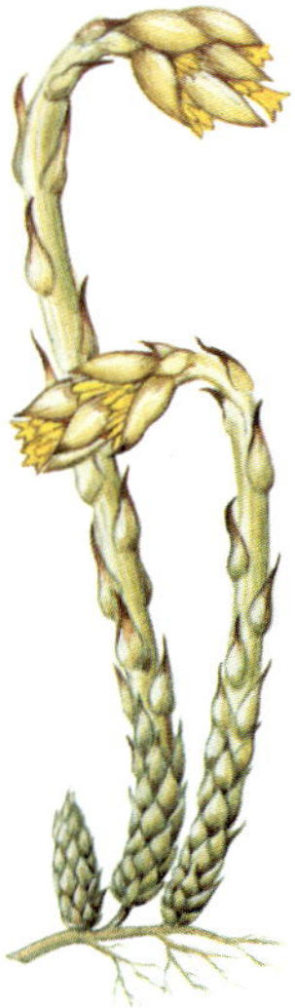

Fichtenspargel

Fichte, 1) Hubert, Schriftsteller, *Perleberg 21. 3. 1935, †Hamburg 8. 3. 1986; verfasste Romane (»Das Waisenhaus«, 1965; »Versuch über die Pubertät«, 1974) sowie Text- und Bildbände über afrikan. Religionen (mit der Fotografin Leonore Mau, »Xango«, 1976); der auf 19 Bde. angelegte Zyklus »Die Gesch. der Empfindlichkeit« blieb Fragment (hg. 1987 ff.).

2) Immanuel Hermann, Philosoph, *Jena 18. 7. 1796, †Stuttgart 8. 8. 1879, Sohn von 3); entwarf in Anlehnung und Abgrenzung zu G. W. F. Hegels monist. Idealismus und dem realist. Individualismus J. F. Herbarts seinen am Theismus G. W. Leibniz' orientierten spekulativen Theismus.

3) Johann Gottlieb, Philosoph, *Rammenau (bei Bischofswerda) 19. 5. 1762, †Berlin 29. 1. 1814, Vater von 2); wurde 1794 Prof. in Jena, 1799 in der Folge des Atheismusstreits entlassen, 1805 Prof. in Erlangen, 1811 erster gewählter Rektor der Univ. Berlin.

Seine Philosophie ist eine Fortbildung des kantischen Kritizismus zu einem metaphys. Idealismus (»Wissenschaftslehre«). Nach grundlegenden Schriften »Über den Begriff der Wissenschaftslehre« (1794), »Grundlage der gesamten Wissenschaftslehre« (1794/95) u. a. entwarf F. zahlr. neue Fassungen seines Systems. Immer handelt es sich um den Versuch, das Bewusstsein mit seinen Inhalten aus der Selbstsetzung des Ich (»Tathandlung«) abzuleiten. Dies ist einer der folgenreichsten Ansätze der neueren Philosophie (→deutscher Idealismus, →Neukantianismus). F. erhob als Erster den dialekt. Dreischritt (These–Antithese–Synthese) zur grundlegenden Methode philosoph. Denkens. Im »Geschlossenen Handelsstaat« (1800), noch stärker in der »Rechtslehre« von 1812 und in den Fragmenten von 1813, vertrat F. einen Staatssozialismus. Von 1806 an wirkte er für die Erhebung gegen Napoleon I. und seit 1807 für die allg. Volksbewaffnung. 1807/08 hielt er die »Reden an die dt. Nation«.

🕮 Wundt, M.: *J. G. F. Stuttgart 1927, Nachdruck Stuttgart u. a. 1976.* – Hochenbleicher-Schwarz, A.: *Das Existenzproblem bei J. G. F. u. S. Kierkegaard. Königstein im Taunus 1984.* – Rohs, P.: *J. G. F. München 1991.*

Fichtelberg, nach dem Keilberg zweithöchster Berg des Erzgebirges, 1214 m ü. M., in Sachsen; Wetterwarte; Wintersportgebiet; Schwebebahn von Oberwiesenthal (911 m ü. M.).

Fichtelgebirge, Mittelgebirge in Oberfranken, Bayern, grenzt im NO an die Tschech. Republik, wird im NW vom Frankenwald, im N von den Hochflächen des Vogtlandes und dem Elstergebirge begrenzt, wird im SO durch die Naab-Wondreb-Senke vom Oberpfälzer Wald getrennt. Das F. ist eine stark abgetragene Rumpfscholle. Die höheren Erhebungen aus Granit und Gneis (Schneeberg 1051 m ü. M., Ochsenkopf 1024 m ü. M.) mit blockförmigen Felsklippen und Felsenmeeren (z. B. →Luisenburg, mit Naturtheater) bilden bewaldete Höhenzüge, zu denen im S auch der **Steinwald** gehört. Sie umschließen ein flachwelliges, nach NO sich abflachendes, dichter besiedeltes inneres Hochland. Zw. Schneeberg und Ochsenkopf liegen das **Fichtelsee-Hochmoor** (Naturschutzgebiet) und der **Fichtelsee.** Im F. entspringen Weißer Main (zum Rhein), Fichtelnaab (zur Donau), Saale und Eger (zur Elbe). Rodungen im ehemals dicht bewaldeten F. begannen erst im 12. Jh. Der im 14.–17. Jh. bed. Bergbau (auf Zinn, Gold, Blei, Silber, später auch Eisen) ist erloschen. Im 17. und 18. Jh. wurden bes. Glas **(Fichtelberger Gläser)** und bis in die jüngste Zeit farbige Glasperlen hergestellt. Wegen des rauen niederschlagsreichen Klimas beschränkt sich die Landwirtschaft auf den Anbau von Roggen, Gerste, Kartoffeln und Viehwirtschaft; daneben (bes. in Marktredwitz und Selb) Porzellan-, Stein-, Speckstein- (für elektr. Isolierstoffe), Textilind.; Uranerzvorkommen; Fremdenverkehr (Bad Alexandersbad, Bad Berneck, Bischofsgrün, Wunsiedel u. a.).

Johann Gottlieb Fichte: Punktierstich nach einem Gemälde des Zeitgenossen Heinrich Anton Dähling (um 1810)

Fidschi

Fläche: 18 274 km²
Einwohner: (1995) 784 000
Hauptstadt: Suva
Verwaltungsgliederung: 14 Provinzen
Amtssprache: Englisch und Fidschianisch
Nationalfeiertag: 10. 10.
Währung: 1 Fidschi-Dollar ($F) = 100 Cents (c)
Zeitzone: MEZ + 11 Std.

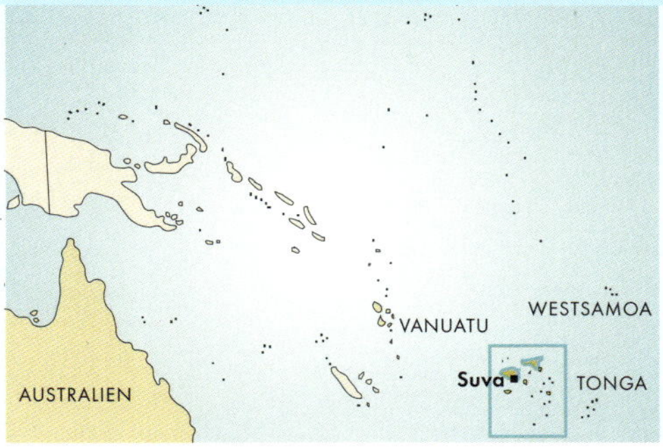

Staatswappen

(FJI)
Internationales Kfz-Kennzeichen

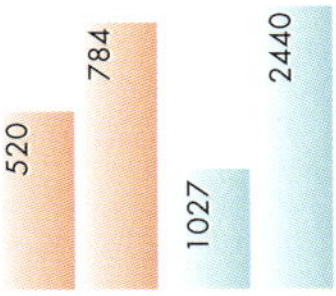

1970 1995 1970 1995
Bevölkerung (in Tausend) Bruttosozialprodukt je Ew. (in US-$)

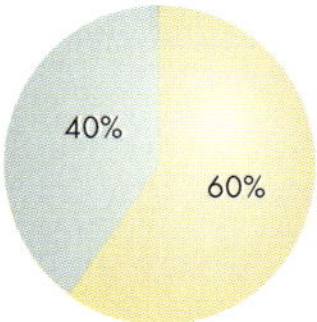

Stadt
Land
Bevölkerungsverteilung 1993

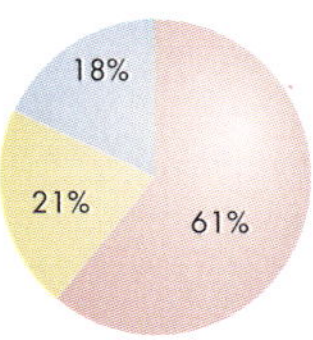

Industrie
Landwirtschaft
Dienstleistung
Bruttoinlandsprodukt 1993

🕮 NEIDHARDT, J.: *Wanderführer durch das F. Hof* [6]*1987*. – MESSARIUS, G.: *F. Naturpark zwischen Bayreuth, Hof u. Selb. Pforzheim* [4]*1992*.

Fichtennadelöle, → Koniferenöle.

Fichtenspargel (Monotropa hypopitys), ein blattgrünfreies saprophyt. Fichtenspargelgewächs mit blassgelbem Blütenstand, Schuppenblättern und Mykorrhiza; in Nadel- und bodensauren Laubwäldern vorkommend.

Fichu [fiˈʃy, frz.] *das,* dreizipfliges Brust- und Schultertuch, dessen Enden, über der Brust gekreuzt, auf dem Rücken verknüpft werden, getragen etwa 1785–1840, heute noch in Volkstrachten.

Ficker, 1) Julius von (seit 1885), Historiker, *Paderborn 30. 4. 1826, †Innsbruck 10. 7. 1902, Vater von 2); 1852–79 Prof. in Innsbruck; beschäftigte sich mit dem Verfassungswesen des MA; verteidigte gegenüber H. von Sybel vom kath.-großdt. Standpunkt aus die Kaiserpolitik des Mittelalters.

2) Ludwig von, kath. Publizist und Verleger, *München 13. 4. 1880, †Innsbruck 20. 3. 1967, Sohn von 1); gründete 1910 in Innsbruck die literar. und kulturpolit. Ztschr. »Der Brenner«, an der u. a. G. Trakl, T. Däubler, E. Lasker-Schüler, F. Ebner und T. Haecker mitarbeiteten.

Fiction [ˈfɪkʃn, engl.], engl. Sammelbegriff für fiktive Erzählliteratur, Romane, Sciencefiction; → Fiktion.

Ficus [lat.], die Pflanzengattung → Feige.

Fidanza, Johannes, → Bonaventura.

FIDE, Abk. für frz. **F**édération **I**nternationale **d**es **É**checs, internat. Schachverband, gegr. 1924; Sitz: Luzern.

Fidei Defensor (Defensor fidei, engl. Defender of the Faith), Titel der engl. Könige, von Papst Leo X. 1521 Heinrich VIII. verliehen, vom engl. Parlament 1544 für erblich erklärt.

Fideikommiss [von lat. fidei commissum »zu treuen Händen belassen«] *das,* im früheren dt. Recht ein unveräußerl. und unteilbares Familienvermögen, i. d. R. Grundbesitz, das stets geschlossen in der Hand eines Familienmitgl. blieb; nur der Ertrag stand zu freier Verfügung. Dadurch blieb die vermögensrechtl. Grundlage für eine Familie und ihre soziale Stellung gesichert. Seit Aufkommen des Liberalismus bekämpft und im Bereich des frz. Rechts (Code Napoléon), also auch im linksrhein. Dtl. beseitigt, bestimmte Art. 155 der Weimarer Reichsverf. die Auflösung der F. (ergänzt durch Reichs-Ges. vom 6. 7. 1938, bestätigt durch Kontrollrats-Ges. Nr. 45 von 1947); sie leben aber aufgrund landes- und bundesrechtl. Vorschriften bis in die Gegenwart fort.

Fideismus [zu lat. fides »Glaube«] *der,* theolog. Auffassung, die besagt, dass die Glaubenswahrheiten nicht mittels der Vernunft erschlossen werden können; vom 1. Vatikan. Konzil verurteilt.

Fidel, → Fiedel.

Fidelis, Klostername für Markus Roy, Kapuziner, *Sigmaringen Sept./Okt. 1578, †(von kalvinist. Bauern erschlagen) bei Seewis im Prättigau (Schweiz) 24. 4. 1622; wirkte für die Rekatholisierung Graubündens; Heiliger, Tag: 24. 4.

Fidelismus (Castrismus), ein von Fidel → Castro Ruz in Kuba entwickeltes, auf lateinamerikan. Verhältnisse zugeschnittenes Gesellschaftskonzept, das die Forderung nach sozialer Revolution mit der nach nationaler Unabhängigkeit (bes. vom Einfluss der USA) verknüpft. Der F. sollte auf dem Weg des revolutionären Kleinkriegs (→ Guerilla) in ganz Lateinamerika verwirklicht werden.

Fides [lat.] *die,* Verlässlichkeit, Treue, Glaube, personifiziert in der gleichnamigen altröm. Göttin (mit Füllhorn, Schale, Ähren und Fruchtkorb).

Fidschi (amtl. englisch Republic of Fiji, fidschianisch Na Matanitu ko Viti; dt. Rep. F.), Inselstaat im SW-Pazifik, zw. Melanesien und Polynesien, umfasst die rd. 360 F.-Inseln (davon 105 bewohnt) und die Insel Rotuma als Außengebiet.

Staat und Recht: Nach der Verf. von 1990 ist F. eine demokrat. Republik mit Mehrparteiensystem. Staatsoberhaupt ist der Präs. (vom Großen Rat der Stammesführer für fünf Jahre ernannt). Die Legislative liegt beim Zweikammerparlament, bestehend aus Senat (34 Sitze) und Abg.haus (70 Sitze),

Fidschi: Zuckerrohranbau auf Viti Levu

die Exekutive bei der Reg. unter Vorsitz des Premiermin. Die Sitze in beiden Kammern des Parlaments sind proportional unter den Bev.gruppen aufgeteilt, wobei die »eingeborenen Einwohner« das größte Gewicht besitzen. Einflussreichste Parteien: Polit. Partei von F. (FPP), Nat. Föderationspartei (NFP) und Arbeitspartei (FLP).

Landesnatur: Die größeren Inseln, Viti Levu, Vanua Levu und Taveuni, bestehen aus alten Gesteinen, die von jungen Vulkankegeln (auf Viti Levu bis 1323 m ü. M.) gekrönt sind. Die kleineren Inseln sind im Wesentlichen aus Korallenkalk aufgebaut. Auf den niederschlagsreichen Luvseiten der Gebirge wächst trop. Regenwald mit wertvollen Edelhölzern, die Leeseiten sind meist mit Savanne bedeckt (Viehzucht); die flachen, dicht besiedelten Küstenräume werden von Mangrovenwäldern gesäumt. Das Klima ist tropisch-maritim.

Bevölkerung: Die einheim. Fidschianer (heute 49 % der Ew.) sind nach Rasse und Sprache Melanesier, jedoch mit polynes. Kultur. Sie leben in traditionellen Dorfgemeinschaften und stellen die Landbesitzer. Zweitgrößte Bev.gruppe sind mit 38 % die Inder (von den Engländern als Plantagenarbeiter herbeigeholt, heute selbstständige Bauern und Händler); ferner Europäer und Chinesen. Es besteht keine allg. Schulpflicht; die Primarschule wird aber von rd. 94 % der Kinder besucht (Schulzeit sieben Jahre); in Suva gibt es eine Univ. (gegr. 1968) sowie weitere Hochschulen. Etwa 50 % der Bev. sind Christen, 40 % Hindus, 8 % Muslime.

Wirtschaft, Verkehr: Wichtigster Zweig ist die Landwirtschaft, bes. der Anbau von Zuckerrohr, Kokospalmen, Bananen, Ananas, Kakao und Zitrusfrüchten für den Export; für den Eigenbedarf Anbau u. a. von Reis, Mais, Bataten, Jamswurzeln. Die Fischereiwirtschaft wird mit japan. Hilfe ausgebaut. Von Bedeutung sind die Nahrungsmittelind., ferner Bergbau (auf Gold und Manganerz) und Fremdenverkehr. – Auf Viti Levu gibt es eine 650 km lange Schmalspurbahn der Zuckergesellschaft. Das Straßennetz von rd. 5 100 km Länge ist recht gut ausgebaut; internat. Flughäfen sind Nadi und Nausori auf Viti Levu; wichtigster Verkehrsträger ist die Schifffahrt, größter Hafen Suva.

Geschichte: Die 1643 von A. J. Tasman entdeckten F.-Inseln wurden 1874 brit. Kronkolonie. 1966 erhielten die Inseln innere Autonomie, 1970 als parlamentar. Monarchie die staatl. Unabhängigkeit im Rahmen des Commonwealth. Unter Erhaltung bestimmter Vorrechte des melanes. Bev.teils suchte Premiermin. Ratu Sir Kamises K.T. Mara (Allianzpartei) die ethn. Spannungen in seinem Lande auszugleichen. Nach dem Wahlsieg einer Koalition der indisch dominierten Nationalen Föderationspartei und der Arbeitspartei (April 1987) lösten Überlegungen, die Vorrechte der Melanesier abzubauen, im Mai 1987 einen Militärputsch unter Oberstleutnant Sitiveni Rabuka aus. Nach einem erneuten Putsch rief die Militärregierung am 7. 10. 1987 die Republik aus. Seit 1992 ist Rabuka selbst MinPräs., Mara seit 1993 Staatspräsident. Im Zeichen eines seit 1987 veränderten Parteienfeldes siegte bei den Wahlen von 1992 und 1994 die Fidschian. Polit. Partei als Interessenvertretung des melanes. Bevölkerungsteils.

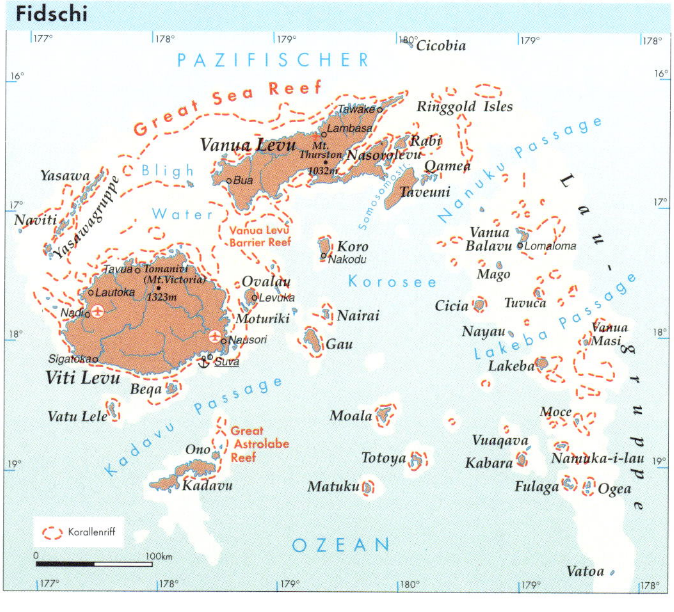

📖 STANLEY, D.: *F.-Handbuch. A. d. Engl. Bremen* [4]*1994.*

fiduziarisches Rechtsgeschäft, das treuhänder. Rechtsgeschäft, → Treuhand.

Fieber (lat. Febris), Erhöhung der Körpertemperatur über den Normalwert (beim Menschen

Eberhard Fiebig: »Tor des irdischen Friedens«, Höhe 7 m, Breite 100 m (1986/87; Eingangsportal der Universität Kassel)

über 37,5 °C, rektal gemessen), meist als Abwehrreaktion des Organismus gegen Krankheitserreger ausgelöst. Im Unterschied zur Hyperthermie ist das F. eine aktive Leistung des Organismus und tritt dann ein, wenn der Sollwert des Wärmeregulationszentrums im Zwischenhirn (Hypothalamus) durch Reizung erhöht, d.h. die Empfindlichkeit der zentralen Messfühler (Thermorezeptoren) gegen Wärme herabgesetzt ist. Hierdurch kommt es zu subjektiver Kälteempfindung (Frösteln) und v.a. bei plötzl. hohem F. zu kurzfristigen Aufheizungsreaktionen in Form einer Verminderung der Wärmeabgabe und Steigerung der Wärmebildung (Kältezittern der Glieder, Schüttelfrost). Ist die dem erhöhten Sollwert entsprechende Körpertemperatur erreicht, wird diese konstant gehalten. Die Temperaturerhöhung führt zu einer Steigerung des Stoffwechsels mit Puls- und Atembeschleunigung. Weitere Begleiterscheinungen sind Appetitlosigkeit, Mattigkeit, Benommenheit, Kopfschmerzen, Unruhe, F.-Fantasien (Delirien). Häufig treten **F.-Bläschen** (Herpes labialis), auch Hautreaktionen (Exanthem) auf. Bei Rückgang des F. kommt es zu Hitzegefühl mit gesteigerter Hautdurchblutung **(F.-Erythem)** und Schweißabgabe; langsame Normalisierung wird als Lysis, abrupte als Krisis bezeichnet. Häufige Ursachen des F. sind v.a. allg. oder örtl. Infektionen (v.a. Infektionskrankheiten), bei denen die Bakterien, ihre Toxine oder Zerfallsprodukte als Fieber erzeugende (pyrogene) Stoffe wirken, sowie Reaktionen auf artfremdes Eiweiß (Nessel-F.) und körpereigene Abwehrstoffe (z.B. bei Abtransport von Blutergüssen und abgestorbenem Gewebe), des Weiteren Austrocknung des Körpers, Störung des Salz-Wasser-Haushaltes, Arzneimittelüberempfindlichkeit.

Behandlung: Neben hydrotherapeut. Maßnahmen (kühle Packungen, Umschläge, Wadenwickel, Bäder, Abwaschungen) ist die medikamentöse Senkung durch →Fiebermittel möglich. Allg. Regeln sind Schonung, Ruhe, reichlich Flüssigkeitszufuhr zum Ausgleich der Verluste durch Schweißabsonderung.

📖 Schmidt, Klaus L.: *Hyperthermie u. F. Wirkungen bei Mensch u. Tier.* Stuttgart ²1987.

Fieberklee, →Bitterklee.

Fieberkrämpfe (Infektkrämpfe), Krämpfe, die im Säuglings- und Kleinkindesalter während eines raschen Fieberanstiegs auftreten und ärztl. Hilfe erfordern.

Fiebermittel (grch. Antipyretika), Arzneimittel zum Herabsetzen erhöhter Körpertemperatur; die meisten F. besitzen gleichzeitig schmerzlindernde und entzündungshemmende Wirkung, z.B. Salicylsäure- und Pyrazolonderivate.

Fiebermücken (Gabelmücken, Malariamücken, Anopheles), Gattung der Stechmücken mit rd. 200 Arten; davon übertragen etwa 50 Arten die Malaria, in Mitteleuropa bes. Anopheles maculipennis mit versch. Rassen; nur die Weibchen sind Blutsauger und damit Überträger. – Die Bekämpfung erfolgt durch Beseitigen der Brutplätze, Aussetzen sterilisierter Männchen oder Einsetzen bestimmter Fische (Gambusien) in die Brutgewässer.

Fieberrinde, die →Chinarinde.

Fieberthermometer, geeichtes Maximumthermometer zur Messung der Körpertemperatur (Messbereich 35–42 °C). Neben dem Quecksilber-Glas-F. gibt es Instrumente mit elektron. Temperatursensoren und digitaler Anzeige sowie stark verkürzter Messzeit (unter einer Minute).

Fiebig, Eberhard, Bildhauer, *Bad Harzburg 1. 3. 1930; nach autodidakt. Anfängen mit Schrottteilen entstanden seit den 1950er-Jahren v.a. Metallskulpturen aus vorgefertigten Stahlelementen (»Tor des ird. Friedens«, Univ. Kassel, 1986/87). F. entwarf auch Möbel und trat als Fotograf und Publizist hervor.

Fiedel (Fidel), das wichtigste Streichinstrument des MA. und der Renaissance, eine Vorform der Geige, seit dem späten 8. Jh. nachweisbar.

Fiedel: Darstellung des Königs David mit Fiedel an der Kathedrale von Santiago de Compostela (12. Jh.)

Fiedler, Conrad, Kunsthistoriker, *Oederan 23. 9. 1841, †München 3. 6. 1895; seine Kunsttheorie betont den autonomen Charakter des Kunstwerks und schuf damit eine neue Auffassung der Kunstbetrachtung des späten 19. Jahrhunderts.

Field [fiːld], John, irischer Pianist und Komponist, *Dublin 26. 7. 1782, †Moskau 23. 1. 1837. Seine »Nocturnes« für Klavier sind Vorbild für die gleichnamigen Klavierstücke von F. Chopin.

Fieldball [ˈfiːldbɔːl; engl. »Feldball«], dem Schlagball ähnl., dem Softball verwandtes Spiel.

Fielding [ˈfiːldɪŋ], Henry, engl. Schriftsteller, *Sharpham Park (bei Glastonbury, Cty. Somerset) 22. 4. 1707, †Lissabon 8. 10. 1754; schuf mit seinem Roman »Abenteuer Joseph Andrews' und seines Freundes Abraham Adams« (1742), einer Parodie

Henry Fielding (Stich nach einem Gemälde von William Hogarth)

auf S. Richardsons »Pamela«, den ersten komisch-realist. Roman der engl. Literatur, in dem er der psychologisierenden Empfindsamkeit das Gentleman-Ideal entgegenstellte. Sein Meisterwerk ist »Tom Jones oder die Geschichte eines Findelkindes« (1749, 1963 verfilmt), eine Art Bildungsroman. Weitere Werke: »Jonathan Wild« (1743), »Tagebuch einer Reise nach Lissabon« (1755).

📖 *H. F. u. der engl. Roman des 18. Jh.s, hg. v.* W. Iser. *Darmstadt 1972.* – Battestin, M. C. *u.* Battestin, R. R.: *H. F. A life. London u. a. 1989.*

Fields-Medaille ['fi:ldzmedaljə], höchste wiss. Auszeichnung auf dem Gebiet der Mathematik, die seit 1936 auf dem i. d. R. alle vier Jahre stattfindenden Internat. Mathematikerkongress vergeben wird; »anstelle« eines Nobelpreises in der Mathematik von dem kanad. Mathematiker J. C. Fields (* 1863, † 1932) gestiftet.

Gerhard Fieseler

Fier, Bezirks-Hptst. im südl. Mittelalbanien, 45 200 Ew.; Wärmekraftwerk, Düngemittelfabrik. – Nahebei die Ruinen von Apollonia in Illyrien (gegr. 588 v. Chr.).

Fieren, *Seemannssprache:* das Herablassen eines Segels, eines Boots u. a. mit einem Tau.

Fierlinger, Zdeněk, tschechoslowak. Politiker, * Olmütz 11. 7. 1891, † Prag 2. 5. 1976; Lehrer, seit 1918 enger Mitarbeiter von E. Beneš, war 1945/46 MinPräs., 1946/47 und 1948–53 stellv. MinPräs., 1945–48 Vors. der Sozialdemokrat. Partei. F. nahm 1948 am kommunist. Staatsstreich teil und verschmolz 1949 seine Partei mit der KP. 1953–64 war er Präs. der Nationalversammlung.

Fiescher Gletscher, 16 km langer, 33 km² großer Gletscher an der Südseite der Berner Alpen, senkt sich vom Finsteraarhorn und den **Fiescher Hörnern** (Ochs-, Hinter-, Großfiescherhorn, bis

Fiesole: Die in die Fassade des späteren Neubaus des ehemaligen Benediktinerklosters Badia Fiesolana (15. Jh.) eingearbeitete romanische Fassade des 12. Jh. aus weißgrünem Marmormosaik

Gerhard Fieseler: Fieseler Storch (Fi 156)

4049 m ü. M.) nach S ins hintere **Fiescher Tal,** das bei **Fiesch** ins Rhonetal mündet.

Fieschi [fi'eski], genues. Adelsgeschlecht; ihm entstammten die Päpste Innozenz IV. (1243–54) und Hadrian V. (1276) und zahlr. Kardinäle sowie Feldherren der Städte Genua, Mailand und Florenz; Parteigänger der Guelfen. Als Haupt einer Verschwörung gegen die Herrschaft Andrea Dorias in Genua ertrank Giovanni Luigi F., gewöhnlich **Fiesco** genannt (* 1522, † 1547), im Hafen seiner Heimatstadt (darüber Trauerspiel von Schiller, 1783).

Fieseler, Gerhard, Kunstflieger und Flugzeugbauer, * Glesch (heute zu Bergheim) 15. 4. 1896, † Kassel 1. 9. 1987; im 1. Weltkrieg Jagdflieger, dann Kunstflieger (Weltmeister 1934); gründete 1930 in Kassel die spätere **F.-Flugzeugbau GmbH,** die u. a. 1937 den »F.-Storch« (Fi 156), das erste Kurzstartflugzeug, herausbrachte. Schrieb »Meine Bahn am Himmel« (1979).

Fiesole, Stadt in der Toskana, Italien, nordöstlich von Florenz, 15 100 Ew.; Fremdenverkehr; Sitz des Europ. Hochschulinstitutes von Florenz im ehem. Franziskanerkloster (12.–15. Jh. mit Museum). – Reste etrusk. Mauern, eines röm. Bades und Theaters; roman. Kathedrale (1028 begonnen, im 13. und 14. Jh. erweitert). – Urspr. etrusk. Stadt, seit dem 3. Jh. v. Chr. unter röm. Einfluss **(Faesulae);** 405 schlug Stilicho hier die Ostgoten. 1125 wurde F. von Florenz unterworfen.

Fiesta de la Raza [-ðe la 'rraθa; span. »Fest (Tag) der Rasse«], → Día de la Hispanidad.

FIFA, Abk. für frz. **F**édération **I**nternationale de **F**ootball **A**ssociation, Internat. Fußballverband, 1904 in Paris gegr., Sitz: Zürich.

Fife [faɪf], Local Authority in O-Schottland, nördlich des Firth of Forth, 1323 km², (1993) 351 200 Ew., Zentren sind Glenrothes (Verw.sitz), Dunfermline und Kirkcaldy.

FIFO, Abk. für engl. **F**irst **I**n/**F**irst **O**ut [»als Erstes herein, als Erstes hinaus«], **1)** *Datenverarbeitung:* Form der Stapelspeicherung, bei dem die zuerst eingegebenen Daten als Erste wieder ausgelesen werden; wird v. a. in Warteschleifen verwendet. Ggs.: LIFO.

2) *Wirtschaft:* (FIFO-Methode) Verfahren zur Bewertung gleichartiger Gegenstände des Vorratsvermögens. Es wird unterstellt, dass die zuerst angeschafften Waren auch zuerst verbraucht oder veräußert worden sind; d.h., der Endbestand wird mit den Anschaffungskosten der zuletzt erworbenen Waren bewertet. Ggs.: LIFO-Methode.

Figaro, Dienerfigur in Komödien von P. de Beaumarchais, in Mozarts Oper »Figaros Hochzeit« und Rossinis »Barbier von Sevilla«.

Fight [faɪt; engl. »Kampf«] *der,* lebhaft geführter Kampf, v.a. bei sportl. Wettbewerben.

Figl, Leopold, österr. Politiker, * Rust (heute zu Michelhausen, Bez. Tulln) 2. 10. 1902, † Wien 9. 5. 1965; Agraringenieur; war als Gegner der Annexion Österreichs durch das Dt. Reich 1938–43, nach Tätigkeit (1943) in einer Untergrundgruppierung 1944/45 im KZ. 1945 beteiligte er sich an der Gründung der Österreich. Volkspartei (ÖVP) und leitete sie bis 1951 als Bundesobmann. 1945 und 1962–65 war er Landeshauptmann von Niederösterreich. Als Bundeskanzler (1945–53) und Außenmin. (1953–59) hatte F. wesentl. Anteil an der Wahrung der staatl. Einheit der Zweiten Republik Österreich und am Abschluss des Österreichischen Staatsvertrages (1955). 1959–62 war F. Präs. des Nationalrats.

Figner, Wera Nikolajewna, russ. Revolutionärin, * Christoforowka (Gouv. Kasan) 7. 7. 1852, † Moskau 15. 6. 1942; war als führendes Mitgl. der radikalen Geheimorganisation »Narodnaja Wolja« 1881 an der Ermordung Kaiser Alexanders II. beteiligt; 1883 zum Tod verurteilt, zu lebensläng. Haft begnadigt, 1904 amnestiert. – Memoiren »Nacht über Rußland« (1925).

Figueres [fiˈgeres] (span. Figueras), Stadt in Katalonien, Spanien, Hauptort des fruchtbaren Empordà (Ampurdán), 31 000 Ew.; Museo Salvador Dalí; Eisenindustrie. – Got. Pfarrkirche mit roman. Kapelle; fünfeckige Festung Castillo de San Fernando (18. Jh.) oberhalb der Stadt.

Figur [lat.], **1)** *allg.:* äußere Gestalt eines Körpers oder einer Fläche.

2) *Heraldik:* Wappenbild, Aufteilung des Wappenschildes (Heroldsstück) oder gemeine Figur.

3) *Literatur:* 1) handelnde Person oder Charakter in einem literar. Werk; 2) sprachl. Kunstform, Stilmittel.

4) *Musik:* kleine, melodisch und rhythmisch zusammengehörige Tongruppe.

Figura etymologica [lat.] *die,* Verbindung von Verben und Substantiven gleichen Stammes (z.B. *einen harten Kampf kämpfen*) oder gleicher Bedeutung (z.B. *eines unnatürlichen Todes sterben*).

Figuren, in versch. Sportarten bestimmte einzelne Übungen bzw. Übungsteile mit meist höheren feinmotor. und ästhet. Anforderungen.

Figurengedicht (Bildgedicht), Gedicht, in dessen Schrift- oder Druckbild ein Gegenstand, der zum Inhalt (meist) in direkter oder symbol. Beziehung steht, im Umriss nachgebildet wird. Das antike F. (von Theokrit u.a.), grch. **technopaignia,** lat. **carmen figuratum,** geht auf Inschriften an kleinen Gegenständen zurück. Das F. wurde von der Renaissancepoetik übernommen und in der dt. Barockliteratur (»Bilderreim«) bes. gepflegt. In neuerer Zeit entstand das → visuelle Gedicht.

Figurenlauf (Trick), → Wasserskilauf.

Figurentheater (Puppentheater, Puppenspiel), Theaterspiel mit Puppen oder anderen mechanisch bewegten Figuren: Fingerpuppen (die Puppen sitzen jeweils auf einem Finger und werden von ihm geführt), → Handpuppen, → Marionetten, → Stabfiguren (auch Stockpuppen, → Hänneschen-Theater), Standfiguren und viele andere. Dem F. verwandt ist das → Schattenspiel, meist mit Flachfiguren. – Puppenspieler sind schon 422 v. Chr. in Griechenland bezeugt. Im Orient kam das F. v.a. in China, Japan, Birma und Indonesien (Wayang) zu hoher Blüte. In Dtl. sind F. mit dramat. Handlung um 1450 nachweisbar. Seit dem 17. Jh. wurde der Hanswurst immer mehr zur Hauptperson des F. Das Interesse für das F. erreichte einen Höhepunkt in der Romantik. Mitte des 19. Jh. versuchte Graf Pocci das F. für pädagog. Zwecke zu erneuern. Gepflegt wird das F. in ganz Europa, bes. das russ. (S. W. → Obraszow) und tschech. F. (Puppenfilme von J. Trnka).

📖 RAMM-BONWITT, I.: *F. Lebendige Tradition des Puppen- u. Schattenspiels in Asien. Stuttgart u. a. 1991.*

Figur-Grund-Verhältnis, *Psychologie:* das Sichabheben jedes wahrnehmbaren Gesamtbilds von einem »Hintergrund«; entscheidend für die Wahrnehmung strukturierter und sinnvoller Formen (visuelle Objekte, Melodien).

Figur-Grund-Verhältnis: Die weiße Fläche zeigt einen Pokal, die schwarze zwei Gesichtsprofile

Figurine [frz. »Figürchen«] *die,* **1)** *Malerei:* kleine Statue; auch Nebenfigur im Hintergrund von Landschaftsgemälden.

2) *Theater:* Modellbild oder Kostümzeichnung für das Theater.

Fiji [ˈfiːdʒiː, engl.], Inselstaat, → Fidschi.

Fiktion [lat.] *die,* **1)** *allg.:* Erdichtung, erdichtete Annahme, Unterstellung.

2) *Literatur:* als bestimmendes Element von Literatur und Dichtung das Erdachte, Erfundene, Vorgestellte, Erdichtete, das so nicht in der tatsächl. Wirklichkeit existiert, jedoch so existieren könnte und so dargestellt, beschrieben wird, als ob es wirklich existiere.

3) *Philosophie:* in Erkenntnistheorie und Ontologie eine Annahme, deren Wahrheit nicht erkannt werden, die aber zu einem bestimmten theoret. oder prakt. Zweck im wiss. Verfahren methodisch geboten sein kann (z. B. Hypothesen oder auch die Vernunftbegriffe Kants).

4) *Recht:* im Gesetz die Annahme eines Sachverhalts als wahr, der in Wirklichkeit nicht besteht, um hieraus die Ableitung sonst nicht mögl. Rechtsfolgen vornehmen zu können (z. B. gilt der vor dem Erbfall Gezeugte als bereits geboren, sodass auf ihn das Erbrecht anwendbar ist).

Filament [lat. filum »Faden«] *das,* **1)** *Astronomie:* allg. eine fadenförmige Struktur in kosm. Objekten, insbesondere die →Protuberanz auf der Sonnenscheibe, die sich gegenüber der hellen Photosphäre als dunkles, lang gestrecktes Gebilde darstellt. – **Intergalakt. F.** sind leuchtende Materiebrücken zw. Galaxien.

2) *Botanik:* Staubfaden (→Blüte).

3) *Chemiefaserherstellung:* praktisch endlose Chemiefaser zur textilen Verarbeitung.

4) *Zytologie:* lichtmikroskopisch nicht darstellbare, stab- oder fadenförmige Struktur (Durchmesser 5–50 nm), z. B. im Muskel **(Myo-F.).**

Hans Filbinger

Filarete, eigtl. Antonio di Pietro Averlino, italien. Bildhauer, Baumeister und Kunsttheoretiker, *Florenz um 1400, †Rom 1469; schuf die Bronzetür von St. Peter in Rom (1433–45) und das Ospedale Maggiore (1457–65) in Mailand. Sein berühmter »Trattato d'architettura« (1464 vollendet) enthält Pläne einer Idealstadt »Sforzinda« über einem sternfömigen Grundriss.

Filarien [zu lat. filum »Faden«] (Filariidae), Gruppe der Fadenwürmer, Erreger der **F.-Krankheiten (Filariosen),** die sich beim Menschen als Elefantiasis äußern können. Die Larven von F. schmarotzen in den Blut- und Lymphwegen, gelangen durch saugende Mücken in deren Darm und werden nach einer Entwicklungsperiode einem neuen Wirt durch Stich eingeimpft.

Wilhelm Filchner

Filbinger, Hans, Politiker (CDU), *Mannheim 15. 9. 1913; Rechtsanwalt, 1960–66 Innenmin., war 1966–78 MinPräs. von Bad.-Württ. (Rücktritt nach Vorwürfen wegen seiner Tätigkeit als Marinerichter im 2. Weltkrieg), 1971–79 Landesvors. der CDU, 1973–79 stellv. Bundesvors. der CDU.

Filchner, Wilhelm, Forschungsreisender, *München 13. 9. 1877, †Zürich 7. 5. 1957; unternahm einen Ritt über den Pamir (1900), mit A. Tafel eine Forschungsreise nach O-Tibet und China (1903–05), leitete 1911/12 die zweite dt. Südpolarexpedition. Drei Expeditionen nach Zentralasien (1926–28, 1934–38, 1939/40) dienten erdmagnet. Messungen. Neben seinen wiss. Werken schrieb er viel gelesene Reiseberichte.

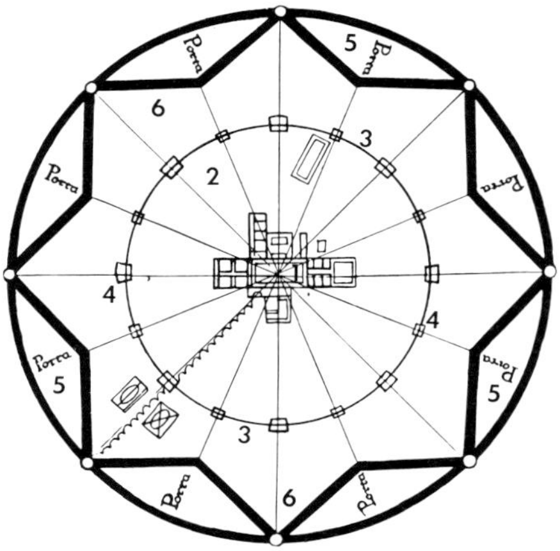

Filarete: Idealstadt »Sforzinda«: 1 zentraler Platz, 2 Radialstraßen, 3 innere Ringstraße, 4 Straßenkreuzungen mit kleinen Plätzen und Kirchen, 5 Stadttore, 6 befestigte Stadtmauer

Filchner-Ronne-Schelfeis, schwimmende Eistafel über dem Schelf im S des Weddellmeeres; mit etwa 500 000 km^2 das zweitgrößte Schelfeis der Antarktis. 1982 wurde die nicht ständig besetzte dt. Filchner-Sommerstation eingerichtet.

Filder, fruchtbares, mit Lösslehm bedecktes Plateau südlich Stuttgarts. Neben Zuckerrüben, Kartoffeln und Getreide wird v. a. Spitzkohl **(F.-Kraut)** angebaut und zu Sauerkraut verarbeitet.

Filderstadt, Stadt (Große Kreisstadt) im Landkreis Esslingen, Bad.-Württ., 41 100 Ew.; Maschinenbau, elektron. Ind., Sauerkrautfabriken. – 1975 (als **Filderlinden**) durch Zusammenschluss von fünf Gem. entstanden, seit 1976 Stadt.

Filet [fi'le, frz.] *das, Lebensmittelkunde:* Lendenstück (Schlachtvieh, Wild), abgelöstes Bruststück (Geflügel), entgräteter Rücken (Fisch).

Fil-fil [hottentottisch] *das* (Pepperkopp, Pfefferkornhaar), Wuchsform des Kopfhaares der Khoisan: Die in kleinen Büscheln wachsenden, kurzen, stark gewundenen Haare lassen Teile der Kopfhaut frei.

Filiale [lat.] *die* (Filialbetrieb), räumlich getrennter Zweigbetrieb einer Unternehmung, der rechtlich und wirtschaftlich von einer Zentrale (Hauptniederlassung) abhängig ist, bes. im Einzelhandel verbreitet.

Filialgeneration, Abk. **F** (Tochtergeneration), *Genetik:* Bez. für die direkten Nachkommen (F_1)

eines Elternpaares (Elterngeneration) und die auf diese folgenden Generationen (F_2 usw.).

Filiation [lat., von filius »Sohn«] *die,* Abstammung, Kindesverhältnis, gewöhnlich im Sinne der rechtmäßigen Abstammung; auch der Nachweis über die Abstammung einer Person von einer anderen.

Filibuster, **1)** ['fɪlɪbʌstə, engl.] *das,* Bez. für die u.a. im Senat der USA angewandte Verschleppungstaktik (langatmige Redebeiträge) einer Minderheit, um Abstimmungen über missliebige Mehrheitsanträge zu verhindern.

2) *der,* →Flibustier.

Filicatae [lat.], die →Farne.

Filigran [italien., zu lat. filum »Faden« und granum »Korn«] *das,* Goldschmiedearbeit aus feinem Gold- oder Silberdraht, oft in Verbindung mit →Granulation, entweder auf eine Metallplatte aufgelötet oder als kunstvolles Geflecht in durchbrochener Arbeit. Erstmalig erscheint das F. um 2500 v. Chr. in Mesopotamien, um 2200 v. Chr. in Troja, dann v. a. bei den Etruskern, in der Kunst der Völkerwanderungszeit und des MA., in neuerer Zeit bes. in der europ. Volkskunst.

Filigranglas, fälschlich für →Fadenglas.

filioque [lat. »und vom Sohne«], durch die Theologie des Augustinus angeregter Zusatz der lat. Kirche zum Nicänisch-Konstantinopolitan. Glaubensbekenntnis (381), der besagt, dass der Hl. Geist vom Vater »und vom Sohn« ausgeht; von der Ostkirche abgelehnt; in Rom 1014 offiziell eingeführt.

Filip, Ota, tschech. Schriftsteller, *Ostrau 9. 3. 1930; emigrierte 1974 in die Bundesrep. Dtl.; gesellschaftskrit., oft burleske Romane: »Das Café an der Straße zum Friedhof« (1968), »Die Himmelfahrt des Lojzek Lapáček aus Schlesisch Ostrau« (1973), »Die Sehnsucht nach Procida« (1988).

Filipino, Amtssprache der Philippinen (→philippinische Sprachen).

Filipinos [span.], die Bewohner der Philippinen, i. e. S. die christl. Bev. der Philippinen (etwa 90%), die aus jungmalaiischen Völkern besteht.

Film [engl. »Häutchen«], **1)** *allg.:* dünne Schicht, die oft eine Oberflächenschicht auf andersartigem Material bildet, z. B. Lack-, Ölfilm.

2) *Fototechnik:* lichtempfindl., biegsames Aufzeichnungsmaterial für fotografische bzw. kinematograph. Bilder; besteht aus einem durchsichtigen Schichtträger (Acetylcellulose), der schwer entflammbar ist **(Sicherheits-F., Safety-F.)** und als Unterlage für die lichtempfindl. Schicht (Emulsion) bzw. mehrere Schichten dient. Die Farbwiedergabe erfolgt beim **Negativ-F.** als Farb-F. komplementärfarbig, als Schwarzweiß-F. in umgekehrten Grauwerten (Schwarz als Weiß usw.); beim **Umkehr-F.** als Farb-F. in den natürl. Farben, als Schwarzweiß-F. in entsprechenden Grauwerten. Durch das Kopieren der Negativ-F. auf Positivmaterial (Papier oder Positiv-F.) erhält man im Positiv die dem Motiv entsprechenden Farben bzw. Grauwerte. Nach der Konfektionierung werden F. unterschieden in **Roll-F.** (auf eine Spule gewickelter F. mit Papierunterlage, meist in den Formaten 6×9 cm, 6×6 cm, 4,5×6 cm, zur Verwendung in Rollfilmkameras), **Plan-F.** (zum Einlegen in Kassetten bestimmte einzelne F.-Blätter zur Verwendung in Plattenkameras) und den mit dem Kinenormal-F. ident. **Kleinbild-F.** (in Tageslichtpatronen, Einlegepackungen und als Meterware zur Verwendung in Kleinbildkameras); Kleinbild-F. haben eine

Filigran: Theuderichreliquiar, Goldschmiedearbeit aus Gold- und Silberdraht mit eingearbeiteten Edelsteinen und Perlen (7. Jh.; Abtei Saint-Maurice, Schweiz)

Ota Filip

Film 2): Filmkamera mit schlankem Sucher (oben), Zoomobjektiv (links) und Filmgehäuse (rechts) auf horizontal und vertikal verstellbarem Stativ

Lichtsignierung, die auf den F.-Rand kopiert und nach der Entwicklung sichtbar wird und die den Hersteller, die F.-Art, die Bildnummer u.a. angibt. Für spezielle Einsatzgebiete wurden entsprechende F. geschaffen, wie **Dokumenten-F.**, **Mikrat-F.** und **Mikro-F.** zur Aufnahme von Schriftstücken, Zeichnungen usw. **Kunstlicht-F.** als Farb-F. ist ausschließlich bei Beleuchtung mit Fotoleuchten zu verwenden, als Schwarzweiß-F. eignet er sich wegen der hohen Rotlichtempfindlichkeit vorzugsweise für Kunstlichtaufnahmen. Die wichtigsten Eigenschaften der F. sind: a) Allgemeinempfindlichkeit; b) die Farbempfindlichkeit, die durch die Sensibilisatoren beeinflusst wird; Schwarzweiß-F. sind in der Hauptsache orthochromatisch (nicht für Rot empfindlich) und orthopanchromatisch bzw. panchromatisch (für alle Farben empfindlich, Letztere v.a. für Kunstlicht geeignet) sensibilisiert; c) die Schwärzungskurve; d) die Körnigkeit, die mit steigender Empfindlichkeit i. Allg. zunimmt und bes. bei Kleinbild-F. wegen der notwendigen Vergrößerungen möglichst gering gehalten sein soll (Feinkorn-F.); e) das Auflösungsvermögen, das i. Allg. mit zunehmender Empfindlichkeit abnimmt und in Linien je mm angegeben wird (bei mittelempfindl. Schwarzweiß-F. etwa 100 Linien/mm); f) Lichthoffreiheit, d.h., dass eine Überstrahlung der Lichter durch den entstehenden Lichthof möglichst unterdrückt wird.

Aufnahme- und Kopiermaterial: Zur kinematograph. Aufzeichnung von Bildern bewegten Inhalts und Schallereignissen werden F. unterschiedl. Breite eingesetzt: **Schmal-F.** in den Breiten von 32 mm (2×16 mm, mit je ein- oder doppelseitiger Perforation, nur für Kopierverfahren), 16 mm (mit ein- oder doppelseitiger Perforation), 8-mm- oder Doppel-8-mm-F. (mit einseitiger Perforation) sowie Super-8-mm-F., auch Single-8-mm-F. gen. (mit einseitiger Perforation, verringerter Perforationslochgröße und vergrößertem Perforationslochabstand), **Kinenormal-F.** in der Breite von 35 mm (mit doppelseitiger Perforation) und teilweise angewendete **70 mm breite F.** (mit doppelseitiger Perforation).

Aufnahme und Wiedergabe: Die Bildinformationen werden mit einer **Bildaufnahmekamera (F.-Kamera),** einem optisch-mechan. Gerät, als Phasenbilder eines Bewegungsvorgangs auf einem perforierten F.-Streifen auf fotograf. Weg aufgezeichnet. Der F.-Streifen wird dabei schrittweise mithilfe eines Greifers durch einen F.-Kanal mit einem Bildfenster bewegt und hier während der Stillstandzeiten belichtet. Während des F.-Transports wird der F. lichtdicht durch den Dunkelsektor eines Umlaufverschlusses abgedeckt. Die Belichtungszeit beträgt gewöhnlich 1/30 bis 1/50 s (allgemeine Bildfrequenz 24 Bilder je Sekunde). Sprache, Musik und Geräusche werden i. Allg. zunächst auf unperforiertem 35 mm breitem Magnet-F. aufgezeichnet, später (bei der Herstellung der Theater- oder Sendekopie) auf die kombinierte Bild-Ton-Kopie übertragen. Sie können dort in einer Magnetspur oder in mehreren Magnetspuren bzw. in einer Lichttonspur oder in einer kombinierten Licht- und Magnetspur (Magoptical-Kopie) gespeichert enthalten sein. Bei den Spiel-, Dokumentar- u.a. F. verwendet man den 35 mm breiten Film. Für die Produktion von Groß-F. wurde v.a. der 70 mm breite F. verwendet, ausschließlich als Farbfilm. Für wiss. F. wird sowohl der 35-mm-Normal-F. als auch der 16- und 8-mm-Schmal-F. angewendet. Der Super-8-mm-F. mit seiner um 44% größeren Fläche eines Phasenbildes hat heute den 8-mm-F. der klass. Art und

Film 3)

1

1 Charlie Chaplin als Stummfilmkomiker in der legendären Rolle des Tramp

den 9,5-mm-F. verdrängt. Der Farb-F. hat den Schwarzweiß-F. weitgehend abgelöst.

Der **F.-Projektor (Laufbildwerfer)** dient der Wiedergabe der gespeicherten Phasenbilder und ähnelt in Aufbau (bis auf die zusätzlich vorhandene Projektionslichtquelle) und Arbeitsweise der Bildaufnahmekamera. Wichtigste Teile sind das Projektorlaufwerk, das Abbildungssystem, die Tonabtasteinrichtung und der Antriebsmotor mit konstanter Drehzahl (Asynchron- oder Synchronmotor).

3) *Medientechnik:* mit fotograf. oder elektron. Mitteln erzeugte Folge von Einzelbildern, die – mit einer Geschwindigkeit zw. 18 und 25 Bildern pro Sekunde nacheinander auf eine Leinwand projiziert oder auf einem Bildschirm sichtbar gemacht – den Eindruck von Bewegung hervorruft; eine Gattung der Massenmedien.

Filmgattungen: Der Begriff **Spiel-F.** bezeichnet eine F.-Gattung von unterschiedl. Länge, bei der das Geschehen vor der Kamera mit dem Ziel der Gestaltung einer vorher im →Drehbuch festgelegten Handlung in Szene gesetzt wird, wobei Darsteller bestimmte Rollen spielen. Der **Dokumentar-F.** gibt im Unterschied zum Spiel-F. mit dokumentar. Material die Realität unmittelbar berichtend wieder; häufig wird er durch gesprochenen Text kommentiert. Ein **Kurz-F.** ist i. Allg. kürzer als eine Stunde. Die durch das Fernsehen verdrängte **Wochenschau** als period. aktuelle F.-Berichterstattung enthielt neben dokumentar. auch unterhaltende Beiträge. Arten des **Trick-F. (Animations-F.)** sind der Zeichen- und der Puppentrickfilm. Inhaltlich-thematisch untergliedert man v.a. die Spiel-F. u.a. in Abenteuer-, Ausstattungs-, Heimat-, Sciencefiction-, Fantasy-, Horror-, Kri-

2

3

4

| **2** Federico Fellini, Szene mit Guilietta Masina und Anthony Quinn aus »La Strada«, 1954 | **3** Wim Wenders, Szene mit Bruno Ganz aus »Der Himmel über Berlin«, 1986/87 | **4** William Wyler, Wagenrennenszene aus »Ben Hur«, 1959

minal-, Kriegs-, Liebes-, Märchen-, Musik- und Revue-, Sex- und Porno-F., Western (Italowestern); nach der Funktion z.B. in Unterhaltungs-, Werbe-, Wirtschafts-, wiss. F.; nach dem angestrebten Publikum in Frauen-, Kinder- und Jugend-F. Bis zur Erfindung des Tonfilmverfahrens und dessen prakt. Durchsetzung (erste **Ton-F.** 1926–29) wurden F. ohne Ton **(Stumm-F.)** bei der Vorführung meist von Klavier-, Orgel- oder Orchestermusik begleitet. In den 30er-Jahren kam zuerst in den USA, dann in Europa der Farb-F. auf.

Herstellung: Die F.-Handlung wird zunächst meist in einem **Exposé** dargestellt, im **Treatment** sind Schauplätze und Charaktere umrissen. Das **Rohdrehbuch** enthält die für die F.-Aufnahmen wesentl. Angaben; der Regisseur arbeitet mit den Autoren danach das **Drehbuch** aus. Die Produktionsfirma engagiert den Stab (für Kamera, Bauten und Ausstattung, Schnitt, Musik) und die Besetzung der Haupt- und Nebenrollen. Im **Drehplan** sind die nummerierten Kameraeinstellungen und die an den einzelnen Drehtagen aufzunehmenden Szenen enthalten. Die F.-Aufnahmen erfolgen im Freien oder im F.-Atelier (Studio). Mithilfe der **F.-Montage (F.-Schnitt)** werden die einzelnen Szenen nach künstler. Gesichtspunkten zusammengesetzt. Der zumeist vom Bild getrennt aufgenommene Ton (Dialog, Musik, Geräuschkulisse) ist im fertigen F. auf einem F.-Streifen mit dem Bild vereinigt.

In der kommerziellen F.-Produktion äußert sich vielfach die Ästhetik von Massenmedien. Im Ggs. dazu wird der **Kunst-F.** als selbstständiges künstler. Medium anerkannt. Die spezifisch film. Ausdrucksmöglichkeiten entdeckte der Stumm-F.: Mimik und Gestik als Ersatz für Wort und Dialog, Licht und Schatten als raum- und stimmungsschaffende Faktoren, Bildkomposition und -montage als Symbol der auch inneren Vorgänge, die Großaufnahme, Perspektive und Kamerabewegungen (»Fahrten« oder »Schwenks«) als Ausdrucksmittel zur Spannungs- und Bewegungssteigerung sowie zur Hinlenkung auf bestimmte Details. Die Erkenntnis des vorwiegend erzählenden (epischen) Charakters des F. setzte sich durch: Anders als im Schauspiel wird das Interesse des Zuschauers durch ständigen, raschen Szenenwechsel wach gehalten (Wechsel von Ort und Zeit).

Geschichte des Spielfilms

Anfänge 1895–1929: 1895 gilt als Beginn der Kinematographie. Im Nov. 1895 zeigten die Brüder M. und E. Skladanowsky im Berliner »Wintergarten« mit dem »Bioscop« ein Programm kurzer F.; mit F.-Vorführungen im Pariser »Grand Café« ab Dez. 1895 begründeten die Brüder L. und A. Lumière den **Dokumentar-F.;** als Urvater des **Fiktion-F.** gilt G. Méliès (»Die Reise zum Mond«, 1902). – Zw. 1899 und 1903 experimentierte in Großbritannien die »Schule von Brighton« mit Einstellungsformen, Kamerafahrten und Montage. Nach 1905 entwickelte sich die F.-Industrie. Das ep. Prinzip einer durchgehenden Erzählung prägte seit 1915 die Produktion der F.-Länder (Melodramen, sozialkrit. F., Komödien). – Das führende F.-Land der Anfangsjahre war Frankreich, das bes. mit **Kriminal-F.** (»Fantomas«-Serie von L. Feuillade, 1913 ff.) und **F.-Burlesken** (G. Durand, M. Linder) Weltgeltung gewann. – Bedeutung erlangte Italien mit monumentalen histor. **Ausstattungs-F.** wie »Die letzten Tage von Pompeji« (L. Maggi, 1908). Zur Generation nach 1920 gehörten A. Gance sowie J. Epstein. R. Clair drehte experimentelle Spiel-F., L. Buñuel (mit S. Dalí) den surrealist. F. »Der andalus. Hund« (1928). – In Dänemark arbeitete die Produktionsfirma Nordisk schon vor dem 1. Weltkrieg. Mit »Afgrunden« (von U. Gad, 1911) wurde A. Nielsen zum Star des dän. Films. Bedeutendster dän. Regisseur war C. T. Dreyer (»La passion de Jeanne d'Arc«, 1928). – In Schweden drehte V. Sjöström myth. **Landschafts-F.** und **Historien-F.** (»Gösta Berling«, 1924). M. Stiller spezialisierte sich auf **Gesellschaftskomödien** und begründete (1924) die Karriere von G. Garbo. – Ab 1914 wurden die USA marktbeherrschend. E. S. Porter schuf mit »Der große Zugraub« (1903) das Urbild des **Western.** Pionier des amerikan. Stumm-F. war D. W. Griffith, der den amerikan. **Geschichts-F.** und das **lyr. F.-Melodrama** begründete. Von ihm wurden viele Regisseure beeinflusst: C. B. De Mille, E. von Stroheim, R. Flaherty, J. von Sternberg, F. Copra, H. Hawks, J. Ford, K. Vidor. 1912 entwickelte M. Sennett die spezifisch amerikan. Schule der **Slapstick-Comedy.** Dieser Schule entstammte auch C. Chaplin, andere Vertreter der Komikerschule waren B. Keaton, H. Lloyd sowie S. Laurel und O. Hardy (»Dick und Doof«). In den 20er-Jahren exponierte sich auch E. Lubitsch. 1926–28 begann die Umstellung auf das Tonfilmverfahren (ab 1929 auch in Europa). – Nach dem Krieg wurde Dtl. zum künstlerisch bed. F.-Land. 1917 veranlasste E. Ludendorff die Gründung des F.-Großkonzerns Universum-Film AG (Ufa). Die F. zeigten eine Vorliebe für irreale Sujets, u.a. »Das Kabinett des Dr. Caligari« (1920) von R. Wiene und »Dr. Mabuse, der Spieler« (1922) von F. Lang. Insgesamt übte der Expressionismus eine starke Anziehungskraft auf die Regisseure und Schauspieler aus. Zur Avantgarde des dt. F. der 20er-Jahre gehörte L. Reiniger mit **Silhouetten-Filmen.** Die zumeist im kleinbürgerl. Milieu spielenden **Kammerspiel-F.** (»Die Hintertreppe« von L. Jessner, 1921) strebten die Psychologisierung der Figuren an. Eine Tendenzwende kündigte sich in den F. von F. W. Murnau an (z.B. »Nosferatu ...«, 1922). Dem Realismus waren F. von C. W. Pabst, von B. Wilder sowie von P. Jutzi verpflichtet. – Sowjetunion: Eine eigenständige F.-Produktion entwickelte sich schon in zarist. Zeit. 1919 wurde das F.-Wesen verstaatlicht. Zunächst wurden nur Agitations-F. und Wochenschauen produziert, u.a. die »Kinoprawdas« des Dokumentarfilmpioniers D. Wertow. S. M. Eisenstein drehte 1924 »Streik« und 1925 »Panzerkreuzer Potemkin«; die Entstehung seiner letzten Werke war z.T. mit polit. Schwierigkeiten verbunden. Bedeutende Exponenten des sowjet. Stumm-F. waren auch W. I. Pudowkin, A. P. Dowschenko (»Erde«, 1930) und G. Kosinzew, J. Trauberg.

Die Zeit von 1930 bis 1945: Der Ton-F. beendete seit 1927 die Weiterentwicklung der stummen F.-Kunst. Das gesteigerte Bedürfnis der Bev. nach ablenkender Unterhaltung führte zur Massenproduktion von Musik-F. (»Broadway Melody«, 1929). – In den USA bewirkte die neue Ästhetik des Ton-F. tief greifende Veränderungen. Kennzeichnend war die Ausprägung fester Genres: Die **Gangster-F.** mit ihrem Pessimismus (M. LeRoy) waren der Versuch einer Antwort auf die Krisenhaftigkeit der sozialen Verhältnisse. E. Lubitsch (»Ninotschka«, 1939) und R. Mamoulian brillierten mit Komödien. J. Ford spezialisierte sich auf den Western. C. Chaplin setzte die Linie seiner gesellschaftskrit. Komik mit »Lichter der Großstadt« (1931), »Moderne Zeiten« (1936) und »Der große Diktator« (1940) fort. Mit »Jesse James« (H. King, 1939) und »Vom Winde verweht« (V. Fleming, 1939) setzte sich der Farb-F. durch. W. Disney begründete in den 30er-Jahren eine umfangreiche Produktion von Zeichentrickfilmen. Vertreter des **Horror-F.** war J. Whale mit »Frankenstein« (1931). Während der Kriegsjahre entstanden zahlr. Dokumentar-F. – Der »poet. Realismus« der 30er-Jahre in Frankreich verband impressionist. und naturalist. Strömungen mit romant. Ironie und Skepsis zu poesievollen Milieuschilderungen. R. Clair drehte »Unter den Dächern von Paris« (1930), M. Carné »Hafen im Nebel« (1938), J. Renoir ließ Literaturverfilmungen wirken. Unter Bedingungen der Illegalität während der dt. Besetzung drehte M. Carné (mit J. Prévert) 1943–45 den legendären F. »Kinder des Olymp«. – Auch in Dtl. führte die Entwicklung des Ton-F. zur Produktion zahlr. Musik-F., z.B. »Der blaue Engel« (J. von Sternberg, 1930). Bis 1933 konnten sich gesellschaftskrit. F. durchsetzen, u.a. von G. W. Pabst (»Die Dreigroschenoper«, 1931), P. Jutzi (»Berlin – Alexanderplatz«, 1931) und S. Dudow (»Kuhle Wampe«, 1932). – Nach 1933 lenkte Goebbels den dt. F. auf den Kurs angeblich unpolit. Unterhaltung, indirekt dienten jedoch die meisten F. der nat.-soz. Ideologie. Die Machtübernahme Hitlers hatte über 500 Regisseure und Schauspieler zur Emigration gezwungen: P. Czinner und Elisabeth Bergner, W. Dieterle, F. Kortner, F. Lang, M. Ophüls, O. Preminger, Detlev Sierck (Douglas Sirk), R. Wiene, B. Wilder, F. Zinnemann u.a. Die nat.-soz. Propaganda gipfelte in monumentalen Dokumentar-F. (»Triumph des Willens«, L. Riefenstahl, 1934) und tendenziös-dramat. Spiel-F. (»Hitlerjunge Quex«, H. Steinhoff, 1933). V. Harlan unterstützte den Antisemitismus (»Jud Süß«, 1940) und drehte den »Durchhaltefilm« »Kolberg« (1945). – In Großbritannien entwickelte sich in den 30er-Jahren die »Brit. Dokumentarfilmschule« v.a. mit L. Grierson. Vertreter des Kriegsdokumentar-F. war H. Jennings.

Die Zeit von 1945 bis 1960: In Italien zeichnete sich gegen Kriegsende die neue Stilrichtung des »Neorealismus« ab, die von L. Viscontis Erstlings-F. »Von Liebe besessen« (1942) eingeleitet wurde, ihm folgten R. Rossellini und V. de Sica (»Fahrraddiebe«, 1948). Typisch für diese F. ist die sozialkrit. Darstellung menschl. Leidens und proletar. Elends. – Bed. F.-Autoren nach 1950 waren u.a. F. Fellini (»La Strada«, 1954; »La dolce vita«, 1959) und M. Antonioni (»Der Schrei«, 1957). C. Zavattini hat besonderen Anteil auch als Theoretiker und Drehbuchautor. – Der Nachkriegs-F. in Dtl., dessen F.-Industrie zunächst darniederlag, behandelte Schicksale im nat.-soz. Dtl. und in »Trümmer-F.« die dt. Ruinenlandschaft. Es entstanden weitere unverbindl. Unterhaltungs-Filme. An zeitkrit. Reflexionen versuchten sich H. Käutner (»In jenen Tagen«, 1947), W. Staudte, der zunächst für die DEFA arbeitete, H. Braun. Die F.-Kunst in der DDR war eng mit der DEFA verbunden, deren erste F. »Die Mörder sind unter uns« (1946, W. Staudte), »Ehe im Schatten« (1947, K. Maetzig), »Das kalte Herz« (1950, P. Verhoeven), »Der Untertan« (1951, W. Staudte) internat. Anerkennung fanden. Der F. in der Bundesrep. Dtl. wandte sich bis auf wenige Ausnahmen (»Des Teufels General«, 1955, von H. Käutner; »Wir Wunderkinder«, 1958, von K. Hoffmann; »Die Brücke«, 1959, von B. Wicki) der Unterhaltung zu. – Die durch Stalins Tod ausgelöste »Tauwetter«-Periode ermöglichte in O-Europa neue Ansätze realist. Gestaltung: »Die Kraniche ziehen« (1959) von M. Kalatosow (UdSSR), »Asche und Diamant« (1959) von A. Wajda (Polen). – In Frankreich trat eine Vielzahl von Regisseuren mit F. versch. Stilrichtungen hervor: romantisch-surrealist. F. wie »Orphée« (1945, J. Cocteau) auf der einen Seite oder die Serie der »schwarzen F.« (H.-G. Clouzot). Einzelgänger waren der Komiker J. Tati und R. Bresson. Bed. Regisseure waren Y. Allégret,

Film 3): Max Schreck in »Nosferatu – eine Symphonie des Grauens« (Friedrich Wilhelm Murnau; 1922)

Film 3): Jean-Louis Barrault in »Kinder des Olymp« (Marcel Carné; 1945)

M. Carné, R. Clair. Die Ende der 50er-Jahre entstandene »Neue Welle« (»Nouvelle Vague«) strebte den unkonventionellen Autoren-F. an; wichtige Vertreter sind F. Truffaut, C. Chabrol, J.-L. Godard und E. Rohmer. – Um 1960 erregte in Großbritannien für kurze Zeit das »Free cinema«, u. a. um die Regisseure K. Reisz und T. Richardson, Aufsehen. Sie gingen jedoch bald zum kommerziellen F. über, der Ende der 50er-/Anfang der 60er-Jahre mit dem **Horror-F.** und dem **Spionagethriller** (»James Bond«-Serie) große Erfolge hatte. L. Olivier verfilmte shakespearesche Werke. – Prägend für den F. in Schweden waren A. Sjöberg und I. Bergman (»Wilde Erdbeeren«, 1957). – Im amerikan. F. entstanden Parallelen zum Neorealismus (»Sunset Boulevard«, B. Wilder, 1950); das neue Medium Fernsehen führte zu einem stärker reportagehaften Stil, der sich u. a. den Problemen der »großen Masse« widmete (»Die Faust im Nacken«, S. Lumet, 1957). Daneben konsolidierte sich das »Showbusiness«; der **Western** (»High Noon«, F. Zinnemann, 1952) und das **Musical** (S. Donon, V. Minelli) fanden neue Formen. In der Komödie spezialisierte sich J. Lewis auf die Kritik der Konsummentalität.

Die Zeit nach 1960: In den USA drehte A. Hitchcock einige seiner besten F. (»Psycho«, 1960; »Die Vögel«, 1962). Von S. Kubrick kam 1968 der **Sciencefiction-F.** »2001 – Odyssee im Weltraum« heraus; J. Lewis, W. Allen und M. Brooks etablierten in den 60er- und 70er-Jahren eine Komödienschule. Nach 1960 formierte sich das »New American Cinema« als eine dem Hollywood-Kommerzialismus entgegengesetzte Richtung, die sich dem Dokumentar-F. und dem Experimental-F. verbunden fühlte. Ende der 60er-Jahre entstand die »New-Hollywood«-Bewegung, die größere gestalter. Freiheiten beanspruchte. Wichtige Regisseure des »New Cinema« sind D. Hopper (»Easy rider«, 1969), J. Cassavetes (»Schatten«, 1960), R. Polanski (»Rosemaries Baby«, 1968), A. Penn (»Bonnie und Clyde«, 1967), R. Altman (»Nashville«, 1975), F. F. Coppola (»Der Pate«, 1972; »Apocalypse now«, 1979), P. Bogdanovich (»Die letzte Vorstellung«, 1971), M. Scorsese (»Taxi Driver«, 1975), M. Forman (»Einer flog übers Kuckucksnest«, 1975; »Amadeus«, 1984), S. Pollack (»Tootsie«, 1982), W. Allen (»Der Stadtneurotiker«, 1977), S. Soderberg. Auch Schauspieler drehten F.: R. Redford, W. Beatty, B. Streisand, C. Eastwood, J. Foster. Sciencefiction-F. (S. Spielberg), Musik- und Tanz-F., Horror-F. und Thriller sowie die F. von J. Carpenter, B. de Palma zielen meist auf ein jugendl. Publikum. – Italien: Die wesentl. F. schufen neben L. Visconti (»Der Leopard«, 1962), F. Fellini (»812«, 1963; »Roma«, 1972), M. Antonioni, P. P. Pasolini (»Accatone«, 1961), B. Bertolucci (»1900«, 1974/75), F. Rosi, die Brüder P. und V. Taviani, E. Scola (»Le Bal«, 1983) und Lina Wertmüller. – Mit dem **Italowestern** sind die Namen S. Leone (»Spiel mir das Lied vom Tod«, 1968) und S. Corbucci verknüpft. – Frankreich: Abgesehen von R. Bresson und L. Buñuel (»Viridiana«, 1961) prägen die Regisseure der »Nouvelle Vague« bis heute den frz. F.: F. Truffaut (»Die letzte Metro«, 1980), C. Chabrol (»Dr. M.«, 1990), J.-L. Godard (»Außer Atem«, 1959), A. Resnais (»Hiroshima mon amour«, 1959), L. Malle (»Auf Wiedersehen Kinder«, 1987). Wesentlich sind auch: E. Rohmer, C. Lelouch, A. Mnouchkine, A. Varda. C. Costa-Gavras drehte Kriminal- und Politthriller. – F. von internat. Bedeutung drehten in Großbritannien u. a. J. Losey, S. Kubrick, K. Russell, R. Attenborough (»Gandhi«, 1982), J. Ivory, P. Greenaway. – Überragende Gestalt in Schweden ist weiterhin I. Bergman, von besonderer Bedeutung auch Mai Zetterling (»Amorosa«, 1986), daneben sind B. Widerberg, Bille August und Jan Troell getreten. – Bekanntester Regisseur Griechenlands ist T. Angelopoulos. – Regisseure aus Ländern, die bisher kaum mit F. hervorgetreten waren, so Kanada (C. Ballard, B. Carle, D. Cronenberg, M. Dugowson, C. Jutra, T. Kotcheff) und Australien (B. Beresford, D. Crombie, T. Haydon, F. Shepisi, P. Weir), folgen dramaturgisch weitgehend amerikan., brit. oder frz. Vorbildern; inhaltlich bemüht man sich v. a. um Darstellung nationaler Problematik. – In der Sowjetunion und ihren Nachfolgestaaten wurden nach langer Zeit der Unterdrückung der F.-Kunst seit etwa 1986 F. von Weltrang wieder zugelassen; zahlr. F.-Macher werden rehabilitiert, die Zahl der in den letzten Jahrzehnten beschlagnahmten F., die heute die Archive verlassen, ist noch unüberschaubar. Als Exponenten des russ. F. sind v. a. A. Tarkowski (1984 Emigration: »Der Stalker«, 1979; »Nostalghia«, 1983; »Opfer«, 1985), E. Klimow (»Agonia – Rasputin«, 1981 veröffentlicht; »Abschied von Matjora«, 1983), T. Abuladse (»Reue«, 1984) sowie A. Askoldow (»Die Kommissarin«, 1987 freigegeben), S. Botrow (»Freiheit ist ein Paradies«, 1989), W. Pitschul (»Kleine Vera«, 1988) international bekannt geworden. – Bes. Aufschwung nahm in den 70er-Jahren der schweizer. F. durch A. Tanner, M. Soutter, C. Goretta und D. Schmid. – In Spanien haben v. a. C. Saura (»Carmen«, 1983), M. Camus und P. Almodovar internat. Ruf. – Bundesrep. Dtl.: Unter dem Motto »Papas Kino ist tot« präsentierte die Oberhausener Gruppe (1966, u. a. A. Kluge, »Abschied von gestern«; V. Schlöndorff, »Der junge Törless«; U. Schamoni, »Es«) den »Jungen dt. Film«. Internat. Anerkennung fanden außer V. Schlöndorff (»Die Blechtrommel«, 1978/1979), A. Kluge (»Die Macht der Gefühle«, 1983), R. W. Fassbinder,

W. Herzog (»Nosferatu«, 1979; »Cobra Verde«, 1987), H.J. Syberberg, M. von Trotta, R. von Praunheim, H. Achternbusch, R. van Ackeren (»Die flambierte Frau«, 1983), W. Wenders (»Paris, Texas«, 1984; »Der Himmel über Berlin«, 1987), E. Reitz (»Heimat«, 1984), D. Dörrie (»Männer«, 1985), D. Graf (»Die Katze«, 1987), P. Adlon (»Out of Rosenheim«, 1987), M. Verhoeven (»Das schreckliche Mädchen«, 1990), H. Dietl (»Schtonk«, 1992). – In der DDR führten künstlerisch-polit. Konfrontationen Mitte der 60er-Jahre zum Verbot von 12 DEFA-Spiel-F. der Jahre 1965/66 (»Spur der Steine«, F. Beyer). Nach der polit. Zäsur 1971 entstanden auch F. mit dem Anspruch auf Verwirklichung individueller Lebensansprüche (»Paul und Paula«, 1973, H. Carow). Zunehmende künstler. und polit. Restriktionen hatten den Weggang vieler Schauspieler, Regisseure und Autoren zur Folge. Trotzdem entstanden F., z.T. nach literar. Vorlagen, sowie Kinder- und Jugend-F., die auf große Resonanz stießen (»Sieben Sommersprossen«, 1978, H. Zschoche; »Levins Mühle«, 1980, H. Seemann). F. der 80er-Jahre widerspiegeln die krit. Suche nach bewusster Reflexion gesellschaftl. Realität (»Solo Sunny«, 1979, K. Wolf). Wichtige Beiträge leistete der Dokumentar-F. – In Polen vollzog sich bis zur Demokratisierung eine ähnl. Entwicklung. R. Polanski arbeitete seit dem F. »Das Messer im Wasser« (1962) im Ausland. Internat. sehr beachtet sind die Arbeiten von A. Wajda (»Der Mann aus Eisen«, 1981; »Dantons Tod«, 1983; »Die Dämonen«, 1987), K. Zanussi (»Illumination«, 1973; »Blaubart«, 1984), K. Kieslowski und Agnieszka Holland. – In Ungarn stehen neben Z. Fábri (»Zwanzig Stunden«, 1965) v.a. I. Szabó (»Mephisto«, 1980; »Oberst Redl«, 1985) und Márta Mészáros (»Tagebuch für meine Lieben«, 1986) für den internat. Film. – In Lateinamerika setzte 1968 der F. »Die Stunde der Hochöfen« des Argentiniers F. E. Solanas ein Fanal des polit. Kampfes. Das brasilian. »Cinema nóvo« der 60er-Jahre war vertreten durch G. Rocha (»Gott und Teufel im Land der Sonne«, 1964); in den 70er-Jahren erschien als wichtigster F. »Sao Bernardo« (1972) von L. Hirszman. – Die großen Regisseure Japans sind Yasujiro Ozu (»Spätherbst«, 1960), Akira Kurosawa (»Rashomon«, 1950; »Sieben Samurai«, 1954; »Kagemusha«, 1980) und Kenji Mizoguchi (»Ugetsu – Erzählungen unter dem Regenmond«, 1953). – Bei Orientierung an Gegenwartsfragen und Geschichtsthemen werden in China westl. Gestaltungsformen häufig adaptiert. F. wie »Das Teehaus« (Xie Tian, 1982) und »Rotes Kornfeld« (Zhang Yimou, 1987) wurden durch Fernsehen und Festivals im Ausland verbreitet. In Hongkong wurden Kung-Fu- und andere Action-F. gedreht. – Indien ist mit fast 1000 Spiel-F. pro Jahr der größte F.-Produzent, jedoch v.a. für den regionalen Markt; internat. Anerkennung fanden u.a. die Regisseure S. Ray und M. Sen.

📖 TOEPLITZ, J.: *Geschichte des F., 5 Bde. A.d. Poln. Neudruck Berlin 1992.* – *Geschichte des dt. F., hg. v.* W. JACOBSEN. *Stuttgart u.a. 1993.* – *Die Chronik des F., Beiträge v.* B. BEIER *u.a. Gütersloh u.a. 1994.* – *Lexikon des internationalen F., begr. v.* K. BRÜNE, *hg. vom Kath. Institut für Medieninformation (KIM) u.a., 10 Bde. u. Reg.-Bd. Neuausg. Reinbek 1995.* – *Metzler-F.-Lexikon, hg. v.* M. TÖTEBERG. *Stuttgart u.a. 1995.* – KRACAUER, S.: *Theorie des F. Die Errettung der äußeren Wirklichkeit, hg. v.* K. WITTE. *A.d. Amerikan. Frankfurt am Main* *³1996.* – KRUSCHE, D.: *Reclams Filmführer. Stuttgart ¹⁰1996.* – MONACO, J.: *F. verstehen. Kunst, Technik, Sprache u. Theorie des F. u. der Medien. A.d. Engl. Reinbek 82.–86. Tsd. 1996.*

Filmarchiv, geordnete Sammlung von Filmen sowie filmhistorisch bed. Dokumenten; bes. Cinémathèque Française (Paris), British Film Institute (London), Museum of Modern Art (New York), Film Library (New York), Gosfilmofond (Moskau), Dt. Institut für Filmkunde (Wiesbaden), Dt. Kinemathek (Berlin), Bundesarchiv (Koblenz; übernahm 1990 das ehem. staatliche F. der DDR), Institut für den Wiss. Film (Göttingen).

Filmbewertungsstelle Wiesbaden, Abk. **FBW,** 1951 in Wiesbaden gegr. Länderbehörde zur Beurteilung der von Verleih und Herstellung eingereichten Kurz- und Spielfilme. Der Bewertungsausschuss vergibt die Prädikate »wertvoll« und »bes. wertvoll«, die u.a. für Subventionen nach dem Filmförderungsgesetz wirksam sind.

Filmfestspiele, i.d.R. jährlich abgehaltene internat. Wettbewerbe mit Preisverleihung für die besten Filme, Regisseure, Darsteller u.a. Die Regeln der großen F. werden kontrolliert von der »Fédération Internationale des Associations de Producteurs de Films« (FIAPF). Die wichtigsten F. finden in Cannes (gegr. 1946, Hauptpreis »Goldene Palme«), Berlin (gegr. 1951, Hauptpreis »Goldener Bär«), Venedig (gegr. 1932), Locarno (gegr. 1946), Karlsbad (gegr. 1946), San Sebastián (gegr. 1954) und Moskau (gegr. 1959) statt; F. für Kurz- und Experimentalfilme werden veranstaltet in Oberhausen (seit 1955), Mannheim (seit 1952), Leipzig (seit 1957). Daneben gibt es zahlr. F., die auf einzelne Gattungen spezialisiert sind.

Filmförderung, Förderung der Filmwirtschaft durch staatl. Subventionen, Schutzbestimmungen sowie durch Selbsthilfemaßnahmen. Rechtliche Grundlage ist das F.-Gesetz von 1979 i.d.F. vom 25. 1. 1993. Die Förderungsaufgaben (Steigerung der Qualität des dt. Films, Verbesserung der Struktur der Filmwirtschaft, Unterstützung dt.-ausländ. Gemeinschaftsproduktionen und der Zusammenarbeit zw. Film und Fernsehen, Gewährung von Förderungshilfen) wurden der F.-Anstalt in Berlin übertragen. Die Mittel zur F. stammen aus dem Haushalt sowie aus der Filmabgabe, mit der entgelt. Filmvorführungen (auch Videos) am Maßstab des Umsatzes belastet werden.

Filmhochschule, Einrichtung zur berufl. Ausbildung für Filmschaffende (u.a. zum Drehbuchautor, Regisseur, Filmarchitekten, Kameramann/-frau, Produktionsleiter); teils in Univ. integriert, teils selbstständig; Abschluss meist mit Diplom; in Dtl. in Berlin, Potsdam-Babelsberg, München, Stuttgart-Ludwigsburg.

Filmmusik. In der frühen Stummfilmzeit (seit 1895) wurde die Musik zur Untermalung der Handlung des ablaufenden Films auf dem Klavier oder Harmonium improvisiert oder aus bekannten Musikstücken zusammengestellt, später (seit 1914) von kleinen Ensembles oder auch auf der Kinoorgel gespielt. Erst allmählich wurde originale F. geschaffen. Mit der Möglichkeit der exakten Koordination von Bild und Musik in den Tonfilmen (seit 1927) erwuchsen der F. neuartige Aufgaben. Auf den dt. Unterhaltungsfilm wirkte die Operette (Schlager, Lied, Tanz) entscheidend ein. Erfolgreiche Komponisten unterhaltender F. waren u.a. L. Brühne, W. Eisbrenner, R. Gilbert, F. Grothe, R. Stolz, P. Kreuder, T. Mackeben, W. Meisel, L. Schmidseder, R. Benatzky, N. Dostal. Anspruchsvolle F. schufen P. Dessau, W. Egk, H. Eisler, W. Fortner, H. W. Henze, H. Sutermeister, im internat. Film die Amerikaner G. Antheil, A. Copland, I. Pizzetti, die Franzosen G. Auric und M. Jarre sowie der Italiener E. Morricone. Im modernen Film werden elektron. Musik wie auch Ausschnitte aus klass. Musik wirkungsvoll eingesetzt. In den letzten Jahren profilierten sich als F.-Komponisten für den dt. Film u.a. P. Raben, J. Knieper, K. Doldinger, M. Böttcher, H. Faltermeier, E. Schöner, für den frz. G. Delerue, für den engl. A. Lloyd Webber, für den amerikan. R. Burns, R. Cooder, I. Williams.

📖 THOMAS, T.: *Die großen Filmkomponisten – ihre Kunst u. ihre Technik. München 1995.*

Filmothek *die,* → Kinemathek.

Filmwirtschaft, ein um 1900 entstandener Wirtschaftszweig, der sich in filmtechn. Betriebe (Filmateliers und Kopierwerke), Filmproduktion, Filmverleih und Filmtheater gliedert; der Verleih ist Mittler zw. Hersteller und Filmtheater und trägt meist auch das wirtsch. Risiko. Der internat. Filmmarkt wird zunehmend von amerikan. und japan. Unternehmen beherrscht. Wichtigster Partner der F. ist das öffentl.-rechtl. Fernsehen.

Fils [arab.] *der,* arab. Bez. für Kupfermünzen oder für Geld und Münzeinheit in versch. arab. Staaten, → Währung. ÜBERSICHT.

Filter *der,* fachsprachl. meist *das,* **1)** *Akustik:* Vorrichtung zur Schallanalyse (z.B. Helmholtz-Resonator) oder zum Aussieben bestimmter Schallfrequenzbereiche.

2) *chem. Technik:* Gerät zur → Filtration. Im Labor werden v.a. **F.-Papier** und Glas-F. unterschiedl. Porosität verwendet. Zur Wasserreinigung dienen Schüttungen von Sand, Koks u.Ä., sie werden nach der Durchflussart des Wassers als Langsam- und Schnell-F. unterschieden. **F.-Pressen** bestehen aus vielen mit F.-Tüchern bespannten F.-Platten, **Trommelzellen-F.** aus drehbaren, in Zellen eingeteilten Trommeln mit gelochter Mantelfläche, die mit F.-Tuch bespannt ist (→ Zentrifuge). Zur Sterilfiltration von Druckluft und zum Klären von Flüssigkeiten (z.B. Kraftstoffe, Öle, Trinkwasser) werden längl., zylindr. F.-Elemente mit Papier, Metallvliesen, Sinterwerkstoffen, Aktivkohle u.a. F.-Mitteln verwendet. Gase (→ Luftfilter) reinigt man oft mit **Schlauch-F.** (Entstaubung) oder **Hochleistungsschwebstoff-F.** aus feinsten Glasfasern, sie erreichen in der Reinraumtechnik für Aerosole mit einem Partikeldurchmesser von 0,3 µm Durchlassgrade von unter 0,03%. **Ultra-F.** erlauben die Abtrennung kolloider Teilchen (→ Membranverfahren).

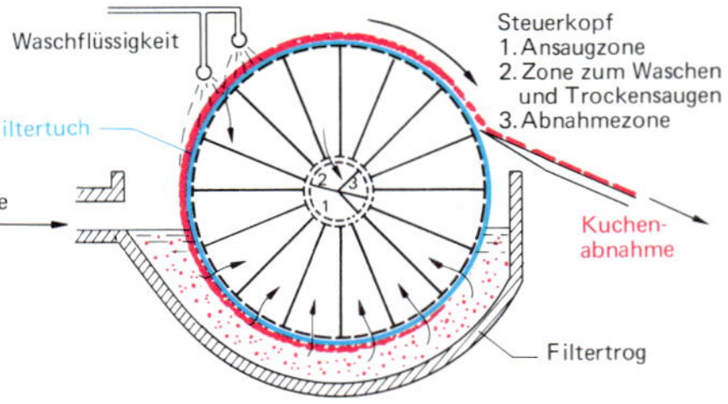

Filter 2): Aufbau des Trommelzellenfilters

3) *Elektrotechnik/Elektronik:* ein Netzwerk, das zur Trennung von elektr. Wechselspannungen bzw. elektromagnet. Wellen unterschiedl. Frequenzen dient. F., die einen begrenzten Frequenzbereich übertragen, nennt man **Pass;** ein **Tiefpass** überträgt Signale unterhalb und ein **Hochpass** oberhalb seiner Grenzfrequenz; ein **Bandpass (Band-F.)** überträgt, eine **Bandsperre** dämpft Signale zwischen unterer und oberer Grenzfrequenz. Die F.-Realisierung hängt vom Frequenzbereich und Anwendungsfall ab. F. für elektr. Wechselspannungen stellen Vierpole dar, die Induktivitäten (L), Kapazitäten (C), Widerstände (R), Operationsverstärker, Digitalschaltkreise sowie Quarz-, Metall- oder Keramikresonatoren enthalten können. Man unterscheidet passive RC-, RLC-, LC-, Quarz- und mechan. F. sowie aktive RC-F., die Operationsverstärker, und digitale F., die Digitalschaltkreise enthalten. F. für Mikrowellen werden

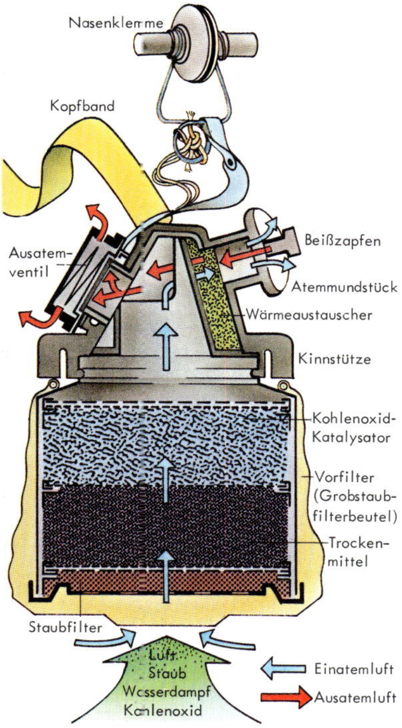

Filterselbstretter: Schema seines Aufbaus

durch metallische Leitungsstrukturen (Topfkreis, Hohlraumresonator, Streifenleitung) realisiert.

4) *Fotografie:* (opt. F.) →Lichtfilter, →Filterglas.

Filtergeräte, leichte →Atemschutzgeräte, die schädl. Bestandteile aus der Atemluft durch mechan. Siebung, Adsorption oder chem. Bindung fern halten. F. sind nur im Freien verwendbar und wenn die Umgebungsatmosphäre mindestens 17% Sauerstoff, kein Kohlenmonoxid und weniger als 2% Giftstoffe enthält. Die **Atemfilter** (Filtereinsätze) werden in Atemanschlüsse der Atemschutzmasken eingeschraubt. Als Filtermaterial dienen Papier-, Watte- oder Zellstoffschichten gegen Schwebstoffe, gekörnte Aktivkohle hauptsächlich gegen organ. Dämpfe, bestimmte Chemikalien vorwiegend gegen anorgan. Gase und Dämpfe. F. schützen nicht gegen Stickstoff, Methan oder Kohlenmonoxid. Gegen Kohlenmonoxid gibt es Spezialfilter (→Filterselbstretter).

Filterglas, Glas mit definierter Lichtdurchlässigkeit für eine bestimmte Wellenlänge innerhalb des opt. Spektralbereiches (ultraviolett, sichtbar, infrarot), z.B. als →Lichtfilter.

Filterhilfsmittel, feste Stoffe (z.B. Asche, Holzmehl), die bei der Filtration zugesetzt werden, um bei feinen, schlammartigen Suspensionen ein schnelles Verstopfen des Filters zu verhindern oder um bei niedrigem Feststoffgehalt der Suspension die Ausbildung eines Filterkuchens zu ermöglichen.

Filterkuchen, →Filtration.

Filtermittel, →Filtration.

Filterselbstretter, Atemschutzgerät, das als Fluchtgerät für Bergleute dient. F. sollen bei plötzlich auftretenden Grubenbränden und Explosionen vor Atemgiften, besonders Kohlenmonoxid **(CO-F.),** schützen. Heute werden auch Sauerstoff-Fluchtgeräte, F. mit Mundstück und Nasenklemme, verwendet.

Filtration *die* (Filtrieren), mechan. Trennverfahren zur Abscheidung von meist festen Teilchen aus einer Flüssigkeit oder einem Gas mithilfe eines porösen **Filtermittels** (z.B. Filtertuch, Kiesschüttung). Die Teilchen können auf dessen Oberfläche als zusammenhängender **Filterkuchen** abgesetzt **(Oberflächen-F., Kuchen-F.)** oder an der Oberfläche der einzelnen Filtermittelteilchen adsorbiert werden **(Tiefen-F.).** Eine durch F. zu trennende Suspension wird als **Trübe,** die ablaufende klare Flüssigkeit als **Filtrat** bezeichnet. Die Triebkraft für die F. kann durch Überdruck auf der Seite der Trübe **(Druck-F.),** durch Unterdruck auf der Filtratseite **(Vakuum-F.)** oder durch die Schwere der Trübe **(Schwerkraft-F.)** erzeugt werden.

Filz, Textilerzeugnis aus Wolle und/oder anderen Tierhaaren, die sich beim Walken unter Einwirkung von feuchter Wärme, Druck und Seife umschlingen. Man unterscheidet **Walk-F.** und **Web-F.** (nachträglich gefilztes und gewalktes Gewebe).

Filzkraut (Fadenkraut, Schimmelkraut, Filago), Gattung der Korbblütler, kleine Kräuter mit filzig behaarten Stängeln und Blättern; die Blütenköpfchen sind knäulig angeordnet; überwiegend an trockenen Standorten; in Mitteleuropa im Bestand stark gefährdet.

Filzlaus, eine Art der →Läuse.

Filzokratie [zu grch. kratein »herrschen«] *die,* karikierende Bez. für die enge Verflechtung (»Verfilzung«) einer regierenden Partei mit der Bürokratie eines Staates oder einer Gemeinde.

Filzschreiber, Schreib- und Zeichenstift mit einem Speicher für Tinte und einer Schreibspitze aus hart gepresstem Filzdocht; beim **Faserschreiber** besteht die Spitze aus Glasfasern.

Fimbrilen [lat.], die fransenartigen Fortsätze am →Eileiter.

FINA, Abk. für frz. **F**édération **I**nternationale de **N**atation **A**mateur, Internationaler Schwimmverband, gegr. 1908, Sitz: Lausanne.

Finale [italien.] *das,* **1)** *allg.:* glanzvoller Abschluss, Schlussteil.

2) *Musik:* Schlusssatz eines mehrteiligen Musikstücks; die einen Opernakt abschließende Szene.

3) *Sport:* Endkampf, Endspiel.

finale Handlungslehre, *Recht:* →Handlung.

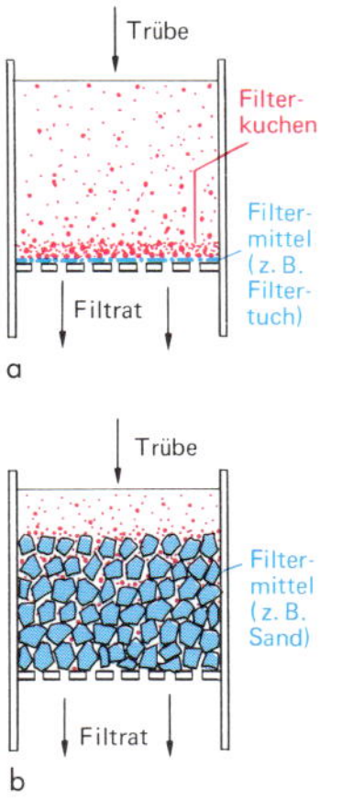

Filtration:
a Oberflächenfiltration;
b Tiefenfiltration

Finale Ligure, italien. Badeort in Ligurien, Prov. Savona, an der Riviera di Ponente, 12700 Ew.; Flugzeugindustrie. – Im MA. Reichslehen, seit 1598 spanisch, 1713 an Genua verkauft.

Finalität [zu lat. finis »Ziel«], *Philosophie:* Zielstrebigkeit, Zweckmäßigkeit. Bei Aristoteles und in der von ihm geprägten metaphys. Tradition hat die Zielursache **(Finalursache)** unter den Arten der Ursachen eindeutig Vorrang: Alles Seiende ist in seiner Bewegung durch die Kraft seines Ziels bestimmt, das in ihm (z. B. im Samen) als vorweggenommene Zukunft schon gegenwärtig wirkt. Die neuzeitl. Naturwiss. beschränkte sich zunehmend auf die Naturerklärung aus Wirkursächlichkeit (Kausalität im modernen eingeschränkten Sinn), doch stellte sich das Problem der F. bes. in der Biologie, nämlich im →Vitalismus, und in der Ethik. (→Entelechie, →Teleologie)

Finalsatz (Absichtssatz), Nebensatz, der einen Zweck oder eine Absicht zum Ausdruck bringt (ÜBERSICHT Syntax).

Finanzamt, →Finanzverwaltung.

Finanzausgleich, Regelung der finanziellen Beziehungen zw. den in einem Staat oder in einer Staatenverbindung vorhandenen Gebietskörperschaften. Die Verteilung der Aufgaben und der mit ihrer Erfüllung verbundenen Ausgaben wird als **passiver F.,** die Verteilung der Einnahmen als **aktiver F.** bezeichnet. In einem föderativen Bundesstaat erfolgt die Aufgabenverteilung nach dem »Subsidiaritätsprinzip«; der übergeordnete Verband übernimmt nur jene Aufgaben, die die untergeordnete Gebietskörperschaft nicht zureichend erfüllen kann. Erfolgt der F. zw. gleichgeordneten Körperschaften, so spricht man von **horizontalem F.** (Länder-F., interkommunaler F.), ein F. zw. über- und untergeordneten Körperschaften (Bund, Länder und Gemeinden) wird als **vertikaler F.** bezeichnet. Entsprechend dem Grad der Finanzautonomie der untergeordneten Körperschaft wird zw. **freiem Trennsystem** (jede Körperschaft kann Art und Höhe der Steuer selbst bestimmen), **gebundenem Trennsystem** (jeder Körperschaft werden bestimmte Steuerquellen zugewiesen), **totalem Verbundsystem** (alle Einnahmen fließen einer Körperschaft zu, die den anderen Anteile zuweist) unterschieden. In Dtl. kommt ein **Mischsystem** zur Anwendung, d. h., Bund und Ländern werden teils eigene Einnahmequellen überlassen, teils Finanzierungsmittel zugewiesen. Der **Länder-F.** wird nach dem Verhältnis zw. der Steuerkraftmesszahl und der Ausgleichsmesszahl geregelt. Die Steuerkraftmesszahl eines Landes ergibt sich aus der Summe seiner Steuereinnahmen, die Ausgleichsmesszahl aus der Multiplikation der Anzahl der Ew. des Landes mit dem Verhältnis von Steuereinnahmen zu Ew. im Bundesdurchschnitt. Ausgleichszahlungen müssen solche Länder leisten, deren Steuerkraftmesszahl größer ist als die Ausgleichsmesszahl. Die neuen Bundesländer sind seit 1995 in den Länder-F. einbezogen, nachdem sie 1990–94 stattdessen Zahlungen aus dem Fonds Deutsche Einheit erhalten hatten.

📖 CARL, D.: *Bund-Länder-F. im Verfassungsstaat. Baden-Baden 1995.*

Finanzen [lat.], i. w. S. Geldangelegenheiten, Vermögenslage; Geldmittel; i. e. S. Einnahmen und Ausgaben der öffentl. Hand.

Finanzgerichtsbarkeit, unabhängige, von der Finanzverw. getrennte Gerichtsbarkeit zur Entscheidung von Streitigkeiten über Abgaben-, insbesondere Steuer- und verwandte Angelegenheiten; Rechtsgrundlage ist die Finanzgerichtsordnung (FGO) vom 6. 10. 1965 (mit späteren Änderungen nebst Entlastungsges.). Die F. ist zweistufig, Instanzen sind die Finanzgerichte der Länder (Besetzung: Senate mit drei Berufsrichtern und i. d. R. zwei ehrenamtl. Richtern) und der Bundesfinanzhof (Abk. BFH) in München (Besetzung der Senate: i. d. R. fünf, beim Großen Senat sieben Berufsrichter). – Dem Finanzgerichtsverfahren muss i. d. R. ein Einspruchsverfahren vor der Finanzverw. vorausgehen. Im Ggs. zu den Finanzgerichten besteht vor dem BFH Vertretungszwang; vertretungsberechtigt sind Rechtsanwälte, Steuerberater und Wirtschaftsprüfer. Die Revision zum BFH bedarf der Zulassung durch das Finanzgericht. – Das System der F. findet in *Österreich* und in der *Schweiz* keine direkte Entsprechung; dort wird Rechtsschutz gegen die Finanzverw. v. a. durch Verw.gerichte gewährt.

📖 BÄHR, H. *u.* SCHURMANN, W.: *Abgabenordnung u. Finanzgerichtsordnung. München u. a.* ²*1995.* – *Abgabenordnung. Finanzgerichtsordnung, Nebengesetze, begr. v.* R. KÜHN, *erläutert v.* RUTH HOFMANN *u. a. Stuttgart* ¹⁷*1995.*

Finanzhoheit, Teil der Staatshoheit, der die Befugnis des Staates zu autonomer Regelung des öffentl. Finanzwesens und der Besteuerung betrifft. Die F. wird ausgeübt als gesetzgebende, vollziehende (→Finanzverwaltung) und rechtsprechende Gewalt (→Finanzgerichtsbarkeit). Sie stellt sich zum einen als Ausgabenhoheit, zum anderen als Ertragshoheit dar. Die Ausgaben werden in Dtl. von Bund, Ländern und Gemeinden in getrennten Haushalten selbstständig festgestellt. Die Zuständigkeit in der Steuergesetzgebung und im Anspruch auf die Steuererträge ist im GG (Art. 104a ff.) geregelt. Der Bund hat die ausschl. Gesetzgebungs- und Ertragshoheit über Zölle und Finanzmonopole; darüber hinaus ist ihm die konkurrierende Gesetzgebung über alle wichtigen Steuern vorbehalten. Den Ländern steht die Gesetzgebungsgewalt über Verbrauch- und Aufwandsteuern mit örtlich bedingtem Wirkungskreis zu. Die Verteilung der Ertragshoheit (das Recht, über den Ertrag einer Steuer zu verfügen) auf Bund, Länder und Gem. ist Kernstück des vertikalen →Finanzausgleichs. In *Österreich* ermächtigt das Finanz-Verfassungsges. vom 21. 1. 1948 den Bund zur Regelung der Abgabenerhebung, der Ertragsverteilung auf die Gebietskörperschaften sowie die Finanzzuweisungen; diese Regelung geschieht alle vier Jahre im Finanzausgleichsgesetz. In der *Schweiz* steht dem Bund die Steuerhoheit nur für die einzeln in der Verfassung aufgeführten Steuern zu; vorbehaltlich der Bundesregeln zur Steuerharmonisierung haben die Kantone das Recht, jede Steuer zu erheben, die der Bund nicht erhebt.

Finanzierung, alle Maßnahmen der Kapitalbeschaffung. – Bei der **internen F.** stammen die Mittel aus dem Betriebsprozess (bes. Umsätze); bei der **externen F.** stammen die Mittel von Kapitalgebern: Gläubigern **(Fremd-F.),** Anteilseignern oder Eigentümern **(Eigen-F.).** Wird durch die Kapitalaufnahme der Kreis der bisherigen Anteilseigner oder Eigentümer erweitert, so spricht man auch von **Beteiligungs-Finanzierung.** – Fremd-F. erlaubt die Abwälzung des Kapitalrisikos auf die Gläubiger; sie bringt jedoch im Unterschied zur Eigen-F. Zins- und Tilgungsverpflichtungen mit sich, die auch bei ungünstiger wirtsch. Lage zu erfüllen sind, daneben häufig Kontroll- und Mitspracherechte des Kreditgebers.

📖 Olfert, K.: *F. Ludwigshafen am Rhein* [8]*1994.* – Drukarczyk, J.: *F. Eine Einführung. Stuttgart* [7]*1996.*

Finanzierungsgesellschaften, Unternehmen zur Beschaffung von Kapital für andere (oft nahe stehende) Unternehmen; i. e. S. Gesellschaften, die selbstständig finanzielle Mittel zum Zwecke der Weitergabe an andere Unternehmen aufnehmen, z. B. durch Emission von Wertpapieren. Formen der F. sind z. B. Beteiligungs- und Holdinggesellschaften, Investmenttrusts.

Finanzierungsschätze des Bundes, 1975 eingeführte Wertpapiere zur Deckung des kurzfristigen Kreditbedarfs des Bundes (Laufzeit wahlweise ein oder zwei Jahre). Die kleinste Stückelung beträgt 1 000 DM, ihr Zinsertrag ergibt sich dadurch, dass beim Erwerb dieser Wertpapiere ein um die Zinsen verringerter Teilbetrag des Nennwertes zu zahlen ist (Abzinsungspapier ohne laufende Zinszahlung).

Finanzinnovationen (engl. Financial Innovations), i. e. S. Bez. für neue Finanzierungsinstrumente, die mit der beträchtl. Ausweitung internat. Kapitalmarktemissionen ab etwa 1980 entwickelt wurden: Floating rate notes, Zerobonds, Doppelwährungsanleihen, Zins- und Währungsswaps, Certificates of Deposit, Devisenoptionen, Futures, Roll-over-Kredite, Euro-Commercial-Papers, Euronotes u. a.; Futures, Optionen und Swapgeschäfte werden auch als Derivate bezeichnet. Anstoß für F. waren Bestrebungen, die Geldbeschaffungskosten an den Kapitalmärkten zu senken, die Risiken aus den starken Wechselkurs- und Zinsfluktuationen neu zu verteilen und administrative Finanzmarktregelungen in einigen Ländern zu umgehen. I. w. S. zählen zu den F. auch schon vor 1980 entstandene Geschäftsformen wie Leasing, Factoring, Forfaitierung sowie rechtl., techn. und organisator. Änderungen an Börsen und Kapitalmärkten, Liberalisierungen im Kapitalverkehr, Einführung computerunterstützter Handelssysteme.

Finanzkapital, von R. Hilferding geprägter Begriff für das in wenigen Händen (z. B. Großbanken) konzentrierte Geldkapital, das zur polit. und wirtsch. Beeinflussung, bes. zur machtpolit. Beherrschung großer Konzerne oder ganzer Wirtschaftsgruppen dient; hat oft internat. Charakter.

Finanzkontrolle, Prüfung und Überwachung der öffentl. Finanzwirtschaft. Die **Kassenkontrolle** prüft die Kassenbestände mit den Kassenbuchsalden; **Rechnungskontrolle** ist die rechner. (formelle) Prüfung der Belege, Kassen- und Rechnungsbücher, **Verwaltungskontrolle** die sachl. Prüfung der Finanzgebarung auf ihre Planmäßigkeit, Gesetzmäßigkeit, Zweckmäßigkeit und Wirtschaftlichkeit. Kontrollbehörden sind jeweils die übergeordneten Verwaltungsinstanzen sowie unabhängige Kontrollbehörden (→Bundesrechnungshof) und die parlamentar. Organe.

Finanzmärkte, Märkte, an denen Kreditbeziehungen zw. Anbietern von Finanzierungsmitteln (Gläubigern) und Nachfragern nach Finanzierungsmitteln (Schuldnern) entstehen.

Finanzmonopol, der staatl. Ausschluss des freien Wettbewerbs aus fiskal. oder wirtschaftspolit. Gründen; der Staat behält sich das alleinige Recht auf Herstellung und/oder Vertrieb einer Ware vor, um dadurch Einnahmen zu erzielen. In Dtl. gibt es z. B. das Branntweinmonopol.

Finanzplanung, 1) *Betriebswirtschaftslehre:* alle Dispositionen, die aufgrund einer finanziellen Vorschau zur Deckung des erwarteten Kapitalbedarfs eines Unternehmens getroffen werden, insbesondere zur Sicherung der Zahlungsfähigkeit.

2) *Finanzwissenschaft:* →mittelfristige Finanzplanung.

Finanzplanungsrat, Beratungsgremium zur Koordinierung der Finanzplanung von Bund, Ländern und Gemeinden. Der 1968 gegr. F. besteht aus dem Bundesmin. für Finanzen, dem Bundesmin. für Wirtschaft, den Finanzmin. der Länder sowie vier Vertretern der Gemeinden.

Finanzpolitik, der Einsatz der öffentl. Finanzwirtschaft, also der Ausgaben und Einnahmen der Gebietskörperschaften (Bund, Länder, Gemeinden) und der Parafiski, für die Ziele der Wirtschaftspolitik (daher auch Budgetpolitik). Im Ggs. zur übl. Charakterisierung der einzelnen Teilbereiche der Wirtschaftspolitik durch die Ziele (z.B. Stabilitäts-, Wachstumspolitik) oder die Eingriffsbereiche (z.B. Agrar-, Verkehrspolitik) ist der Begriff F. von den eingesetzten Instrumenten her abgegrenzt. Die F. stellt neben der Geldpolitik und neben der direkten wirtschaftspolit. Einwirkung durch Ge- und Verbote (Regulierung) die dritte große Gruppe wirtschaftspolit. Instrumente dar.

Die F. verfolgt neben der Beschaffung öffentl. Einnahmen auch nichtfiskal. Ziele. Drei Bereiche sind dabei zu unterscheiden. 1) Allokationspolitik: Aufteilung der volkswirtsch. Ressourcen auf die Befriedigung privater und öffentl. Bedürfnisse (Bildungswesen, Rechtssicherheit, Gesundheitswesen usw.). Die Abzweigung volkswirtsch. Mittel zur Deckung der öffentl. Bedürfnisse kann durch unmittelbare Umlenkung von Produktivkräften oder im Zug des Besteuerungs-/Ausgabenprozesses herbeigeführt werden. 2) Distributionspolitik: Die öffentl. Einnahmen und Ausgaben haben zwangsläufig Wirkungen auf die Einkommensverteilung, erwünschte Verteilungskorrekturen sind dabei am direktesten durch ein System von steuerl. Maßnahmen und Transferzahlungen zu erreichen. 3) Stabilisierungspolitik: Erreichung und Erhaltung eines hohen Nutzungsgrades der Produktivkräfte und eines stabilen Preisniveaus. Eine Variante der Stabilisierungspolitik ist die antizykl. F.: In einer Rezession wird die zu niedrige private Nachfrage durch zusätzl. Ausgaben des Staates, die aus Rücklagen oder Krediten zu finanzieren sind, erhöht und die Übernachfrage im Boom durch verminderte Staatsausgaben – bei Stilllegung der erhöhten Steuereinnahmen – eingeschränkt. (→Built-in-Flexibility, →Defizitfinanzierung)

📖 Wagenblass, W.: *Volkswirtschaftslehre, öffentl. Finanzen u. Wirtschaftspolitik.* Heidelberg [6]1995.

Finanzprokuratur *die,* in Österreich eine dem Bundesfinanzmin. unterstellte Behörde zur Vertretung des Bundesvermögens vor Gericht.

Finanzrecht, Wissenschaft von der rechtl. Ordnung der Finanzwirtschaft, umfasst bes. das Recht der Finanzverwaltung, das Haushalts- und das Steuerrecht.

Finanzreform, Neugestaltung der Finanzverfassung, um Widersprüche und Mängel zu beseitigen, die durch die wirtsch. Entwicklung zw. dem materiellen Inhalt der Rechtsnormen und den Erfordernissen der aktuellen Gestaltung der Finanzwirtschaft auftreten. Angesichts des schnellen Wandels grundlegender ökonom. Sachverhalte kann die F. als eine permanente Aufgabe der Finanzpolitik angesehen werden. – Die jüngeren finanzpolit. Maßnahmen in Dtl. betrafen v.a. den Finanzausgleich und das Steuersystem.

Finanztheorie, →Finanzwissenschaft.

Finanzverfassung, die Gesamtheit der Bestimmungen, die das öffentl. Finanzwesen in einem Staat regeln, insbes. das Recht, Steuern zu erheben (→Finanzhoheit), die Verteilung der Einnahmen und die Haushaltswirtschaft.

Finanzvermögen, Teil des Vermögens der öffentl. Hand (Staatsvermögen), der wirtschaftlich genutzt wird und Einkünfte erbringt. Bestandteile des F. sind: Betriebsvermögen (z.B. öffentl. Unternehmen, Kapitalbeteiligungen, Staatsforsten) und allg. Kapital- und Sachvermögen (z.B. Darlehen, Treuhandvermögen). Ggs.: Verwaltungsvermögen.

Finanzverwaltung, der Teil der öffentl. Verwaltung, der sich bes. mit der individuellen Festsetzung und Erhebung von Steuern, der Vermögensverw. der öffentl. Hand und der Einziehung von Strafen, Beiträgen und Gebühren befasst. Nach Art. 108 GG ist die Steuerverw. zw. Bund und Ländern aufgeteilt. Der Bund verwaltet Zölle, Finanzmonopole, bundesrechtl. Verbrauchsteuern und Abgaben im Rahmen der EG. Die übrigen Steuern (z.B. Einkommensteuer) werden durch Landesfinanzbehörden verwaltet. Grundlage des Aufbaus der F. ist das F.-Ges. vom 6. 9. 1950; **Bundesfinanzbehörden** sind: der Bundesmin. der Finanzen (oberste Behörde), Bundesamt für Finanzen u.a. (Oberbehörde), Oberfinanzdirektion (Mittelbehörde), Hauptzollämter u.a. (örtl. Behörde). **Landesfinanzbehörden** sind: Landesfinanzministerium (oberste Behörde), Oberfinanzdirektion (Mittelbehörde), Finanzamt (örtl. Behörde). Die Oberfinanzdirektion ist sowohl Bundes- als auch Landesbehörde, sie steht der F. des Bundes und der Länder in ihrem Bezirk vor; ihr Leiter wird von Bund und Land in gegenseitigem Einvernehmen ernannt.

In *Österreich* gilt das Abgabenverwaltungsorganisationsges. von 1974, wonach in erster Instanz Finanz- und Zollämter, in zweiter Instanz die Finanzlandesdirektionen tätig werden. In der *Schweiz* ist die F. zw. Bund, Kantonen und Gemeinden aufgeteilt.

Finanzwirtschaft, Wirtschaft der Gebietskörperschaften (Bund, Länder, Gemeinden) sowie der Nebenfisken (z.B. Sozialversicherungen). Die öffentl. F. ist eine Bedarfsdeckungswirtschaft. Sie verfolgt nicht das Ziel, Gewinn zu erwirtschaften, sondern das im Haushaltsplan niedergelegte finanzpolit. Programm zu erfüllen. Die Einnahmen setzen sich aus Abgaben (Steuern und Zölle, Gebühren und Beiträge), Erwerbseinkünften (z.B. aus öffentl. Unternehmungen) und den Zuflüssen aus staatl. Schuldenaufnahme zusammen. Die Ausgaben gliedern sich in Leistungsentgelte (Personal- und Sachausgaben) und Einkommensübertragungen ohne Gegenleistung (Transferausgaben).

Finanzwissenschaft, Teildisziplin der Wirtschaftswiss., deren Untersuchungsobjekt die wirtsch. Aktivitäten öffentl. Gebietskörperschaften und deren Beziehungen zu anderen Bereichen der Volkswirtschaft sind. Die F. analysiert v.a. die Wirkung finanzpolit. Maßnahmen auf Beschäftigung, Einkommensverteilung, Preise. Wichtige Teilgebiete der F.: die **Finanztheorie,** bes. die Budgettheorie (behandelt Haushaltsplan, Budgetgrundsätze), die Ausgaben- und Einnahmenlehre (allg. Steuerlehre) sowie die Theorie des öffentl. Kredits (untersucht Arten der öffentl. Verschuldung und der Wirkung von Haushaltsdefiziten); ferner die spezielle Steuerlehre (Darstellung der Einzelsteuern), die →Finanzpolitik, Finanzsoziologie und Finanzgeschichte. Enge Beziehungen bestehen zum Finanz- und Steuerrecht, zur Finanzstatistik (Erfassung und Darstellung der öffentl. Finanzwirtschaft v.a. die Haushalts- sowie Vermögensstatistik) sowie zu der betriebl. Steuerlehre, dem Verwaltungsrecht und der Kommunalwirtschaft. – Die F. entstand in der Zeit des Merkantilismus, im dt. Sprachgebiet gilt K. Klock (*1583, †1655) als Begründer; sie wurde weiterentwickelt von Kameralisten, Physiokraten und den Klassikern der Nationalökonomie. Im 20. Jh. brachten die »reine Finanztheorie«, auf E. Sax (*1845, †1927) zurückgehend, die soziolog. Schule der F. und der Einfluss der Wirtschaftstheorien von J. M. Keynes u.a. Neuorientierungen. Neuere Themen der F. sind u.a. die Analyse der Steuerhinterziehung und der Schattenwirtschaft sowie die Theorie des Staatsversagens.

📖 MUSGRAVE, R. A. *u.a.: Die öffentl. Finanzen in Theorie u. Praxis, 3 Bde. A. d. Engl. Tübingen* $^{4-6}$*1992–94.* – BRÜMMERHOFF, D.: *F. München u.a.* ^{7}*1995.*

Finca ['fiŋka, span.] *die,* Landhaus mit Garten, in Lateinamerika Landgut.

Finck, 1) Heinrich, Komponist, *Bamberg 1444 oder 1445, †Wien 9. 6. 1527; schuf mehrstimmige geistl. Werke und weltl. Liedsätze, die den Übergang von der spätgot. Satzweise zur renaissancehaften Ausdruckskunst zeigen.

2) Werner, Kabarettist, Theater- und Filmschauspieler, *Görlitz 2. 5. 1902, †München 31. 7. 1978; leitete 1929–35 in Berlin das Kabarett »Die Katakombe«, dann Berufsverbot; ab 1948 leitete er Kabarette in Stuttgart bzw. ab 1951 in Hamburg; seit 1954 in München; zeitkrit., satir. Schriften, Autobiographie: »Alter Narr, was nun?« (1972).

Fingalshöhle

Findelkinder, ausgesetzte neugeborene Kinder. Ein F. ist spätestens am Tag nach seinem Auffinden der Ortspolizeibehörde anzuzeigen. Die zuständige Verw.behörde setzt nach Anhörung des Gesundheitsamts den vermuteten Ort und Tag der Geburt fest und bestimmt einen Namen für das Kind (§25 Personenstandsges.). Für ein F. ist ein Vormund zu bestellen.

Finderlohn, →Fund.

Fin de Siècle [fɛ̃d'sjɛkl; frz. »Ende des Jh.«, nach dem gleich lautenden Titel eines Lustspiels von F. de Jouvenot und H. Micard, 1888] *das,* die Zeit des ausgehenden 19. Jh., die in Gesellschaft, Kultur und Kunst bestimmte krisenhafte, für eine Spätzeit typ. Erscheinungsformen aufwies. (→Dekadenz)

Findling, →erratische Blöcke, →Geschiebe.

Fine [italien.] *das,* Ende eines Musikstückes; steht bes. bei Sätzen mit Da-capo-Form.

Fine Gael ['fɪnəgeːl, irisch »Stamm der Gälen«] (engl. United Ireland Party), irische polit. Partei, gegr. 1933, konservativ in ihrer Grundeinstellung, tritt für die Vereinigung des brit. Nordirland mit der Rep. Irland ein. Sie ist heute innenpolitisch um ein soziales Profil bemüht.

Die F. G. entstand durch Zusammenschluss der 1923 von W. T. Cosgrave gegründeten Cumann na nGaedheal (Befürworter des angloir. Vertrags von 1921; →Sinn Féin) mit anderen polit. Gruppen, u.a. mit der konservativen, später faschist. National Guard. Seit Mitte der 1930er-Jahre setzte sich die konservativ-demokrat. Linie in der Gesamtpartei durch. Die von ihr maßgeblich mitgetragene Regierung Costello rief 1949 die Republik aus. Nach der Fianna Fáil ist die F. G. heute die zweitstärkste Partei im Parlament und stellte wiederholt den Ministerpräsidenten (u.a. seit 1994 J. Bruton).

Heinrich Finck
(Bleigussmedaille, 1526)

Finesse [frz.] *die,* Feinheit, Kunstgriff; Trick.

Fingal, irisch-schott. Sagengestalt, →Finn.

Fingalshöhle [nach Finn] (engl. Fingal's Cave), in einem Basaltlavastrom (mit säulenförmiger Absonderung) ausgebildete Grotte an der SW-Küste der schott. Insel Staffa (Innere Hebriden), 69 m lang, rd. 12 m breit, bis 20 m hoch.

Finger (Digiti), *Anatomie:* die urspr. in Fünfzahl ausgebildeten, häufig zahlenmäßig reduzierten bewegl. Abschnitte der Vordergliedmaße bzw. der Hand, v.a. bei Affen und beim Menschen. Bei den meisten Säugetieren und beim Menschen besteht das Skelett der F. aus je drei F.-Knochen **(Phalangen),** das des Daumens aus zwei. Beim Menschen befinden sich zw. den F.-Knochen und den Mittelhandknochen Kugelgelenke (mit Ausnahme des Daumens). Das letzte F.-Glied trägt auf der Oberseite den **F.-Nagel,** auf der Unterseite die **F.-Beere** (F.-Ballen), deren Hautleistenmuster bei jedem Menschen charakteristisch angeordnet ist und zahlr. Tastkörperchen enthält.

Fingerabdruckverfahren, die →Daktyloskopie.

Fingerentzündung (Umlauf, Panaritium), im Anschluss an meist geringfügige Fingerverletzungen entstehende, v.a. durch Staphylokokken hervorgerufene eitrige Entzündung. Die **oberflächl. F.** hat ihren Sitz in Haut und Unterhautfettgewebe der Beugeseiten der Finger. Sie ist mit Rötung, Schwellung und starken Schmerzen verbunden und hat große Tendenz zum tieferen Fortschreiten **(tiefe F.).** – *Behandlung:* Ruhigstellen, Antibiotikagaben, u.U. operative Eröffnung des Eiterherdes.

Fingerhakeln, alpenländ. Wettkampf zw. zwei Gegnern, die sich mit einem lederumwickelten Hanfstreifen, den sie mit den Fingern festhalten, oder mit den eingehakten Mittelfingern über einen zw. ihnen stehenden Tisch zu ziehen versuchen.

Fingerhut (Digitalis), Gattung der Rachenblütler, überwiegend hohe Stauden mit zweilippigen, langröhrigen meist nickenden roten, weißen oder gelben Blüten in Trauben; in Mitteleuropa drei (giftige) Arten: **Großblütiger F.** (Digitalis grandiflora), bis 1 m hoch mit großen gelben Blüten, geschützt; **Gelber F.** (Digitalis lutea), Blüten gelb, bis 2,5 cm groß, geschützt; **Roter F.** (Digitalis purpurea) mit bis 6 cm langen Blüten, liefert herzwirksame Glykoside.

Fingerkraut (Potentilla), Gattung der Rosengewächse, fast ausnahmslos auf der nördl. Erdhalbkugel; meist Kräuter mit fingerförmig gefiederten Blättern und gelben oder weißen Blüten, u.a.: **Blutwurz (Aufrechtes F.,** Potentilla erecta), 10–40 cm hoch mit gelben Blüten, alte Heilpflanze; **Kriechendes F.** (Potentilla reptans) mit bis zu 1 m langen Ausläufern und gelben Blüten; **Gold-F.** (Potentilla aurea), Blüten goldgelb mit silbrig behaarten Kelchblättern, und **Frühlings-F.** (Potentilla tabernaemontani) mit seidig glänzenden Blättern und gelben Blüten.

Fingerhut: Großblütiger Fingerhut

Fingerkraut: Blutwurz

Fingertiere: Aye-Aye (Körperlänge etwa 45 cm, Schwanzlänge etwa 55 cm)

Fingerhut: Roter Fingerhut (Digitalis purpurea)

Fingerpuppe, →Figurentheater.

Fingersatz (Applikatur), Anweisung zum zweckmäßigen Einsatz der Finger beim Spielen von Musikinstrumenten. Bei den Tasteninstrumenten geht die Bez. von 1 (Daumen) bis 5 (kleiner Finger).

Fingersprache (Daktylologie, Handsprache), Zeichensprache; die →Gebärdensprache der schwer Hörgeschädigten.

Fingertiere (Daubentoniidae), Halbaffenfamilie mit nur einer Art, dem **Fingertier** oder **Aye-Aye** (Daubentonia madagascariensis) auf Madagaskar; mit langen, dünnen Fingern (bes. der Mittelfinger), großen, unbehaarten Ohren, meißelförmigen Schneidezähnen, dunkelbraunem Fell, buschigem Schwanz. F. sind nachtaktive Baumtiere, die sich von Insekten, Früchten und dem Mark von Bambus ernähren.

Fin|invest S.p.A., italien. Einzelhandels- und Medienkonzern, gegr. 1978, Sitz: Mailand. Zu dem S. Berlusconi gehörenden Unternehmen zählen die Kaufhausketten Standa und Euromercato sowie Medienunternehmen wie die Fernsehsender Canale Cinque, Rete Quattro, Italia Uno.

Finish ['fɪnɪʃ, engl.] *das,* **1)** *allg.:* letzter Arbeitsvorgang, der einem Produkt die endgültige Form gibt; auch letzter Schliff, Vollendung.

2) *Sport:* Endkampf, Endspurt.

Finistère [finisˈtɛːr; von lat. finis terrae »Landesende«], Dép. in der Bretagne, W-Frankreich, 6733 km², (1990) 838200 Ew.; Hptst. ist Quimper.

Finisterre, Kap (galic. Fisterra) [»Kap des Landendes«], nach S vorspringendes Felsenkap der NW-Küste Spaniens, westlichster Punkt des span. Festlandes.

Finite-Elemente-Verfahren, ein computergestütztes, numer. Verfahren zur Ermittlung von Spannungen und Dehnungen an komplizierten, analytisch nicht berechenbaren, belasteten Bauteilen. Das Bauteil wird dabei durch eine Anzahl von Teilstücken (Elementen) endlicher (finiter) Größe (z.B. Stäben, Dreieckelementen) idealisiert. Das urspr. für den Flugzeugbau entwickelte Verfahren wird heute im gesamten ingenieurtechn. Bereich eingesetzt.

finite Form, Verbform mit Angabe von Person, Numerus, Tempus und Modus (im Unterschied zu Infinitiv und Partizipien).

Fink, Agnes, schweizer. Schauspielerin, * Frankfurt am Main 14. 12. 1919, † München 28. 10. 1994; ⚭ mit B. Wicki; Charakterdarstellerin, bes. in München, Zürich und Hamburg.

Finken (Finkenvögel, Fringillidae), bis starengroße Singvögel in Amerika, Eurasien und Afrika; vorwiegend Körnerfresser mit Kegelschnabel. In Mitteleuropa sind Buch-F., Grünling, Stieglitz, Erlen- und Birkenzeisig, Hänfling, Girlitz, Zitronengirlitz, Gimpel, Karmingimpel, Fichtenkreuzschnabel und Kernbeißer heimisch. Berg-F. und Berghänfling, die im N brüten, sind regelmäßige Wintergäste.

Finkenwerder, Marschinsel der Niederelbe in Hamburg. Die tief gelegene, durch Ringdeiche geschützte Insel verlor nach der Sturmflut von 1962 durch Abdämmung der Süderelbe und Schaffung neuer Verkehrswege ihren Inselcharakter; mit Containerhäfen und Großind. (Flugzeugbau, Erdölraffinerie) gehört der größte Teil von F. zum Hafengebiet.

Finn, nach irischer Sage im 3. Jh. n. Chr. Fürst der Fian(n)a, eines nach eigenen Gesetzen lebenden Kriegerkorps. F. und sein Sohn Oisín (→ Ossian) sind Mittelpunkt eines Sagenkreises in S-Irland und Schottland (hier findet sich auch die Namensform **Fingal**), ebenso im Werk des schott. Dichters J. Macpherson.

Finnair O/Y ['finneə-], finn. Luftverkehrsgesellschaft, gegr. 1923 (ÜBERSICHT Luftverkehrsgesellschaften).

Finnbogadóttir, Vigdís, isländ. Politikerin (parteilos) und Philologin, * Reykjavík 15. 4. 1930; 1972–80 Leiterin des Stadttheaters von Reykjavík, war 1980–96 Staatspräsidentin.

Finn-Dingi *das* (auch Finn-Dinghi, Finn), *Segeln:* olymp. Einmannjolle seit 1956; 4,50 m lang, 1,51 m breit, 0,85 m Tiefgang, Segelfläche 10 m².

Finne *die,* Höhenzug am N-Rand des Thüringer Beckens, bis zu 356 m ü. M., östl. Fortsetzung von Schmücke und Schrecke; besteht aus einer Buntsandsteinhochfläche mit einzelnen Muschelkalkschichtkämmen.

Finne, 1) Bez. für die Rückenflosse der Haie und analoge Bildungen der Wale.

2) (Blasenwurm), → Bandwürmer.

Finnen (Suomalaiset), Volk in N-Europa, etwa 5 Mio., davon etwa 4,6 Mio. in Finnland, 300 000 in den USA, 223 000 in Karelien, 50 000 in Schweden, 12 000 in Norwegen. – Die F. kamen zuerst mit der balt., dann frühzeitig mit der german. Kultur in Berührung und wurden von ihr wesentlich beeinflusst. Die agrarisch bestimmte Kultur der F. ist heute stark von urbanen Lebensformen und der Industrialisierung beeinflusst. Die Volkskunst (Holzschnitzereien, Knüpfteppiche) ist beachtlich.

Agnes Fink

Finnenausschlag, die → Akne.

Finnenkrankheit, Erkrankung des Menschen und der Haustiere durch Jugendformen (Finnen) von → Bandwürmern. Die **Zystizerkose** ist eine Erkrankung durch bestimmte Finnenarten (Zystizerken). Hierzu zählt die für den Menschen gefährl. Erkrankung durch die Finnen des Schweinebandwurms, die sich in Gehirn oder Augen ansiedeln und zu einer walnussgroßen Blase entwickeln können. Die **Echinokokken-Krankheit,** die durch die Finne des Hundebandwurms (→ Echinokokken) hervorgerufen wird, kann den Menschen ebenfalls befallen.

Finnentrop, Gemeinde im Kreis Olpe, NRW, 17 000 Ew.; Metall-, Kunststoff-, Holzverarbeitung, Fleischwarenfabrik. – F. entstand 1969 durch Zusammenschluss mehrerer Gemeinden.

finnische Kunst. Die mittelalterl. Kunst Finnlands stand in engem Zusammenhang mit der des europ. Nordens. Die Kirchen sind meist schlichte Feldsteinbauten mit steilem Satteldach und abseits stehendem Glockenturm, nur am Westgiebel zuweilen Schmuck. Das Innere, meist dreischiffig und gewölbt, wurde im späteren MA. durch reiche Wandmalerei mit Volkskunstcharakter ausgestattet. Der bedeutendste Kirchenbau ist die Domkirche (Anfang des 13. Jh. begonnen) in Turku. Auch Künstler aus dem Einflussgebiet der Hanse arbeiteten für Finnland, v. a. Meister Francke (Barbara-Altar; Helsinki, Museum). Von großartiger Strenge sind die finn. Burgbauten des MA., z. B. in Turku, Häme, Viipuri (heute Wyborg). Zur Zeit Gustavs I. Wasa wurden zahlreiche Burgen erneuert und erweitert. Mittelpunkt kulturellen Lebens wurde der Renaissancehof des späteren Königs Johann III. am Turkuer Schloss. In den Wirren nach der Reformation entstanden im 16. Jh. nur wenige und bescheidene Kirchen, meist aus Holz. Im 17. Jh. wurden v. a. Gutshöfe und prot. Predigtkirchen gebaut; neben die Langkirche aus Holz trat die Kreuzkirche mit vier gleich langen Armen und einer Kuppel in der Mitte. Bed. Leistungen der Bildhauerkunst sind die Ornamente der Grabdenkmäler. In der 2. Hälfte des 18. Jh. begann man

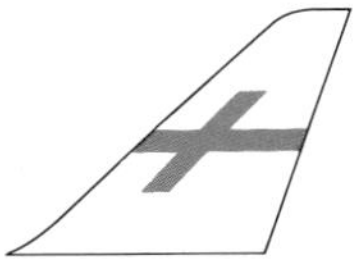
Finnair O/Y

Vigdís Finnbogadóttir

mit dem Ausbau der Städte, ab 1778 wurde die Hafenfestung Suomenlinna (Helsinki) errichtet. Die Malerei, bes. die Kirchenmalerei mit M. Toppelius sowie das Porträt, erhielt einen Aufschwung. Der Ausbau Helsinkis erfolgte 1816ff. nach klassizist. Plänen des aus Berlin stammenden Baumeisters C. L. Engel. Die Malerei blieb im 19. Jh. zunächst an Schweden orientiert, Mitte des Jh. wurden Düsseldorf und schließlich Paris für die finn. Landschaftsmalerei wichtig, wo A. Edelfelt (*1854, †1905) und A. →Gallén-Kallela, der bekannteste Maler des finn. Jugendstil und Symbolismus, studierten.

Die Baukunst fand von der »Nationalromantik« der Zeit um 1900 (Nationalmuseum in Helsinki) bald zu klaren und ruhigen Formen. Wegweisend waren die Bauten von E. Saarinen (Bahnhof in Helsinki, 1904ff.). Weltruhm erlangte die finn. Architektur u. a. durch A. Aalto und das Ehepaar Kiaja und Heikki Sirén. Als Nestor der finn. Bildhauerei des 20. Jh. gilt V. Aaltonen. Den Anschluss an die internat. Moderne fanden die Bildhauer Aimo Tukiainen (*1917), Eila Hiltunen (*1922) und Kain Tapar (*1930). Bereits seit den 50er-Jahren übernahm Finnland eine führende Rolle auf dem Gebiet des Industriedesigns. Die Malerei öffnete sich in den 60er-Jahren abstrakten Richtungen (u. a. Ahti Lavonen, *1928; Kimmo Kaivanto, *1932). International beachtete Lösungen auf dem Gebiet der Architektur fanden Risto Parkkinen (*1938) mit dem Opernhaus in Helsinki (1986ff.), Sakari Aartelo (*1941) und Esa Piironen (*1943) mit der Musik- und Kongresshalle in Tampere (1987–89) sowie Reima Pietilä (*1923, †1993) und seine Frau Raili Paatelainen (*1926), die in ihren Bauten und Entwürfen organ. Formen zugrunde legen und regionale Traditionen einbeziehen. Elemente des Dekonstruktivismus zeigen die Bauten von Jyrki Tasa (*1944), z. B. die Bibliothek (1989) in Kuhmo (Prov. Oulu).

finnische Kunst: Sakari Aartelo und Esa Piironen, Musik- und Kongresshalle in Tampere (1987–89)

📖 H. Lilius u. R. Zeitler: *Reclams Kunstführer Finnland. Kunstdenkmäler u. Museen. A. d. Schwed. Stuttgart 1985.* – *Knaurs Kulturführer in Farbe. Finnland, hg. v.* O. M. Schneider *u.* M. Mehling. *München 1988.* – Poole, S.: *Die neue finn. Architektur. A. d. Amerikan. Stuttgart u. a. 1992.*

finnische Literatur. Die finn. Volksdichtung mit ihren lyr. und ep. Liedern, Zaubersprüchen, Märchen und Sagen bildet den Grund für die finn. Kunstdichtung. – Die ältesten Werke in finn. Sprache verfasste und übersetzte der Begründer der finn. Schriftsprache M. Agricola (*1509, †1557). Weltliterar. Bedeutung erlangte das nat. Epos »Kalevala« (1835, endgültige Fassung 1849), das E. Lönnrot aus den alten ep., lyr. und mag. Liedern gestaltete. Die klass. Epoche der neuzeitl. f. L. begann mit Dramatik und Prosa von A. Kivi. – Gegen Ende des 19. Jh. erlangten literar. Strömungen aus dem übrigen Europa Einfluss. Realist. und sozialkrit. Werke schrieben Minna Canth, J. Aho, A. Järnefelt und J. Linnankoski. Neuromantiker waren V. Kilpi, J. Lehtonen und Aino Kallas. Der Nobelpreisträger F. E. Sillanpää gestaltete Menschen und Natur seiner westfinn. Heimat. Bedeutende Lyriker: E. Leino, O. Manninen, V. A. Koskenniemi. In den 20er-Jahren experimentierten die »Tulenkantajat« (Feuerträger) mit dem Expressionismus: U. Kailas, K. Vala, P. Mustapää, A. Hellaakoski und K. Sarkia; aus diesem Kreis gingen viele Prosaisten, u. a. P. Haanpää, T. Pekkanen und der zu Weltruf gelangte M. Waltari hervor. – Charakterdramen und Komödien schrieben Maria Jotuni, Hella Wuolijoki (Mitarbeiterin von B. Brecht) und L. Haarla. Der Durchbruch zur dichter. Moderne fand Ende der 40er-Jahre statt: P. Haavikko, Eeva-Liisa Manner u. a. V. Linna und V. Meri schrieben über den Krieg. Produktive Erzähler sind außerdem V. Huovinen, A. Hyry, H. Salama und L. Viita; in der jüngsten Zeit: H. Turunen, A. Ruuth, Eila Pennanen, Kerttu-Kaarina Suosalmi. (→schwedische Literatur)

📖 Kunze, E.: *F. L. in dt. Übersetzung, 1675–1975. Helsinki 1982.* – Laitinen, K.: *F. L. im Überblick. A. d. Finn. Helsinki 1989.* – Lassila, P.: *Geschichte der f. L. A. d. Finn. Tübingen u. a. 1996.*

finnische Musik. Zum ältesten Volksliedgut gehören ep. Runenlieder, die i. Allg. pentaton. Strukturen aufweisen. Sie wurden von den Sängern meist zur 5-saitigen Kantele, dem Nationalinstrument der Finnen, vorgetragen. Im 16. Jh. entwickelte sich das finn. Kirchenlied. Eine eigenständige Kunstmusik bildete sich im 19. Jh. heraus. Sie stand anfangs unter starkem Einfluss aus Schweden und Deutschland. Bedeutendes leistete J. →Sibelius, der einen eigenen, nat.-finn. Stil entwickelte und der finn. Kunstmusik zu internat. An-

Finnland

Fläche: 338 145 km²
Einwohner: (1995) 5,107 Mio.
Hauptstadt: Helsinki
Verwaltungsgliederung: 12 Provinzen
Amtssprachen: Finnisch und Schwedisch
Nationalfeiertag: 6. 12.
Währung: 1 Finnmark (Fmk) = 100 Penniä (p)
Zeitzone: OEZ

erkennung verhalf. Neben ihm traten v.a. hervor I. Krohn, O. Merikanto, A. Järnefelt, E. Melartin, S. Palmgren, T. Kuula, A. Launis, Y. Kilpinen, A. Merikanto. Als Opernkomponisten wurden bes. J. Kokkonen, A. Sallinen und P. Heininen bekannt. Mit neuen Kompositionstechniken (Reihentechnik, Aleatorik) setzte sich als erster finn. Komponist E. Bergman auseinander. Zu den bed. finn. Komponisten der Gegenwart gehören ferner E. Rautavaara, E. Salmenhaara, K. Aho, U. Meriläinen und M. Lindberg.

Finnischer Meerbusen, der östl. Seitenarm der Ostsee zw. Finnland und Estland/Russland, etwa 430 km lang, zw. 60 und 120 km breit, im Winter zwei bis sechs Monate vereist.

finnische Sprache, gehört zur ostseefinn. Gruppe der finnougr. Sprachen. Sie wird außer in Finnland von Minderheiten u.a. in Schweden und Estland gesprochen. Kennzeichnend sind Anfangsbetonung des Wortes, Vokalreichtum, relativ kleiner Bestand an Konsonanten, →Vokalharmonie (nur vordere Vokale, ä, ö, y [= ü], oder hintere Vokale, a, o, u, in einem Wort, e und i neutral), Stufenwechsel (Wechsel der Verschlusslaute k, p, t im Inlaut). Die Dialekte werden in eine westl. und eine östl. Hauptgruppe eingeteilt. Die Orthographie ist nahezu phonetisch, die Schrift lateinisch.

Finnland (finn. Suomi, schwed. Finland; amtl. finn. Suomen Tasavalta, schwed. Republiken Finland; dt. Rep. F.), Staat in Nordeuropa, liegt zu einem Drittel nördlich des Polarkreises (Lappland), grenzt im W an den Bottn. Meerbusen, im NW an Schweden, im N an Norwegen (Finnmark), im O an Russland und im S an den Finn. Meerbusen; zu F. gehören die 40 km vor der schwed. Küste in der Ostsee gelegenen →Ålandinseln.

Staat und Recht: Nach der Verf. vom 17. 7. 1919 (teilrevidiert 1991) ist F. eine parlamentar. Rep. mit Elementen eines Präsidialsystems. Staatsoberhaupt und oberster Träger der Exekutive (mit starken Vollmachten) ist der vom Volk auf sechs Jahre gewählte Präsident. Wenn im 1. Wahlgang kein Kandidat die absolute Mehrheit erzielt, kommt es im 2. Wahlgang zur Stichwahl zw. den beiden Bestplatzierten. Der Präs. beruft die Reg. (Staatsrat) unter Leitung des Ministerpräsidenten. Die Legislative liegt beim Reichstag (200 Abg., für vier Jahre gewählt); das aktive und passive Wahlalter beginnt mit dem 18. Lebensjahr. Verw.gliederung in zwölf Prov. (finn. »Lääni«, schwed. »län«; darunter die autonome Prov. Åland). Einflussreichste Parteien: Zentrumspartei (KEPU), Sozialdemokrat. Partei (SDP), Nat. Sammlungspartei (KOK), Linksbund, Schwed. Volkspartei (SFP), Grüne Partei, Christl. Union (SKL), Finn. Landvolkpartei (SMP).

Landesnatur: Granite, Gneise, Glimmerschiefer, Kalke und Quarzite des Baltischen Schildes bilden den Gesteinsuntergrund, der von einer dünnen Bodenschicht bedeckt ist. Die Eiszeiten und ihre Rückzugsstadien haben eine Landschaft von Seen, Moränenzügen (Salpausselkä), Findlingsblöcken, Drumlins u.a. glazialen Formen hinterlassen. Bes. reich an Seen (rd. 55 000) ist der S des Landes (Finn. Seenplatte); die wichtigsten sind →Saimaa und →Päijänne. Der buchtenreichen Küste im W (Bottn. Meerbusen) und bes. im S (Finn. Meerbusen), sind zahlr. Inseln und Schären (insgesamt rd. 33 000) vorgelagert. Nach N steigt das Gelände vom Flachland zum Hügelland an, Moore und Sümpfe treten verstärkt auf. Die höchsten Höhen erreicht das Relief in Lappland im NW (Haltiatunturi 1328 m ü.M.). – Das Klima ist kontinental mit subpolaren Zügen, z.B. die Mitternachtssonne des Sommers. Die Winter sind kalt und schneereich (Februar-Mittel −9 °C, im N −12 °C), die Sommer mäßig warm (mittlere Jahrestemperatur in Helsinki: 5,4 °C, Juli-Mittel 14,5 °C). Die gegen Jahresende beginnende Vereisung der Küstengewässer schreitet im Hochwinter meist rasch voran, sodass vom Jahresanfang bis Mitte März eine Eisbrücke die Ålandinseln mit SW-Finnland verbindet. – F. ist das waldreichste Land Europas; 68 % der Landesfläche sind mit Wäldern (Fichte, Kiefer, Birke, Erle) bedeckt; im äußersten N herrscht Tundrenvegetation vor.

Staatswappen

FIN

Internationales Kfz-Kennzeichen

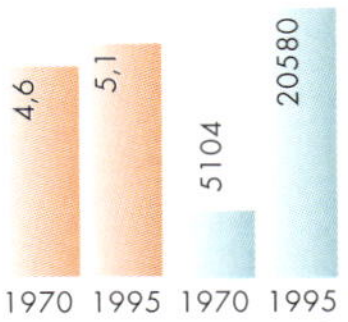

Bevölkerung (in Mio.) Bruttosozialprodukt je Ew. (in US-$)

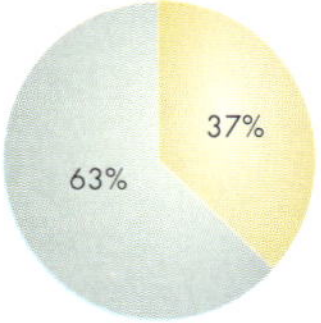

Bevölkerungsverteilung 1994

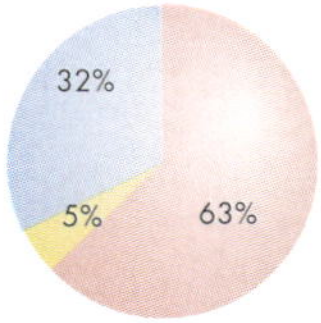

Bruttoinlandsprodukt 1993

Bevölkerung: Die Bev. besteht aus Finnen (93 %), Schweden (5,8 %, v. a. auf den Ålandinseln, in Südwest-F. und in Österbotten), in Finnisch-Lappland leben knapp 1800 Lappen. Die Bev.dichte (im Durchschnitt 15,1 Ew. je km²) ist im N und in der Mitte des Landes sehr gering. In Städten lebt die Mehrheit der Bev. (62 %); allein in den sechs Großstädten Helsinki, Espoo, Tampere, Vantaa, Turku und Oulu 26 % (1995). – Allg. Schulpflicht besteht vom 7. bis 16. Lebensjahr; die 9-jährige Gesamtschulzeit umfasst eine erste Stufe (6 Jahre) für alle und eine differenzierte zweite Stufe (3 Jahre) mit berufsvorbereitenden und allgemein bildenden Formen. F. hat zehn Univ., drei TU sowie eine veterinärmedizin. Hochschule, drei Wirtschafts- und Verwaltungshochschulen und vier Kunsthochschulen. – Rd. 86 % der Bev. gehören der Finn. Evang.-Luther. Kirche und 1,1 % der orth. Kirche an; 12 % der Bev. sind konfessionslos.

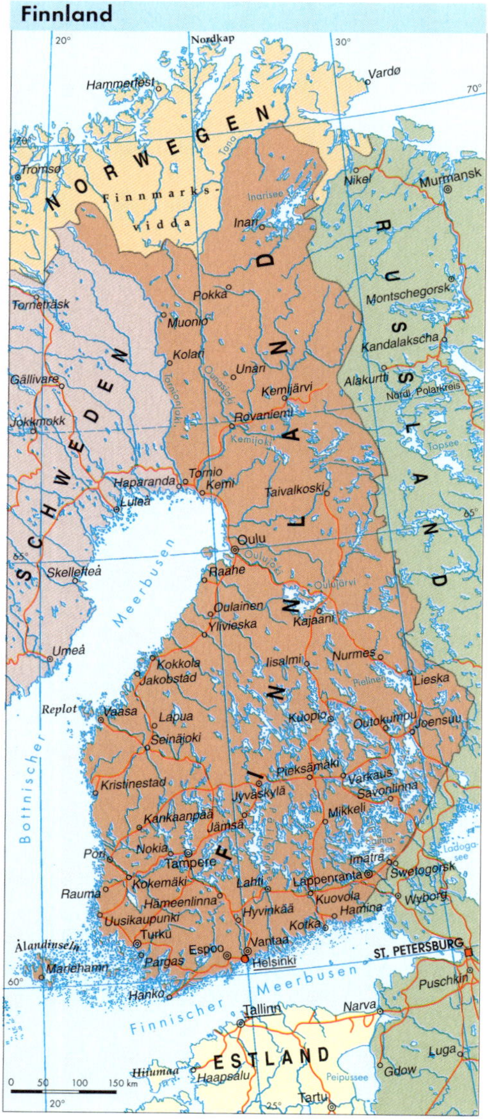

Wirtschaft, Verkehr: F. ist ein moderner Ind.staat. Ackerbaulich genutzt werden nur 7,5 % der Landfläche (Anbau von Kartoffeln, Futterrüben, Hafer, Gerste und Weizen); Kleinbetriebe überwiegen. Wichtigster Zweig der Landwirtschaft ist die Milchwirtschaft; im N werden Rentier- und Pelztierzucht betrieben. Forstwirtsch. genutzt werden die ausgedehnten Wälder. An Bodenschätzen verfügt F. über Eisen-, Kupfer-, Nickel-, Zink-, Chrom-, Titan-, Blei-, Vanadium-, Kobalterze sowie Pyrit, Selen, Asbest und Torf. In der Ind. dominieren die Holzverarbeitung (Papier-, Zellstoff-, Möbelherstellung) und die Metallind. (Erzverhüttung, Metallverarbeitung, Maschinen-, Fahrzeug- und Schiffbau, elektrotechn. und elektron. Ind.); außerdem chem., Textil-, Leder-, Glas- und Keramikind.; finn. Qualität und Design werden bes. bei Konsum- und Luxusartikeln geschätzt. Auch der Fremdenverkehr spielt wirtsch. eine Rolle. Die wichtigsten Handelspartner sind die EG- und EFTA-Länder, die USA, Russland, Litauen, Lettland und Estland. – Das Schienennetz (russ. Breitspur) hat eine Länge von 5 859 km (1995), davon 1950 km elektrifiziert. Das Straßennetz hat (1995) eine Länge von 79 166 km, davon 48 841 km mit festem Belag. Wichtig für den Holztransport sind die vielfach durch Kanäle verbundenen Seen. Über den Saimaakanal ist ein Teil Südost-F. mit Russland verbunden. Hauptseehäfen besitzen Helsinki, Naantali, Kotka, Hamina und Rauma; der wichtigste internat. Flughafen ist der von Helsinki. Luftfahrtges. ist die Finnair O/Y.

Geschichte: Zw. dem 2. und 8. Jh. n. Chr. besiedelten finn. Stämme (vom Baltikum und aus dem O kommend) Süd- und Mittelfinnland. Mitte des 12. Jh. wurde das Land von Schweden aus christianisiert und von diesem auch schrittweise erobert (Kreuzzüge 1157 unter Erich IX., 1249 [1238/39?] unter Birger Jarl und 1293); Ende des 13. Jh. reichte die schwed. Macht bis nach Karelien. 1323 wurde erstmals zw. Schweden und dem Fürstentum Nowgorod die finn. Ostgrenze festgelegt. Unter Gustav Wasa (1523–60) führte M. Agricola, dessen Bibelübersetzung zur Ausformung der finn. Schriftsprache beitrug, die Reformation ein. 1581 wurde F. zum Großfürstentum erhoben, tatsächlich jedoch als schwed. Provinz verwaltet. Ein großer Bauernaufstand (1596/97, »Keulenkrieg«) wurde blutig niedergeschlagen. Unter dem schwed. General-Gouv. Graf Per Brahe (* 1602, † 1680) erlebte F. eine wirtsch. und kulturelle Blüte (»Grafenzeit«). Im 2. Nord. Krieg war F. 1713–21 von Russland besetzt, das sich im Frieden von Nystad (1721) das südwestl. Karelien mit Wyborg sicherte und im Frieden von Åbo (1743) weitere Teile im SO erhielt. Nach dem russ.-schwed. Krieg von 1808/09 musste Schweden im Frieden von Fredrikshamn (1809) ganz F. abtreten. Im März 1809 erklärte Zar Alexander I. F. zum autonomen Großfürstentum innerhalb des russ. Reiches (1811 Wiedereingliederung der im 18. Jh. an Russland abgetretenen Gebiete). 1812 wurde Helsinki zur Hptst. erhoben. In der 1. Hälfte des 19. Jh. bildete sich ein finn. Nationalbewusstsein heraus, das einerseits gegen Russland, andererseits gegen das schwed. kulturelle Übergewicht gerichtet war. In der Reformära Alexanders II. wurde 1863 wieder ein Landtag einberufen. Das Sprachreskript (1863) legte die Gleichberechtigung des Finnischen mit dem Schwedischen fest, 1865 erhielt F. eine eigene Münzstätte, 1878 eine eigene Armee. Unter Alexander III. setzte eine Russifizierungspolitik ein; die 1899 beseitigte finn. Autonomie gestand Kaiser Nikolaus II. nach der russ. Revolution von 1905 jedoch wieder zu. Die Landtagsreform von 1906 führte einen Einkammerlandtag mit allg. und gleichem (auch Frauen-)Wahlrecht ein. Stärkste Partei wurde die Sozialdemokratie.

Nach dem Sturz des russ. Zaren in der Februarrevolution 1917 übernahm der finn. Landtag die Regierungsgewalt, erklärte am 6. 12. 1917 F. für unabhängig und schloss am 7. 3. 1918 einen Sonderfrieden mit dem Dt. Reich. In einem Bürgerkrieg (Jan.–Mai 1918) setzten sich die von General C. G. Freiherr von Mannerheim geführten »weißen« Truppen mit dt. Unterstützung (»Ostseedivision« unter General R. Graf von der Goltz) gegen die bolschewist. Kräfte, die »Roten«, durch. Am 12. 12. 1918 wurde Mannerheim Reichsverweser. Am 17. 7. 1919 bekam F. eine republikan. Verfassung. Im Frieden mit Russland (Dorpat 14. 10. 1920) erhielt es das Petsamogebiet. 1921 wurden ihm vom Völkerbund im Streit mit Schweden die Ålandinseln zugesprochen. Die 1929 gegründete bäuerlich nationalist. →Lappo-Bewegung erreichte 1930 die Verabschiedung antikommunist. Gesetze; ihre Putschversuche schlugen jedoch fehl. 1933 wurde die Sozialdemokratie wieder die stärkste Partei. In den Jahren nach 1930 begann eine Periode wirtsch. Aufschwungs, bes. unter Staatspräs. P. E. Svinhufvud (1931–37 Nachfolger: K. Kallio).

Nach Ausbruch des 2. Weltkriegs wurde F. im Nov. 1939 von der UdSSR, die die Abtretung strategisch wichtiger Gebiete gefordert hatte, angegriffen. F. verteidigte sich im »Winterkrieg« hartnäckig gegen die sowjet. Übermacht, musste aber im Frieden von Moskau (12. 3. 1940) große Teile W-Kareliens, das Sallagebiet sowie den finn. Teil der Fischerhalbinsel abtreten und den Stützpunkt Hanko verpachten. Staatspräs. wurde 1940 R. Ryti. 1941 nahm F. auf dt. Seite den Krieg gegen die UdSSR wieder auf (»Fortsetzungskrieg«). Im Waffenstillstand vom 19. 9. 1944, bestätigt im Frieden von Paris (10. 2. 1947), musste F. dieselben Gebiete wie 1940 und das Petsamogebiet der UdSSR überlassen; Hanko wurde gegen Porkkala ausgetauscht. 1944–46 war Mannerheim Staatspräsident. Das Land, das unbesetzt blieb, erholte sich unter Staatspräs. J. K. Paasikivi (1946–56) rasch von den Kriegsfolgen (bis 1952 Erfüllung der Reparationsforderungen von 300 Mio. Dollar) und konnte seine Selbstständigkeit bewahren. Ins Zentrum der finn. Außenpolitik rückte die Entwicklung eines gutnachbarl., konfliktfreien Verhältnisses zur Sowjetunion, dem ein 1948 mit ihr abgeschlossener »Vertrag über Freundschaft, Zusammenarbeit und gegenseitigen Beistand« diente (1955, 1970 und 1983 verlängert). Dieser außenpolit. Kurs, nach seinen maßgebl. Vertretern, den Präs. Paasikivi und U. K. Kekkonen (1956–81), als »Paasikivi-Kekkonen-Linie« bezeichnet, verband sich mit einem Ausbau der Beziehungen zu den skandinav. Ländern (1955 Beitritt zum Nord. Rat) und zu den westeurop. Staaten (1961 assoziiertes Mitgl. der EFTA, 1974 In-Kraft-Treten des Handelsvertrages mit der EWG). 1969 ging von F. der Vorschlag für die Einberufung einer europ. Sicherheitskonferenz (→KSZE) in Helsinki aus. Amtsnachfolger von Präs. Kekkonen wurde 1982 M. Koivisto. Neben der Zentrumspartei (bis 1965 Bauernpartei) war v. a. die Sozialdemokrat. Partei immer wieder an der Regierungsbildung beteiligt (ausgenommen 1962–66). Das ab 1982 regierende Koalitionskabinett unter dem Sozialdemokraten K. Sorsa wurde 1987 durch eine Regierung aus Nat. Sammlungspartei, Sozialdemokraten, Schwed. Volkspartei und Finn. Landvolkpartei unter H. Holkeri (Nat. Sammlungspartei) abgelöst. Die Zentrumspartei wurde erstmals nach 50 Jahren in die Opposition verwiesen. Aus den Parlamentswahlen 1991 ging sie jedoch als stärkste Partei hervor und bildete zus. mit den Konservativen, der Schwed. Volkspartei und der Christl. Union eine Koalitionsregierung unter MinPräs. E. Aho. Anstelle des mit Auflösung der Sowjetunion gegenstandslos gewordenen Freundschafts- und Beistandspakts schlossen F. und Russland im Jan. 1992 einen neuen Grundlagenvertrag. Nachdem F. im März 1992 den Antrag auf Aufnahme in die EG gestellt hatte, wurde es zum 1. 1. 1995 dort Mitglied. Bei der ersten Direktwahl des finn. Staatspräs. wurde 1994 der Sozialdemokrat M. O. Ahtisaari als Nachfolger Koivistos in dieses Amt gewählt.

📖 *Atlas der finn. Volkskultur. Suomen kansankulttuurin kartasto, hg. v.* T. VUORELA *u. a., 2 Bde. Helsinki 1976–94.* – UEBERSCHÄR, G. R.: *Hitler u. F. 1939–1941. Die deutsch-finn. Beziehungen während des Hitler-Stalin-Paktes. Wiesbaden 1978.* – FRIED, A.: *Literatur u. Politik in F. Wechselwirkung zw. Nachkriegsliteratur u. Politik. Hamburg 1982.* – PALOPOSKI, T. J.: *Quellenkunde zur Geschichte F.s. A. d. Finn. Wiesbaden 1988.* – DOEPFNER, A.: *F.s Winterkrieg 1939/40. Zürich ²1990.* – *F.-Studien, hg. v.* E. HÖSCH, *2 Bde. Wiesbaden 1990–93.* – ZETTERBERG, S.: *F. ab 1917. A. d. Finn. Keuruu 1991.* – ALBRECHT, W. *u.* KANTOLA, M.: *F. München 1992.* – *Deutschland u. F. 1871–1914. Politik – Wirtschaft – öffentl. Meinung, hg. v.* O. KAIKKONEN *u.* M. MENGER. *Joensuu 1992.* – KOIVISTO, M.: *Geographie u. Geschichte. Finn. Sicherheitspolitik. A. d. Finn. Düsseldorf u. a. 1992.* – RIKKINEN, K.: *A geography of Finland. Lahti 1992.* – *F. Fotos v.* F. DRESSLER, *Text v.* E. WINKLER *u.* O. M. SCHNEIDER. *Neuausg. München 1994.* – JOKIPII, M.: *F. u. Deutschland im 20. Jh. Kuopio 1994.* – KLINGE, M.: *Geschichte F.s in Überblick. Dt. Fassung v.* J. HOLZ-MÄNTTÄRI. *Helsinki ⁴1995.* – SOBIK, H.: *F. München 1996.* – VUOLLO, M. A.: *Der Wandel der finn. Neutralitätspolitik. Außen-, sicherheits- u. integrationspolit. Tendenzen 1970–1995. Vierow bei Greifswald 1996.*

Finnmark, Abk. **Fmk** (finnisch Markka), finn. Währungseinheit, 1 Fmk = 100 Penniä (p). (→ Währung, ÜBERSICHT)

Finnmark, nördlichste und größte Provinz von Norwegen, 48637 km², (1994) 76700 Ew., Hptst. ist Vadsø; von der Steilküste binnenwärts abfallende felsige Hochfläche (Finnmarksvidda) zw. 1100 und 300 m; Tundrenklima mit Waldtundra; Eisenerzbergbau auf der Halbinsel Sør-Varanger; Fischfang, Rentierhaltung

Niels Ryberg Finsen

finnougrische Sprachen (finnisch-ugrische Sprachen), bilden mit dem Samojedischen die ural. Sprachfamilie. Sie werden in z. T. weit verstreuten Siedlungsgebieten von NW-Schweden bis zum Ob in Sibirien und in Ungarn von etwa 25 Mio. Menschen gesprochen. Als Urheimat der zum finnougr. Sprachgebiet gehörigen Völker gilt das Gebiet zw. Oberlauf der Kama und Wolga. Die f. S. gliedern sich in: **Lappisch, Ostseefinnisch** (Finnisch i. e. S., Karelisch, Wepsisch, Ingrisch, Wotisch, Estnisch, Livisch), **Wolgafinnisch** (Mordwinisch, Tscheremissisch), **Permisch** (Syrjänisch, Wotjakisch), **Obugrisch** (Wogulisch, Ostjakisch), **Ungarisch** (Magyarisch). – Die f. S. gehören dem agglutinierenden Sprachtyp an (→ Sprache). Charakterist. Züge sind: Vokalharmonie; Grundwortstämme i. Allg. zweisilbig; Betonung auf der 1. Silbe; grammat. Beziehungen werden durch Suffixe bezeichnet; kein grammat. Geschlecht; kein Artikel (außer im Ungarischen). Die Zahl der Kasus schwankt zw. 3 und 18.

📖 HAIDÚ, P. *u.* DOMOKOS, P.: *Die uralischen Sprachen u. Literaturen. A. d. Ungar. Hamburg 1987.* – KARLSSON, F.: *Finn. Grammatik. A. d. Finn. Hamburg ²1995.*

Finnougristik *die,* Zweig der Sprachwissenschaft, der sich mit den finnougr. Sprachen beschäftigt; einschl. der → samojedischen Sprache.

Finnwale, Gattung der → Furchenwale.

Finow [-o], Stadtteil von → Eberswalde.

Finsen ['fensən], Niels Ryberg, dän. Arzt, * Thórshavn (Färöer) 15. 12. 1860, † Kopenhagen 24. 9. 1904; führte die Lichtbehandlung mit kaltem, UV-reichem Bogenlicht **(F.-Licht)** ein (wurde früher zur Behandlung der Hauttuberkulose genutzt); erhielt hierfür 1903 den Nobelpreis für Physiologie oder Medizin.

Finsteraarhorn, höchster Gipfel des Berner Oberlandes, 4274 m ü. M., Teil der **F.-Gruppe;** an ihrem Osthang liegen die **Aargletscher** (Quellgebiet der Aare): Finsteraargletscher, Lauteraargletscher (Strahlegggletscher), die den Unteraargletscher ergeben, und Oberaargletscher (zus. 43 km²); erste Besteigung 1812.

Finstermünz, Pass, Felsenenge am Inn zw. Unterengadin (Schweiz) und Oberinntal (Österreich). In der Talschlucht liegt **Alt-F.** (995 m ü. M.) mit Türmen aus dem 15. Jh., oberhalb die Festungsruine **Hoch-F.** (1137 m ü. M.).

Finsternis, Erscheinung, bei der für einen Beobachter ein Himmelskörper zeitweilig von einem anderen ganz **(totale F.)** oder teilweise **(partielle F.)** abgedunkelt wird (Verfinsterung), entweder durch Eintritt in den Schatten des anderen (z. B. tritt bei einer → Mondfinsternis der Mond in den Schatten der Erde) oder durch das vorübergehende Dazwischentreten eines anderen, z. B. des Mondes vor die Sonne (→ Sonnenfinsternis). (→ Bedeckung)

Finsterwalde, Stadt im Landkreis Elbe-Elster, Brandenburg, in der Niederlausitz, 21700 Ew.; Draht- und Schraubenwerk, Maschinenbau, Bekleidungs-, Glas-, Möbel- und elektrotechnische Industrie. – Spätgotische Dreifaltigkeitskirche (1578–1617), Renaissanceschloss (im Wesentlichen 2. Hälfte 16. Jh.), Kurtsburg (Mitte 16. Jh.). – Entstand vor 1282; Stadtrecht vor 1300; 1952–93 Kreisstadt.

fiore, Il [italien. »die Blume«], allegorisch-didakt. Dichtung des 13. Jh., eine Sammlung von 232 Sonetten; eine Bearbeitung des frz. Rosenromans (→ Roman de la rose). (→ Durante)

Fioritur [italien., eigtl. »Blüte«] *die,* Verzierung beim Gesang (Koloratur), beliebt v. a. in den Opernarien des 18. Jahrhunderts.

Firdausi (Firdosi), Abu l-Kasim Mansur, der bedeutendste epische Dichter der Perser, * Tos (Khorasan) um 934, † ebd. 1020; Schöpfer des pers. Königsbuchs (»Schah-Name«); es erzählt in 50000 Doppelversen die Geschichte des iran. Reiches von den myth. Anfängen bis zur Eroberung durch die Araber (651 n. Chr.).

Firenze, italien. Name von →Florenz.

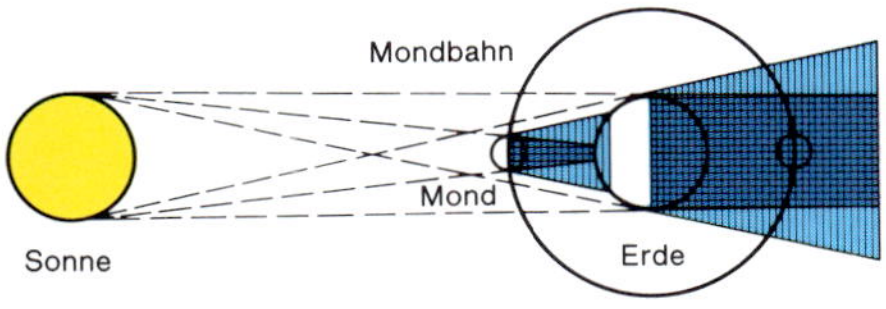

Finsternis: Schematische Darstellung der Sonnen- und Mondfinsternis (nicht maßstabsgetreu)

Firkušný ['firkuʃni:], Rudolf (Ruda), amerikan. Pianist und Komponist tschech. Herkunft, *Napajedla (bei Zlín) 11. 2. 1912, †Staatsburg (N. Y.) 19. 7. 1994; setzte sich bes. für L. Janáček, B. Martinů und für das zeitgenöss. Schaffen ein; schrieb Vokal-, Klavier- und Kammermusik.

Firma [italien., zu lat. firmare »beglaubigen«], der Handelsname eines Kaufmanns, unter dem er seine Geschäfte betreibt und seine Unterschrift abgibt. Recht und Pflicht zur Führung einer F. haben Vollkaufleute und Handelsgesellschaften (§§ 17–37 HGB). Vor offenen Läden und Gaststätten muss ein Firmenschild angebracht sein (§ 15 a GewO). Eine F. muss wahr sein, d. h., sie muss über ihren Inhaber und die rechtl. Natur des Unternehmens Auskunft geben und darf keinerlei Täuschung veranlassen, z. B. darf ein Einzelkaufmann bei der Neugründung eines Geschäfts »& Co.« nicht als Firmenzusatz verwenden. Der Grundsatz der **Firmenwahrheit** darf durchbrochen werden, wenn jemand eine alte F. fortführt. Der Kaufmann muss seine F. zur Eintragung in das Handelsregister anmelden; er kann unter dem Firmennamen klagen und verklagt werden. Die F. ist übertragbar, jedoch nur mit dem Unternehmen. Jede neue F. muss sich von am gleichen Ort bereits eingetragenen Firmen deutlich unterscheiden.

In *Österreich* gilt das dt. HGB seit 1939. – Die Grundsätze des *schweizer.* Rechts (Art. 944–956 OR) sind mit denen des dt. Rechts vergleichbar.

📖 Wessel, H. H.: *Die Firmengründung, fortges. v.* D. Zwernemann. *Heidelberg* [6]*1994.*

Firmament [lat. »Stütze«] *das, dichterisch* für: Himmel, Himmelsgewölbe.

Firmen-Weltmeisterschaft, im Automobil- und Motorradrennsport die Weltmeisterschaft der Hersteller, auch **Marken-** und **Fabrik-Weltmeisterschaft** genannt.

Firmenwert (Geschäftswert, Goodwill), die sich im Rahmen der Gesamtbewertung eines Unternehmens zeigende Differenz zw. dem Zukunftserfolgswert (oder Ertragswert) und dem Rekonstruktionswert (oder Substanzwert). Dieser Unterschied stellt einen selbst geschaffenen **originären F.** dar. Davon zu unterscheiden ist der erworbene **derivative F.,** der sich als Überschuss des Kaufpreises eines Unternehmens über die Summe der Zeitwerte des bilanzierbaren Vermögens abzüglich der Schulden ergibt.

firmieren, unter einem bestimmten Geschäftsnamen bestehen, einen bestimmten Namen führen (von Unternehmen gesagt).

Firmung (lat. Confirmatio), in der kath. und orth. Theologie das zweite der sieben Sakramente, mit Aussagen aus dem N. T. (Apg. 8, 14–17) begründet. In den orth. Kirchen erfolgt die F. in altkirchl. Tradition unmittelbar nach der Taufe; in der kath. Kirche wird sie den Kindern im Alter von 7 bis 12 Jahren vom Bischof oder einem von ihm Beauftragten durch Handauflegung, Salbung, Gebet und einen leichten Backenstreich gespendet; mit vollzogener F. erfolgt die Integration des Gefirmten in die Gemeinde. – Die Kirchen der Reformation lehnen die F. ab. In der Konfirmation lebt der Gedanke der F. jedoch weiter.

Rudolf Firkušný

Firmware ['fə:mweə, engl.] *die, Datenverarbeitung:* Systemsoftware, die in einem Festwertspeicher gespeichert ist.

Firn [ahd. firni »vorjährig«], alter, mehrjähriger Schnee des Hochgebirges, der durch wiederholtes Auftauen und Gefrieren körnig geworden ist; wird zu wasserundurchlässigem, milchigem **F.-Eis,** das schließlich in Gletschereis übergeht. – Die **F.-Linie (F.-Grenze)** ist die sommerl. Untergrenze der zusammenhängenden Schneedecke auf Gletschern (Fernern); sie liegt etwa 100 m tiefer als die →Schneegrenze im unvergletscherten Nachbargebiet, da der Gletscher abkühlend wirkt.

Firne, Altersstadium des Weins (mit typ. Altersgeschmack).

Firnis, Sammelbegriff für nicht pigmentierte Anstrichstoffe aus trocknenden Ölen oder Harzlösungen (z. B. Leinöl-F., Harz-F.) mit Sikkativen. Die wichtigen **Öl-F.** dienen als Bindemittel für Ölfarben und Grundierungsmittel, Lack-F. enthalten außer dem Öl noch Natur- oder Kunstharze, **ölfreie F.** auf der Basis von Naturharzen dienen zum Überziehen von Gemälden (Gemälde-F.).

First, 1) *Bautechnik:* (Dachfirst) oberste waagerechte Schnittlinie von Dachflächen.

2) *Bergbau:* (Firste) *die,* obere Begrenzungsfläche eines Grubenbaues.

3) *Geologie:* (F.-Linie) →Falte.

First Lady ['fə:st 'leɪdɪ; engl. »erste Dame«] *die,* Frau eines Staatsoberhauptes.

Firusabad, Ort in SW-Iran, im Zagrosgebirge, nordwestlich Reste der kreisrunden sassanid. Stadt Gor mit zentralen Tempelanlagen; außerhalb Ruinen eines Königspalastes (eine blockartige Anlage mit drei Kuppelsälen und einem Iwan). Bild S. 364

fis, *Musik:* das um einen Halbton erhöhte f (f mit ♯).

Firusabad: Ruinen des Königspalastes, Teilansicht

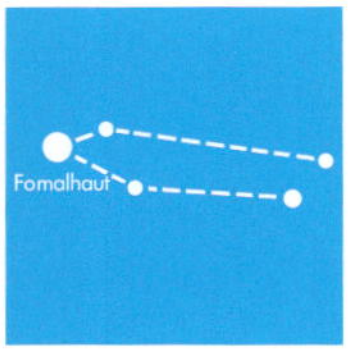

Fisch 1): Südlicher Fisch

Edmond H. Fischer

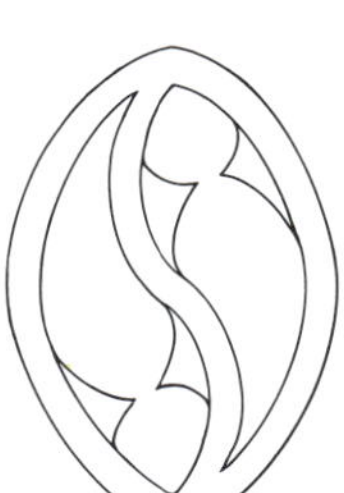

Fischblase 1)

FIS, 1) Abk. für → Front Islamique du Salut.

2) Abk. für frz. **F**édération **I**nternationale de **S**ki, Internationaler Skiverband, gegr. 1924, Sitz: Oberhofen (Schweiz).

Fisch, 1) *Astronomie:* zwei Sternbilder des Südhimmels: **Fliegender F.** (lat. Volans) und **Südl. F.** (lat. Piscis Austrinus).

2) *frühchristl. Symbol:* für Christus (→ Ichthys).

3) *Zoologie:* im Wasser lebendes Wirbeltier, → Fische.

Fischadler (Pandion haliaëtus), Greifvogel mit Krallen an den Zehensohlen, unbefiederten Läufen und Wendezehen; ernährt sich von Fischen.

Fischart, Johann, gen. Mentzer (Mainzer, nach der Herkunft seines Vaters), Satiriker und Publizist, * Straßburg um 1546, † Forbach (bei Saarbrücken) 1590; war Advokat beim Reichskammergericht in Speyer und seit 1583 Amtmann in Forbach. Alle umfangreicheren, in Prosa oder Knittelversen verfassten Werke F.s sind nach Vorlagen gearbeitet. F., Meister von Wortspiel und -verdrehung, Paraphrase und Handhabung fremder Formen, griff die Jesuiten als Träger der Gegenreformation an; schrieb Moralsatiren (»Floeh Haz Weiber Traz«, 1573), eine Schrift zum Lob der Ehe (»Ehzuchtbüchlin«, 1578); Hauptwerk ist die »Affentheurlich Naupengeheurliche Geschichtsschrift« (1575; später »... Geschichtklitterung«), eine freie Bearbeitung von Rabelais' »Gargantua«.

Fischbandwurm, → Bandwürmer.

Fischbein, hornartige, harte, aber elast. Substanz aus den Barten (Hornlamellen) der Bartenwale; wurde seit dem 16. Jh. zur Versteifung von Miedern u. a. verwendet.

Fischblase, 1) *Kunst:* (Schneuß) Ornament, das seinem Umriss nach der Schwimmblase eines Fisches ähnlich ist; verbreitet in der kelt. Kunst der La-Tène-Zeit, in der irischen Buchmalerei und bes. im spätgot. Maßwerk (→ Flamboyantstil). Oft werden mehrere F. innerhalb eines Kreises angeordnet, sodass ein Wirbel entsteht.

2) *Zoologie:* Schwimmblase der → Fische.

Fischchen (Silberfischchen, Zuckergast), Insekt der Familie → Borstenschwänze.

Fische (Pisces), **1)** *Astronomie:* Zeichen ♓, das 12. Zeichen des Tierkreises, Sternbild der Äquatorzone.

2) *Zoologie:* Überklasse seit dem Silur bekannter, wasserbewohnender, durch Kiemen atmender, wechselwarmer Wirbeltiere. Die rezenten F., von denen zwei Drittel im Meer und ein Drittel im Süßwasser leben, werden in zwei Klassen unterteilt: **Knorpelfische** und **Knochenfische.** Die Körperform ist der Lebensweise angepasst: Schwimm-F. sind torpedoförmig, Boden-F. abgeplattet, Riff-F. seitlich zusammengedrückt. Die F. haben Gliedmaßen (Flossen) und Schuppen, Schilder oder Platten in der Lederhaut. Das Skelett ist verknöchert (Knochen-F.) oder knorpelig (Knorpel-F.) und bei Knochen-F. ergänzt durch feine Verknöcherungen der bindegewebigen Scheidewände, die die einzelnen Muskelschichten trennen (Gräten). Die meisten F. legen Eier (Fischrogen), wenige sind lebend gebärend. Die F. leben v. a. von tier. Nahrung (Insekten, Würmer). Als Vorstufen zu den F. sind die → Lanzettfischchen und die → Rundmäuler anzusehen. Den Übergang zu den Lurchen bilden die → Lungenfische.

📖 Bone, Q. *u.* Marshall, N. B.: *Biologie der F. Stuttgart 1985. – Die große Enzyklopädie der F. Süßwasser- u. Meeresfische, hg. v.* J. H. Reichholf *u.* G. Steinbach. *München 1992.*

Fischegel (Piscicola geometra), an Fischen in Süß-, Brack- und Meerwasser saugender Egel, bis 5 cm lang.

Fischer, 1) Aloys, Pädagoge, * Furth i. Wald 10. 4. 1880, † München 23. 11. 1937; 1914–37 Prof. ebd.; führte Empirie und Experiment auf breiter Linie in die geisteswiss. fundierte Pädagogik ein.

Werke: Deskriptive Pädagogik (1914); Pädagog. Soziologie (1932).

2) Andrea, Politikerin (Bündnis 90/Die Grünen), * Arnsberg 14. 1. 1960, trat 1985 der Partei Die Grünen bei; seit 1994 Bundestagsabgeordnete, sozialpolit. Sprecherin der Bundestagsfraktion; seit dem 27. 10. 1998 Bundesgesundheitsministerin.

3) Anni, ungar. Pianistin, * Budapest 5. 7. 1914, † ebd. 10. 4. 1995; bes. Liszt- und Schumanninterpretin.

4) Edmond Henri, amerikan. Biochemiker, * Schanghai 6. 4. 1920; entdeckte den Regulationsmechanismus, der das Zusammenspiel von bestimmten Proteinen (v. a. Phosphorylase) im Körper steuert; erhielt dafür (mit E. Krebs) 1992 den Nobelpreis für Physiologie oder Medizin.

5) Edwin, schweizer. Pianist und Dirigent, *Basel 6. 10. 1886, †Zürich 24. 1. 1960; bed. Bach- und Beethoven-Interpret. – Schrieb u. a. »Musikal. Betrachtungen« (1949), »L. van Beethovens Klaviersonaten« (1956).

6) Emil Hermann, Chemiker, *Euskirchen 9. 10. 1852, †Berlin 15. 7. 1919; Prof. in München (1879), Erlangen (1882), Würzburg (1885) und Berlin (1892). F. gehört zu den bedeutendsten Naturstoffchemikern des 19./20. Jh. Er ermittelte die Konstitution und Konfiguration der wichtigsten Zucker, arbeitete über Eiweiß- und Gerbstoffe sowie Enzyme, erhielt für seine Arbeiten auf dem Gebiet der Kohlenhydrate und Purine 1902 den Nobelpreis für Chemie. – Die **Emil-Fischer-Gedenkmünze** wird von der Gesellschaft dt. Chemiker für Verdienste um die organ. Chemie verliehen.

Emil Fischer

7) Ernst, österr. Politiker und Schriftsteller, *Komotau (Böhmen) 3. 7. 1899, †Deutschfeistritz (Steiermark) 31. 7. 1972; Redakteur, ab 1920 Mitgl. der SPÖ, trat 1934 der KPÖ bei. 1939 emigrierte er nach Moskau 1945 nach Österreich zurückgekehrt, wurde er wegen seines Protestes gegen die Niederschlagung des Prager Frühlings (1968) 1969 aus der KPÖ ausgeschlossen. Er schrieb Lyrik, expressionist. Dramen und über Kunst als Brücke zw. Ost und West; verfasste autobiograph. Schriften (u. a. »Das Ende einer Illusion«, 1973).

8) Ernst Otto, Chemiker, *München 10. 11. 1918; seit 1957 Prof. in München; erhielt 1973 für Beiträge zur Chemie der metallorgan. und Sandwich-Verbindungen mit G. Wilkinson den Nobelpreis für Chemie.

Ernst Otto Fischer

9) Eugen, Anthropologe, *Karlsruhe 5. 6. 1874, †Freiburg im Breisgau 9. 7. 1967; brachte den Nachweis, dass menschl. Merkmale sich nach den mendelschen Gesetzen vererben.

10) Franz, Chemiker, *Freiburg im Breisgau 19. 3. 1877, †München 1. 12. 1947; seit 1911 Prof. in Berlin, zugleich 1913–43 Leiter des Kaiser-Wilhelm-Inst. für Kohlenforschung in Mülheim a. d. Ruhr, führend beteiligt an der Entwicklung der →Fischer-Tropsch-Synthese (1926) und der Paraffinsynthese (1936).

11) Hans, Chemiker, *Höchst (heute zu Frankfurt am Main) 27. 7. 1881, †München 31. 3. 1945; Prof. in Innsbruck, Wien und München (1921); arbeitete über die Blut- und Blattfarbstoffe; für die Synthese des Hämins erhielt er 1930 den Nobelpreis für Chemie; 1935 gelang ihm die Klärung der Konstitution des Chlorophylls.

12) Johann Michael, Baumeister, *Burglengenfeld 18. 2. 1692, †München 6. 5. 1766; einer der Hauptmeister des dt. Spätbarock, war seit 1721 im Kirchen- und Klosterbau Altbayerns und Schwabens tätig. Seine Innenräume verschmelzen Zentral- und Langhaus durch Gruppierung verschieden gestalteter Haupt- und Nebenräume. Unter reichem, später sparsamerem Rokokodekor bleibt das Raumgefüge klar erkennbar; die Außenfronten sind schlicht.

Werke: Kirchen in Dießen a. Ammersee (1732–39), St. Michael, Berg am Laim (1735–42), Zwiefalten (1741–50), Ottobeuren (1748–55), Rott am Inn (1759–63).

📖 *J. M. F. 1692–1766, hg. v.* G. DISCHINGER, *2 Bde. Tübingen 1994.*

13) Joseph (Joschka), Politiker (Bündnis 90/Die Grünen), *Gerabronn (Kr. Schwäbisch Hall) 12. 4. 1948; schloss sich 1980 der Partei Die Grünen an und war einer der Wortführer ihres realpolit. Flügels; 1985–87 Min. für Umwelt und Energie und 1991–94 stellv. MinPräs. sowie Min. für Umwelt und Bundesangelegenheiten in Hessen; 1994–98 Sprecher der Fraktion Bündnis 90/Die Grünen im Bundestag, seit dem 27. 10. 1998 Bundesaußenminister und Vizekanzler.

Joschka Fischer

14) Kuno, Philosoph, *Sandewalde (heute Lechitów, Wwschaft Leszno) 23. 7. 1824, †Heidelberg 5. 7. 1907; Prof. in Jena und Heidelberg; schuf mit seiner 1860 erschienenen Kant-Monographie die Grundlage für den Neukantianismus.

Werke: Logik und Metaphysik oder Wissenschaftslehre (1852); Gesch. der neueren Philosophie (8 Bde.; 1852–93).

15) O. W. (Otto Wilhelm), österr. Film- und Bühnenschauspieler, *Klosterneuburg 1. 4. 1915; Bühnenrollen am Wiener Burgtheater; in den 1950er-Jahren Filme (u. a. »Herrscher ohne Krone«, 1957, »Peter Voß, der Millionendieb«, 1958).

16) Robert (»Bobby«) James, amerikan. Schachspieler, *Chicago (Ill.) 9. 3. 1943; Schachweltmeister 1972 im Kampf gegen B. Spasski, verlor 1975 den Titel kampflos.

17) Ruth, eigtl. Elfriede Golke, polit. Publizistin und Politikerin (KPÖ, KPD), *Leipzig 11. 12. 1895, †Paris 13. 3. 1961; Schwester von G. und H. Eisler, gewann als Repräsentantin des »ultralinken« Flügels der KPD zus. mit A. Maslow 1924 die Parteiführung; fiel aufgrund ihrer Parteinahme als Präsidialmitgl. der Komintern für die Gegner Stalins bei diesem in Ungnade und wurde auf dessen Betreiben 1926 aus der Partei ausgeschlossen. 1925/26 in Moskau unter Bewachung festgehalten, konnte sie 1926 nach Dtl. fliehen. Nach 1933 lebte sie in der Emigration (Paris, New York).

18) Samuel, Verleger, *Liptószentmiklós (heute Liptovský Mikuláš, Mittelslowak. Gebiet) 14. 12. 1859, †Berlin 15. 10. 1934; gründete 1886 in Berlin den **S. Fischer Verlag,** der bes. die Dichtung seit den Anfängen des Naturalismus förderte (G. Hauptmann, Ibsen, T. Mann u. a.).

19) Theodor, Architekt, *Schweinfurt 28. 5. 1862, †München 25. 12. 1938. Seine Bauten zeichnen sich

Dietrich Fischer-Dieskau

durch sorgfältige Materialbehandlung und Detailgestaltung aus. Ihr Stil steht an der Wende vom Historismus zur neueren, zweckbetonten Bauweise; Mitbegründer des Dt. →Werkbundes (Pfullinger Hallen, 1905/06; Univ. Jena, 1905–08; Museumsbauten, Kirchen, Schulen, Stadtbaupläne).

Fischer-Dieskau, Dietrich, Sänger (Bariton), *Berlin 28. 5. 1925; gastierte an fast allen bed. Opernhäusern der Welt sowie bei Festspielen; trat auch als Oratorien-, Konzert- und Liedsänger sowie als Dirigent hervor.

Fischerei, gewerbl. Fang von Fischen, Weich- und Krebstieren, auch Gewinnung von Algen, Schwämmen, Seemoos, Naturperlen, Bernstein. Man unterscheidet **Hochsee-, Küsten-** und **Binnen-F.** einschl. →Teichwirtschaft. (→Fischereirecht, →Fischwirtschaft)

Fischereifahrzeuge, Spezialschiffe versch. Größen für Fischfang, -verarbeitung und Fischereiforschung. Die große Hochseefischerei verwendet →Logger und →Trawler sowie →Fabrikschiffe, die kleine Hochseefischerei (Nord- und Ostsee) und die Küstenfischerei →Kutter.

Fischereigrenze, *Völkerrecht:* seewärtige Begrenzung der Fischerei- und Wirtschaftszone, die gemäß der Seerechtskonvention von 1982 bis zu einer Tiefe von 200 Seemeilen errichtet werden kann. Das dadurch abgesteckte Gebiet gehört nicht zum Staatsgebiet des Uferstaates, jedoch besitzt dieser in der Zone das ausschließl. Recht, über den Fischfang zu entscheiden.

Fischereirecht, 1) *bürgerl. Recht:* die Befugnis, in einem Binnengewässer Fische u.a. Wassertiere, die nicht Gegenstand des Jagdrechts sind, zu hegen und sich anzueignen. Das F. steht im Range eines absoluten Rechts dem Gewässereigentümer zu; es kann z.B. durch Pachtvertrag übertragen werden. Landesrechtlich bestehen Schonzeitbestimmungen für bestimmte Fischarten.

2) *öffentl. Recht:* die Gesamtheit der Rechtsvorschriften, die Umfang und Ausübung der See- und Binnenfischerei regeln. Die **Hochsee-** und **Küstenfischerei** gehört in Dtl. zur konkurrierenden Gesetzgebung des Bundes (Art. 74 GG); das auf dieser Grundlage erlassene Seefischerei-Ges. vom 12. 7. 1984 und die VO zur Durchsetzung des gemeinschaftsrechtl. F. vom 18. 4. 1994 beschränken sich allerdings auf Vollzugsvorschriften zur verwaltungstechn. Umsetzung des gemeinschaftl. F. der EG im Inland. Das dominierende EG-Recht (u.a. techn. Vorschriften, Vorschriften über Fangbeschränkungen und Quotierungen, Kontrollvorschriften) regelt die materiellen Voraussetzungen für Fangerlaubnisse, -gebiete und -gerät. Ferner ist Dtl. an mehrere internat. Abkommen gebunden. Das **Binnen-F.** ist weitgehend Landesrecht. Die Fischerei-Ges. der Länder enthalten vielfältige Vorschriften zum Schutz des Fischbestandes (z.B. Festsetzung von Schonzeiten und Mindestmaßen). Für die Binnenfischerei ist ein von der unteren Fischereibehörde ausgestellter Fischereischein erforderlich, der jedoch erst nach Erlaubnis des Inhabers des F. (Grundeigentümer) zur Fischerei berechtigt. – In *Österreich* wird das F. dort, wo es vom Eigentum abgesondert ist, als selbstständiges dingl. Recht angesehen (§§295, 383, 413 ABGB). In der *Schweiz* ist die Ausübung der Fischerei im Bundes-Ges. vom 14. 12. 1973 geregelt, während der Vollzug bei den Kt. liegt.

📖 LORZ, A.: *Bundesjagdgesetz. Mit Landesrecht, Verordnung über die Jagdzeiten u. Bundeswildschutzverordnung, Fischereischeinrecht, Seefischereirecht. München ²1991.*

3) *Völkerrecht:* Auf der hohen See gilt der Grundsatz der Freiheit des Fischfangs für alle Staaten und ihre Angehörigen. Die Fischerei in den Territorialgewässern und der darüber hinausreichenden Fischerei- und Wirtschaftszone unterliegt der Regelung des Uferstaates.

Fischerhalbinsel, in die Barentssee vorspringende tundrenbedeckte Halbinsel im NW der Halbinsel Kola, Russland; 1920–47 verlief auf der F. die finnisch-sowjet. Grenze.

Fischer-Tropsch-Synthese, von F. Fischer und H. Tropsch entwickeltes indirektes Verfahren der →Kohlehydrierung, in den 1930er- und 40er-Jahren in Dtl. zur Herstellung von flüssigen Kohlenwasserstoffen aus Kohlenoxid und Wasserstoff angewandt. Bei 220 bis 340 °C und 20–25 bar bilden sich an Eisenkatalysatoren CH_2-Radikale, die sich je nach den Bedingungen zu mehr oder weniger langen Ketten addieren. V.a. Benzin und feste Paraffine entstehen beim Arbeiten mit Festbettreaktoren **(Argeprozess),** gasförmige Kohlenwasserstoffe bei Flugstaubreaktoren **(Syntholprozess).**

Fischer von Erlach, Johann Bernhard, österr. Baumeister, *Graz 20. 7. 1656, †Wien 5. 4. 1723; Hauptvertreter des österr. Hochbarock, seit 1705 Oberbauinspektor in Wien. In seinen Bauten vereinigte er Formelemente des italien. Hochbarock, der frz. Klassik und der Spätantike zu einem neuen, eigenen Stil. Seine Kirchen (Kollegienkirche in Salzburg, 1696–1707; Karlskirche in Wien, 1716–37) und profanen Bauten (Schloss Schönbrunn, seit 1692; Winterpalais des Prinzen Eugen, 1695–97; Palais Trautson, 1710–12; Hofbibliothek, 1723 ff., in Wien) bestehen aus plastisch bewegten Baukörpern, die einander durchdringen; Lang- und Zentralbau verschmelzen, meist über einem ellipt. Grundriss. Seine Formgedanken und fantasievollen Rekonstruktionen berühmter Bauten veröffentlichte er in »Entwurf einer Histor. Architektur« (1721) und schuf damit die erste universale

Architekturgeschichte. Sein Sohn Joseph Emanuel (*1693, †1742) vollendete Bauten seines Vaters und näherte sich in seinen eigenen (Hofreitschule Wien, 1729–35) dem frz. Klassizismus.

📖 LORENZ, H.: *J. B. F. v. E. Zürich u. a. 1992.* – *F. v. E. u. die Wiener Barocktradition, hg. v.* F. POLLEROSS. *Wien u. a. 1995.* – SEDLMAYR, H.: *J. B. F. v. E. Stuttgart 1997.*

Fischfanggeräte, Fangausrüstung der Fischer. Nach den Fangprinzipien lassen sich die Gruppen Angeln, Reusen, Stell-, Wurf-, Treibnetze, Hamen, Zug- und Schleppnetze unterscheiden.

Fischfluss, → Großer Fischfluss.

Fischgratgewebe, Gewebe in Köperbindung mit wechselnder Gratrichtung, sodass die fischgratähnl. Musterung entsteht.

Fischläuse, die parasit. → Ruderfußkrebse.

Fischleder, gegerbte Haut von Fischen (meist Haifischen und Rochen) für Handschuhe, Täschnerwaren.

Fischlupe, ein Echolot mit Sichtgerät, auf dessen Leuchtschirm der vom Meeresboden oder von Fischen reflektierte Ultraschallimpuls angezeigt wird; dient in der Hochseefischerei zum Aufsuchen von Fischschwärmen.

Fischmehl, hochwertiges, eiweißhaltiges Futtermehl aus Fischen oder Fischabfällen.

Fischotter, → Otter.

Fischpässe, → Fischwege.

Fischsaurier, die → Ichthyosaurier.

Fischschuppenkrankheit (grch. Ichthyosis), Gruppe erbl. Hautkrankheiten, bei denen eine Verhornungsstörung vorliegt; kennzeichnend sind trockene, fein bis großflächig schuppende Haut, herabgesetzte Talg- und Schweißdrüsenabsonderung und verminderter Haarwuchs.

Fischsterben, Massensterben von Fischen in Gewässern, verursacht bes. durch Sauerstoffmangel infolge starker Wasserverschmutzung, Vergiftung des Wassers durch eingeleitete Chemikalien oder durch Infektionskrankheiten.

Fischtest, Methode, um die Giftigkeit eines Abwassers gegenüber Fischen zu bestimmen. Maßgebend ist der kleinste Verdünnungsfaktor des Abwassers, bei dem unter genormten Bedingungen innerhalb von 48 Stunden alle Testfische überleben.

Fischvergiftung, meist schwere, akute Erkrankung nach dem Genuss verdorbener, infizierter oder giftiger Fische. Diese können z. B. bakteriell zersetzt sein (Fische sind auch in geräuchertem oder mariniertem Zustand noch ein guter Nährboden für Bakterien) oder für den Menschen schädl. Parasiten enthalten (Fischbandwurm u. a.). Eine F. äußert sich in krampfartigen Bauchschmerzen, Erbrechen, Durchfall, mitunter auch in Lähmungen. – Die *Behandlung* besteht in möglichst rascher Magenspülung, in der Gabe von medizin. Kohle und Antibiotika.

Fischwege (Fischaufstiegsanlagen), Einrichtungen, die Fischen die Überwindung künstl. Hindernisse in Fließgewässern ermöglichen. Bei **Fischpässen** oder **Fischtreppen** wird der Höhenunterschied zw. Ober- und Unterwasser durch eine Kette kleiner wassergefüllter Becken überwunden. **Wildpässe** haben Einbauten, die die Fließgeschwindigkeit des Wassers stark herabsetzen. **Aalgänge** oder **-leitern** sind mit Reisig oder Grobkies gefüllte Rohrleitungen.

Fischwehr, Vorrichtung in Gewässern, die wandernde Fische zu bestimmten Stellen hinführt (z. B. zu Reusen) oder von ihnen abhält (z. B. von Turbinen).

Johann Bernhard Fischer von Erlach: Karlskirche mit Triumphsäulen in Wien (1716–37)

Fischwirtschaft, wichtiger Zweig der Ernährungswirtschaft, umfasst Fang und Verarbeitung von Fischen, Krebs- und Weichtieren des Meeres und der Binnengewässer, ferner Fischzucht und Teichwirtschaft. Die F. trägt zur gesamten Eiweißversorgung der Weltbev. etwa 8 % bei, zur Versorgung nur mit tier. Eiweiß etwa 20 %. Der weltweite Fischertrag (Hochsee-, Küsten- und Binnenfischerei) lag (1993) bei 101,4 (1985: 86,3) Mio. t. Größte Fischereination (1993) ist China mit einem Ertrag von 17,6 Mio. t, gefolgt von Peru (8,5 Mio. t), Japan (8,1 Mio. t), Chile (6,0 Mio. t) und den USA (5,9 Mio. t); die EU erwirtschaftete 7,2 Mio. t. Die Fangmenge der Hochsee- und Küstenfischerei betrug in Dtl. (1995) 137 000 (1991: 198 000) t, darunter 32 000 t Hering. – Eine weitere Steigerung im Fischfang wird aus ökolog. Gesichtspunkten kritisiert, weil der nachhaltige Bestand einiger Arten durch Überfischung bedroht ist. Im Meer lassen nur die flachen Kontinentalschelfe mit Wassertiefen nicht über 200 m eine genügend produktive Fischbewirtschaftung zu.

📖 *Die F. in Dtl. Eine wirtschaftsgeograph. Analyse. Beiträge v.* E. GLÄSSER *u.a. Saarbrücken 1994.*

Fischzucht, die planmäßige Vermehrung und genet. Auslese (Selektionszucht) von Fischen und ihre weitere Aufzucht zu Satz-, Speise- oder Zierfischen in Teichwirtschaften, Zierfischzuchtbetrieben oder in Intensivbetrieben der Aquakultur. Die Elternfische laichen unter kontrollierten Bedingungen in Teichen ab, in denen auch die Eientwicklung bis zum Schlüpfen der Brut erfolgt. Bei der **künstl. Befruchtung** von Fischen (z.B. Forelle, Lachs, Zander, Hecht u.a.) werden die Geschlechtsprodukte zunächst in eine Schale abgestreift, anschließend die befruchteten Eier in Trögen, auf Rahmen oder in Glasgefäßen bis zum Ausschlüpfen erbrütet. Bei Karpfen, Schleien und Forellen züchtet man Stämme mit bestimmten Merkmalen (u.a. Krankheitsresistenz) heraus.

Fisetholz (Fisettholz, Fustikholz, Gelbholz), Holz des Färbermaulbeergewächses Chlorophora tinctoria und des Perückenstrauches Cotinus coggygria; enthält als färbenden Bestandteil das zu den Flavonen gehörende **Fisetin,** das früher zum Färben von Wolle und Leder verwendet wurde.

Fisher ['fɪʃə], **1)** Irving, amerikan. Volkswirtschaftler, *Saugerties (N.Y.) 27. 2. 1867, †New York 29. 4. 1947; Vertreter der mathemat. Richtung der Nationalökonomie und später der Grenznutzentheorie; befasste sich bes. mit der Preis- und Zinstheorie; verfasste u.a. »Die Kaufkraft des Geldes« (1911).

2) John, engl. Geistlicher, *Beverley (bei Kingston upon Hull) 1459 oder 1469, †London 22. 6. 1535; wurde 1504 Bischof von Rochester und Kanzler der Univ. Cambridge; neben T. Morus der bedeutendste Humanist seiner Zeit in England; einer der schärfsten Gegner M. Luthers; widersprach der Scheidung Heinrichs VIII. von Katharina von Aragonien; wurde nach Verweigerung des Suprematseides hingerichtet; Heiliger, Tag: 22. 6.

3) Ronald Aylmer, Sir (seit 1952), brit. Genetiker und Statistiker, *East Finchley (heute zu London) 17. 2. 1890, †Adelaide 29. 7. 1962; Prof. in London und Cambridge; Begründer der mathematisch ausgerichteten Statistik, die er auch auf Biologie und Medizin anwandte.

Fishta ['fiʃta], Gjergj, alban. Dichter, *Fishta 23. 10. 1871, †Skhodër 30. 12. 1940; schrieb, an die nordalban. Volksepik anknüpfend, das Großepos »Die Laute des Hochlandes« (1937), das als bedeutendstes alban. Literaturwerk gilt.

Fiskal [lat.] *der,* in Dtl. ein Amtsträger, der vor Gericht die Interessen des Kaisers oder des Landesherren zu vertreten hatte (15.–19.Jh.).

Fiskalismus [lat.] *der,* urspr. Richtung der Finanzpolitik, die einseitig an der Beschaffung von Einnahmen zur Deckung des Staatsbedarfs orientiert war; heute Bez. für den Keynesianismus im Ggs. zum modernen Monetarismus.

Fiskalpolitik (engl. Fiscal Policy), finanzpolit. Maßnahmen des Staates im Dienste der Konjunktur- und Wachstumspolitik. Die auf die Wirtschaftstheorie von J. M. Keynes zurückgehende F. im Sinne einer bewussten Steuerung der gesamtwirtsch. Nachfrage **(antizykl. Finanzpolitik)** ist häufig verbunden mit Verschuldungspolitik zur Erreichung der für die Nachfragebeeinflussung notwendigen Einnahmen. In Dtl. wurde die F. im →Stabilitätsgesetz gesetzlich verankert. Die zunehmende Kritik an der F. führte zum Konzept einer mittelfristig angelegten angebotsorientierten Wirtschaftspolitik.

📖 LACHMANN, W.: *F. Berlin u.a. 1987.* – ROLF, U.: *F. in der europ. Währungsunion. Heidelberg 1996.*

Fiskus [lat. fiscus »Korb«, »Kasse«] *der,* urspr. das Staatsvermögen, heute der Staat oder jede andere jurist. Person des öffentl. Rechts, soweit sie als reiner Vermögensträger tätig wird und als Rechtssubjekt im Privatrechtsverkehr auftritt (z.B. Bundes-, Landes-, Gemeinde-F.). Staat und F. sind im Ggs. zu früheren Auffassungen keine getrennten Rechtspersonen mehr. Der F. unterliegt den Bestimmungen des Zivilrechts, bes. hinsichtlich der Vertretungsbefugnis und der Haftung für Organe und Gehilfen. Er kann im Zivilprozess klagen und verklagt werden.

Fissur [lat.] *die, Medizin:* Spalt, Furche; normale Spaltbildungen in Knochen und Geweben; aber auch schmerzhafter Hautriss bei unelastisch gewordener Haut.

Fistel [lat.], angeborener, durch entzündl. Prozesse oder Verletzungen entstandener oder operativ angelegter (z.B. bei Harnleiter- oder Darmverschluss) röhrenförmiger Gang, der Körperorgane oder -hohlräume untereinander (innere F.) oder mit der Körperoberfläche (äußere F.) verbindet.

Fistelstimme, männliche hauchige Kopfstimme, bei der die Stimmbänder nur an ihren Rändern schwingen.

Val L. Fitch

Fitch [fɪtʃ], Val Logsdon, amerikan. Physiker, *Merriman (Nebr.) 10. 3. 1923; erhielt für die gemeinsame Entdeckung (1964) der Verletzung fundamentaler Symmetrieprinzipien (→CPT-Theorem) beim Zerfall von langlebigen, neutralen K-Mesonen zus. mit J. W. Cronin 1980 den Nobelpreis für Physik.

Fitis [Schallwort] *der,* ein Singvogel, →Laubsänger.

Fitness [engl.] *die,* gute körperl. Verfassung, Leistungsfähigkeit (durch sportl. Training).

Fitnesscenter [-sentə] *das,* Einrichtung, in der man an sportl. Geräten seine körperl. Leistungsfähigkeit verbessern bzw. erhalten kann.

Fittiche, Gesamtheit der Hand- bzw. Armschwingen (Schwungfedern 1. und 2. Ordnung) am Flügel der Vögel.

Fitting [engl.] *das,* →Formstück.

Fitz, Lisa, Schauspielerin und Kabarettistin, *Zürich 15. 9. 1951; kabarettist. Soloprogramme (»Die heilige Hur«, 1983); Theater- und Fernsehrollen, häufig in Zusammenarbeit mit F. X. Kroetz.

Fitzgerald [fɪtsˈdʒerəld], **1)** Ella, amerikan. Jazzsängerin, *Newport News (Va.) 25. 4. 1918, †Beverly Hills (Calif.) 15. 6. 1996; eine der Hauptvertreterinnen des →Scat.

2) Francis Scott Key, amerikan. Schriftsteller, *Saint Paul (Minn.) 24. 9. 1896, †Los Angeles (Calif.) 21. 12. 1940; Vertreter der »verlorenen Generation«. Sein autobiograph. gefärbtes Werk verarbeitet die gesellschaftl. Veränderungen nach dem 1. Weltkrieg, v. a. in »Der große Gatsby« (1925), »Zärtlich ist die Nacht« (1934).

📖 Höss, T.: *F. S. F. Die Philosophie des Jazz Age. Frankfurt am Main u. a. 1994.* – Turnbull, A.: *F. S. F. Das Genie der wilden zwanziger Jahre. A. d. Amerikan. München 1996.*

FitzGerald [fɪtsˈdʒerəld], Garret, irischer Politiker, *Dublin 9. 2. 1926; Jurist, Mitgl. der Fine Gael, trat als eines der führenden Mitgl. der Europ. Bewegung für die Mitgliedschaft seines Landes in der EG ein. 1973–77 Außenmin., 1977–87 Parteivors., 1981–82 und 1982–87 Ministerpräsident.

Fiume, italien. Name der kroat. Stadt →Rijeka.

Fiumicino [-ˈtʃiːno], Hafen und Seebad nördlich der Tibermündung, in Latium, Prov. Rom, Italien, 41300 Ew.; Fischerei, Erdölhafen; internat. Flughafen »Leonardo da Vinci«.

fix [lat.], fest, feststehend; z. B. fixe Kosten.

Fixativ *das,* farblose Lösung von Schellack oder anderen Film bildenden Stoffen, die auf Zeichnungen in Graphit, Kohle, Kreide und Pastell aufgesprüht wird, um diese unverwischbar zu machen.

Fixelement, *Mathematik:* Element einer Menge geometr. Objekte, z. B. Punkt, Gerade, Ebene, das bei einer →Abbildung auf sich selbst abgebildet wird **(Fixpunkt, Fixgerade, Fixebene).** Sind alle Punkte einer Geraden oder Ebene Fixpunkte, so nennt man sie **Fixpunktgerade** bzw. **Fixpunktebene.**

fixen, *Jargon:* sich Drogen einspritzen.

Fixfokusobjektiv, →fotografische Objektive.

Fixgeschäft [engl. to fix »festsetzen«], ein Vertrag, meist Kaufvertrag, bei dem die Leistung eines Partners zu einem bestimmten Termin oder innerhalb einer bestimmten Frist so erfolgen soll, dass weder eine frühere noch eine spätere Leistung als Vertragserfüllung gilt. Wird nicht rechtzeitig geliefert, kann der andere Teil ohne weiteres zurücktreten (§ 361 BGB). Für das handelsrechtl. F. gelten Sonderbestimmungen (§ 376 HGB). – In *Österreich* (§ 919 ABGB, § 376 HGB) und der *Schweiz* (Art. 108, 190 OR) ähnlich geregelt.

fixieren, *Fotografie:* fotograf. Schichten nach dem Entwickeln lichtbeständig machen durch Herauslösen der nicht belichteten und somit auch nicht geschwärzten Silberhalogenidkristalle in einem Fixierbad (wässrige Lösung des Fixiermittels, meist Natriumthiosulfat, und evtl. bestimmter Zusätze).

Fixierung, 1) *biolog. Technik:* die Haltbarmachung von tier. oder pflanzl. Material (ganze Organismen, Körper- und Gewebeteile u. a.) durch Behandlung mit F.-Mitteln (z. B. Alkohol, Formalin, Sublimat, Osmiumsäure) für spätere mikroskop. Untersuchungen.

2) *Psychoanalyse:* Entwicklungshemmung; Stehenbleiben auf nicht altersgemäßen Formen des Trieblebens und der Persönlichkeit; Entwicklung zu Neurosen und Psychosen möglich (→Infantilismus im Ggs. zur →Regression); i. w. S. Verlust an Flexibilität, Festhalten an bestimmten Einstellungen und Verhaltensweisen.

3) *Sinnesphysiologie:* die Einstellung des Auges auf ein bestimmtes Wahrnehmungsobjekt (F.-Punkt) derart, dass dieses an der Stelle des schärfsten Sehens (dem gelben Fleck) auf der Netzhaut abgebildet wird.

Fixpunkt, 1) *Mathematik:* →Fixelement.

2) *Thermodynamik:* der →Festpunkt.

Fixsterne [lat. stellae fixae »fest stehende Sterne«], aus dem Altertum stammende Bez. für die mit versch. Helligkeit und Farbe selbst leuchtenden, scheinbar fest stehenden →Sterne (im Ggs. zu den **Wandelsternen,** →Planeten). Seit dem 18. Jh. ist bekannt, dass die F. eine →Eigenbewegung aufweisen. Nach den F. richten sich Zeit- und Ortsbestimmungen, bes. für die Navigation.

Fixum [lat.] *das,* festes Entgelt (garantiertes Mindesteinkommen), das um eine Leistungsvergütung vermehrt werden kann.

Fizeau [fiˈzo], Armand Hippolyte Louis, frz. Physiker, *Paris 23. 9. 1819, †Venteuil (bei Épernay) 18. 9. 1896; führte 1849 die erste terrestr. Bestimmung der Lichtgeschwindigkeit durch (Zahnradmethode); fand 1850, dass die Lichtgeschwindigkeit in strömendem Wasser geringer ist als in Luft. Dieser sog. F.-Versuch wurde zu einer wesentl. Stütze der speziellen Relativitätstheorie.

Fizz [fɪz, engl.] *der,* kaltes, moussierendes alkohol. Mixgetränk (Longdrink mit Mineralwasser oder Sekt).

Fjell [norweg.] *das* (schwed. Fjäll), die weiten, während der Eiszeiten abgeschliffenen Hochflächen Skandinaviens oberhalb der Waldgrenze, oft vermoort und von vielen Seen bedeckt.

Fjodor, russ. Herrscher: **1) F. I. Iwanowitsch,** Zar (1584–98), *Moskau 31. 5. 1557, †ebd. 17. 1. 1598; Sohn Iwans IV. Der regierungsunfähige Zar be-

Lisa Fitz

Ella Fitzgerald

Garret FitzGerald

Fjodor III. Alexejewitsch, Zar von Russland (Ausschnitt aus einem zeitgenössischen Gemälde; Moskau, Historisches Museum)

traute seinen Schwager Boris → Godunow mit der Führung der Staatsgeschäfte. Mit F. starb die Moskauer Dynastie der Rurikiden aus.

2) F. III. Alexejewitsch, Zar (1676–82), * Moskau 9. 6. 1661, † ebd. 7. 5. 1682; Halbbruder Peters d. Gr., der ihm folgte; kränkl. Herrscher; beendete 1681 ergebnislos den 1. Russisch-Türk. Krieg; schaffte 1682 die Rangordnung des Dienstadels ab, förderte die Modernisierung des Heerwesens.

Fjord [skandinav.] *der* (in Schottland Firth), lange, schmale, meist tiefe, vielfach sich verzweigende Bucht, bes. an felsigen Steilküsten; entstanden aus mündungsnahen Strecken glazial übertiefter Trogtäler ehem. Vereisungsgebiete, in die das Meer nach einem Meeresspiegelanstieg (→ eustatische Bewegungen) oder einer Landsenkung eingedrungen ist. F. bilden Küstenlandschaften von großartiger Schönheit (Skandinavien, Schottland, Labrador, Neuseeland, Feuerland) und tief ins Land vordringende Seeverkehrswege; die Steilheit der Ufer verhindert aber i. Allg. eine günstige Verbindung zum Hinterland.

FKK, Abk. für → **F**rei**k**örper**k**ultur.

fl, Fl, Abk. für **Fl**oren, **Fl**orin. (→ Gulden)

Fla (schweizer. Flab), Abk. für → **Fl**ug**a**bwehr.

Fla., Abk. für den Staat **Fl**orid**a,** USA.

Flachdruck, → Druckverfahren.

Fläche, ebenes oder beliebig gekrümmtes Gebilde im Raum, insbesondere jede Begrenzung (Oberfläche) einer räuml. Figur. I. e. S. wird als F. eine Menge von Punkten im Raum definiert, zw. deren Koordinaten eine feste, bestimmten Stetigkeitsforderungen genügende Beziehung besteht, die durch eine Gleichung bestimmt wird, z. B. durch eine algebraische Gleichung bei den **algebraischen Flächen.** Die Ordnung einer F. wird durch den Grad der sie beschreibenden Gleichung angegeben: **F. erster Ordnung** sind die Ebenen, **F. zweiter Ordnung** z. B. Kugel, Kegel, Zylinder, Ellipsoide, Hyperboloide und Paraboloide. Besondere F. sind u. a. die abwickelbaren F. (→ abwickelbar) und die → Schraubenflächen.

Flächenbelastung, Verhältnis des Fluggewichts eines Flugzeuges zu seiner Flügelfläche; wichtiger und leistungsbestimmender Entwurfsparameter.

Flächeneinheit, Maß für den Flächeninhalt; meist das Quadrat der Längenmaße, z. B. Quadratmeter. (→ Einheiten)

Flächengewicht, auf die Fläche bezogene Masse von Papier, Karton oder Pappe in g/m^2.

Flächenheizung, Heizung mit unmittelbarer Erwärmung der Decke **(Deckenheizung),** des Fußbodens **(Bodenheizung)** oder der Wand **(Wandheizung)** durch eingebettete Warmwasserheizrohre, durch elektr. Heizwiderstände oder durch Warmluftkanäle.

Flachs: Gespinstlein (Höhe 30–120 cm)

Flächeninhalt, die Anzahl von Flächeneinheiten (cm^2, m^2 u. a.), die in einem ebenen oder gekrümmten Flächenstück enthalten ist (→ Integralrechnung).

Flächenladung, flächenhaft verteilte elektr. Ladung. Ihre Dichte, die **F.-Dichte** σ, ist als Ladung je Flächeneinheit definiert.

Flächenmesser, Gerät zum mechan. Ausmessen des Flächeninhalts, → Planimeter.

Flächennutzungsplan, Teil der Bauleitplanung, der die beabsichtigte Art der Bodennutzung in einer Gemeinde in den Grundzügen darstellt; aus dem F. ist der → Bebauungsplan zu entwickeln. Der F. wird von der Gemeinde durch Beschluss aufgestellt, er muss öffentlich ausgelegt und von der höheren Verwaltungsbehörde genehmigt werden (§§ 5 f. Bundesbaugesetz).

Flächensatz, ein Sonderfall des Satzes von der Erhaltung des Drehimpulses: Ein Körper bewegt sich unter dem Einfluss einer Zentralkraft so, dass die Verbindungslinie zum Kraftzentrum in gleichen Zeiten gleiche Flächeninhalte überstreicht. (→ keplersche Gesetze)

Flächentragwerke, Tragwerke aus platten-, scheiben- oder schalenartigen Teilen, die so miteinander verbunden sind, dass das Ganze als frei gespanntes Hallendach, rippenloser Turmschaft u. Ä. angewendet werden kann.

Flachland, Landgebiet mit flacher Bodengestaltung, bei geringen oder fehlenden Höhenunterschieden **Ebene** genannt; durch Abtragung oder Aufschüttung entstanden. F. nehmen große Teile der Erdoberfläche ein, am häufigsten als **Tiefland.** Ein in größerer Meereshöhe gelegenes F. nennt man **Hochland.**

Flachrennen, *Pferderennen:* Leistungsprüfung über 1000 bis 3200 m für Vollblüter auf flacher Bahn im Galopp; Ggs.: Hindernisrennen.

Flachs (Echter Lein, Linum usitatissimum), vorwiegend in der nördl. gemäßigten Zone verbreitete Leinart. Das einjährige, 30–120 cm hohe Kraut besitzt lanzettförmige Blätter und himmelblaue oder weiße, selten rosafarbene Blüten in endständigen, überhängenden Wickeln. Die fünffächerigen Kapselfrüchte enthalten 5–10 öl- und eiweißhaltige Samen mit quellbarer, brauner Schale. Man unterscheidet zw. den Kulturformen **Gespinstlein** (Faserlein) mit nicht oder kaum verzweigten Stängeln, der v. a. in O- und W-Europa zur Gewinnung von F.-Fasern angebaut wird, und **Öllein,** einer reich verzweigten Pflanze, deren zahlr. große, das Leinöl liefernde Samen (Leinsamen) einen Rohfettgehalt von 32 bis 34 % haben. – F. ist eine der ältesten Faser- und Nahrungspflanzen, bezeugt seit der Jungsteinzeit. In Mesopotamien lässt sich der F.-Anbau bis ins 5. Jt. v. Chr. zurückverfolgen.

📖 WASKOW, F.: *Hanf & Co. Die Renaissance der heim. Faserpflanzen. Göttingen u. a. 1995.*

Flachsee, Meeresgebiet bis etwa 200 m Tiefe. (→ Schelf)

Flachslilie (Phormium tenax), neuseeländ. Liliengewächs, mit bis 3 m langen, harten Blättern und roten bis gelben Blüten; die Blattfasern werden für Tauwerk und Fußbodenmatten verwendet.

Flachspross (Platykladium), eine abgeflachte bis blattähnl. Sprossachse, z. B. beim Feigenkaktus und bei Mäusedornarten.

Flacius, Matthias, eigtl. Matija Vlačić, gen. Illyricus, luth. Theologe kroat. Herkunft, *Albona (heute Labin, Istrien) 3. 3. 1520, †Frankfurt am Main 11. 3. 1575. Seine Kompromisslosigkeit brachte dem Luthertum schwere innere Kämpfe und ihm selbst Verfolgung; 1557 Prof. in Jena, 1561 abgesetzt; bed. Kirchenhistoriker und Bibelwissenschaftler; gilt als Begründer des Luthertums als Konfession.

Fladen [ahd. flado »Opferkuchen«], flaches, brotartiges Gebäck aus Gersten- oder Hafermehl ohne Treibmittel.

Flag [flæg, engl.] *die,* Kennzeichen zur Markierung eines bestimmten Zustands des Daten verarbeitenden Systems, z. B. Anzeige bei Bereichsüberschreiten, Übertrag, Nullzustand eines Werts.

Flagellanten, → Geißler.

Flagellantismus [lat.] *der* (Flagellomanie), Geißelsucht, gehört in ihrer sexuellen Ausprägung bei Selbstgeißelung zum → Masochismus, bei Geißelung anderer zum → Sadismus.

Flagellaten [lat.] (Geißelträger, Geißelinfusorien, Flagellata, Mastigophora), formenreiche Gruppe der Einzeller, deren Arten sich mit einer oder mehreren Geißeln fortbewegen; teils blattgrünhaltig und autotroph **(Geißelalgen, Phyto-F.),** teils blattgrünfrei und heterotroph **(Geißeltierchen, Zoo-F.).** F. besiedeln Gewässer, feuchte Orte und Schnee. Einige befallen als Parasiten Mensch und Tier und rufen gefährl. Erkrankungen hervor, z. B. die Trypanosomen die Schlafkrankheit.

Flagellum [lat.] *das,* **1)** im alten Rom jedes Instrument zum Antreiben und Züchtigen, bes. die Peitsche.

2) *Biologie:* (Geißel) zarter, fadenförmiger, aktiv bewegl. Zellfortsatz bei Protozoen, der der Fortbewegung der Zelle dient.

Flageolett [flaʒoˈlɛt, frz.] *das,* **1)** eine gegen 1600 in Frankreich entwickelte kleine Blockflöte mit einem schmalen Schnabel aus Elfenbein oder Horn.

2) hohes Flötenregister der Orgel.

Flageoletttöne [flaʒoˈlɛt-, frz.], bei Saiteninstrumenten hohe Töne (Obertöne), die durch leichtes Aufsetzen des Fingers an den ganzzahligen Teilungspunkten der Saitenlänge erzeugt werden.

Flagge, drei- oder viereckiges, i. Allg. mit herald. Farben bzw. Bildern bedrucktes Stofftuch; zeigt die Zugehörigkeit zu einer Körperschaft, bes. einer Nation; kann im Unterschied zur Fahne mit einer Leine an F.-Masten (auf Schiffen F.-Stöcken) gehisst werden. **National-F.** bzw. **Staats-F.** sind Hoheits- und Ehrenzeichen eines Staates; ihre Beschreibung ist meist durch Gesetz bzw. in der Verf. geregelt. Identisch mit ihnen sind teils die **Handels-** und **Kriegsflaggen.**

Recht: Die Bundes-F. der Bundesrep. Dtl. ist schwarz-rot-gold (Art. 22 GG). Nähere Regelungen zugleich über die Standarte des Bundespräs. und die Dienst-F. der Bundesbehörden trifft die Anordnung des Bundespräs. über die dt. F. vom 13. 11. 1996. Die Dienst-F. der Streitkräfte der Bundeswehr ist durch Anordnungen vom 25. 5. 1956 und 1. 10. 1956 bestimmt. Für die F. der Bundesländer gelten Landesvorschriften. Nach dem Flaggenrechts-Ges. i. d. F. vom 26. 10. 1994 sind alle Kauffahrtei- und sonstigen Seeschiffe zur Führung der Bundes-F. verpflichtet, deren Eigentümer Deutsche sind und ihren Wohnsitz in Dtl. haben. Das Recht zur Führung der F. wird durch Schiffszertifikat nachgewiesen. Nähere Bestimmungen über F.-Zeugnisse, F.-Scheine, Postsignal-F. u. a. treffen die Durchführungsverordnungen. Die F. sind gegen Verunglimpfung geschützt (§ 90 a StGB). BILD S. 372 ff.

📖 *F. u. Wappen der Welt. Geschichte u. Symbolik der F. u. Wappen aller Staaten, Beiträge v.* K.-H. HESMER. *Gütersloh u. a. 1993.* – VISSER, D.: *F., Wappen, Hymnen. Augsburg 1994.*

Flaggenalphabet, → Signal.

Flaggenparade, das unter Ehrenbezeigungen erfolgende Heißen (Hissen) und Niederholen der Flagge.

Flaggschiff, Kriegsschiff, auf dem sich der Befehlshaber des Verbandes **(Flaggoffizier)** befindet; gekennzeichnet durch die Flagge als Kommandozeichen; übertragen auch Bez. für das größte Schiff einer Reederei.

Flagstad [-sta], Kirsten, norweg. Sängerin (dramat. Sopran), *Hamar (Hedmark) 12. 7. 1895, †Oslo 7. 12. 1962; bed. Wagnerinterpretin.

Flaherty [ˈflɛətɪ], Robert, amerikan. Filmregisseur, *Iron Mountain (Mich.) 16. 2. 1884, †Dummerston (Vt.) 23. 7. 1951; gilt mit »Nanuk, der Eskimo« (1922) und »Moana« (1926) als Schöpfer des künstler. Dokumentarfilms.

Flair [flɛːr, frz.] *das,* Fluidum, Atmosphäre; Ahnungsvermögen, Spürsinn.

Flaischlen, Cäsar, Schriftsteller, *Stuttgart 12. 5. 1864, †Gundelsheim (Kr. Heilbronn) 16. 10. 1920; Lyriker, Dramatiker und Erzähler der Jugendstilzeit; war 1895–1900 in Berlin Redakteur der Kunstzeitschrift »Pan«.

Kirsten Flagstad

Robert Flaherty

Flageolett 1) von dem Münchner Blasinstrumentenbauer Georg Ottensteiner (um 1850; München)

Flaggen I

Afghanistan, Ägypten, Albanien, Algerien, Andorra, Angola
Antigua und Barbuda, Äquatorialguinea, Argentinien, Armenien, Aserbaidschan, Äthiopien
Australien, Bahamas, Bahrain, Bangladesh, Barbados, Belgien
Belize, Benin, Bhutan, Birma, Bolivien, Bosnien und Herzegowina
Botswana, Brasilien, Brunei, Bulgarien, Burkina Faso, Burundi
Chile, China, Costa Rica, Dänemark, Deutschland, Djibouti
Dominica, Dominikanische Republik, Ecuador, Elfenbeinküste, El Salvador, Eritrea
Estland, Fidschi, Finnland, Frankreich, Gabun, Gambia
Georgien, Ghana, Grenada, Griechenland, Großbritannien und Nordirland, Guatemala
Guinea, Guinea-Bissau, Guyana, Haiti, Honduras, Indien
Indonesien, Irak, Iran, Irland, Island, Israel

Flaggen II

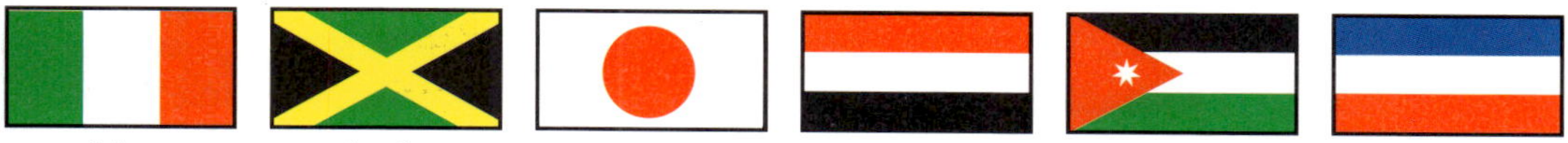

Italien · Jamaika · Japan · Jemen · Jordanien · Jugoslawien

Kambodscha · Kamerun · Kanada · Kap Verde · Kasachstan · Katar

Kiribati · Kolumbien · Komoren · Kongo (Demokr. Rep.) · Kongo (Rep.) · Korea (Nordkorea)

Korea (Südkorea) · Kroatien · Kuba · Kuwait · Laos · Lesotho

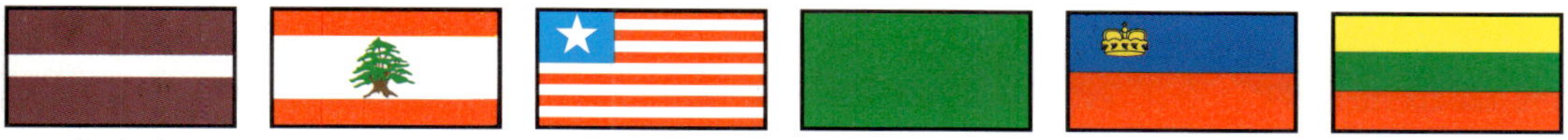

Lettland · Libanon · Liberia · Libyen · Liechtenstein · Litauen

Luxemburg · Madagaskar · Makedonien · Malawi · Malaysia · Malediven

Mali · Malta · Marokko · Marshallinseln · Mauretanien · Mauritius

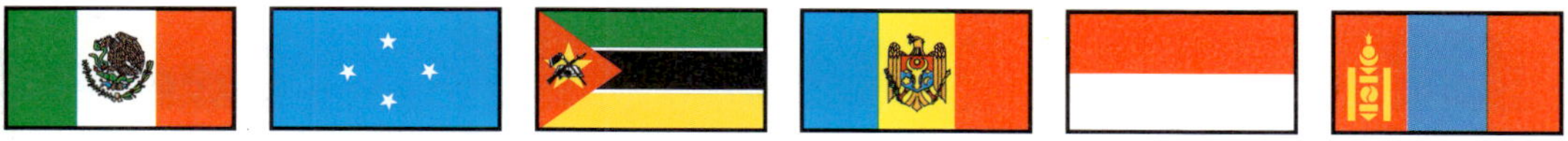

Mexiko · Mikronesien · Moçambique · Moldawien · Monaco · Mongolei

Namibia · Nauru · Nepal · Neuseeland · Nicaragua · Niederlande

Niger · Nigeria · Norwegen · Oman · Österreich · Pakistan

Palau · Panama · Papua-Neuguinea · Paraguay · Peru · Philippinen

Flaggen III

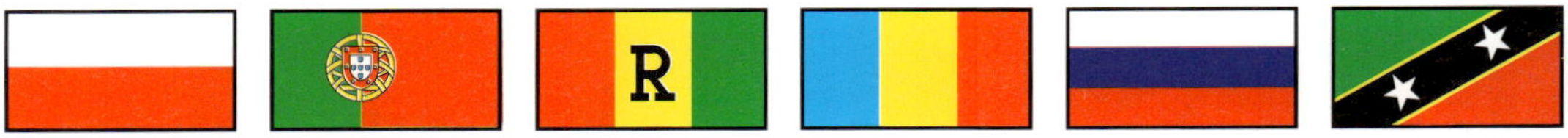

Polen · Portugal · Ruanda · Rumänien · Russland · Saint Kitts and Nevis

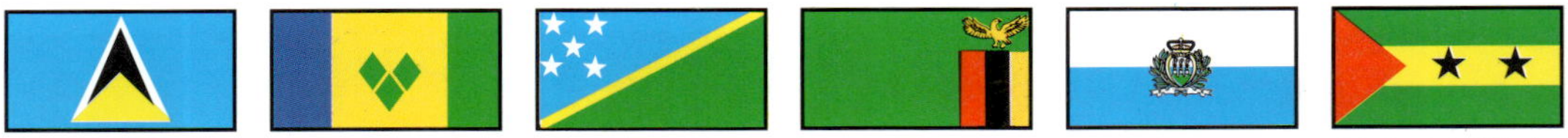

Saint Lucia · Saint Vincent and the Grenadines · Salomoninseln · Sambia · San Marino · São Tomé und Príncipe

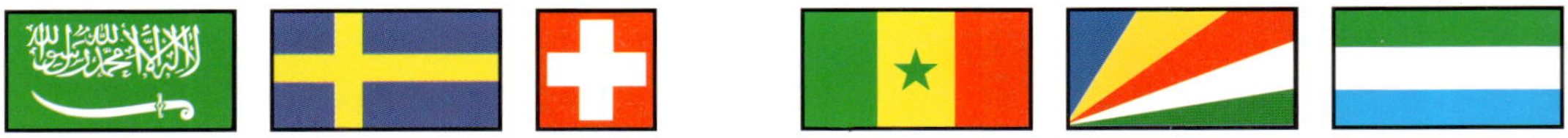

Saudi-Arabien · Schweden · Schweiz · Senegal · Seychellen · Sierra-Leone

Simbabwe · Singapur · Slowakische Republik · Slowenien · Somalia · Spanien

Sri Lanka · Südafrika · Sudan · Surinam · Swasiland · Syrien

Tadschikistan · Taiwan · Tansania · Thailand · Togo · Tonga

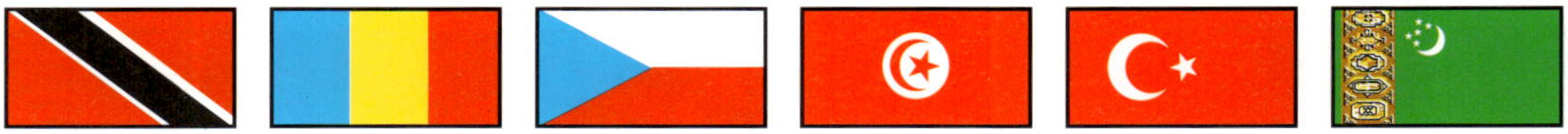

Trinidad und Tobago · Tschad · Tschechische Republik · Tunesien · Türkei · Turkmenistan

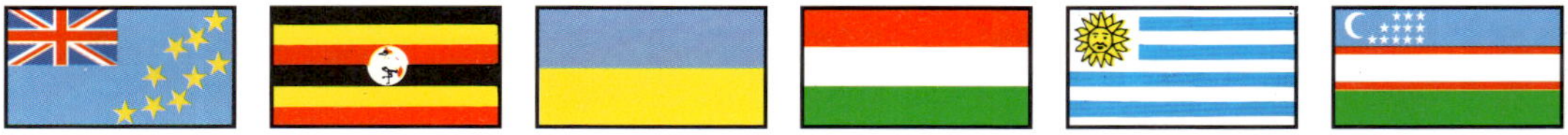

Tuvalu · Uganda · Ukraine · Ungarn · Uruguay · Usbekistan

Vanuatu · Vatikanstadt · Venezuela · Vereinigte Arabische Emirate · Vereinigte Staaten von Amerika · Vietnam

Weißrussland · Westsamoa · Zentralafrikanische Republik · Zypern · Arabische Liga · Commonwealth

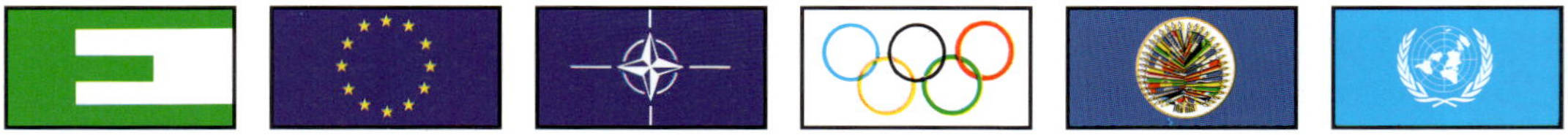

Europaflagge · Europarat · NATO · Olympische Spiele · Organisation amerikanischer Staaten · UN

Flạk, Kw. für **Fl**ug**a**bwehr**k**anone, →Flugabwehr.

Flake, Otto, Schriftsteller, *Metz 29. 10. 1880, †Baden-Baden 10. 11. 1963; schrieb zahlr. Essays, Biographien und Romane zu den dt.-frz. Beziehungen; auch histor. und philosoph. Werke (»Ruland-Zyklus«, R., 5 Tle., 1913–28; »Fortunat«, R., 2 Bde., 1946).

Flạkhelfer, →Luftwaffenhelfer.

Flakon [fla'kõ, frz.] *das* oder *der,* geschliffenes Parfümfläschchen aus versch. Materialien.

Flambeau [flã'bo:, frz.] *der,* hoher, mehrarmiger Leuchter.

Flạmberg [nach dem Schwert der altfrz. Sage von den Haimondskindern], Zweihänderschwert mit gewellter (»geflammter«) Klinge.

flambieren [frz.], Speisen mit Spirituosen übergießen und den verdunstenden Alkohol entzünden; dient zur Geschmacksverfeinerung.

Flamboyantstil [flãbwa'jã-; frz. »flammend«], im 15. und 16. Jh. bes. in Frankreich und England ausgebildeter Stil der Spätgotik, ben. nach der züngelnden Flammen ähnelnden Fischblasenornamentik des Maßwerks.

Flamen [lat. »Anbläser«], Titel röm. Opferpriester im Dienste verschiedener Götter.

Flamen (Flamländer, fläm. Vlamingen, frz. Flamands), die Flämisch sprechende Bev. Flanderns, etwa 5,9 Mio Menschen. Die F. sind ihrer Herkunft nach Niederfranken (salische Franken) mit fries. und niedersächs. Einschlag, die in der Völkerwanderungszeit, von Osten kommend, die romanisierten keltisch-german. Mischstämme (Wallonen) zurückdrängten.

Flamẹnco [span.] *der,* Gattung volkstümlicher andalus. (südspan.) Tanzlieder dramat. Charakters, gesungen (meist mit Gitarrenbegleitung) zu einem Solo- oder Einzelpaartanz, dessen Rhythmus durch Stampfen, Klatschen oder mit Kastagnettenspiel akzentuiert wird. Zur Gruppe der F. gehören u. a. der →Fandango und die →Seguidilla.

Fläming [nach hier im 12. Jh. nach fläm. Recht angesiedelten Kolonisten], Höhenrücken nördlich und östlich der mittleren Elbe, Sa.-Anh. und Brandenburg, erstreckt sich, über 100 km lang, von SO nach NW, im Hagelberg 201 m ü. M.; eiszeitlich geformt; wenig fruchtbare Sandböden überwiegen (Kiefernforste; Roggen-, Kartoffelanbau); dünne Besiedlung.

Flamịngoblume (Anthurie, Anthurium), Gattung der Aronstabgewächse des trop. Amerikas; einige Arten liefern als Gewächshauspflanzen Schnittblumen mit meist lackrotem Hochblatt und gelbl. Blütenkolben.

Flamịngos [span.] (Phoenicopteridae), Familie stelzenbeiniger Regenpfeifervögel; bis 1,4 m hohe Wasservögel v. a. an Salzseen und Brackgewässern

Die deutschen Bundesländer

S-Europas (Camargue, S-Spanien), S-Asiens, Afrikas sowie Mittel- und Südamerikas; gesellig lebend, meist weiß, rot oder rosafarben befiedert; leben von Krebsen, Algen, Protozoen, die sie mit ihren hakenförmig gebogenen Schnäbeln aus dem Wasser filtern. Das einzige Ei wird in kegelstumpfförmige Schlammnester gelegt. Alle Arten sind geschützt.

Otto Flake

Flaminius, Gaius, röm. Staatsmann aus plebej. Geschlecht, †217 v. Chr.; setzte 232 v. Chr. als Volkstribun die Aufteilung des den Kelten abgenommenen Gebietes um Ariminum (heute Rimini) an röm. Bürger durch (ager Gallicus). Als Zensor ließ er 220 den Circus F. in Rom erbauen und die Flamin. Straße (Via Flaminia) über den Apennin nach Ariminum anlegen. 217 fiel er in der Schlacht am Trasimen. See gegen Hannibal.

Flämische Bewegung, eine polit. Bewegung in Belgien, entstanden unter den Flamen nach Gründung des belg. Staates (1830/31), um das sprachlich-kulturelle, wirtschaftlich-soziale und polit. Übergewicht der Französisch sprechenden Wallonen abzubauen. Zunächst von Literaten und Sprachforschern (u. a. H. Conscience, J. A. de Laet) mit dem Ziel einer kulturellen Emanzipation getragen, setzte die F. B. bis zum Ende des 19. Jh. die Anerkennung des Niederländischen als gleichberechtigte Schul-, Amts- und Gerichtssprache im fläm. Landesteil Belgiens durch (Ges. von 1873, 1878 und 1888). Im 1. Weltkrieg arbeiteten die fläm. »Aktivisten« mit der dt. Verwaltung in Belgien zusammen und erreichten 1916/17 vorübergehend die Flamisierung der Univ. Gent (endgültig 1930) und die Verwaltungstrennung Flanderns von Wallonien. Trotz Verfolgung der »Aktivisten« nach 1918 bildete sich ein neuer fläm. Nationalismus, der 1932–38 weitere grundlegende Gesetze zur Sicherung der fläm. Sprachenrechte durch-

Flamingo

setzte. Der 1933 gegründete Vlaams Nationaal Verbond (Fläm. Nationaler Verband), der einen »großniederländ.« Staat erstrebte, wurde wegen Kollaboration mit der dt. Besatzungsmacht im 2. Weltkrieg 1944 verboten. Die sich in der Nachkriegszeit nur langsam neu organisierende F. B. erhielt mit der 1954 gegründeten Volksunie eine radikale Interessenvertreterin. Seit der Wende zu den 1960er-Jahren entwickelte sie die F. B. zu einem Motor des flämisch-wallon. Konflikts (»Sprachenstreit«), der nunmehr das gesamte polit. Kräftefeld in seinen Bann zog und über Zwischenstufen mit der Umwandlung → Belgiens in einen Bundesstaat (Verf.-reformen von 1988 und 1993) seine Lösung finden sollte.

flämische Kunst, → niederländische Kunst.

flämische Literatur, die niederländ. Lit., die seit dem 13. Jh. im nördl. Teil des heutigen Belgien bzw. in Flandern entstand und sich seit dem 17. Jh. allmählich gegenüber dem »Holländischen« als eigenständige Variante entwickelte. Seit der 2. Hälfte des 17. Jh. und v. a. nach der frz. Eroberung (1794) hatte sich die f. L. gegen die Französisierung des fläm. Lebens zu behaupten. In den Jahren des Vereinigten Königreichs der Niederlande (1815–30) und mit der Gründung des belg. Staates (1830) setzte eine Wiedergeburt der f. L. ein (→ niederländische Literatur). Die Romantik, die nach 1830 zur Blüte kam, stand im Zeichen der → Flämischen Bewegung; diese Zeit war bes. von J. F. Willems, den Lyrikern K. L. Ledeganck, P. von Duyse bestimmt, danach traten u. a. H. Conscience, G. Gezelle und A. Rodenbach hervor.

Die Jahre des Impressionismus und Naturalismus (1875–1915) standen im Zeichen der Erneuerung (Ztschr. »Van Nu en Straks«, 1893 gegr.) und der Verbundenheit mit der Fläm. Bewegung. Führend waren die Lyriker P. van Langendonck, der Kultur- und Kunsthistoriker A. Vermeylen sowie K. van de Woestijne. Im Naturalismus wurzeln die Erzählungen von C. Buysse und die Bauerngeschichten des S. Streuvels. Weitere Erzähler: F. Timmermans, É. Claes, H. Teirlinck.

Der Expressionismus fand Widerhall bei P. A. van Ostaijen, W. Moens, K. van den Oever. Eine Gegenrichtung gegenüber dem Expressionismus vertraten u. a. M. Roelants, R. Minne. 1930–40 meldete sich eine neue Generation zu Wort: J. Daisne, M. Coole, K. Jonkheere, R. Verbeeck, in der Prosa W. Elsschot, M. Roelants, G. Walschap, F. de Pillecijn, M. Gijsen, A. Demedts, M. Gilliams; abseits stand der Hymniker und Essayist C. Verschaeve.

Nach dem 2. Weltkrieg hat sich das literar. Leben um die Zeitschriften konzentriert. In den letzten Jahrzehnten setzten sich in der Prosa, neben älteren Erzählern, die unbürgerlich eingestellten P. L. Boon und P. van Aken mit pessimist. Darstellungen des Arbeiterlebens durch, ferner: J. Daisne, I. Michiels. Neuere Lyriker: H. Claus (auch Dramatiker und Romancier), H. C. Pernath, P. Snoek. Experimentelle Romane schrieb P. de Wispelaere; ihm nahe stehen W. Roggeman und L. Veydt. Seit 1970 debütierten als Prosaschriftsteller P. Koeck und Monika van Paemel, ferner L. Pleysier, S. Hertmans, H. Brusselmans, P. Hoste u. a., als Lyriker J. 't Hooft und L. Nolens.

📖 LISSENS, R. F.: *F. L. des 19. u. 20. Jh.s. A. d. Niederländ. Köln u. a. 1970. – Literatur in den Niederlanden u. Flandern, hg. v.* H. VEKEMAN *u. a. Köln 1986. – Die niederländ. u. die f. L. der Gegenwart, hg. v.* F. LIGTVOET *u.* M. VAN NIEUWENBORGH. *München u. a. 1993.*

flämische Sprache, a) sprachhistorisch die niederländ. Mundarten in Flandern; b) alle niederländ. Mundarten, die nördlich der niederländisch-frz. Sprachgrenze gesprochen werden: das Südniederländische. Drei Hauptmundarten: Flämisch (Ost- und Westflandern), Brabantisch und Limburgisch; c) in Belgien Bez. für die niederländ. Sprache als verbindl. Hochsprache (Amtssprache).

Flamme, Bereich brennender Gase oder Dämpfe, von denen sichtbare Strahlung ausgeht. Man unterscheidet **vorgemischte F.,** bei denen ein homogenes Gemisch der reagierenden Gase vorliegt (z. B. Bunsenbrenner), **Diffusions-F.,** bei denen Brennstoffe und Oxidationsmittel getrennt zugeführt werden (z. B. Kerze) und die **turbulenten F.** bei nichtlaminaren Gasströmen. – Eine stark leuchtende F. enthält wenig Sauerstoff; sie entzieht daher diesen einem sauerstoffreichen Stoff **(Reduktions-F.).** Nicht leuchtende, d. h. viel Sauerstoff enthaltende F. oxidieren Stoffe **(Oxidationsflamme).**

Flammé [frz.] *der* (Flammenstoff), Gewebe, das durch Verwendung von Effektfäden (Flammengarn) durch unterschiedl. Verdickungen interessante Oberflächeneffekte hervorruft.

Flammendes Herz, die Pflanzenart → Tränendes Herz.

Flammenfärbung, Färbung der nicht leuchtenden Flamme, z. B. des Bunsenbrenners, beim Hineinhalten bestimmter Substanzen; tritt v. a. bei Metallsalzen auf. Natriumsalze z. B. verursachen eine intensive Gelbfärbung, Calciumsalze ziegelrote, Barium- und Kupfersalze grüne Färbungen. Die F. liefert bei der **Flammenspektroskopie** Hinweise auf die qualitative Zusammensetzung der zu untersuchenden Substanzen. Für jedes chem. Element entstehen charakterist. Linienspektren.

Flammenschutzmittel, Stoffe, die bei Kunststoffen, Holz oder Textilien u. a. die Entflammbarkeit herabsetzen.

Flammenwerfer, *Militärwesen:* trag- oder fahrbares Gerät, mit dem mittels eines Flammenstrahls der Gegner auf kurze Entfernung bekämpft werden kann.

Flammpunkt (Entflammungstemperatur), die niedrigste Temperatur, bei der sich aus einer brennbaren Flüssigkeit so viele Dämpfe entwickeln, dass sich ein durch Fremdzündung entflammbares Dampf-Luft-Gemisch bildet.

Flammspritzen, das Aufspritzen metall. oder nichtmetall. Überzüge (z.B. Kunststoffe) auf metall. Werkstücke als Korrosionsschutz oder Isolation, wobei das Spritzgut in einer Brenngas-Sauerstoff-Flamme geschmolzen und zerstäubt wird.

Flammstrahlen, das kurzzeitige Erhitzen von Metalloberflächen mit einer Brenngas-Sauerstoff-Flamme, um Rost, Zunder oder Anstrichreste zu beseitigen.

Flanagan ['flænəgən], Edward Joseph, amerikan. kath. Priester, *Roscommon (Irland) 13. 7. 1886, †Berlin 15. 5. 1948; suchte der Jugendverwahrlosung entgegenzuwirken; gründete 1917 bei Omaha (Nebr.) das Jugenddorf »Boys' Town« (seit 1936 selbstständige Gemeinde) mit Selbstverw. durch die Jugendlichen.

Flandern (niederländ. Vlaanderen, frz. Flandre), histor. Landschaft in den südwestl. Niederlanden (S der Prov. Seeland), NW-Belgien (Prov. Ost- und Westflandern) und N-Frankreich (N der Dép. Nord und Pas-de-Calais), erstreckt sich von der Nordseeküste bis etwa zur Schelde bzw. den Ardennenvorbergen, ist im Wesentl. von →Flamen bewohnt; bed. Viehwirtschaft, Anbau von Getreide, Kartoffeln und Gemüse. An der Dünenküste zahlr. Seebäder und Hafenstädte. Die noch immer bedeutende Textilind. entwickelte sich aus der traditionellen fläm. Tuchmacherei.

Geschichte: Ab dem 9. Jh. war F. eine Grafschaft zw. Schelde, Canche und Nordseeküste (frz. Lehen, daher »Kron-F.«), zu der zeitweise auch das Artois, der Hennegau und die Grafschaft Aalst (Reichslehen, daher »Reichs-F.«) gehörten. Das einheim. Grafenhaus der Balduine regierte (mit Unterbrechung 1119–91) bis 1280. Die durch Handel und Tuchherstellung zu wirtsch. Macht gelangten flandr. Städte (v. a. Brügge, Gent, Kortrijk, Ypern) verteidigten 1302 in der »Sporenschlacht« von Kortrijk durch die Vernichtung eines frz. Ritterheers ihre ständ. Rechte. 1384/85 fiel F. an Burgund, 1477 an die Habsburger, 1556 an deren span. Linie. Der N (»Staats-F.«) kam 1648 als Teil der Prov. Seeland an die niederländ. Generalstaaten, die südl. Grenzgebiete wurden 1659–79 französisch. Der Hauptteil fiel 1714 an Österreich, 1794 an Frankreich, kam durch den Wiener Kongress (1814/15) an das Königreich der Vereinigten Niederlande und 1830 an Belgien. Im 1. Weltkrieg Schauplatz schwerer Kämpfe (Schlacht um F., 1917).

📖 HAEGENDOREN, M. VAN: *F. den Flamen. Der lange Weg zur Gleichberechtigung ... A. d. Niederländ. München 1987.* – WEIDEMANN, S.: *F. Antwerpen, Brügge, Gent. Ostfildern* ³*1996.*

Flanell [engl.-frz.] *der,* weiches ein- oder beidseitig gerautes Gewebe aus Baumwolle, Wolle oder Zellwolle, u. a. für Anzüge.

Flanke [frz.], **1)** *Militärwesen:* Seite einer Truppe in ihrer ganzen Tiefe im Gefecht oder auf dem Marsch.

2) *Sport:* Überqueren eines Turngeräts mit geschlossenen und gestreckten Beinen, wobei eine Körperseite (F.) dem Gerät zugewendet ist. In Torspielen in Tornähe von den Seitenlinien in die Spielfeldmitte geschlagener Ball.

3) *Zoologie:* die seitl. Teile des Tierkörpers, bes. bei Säugetieren.

Flansch, plattenförmiger Ansatz an Rohrenden oder Gehäuseteilen zur Verbindung, Abdichtung oder Versteifung.

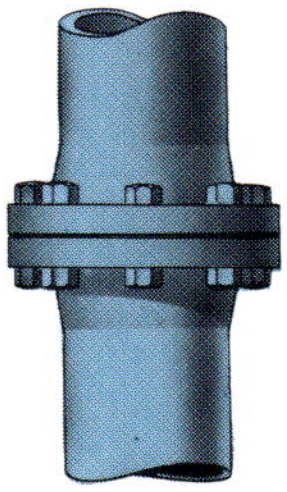

Flansch an einer Rohrverbindung

Fla-Rakete, Abk. für **Fl**ug**a**bwehr-Rakete, →Raketenwaffen.

Flare [fleə, engl.] *das,* kurzfristiger Strahlungsausbruch von Sternen (→Flare-Sterne), speziell ein heftiger, von einigen Minuten bis zu mehreren Stunden dauernder Strahlungsausbruch in der Chromosphäre der Sonne (Sonneneruption, chromosphär. Eruption), der im Zusammenhang mit Sonnenflecken auftritt.

Flare-Sterne ['fleə-, engl.] (Flackersterne, UV-Ceti-Sterne), zu den Veränderlichen zählende kleine Gruppe von Zwergsternen, die plötzl. Helligkeitsausbrüche (in 3–100 s bis zu sechs Größenklassen), sog. Flares, zeigen.

Flasche, Hohlgefäß aus Glas, Metall, Keramik, Kunststoff u. a. für Flüssigkeiten und Gase, mit enger Öffnung und Halsansatz. **Glas-F.** werden durch Mundblasen oder maschinell (an Blas-Blas- oder Press-Blas-Maschinen) hergestellt; **Stahl-F.** für komprimierte Gase werden über einen Dorn gezogen; **Kunststoff-F.,** im Blasverfahren hergestellt, haben hohe chem. Widerstandsfähigkeit. F. aus Ton und Steingut werden von Hand geformt und dann gebrannt.

Flaschenbäume (Tonnenbäume), Laubbäume der periodisch trockenen Tropen, die im Bastring ihrer verdickten Stämme Wasser speichern, z. B. der ostafrikan. Affenbrotbaum.

Flaschenkürbis (Lagenaria vulgaris, Lagenaria siceraria), Kürbisgewächs der Tropen Afrikas und Asiens. Die einjährige, weiß blühende Schlingpflanze wird heute weltweit in wärmeren Gebieten angebaut; ihre ausgehöhlten Früchte werden zu Behältern (Kalebassen) verarbeitet.

Flaschenpost, Nachricht in einer wasserdicht verschlossenen Flasche, die (bes. von Schiffbrüchigen) in der Hoffnung auf späteres Auffinden ins Meer geworfen wird; wurde auch zur Erforschung von Meeresströmungen verwendet.

Gustave Flaubert

Als der Roman »Madame Bovary« von Flaubert 1857 erschien, brachte er seinem Autor eine Anklage wegen »Verstoßes gegen die guten Sitten« ein. Die Kritik galt vor allem der Hauptfigur des Romans, Emma Bovary, die, empfänglich für romantische Träumereien, der banalen Wirklichkeit im Ehebruch entfliehen zu können glaubt und sich am Ende, in ihren Erwartungen enttäuscht, vergiftet. Das Missverhältnis zwischen Traum und Realität gestaltet Flaubert (auch dies ein Punkt der Anklage) in einem bewusst unpersönlichen, distanzierten Stil, der den »Nouveau Roman« im 20. Jahrhundert beeinflussen sollte. »Monsieur Gustave Flaubert«, so schrieb damals – bewundernd – der berühmte Kritiker Charles-Augustin Sainte-Beuve »führt die Feder wie ein Skalpell«. Im Prozess, den der Roman ausgelöst hatte, wurde Flaubert – wenn auch mit einigen Ermahnungen – schließlich freigesprochen.

Flaschenzug, manuell oder elektr. betriebenes Lastenhebegerät, bei dem ein Seil oder eine Kette über Rollengruppen (zu »Flaschen« oder Kloben vereinigt) geführt wird. Beim einfachen F. ist die obere Flasche fest, die untere beweglich. Nach dem Gesetz »Kraft × Kraftweg = Last × Lastweg« ist der Weg der Kraft entsprechend größer als der der Last. Beim **Differenzial-F.** wird eine endlose Kette oben über zwei koaxiale, fest miteinander verbundene feste Rollen von unterschiedl. Durchmesser und unten über eine lose Rolle geführt. Zum Heben der Last ist nur die Differenz der an den oberen Rollen wirkenden Drehmomente aufzubringen.

Gustave Flaubert: Totenmaske und Autogramm

Flasertextur, muskelfaserartiges Gesteinsgefüge aus Lagen von blättchen- oder stängelförmigen Mineralen (Glimmer, Aktinolith), die gröbere Mineralkörner oder Gesteinsbruchstücke umschmiegen (Flasergneis, Augengneis).

Flattergras (Waldhirse, Milium effusum), bis meterhohes, ausdauerndes Waldgras; wertvolles Futtergras.

Flattermaki, →Pelzflatterer.

Flattern, selbst erregte Schwingungen elastomechan. Systeme, die bei Luft- und Raumfahrzeugen infolge der Wechselwirkungen zw. instationären Luftkräften, elast. Rückstellkräften und Trägheitskräften in bestimmten Geschwindigkeitsbereichen angeregt werden können, was meist zu Überbeanspruchung tragender Bauteile führt. Bei Kraftfahrzeugen ist F. der elastisch bereiften Vorderräder um die Lenkzapfen möglich, angeregt durch Fahrbahnunebenheiten. Dadurch werden Fahrsicherheit und Reifenverschleiß ungünstig beeinflusst.

Flattersatz, *Satztechnik:* Schriftsatz mit ungleich langen Zeilen.

Flattertiere (Fledertiere, Handflügler, Chiroptera), Säugetierordnung mit rd. 1 000 Arten, weltweit verbreitet. Der Körper ist kurz und gedrungen, Arme, Mittelhandknochen und Finger (außer Daumen) sind stark verlängert. Die dünne, fast nackte Flughaut ist zw. Rumpf, Gliedmaßen und Schwanz ausgespannt. Die scharfen, gekrümmten Klauen dienen zum Anklammern im Ruhehang (mit Kopf nach unten). F. leben meist gesellig; sie schlafen in Höhlen und Bäumen. Geboren wird meist nur ein Junges, das von der Mutter bis zu mehreren Monaten getragen wird. F. sind dämmerungs- und nachtaktiv; sie umfassen zwei Unterordnungen: Groß-F. oder Flederhunde (Megachiroptera) mit der Familie →Flughunde und die →Fledermäuse.

Flatulẹnz [zu lat. flatus »das Blasen«] *die,* →Blähungen.

Flaubert [flo'bɛ:r], Gustave, frz. Schriftsteller, *Rouen 12. 12. 1821, †Croisset (bei Rouen) 8. 5. 1880. Die postum veröffentl. Jugendwerke »Erinnerungen eines Narren« (R., entstanden 1838, hg. 1901) und »November« (R., entstanden 1840–42, hg. 1910) zeigen F. als Erben der Romantik. Mit »Madame Bovary« (R., 1857) gewann er die für ihn bezeichnende unpersönl., wiss. genaue Sachlichkeit in Sehart und Stil; er wurde damit zum Begründer des Realismus in Frankreich. Die kritiklose Darstellung seiner Heldin brachte F. eine Anklage wegen Verletzung der öffentl. Moral ein. »Lehrjahre des Gefühls« (R., 1869) enthält die innere Geschichte der Generation um die Jahrhundertmitte. »Bouvard und Pécuchet« (R., unvollendet, hg. 1881) ist eine Satire auf die zeitgenöss. triviale Fortschrittsgläubigkeit. F.s Schreibweise, die das Urteil des Autors vollkommen zurücknimmt, beeinflusste erheblich die Lit. des 20. Jh.; seine strenge Prosa ist mustergültig für die frz. Sprache. Weitere Werke sind »Salammbô« (R., 1862), »Die Versuchung des hl. Antonius« (R., 1874), »Drei Erzählungen« (1877). – Tagebücher (3 Bde., hg. 1919).

📖 FRIEDRICH, H.: *Drei Klassiker des französ. Romans. Stendhal, Balzac, F. Frankfurt am Main 1980.* – KRÖMER, W.: *F. Darmstadt 1980.* – THIBAUDET, A.: *G. F. Paris 1982.* – LOTTMAN, H. R.: *F. Eine Biographie. A. d. Amerikan. Frankfurt am Main u. a. 1992.* – LA VARENDE, J. DE: *G. F. mit Selbstzeugnissen u. Bilddokumenten. A. d. Frz. Reinbek 43.–44. Tsd. [6]1996.*

Flaumfedern (Flaum), die → Daunen.

Flausch (Flaus, Fries), durch Walken und/oder Rauen erzeugtes textiles Erzeugnis, meist Streichgarngewebe.

flautando [italien. »flötend«] (flautato), Klangeffekt bei Streichinstrumenten durch Streichen der Saiten nahe am Griffbrett.

Flavin [ˈfleɪvɪn], Dan, amerikan. Lichtkünstler, *New York 1. 4. 1933, †Riverhead (N. Y.) 29. 11. 1996; verwendete seit 1963 Röhren mit fluoreszierendem Licht für Objekte und Environments. Seine Arbeiten stehen sowohl in Bezug zur Minimalart als auch zur Farbfeldmalerei.

Flavin|adenin|dinucleotid [lat.] *das,* Abk. **FAD,** wasserlösl. Flavinnucleotid im pflanzl. und tier. Stoffwechsel; als prosthet. Gruppe zahlr. **Flavoproteine (Flavoenzyme)** wichtig als Wasserstoffüberträger, z. B. in der Atmungskette und im Zitronensäurezyklus.

Flavius, Name eines röm. Plebejergeschlechtes, ihm entstammen die röm. Kaiser Titus, Vespasian und Domitian **(Flavier).**

Flavone [lat.], komplexe aromat. Verbindungen, Grundsubstanzen vieler gelber Blütenfarbstoffe. Die F. sind strukturell eng mit den Anthocyanen verwandt und treten oft gemeinsam mit diesen auf.

Flavoproteide (Flavoproteine, Flavinenzyme), Gruppe natürl., in den Zellen aller Organismen vorkommender Enzyme, die bei der biolog. Oxidation als Wasserstoffüberträger wirksam werden.

Flavour [ˈfleɪvə; engl. »Geschmack«] *der,* auch *das* (amerikan. Flavor), *Physik:* Sammelbez. für die durch die **F.-Quantenzahlen** Isospin, Strangeness (oder Hyperladung), Charm, Beauty (bzw. Bottom) und Truth (bzw. Top) gekennzeichneten charakterist. Eigenschaften der versch. Arten von → Quarks.

Flaxman [ˈflæksmən], John, engl. Zeichner und Bildhauer, *York 6. 7. 1755, †London 7. 12. 1826; bed. Vertreter des engl. Klassizismus; arbeitete ab 1775 für die Manufaktur Wedgwood (Entwürfe zu Reliefs, Porträtmedaillons u. a.); angeregt von grch. Vasenbildern, entwickelte F. strengen, feinen Linienstil u. a. für Illustrationen zu Werken Homers und Dantes.

John Flaxman

Flaschenpost

Ihre Blütezeit hatte die Flaschenpost im 19. Jahrhundert, als sie vor allem für wissenschaftliche Zwecke wie die Erforschung der Meeresströmungen benutzt wurde. 1843 erschien sogar eine »Flaschenkarte«, auf der die Reisewege zahlreicher Flaschenpost-Sendungen verzeichnet waren, die von Kriegs- und Handelsschiffen losgeschickt worden waren.

Falls Sie einmal in der Karibik oder an Pommerns Küste eine Flaschenpost finden, so haben Sie diese laut Völkerrecht Ihrer Heimatbehörde auszuhändigen, die die Nachricht dann via zuständiges Konsulat an den Empfänger weiterleitet.

Flechtarbeit, (kunst)handwerkl. Technik, bei der dünne, biegsame Materialien von Hand oder maschinell durch regelmäßiges Verkreuzen oder Verschlingen zu einem Geflecht (Flechtwerk) verbunden werden; auch Bez. für die auf diese Weise gefertigten Produkte. Die Flächen- und Körperbildung erfolgt in der **Korbflechterei** über Stuhlrohr-, Weidenstock-, Stahl- und Holzgestelle. Für Matten, Korbwaren, Sitzmöbel, Hüte, Gürtel, Masken u. a. werden gespaltene und gehobelte Weidenruten (bes. der Korbweide), Stroh, Bast, Binsen, Schilf u. a. verwendet, auch synthet. Materialien. Durch Bearbeiten und Färben des Materials und durch versch. Flechttechniken lassen sich die unterschiedlichsten Wirkungen und Muster erzielen. – Das Flechten gehört zu den ältesten Techniken der Menschheit.

📖 JENSEN, E.: *Korbflechten. Das Handbuch. A. d. Amerikan. Bern u. a. 1994.*

Dan Flavin: »Primary Picture« (1964; Privatbesitz)

1

2a

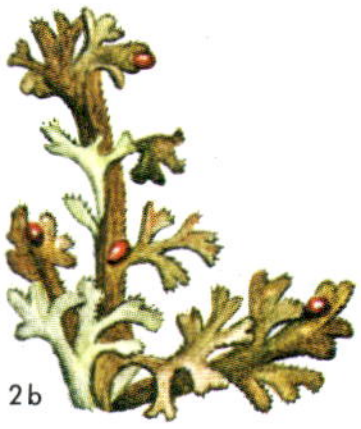

2b

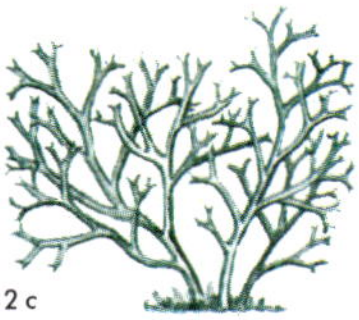

2c

Flechten:
1 Flechte mit Fruchtkörpern;
2a–c verschiedene Flechtenformen:
a Krustenflechte;
b Laubflechte;
c Strauchflechte

Flechtband, →Flechtwerk.

Flechte, volkstüml. Bez. für versch. Hautkrankheiten, z. B. Ekzem, Schuppenflechte.

Flechten (Lichenes), Abteilung der Pflanzen mit über 20 000 Arten in etwa 400 Gattungen. Sie stellen einen aus Grün- oder Blaualgen und Schlauchpilzen bestehenden Verband (→Symbiose) dar, der eine morpholog. und physiolog. Einheit bildet. Die Alge versorgt den Pilz mit organ. Nährstoffen (Kohlenhydrate), während das Pilzgeflecht der Alge als Wasser- und Mineralstoffspeicher dient. – Die Vermehrung der F. erfolgt meist ungeschlechtlich durch abgeschnürte, Algen enthaltende Pilzhyphen (Soredien) oder durch stift- oder korallenförmige Auswüchse auf der Thallusoberfläche (Isidien), seltener geschlechtlich durch Ausbildung von Fruchtkörpern des Pilzes. Nach der Gestalt unterscheidet man **Krusten-F.** (haften flach auf der Unterlage), **Laub-F.** (großflächige, blattartige Ausbildung) und **Strauch-F.** (ähneln den höheren Pflanzen). – Da fast alle F.-Arten zum Leben saubere Luft benötigen, werden sie heute als Indikatorpflanzen für die Beurteilung der Luftqualität in Ballungsräumen benutzt. Bekannte F. sind →Mannaflechte, →Rentierflechte und →Isländisch Moos.

📖 MASUCH, G.: *Biologie der F. Heidelberg u. a. 1993.* – JAHNS, H. M.: *Farne, Moose, F. Mittel-, Nord- u. Westeuropas, unter Mitarbeit v.* A. K. MASSELINK. *München* ^{4}*1995.*

Flechtwerk, 1) *Bautechnik:* a) **Flechtwerkbau,** ein Wandbau aus um Pfähle, Stangen u. a. gewundenem (Weiden- oder Hasel-)Geflecht, das mit Lehm verkleidet wird; die einfachste, schon in vorgeschichtl. Zeit angewendete Bautechnik; b) in der Baustatik ein Stabwerk, dessen Knotenpunkte und Stäbe sämtlich auf einem Mantel liegen, der einen zusammenhängenden Raum umschließt. Nach der Mantelform gibt es **Kugel-, Tonnen-** oder **Pyramidenflechtwerk;** c) im Wasserbau ein aus Reisig geflochtener Baukörper zum Befestigen und Sichern von Böschungen gegen Einwirkung von Wasser, Frost, Verwitterung.

2) *Ornamentik:* (Flechtband) ein aus verflochtenen Bändern gebildetes Ornament, das im Alten Orient und der Antike vorkommt und im frühen MA. zu reich verschlungenen Formen oft auch in Verbindung mit Tierornamenten entwickelt wurde, bes. in Irland und Skandinavien.

Fleck, Konrad, mhd. Dichter der 1. Hälfte des 13. Jh., wohl aus alemann. Gebiet, verfasste nach frz. Vorlage den Versroman von →Flore und Blancheflur. Die Datierung (um 1220) ist unsicher.

Flecke [ahd. flec(cho) »Lappen«], →Kutteln.

Flecken, histor. Bez. für Dörfer mit gewissen städt. Rechten; z. B. ein **Marktflecken** mit Marktrecht. Als amtl. Bez. ist F. heute noch in Ndsachs. gebräuchlich.

Fleckentfernungsmittel, zum Entfernen von Flecken v. a. auf Textilien dienende Chemikalien, die je nach Fleckenart (Fett, Farben, Gras, Rost, Tinte u. a.) und Stoffmaterial (Wolle, Seide, Baumwolle, Kunststoffe) zu wählen sind; meist Gemische von flüssigen Lösungsmitteln für Fette und Mineralöle, z. B. Aceton, Äther, Benzin. Alle F. sind gesundheitsschädlich und deshalb zu kennzeichnen. Verboten sind Benzol, Tetrachlorkohlenstoff, Tetra- und Pentachloräthan. (→chemische Reinigung) – Für den Haushalt ist Gallseife (eine Kernseife mit bis zu 8 % Rindergalle) eine umweltschonende, ungiftige Alternative.

Fleckfieber (Flecktyphus, Typhus exanthematicus), akute, meist epidemisch (in kühlen Höhenlagen der Tropen) auftretende, meldepflichtige Infektionskrankheit. Der Erreger (Rickettsia prowazeki) wird durch Läuse, bes. Kleiderläuse, von Mensch zu Mensch übertragen. Die Inkubationszeit beträgt 10–14 Tage. Kennzeichen sind anhaltend hohes Fieber um 40 °C, kleinfleckiger Hautausschlag, Bewusstseinsstörungen und Lähmungen. F. führt unbehandelt in 10–20 % der Fälle zum Tod. Überstandenes Fieber hinterlässt lebenslange Immunität. Der Behandlung dienen Antibiotika (v. a. Tetracycline) und Kreislaufmittel; prophylaktisch ist die Bekämpfung der Kleiderlaus wichtig; eine Schutzimpfung ist möglich.

Fleckschiefer, →Kontaktschiefer.

Fledermäuse (Kleinfledermäuse, Microchiroptera), eine Unterordnung der Flattertiere mit rd. 800 meist trop. Arten in etwa 100 Gattungen und 16 Familien. Die **Blattnasen** (Phyllostomidae) haben blattartige Nasenaufsätze ebenso wie die von Früchten lebende **Große Spießblattnase** (Vampyrum spectrum) mit 90 cm Flughautspannweite. Die **Glattnasen** (Vespertilionidae) kommen bes. in Mitteleuropa vor, z. B. das **Große Mausohr**

Fledermäuse: Großes Mausohr (Kopf-Rumpf-Länge 8 cm; Flügelspannweite etwa 35 cm)

(Myotis myotis), die **Zwerg-F.** (Pipistrellus pipistrellus) mit nur 20 cm Flügelspannweite oder die **Nord-F.** (Eptesicus nilssoni), die bis über den Polarkreis vordringt. Die **Dreizehigen Hufeisen-**

nasen (Rhinolophidae) sind auch in Mitteleuropa verbreitet, so die **Große** und die **Kleine Hufeisennase** (Rhinolophus ferrumequinum und Rhinolophus hipposideros). Die meisten F. sind nützl. Insektenvertilger. Beutetiere nehmen F. auch bei völliger Dunkelheit wahr. Nach dem Prinzip der Echopeilung (→Echoorientierung) vermitteln Ultraschallwellen den Tieren ein gehörtes Raumbild. – Zu den F. gehören auch die →Vampire.

📖 NEUWEILER, G.: *Biologie der F. Stuttgart u. a. 1993.* – NATUSCHKE, G.: *Heimische F. Magdeburg u. a. [2]1995.* – SCHOBER, W.: *Ultraschall u. Echolot. Die Fledertiere der Welt. Leipzig u. a. [2]1996.*

Fleet [niederdt., zu vleten »fließen«], **1)** *Fischereitechnik:* miteinander verbundene Treibnetze.

2) *Wasserbau:* Entwässerungsgraben oder -kanal; auch Zufahrtskanal zu Lagerhäusern, Werften u.a. Anlagen in Seehäfen.

Fleiner, Fritz, schweizer. Staatsrechtslehrer, *Aarau 24. 1. 1867, †Ascona 26. 10. 1937; Prof. in Zürich, Basel, Tübingen und Heidelberg; erarbeitete die erste moderne Darstellung des schweizer. Staatsrechts (»Schweizer. Bundesstaatsrecht«; 1923).

Fleisch, i.w.S. Weichteile von Mensch und Tier im Ggs. zu den harten Stützsubstanzen (z.B. Knochen, Muschelschalen); i.e.S. das als menschl. Nahrungsmittel verwendete Muskelgewebe der Tiere mit Fett- und Bindegewebe und Sehnen sowie innere Organe (Herz, Lunge, Leber u.a.). F. als Nahrungsmittel enthält etwa 75% Wasser, fettreiches F. weniger, fettarmes mehr. Für die Ernährung sind Eiweiß (rd. 21,5%), Fett und Mineralstoffe am wichtigsten. Neben biologisch hochwertigen Eiweißstoffen enthält F. 2–5% stark quellende Gerüsteiweiße (Kollagene) im Bindegewebe, Mineralsalze, Enzyme, Vitamine und wenig Kohlenhydrate. Das Eiweiß des F. wird durch die Verdauung zu über 96% ausgenutzt. Das Muskel-F. von Säugetieren ist je nach Myoglobingehalt weißlich bis dunkelrot gefärbt (beim Wild-F. beruht die Rot- bis Braunfärbung auf einem hohen Blutgehalt infolge geringer Ausblutung). Das F. von Geflügel, Fischen, Krebsen, Muscheln und Schnecken ist meist weiß (durch einen niedrigen Myoglobingehalt). Der süßl. Geschmack von Pferde-F. beruht auf seinem relativ hohen Glykogengehalt. Fisch-F., das Muskel-F. der Fische, besitzt ebenso wie Säugetier-F. einen hohen Nährwert; es wird aufgrund seines geringeren Gehalts an Bindegewebe leichter und schneller verdaut (daher geringerer Sättigungswert). Ernährungsphysiologisch ist Fisch-F. dem Säugetier-F. ebenbürtig. Durch Kochen in Wasser gehen die lösl. Bestandteile des F. ins Wasser über (F.-Brühe), das ausgekochte F. ist nährstoffarm und schwerer verdaulich. Beim Legen in kochendes Wasser, Braten in heißem Fett oder Grillen gerinnt das Eiweiß, und der Nährwert bleibt erhalten. Durch Trocknen, Hitze, Kälte, Räuchern, Pökeln kann F. haltbar gemacht werden.

Fleischbeschau, →Fleischhygiene.

Fleischbrühe (Bouillon), durch Kochen v.a. von Rindfleisch und/oder Knochen zus. mit Gewürzen und Aromastoffen in Wasser gewonnener flüssiger Auszug aus Fleisch. **F.-Würfel (Bouillonwürfel)** bestehen aus Fleischextrakt, Gewürzen, Fett, Küchenkräutern und höchstens 65% Kochsalz.

Fleischer (Metzger, Schlachter), Beruf des Handwerks (vereinzelt auch der Ind.) mit dreijähriger Ausbildung, Gesellen- und Meisterprüfung; Fortbildung an Fachschulen. – Aufgaben: Schlachten und Zerlegen von Schlachtvieh, Herstellen von Fleisch- und Wurstwaren sowie deren Verkauf.

Fleischerpalme, die →Schusterpalme.

Fleischextrakt, pastenartig eingedickter, leim- und fettfreier Extrakt aus Rindfleisch. Das Fleisch wird mit Wasser von 90°C extrahiert.

Fleischfliegen (Aasfliegen, Sarcophaginae), Unterfamilie der Schmeißfliegen, deren Larven sich häufig in zerfallenden organ. Substanzen entwickeln (Fleisch, Aas, Exkremente).

Fleisch fressende Pflanzen (tierfangende Pflanzen), Pflanzen nährstoffarmer, v.a. stickstoffarmer Böden, die kleine Tiere, bes. Insekten (deshalb auch Bez. **Insektivoren**), anlocken, festhalten und durch Enzyme verdauen, wodurch sie sich zusätzlich Nährstoffquellen (Eiweiß) erschließen. Der Fang geschieht aktiv mit Klappmechanismus (z.B. Venusfliegenfalle), passiv nach dem Leimruten- (z.B. Sonnentau) oder Fallgrubenprinzip (z.B. Kannenpflanze).

📖 BRAEM, G. J.: *Fleischfressende Pflanzen. Arten u. Kultur. Gladenbach 1996.*

Fleischfresser (Karnivoren), Tiere, die sich vom Körpergewebe anderer Tiere ernähren, z.B. Raubtiere.

Fleischhygiene, die zu treffenden Maßnahmen, um den Gefahren, die vom Fleisch von Schlachttieren für den Menschen ausgehen, zu begegenen. Nach dem F.-Ges. i.d.F. vom 8. 7. 1993 unterliegen alle herkömml. Schlachttiere und erlegtes Haarwild, von Ausnahmen für den Eigenverbrauch abgesehen, der Untersuchungspflicht. Durch VO können hygien. Mindestanforderungen für Schlacht- und Weiterverarbeitungsbetriebe festgelegt werden. Die Untersuchungen obliegen dem amtl. Tierarzt und den öffentlich angestellten Fleischkontrolleuren. Schlachttiere müssen so gekennzeichnet sein, dass auch nach der Schlachtung der Erzeugerbetrieb ermittelt werden kann. Zur Schlachtung vorgesehene Tiere bedürfen der

Flensburg
Stadtwappen

Schlachterlaubnis. Die Untersuchung, die nach der Schlachtung zu erfolgen hat (früher amtlich und heute umgangssprachlich: **Fleischbeschau**), stuft das Fleisch als tauglich, bedingt tauglich oder untauglich ein. Besondere Vorschriften regeln den grenzüberschreitenden Fleischtransport.

Fleischmehl, Bez. für getrocknete und pulverisierte Fleischabfälle; eiweißreiches Viehfutter.

Fleischtomaten, großfrüchtige, fleischige Tomatensorten.

Fleischvergiftung, unter dem Bild einer akuten Magen-Darm-Entzündung (→Brechdurchfall) verlaufende Erkrankung, die durch den Genuss von mit Bakterien (→Botulismus) durchsetztem Fleisch oder anderen tier. Produkten entsteht. Die F.-Erreger können schon vor der Schlachtung im Tierkörper vorhanden gewesen sein, oder die Infektion erfolgt bei der Verarbeitung. Gründl. Kochen und Braten zerstört i.d.R. die von den Bakterien produzierten Giftstoffe; die Endotoxine der Salmonellen werden durch Temperaturen über 80 °C zerstört.

Marieluise Fleißer

Fleißer, Marieluise, Schriftstellerin, *Ingolstadt 23. 11. 1901, †ebd. 2. 2. 1974; von B. Brecht beeinflusst; erhielt 1935 Schreibverbot; schrieb sozialkrit. Dramen (»Fegefeuer«, 1926; »Pioniere in Ingolstadt«, 1929), die Vorbild für R. W. Fassbinder und F. X. Kroetz waren, auch einen Roman und Erzählungen, die fast stets in ihrer bayer. Heimat spielen.

Fleißiges Lies|chen, volkstüml. Bez. für mehrere fortgesetzt reich blühende Zierpflanzen; z.B. die **Immer blühende Begonie** (Begonia semperflorens) und die **Zimmerbalsamine** (Impatiens walleriana).

flektieren [lat.], ein Wort in seinen grammat. Formen abwandeln, beugen. (→Flexion)

flektierende Sprachen, →Sprache.

Flémalle, Meister von [- fleˈmal], fläm. Maler, →Campin, Robert.

Alexander Fleming

Fleming, 1) Alexander, Sir (seit 1944), brit. Bakteriologe, *Lochfield (bei Ayr) 6. 8. 1881, †London 11. 3. 1955; entdeckte (1928) das Penicillin; erhielt 1945 mit Sir H. Florey und E. B. Chain den Nobelpreis für Physiologie oder Medizin.

📖 MAUROIS, A.: *A. F. Arzt u. Forscher. Leipzig 1962.*

2) Ian Lancaster, engl. Schriftsteller, *London 28. 5. 1908, †Canterbury 12. 8. 1964; Verfasser der erfolgreichen, häufig verfilmten James-Bond-Agentenromane: »Casino Royale« (1953), »Liebesgrüße aus Moskau« (1957), »James Bond jagt Dr. No« (1958), »Goldfinger« (1959).

3) Paul, Dichter, *Hartenstein (Kr. Zwickauer Land) 5. 10. 1609, †Hamburg 2. 4. 1640; bed. Barocklyriker, schrieb Lieder von ungezwungener Frische, gefühlsbetonte Liebesdichtung (»Teutsche Poemata«, 1642) sowie lat. Gedichte.

Flensburg, kreisfreie Stadt in Schlesw.-Holst., an der Grenze zu Dänemark, am Ende der **Flensburger Förde** (43 km ins Land reichender Meeresarm der Ostsee) gelegen, 87300 Ew.; Handels- und Verwaltungsstadt, Hafen und Marinestützpunkt (Mürwik), Kraftfahrt-Bundesamt, Bundesvermögensamt, dt. Büchereizentrale, Nord. Univ. (private Hochschule), PH, Fachschulen (u.a. Fachschule für Schiffbetriebstechnik), dän. kulturelle Einrichtungen; Schiff-, Maschinen- und Apparatebau, Spirituosenherstellung, Brauereien, Verlage. – F. hat zahlr. mittelalterl. Kirchen, u.a. got. Marien- und Nikolaikirche, Johanniskirche (im Kern um 1200), Heiliggeistkirche (1386 begonnen); Reste der Stadtmauer mit Nordertor (1595); Bürgerhäuser (16.–19. Jh.). – F., um 1200 entstanden, erhielt 1284 Stadtrecht.

Flerov [ˈfljɔ-], Georgi Nikolajewitsch, →Fljorow.

Flesch, Carl, ungar. Violinist, *Wieselburg (heute zu Mosonmagyaróvár) 9. 10. 1873, †Luzern 15. 11. 1944; schrieb u.a. »Die Kunst des Violinspiels« (2 Bde., 1923–28).

Fletcher [ˈfletʃə], John, →Beaumont, Francis.

Flettner, Anton, Ingenieur, *Eddersheim (heute zu Hattersheim am Main) 1. 11. 1885, †New York 29. 12. 1961; konstruierte den nach ihm benannten **F.-Rotor** zum Antrieb von Schiffen. Aufgrund des Magnus-Effektes erfährt ein von einem Motor angetriebener Zylinder bei der Wasseranströmung eine senkrechte Kraft zur Strömungsrichtung des Wassers, die das Schiff antreibt; bisher ohne praktische Bedeutung.

Fleuron [fløˈrɔ̃; frz., zu fleur »Blume«] *das,* stilisierte Blumen als Ornament (z.B. in Korb- oder Bukettform), bes. in Baukunst und Buchdruck.

Fleuron [fløˈrɔŋ], Svend, dän. Schriftsteller, *Katrinedal (auf Møn) 4. 1. 1874, †Humlebæk (bei Helsingør) 5. 4. 1966; Schöpfer des modernen (beobachtenden) Tierromans (u.a. »Schnipp Fidelius Adelzahn«, 1917).

Fleurop GmbH [Abk. von lat. **Flo**res **europ**ae, »Blumen Europas«], Organisation zur Vermittlung von Blumenpräsenten mit rd. 10000 angeschlossenen Blumengeschäften; gegr. 1908, Sitz: Berlin.

Fleury [flœˈri], Benediktinerabtei →Saint-Benoît-sur-Loire.

Fleury [flœˈri], André Hercule de, Kardinal (seit 1726), frz. Staatsmann, *Lodève (Dép. Hérault) 22. 6. 1653, †Issy-les-Molineaux (Dép. Hauts-de-Seine) 29. 1. 1743; Erzieher Ludwigs XV.; leitete als dessen Staatsminister (seit 1726) bis zu seinem Tod die frz. Politik, suchte den Ausgleich mit Großbritannien und Österreich, erwarb 1738 (Wiener Frieden) die Anwartschaft Frankreichs auf Lothringen; bekämpfte den Jansenismus.

Flevoland, Provinz der →Niederlande.

Flex, Walter, Schriftsteller, *Eisenach 6. 7. 1887, ⚔ Ösel (heute Saaremaa) 16. 10. 1917; war Privatlehrer im Hause Bismarck. Sein Kriegserlebnisbuch »Der Wanderer zw. beiden Welten« (1917) wurde zum Kultbuch der nationalist., später auch der nat.-soz. Jugendbewegung.

Flexenpass (Flexensattel), Pass in den Lechtaler Alpen, Österreich, 1773 m ü. M.; über ihn führt die 1895–97 angelegte **Flexenstraße** vom Klostertal (Arlbergstraße) ins oberste Lechtal.

Flexibilität [zu lat. flectere »biegen«] *die,* Biegsamkeit; Fähigkeit, sich wechselnden Situationen anzupassen; Ggs.: →Rigidität.

flexible Altersgrenze, →Rentenversicherung.

Flexible Response ['fleksəbl rɪs'pɔns, engl.] (flexible Reaktion), von 1967 bis Ende 1991 geltende strateg. Konzeption der NATO: Im Fall eines feindl. Angriffs sollten die Maßnahmen jeweils der Lage angepasst werden, mit dem Ziel, einen Angriff wirksam zu beantworten und die Kriegsauswirkungen begrenzt zu halten.

flexible Wechselkurse, frei schwankende Wechselkurse (→Floating).

Flexion [lat.] *die,* **1)** *Medizin:* aktive oder passive Beugung des Körpers oder eines Körperteils; auch die Abknickung eines Organs, z. B. der Gebärmutter **(Flexio uteri).**

2) *Sprachwissenschaft:* die äußere Abwandlung eines Wortes (Beugung) im Hinblick auf seine Zuordnung im Satz: Deklination, Konjugation, Komparation.

Flexner, Simon, amerikan. Pathologe, Bakteriologe, *Louisville (Ky.) 25. 3. 1863, †New York 2. 5. 1946; Prof. in Baltimore (Md.) und Philadelphia (Pa.), ab 1903 Leiter des Rockefeller Institute; entdeckte den Ruhrbazillus **(F.-Bakterium).**

Flexodruck (früher Anilingummidruck, Gummidruck), ein Hochdruckverfahren, bei dem die flexiblen Druckformen (Gummistereos) auf den Druckformzylinder geklebt werden; man verwendet dünnflüssige, spirituslösl. Druckfarben; heute bes. als Rollenrotationsdruck ausgeführt.

Flexoren [lat.], die →Beugemuskeln.

Flexur [lat. »Biegung«] *die,* **1)** *Anatomie:* Biegung, Krümmung, v. a. Bez. für gekrümmte Abschnitte des Darmrohrs.

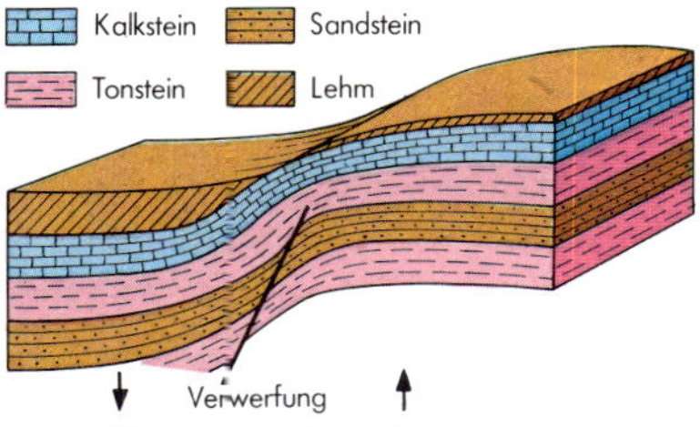

Flexur 2) über einer Verwerfung

2) *Geologie:* s-förmige Verbiegung von Gesteinsschichten, entstanden durch gegenläufige relative Verschiebung zweier Erdkrustenschollen ohne Bildung größerer Brüche. Die F. kann bei stärkeren Vertikalbewegungen in eine →Verwerfung übergehen.

Flibustier [von niederländ. vrijbuiter »Freibeuter«] *der* (Bukanier), Freibeuter und Seeräuber an den Küsten Mittel- und Südamerikas vom 17. bis 19. Jh. **Filibuster** wurden gesetzlose Abenteurer aus den USA gen., die zw. 1850 und 1860 auf Kuba und in Nicaragua einfielen.

Flick, 1) Friedrich, Unternehmer, *Ernsdorf (heute zu Kreuztal) 10. 7. 1883, †Konstanz 20. 7. 1972, Vater von 2); beherrschte nach 1920 die Vereinigten Stahlwerke AG und dann den Montankonzern Mitteldt. Stahlwerke. 1933–45 erlangte F., der auch dem Freundeskreis H. Himmlers angehörte, als bed. Rüstungsindustrieller Kontrolle über die Montanind. in den besetzten europ. Ländern. 1947 als Kriegsverbrecher zu sieben Jahren Gefängnis verurteilt und 1950 entlassen; baute ab 1952 einen Konzern auf, der ihn zu einem der weltweit reichsten Menschen werden ließ.

2) Friedrich Karl, Unternehmer, *Berlin 3. 2. 1927, Sohn von 1); hatte seit 1975 die alleinige Verfügungsgewalt über den Flick-Konzern, von dem er 1975 einen Teil veräußerte. Ende 1985 verkaufte F. den Konzern an die Dt. Bank AG, die den Konzern auflöste. (→Parteispendenaffäre).

Flickenschildt, Elisabeth, Schauspielerin, *Hamburg 16. 3. 1905, †Stade 26. 10. 1977; kam über die Münchener Kammerspiele zum Dt. Theater und Staatl. Schauspielhaus in Berlin, dort und dann in Düsseldorf und Hamburg unter G. Gründgens bed. Charakterdarstellerin; seit 1935 auch in Filmen (»Faust«, 1960); schrieb u. a. »Kind mit roten Haaren – Ein Leben wie im Traum« (1971).

Flickflack *der, Turnen:* Handstützüberschlag rückwärts aus dem Stand heraus.

Flieder, 1) (Syringa) Gattung der Ölbaumgewächse mit großen, duftenden Blütenrispen. Der **Gemeine F.** (Syringa vulgaris) mit herzförmigen Blättern und weißen oder rot- bis blauvioletten Blüten ist ein beliebter Zierstrauch.

2) (Deutscher F.), volkstüml. Bez. für den Schwarzen →Holunder.

Fliege, 1) *Angeln:* künstl. Köder (Insektenimitation).

2) *Astronomie:* (Muska) Sternbild am Südhimmel.

3) *Herrenmode:* als Querschleife gebundene Krawatte.

4) *Zoologie:* a) →Fliegen; b) ein Käfer (→Spanische Fliege).

Fliegen, →Flug.

Simon Flexner

Elisabeth Flickenschildt

Ian Fleming *arbeitete u. a. im Zweiten Weltkrieg als Assistent des Geheimdienstchefs der britischen Marine. Seinen Superagenten 007, den er erstmals 1953 in dem Roman »Casino Royale« auftreten ließ, benannte er nach dem Autor seines Lieblingsbuches: »Vögel der Westindischen Inseln«, geschrieben von dem Naturforscher James Bond.*

Fliegen (Brachycera), Unterordnung der Zweiflügler mit gedrungenem Körper und kurzen Fühlern; Körperlänge 1 bis 70 mm. Die Hinterflügel sind zu Schwingkölbchen umgestaltet, die die Flügelschwingungen regulieren. Die Larven (Maden) sind beinlos und minieren in Blättern, leben in Holz, Früchten und Abfällen, sind Räuber und Schmarotzer und entwickeln sich z.T. im Wasser. Die Vollinsekten besuchen Blüten, saugen Säfte oder Blut, sitzen auf Kot und Abfällen, in Tiernestern und Höhlen. Die F. gehören zu den vielseitigsten Schadinsekten: z.B. als Seuchenüberträger, als Parasiten bei Haus- und Wildtieren, als Schädlinge an Kulturpflanzen. F. nützen als Vertilger von Schädlingen, durch rasche Beseitigung zerfallender organ. Substanzen und durch Blütenbestäubung. Die F. umfassen etwa 94 Familien mit mehr als 45000 Arten, darunter Bremsen, Raub-F., Schweb-F., Tau-F., Bohr-F., Voll-F. (Stubenfliege), Raupen-F., Dassel-F. und Lausfliege.

📖 SAUER, F.: *F. u. Mücken nach Farbfotos erkannt. Karlsfeld ²1991.* – CHINERY, M.: *Pareys Buch der Insekten. Ein Feldführer der europ. Insekten. A. d. Engl. Hamburg u. a. ²1993.*

Fliegende Blätter, humoristisch-satir. Zeitschrift, 1844–1944 in München erschienen. Das Blatt karikierte zeittyp. Verhaltensweisen des dt. Bürgertums. Zu den graf. Mitarbeitern gehörten M. von Schwind, C. Spitzweg, W. Busch, A. Oberländer, F. von Stuck, T. T. Heine.

Fliegende Fische (Exocoetidae), Familie der Echten Knochenfische, 138 Arten mit länglich-spindelförmigem Körper sowie flügelartig vergrößerten Brustflossen. F. F. leben in trop. und subtrop. Meeren und können mehrmals hintereinander bis zu 50 m lange Gleitflüge durch die Luft machen (dient der Flucht vor Feinden). Die am besten segelnde Art ist **Exocoetus volitans.**

fliegende Hitze, → Hitzewallung.

Fliegende Hunde, Gattung der → Flughunde.

fliegende Mücken, → entoptische Wahrnehmungen.

Fliege

Der Herr der Fliegen

Der Name des Stadtgottes von Ekron im Lande der Philister wird im Alten Testament (2. Buch der Könige 1, 2) als Beelzebub überliefert. Hebräisch Baal Zebub bedeutet »Herr der Fliegen« und ist eine verspottende Entstellung des eigentlichen hebräischen Namens Baal Zebul »erhabener Herr«.
Im 1. Teil von Goethes »Faust« bezeichnet sich Mephisto selbst mit den Worten: »Herr der Ratten und der Mäuse,/Der Fliegen, Frösche, Wanzen, Läuse« (Studierzimmer 1). Schon vorher hat Faust den aus der Pudelgestalt geschlüpften Mephisto als »Fliegengott« angesprochen.
In Jean-Paul Sartres Drama »Die Fliegen« (1943 uraufgeführt) ist Jupiter der Gott der Fliegen. Die Fliegen symbolisieren die Erinnyen, die von den Göttern zur Strafe der sündigen Bevölkerung der Stadt Argos geschickten Rachegöttinnen. Besonders verbreitet wurde die Bezeichnung in jüngerer Zeit durch William Goldings Roman »Lord of the Flies« (1954), in dem geschildert wird, wie eine Gruppe von Schuljungen auf einer unbewohnten Insel zu überleben versucht und dabei immer stärker verwildert. Der englische Regisseur Peter Brook hat den Roman 1961–63 verfilmt.

Fliegende Blätter: Titelkopf des 1844–1944 in München erschienenen Satireblatts

Fliegender Fisch (lat. Volans), Sternbild des Südhimmels.

Fliegender Holländer, der Sage nach ein frevelnder Kapitän, der dazu verdammt ist, ewig auf seinem Geisterschiff gegen die Winde zu kreuzen. Die Sage wurde lange Zeit mündlich überliefert, erst im 19. Jh. literarisch ausgeprägt (u.a. durch S. T. Coleridge, H. Heine); romant. Oper von R. Wagner (1843).

📖 LAROCHE, B.: *Der Fliegende Holländer. Wirkung u. Wandlung eines Motivs. Frankfurt am Main u. a. 1993.*

Fliegengewicht, eine untere Gewichtsklasse im Boxen (Amateure bis 51 kg, Berufsboxer z.T. bis 50,802 kg), Gewichtheben (bis 54 kg), Ringen und Taekwondo (jeweils bis 52 kg).

Fliegenpilz (Amanita muscari), häufiger, sehr giftiger Lamellenpilz mit roter oder gelbroter Huthaut (häufig mit weißen Schuppen besetzt) sowie an der Hutunterseite mit weißen Blättern und weißem Stiel mit Knolle und Manschette; bes. unter Birken und Nadelbäumen. Der F. enthält Ibotensäure, Muscarin u.a. Gifte und kann tödlich wirken. F. sind eines der ältesten Halluzinogene des Menschen (u.a. von nordsibir. Volksstämmen benutzt).

Fliegenschnäpper (Muscicapidae), fast weltweit verbreitete Familie der Singvögel, die in winterkalten Gebieten zu den Zugvögeln gehören; sie jagen nach Insekten. In Dtl. brüten der **Graue F.** (**Grauschnäpper,** Muscicapa striata) in Höhlungen mit weiter Öffnung, der **Trauerschnäpper** (Ficedula hypoleuca) in Nisthöhlen; der **Zwergschnäpper** (Ficedula parva) lebt in Buchenwäldern. Letzterer überwintert in Indien, die beiden anderen in Afrika.

Flieger, 1) *Militär:* seit 1935 der niedrigste Mannschaftsdienstgrad in der dt. Luftwaffe.

2) *Segelschifffahrt:* das oberste, dreieckige Vorsegel, das am Stag gesetzt wird.

3) *Sport:* a) Rennpferd, das bes. für kurze Entfernungen geeignet ist.

Fliegerabwehr, Bez. für die von allen Truppen gegen Bedrohung aus der Luft zu treffenden Maßnahmen, wie Tarnung, Deckung, Täuschung, Luftraumbeobachtung, Bekämpfung tief fliegender Luftfahrzeuge und gegner. Fallschirmjäger. (→Flugabwehr)

Fliegerbombe, Kampfmittel der Luftkriegführung, das als Wurfkörper von Angriffsflugzeugen **(Bombern)** eingesetzt wird. F. sind i. d. R. zylindr. oder tropfenförmige Metallhohlkörper mit Stabilisierungsflächen, die mit Sprengstoff, einem Brandsatz oder Kampfstoff gefüllt sind. Nach der Wirkung unterscheidet man **Spreng-** und **Splitterbomben,** beide heute zur Mehrzweckbombe zusammengefasst, **Brand-** und **Sonderbomben** (Leucht-, Nebel- und Versorgungsbomben), **Atombomben** (→ABC-Waffen) und **zielsuchende Bomben** (→Lenkbombe). Neuere Entwicklungen sind die **Schütt-** oder **Streubomben,** die eine Vielzahl kleinerer Bomben (Bomblets) enthalten.

Fliegerhorst, Militärflugplatz zum Einsatz und zur Unterhaltung fliegender Verbände.

Fliegerkrankheit, die →Höhenkrankheit.

Fliegerrennen, 1) *Pferdesport:* Flachrennen über kurze Strecken bis 1 400 m, im Ggs. zu Steherrennen (Prüfung auf Ausdauer des Pferdes).

2) *Radsport:* (Sprinterrennen, Malfahren) Kurzstreckenrennen auf der Bahn.

Fliegerschule, Ausbildungsstätte für Flugzeugführer zum Erwerb von →Luftfahrerscheinen. Neben staatlich anerkannten privaten F. betreiben auch die Vereine des Dt. Aeroclubs die Ausbildung von Privatflugzeugführern, während die ergänzende Ausbildung von Linienflugzeugführern in besonderen F. erfolgt, die meist von Luftverkehrsgesellschaften unterhalten werden. Luftstreitkräfte betreiben eigene Flugzeugführerschulen für die Fliegertruppen.

Fliegertruppe, →Luftwaffe.

Fliehburgen (Fluchtburgen), vor- und frühgeschichtl. Befestigungen, die i. d. R. nicht dauernd bewohnt waren, sondern als Zufluchtsstätten der umliegenden Bevölkerung in Notzeiten dienten.

Fliehkraft, die →Zentrifugalkraft.

Fliehkraftregler, mechan. Drehzahlregler mit meist zwei an gegenüberliegenden Pendeln befestigten Schwungmassen, die bei rascher Umdrehung durch die Fliehkräfte angehoben werden. Dabei betätigen die auseinander strebenden Pendel meist über ein Hebelsystem ein Regelorgan (z. B. Drosselklappe).

Fliesen [mnd. vlise »Steinplatte«], unter hohem Druck gepresste und bei Temperaturen von 1200–1300 °C gebrannte keram. Platten zur Verkleidung von Innen- und Außenwänden oder als Bodenbelag. Der dichte, gesinterte Scherben oder (bei porösem Scherben) die glasierte Oberfläche verhindern das Eindringen von Feuchtigkeit, Schmutz und Mikroorganismen. Die Bez. F., die eigtl. nur für plattenförmige Gebilde aus Steinzeug oder Steingut angewandt werden sollte, wird auch für Platten aus Glas, Naturstein, Kunststein, Linoleum, Gummi, Kunststoff u. a. gebraucht.

Geschichte: Marmorplatten wurden in Rom in der späteren Kaiserzeit verwendet, dann bes. in Italien im MA. (→Cosmaten) und in der Renaissance. – Die keram. F. waren in Ägypten schon um die Mitte des 2. Jt. v. Chr. bekannt; sie spielten eine wichtige Rolle in der assyr., babylon. und altpers. Baukunst und in den südamerikan. Inkakulturen. In Vorderasien erblühte die Kunst der F. wieder seit dem 12. Jh. n. Chr. Die Mauren führten im 14. Jh. vielfarbig bemalte und glasierte keram. F. (→Azulejos) nach Spanien ein. Ein Höhepunkt in der F.-Produktion lag im 16. Jh. in den Niederlanden, wo in Delft u. a. Werkstätten im 17. und 18. Jh. sowohl F.-Tableaus als auch Einzel-F. hergestellt wurden. In der Baukunst der Gegenwart finden F. wieder verstärkt Verwendung. BILDER S. 386

📖 *F. in Kunst u. Architektur, bearb. v.* H. VAN LEMMEN. *A. d. Engl. Stuttgart 1994.*

Fließband, Stetigförderer mit Gurt- oder Kettenband, der z. B. in der Serienfertigung zum Materialtransport oder z. B. im Bergbau zur Beförderung großer Mengen von Schüttgütern eingesetzt wird.

Fließbett, *chem. Technik:* die →Wirbelschicht.

Fließbild (Fließschema), zeichner. Darstellung verfahrenstechn. Anlagen, in der die Hauptverfahrensschritte als Kästchen und die wichtigsten Stoffströme als Pfeile wiedergegeben sind. Das **Verfahrens-F.** enthält alle für das Verfahren erforderl. Apparate und Maschinen sowie die wesentl. Stoffströme mit Benennung der Ein- und Ausgangsstoffe. Das **Rohrleitungs-und-Instrumenten-F. (RI-F.)** enthält darüber hinaus v. a. sämtl. Rohrleitungen, Armaturen sowie Mess- und Regelstellen.

Fliegenpilz

Fliegenschnäpper: Trauerschnäpper

Fließband

Der amerikanische Automobilhersteller Ransom E. Olds (»Oldsmobile«) führte 1902 in seinen Werken die Montagebänder ein und hatte gleich durchschlagenden Erfolg damit. Hatte er im Vorjahr auf herkömmliche Weise noch 425 Fahrzeuge hergestellt, so waren es im ersten Fließbandjahr schon über 2500 Autos.

Der im Allgemeinen als Erfinder des Fließbandsystems in der Automobilbranche angesehene Henry Ford lernte von Olds und verbesserte dessen Verfahren erheblich: Ihm gelang es, die Montagezeit eines Autos von eineinhalb Tagen auf 93 Minuten zu verkürzen.

Fliesen: Der fliesenverkleidete Innenraum der Rüstem Pascha Camii in Istanbul (1561)

Fliesen: Italienische Wappenfliese (um 1500; Florenz, Museo Nazionale del Bargello)

Fließen, 1) *Physik:* durch Einwirkung äußerer Kräfte hervorgerufene, bei Überschreiten der Fließgrenze einsetzende Bewegung der Teilchen flüssiger, viskoser oder plast. Stoffe sowie von Festkörpern geringer Festigkeit (geringer Elastizitätsgrenze) bei höheren Temperaturen oder hohen Drücken.

Bei normalen Flüssigkeiten (newtonsche Flüssigkeiten), z. B. Wasser, setzt das F. sofort bei Beginn der Krafteinwirkung (also schon durch das eigene Gewicht) ein; solche Stoffe haben keine →Fließgrenze. Beim **laminaren F.** (Strömungsgeschwindigkeiten unter 0,1 m/s) schieben sich Flüssigkeitsschichten aneinander vorbei, ohne sich zu mischen. Bei größeren Geschwindigkeiten herrscht die durch Turbulenz gekennzeichnete turbulente Strömung **(turbulentes F.)** vor, bei der sich die Flüssigkeit strömend oder schießend bewegt. Im ersteren Falle ist die Wellengeschwindigkeit kleiner, im letzteren Falle größer als die Fließgeschwindigkeit. Die Gesetzmäßigkeiten newtonscher Flüssigkeiten untersucht die →Hydrodynamik. – Nichtnewtonsche Flüssigkeiten sind viskose Stoffe mit unscharfer bis scharfer Fließgrenze und stark temperaturabhängigem Fließverhalten. Zu ihnen gehören Kolloide, Dispersionen, Suspensionen, polymere Lösungen, Schmelzen. Das nichtnewtonsche F. beschreibt die **Rheologie** (»Fließkunde«) durch allg. Zustandsgleichungen, die die Beziehungen zw. Spannungs-, Dehnungs- oder Deformationsvorgeschichten wiedergeben.

2) *Werkstoffkunde:* der Vorgang der plast. Verformung von Metallen und Legierungen bei hohen Belastungen. Im kalten Zustand tritt dabei eine Verfestigung des Werkstoffs ein. Bei hohen Temperaturen ist die Verfestigung gering, da durch therm. Aktivierung kontinuierlich Entfestigung auftritt. Dies wird bei der Warmumformung technisch genutzt.

Fließerde, Bodenbewegung, →Solifluktion.

Fließfertigung, Fertigungsverfahren in Industriebetrieben für gleichartige Produkte in großen Serien, bei dem Betriebsmittel (Zubringer-, Bearbeitungs-, Mess- und Steuereinrichtungen) und Arbeitsplätze in lückenloser Folge der Arbeitsgänge in Fertigungslinien bzw. -straßen angeordnet sind. Sind die Arbeitsstationen durch ein Transportband miteinander verbunden, so spricht man von **Fließbandfertigung.**

Fließgleichgewicht, *Thermodynamik:* der stationäre (kleinen Schwankungen unterworfene, aber im Mittel unveränderl.) Zustand offener Systeme (→Entropie), den sie trotz ständigen und wechselnden Stoffaustauschs mit der Umgebung erreichen können. Geschlossene Systeme müssen einem Zustand des Gleichgewichts zustreben.

Fließgrenze, *Werkstoffkunde:* mechan. Spannung, bei deren Überschreiten der Werkstoff von dem elast. in den plast. Zustand übergeht. Bei Metallen sinkt die F. mit zunehmender Temperatur.

Fließpapier (Löschpapier), ungeleimtes Papier ohne Füllstoffe, das Flüssigkeiten schnell aufsaugt.

Fließpressen, *Fertigungstechnik:* Umformverfahren zur Herstellung von Voll- oder Hohlkörpern und Profilen, bei dem der Werkstoff durch hohen Druck zum Fließen gebracht und durch den von Pressstempel und Pressbüchse gebildeten Hohlraum unter Druckeinwirkung hindurchgepresst wird. Beim **Vorwärts-F.** haben Stempelbewegung und Werkstofffluss die gleiche Wirkrichtung, beim **Rückwärts-F.** ist der Stofffluss der Werkzeugbewegung entgegengesetzt; bei Verwendung einer geteilten Pressbüchse ist auch ein **Quer-F.** möglich. Abhängig von der Fließfähigkeit des Werkstoffes wird F. bei Raumtemperatur **(Kalt-F.),** bei Temperaturen zwischen Raumtemperatur und ca. 750 °C **(Halbwarm-F.)** und Temperaturen über 750 °C **(Warm-F.)** durchgeführt.

Fließverbesserer, Zusätze für Dieselkraftstoff und leichtes Heizöl, die die Filtrierbarkeit und Pumpbarkeit bei tiefen Temperaturen verbessern.

Fließzone, *Geologie:* die →Asthenosphäre.

Flimm, Jürgen, Regisseur und Theaterleiter, *Gießen 17. 7. 1941; wirkte 1974–78 in Hamburg, ab 1979 in Köln; schuf v. a. unkonventionelle Klassikerinszenierungen; seit 1985 Intendant des Hamburger Thalia-Theaters.

Flimmern, *Zoologie:* →Zilien.

Flimmerphotometer, visuelles Photometer, →Photometrie.

Flimmerskotom, anfallweise auftretende Sehstörung mit Augenflimmern und zentraler Teilverdunkelung des Gesichtsfeldes infolge zerebraler Durchblutungsstörungen, v.a. bei Migräne.

Flims (bündnerroman. Flem), Fremdenverkehrsort im Kt. Graubünden, Schweiz, 1070 m ü.M., über der Schlucht des Vorderrheins an der Stelle des vorgeschichtl. **Flimser Bergsturzes;** 2400 Ew., Seilbahnen.

Flinderhaube, mit Silber- oder Goldblättchen behängte Frauenhaube der städt. Oberschicht im 17. Jh.; lebte weiter in ländl. Brautkronen.

Flinders ['flɪndəz], Matthew, brit. Entdeckungsreisender, *Donington (Lincolnshire) 16. 3. 1774, †London 19. 7. 1814; schlug für den von ihm 1795–1803 erkundeten Kontinent 1814 den Namen Australien vor (terra australis, das lang gesuchte Südland).

Flinders Ranges ['flɪndəz 'reɪndʒəz], Bergkette im südöstl. Australien, bei Port Augusta, bis 1165 m ü.M.; reiche Steinkohle- und Erzvorkommen, Abbau von Kupfer- und Uranerz; im Zentrum liegt der F. R. National Park, im N der Gammon Ranges National Park.

Flindt [dän. flend], Flemming, dän. Tänzer, Choreograph und Ballettdirektor, *Kopenhagen 30. 9. 1936; war 1966–78 Leiter des Königlich-Dän. Balletts in Kopenhagen, leitete 1978–81 mit seiner Frau, der Tänzerin Vivi Gelker (*1943), ein privates Ballettensemble; seit 1981 Ballettdirektor des Dallas Civic Theater (Tex.); eigene Choreographien v.a. nach E. Ionesco.

Flinsberg, Bad, Stadt in Polen, →Świeradów Zdrój.

Flint [mittelniederländ. vlint »Steinsplitter«], →Feuerstein.

Flint, Stadt in Michigan, USA, am Oberlauf des Flint River; 140800 Ew.; Zentrum der Automobilindustrie.

Flinte, urspr. Steinschlossgewehr, heute Sammelbez. für Jagd- und Sportgewehre mit glattem Lauf zum Verfeuern von Schrot.

Flintglas, ein →optisches Glas.

Flintshire [-ʃɪə], VerwBez. in NO-Wales, südlich der Deemündung, Zentrum: Mold.

Flinz, *Geologie:* 1) mergelige, feinsandige Gesteine im Miozän des dt. Alpenvorlandes; 2) dunkle, feinkörnige, bituminöse Plattenkalke und Tonschiefer im Devon des Rhein. Schiefergebirges.

Flip [engl.] *der,* **1)** Cocktail mit Eigelb.

2) *Eis-, Rollkunstlauf:* Sprung, getupfter (getippter) →Salchow.

Flipflop [engl.] *das* (bistabile Kippschaltung), bistabiler Multivibrator, bestehend aus zwei Teilsystemen, die über gleichstromdurchlässige Rückkopplungsglieder verbunden sind. Dabei enthält jedes Teilsystem ein aktives (verstärkendes) Schaltelement (Transistor). Die Umschaltzeiten von einem Zustand in den anderen hängen von den Eigenschaften der Teilsysteme ab und können extrem kurz sein. Das Zusammenschalten von F. gestattet die Realisierung von speichernden Baugruppen, z.B. in Rechen- und Steuerwerken von Rechenanlagen.

Flirt [flə:t, engl.] *der,* Liebelei, Tändelei.

Flitner, Wilhelm August, Pädagoge, *Bad Berka 20. 8. 1889, †Tübingen 21. 1. 1990; Prof. in Kiel (seit 1926) und Hamburg (seit 1929); behandelte v.a. histor. Fragen, Lehrer- und Erwachsenenbildung.

Werke: Systemat. Pädagogik (1933, als Allgemeine Pädagogik 1950); Das Selbstverständnis der Erziehungswiss. in der Gegenwart (1957); Die gymnasiale Oberstufe (1961); Die Gesch. der abendländ. Lebensformen (1967).

📖 HEINEN, K.: *Das Problem der Zielsetzung in der Pädagogik W. F.s. Eine krit. Interpretation. Bern u. a. 1973.*

Flittergold, das →Rauschgold.

Flitterwochen [wohl von mhd. vlittern »flüstern«, »liebkosen«], die erste Zeit der Ehe.

Fljorow (Flerov), Georgi Nikolajewitsch, sowjet. Physiker, *Rostow am Don 2. 3. 1913, †Moskau 9. 11. 1990; arbeitete im Kernforschungszentrum in Dubna, erkannte 1940 die Möglichkeit von Kernkettenreaktionen und die Spontanspaltung von Uran, entdeckte 1963 die Protonenradioaktivität und 1964 das künstl. chem. Element →Rutherfordium.

FLN, Abk. für frz. **F**ront de **L**ibération **N**ationale (Nationale Befreiungsfront), alger. Partei, gegr. 1954 in Kairo; bildete 1958 in Tunis die provisor. Regierung der alger. Republik; nach der Entlassung Algeriens in die Unabhängigkeit (1962) zur Einheits- und Kaderpartei mit sozialist. und arabisch-nationalist. Programm umgeformt. Mit dem Parteien-Ges. von 1989 verlor er formal seine Position als allein herrschende polit. Kraft. Bei den ersten freien Wahlen (erster Wahlgang Ende Dez. 1991) gewann er nur wenige Sitze. 1995 einigte er sich mit der Sozialist. Front und der Islam. Heilsfront auf einen »contrat national«, der die Abhaltung freier Wahlen fordert.

Floatglas ['fləʊt-, engl.], ein opt. →Glas.

Floating ['fləʊtɪŋ, engl.] *das,* Wechselkursbildung von Devisen nach Angebot und Nachfrage (auch flexible oder freie Wechselkurse, im Ggs. zu fixen oder festen Wechselkursen). Beim F. verzichten die Währungsbehörden auf Interventionen am Devisenmarkt. Wenn die Währungen mehrerer Länder untereinander feste Wechselkurse haben, jedoch gegenüber Drittwährungen frei schwanken können, liegt **Block-F.** oder **Gruppen-F.** vor.

Jürgen Flimm

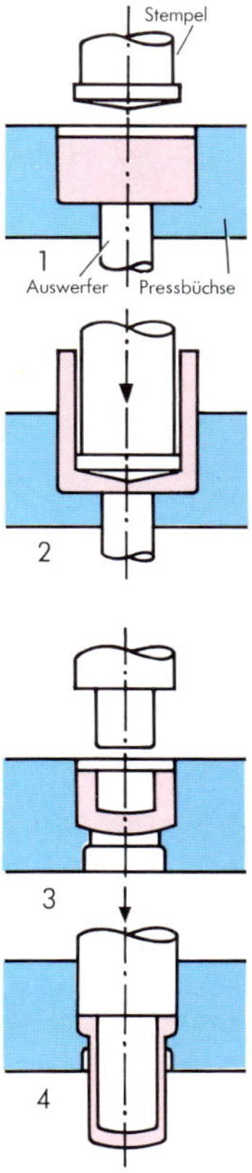

Fließpressen:
1 und 2 Rückwärtsfließpressen eines Napfes; 3 und 4 Vorwärtsfließpressen einer Hülse

Flockenblume: Kornblume

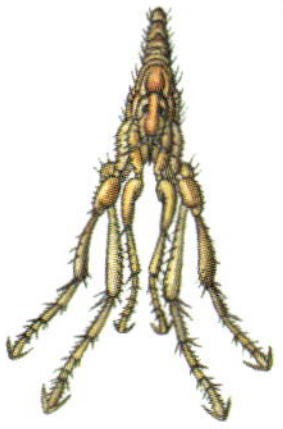

Flöhe: Seitenansicht (oben) und Vorderansicht eines Menschenflohs

Floating-Rate-Notes ['fləʊtɪŋ reɪt nəʊts, engl.], Abk. **FRN** (Floater), mittel- bis langfristige Anleihen mit variabler Verzinsung, deren Zinssatz in bestimmten Zeitabständen (i.d.R. alle 3 bis 6 Monate) an einen sog. Referenzzinssatz (FIBOR, LIBOR) angepasst wird. FRN sind im Regelfall mit einem vorzeitigen Kündigungsrecht des Emittenten ausgestattet.

Flobertgewehr (Flobertpistole), nach N. Flobert (*1819, †1894), dem Erfinder der Einheitspatrone (1845), ben. Handfeuerwaffe für schwache Patronen, deren Zündladung zugleich als Treibladung dient.

Flocculi [lat. »Flöckchen«], *Astronomie:* die hellen Strukturelemente der netzförmigen Hell-Dunkel-Struktur der obersten Sonnenchromosphäre. Sie haben im Bereich von Sonnenflecken einen wirbelförmigen Verlauf.

Flocke, 1) kleine Zusammenballung von Fasern (Wolle), Kristallen (Schnee) u.a. (→Flockung).

2) durch Quetschen von Getreidekörnern u.a. zw. Walzen entstandenes Nährmittel (z.B. Hafer-F.).

Flockenblume (Centaurea), Gattung der Korbblütler mit über 500 Arten, v.a. in den gemäßigten Zonen; meist flockig behaarte Kräuter mit in Köpfchen stehenden, großen Röhrenblüten; bekannte mitteleurop. Arten sind u.a. die **Kornblume** (Centaurea cyanus), bis 60 cm hoch, Randblüten leuchtend blau, auf Getreidefeldern und an Feldrainen, sowie die **Wiesen-F.** (**Gemeine F.**, Centaurea jacea), 10–80 cm hoch, mit rötl. Blütenköpfchen, auf Wiesen und an Wegrändern.

Flockseide, gezwirnte Naturseide.

Flockung, alle Vorgänge, die die Abscheidung der in einem kolloiden System suspendierten Teilchen in Form von Flocken bewirken. Die Zusammenlagerung der fein- oder kolloiddispersen Teilchen wird durch **F.-Mittel** ermöglicht, die die elektrostat. Abstoßung der im Wasser (bzw. anderen Dispersionsmitteln) meist negativ aufgeladenen Teilchen überwinden. Häufig werden dazu Metallsalze oder wasserlösl. Polymere verwendet. Von techn. Bedeutung ist die F. heute v.a. für die Aufbereitung von Oberflächenwasser und Klärschlämmen sowie bei der Erz- und Kohleaufbereitung.

Flöhe

Wie hoch müsste ein Mensch springen, um es einem Floh gleichzutun?

Etwa 250 m hoch! Jedoch: Eigentlich springt ein Floh gar nicht, sondern wird von zwei elastischen Polstern hochkatapultiert, die er vorher zusammengepresst hat. Beim Start beschleunigt er 50-mal schneller als ein Raumtansporter der NASA und wird 150-mal höher als seine Körperlänge geschleudert.

Flöha, Stadt im Landkreis Freiberg, Sachsen, an der Mündung der Flöha in die Zschopau, 12200 Ew.; Textilind., Dampfkesselbau. – Stadtkirche mit Schnitzaltar (um 1500). F. entstand im 12. Jh., erhielt 1933 Stadtrecht und war bis 1994 Kreisstadt.

Flöhe (Siphonaptera, Aphaniptera, Suctoria), Ordnung flügelloser Insekten mit saugend-stechenden Mundwerkzeugen; Hinterbeine zu Sprungbeinen entwickelt. Die Larven ernähren sich von organ. Abfallstoffen, erwachsene F. saugen Blut. Als Überträger von Krankheiten können F. gefährlich werden. Der **Menschenfloh** (Pulex irritans) lebt auf Menschen, Hunden, Ratten, Katzen, Hühnern; er ist etwa 3 mm lang, braun, harthäutig, zu 35 cm weiten und 20 cm hohen Sprüngen befähigt. Die Eier werden in Ritzen, Kleider, Betten gelegt. Die weißl., bis 1 cm lange, behaarte Made hat kauende Mundteile; sie verpuppt sich in einem mit Schmutzteilchen verklebten Gespinst. Die F. können monatelang hungern. Ihre Stiche verursachen starken Juckreiz. Bekämpfung: Sauberhalten der Wohnung; Insektengifte. – Zu den F. gehören auch der **Hundefloh** (Ctenocephalides canis) auf Hund, Katze, Ratte und der indisch-afrikan. **Rattenfloh** (Xenopsylla cheopis), ein Überträger der Pest von Ratten auf Menschen.

Flohkäfer, die →Erdflöhe.

Flohkraut (Pulicaria), gelb blühende Korbblütlergattung mit zwei mitteleurop. Arten: **Großes F.** (Pulicaria dysenterica), auf feuchtem Grasland; **Kleines F.** (Pulicaria vulgaris), an Dorfrändern.

Flohkrebse (Amphipoden, Amphipoda), eine Gruppe der höheren Krebse ohne Scheren, die mit den Asseln die Gruppe Ranzenkrebse (Peracarida) bilden; meist seitlich abgeflacht, gekennzeichnet durch sechs Beinpaare am Hinterleib, von denen die drei hinteren als Sprungbeine, die drei vorderen als Schwimmbeine dienen. In Bächen lebt unter Steinen der **Bach-F.** (Gammarus pulex) von faulenden Stoffen; am Strand **Strandflöhe,** u.a. der **Gemeine Sandhüpfer** (Talitrus saltator).

Flohmarkt [übersetzt von frz. marché aux puces], Markt für den Handel mit alten, gebrauchten Waren jeder Art, die man umgangssprachlich auch Krempel **(Krempelmarkt)** oder Trödelware **(Trödelmarkt)** nennt.

Flohn, Hermann, Meteorologe, *Frankfurt am Main 19. 2. 1912, †Bonn 23. 6. 1997; 1952–61 beim Dt. Wetterdienst, seit 1961 Prof. in Bonn; Arbeiten über die Zirkulation der Atmosphäre und die Paläoklimatologie.

Floppydisk [engl.] *die,* →Diskette.

Flor [verwandt mit Velours] *der,* **1)** *allg.:* dünnes, durchsichtiges Gewebe.

2) *Spinnerei:* bis zur einzelnen Faser durch Kardieren oder Krempeln geöffnete Faserschicht.

Florenz 2): Die achteckige, von Brunelleschi 1418-36 erbaute Kuppel des Doms Santa Maria del Fiore (1296-1436) prägt zusammen mit dem schlanken Turm des mittelalterlichen Palazzo Vecchio (links) das Bild der Altstadt; im Bild vor dem Dom der Campanile und das achteckige Baptisterium (11.-13. Jh.)

Flora, altitalische Göttin der Blumen und des Getreides. Die Spiele **(Floralia),** mit denen 238 v. Chr. ihr Tempel in Rom geweiht wurde, fanden seit 173 v. Chr. regelmäßig statt.

Flora *die,* **1)** Gesamtheit der in einem bestimmten Gebiet **(Florengebiet)** natürlich wachsenden Pflanzen; danach: ein Verzeichnis oder Buch, das diesen Bestand behandelt.

2) Gesamtheit der im Darm (Darm-F.) oder Mund (Mund-F.) lebenden Bakterien.

Flora, Paul österr. Grafiker, *Glurns (Südtirol) 29. 6. 1922; bekannt durch Buchillustrationen, satir. Zeichnungen und polit. Karikaturen.

Floréal [frz. »Blütenmonat«] *der,* im frz. Revolutionskalender der 8. Monat des Jahres (20. oder 21. 4. bis 19. oder 20. 5.).

Floren *der* (Florin), Abk. **fl., Fl.,** florentin. Goldmünze, zuerst 1252 geprägt. (italien. Fiorino, →Gulden)

Florenreich, floristisch gekennzeichneter Teil der Erde, der sich grundlegend durch das Fehlen oder Auftreten bestimmter Pflanzensippen von anderen Erdräumen absetzt. Man unterscheidet sechs F.: Holarktis, Paläotropis, Neotropis, Capensis, Australis und Antarktis.

Florenz (italien. Firenze), **1)** Provinz in der Toskana, Italien, 3514 km^2, (1995) 954700 Einwohner.
2) Hptst. von 1) und der Region Toskana, 385800 Ew., beiderseits des Arno. F. ist Sitz eines Erzbischofs und hat eine Univ. (seit 1924, als Hochschule 1349 gegr.), Akademien (z. B. Accademia della Crusca), Dt. Kunsthistor. Inst., Konservatorium, Internat. Inst. für Etruskische Studien, meteorolog. Observatorium, Sternwarte, Militärgeograph. Inst., Nationalbibliothek, Biblioteca Medicea Laurenziana, Theater und Oper. Die Museen gehören zu den bedeutendsten der Erde, v. a. die Galerien der →Uffizien und des Palazzo →Pitti, das Nationalmuseum (Bargello), das Dommuseum, das Archäolog. Museum. Die Stadt hat Maschinenbau, chem. und pharmazeut. Ind. sowie ein hoch entwickeltes Kunsthandwerk (Stickereien, Terrakotten, Porzellan-, Lederwaren) und ist außerdem ein Banken-, Handels- und Messezentrum (Mode, Pelze, Antiquitäten); als Kulturmetropole hat F. bed. Fremdenverkehr; Verkehrsknotenpunkt, internat. Flughafen. Nahe der Stadt liegt das alte →Fiesole mit dem 1976 gegr. Europ. Hochschulinstitut.

Die Altstadt wurde von der UNESCO zum Weltkulturerbe erklärt. Wahrzeichen von F. ist der gewaltige Dom Santa Maria del Fiore (1296–1436) mit der achteckigen Kuppel (1418–36) von Brunelleschi. Neben dem Dom (die im 16. Jh. zerstörte Fassade erhielt ihr heutiges Aussehen 1875–87) der Campanile (1334–59); gegenüber das Baptisterium mit den drei Bronzetüren von A. Pisano (1330–36) und L. Ghiberti (1403–24; 1425–52). Weitere bed. Kirchen sind die gotische Franziskanerkirche Santa Croce (ab 1294/95), Kirche Or San Michele (1337–1404, mit got. Tabernakel von A. Orcagna), die Dominikanerkirche Santa Maria Novella (ab 1278; inkrustierte Marmorfassade 1470 vollendet; mit Fresken u. a. von D. Ghirlandaio, F. Lippi, Masaccio) und die ab 1421 von Brunelleschi erbaute Kirche San Lorenzo mit Fürstenkapelle (1604 begonnen) und Grabkapelle der Medici (»Neue Sakristei«, Bau 1520 von Michelangelo begonnen und mit Marmorgrabmälern ausgestattet) sowie der sich an die Kirche anschließenden Biblioteca Medicea Laurenziana (ebenfalls von Michelangelo); bed. ist auch das ehemalige Kloster San Marco (heute Museo dell'Angelico; 1437–51, Mönchszellen mit Fresken von Fra Angelico). Un-

Florenz 2) Stadtwappen

Howard Florey

Florfliegen
(von oben): Imago, Larve und gestielte Eier auf einem Blatt

Florida
Flagge

ter den weltl. Bauten ragen hervor: der burgartige Palazzo Vecchio (1298–1314) mit schlankem Turm und Säulenhof, der Palast der Uffizien (1560–80 von Vasari erbaut), ferner Palazzo Pitti, Palazzo Strozzi, Palazzo Medici-Riccardi, Palazzo Rucellai u. a. Älteste Brücke über den Arno ist der Ponte Vecchio (14. Jh.) mit Brückenhäusern. – F. ist der Geburtsort des italien. Dichters Dante Alighieri.

Das antike **Florentia** ist eine röm. Gründung des 2. Jh. v. Chr., die sich rasch zum Handelsplatz entwickelte. Im 11. Jh. löste sich F. aus der Markgrafschaft Tuszien, erlangte städt. Autonomie und unterwarf 1125 das konkurrierende Fiesole. Im Kampf gegen die stauf. Kaiser erweiterte die Stadt ihre Macht bis zur beherrschenden Stellung in Mittelitalien. Seit Anfang des 13. Jh. tobten heftige Kämpfe zw. Guelfen und den kaisertreuen Ghibellinen (F. wurde führende guelf. Macht). Gleichzeitig drängten die Zünfte gegenüber den alten Adelsgeschlechtern zur Macht. 1282 erlangten die oberen Zünfte (u. a. Bankiers, Großkaufleute) die Herrschaft über Florenz. Seit 1293 bildete die Signoria unter Vorsitz der Gonfaloniere die oberste Reg.behörde. Die Stadt wurde durch ihre Tuchindustrie und Banken führend im westeurop. Wirtschaftsleben. 1312 wurde F. von Kaiser Heinrich VII. vergeblich belagert. Die sozialen Kämpfe fanden mit der Niederwerfung des Aufstands der »Ciompi« (Wollkämmerer, 1378–82) ihr Ende. 1406 konnte F. seine Herrschaft über Pisa und 1421 über Livorno ausdehnen. 1434 übernahm mit Cosimo dem Alten die Familie Medici die Regierung. Sein Nachfolger, Lorenzo der Prächtige, erreichte durch Verfassungsänderung eine fast absolute Macht. Unter ihm wurde F. glanzvoller Mittelpunkt der italien. Renaissance. Als der frz. König Karl VIII. F. besetzte, wurden die Medici zwar vertrieben, doch erzwang Papst Julius II. 1512 ihre Rückkehr. Der Versuch Savonarolas, 1498 in F. ein theokrat. Regime zu errichten, scheiterte. 1527–30 erneut vertrieben, festigten die Medici (seit 1531 Herzöge) mithilfe Kaiser Karls V. wieder ihre Macht: Herzog Cosimo I., der 1555 Siena eroberte, wurde 1569 Großherzog von Toskana, deren Hptst. F. wurde; 1737 fiel es an Habsburg-Lothringen. 1865–71 war F. Hptst. des Königreichs Italien.

🕮 BRUCKER, G. A.: *F. in der Renaissance. Stadt, Gesellschaft, Kultur. A. d. Amerikan. Reinbek 1990.* – KRÄMER, T.: *F. u. die Geburt der Individualität. Ghiberti, Brunelleschi, Donatello, Masaccio. Stuttgart 1992.* – PHILIPP, E.: *F. Pforzheim 1992.* – WUNDRAM, M.: *Kunstführer F. Stuttgart 1993.* – SCHREIBER, H.: *F. Eine Stadt u. ihre Menschen. Neuausg. München u. a. 1994.*

Flọres, 1) ['florɪʃ], westlichste Insel der Azoren, 143 km², 4 400 Ew.; im Morro Grande 941 m ü. M.; Hauptort ist Santa Cruz das Flores; die Insel weist viele Kraterseen auf; Haupterwerbszweig ist die Rinderzucht.

2) ['florɛs], die zweitgrößte der Kleinen Sundainseln, Indonesien, 14 273 km², (1985) 640 000 Ew.; Hauptort ist Endeh (Hafen an der S-Küste); besteht aus einer Kette von z. T. noch tätigen Vulkanen (1987 Ausbruch des Mandosawu).

3) Hptst. des Dep. Petén, Guatemala, auf einer Insel im Petén-Itzá-See, 1 300 Ew.; Ausgangspunkt für Ausflüge zu den Mayaruinen von Tikal.

Flọressee, Teil des Australasiat. Mittelmeers, zw. den Kleinen Sundainseln und Celebes.

Florẹtt [italien., frz.] *das, Fechten:* sportl. Stoßwaffe, 1,10 m lang und etwa 500 g schwer; besteht aus einer 90 cm langen Klinge und dem →Gefäß. (→Fechten)

Flọre und Blancheflur [- 'blãʃəflu:r; »Blume und Weißblume«, »Rose und Lilie«], byzantinisch-mittelalterl. Erzählung von der Liebe des span. Königssohns Flore, eines Heiden, zu Blancheflur, einer christl. Gefangenen. Altfrz. und dt. Bearbeitungen sind bereits aus dem 12. und 13. Jh. bekannt (Konrad→Fleck), später auch dt. Volksbuch.

Florey ['flɔrɪ], Sir (seit 1965) Howard Walter, brit. Pathologe, *Adelaide 24. 9. 1898, †Oxford 21. 2. 1968; führte das Penicillin in die medizin. Behandlung ein. Er erhielt 1945 mit A. Fleming und E. B. Chain den Nobelpreis für Physiologie oder Medizin.

Flọrfliegen (Goldaugen, Chrysopidae), Familie grünl. oder gelbl. Netzflügler mit goldglänzenden Augen und vier dicht geaderten Flügeln. F. und ihre Larven fressen bes. Blattläuse (Blattlauslöwen); die Eier sind lang gestielt.

Flọrian, röm. Beamter in Noricum, Märtyrer, †um 304; Schutzheiliger Oberösterreichs, hier und in Bayern Patron gegen Feuersgefahr; Heiliger, Tag: 4. 5.

Florianọ́polis [-pulis], Hptst. des brasilian. Bundesstaates Santa Catarina, 254 900 Ew.; Hafenstadt auf der durch eine Brücke mit dem Festland verbundenen Insel Santa Catarina; Erzbischofssitz; Univ.; Textil- und Nahrungsmittelindustrie.

Flọrida, Abk. **Fla.,** der südöstlichste Staat der USA, 151 939 km², (1994) 13,83 Mio. Ew.; Hauptstadt ist Tallahassee; umfasst die rd. 650 km lange Halbinsel F. und einen Küstenstreifen am Golf von Mexiko. F. ist fast ganz eben, im N erreicht ein seenreiches, verkarstetes Hügelland 100 m ü. M. Die Golfküste ist reich an Buchten und Haffs, an die Sandstrände und Nehrungen der Atlantikküste schließt sich das Sumpfgebiet der →Everglades an. Die S-Spitze setzt sich in der Koralleninselkette Florida Keys fort. Das Klima ist subtropisch, wintermild und wintertrocken, im äußersten S tropisch; häufig treten Wirbelstürme (Hurrikane) auf. Dank der klimat. Begünstigung wird der Staat gerne als Altersruhesitz gewählt und ist ein beliebtes Ziel des Fremdenverkehrs: Vergnügungsparks »Walt Disney World« und »EPCOT Center« (bei Orlando), Everglades National Park, Miami und Palm Beach als Luxusbadeorte. Seit Ende der 1970er-Jahre profiliert sich F. zunehmend als Ind.staat mit chem., elektrotechn. und Raumfahrtind. (Raketenstartplatz Cape → Canaveral). Wichtigste landwirtsch. Erzeugnisse sind Zitrusfrüchte und Gemüse; Viehzucht (Rinder, Pferde, Hühner); bed. Küstenfischerei. Um Tampa wird im Tagebau Phosphat gefördert. Wichtigster Hafen ist Jacksonville. Staatsuniv. in Tallahassee. – F. wurde um Ostern (span. Pascua Florida) 1513 von J. Ponce de León entdeckt und für Spanien in Besitz genommen, aber erst viel später besiedelt. 1763–83 war es britisch. 1819 wurde es von Spanien an die USA verkauft und 1845 als 27. Staat in die Union aufgenommen.

📖 *F., Fotografien v.* E. Wrba, *Text v.* C. Sahner. *München* ²*1994.*

Florida Keys ['flɔrɪdə 'ki:z], Kette aus etwa 150 Koralleninseln südlich der Halbinsel Florida, USA; erstreckt sich etwa 240 km in südwestl. Richtung. Eine Dammstraße verbindet die Inseln untereinander und mit dem Festland; Fremdenverkehr und Fischerei. Bekanntester Ort ist Key West.

Floridastraße, Meeresstraße zw. Florida im N, Kuba im S und den Bahamainseln im SO; 170 km breit, verbindet den offenen Atlant. Ozean mit dem Golf von Mexiko; vom Floridastrom, einem Teilsystem des → Golfstroms, durchflossen.

Florin *der,* 1) [flo'ri:n], der → Floren.

2) [flɔ'rɛ̃], frz. Name für → Gulden.

3) ['flɔrɪn], ehemals engl. Silbermünze zu 2 Shilling.

Florina (Phlorina), Bezirkshauptstadt im NW von Makedonien, Griechenland, nahe der Grenze zum Staat Makedonien, 12 600 Ew.; orth. Bischofssitz; Hauptort der fruchtbaren Pelagonija.

Floß 1) aus zusammengebundenen Baumstämmen, das dem Holztransport (Flößerei) auf dem russischen Fluss Kama dient

Frans Floris: »Alte Frau« (1558; Caen, Musée des Beaux-Arts)

Floris, 1) Cornelis, fläm. Baumeister, Bildhauer und Ornamentstecher, *Antwerpen 1514, †ebd. 20. 10. 1575, Bruder von 2); baute 1561–65 das Antwerpener Rathaus mit italien. Palastfassade und nord. Giebelschmuck; schuf den **Florisstil,** der die röm. Groteske durch Rollwerk, Kartuschen und Fruchtschnüre bereicherte.

2) Frans, fläm. Maler, *Antwerpen zw. 1516 und 1520, †ebd. 1. 10. 1570, Bruder von 1); führender fläm. Maler seiner Zeit. Aus seiner Werkstatt gingen zahlr. Bilder in manierist. Monumentalstil mit bibl. und mytholog. Szenen hervor; bed. Porträtist.

Florist *der* (Blumenbinder), Ausbildungsberuf (Ausbildungszeit: drei Jahre). Der F. bindet Kränze, Sträuße, gestaltet Dekorationen und Ähnliches.

Flörsheim am Main, Stadt im Main-Taunus-Kreis, Hessen, am Untermain, 17 800 Ew.; Papierindustrie, pharmazeut. Betriebe, Großtanklager; Weinbau im Ortsteil Wicker.

Paul Flory

Flory ['flɔrɪ], Paul, amerikan. Chemiker, *Sterling (Ill.) 19. 6. 1910, †Big Sur (Calif.) 9. 9. 1985; Prof. an der Cornell University in New York und der Stanford University in Kalifornien. Für seine Forschungen auf dem Gebiet der Polymere erhielt er 1974 den Nobelpreis für Chemie.

Floß, 1) *Fischereiwesen:* Schwimmkörper an Angel oder Netz.

2) *Transportwesen:* ein flach gehendes Wasserfahrzeug aus beliebigen Schwimmkörpern (Baumstämme, Binsen, Fässer, Kalebassen u. a.). Für ihren sichereren Transport werden (heute selten) Baumstämme durch Taue oder Querhölzer zu F. zusammengefügt **(Flößerei).** Naturvölker benutzen Flöße auch als Tragkörper für ihre Unterkunft.

Flosse, 1) *Luftfahrt:* am Flugzeug die fest stehenden Teile des Leitwerks, im Unterschied zu den bewegl. Rudern.

2) *Tauchsport:* flossenartiger Schwimmschuh.

3) *Zoologie:* →Flossen.

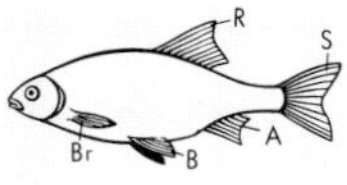

Flossen eines Knochenfisches. A After-, B Bauch-, Br Brust-, R Rücken-, S Schwanzflosse

Flösselhechte (Polypteriformes), zu den Knochenganoiden gehörende afrikan. Süßwasserfische mit kleinen Rückenflossen und Lunge. Die F. haben zahlr. altertüml. Merkmale und stammen direkt von den Urknochenfischen ab.

Flossen (Pinnae), *Zoologie:* zur Fortbewegung dienende, häufig breitflächige, unpaare oder paarige Organe der Hautsäume im Wasser lebender Tiere. Bei Fischen werden die paarigen Bauch- und Brust-F. von den unpaaren Rücken-, After- und Schwanz-F. unterschieden.

Flossenbürg, Gemeinde im Landkreis Neustadt a.d. Waldnaab, Bayern, in der Oberpfalz, 1900 Einwohner. – 1938 errichtete die SS in F. ein Konzentrationslager, in dem bis 1945 etwa 30000 Menschen zu Tode kamen.

Flotation [lat.] *die,* mechan. Verfahren zur Trennung feinkörniger Gemenge (z.B. Erze) in einer wässrigen Suspension mithilfe von Luftblasen. Durch Zusatz von Sammlern **(F.-Mittel)** wird eine Feststoffkomponente durch Wasser hydrophob gemacht, während die andere hydrophil bleibt. In die Trübe eingebrachte Luftblasen haften an den hydrophoben Teilchen und tragen sie zur Wasseroberfläche, während die hydrophilen Teilchen suspendiert bleiben.

Flöte [frz.], **1)** *Kunsthandwerk:* hohes Trinkglas (17./18.Jh.) mit tiefem Kelch.

2) *Musik:* eines der ältesten Blasinstrumente, das bereits im Jungpaläolithikum nachweisbar ist. Der Ton entsteht, indem beim Anblasen ein Luftstrom gegen eine Kante oder Schneide geleitet wird, der die in einer Röhre befindl. Luftsäule zu Eigenschwingungen anregt. Die F. werden unterschieden nach der Spielhaltung in Längs- und Quer-F., nach der Bauart in Kernspalt-, Block- oder Schnabel-, Kerb- und Gefäß-F. (→Okarina). Bis etwa 1750 verstand man unter F. (ohne Zusatz) die Block-F., seither allg. die Querflöte. – Bei der *Orgel* Bez. für alle Labialstimmen.

Friedrich von Flotow

Flötner, Peter, Bildschnitzer, Goldschmied und Holzschneider schweizer. Herkunft, *im Thurgau(?) um 1490, †Nürnberg 23. 11. 1546; wirkte durch die Verbreitung v.a. oberitalien. Formen bahnbrechend für die dt. Renaissance; schuf u.a. Ornamentschnitte, Kleinbildwerke, Spielkarten.

Flotow [-to:], Friedrich Freiherr von, Komponist, *Teutendorf (heute zu Sanitz, bei Rostock) 27. 4. 1812, †Darmstadt 24. 1. 1883; schuf etwa 40 Opern (von der frz. kom. Oper beeinflusst.; z.B. »Alessandro Stradella«, 1844; »Martha«, 1847), Ballette, Operetten und Kammermusik.

Flotte [zu fließen], **1)** *Seewesen:* Gesamtheit der Schiffe eines Staates (Kriegs-F., Handels-F., Fischerei-F.), i.e.S. größerer Verband von Schiffen (z.B. im militär. Bereich).

2) *Textiltechnik:* Behandlungsbad für Textilien bei Veredlungsprozessen wie Färben, Bleichen, Waschen.

Flottenabkommen von 1935, geschlossen zw. der brit. Reg. und der nat.-soz. Reichsreg.: legte das Verhältnis der dt. Flottenstärke zur brit. auf 35 : 100, der U-Boot-Tonnage auf 45 : 100 fest.

Flottenstützpunkt, befestigter Seehafen an einem strategisch wichtigen Punkt, bes. außerhalb des Heimatlandes; dient der Versorgung der Kriegsschiffe.

Flottille [auch -'tiljə, span.] *die,* früher Bez. für einen Verband kleinerer Kriegsschiffe; in der Bundesmarine ein Verband gleichartiger Schiffe oder Boote.

Flöz [ahd. flezzi »geebneter Boden«], eine ausgedehnte Gesteinsschicht mit nutzbaren Gesteinen oder Mineralen (Kohle, Salz, Erz).

Fluate [Kw. für **Flu**orosilik**ate**], technisch wichtige Salze der Hexafluorokieselsäure, H_2SiF_6. Die Säure und die F. sind giftig, wirken gärungshemmend und werden als Schwamm- und Schädlingsvernichtungsmittel, für Oberflächen- und Holzschutz und als Flammenschutzmittel verwendet. In der Bautechnik dienen sie zum Härten kalkhaltiger Baustoffe sowie zum Dichten und Härten von Zement **(Fluatieren).**

Fluch [zu altengl. flocan »schlagen«], in den Religionen gegen Menschen, Tiere oder Sachen gerichteter, oft durch symbol. Gesten unterstützter Unheilswunsch; als Verwünschung Grundbestand archaischer Gebetswünsche; ist wie sein Gegenstück, der Segen, urspr. Zauberwort, dem Wirkmächtigkeit zugesprochen wird.

Flucht, *Bautechnik:* senkrechte Ebene, in der eine Wand errichtet wird.

Fluchtbewegung, das Sichentfernen der Sternsysteme vom Milchstraßensystem (→Hubble-Effekt).

Fluchtburgen, die →Fliehburgen.

Fluchtgefahr, →Fluchtverdacht.

Fluchtgeschwindigkeit, die 2. →kosmische Geschwindigkeit.

Flüchtigkeit, 1) *Chemie:* die Eigenschaft flüssiger und fester Stoffe, bei Normalbedingungen mehr oder weniger stark durch Verdunstung in den Dampfzustand überzugehen.

2) *Datenverarbeitung:* die Eigenschaft eines Speichers (flüchtiger Speicher), seine Informationen nach dem Abschalten der Versorgungsspannung zu verlieren.

Flüchtlinge, unscharfer Sammelbegriff für Personen, die durch polit. (Zwangs-)Maßnahmen, Kriege und existenzgefährdende Notlagen veranlasst wurden, ihre Heimat vorübergehend oder auf Dauer zu verlassen. Dieser Begriff schließt neben Emigranten auch Vertriebene, Zwangsumgesiedelte, Deportierte und in fremde Gebiete verschleppte Zwangsarbeiter ein. Das Genfer F.-Abkommen vom 28. 7. 1951, das Grundlage des internat. F.-Rechts ist, benutzt den engeren Begriff des »polit. F.«: Als F. gilt demnach nur eine Person, die sich »aus wohlbegründeter Furcht vor Verfolgung aus Gründen der Rasse, der Religion, der Nationalität, der Zugehörigkeit zu einer bestimmten gesellschaftl. Gruppe oder der polit. Meinung außerhalb des Landes ihrer Nationalität befindet ...«. Diese Definition setzt die Furcht vor Verfolgung als Fluchtmotiv und den Grenzübertritt als Fluchtfolge voraus. Sie ist nur auf internat. F. anwendbar, die sich außerhalb ihres Heimatstaates befinden und in einem anderen Staat polit. Asyl suchen. Von ihnen zu unterscheiden sind nat. F. (wie die dt. »Heimatvertriebenen« und »Zonen-F.«), die als konationale F. in Gebieten ihrer eigenen Nationalität, Sprache und Kultur verbleiben. De-facto-F. sind Asylbewerber, deren Asylanträge zwar abgelehnt wurden die jedoch aus humanitären Gründen nicht abgeschoben werden. Die Genfer F.-Konvention klammert auch die »Quasi-F.« aus: Binnen-F., die sich in einer »flüchtlingsähnl. Situation« befinden, obwohl sie keine Staatsgrenzen überschritten haben, außerdem die wachsende Zahl von so genannten Wirtschafts-F. aus Gebieten, in denen Massenelend herrscht, ferner die Umwelt-F., die aufgrund von Umweltzerstörungen ihre Heimat verlassen müssen. Von versch. Institutionen wird gefordert, einen weiter gefassten F.-Begriff praktisch wirksam werden zu lassen. Es liegt aber weiterhin im Ermessen der Staaten, wen sie als F. aufnehmen.

Nach dem 2. Weltkrieg wurde innerhalb der UN die Internat. Flüchtlingsorganisation gegründet; seit 1951 nimmt die Betreuung der F. der →Hohe Flüchtlingskommissar der Vereinten Nationen (UNHCR) wahr. Anfang 1996 gab es nach Angaben des UNHCR weltweit rd. 26 Mio. F., die sich auf Afrika (9,1 Mio.) sowie Europa und Asien (jeweils 7,7 Mio.) konzentrierten. Obwohl die Zahl der F., die in den europ. Ländern Zuflucht suchen, gewachsen ist, ist ihr Anteil an der Gesamt-Bev. i.d.R. geringer als in den Entwicklungsländern. Die Länder, aus denen 1996 die meisten F. stammten, sind Afghanistan (Hauptasylländer: Iran, Pakistan, GUS, Indien), Ruanda (Burundi, Tansania, Uganda, Demokrat. Rep. Kongo), Bosnien und Herzegowina (Kroatien, Jugoslawien, Dtl.), Liberia (Guinea, Elfenbeinküste, Ghana, Nigeria) und Irak (Iran, Saudi-Arabien, Pakistan).

📖 *F. in Asien u. Australien, Ozeanien. Eine Bibliographie, bearb. v.* W. POHL *u. a., hg. vom Berliner Institut für Vergleichende Sozialforschung. Berlin 1992.* – STEINACKER, S.: *Flüchtlingskrisen. Möglichkeiten u. Grenzen von Entwicklungszusammenarbeit. München u. a. 1992.* – *Weltflüchtlingsbericht. Ein Handbuch zu Fluchtursachen u. Asyl, Bevölkerungsbewegungen u. Entwicklungspolitik, hg. vom Berliner Institut für Vergleichende Sozialforschung u. Netzwerk Menschenrechte, Loseblatt-Ausg. Berlin 1992ff.* – WÖHLCKE, M.: *Umweltflüchtlinge. Ursachen u. Folgen. München 1992.* – *Europa gegen den Rest der Welt? Flüchtlingsbewegungen, Einwanderung, Asylpolitik, hg. v.* C. BUTTERWEGGE *u.* S. JÄGER. *Köln 1993.* – NUSCHELER, F.: *Internationale Migration – Flucht u. Asyl. Opladen 1995.*

Fluchtpunkt, 1) *Astronomie:* a) der →Apex (bei der Sonne); b) der →Vertex (bei Sterngruppen).

2) *bildende Kunst:* →Perspektive.

Fluchtverdacht (Fluchtgefahr), die durch konkrete Umstände nahe gelegte Gefahr der Flucht eines Beschuldigten oder Verurteilten; eine der Voraussetzungen für den Erlass eines Haftbefehls (§§ 112, 113, 457 StPO). Besteht bei einem auf frischer Tat Ertappten F., hat jedermann das Recht zur vorläufigen →Festnahme. (→Verkehrsunfallflucht)

Flüe, Nikolaus von der, →Nikolaus von der Flüe.

Flüela *der,* Pass in Graubünden, →Alpenstraßen (ÜBERSICHT).

Flug, 1) *allg.:* (Fliegen) die freizügige Bewegung von Körpern innerhalb der Lufthülle der Erde ohne direkte Stützung von der Erdoberfläche aus. Dabei muss die Erdanziehungskraft durch eine Gegenkraft (Auftriebskraft) ausgeglichen oder überwunden werden. Diese kann durch Dichteunterschiede zw. fliegendem Körper und umgebender Luft (**aerostat. Auftrieb,** z.B. beim Ballon), durch die Bewegung eines geeignet geformten Körpers durch die Luft (**aerodynam. Auftrieb,** z.B. beim Flugzeug) oder durch **Reaktionskräfte** von Strahlantrieben (z.B. bei der Rakete) erzeugt werden. Der beim Fliegen unvermeidlich auf die Körper einwirkende Luftwiderstand wird bei Flugzeugen durch die von den Flugtriebwerken gelieferte Vortriebskraft, am antriebslosen Gleit- oder Segel-F. durch die in F.-Richtung liegende Komponente der Gewichtskraft überwunden. Man unterscheidet hier **stationäre (unbeschleunigte) F.-Zustände,** bei denen die vertikal wirkenden Auftriebs- und Gewichtskräfte und die v.a. horizontal wirkenden Antriebs- und Widerstandskräfte sowie ihre stat. Momente im Gleichgewicht

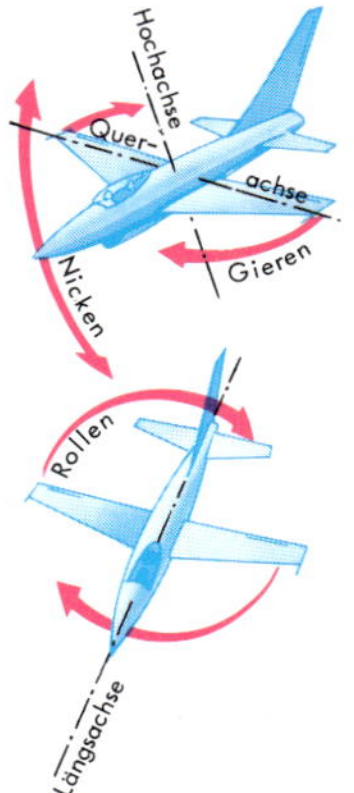

Flug 1): Nick-, Gier- und Rollbewegungen beim Flugzeug

Flugbild:
1 Weißer Storch;
2 Graugans;
3 Kornweihe;
4 Rauchschwalbe;
5 Stockente;
6 Roter Milan;
7 Wanderfalke;
8 Hühnerhabicht;
9 Rabenkrähe;
10 Lachmöwe;
11 Mäusebussard

sind (z.B. beim Horizontal-F. und beim Schiebe-F.), und **instationäre (beschleunigte) F.-Zustände,** bei denen dies nicht zutrifft und Beschleunigungen sowie zusätzl. Drehmomente wirksam werden, die z.B. den Steig- oder Sink-F. und den Kurven-F. ergeben sowie zu Gier-, Nick- und Rollbewegungen oder -schwingungen führen. Weitere F.-Zustände sind der Gleit-F., der Sturz-F. und das Trudeln. – Eine Bewegung außerhalb der Erdatmosphäre ist möglich durch Ausnutzung der Bewegungsenergie des Körpers und der Gravitationskräfte anderer Himmelskörper sowie durch Erzeugung von Antriebskräften mithilfe von Raumantrieben (Massenausstoß). Allerdings ist die Auffassung darüber, ob die Bewegung im Weltraum als Raum-F. oder Raumfahrt zu bezeichnen sei, nicht einheitlich.

2) *Biologie:* Passive oder aktive Fortbewegung durch die Luft. Der **passive Gleit-F.** lässt sich bei allen Wirbeltierklassen beobachten (u.a. auch bei Fliegenden Fischen, Flugdrachen und Gleithörnchen). Bei ihm kann die Anfangshöhe nicht aktiv überschritten werden, der Auftrieb mindert die Abwärtsbewegung. Als Gleitflächen dienen Flügel, F.-Häute und Flossen. Der **Segel-F.** ist ein Spezialfall des Gleit-F., bei dem sich der Vogel in aufwärts strömenden Luftmassen bewegt. Der **aktive F.** ist die Fähigkeit, sich mithilfe der Muskelkraft frei im Luftraum fortzubewegen; dazu sind Vögel, Insekten und, als einzige Säugetiere, die Fledertiere (F.-Hunde und Fledermäuse) in der Lage. Die Flügel der Vögel und Insekten sind zugleich Trageflächen und Antriebsorgane. Am häufigsten ist bei Vögeln der **Ruder-F. (Schlag-F.).** Dabei wird beim Abschlag der Armteil von vorn angeblasen, der Handteil von unten. Beim Übergang zum Aufschlag ändern sich die Anstellwinkel des Hand- und des Armteils; der des Handteils wird annähernd null, der des Armteils wird etwas stumpfer, sodass der Armteil von unten angeströmt wird (starker Auftrieb, leichter Rücktrieb). Beim Abschlag ist somit nur der Handteil belastet, der allein den Vortrieb erzeugt. Beim **Rüttel-F.** (F. auf der Stelle) werden auch im Aufschlag durch Anströmung der Flügeloberseiten Vortriebskräfte erzeugt.

Beim **Insekten-F.** entstehen die tragenden und vorwärts treibenden Kräfte prinzipiell in gleicher Weise wie beim Vogel-F. Die Kleinheit der Insekten und ihrer Flügel erfordert eine wesentlich höhere Schlagfrequenz zur Erzeugung ausreichenden Vor- und Auftriebs (z.B. Stechmücken 300 Schläge je Sekunde).

📖 SCHEIBA, B.: *Schwimmen, Laufen, Fliegen. Die Bewegung der Tiere. Leipzig u. a. 1990.* – TENNEKES, H.: *Kolibris u. Jumbo-Jets. Die simple Kunst des Fliegens. A. d. Amerikan. Basel u. a. 1997.*

3) *Heraldik:* zwei halbkreisförmig gespreizte (Adler-)Flügel.

Flugabwehr, Abk. **Fla,** alle gegen feindliche Kampfflugzeuge gerichteten Abwehrmaßnahmen mit bodengebundenen Kampfmitteln der Luftverteidigung oder von Schiffen aus. Die urspr. vorherrschenden Rohrwaffen (Flugabwehrkanonen, Flak) wurden zunehmend durch Raketenwaffen ergänzt oder ersetzt. In der Bundeswehr hat die **Heeres-F.-Truppe** den Auftrag, gegner. Luftfahrzeuge in niedrigen bis mittleren Höhen mit Panzer-F.-Kräften zu bekämpfen; die **F.-Raketenverbände der Luftwaffe** wirken mit den Waffensystemen Patriot, Hawk und Roland gegen Ziele in allen Höhen.

Flugasche, feine, von den Rauchgasen einer Feuerung mitgerissene, nicht brennbare Bestandteile eines Brennstoffs. Die Rauchgase werden bei größeren Anlagen durch mechan. oder elektr. Filter bis zu 95% und mehr entstaubt. F. wird als pulverförmiges industrielles Nebenprodukt der Kohleverbrennung im Straßenbau und Grundbau sowie bei der Baustoffherstellung verwendet. F. (Elektrofilterasche) aus Steinkohle mit hohem Anteil an glasigen Bestandteilen dient als puzzolan. Betonzuschlagstoff.

Flugbahn, die Bahn eines fliegenden Körpers (bes. eines →Flugkörpers), der dem Einfluss von Schwerkraft und Coriolis-Kraft, Antriebskräften, Steuerkräften sowie tangential und normal zur Bahn wirkenden Strömungskräften (Luftwiderstand und Auftrieb) unterworfen ist. Für Flugzeuge wird diese Bez. i. Allg. nicht verwendet. I. w. S. werden auch die parabelförmige Wurfbahn eines geworfenen Körpers (→Wurf) und die antriebslos durchflogene Bahn eines Geschosses als F. bezeichnet. Im Unterschied zur Wurfbahn kann die F. während der gesamten Bewegungsdauer durch Steuerkräfte und Veränderung von Antriebs- und Auftriebskräften beeinflusst und damit einer gegebenen Aufgabenstellung optimal angepasst werden. Eine Zwischenstellung nehmen Raketen ein, die während der Antriebsphase einer F., nach Brennschluss der Triebwerke (Freiflugphase) jedoch einer Wurfbahn folgen. Die Bewegungsbahnen von Raumfahrzeugen werden als Raumflugbahnen bezeichnet.

Flugball (engl. Volley), *Tennis:* Ball, der aus der Luft angenommen und zurückgeschlagen wird.

Flugbeutler (Gleitbeutler), nachtaktive, baumbewohnende Kletterbeutler Australiens und Melanesiens, mit spannbaren Hautsäumen zw. Vorder- und Hinterbeinen, die Gleitflüge von Baum zu Baum ermöglichen. Größte Art ist der in O-Australien lebende **Riesen-F.** (Schoinobates volans) mit einer Körperlänge von 35 bis 40 cm und etwa 60 cm Schwanzlänge.

Flugbild, charakterist. Erscheinungsbild fliegender Vogelarten, das zu deren Bestimmung herangezogen wird.

Flugblätter (fliegende Blätter), →Flugschriften.

Flugboot, Wasserflugzeug, dessen Rumpf als schwimmfähiger Bootskörper ausgebildet ist, mit Flossenstummeln am Rumpf oder Stützschwimmern unter der Tragfläche.

Flugbrand, *Botanik:* →Brandkrankheiten.

Flugdatenregistriergerät (Flugschreiber), Flugzeugbordgerät zur fortwährenden Aufzeichnung von Kurs, Flughöhe, Geschwindigkeit, Beschleunigung und Fluglage. Durch bruch- und feuersichere Gehäuse und Datenträger soll ein Datenverlust bei Flugunfällen verhindert werden, um nachträglich aus den aufgezeichneten Daten einen Unfallhergang rekonstruieren und aufklären zu können.

Flugdrachen (Draco), Gattung oft bunter Agamen im trop. Asien. Ein spreizbares Hautsegel an den Rippen ermöglicht kurze Gleitflüge. Eine der bekanntesten Arten ist der **Gewöhnliche F.** (Draco volans).

Flugechsen, die →Flugsaurier.

Flügel, 1) *allg.:* der eine Teil von paarigen, spiegelbildlich angeordneten Gegenständen oder Organen, z. B. der Lunge, einer Tür, eines Fensters.

2) *Architektur:* Baukörper, der (im Winkel) an den Hauptbau anschließt.

3) *Botanik:* a) die zwei seitl. Blütenblätter der Schmetterlingsblüte; b) die häutigen Anhänge einer Frucht (**F.-Frucht,** z. B. beim Ahorn) oder eines Samens (**F.-Samen,** z. B. bei der Kiefer) zur Verbreitung durch den Wind.

4) *Instrumentenbau:* nach seiner Form ben. Klavierinstrument, dessen Saiten in Richtung der Tasten verlaufen, →Cembalo, →Klavier.

5) *Militär:* der äußerste rechte oder linke Teil einer zum Gefecht aufmarschierten Truppe.

6) *Soziologie:* Gruppe innerhalb einer Partei: rechter F., linker F., radikaler F., gemäßigter F. u. a.

7) *Technik:* a) Tragfläche am Flugzeug (**Trag-F.**); b) einzelne Fläche eines Windrades, Propellers oder Verdichterrades.

8) *Zoologie:* dem Fliegen dienende Bewegungsorgane versch. Tiere. Bei Insekten sind F. Ausstülpungen des chitinigen Außenskeletts, bei Vögeln umgebildete Vordergliedmaßen.

Flügeladjutant, urspr. Offizier zur Befehlsübermittlung an die Flügel des Heeres, später Offizier im persönl. Dienst regierender Fürsten.

Flügelaltar, →Altar.

Flügelfell (Pterygium) [grch.], faltenartige Wucherung der Augenbindehaut; auf die Hornhaut übergreifend.

Flügelfrucht, *Botanik:* Frucht mit Flugeinrichtung, →Flügel.

Flügelfruchtbaum (Pterocarpus), artenreiche Gattung trop. Schmetterlingsblütler, die durch Flügelbildungen an der Frucht gekennzeichnet sind; einige Arten liefern wertvolle Hölzer.

Flügelhorn, Blasinstrument, →Bügelhörner.

Flügelsamen, *Botanik:* Samen mit Flugeinrichtung, →Flügel.

Flügelschnecken, die →Ruderschnecken.

Flügelstürmer, in Torspielen die Außenstürmer.

Flugfläche (engl. Flight-Level), *Luftfahrt:* Fläche konstanten Luftdruckes, die auf die Normalatmosphäre 1013,2 mb bezogen ist. F. dienen zur Höhenstaffelung von Flugzeugen, sie sind rd. 500 Fuß (≈ 150 m) voneinander getrennt. Die F. kann nach der Anzeige eines auf Normaldruck eingestellten barometr. Höhenmessers festgestellt werden.

Flugfrosch (Java-F., Rhacophorus reinwardtii), Art der Ruderfrösche; Finger und Zehen sind durch Spannhäute verbunden, die kurze Gleitflüge ermöglichen.

Flugfuchs, Art der →Flughunde.

Fluggeschwindigkeit, Geschwindigkeit eines Luftfahrzeuges im Flug. Die Relativgeschwindigkeit gegenüber der umgebenden Luft heißt **wahre F.** oder **Eigengeschwindigkeit;** zus. mit der Eigengeschwindigkeit der Luftmasse (Windgeschwindigkeit) ergibt sich daraus die **Absolutgeschwindigkeit** oder **Geschwindigkeit über Grund.** Die größte im Horizontalflug erreichbare Eigengeschwindigkeit ist die **Höchstgeschwindigkeit,** während die durchschnittl. F. **Reisegeschwindigkeit** heißt. Die auf die Schallgeschwindigkeit der umgebenden Luft bezogene F. wird **Flugmachzahl** genannt.

Fluggesellschaften, die →Luftverkehrsgesellschaften.

Flughafen, Geländefläche mit Anlagen zum Starten und Landen von Luftfahrzeugen **(Flugplatz)** sowie mit zusätzl. Anlagen zur Abwicklung des zivilen gewerbsmäßigen Luftverkehrs **(Verkehrs-F.,** engl. **Airport)** oder des militär. Flugbetriebs **(Militär-F., Fliegerhorst,** engl. **Airbase).** Die **Start-** und **Landebahnen** sind befestigte Pisten (2000–4000 m lang, 45–60 m breit), die nur in den Hauptwindrichtungen angelegt werden. Bes. verkehrsreiche F. benötigen Zwei- und Mehrpistensysteme in 2 oder 3 Richtungen. Befestigte **Rollwege** verbinden die Pisten mit dem **Vorfeld,** auf dem sich die Abfertigungs- und Abstellplätze für die Flugzeuge befinden. An das Vorfeld grenzen die **Abfertigungsgebäude** an. Sie enthalten die eigentl. Abfertigungsschalter für Passagiere und Gepäck, Verteilungs- und Ausgabeanlagen für Reisegepäck sowie Warteräume, aus denen die

Flugbeutler: Riesenflugbeutler

Flugdrachen: Der Gewöhnliche Flugdrache (Gesamtlänge 19–22 cm) lebt auf den Inseln des Malaiischen Archipels

Fluggäste mit Omnibussen zu den Flugzeugstandplätzen gebracht werden oder über gedeckte Teleskopbrücken direkt an Bord der Flugzeuge gelangen. Zur Frachtabfertigung werden spezielle Luftfrachtcontainer verwendet; die Abfertigungsanlagen sind hoch mechanisiert und automatisiert. Die **Tankanlagen** umfassen unterird. Kraftstofflager sowie Unterflurzapfanschlüsse auf dem Vorfeld, aus denen die Flugzeuge über →Dispenser betankt werden. Die für Lenkung und Überwachung des Verkehrs erforderl. Flugsicherungsanlagen und Einrichtungen für die Nachrichtenübermittlung sind im **Kontrollturm** (engl. **Tower**) untergebracht, der Überblick über Vorfeld, Rollwege und Pisten gewährt. Vom Kontrollturm aus werden auch die bodenseitigen →Landehilfen bedient.

📖 TREIBEL, W.: *Geschichte der dt. Verkehrsflughäfen. Eine Dokumentation von 1909 bis 1989. Bonn 1992.* – BACHMANN, P.: *Internat. Flughäfen Europas. Pläne – Daten – Fakten. Stuttgart 1995.*

Flughörnchen: Das Europäische Flughörnchen ist in Nordosteuropa und Nordasien verbreitet

Flughahn (Dactylopterus volitans), im Mittelmeer lebender, bis 50 cm langer Fisch der Familie **Flatterfische** (**Flughähne,** Dactylopteridae) mit flügelähnl. Brustflossen.

Flughaut (Patagium), bei Wirbeltieren ausspannbare, durch das Gliedmaßenskelett oder besondere Skelettbildungen gestützte Hautfalte, die zum Gleitflug oder (bei den Flattertieren) zum aktiven Flug befähigt.

Flughörnchen (Gleithörnchen, Pteromyinae), Unterfamilie der Hörnchen, nächtlich lebende Nagetiere der nördl. Erdhälfte mit fallschirmartiger Haut zw. den Beinen. Zu den F. gehören u.a. der **Assapan** (Glaucomys volans), das **Europ. F.** (Pteromys volans) und der in SO-Asien beheimatete **Taguan** (Petaurista petaurista).

Flughühner: Das Spießflughuhn ist Brutvogel auf der Iberischen Halbinsel und in Südfrankreich

Flughühner (Pteroclididae), Familie rebhuhngroßer Vögel mit 16 Arten; Schnabel und Beine kurz, Flügel lang und spitz. F. leben in den Wüsten und Steppen Afrikas und Asiens, das **Sandflughuhn** (Pterocles orientalis) und das **Spießflughuhn** (Pterocles alchata) auch auf der Iber. Halbinsel und in Südfrankreich, das **Steppenhuhn** (Syrrhaptes paradoxus) ist von Asien bis Dtl., England und Frankreich verbreitet.

Flughunde (Fliegende Hunde, Pteropidae), Unterordnung der Flattertiere mit drei Familien und etwa 130 Arten in den Tropen und Subtropen der Alten Welt. Der Kopf ist hundeähnlich, ein Schwanz fehlt oder ist kurz. F. schlafen tagsüber in Höhlen oder Bäumen, manche frei hängend zu Hunderten in einem Baum. Zu den F. gehört der malaiische **Kalong** (Pteropus vampyrus) mit einer Flughautspannweite bis zu 112 cm; etwas kleiner ist der **Flugfuchs** (Pteropus medius) aus Vorderindien und Ceylon. Männchen der afrikanischen **Epauletten-F.** (Epomophorus) tragen Drüsenhaarbüschel an den Schultern.

Flughunde: Der Flugfuchs hat seinen Namen wegen der lang gestreckten Schnauze, die der eines Fuchses ähnlich ist

Flugkörper, Sammelbez. für unbemannte Fluggeräte mit oder ohne Eigenantrieb, die sich innerhalb oder außerhalb der Lufthülle der Erde auf →Flugbahnen **(aerodynam. F.)** oder auf einer aus Antriebs- und ballist. Freiflugbahn bestehenden Bahn **(ballist. F.)** bewegen. F. können gelenkt (→Lenkflugkörper) oder ungelenkt sein. Sie dienen überwiegend militär. Zwecken.

Fluglärm, störender Schall von Luftfahrzeugen im Frequenzbereich von etwa 300 bis 5 000 Hz. Bei Strahlflugzeugen unterscheidet man zw. **Strahllärm** (der aus dem Triebwerk austretenden Gase) und **Triebwerkslärm** (Strömungsvorgänge in den rotierenden Triebwerksteilen). Beim Überschallflugzeug entsteht der **Schallknall** (→Schallmauer). Deshalb ist der zivile Überschallflug über dem Gebiet vieler Staaten, auch dem der Bundesrep. Dtl., verboten. Maßnahmen zur Minderung des F. sind Flugbetriebsbeschränkungen, spezielle An- und Abflugverfahren. Das Bundes-Ges. zum Schutz gegen F. vom 30. 3. 1971 legt ferner zwei Lärmschutzzonen mit Baubeschränkungen und Bauverboten in der Nähe von Flughäfen fest.

Fluglotsen (Flugsicherungslotsen), Bedienstete im Flugverkehrskontrolldienst der Flugsicherung, die in bodengebundenen Kontrollstellen (Kontrollturm, »Tower«) den Flugverkehr überwachen und durch Funkkontakt mit den Luftfahrzeugen den Flugverkehr lenken und sichern.

Flugmechanik, die Wissenschaft von den Bewegungen, Flugeigenschaften und -leistungen von Luftfahrzeugen bzw. Flugkörpern unter der Einwirkung von Antriebs-, Luft-, Massen- und Steuerkräften sowie den von ihnen herrührenden Drehmomenten.

Flugmedizin (Luftfahrtmedizin), Teilgebiet der Medizin, das sich mit dem Verhalten und den körperl. Reaktionen des Menschen beim Fliegen innerhalb und außerhalb der Erdatmosphäre (→Raumfahrtmedizin) befasst; Aufgaben: Erforschung, Verhütung, Beseitigung und Kontrolle der Schäden, die durch Aufenthalt und Tätigkeit in luftverdünnter Atmosphäre oder durch Beschleunigungskräfte entstehen; auch Eignungsuntersuchungen und ärztl. Überwachung des fliegenden Personals. Für den Bereich der Bundeswehr besteht das Flugmedizin. Inst. der Luftwaffe in Fürstenfeldbruck. – Die **Flugunfallmedizin** beschäftigt sich mit der Analyse von Flugunfällen nach Unfall- und Flugzeugtyp.

Flugmeteorologie, Gebiet der angewandten Meteorologie, beschäftigt sich bes. mit der Vorhersage des Flugwetters auf der Flugstrecke, der **Streckenvorhersage** (Bewölkung, Sichtverhältnisse, Niederschlag, Wind, Vereisungsgefahr u.a.), und des Landewetters sowie mit der Beratung über günstige Flughöhen und -routen **(Flugwetterdienst).** Die für diese Dienste zuständigen **Flugwetterwarten** arbeiten internat. zusammen.

Flugmodell, flugfähiges, unbemanntes Kleinstflugzeug, dessen Masse nach internat. Vorschriften 5 kg und dessen Tragflächen 1,5 m^2 nicht überschreiten dürfen. Vorbildgetreue Maßstabmodelle werden als **Flugzeugmodelle** oder **Modellflugzeuge** bezeichnet. – Als Baustoffe werden Leichthölzer (Balsaholz), zunehmend Kunststoffe u.a. verwendet. Mit F. werden flugsportl. Wettbewerbe durchgeführt.

Flugmotoren, den Anforderungen des Flugbetriebes angepasste Verbrennungsmotoren, fast ausschl. Viertakt-Hubkolbenmotoren (häufig 4- oder 6-Zylinder-Boxermotoren), deren Leistungen heute bis etwa 400 kW reichen (Sport-, Landwirtschafts-, kleinere Reiseflugzeuge). Die stärkeren F. wurden von den →Strahltriebwerken verdrängt.

Flugnavigation, →Funknavigation, →Navigation.

Flugplatz, eine für Start und Landung von Luftfahrzeugen bestimmte und behördlich zugelassene Land- oder Wasserfläche. (→Flughafen)

Flugregler, Systemteil einer automat. Flugzeugsteuerung, das die von Messgebern ermittelten Istwerte der Flugbewegung mit vorgegebenen Sollwerten vergleicht und daraus Korrektursignale zur Überführung der Istbewegung in die Sollbewegung bestimmt.

Flugsand, vom Wind transportierter Sand; wird bei der Ablagerung (als →Dünen oder F.-Decken und -Felder) nach Korngrößen sortiert: je weiter vom Ausblasungsort entfernt, desto feinkörniger; die feinsten Bestandteile **(Flugstaub)** bilden dagegen den →Löss.

Flugsaurier (Flugechsen, Pterosauria), ausgestorbene, vom Lias bis zur oberen Kreide weltweit verbreitete flugfähige, vogel- oder fledermausähnl. Kriechtiere. Wichtige Fundorte von Fossilien sind die Plattenkalke von Solnhofen und Eichstätt sowie der Posidonienschiefer von Holzmaden (bei Kirchheim unter Teck).

Flugschrauber, ein Drehflügler, dessen Rotor durch zusätzl. Antriebsanlagen von der Vortriebserzeugung entlastet wird; erreicht höhere Fluggeschwindigkeiten als ein Hubschrauber.

Flugschreiber, das →Flugdatenregistriergerät.

Flugschriften, Broschüren oder Einblattdrucke **(Flugblätter, fliegende Blätter),** die man zur Aufklärung, öffentl. Meinungsbildung (polit. Streit- und Parteischriften) u.a. rasch und weit zu verbreiten sucht. F. erschienen bald nach der Erfindung der Buchdrucks; sie können als Vorläufer der Zeitungen gelten und wurden schon zu Beginn des 16. Jh. oft auch so genannt (»Newe Zeitung«). Bes. Geschichtsquellen sind die F. aus polit. und sozialen Entscheidungssituationen (Reformation, Dreißigjähriger Krieg).

Flugsicherung, Organisation (F.-Dienst) und Maßnahmen zur Gewährleistung der Sicherheit im Luftverkehr, im Rahmen der Vereinbarungen des Weltverbandes des Luftverkehrs (IATA) internat. geregelt. In Dtl. oblag die F. bis 31. 12. 1992 der Bundesanstalt für F. (BFS), Sitz: Frankfurt am Main. Nach Änderung des Luftverkehrsges. wurde die BFS aufgelöst und ihre Aufgaben wurden mit Wirkung vom 1. 1. 1993 der privatrechtlich verfassten Deutschen F. GmbH (DFS) übertragen. Die Aufgaben der F. erstrecken sich v.a. auf den **Flugverkehrskontrolldienst** (u.a. Flugplatzkontrolle, Anflugkontrolle, Bezirkskontrolle), den **Fluginformationsdienst** (u.a. Wettermeldungen und -vorhersagen), den **Flugverkehrsberatungsdienst** (u.a. Höhenstaffelung der Flugzeuge im oberen Luftraum [rund 8000 bis 15000 m]), den **Flugalarmdienst** (u.a. Such- und Rettungsaktionen) und den **Flugnavigationsdienst** (Einrichtung, Betrieb und Überwachung der Bodenanlagen zur Navigation [Funkfeuer, Radar]). Der Luftraum über dem größten Teil der Erdoberfläche und über den Weltmeeren ist in Fluginformationsgebiete eingeteilt, in denen F.-Kontrollbezirke bestehen, die die Luftstraßen und Nahverkehrsbereiche umfassen.

📖 MENSEN, H.: *Moderne F. Organisation, Verfahren, Technik. Berlin u.a.* ²*1993.*

Flugsport (Luftsport), sportlicher Gebrauch von Luftfahrzeugen (Freiballonsport, →Motorflugsport, bes. →Kunstflug, →Segelflug) und Flugmodellen; auch der →Fallschirmsport wird zum F.

gerechnet. Die Teilnehmer an F.-Wettbewerben müssen festgelegte Voraussetzungen erfüllen und sich – national recht unterschiedl. – Flugprüfungen unterziehen.

Flugstaub, von Verbrennungsgasen mitgeführte oder bei Abkühlung aus dem Dampfzustand kondensierte Feststoffteilchen.

Flugüberwachungsgeräte, →Bordinstrumente.

Flugverkehr, der →Luftverkehr.

Flugwetterdienst, Teil der →Flugmeteorologie.

Flugwild (Federwild), die jagdbaren Vögel.

Flugzeitspektrometer, Gerät zur Bestimmung der Energie von atomaren Teilchen, v.a. Neutronen (→Neutronenspektrometer) durch Laufzeitmessungen.

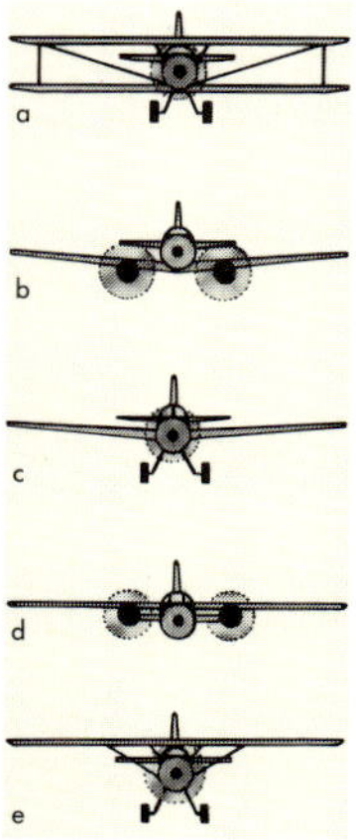

Flugzeug: Anordnung der Tragflügel, a Doppeldecker; b Tiefdecker; c Mitteldecker; d Schulterdecker; e Hochdecker

Flugzeug, ein Luftfahrzeug, schwerer als Luft, das durch den aerodynam. Auftrieb fester oder umlaufender Flügel oder durch die Reaktionskräfte von Strahlantrieben getragen wird (→Flug).

Auftriebserzeugung: Zur Auftriebserzeugung werden die Vertikalkomponenten der bei einer Relativbewegung zw. umgebender Luft und umströmten Körpern entstehenden, senkrecht zur Bewegungsrichtung wirkenden Querkräfte genutzt, die bei F. v.a. an den bes. geformten Tragflügeln auftreten oder bei den Drehflüglern von den rotierenden Flügelblättern (Rotoren) erzeugt werden. Beim **Starrflügel-F.** sind die Tragflügel fest mit dem F. verbunden, weshalb Auftrieb nur bei Bewegung des gesamten F. erzeugt werden kann. Beim **Drehflügel-F.** ist die Bewegung der auftriebliefernden Flügelblätter unabhängig von der Bewegung des F., was den Schwebeflug ermöglicht, der auch mit strahlgetragenen F. erreichbar ist (→Hubstrahler).

Vortriebserzeugung: **Gleit-** und **Segel-F.** sind antriebslos, bei ihnen überwindet die in Flugrichtung weisende Komponente der Gewichtskraft den Widerstand. Beim angetriebenen F. werden dafür entweder durch Flugmotoren angetriebene →Luftschrauben oder von Strahltriebwerken bewirkte Reaktionskräfte austretender Gasströme genutzt. F. mit Vortriebserzeugung durch Luftschrauben heißen nach Art der Antriebsmaschine **(Kolben-)Motor-F.** oder **Propellerturbinen-F.** (Turboprop-F.); bei Vortriebserzeugung durch →Strahlantrieb spricht man von **Strahl-** oder **Düsen-F.** oder von **Raketen-Flugzeugen.**

Start- und Landetechnik: **Flachstart-F.** benötigen eine horizontale Beschleunigungs- und Verzögerungsstrecke, die bei Kurzstartflugzeugen von sehr geringer Erstreckung sein kann; **Senkrechtstart-F.** können ohne horizontale Bewegung senkrecht aufsteigen und landen. **Land-F.** starten und landen auf Bodenflächen, **Wasser-F.** und **Flugboote** auf Wasserflächen, **Amphibien-F.** können sowohl Land- als auch Wasserflächen benutzen.

Baugruppen: Ein F. besteht aus einzelnen Bauteilen, die zu Baugruppen und Hauptbaugruppen zusammengefasst werden können. Nach der Anordnung der einzelnen Baugruppen zueinander unterscheidet man *Bauarten,* nach der Materialwahl sowie nach Art des Aufbaus von Bauteilen und Baugruppen werden Bauweisen unterschieden. Hauptbaugruppen sind das **Flugwerk,** die **Triebwerksanlage** und die **Ausrüstung.** Zum Flugwerk gehören die Baugruppen Tragwerk, Rumpfwerk, Leitwerk (die zus. die Zelle bilden) sowie Steuerwerk und Fahrwerk.

Das **Tragwerk** umfasst alle zur Erzeugung und Aufnahme der tragenden Luftkräfte erforderlichen Bauteile: die Tragflügel einschl. aller Anschluss- und Versteifungsglieder (Abstrebungen, Verspannungen), die Querruder, alle Hochauftriebsmittel, Störklappen, Grenzschichtzäune und am Flügel angebrachte Bremsklappen. Nach der Art der Tragflügel unterscheidet man Geradflügel- und Ringflügel-F., nach deren Anzahl Eindecker und Mehrdecker (z.B. Doppeldecker) und nach der Lage der Flügel zum Rumpf Tiefdecker, Mitteldecker, Schulterdecker und Hochdecker. Das Tandemflügel-F. besitzt zwei hintereinander liegende Flügel, während F. ohne Rumpf und Leitwerk Nurflügel-F. genannt werden.

Der **Rumpf** nimmt Besatzung, Fluggäste, Nutzlast, Ausrüstung und häufig auch Triebwerke sowie Betriebsstoffe auf und verbindet das Tragwerk mit dem Leitwerk sowie mit dem Fahr- oder Schwimmwerk. Er wird bei Verkehrs-F. meist als →Druckkabine ausgebildet und enthält bei Fracht-F. große Ladepforten an Bug oder Heck.

Das **Leitwerk** dient der Stabilisierung und Steuerung. Es besteht aus starr mit dem Rumpf oder besonderen Leitwerksträgern verbundenen Flächen (Flossen oder Dämpfungsflächen) sowie den bewegl. Rudern, an denen im ausgeschlagenen Zustand am fliegenden F. Luftkräfte wirksam werden, die Drehmomente um die Hauptachsen ausüben und entsprechende Drehbewegungen hervorrufen. Bei der Normalbauart sind Höhen- und Seitenleitwerk hinter dem Tragflügel angeordnet, beim Enten-F. liegt das Höhenleitwerk vor dem Tragflügel. Beim Nurflügel-F. befinden sich auch die Höhenruder an der Hinterkante der Tragflügel.

Das **Steuerwerk** dient zur Betätigung der Ruder durch Übertragung der vom Flugzeugführer an den Steuerorganen (Steuerknüppel oder -säule für Höhen- und Querruder und Pedale für Seitenruder) aufgebrachten Steuerbewegungen oder durch Übertragung elektr. Impulse (→Fly-by-

Flugzeug

1

2

3

4

5

6

| **1** Doppeldecker-Gleitflugzeug (»Hängegleiter«) von Otto Lilienthal (1894) aus Weidenruten mit Stoffbespannung; mit seinen bis 300 m weiten Versuchsflügen schuf Lilienthal die Grundlage für den Segelflug | **2** Erste Motorflüge (Dauer 12–59 Sekunden) der Gebrüder Wright (1903); das Flugzeug bestand aus einer stoffbespannten Holzkonstruktion und wog 340,5 kg bei einer Spannweite von 12,3 m | **3** Die legendäre Junkers Ju 52 (»Tante Ju«; Erstflug 1931), eine dreimotorige Maschine mit 29 m Spannweite und einer Reisegeschwindigkeit von 250 km/h, wurde wegen ihrer Zuverlässigkeit und Wirtschaftlichkeit weltweit als Passagier- und Transportflugzeug eingesetzt; einige wenige Ju 52 sind heute noch flugfähig | **4** Ähnlich erfolgreich wie die Ju 52 war die Douglas DC 3 (seit Ende 1935 im Einsatz), das erste Flugzeug mit einziehbarem Fahrwerk. Sie wurde als Passagier- und Transportflugzeug genutzt und ist selbst heute noch auf kürzeren Flugstrecken im Einsatz | **5** Die Messerschmitt Bf 109 G (ME 109; Erstflug 1934) war eine einsitzige Maschine, die im Zweiten Weltkrieg als Jagdflugzeug eingesetzt wurde | **6** Wegen der außerordentlich hohen Entwicklungskosten fanden Düsenflugzeuge erst in den 1950er-Jahren Eingang in den kommerziellen Flugverkehr; im Bild das erste Düsenverkehrsflugzeug, die britische »De Havilland Comet« (1953)

Wire). Die Steuerkräfte werden entweder direkt durch Seilzüge, Stoßstangen oder Drehwellen auf die Ruder übertragen (Handkraftsteuerung), oder die Ruder werden (bei großen F. oder bei hohen Fluggeschwindigkeiten) durch mechanisch oder elektrisch aktivierte Stellmotoren verstellt. Auch die Betätigungsvorrichtungen für Hochauftriebsmittel, Störklappen, Bremsklappen und Trimmklappen gehören zum Steuerwerk. (→Direktkraftsteuerung)

Das **Fahrwerk** besteht aus den aus Streben, Federbeinen und Radträgern gebildeten Fahrgestellen, den Laufrädern, den Radbremsen sowie ggf. einem →Sporn. Das Zweirad- oder Spornfahrwerk (nur noch bei Leicht-F.) besitzt zwei Radsätze kurz vor dem Schwerpunkt und einen Sporn zur Abstützung des Rumpfhecks. Beim heute überwiegenden Dreirad- oder Bugradfahrwerk befinden sich zwei Radeinheiten kurz hinter dem Schwerpunkt und ein lenkbarer Radsatz unter dem Rumpfbug. Das Fahrwerk kann entweder starr am Trag- oder Rumpfwerk angeschlossen sein, oder es wird zur Minderung des Luftwiderstands im Fluge in Flügel bzw. Rumpf eingezogen (Einziehfahrwerk). Das **Schwimmwerk** von Wasser-F. besteht aus zwei durch Streben angeschlossenen Einzelschwimmern oder einem Zentralschwimmer mit seitl. Stützschwimmern.

Die **Triebwerksanlage** liefert die Vortriebskraft durch Beschleunigung eines durch sie hindurch geströmten Luftstromes. Luftschrauben (Propeller) erteilen einer großen Luftmenge eine kleinere Zusatzgeschwindigkeit, →Strahltriebwerke einer kleineren Luftmenge eine größere Zusatzgeschwindigkeit. Strahltriebwerke sind zur Überwindung des im Schallgrenz- und Überschallbereich sehr hohen Luftwiderstandes besser geeignet als Propellertriebwerke und ermöglichen damit höhere Fluggeschwindigkeiten. Luftschrauben werden durch Kolbenmotoren oder Gasturbinentriebwerke angetrieben; als Strahlantrieb kommen Luft atmende Triebwerke (Turbinenluftstrahl- oder Staustrahltriebwerke) und für Spezialzwecke Raketentriebwerke zur Anwendung. Nach Anzahl der Triebwerke unterscheidet man ein- oder mehrmotorige bzw. ein- oder mehrstrahlige F. Propellertriebwerke werden meist in der Rumpfspitze oder an den Tragflügelvorderkanten (seltener im Heck oder an den Tragflügelhinterkanten) eingebaut; Strahltriebwerke befinden sich in den Tragflügeln oder in Gondeln unter oder über dem Flügel, im Rumpf oder in Gondeln am Rumpf (meist seitlich am Heck). Zur Triebwerksanlage gehören weiterhin die Triebwerkaufhängung, Kühlanlagen, Lufteinlauf- und Schubumkehranlagen sowie die Betriebsstoffbehälter.

Die **Ausrüstung** umfasst Energieversorgungsanlagen (elektr., hydraul., pneumat.), Überwachungsgeräte (Flug-, F.- und Triebwerküberwachungsgeräte), Regelungsgeräte, Nachrichten- und Navigationsgeräte, Druckhaltungs- und Klimaanlagen, Sicherheitsanlagen und Rettungsgeräte sowie auf den jeweiligen Verwendungszweck ausgerichtete Sonderausrüstungen.

Bauweisen: Nach den verwendeten Werkstoffen unterscheidet man Holzbauweise, Gemischtbauweise (Holz, Stahl, Leichtmetalle), Ganzmetallbauweise, Gemischtbauweise (Aluminiumlegierungen, Titan, Stahl) und Verbundwerkstoff- oder Kunststoffbauweise (Glas-, Kohlenstoff- oder Borfasern in Kunstharz- oder Leichtmetallbindung). Nach Art der Kräfteaufnahme in den tragenden Bauteilen unterscheidet man **Gerüst-** oder **Fachwerkbauweise** sowie **Schalenbauweise,** bei der die durch viele Längs- und Querprofile versteifte Außenhaut weitgehend zur Kraftaufnahme herangezogen wird. Nach der Herstellungsart der Schalenbauteile unterscheidet man die Differenzialbauweise (Schale aus einzelnen durch Nietung oder Verschraubung verbundenen Bauteilen), die integrierende Bauweise (durch Metallkleben oder Schweißen verbundene einzelne Bauteile) und die Integralbauweise (Außenhaut mit den Versteifungen aus einem Stück durch Fräsen, Strangpressen oder chem. Abtragung hergestellt). Bei der Doppelschalen- oder Sandwichbauweise werden sehr steife Schalen verwendet, die aus zwei außen liegenden festen Deckschichten (Bleche oder Verbundwerkstoffe) und einer damit verklebten dazwischen liegenden Stützschicht geringer Festigkeit bestehen.

Geschichte: →Luftfahrt.

📖 *Enzyklopädie der F.e. Technik, Modelle, Daten,* bearb. v. S. HARRIS. *A.d. Engl. Neuausg. Augsburg 1994.* – *Fluggesellschaften u. Linienflugzeuge. Koblenz* [2]*1994.* – KÄSMANN, F. C. W.: *Die schnellsten Jets der Welt. Weltrekord-F.e. Planegg 1994.* – WÖLFER, J.: *Von der Junkers F13 zum Airbus. 75 Jahre deutsche Verkehrsflugzeuge. Berlin u. a. 1994.*

Flugzeugentführung, →Luftpiraterie.

Flugzeugführer, Person, die zum Führen eines Flugzeuges berechtigt ist, →Luftfahrerschein.

Flugzeugindustrie, →Luft- und Raumfahrtindustrie.

Flugzeugraketen, ungelenkte oder gelenkte →Raketenwaffen an Bord von Kampfflugzeugen, meist unterhalb des Tragflügels oder am Rumpf mitgeführt.

Flugzeugträger, Kriegsschiff zum Einsatz von Flugzeugen auf See. Start- und Landebahn ist das (schiffslange) Flugdeck, Kommandozentrale die seitlich angeordnete »Insel«; die Flugzeughalle befindet sich unter dem Deck. Zur Verkürzung der Startstrecke dienen Katapulte und Startraketen, zur Verkürzung der Landestrecke Fanghaken und Haltetaue. – Der F. verdrängte im 2. Weltkrieg das Schlachtschiff als Hauptwaffe. Ausgestattet mit hoch entwickelten Ortungs- und Waffensystemen spielen F. als Kern schlagkräftiger Flotten auch heute noch eine wichtige Rolle. Größte F. sind die der »Nimitz«-Klasse (USA).

Fluid *das, Strömungslehre:* Sammelbez. für Flüssigkeiten, Gase und Plasmen.

Fluidik [zu lat. fluere »fließen«] *die* (Fluidiktechnik), die Verwendung strömungsmechan. Elemente **(Fluidics)** in Analog- und Digitalschaltungen für Steuer- und Verknüpfungsaufgaben. Beim **Impulsverstärker** wird ein kräftiger freier Flüssigkeits- oder Gasstrom durch schwache, von E_1 oder E_2 ausgehende Steuerströme auf die Austrittsöffnungen A_1 und A_2 verteilt. Im **Wandstrahlelement** ziehen Randwirbel den Strahl zu einer Wand hin, an der er vorbeifließt (Coanda-Effekt). Im **Wandstrahl-Kippglied (Flipflop)** hält sich der Strahl durch diesen Effekt in demjenigen der Ausgänge A_1 oder A_2, zu dem ihn ein kurzer Impuls an E_1 oder E_2 geleitet hat. Ähnlich sind binäre Verknüpfungsglieder mit und ohne Verstärkung aufgebaut. – Anwendung findet die F. in der Luftfahrt-, Raumfahrt- und Reaktortechnik (wegen der Unempfindlichkeit gegen Strahlung, Magnet-

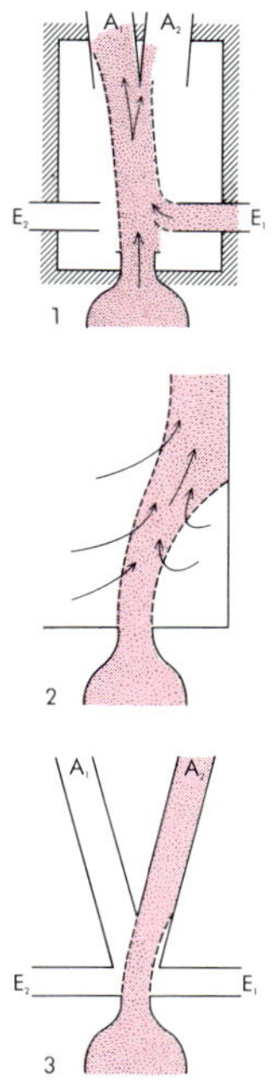

Fluidik: 1 Impulsverstärker; entsprechend dem Impulsverhältnis der in den Eingängen E_1 und E_2 eintretenden Steuerstrahlen wird der Hauptstrahl auf die Ausgänge A_1 und A_2 verteilt; 2 Wandstrahlelement; der Strahl wird durch Randwirbel zu einer Wand hingezogen; 3 Wandstrahl-Kippglied; der Strahl wird durch einen kurzen Impuls aus E_2 in den Ausgang A_2 geleitet

felder und Beschleunigungen), bei Wärmekraft- und Werkzeugmaschinen sowie bei medizin. Geräten.

📖 EBERTSHÄUSER, H. *u.* HELDUSER, S.: *Fluidtechnik von A bis Z. Mainz 1995.*

Fluidität *die,* Kehrwert der dynam. → Viskosität.

Fluidum [lat.] *das,* **1)** Flüssigkeit, etwas Fließendes, im 17./18. Jh. Bez. für hypothet. Stoffe, z. B. Wärmefluidum.

2) die von einem Menschen oder einem Kunstwerk ausgehende Wirkung, Ausstrahlung.

Fluktuation [lat. »das Schwanken«] *die,* **1)** *allg.:* kontinuierl. Wechseln, Schwanken.

2) *Wirtschaft:* Summe aller Arbeitsplatzwechsel in einer Volkswirtschaft sowie die zw. den Betrieben. Betriebswirtschaftlich interessant ist die **F.-Rate** (Zahl der Austritte bezogen auf den durchschnittl. Personalbestand), die als Indikator für Arbeitszufriedenheit verwendet wird. Die »natürl. F.« (altersbedingtes Ausscheiden, Arbeitnehmerkündigung u. a.) ist ein Mittel, den Personalbestand zu verringern.

Flums, Gemeinde im Bezirk Sargans, Kt. St. Gallen, Schweiz, 454 m ü. M., im Seeztal, 4400 Ew.; Baumwollind., Maschinenbau. Das Sommer- und Wintersportgebiet **Flumserberge** (Spitzmeilen 2501 m ü. M.) ist durch Sessel- und Skilifte erschlossen.

Flunder, eine Art der → Plattfische.

Fluor [von lat. fluor »das Fließen«], **1)** *das, Chemie:* Symbol **F,** chem. Element aus der 7. Hauptgruppe des Periodensystems, ein Halogen. Ordnungszahl 9, relative Atommasse 18,9984, Dichte 1,696 g/cm^3, Schmelzpunkt −219,62 °C, Siedepunkt −188,14 °C; es gibt nur künstl. Isotope. – F. ist ein gelbgrünes, sehr reaktionsfähiges Gas, das sich schon bei gewöhnl. Temperatur mit den meisten Elementen (außer Sauerstoff) unter Feuererscheinung verbindet. Es liegt in Form dimerer Moleküle (F_2) vor. In seinen Verbindungen ist F. negativ einwertig; es ist das elektronegativste Element. Die Minerale Flussspat (Fluorit), Kryolith und F.-Apatit sind F.-Verbindungen. Technisch wird F. durch Elektrolyse von Kaliumfluorid, KF, in wasserfreier Flusssäure dargestellt. F. dient als Raketentreibmittel und zur Herstellung von F.-Verbindungen. Die Salze des F. heißen **Fluoride;** sie werden zur Kariesvorbeugung (→ Zahnkaries, → Fluoridierung) verwendet. Weitere wichtige F.-Verbindungen sind F.-Wasserstoff und Flusssäure.

2) *der, Medizin:* der → Ausfluss.

Fluorchlorkohlenwasserstoffe, Abk. **FCKW** (Chlorfluorkohlenwasserstoffe, Abk. CFKW, Chlorfluorkohlenstoffe, Abk. CFK, Fluorchlorkohlenstoffe, Abk. FCK), niedere Kohlenwasserstoffe, in denen die Wasserstoffatome durch Chlor- und Fluoratome ersetzt sind; unter Druck verflüssigbare Gase oder niedrig siedende Flüssigkeiten von hoher chem. und therm. Beständigkeit; dienen als Treibmittel für Spraydosen, Kältemittel und zum Schäumen von Kunststoffen. – In die Stratosphäre gelangende F. werden durch die kurzwellige solare UV-Strahlung photolysiert und setzen Chlorradikale frei, die mit dem Ozon weiter reagieren und so die Ozonschicht schädigen. Als Folge davon kann die kurzwellige UV-Strahlung bis zur Erdoberfläche gelangen, und die Gefahr von Hautkrebs erhöht sich. Deshalb wird weltweit nach Ersatzstoffen für F. geforscht. In Dtl. findet z. B. das Ersatzkältemittel »R 134 a« Anwendung, das zwar nicht ozonschädlich ist, jedoch den Treibhauseffekt unterstützt. In der EU ist die Produktion von F. seit dem 1. 1. 1995 verboten, in Dtl. wurden bereits seit 1994 keine F. mehr produziert. In den Industriestaaten ist die Verwendung von F. seit dem 1. 1. 1996 verboten, in den Entwicklungsländern ab 2010. Produktion und Verwendung der teilhalogenierten F. (HFCKW, als Ersatzstoffe für FCKW entwickelt) sollen von 2004 an stufenweise abgebaut und ab 2020 (Entwicklungsländer ab 2040) ganz verboten werden.

📖 *CKW, FCKW u. Lösungsmittel. Optimierter Einsatz u. Ersatz in der betriebl. Praxis, hg. v.* J.-U. LIEBACK *u. a. Berlin u. a. 1990.* – HESSE, U. *u. a.: Ersatzstoffe für FCKW. Ersatzkältemittel u. Ersatztechnologien in der Kältetechnik. Ehningen 1992.*

Fluorescein *das,* Farbstoff, der in stärkster Verdünnung deutlich grün fluoresziert; dient u. a. zum Nachweis unterird. Wasserläufe, als Indikator und Farbzusatz.

Fluoreszenz [engl.] *die,* nach dem Fluorit (Flussspat) benannte Form der Lumineszenz von gasförmigen, flüssigen oder festen Stoffen, die nach Bestrahlung mit Licht, UV-, Röntgen- oder Elektronenstrahlen die absorbierte Energie in Form von elektromagnet. Strahlung gleicher **(Resonanz-F.)** oder längerer Wellenlänge (→ stokessche Regel) wieder abgeben. F. zeigen neben Fluorit v. a. Uranverbindungen, Salze von Seltenerdmetallen und Dämpfe von Quecksilber, Natrium sowie organ. Stoffe. Im Ggs. zu der durch Nachleuchten gekennzeichneten Phosphoreszenz gehen die durch die Bestrahlung angeregten Elektronen des F.-Stoffes praktisch spontan (etwa innerhalb von 10^{-8} s nach der Anregung) unter Emission einer charakterist. F.-Strahlung in den Grundzustand zurück. Die Messung der dabei aufgenommenen F.-Spektren ist Gegenstand der F.-Analyse und der F.-Spektroskopie.

Fluoreszenzanalyse, Sammelbez. für analyt. Methoden, die die charakterist. Fluoreszenz bestrahlter Stoffe zum Nachweis von Substanzen in Verbindungen ausnutzen. Hierzu gehören die

→Fluoreszenzspektroskopie und die →Röntgenfluoreszenzanalyse.

Fluoreszenzangiographie, *Augenheilkunde:* Darstellung der Netzhautgefäße durch intravenöse Einspritzung von 5–10 cm^3 Natriumfluoresceinlösung zur Diagnose von Durchblutungsstörungen, Gefäßschäden und hierdurch verursachten Netzhautveränderungen.

Fluoreszenzmikroskopie, Verfahren der Mikroskopie, bei dem Präparate, die fluoreszierende Stoffe enthalten, mit ultraviolettem Licht zur →Fluoreszenz im sichtbaren Licht angeregt und in diesem betrachtet werden; Anwendung z.B. in Kriminalistik und Diagnostik.

Fluoreszenzspektroskopie, die Aufnahme und Auswertung der charakterist. Fluoreszenzspektren von Gasen, Flüssigkeiten sowie Festkörpern für Strukturbestimmungen von Atomen, Molekülen und Kristallen oder zum analyt. Nachweis. Laserinduzierte Fluoreszenzspektrometer (z.B. →Lidar) können Konzentrationen im ppm-Bereich nachweisen. Man unterscheidet die **Emissions-F.**, bei der mit einer festen Wellenlänge angeregt und die Intensität der Fluoreszenz über einen definierten Spektralbereich gemessen wird, und die **Anregungs-F.,** bei der man breitbandig anregt und nur eine bestimmte F.-Linie aufnimmt.

Fluoridierung, Zusatz von Fluorverbindungen (z.B. Natriumfluorid, Fluorosilikate) zu Lebens- (z.B. Wasser) und Zahnpflegemitteln als Kariesprophylaxe. Die **Trinkwasser-F.** (etwa 1 mg chemisch gebundenes Fluor je Liter) ist umstritten, da eine gezielte Dosierung kaum gewährleistet ist. (→Fluorvergiftung)

Fluorit *der,* →Flussspat.

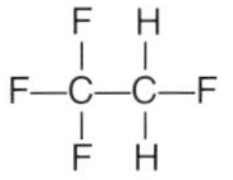

Fluorkohlenwasserstoffe: das Ersatzkältemittel 1,1,1,2-Tetrafluorethan (R 134 a)

Fluorkohlenwasserstoffe, Abk. **FKW,** Kohlenwasserstoffe, in denen Wasserstoffatome durch Fluor ersetzt sind. Bei vollständiger Substitution der Wasserstoffatome spricht man von perfluorierten Kohlenwasserstoffen. Sie werden techn. durch Reaktion von Chlorkohlenwasserstoffen mit Fluorwasserstoff oder Metallfluoriden hergestellt. Wird das Chlor dabei nicht vollständig gegen Fluor ausgetauscht, entstehen →Fluorchlorkohlenwasserstoffe. F. unterscheiden sich von den entsprechenden Kohlenwasserstoffen durch größere therm. und chem. Stabilität, niedrigere Oberflächenenergie, Dielektrizitätskonstanten und Brechzahlen, geringere Löslichkeit und höhere Dichte. Deshalb werden F. in vielen techn. Bereichen angewendet, z.B. als Kältemittel, hydraul. Flüssigkeiten, Schmiermittel, Rohstoffe für hoch beständige Kunststoffe. – Chlorfreie F. werden in der Stratosphäre relativ schnell photochemisch abgebaut, ohne die Ozonschicht zu schädigen; sie dienen daher zum Teil als Ersatzstoffe für Fluorchlorkohlenwasserstoffe, z.B. 1,1,1,2-Tetrafluorethan (R 134 a) als Ersatzkältemittel.

📖 →Fluorchlorkohlenwasserstoffe

Fluormethode (Fluortest), Methode zur Altersbestimmung von Fossilien: Die im Grundwasser enthaltenen Fluorionen wurden auf dem Austauschwege dem Calciumphosphat der Knochen eingelagert; ihr Fluorgehalt ist mikrochemisch bestimmbar und erlaubt unter günstigen Umständen eine relative Altersgruppierung.

Fluorokieselsäure (Kieselfluorwasserstoffsäure, Hexafluorokieselsäure), H_2SiF_6, starke anorgan. Säure, als Desinfektions- und Konservierungsmittel verwendet. Ihre Salze, die **Fluorosilikate,** dienen als →Fluate und zur →Fluoridierung.

Fluorose *die, Medizin:* →Fluorvergiftung.

Fluorvergiftung, eine Gesundheitsschädigung durch Aufnahme von Fluor und Fluorverbindungen oder durch Einatmen von deren Dämpfen oder Stäuben. Die **akute F.** äußert sich v.a. in örtlichen Reizerscheinungen, in Übelkeit, blutigschleimigem Erbrechen und Durchfällen. Die **chron. F.** oder **Fluorose** entsteht z.B. durch langjähriges Einatmen von Fluoridstäuben oder Fluorwasserstoff (entschädigungspflichtige Berufskrankheit). Symptome sind Kurzatmigkeit, Gelenksteifheit, Knochenverhärtung und weißlich fleckige Zahnverfärbungen **(Dentalfluorose).** Letztere können ebenso durch zu intensive Kariesprophylaxe auftreten (bei Aufnahme von mehr als 2 mg/Tag während der Mineralisationszeit des Gebisses).

Fluorwasserstoff, HF, farbloses, stechend riechendes Gas, das technisch durch Einwirkung von Schwefelsäure auf Calciumfluorid hergestellt wird. Seine Lösung in Wasser ist die **F.-Säure** oder **Flusssäure,** eine mittelstarke, stechend riechende, ätzende, giftige, farblose Säure, die viele Metalle und alle kieselsäurehaltigen Stoffe, z.B. Glas, angreift; wird als Lösungsmittel sowie zum Glasätzen benutzt.

Flur, die zu einer Gemeinde, einem Siedlungs- oder Wirtschaftsverband gehörende landwirtsch. Nutzfläche. Nach der Form der einzelnen Flurstücke (Parzellen) lassen sich zwei Gruppen von **F.-Formen** unterscheiden: **Blockfluren** mit unregelmäßig umgrenzter Flur unterschiedl. Größe und **Streifenfluren,** bei denen nach Größe (kurz, lang; breit, schmal) und Anordnung (gleich- oder kreuzverlaufend, gereiht, radial) unterschieden wird. Zu den Breitstreifenfluren gehört z.B. die **Hufenflur,** bei der sich an die an einer Straße oder einem Kanal aufgereihten Höfe die gesamte dazugehörende Flur anschließt. Geschlossener Besitz liegt auch bei der **Radialflur** der Rundlinge vor sowie bei der **Einödflur** (die Felder des landwirtschaftl. Betriebes liegen in geschlossener [ar-

Flurbereinigung von links): Blick auf die Gemeinde Esselbach (Main-Spessart-Kreis) und die umliegenden Felder vor (im Mai 1981) und nach der Flurbereinigung (Juni 1985)

rondierter] Lage um den Einzelhof [Einödhof] herum) und bei den meisten **Großblockfluren,** etwa bei Gütern und Kibbuzim. Liegen die zu einem Hof gehörenden Flurstücke über die gesamte Gemarkung verteilt, spricht man von **Gemenglage;** hierbei bilden gleichlaufende Flurstücke ein Gewann, das sich von den anderen Gewannen mit anderen Richtungen absetzt; der Ort hat eine **Gewannflur.** – Aufgrund des zerstreuten Besitzes bestimmte früher der **F.-Zwang** für alle F.-Stücke eines Dorfes eine einheitlich geregelte Art der Feldbewirtschaftung; jetzt meist im Zuge der Flurbereinigung aufgehoben.

Flurbereinigung (Flurneuordnung, Umlegung), die Neuordnung von zersplittertem oder unwirtschaftlich geformtem landwirtsch. Grundbesitz zur Förderung der land- und forstwirtschaftl. Erzeugung und der allg. Landeskultur; oft verbunden mit Verlegung der Betriebe (Aussiedlung). Geregelt wird die F. durch das F.-Gesetz von 1953 i. d. F. vom 16. 3. 1976 und die F.-Ges. der Länder. Neben den land- und forstwirtschaftl. werden auch allgemeine Ziele verfolgt, bes. im Interesse des Erhalts und der Gestaltung der Kulturlandschaft und der Verbesserung der Lebensbedingungen im ländl. Raum. Zur Durchführung der F. bilden die betroffenen Grundeigentümer eine Gemeinschaft in der Rechtsform einer Körperschaft des öffentl. Rechts. Die F.-Behörde nimmt den Besitzstand auf, führt nach Abstimmung mit der Gemeinschaft die Neueinteilung durch und plant und überwacht den Ausbau des Wege- und Gewässernetzes. Jeder Teilnehmer ist für seine Grundstücke mit Land von gleichem Wert abzufinden, der in einem besonderen Verfahren ermittelt wird; gelingt dies nicht, ist der Teilnehmer zu entschädigen. Die Kosten der F. werden teils aus öffentl. Kassen, teils von den Teilnehmern getragen. Gegen Entscheidungen, die im Rahmen des F.-Verfahrens zu Lasten der Teilnehmer getroffen werden, steht der Rechtsweg zu den Verw.-Ger. offen. – Maßnahmen der F. verändern häufig das Bild einer alten Kulturlandschaft und greifen in das biolog. Gleichgewicht ein.

📖 *Recht der F., bearb. v.* F. QUADFLIEG, *Loseblatt-Ausg. Köln 1978 ff.* – BATZ, E.: *Neuordnung des ländl. Raumes. Stuttgart 1990. – F., Naturschutz u. Landschaftspflege, bearb. v.* B. KOENGETER. *Stuttgart* [4]*1994.*

Flurfördermittel, nicht schienengebundene Drei- oder Vierradfahrzeuge für das innerbetriebl. Transportwesen, z. B. Gabelstapler, Elektrokarren und -schlepper, Hubwagen und -karren. Der Antrieb erfolgt elektrisch, durch Verbrennungsmotor oder von Hand.

Flurformen, → Flur.

Flurstück (veraltet Parzelle), Buchungseinheit des Katasters; ein zusammenhängender Teil der Erdoberfläche, der vermessungstechnisch abgegrenzt und in Flurkarten und Katasterbüchern gesondert nachgewiesen wird.

Flurumgang, rituelles Umgehen der Felder, symbolische Erneuerung der Besitzergreifung und mag. Brauch zum Schutz der Fruchtbarkeit des

Flüsse (Auswahl; Längenangaben[1] in km)

Europa		Oder	910	**Nordamerika**		Ob (mit Irtysch)	5410
Wolga	3530	Ebro	910	Mississippi/Missouri	6021	Hwangho	4845
Donau	2850	Duero	895	Mackenzie	4241	Mekong	4500
Dnjepr	2200	Rhone	812	Yukon	3185	Amur	4440
Don	1870	Warthe	808	St.-Lorenz-Strom[2]	3058	Lena	4400
Petschora	1809	Guadiana	778	Rio Grande del Norte	3034	Jenissei (mit Großem Jenissei)	4092
Kama	1805	Seine	776	Nelson	2575	Euphrat	3380
Oka	1500	Pripjet	775	Colorado	2334	Indus	3200
Belaja	1430	Maros	756	Arkansas River	2333	Salween	3200
Dnjestr	1352	Drau	749	Ohio	2102	Syrdarja	3019
Rhein	1320	Weser	732	Columbia	2000	Brahmaputra	3000[4]
Elbe	1165	Götaälv/Klarälv	720			Ganges	2700[5]
Wytschegda	1130	**Afrika**		**Südamerika**		Amudarja	2540
Donez	1053	Nil (mit Kagera)	6671	Amazonas	6500	Ural	2428
Weichsel	1047	Kongo	4374	Paraná[3]	3700	Irawadi	2000
Loire	1020	Niger	4160	São Francisco	3199	Tigris	1900
Tajo	1007	Sambesi	2660	Tocantins	2699	Angara	1779
Theiß	966	Oranje	2250	Paraguay	2589		
Pruth	953	Okawango	1800	Orinoco	2140		
Maas	950	Juba	1650	Uruguay[3]	1609	**Australien**	
Save	940	Limpopo	1600	**Asien**		Darling	2720
Memel	937	Senegal	1430	Jangtsekiang	6000	Murray	2570

[1] Länge und Einzugsgebiete von Flüssen werden in Statistiken oder geograph. Werken oft unterschiedlich angegeben. Bei einigen der größten Ströme führt die fortschreitende Erforschung und Kartierung, bes. der Quellengebiete, zu neuer Berechnung; ferner besteht oft keine einheitl. Auffassung über die Einbeziehung von Quellflüssen und Flussmündungen. – [2] von der Quelle des St. Louis River (Minnesota) an, mit Großen Seen. – [3] Paraná und Uruguay vereinigen sich zum Río de la Plata. – [4] benutzt das Mündungsdelta z. T. mit dem Ganges gemeinsam. – [5] benutzt das Mündungsdelta z. T. mit dem Brahmaputra gemeinsam.

Bodens. In der christl. Kirche wurde der F. zum →Bittgang.

Flurverfassung, historisch die Regelung der Besitz- und Bodennutzungsverhältnisse in der bäuerl. Feldflur. Sie erübrigte sich bei den Marsch- und Waldhufendörfern, bei denen die Grundstücke in ihrer Gesamtheit unmittelbar ans Gehöft angrenzen. Eine feste Regelung musste dagegen bei Gemengelage (Aufteilung der Feldflur in Gewanne) eintreten.

Flurzwang, →Flur.

Flush [flʌʃ, engl.] *der,* anfallweise auftretende Hautrötung im Bereich des Gesichts (auch an Hals, Brust und Oberarmen).

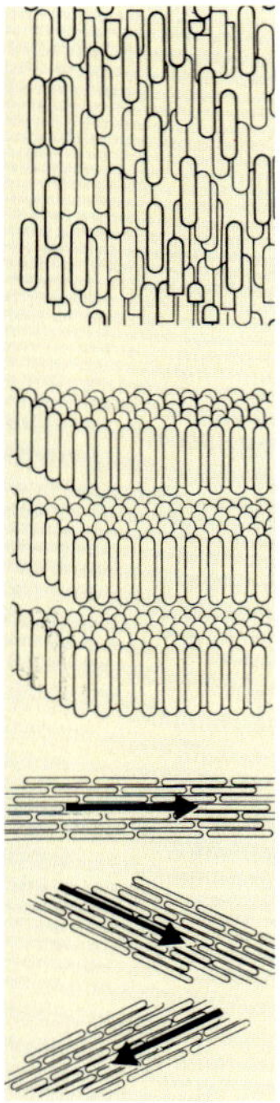

flüssige Kristalle: Verschiedene Texturen der Moleküle, (von oben) nematische, smektische und cholesterinische Phase

Fluss, 1) *Geographie:* jedes fließende Gewässer des Festlandes; im allg. Sprachgebrauch werden bedeutendere F. **Ströme,** kleinere **Bäche** und kleinste **Rinnsale** genannt. Sie münden in einen anderen F. (Neben-F.) oder in einen Endsee oder ein Meer. Das zu einem F. gehörende Gewässernetz bildet dessen **F.-System,** das von diesem entwässerte Landgebiet sein **Strom-, Entwässerungs-** oder **Einzugsgebiet,** das durch eine Wasserscheide vom nächsten getrennt wird. Je nach Klima und Niederschlägen schwankt die Wasserführung im Jahreslauf (Hoch-, Mittel-, Niedrigwasser); in Gebieten ständigen Wechsels von Regen- und Trockenzeit gibt es period. F. (jahreszeitlich fließende) und episod. (nur in unregelmäßigen größeren Abständen erscheinende) F.; beide versickern oder verdunsten oft schon vor ihrer Mündung. Dauer-F. in Trockengebieten heißen **Fremdlings-F.** (z.B. unterer Nil). **Karst-F.** verschwinden im Untergrund (→Karsterscheinungen), fließen aber oft unterirdisch als **Höhlen-F.** weiter und treten z.T. an anderer Stelle wieder zutage. – Der F. schafft sich in den Tälern eine Rinne, sein **F.-Bett; F.-Terrassen** deuten auf ein ehemals höher gelegenes, breiteres Bett hin. **F.-Verwilderung** nennt man die wiederholte Verlagerung des F.-Betts infolge stark wechselnder Wasserführung. Das **F.-Gefälle** nimmt nach dem Unterlauf hin ab; in leicht geneigten Ebenen verringert sich die Strömung, was zu Laufverlängerung, z.T. in Schlingen (Mäander), führt. Den Lauf querende harte Gesteinsschichten bewirken Stauungen, Wasserfälle, Stromschnellen. Das vom F. transportierte Material (Gesteinsschutt, Sinkstoffe), auf langem Weg zerrieben und gerundet, wird bei merkl. Strömungsverminderung als Kies-, Sand-, Schlammbank abgelagert. Manchmal erhöht der Fluss sein Bett so weit, dass er über der Umgebung liegt und zw. Dämmen fließt (Damm-F.). Vor der Mündung kann es zur Auffächerung des Flusslaufs kommen (Deltabildung), an Gezeitenküsten zur Verbreiterung des gesamten F. (Trichtermündung, Ästuar). (→Tal, →Flussregelung, →Gewässerschutz).

📖 HANTKE, R.: *Flußgeschichte Mitteleuropas. Skizzen zu einer Erd-, Vegetations- u. Klimageschichte der letzten 40 Millionen Jahre. Stuttgart 1993.* – BREHM, J. u. MEIJERING, M. P. D.: *Fließgewässerkunde. Einführung in die Ökologie der Quellen, Bäche u. Flüsse. Wiesbaden ³1996.* – *Quellen, Bäche, Flüsse u. andere Fließgewässer. Biotope erkennen, be-*

stimmen, schützen, hg. v. C.-P. Hutter, *Beiträge v.* W. Konold u. J. Schreiner. *Stuttgart u. a. 1996.*

2) *Heraldik:* von Wellenlinien begrenzter Pfahl, Balken, Schrägbalken.

3) *Physik:* →elektrischer Fluss; →magnetischer Fluss.

Flussdiagramm, in der Mathematik allg. die graf. Darstellung der Ablaufstruktur eines Algorithmus, die die zweckmäßige Aufeinanderfolge log. und arithmet. Operationen sichtbar macht. F. speziell in der Datenverarbeitung sind →Datenflussplan und →Ablaufplan.

Flussdichte, →elektrische Flussdichte, →magnetische Flussdichte.

Fluss Eridanus (Eridanus), Sternbild am Südhimmel.

flüssige Kristalle (Flüssigkristalle, kristalline Flüssigkeiten), organ. Verbindungen aus lang gestreckten Molekülen, bei denen sich in bestimmten Temperaturbereichen bestimmte »Kristallstrukturen« (Texturen) bilden. Man unterscheidet die **nemat. Phase** (die Moleküle sind ausgerichtet, aber nicht in Schichten angeordnet), die **smekt. Phase** (Moleküle in Schichten angeordnet und senkrecht dazu ausgerichtet) sowie die **cholesterin. Phase** (Moleküle sind schichtweise orientiert, die Schichten sind schraubenartig verdreht). Durch Anlegen äußerer Felder können die opt. Eigenschaften (z. B. Farbe, Transparenz) reversibel geändert werden; dies nützt man in →Flüssigkristallanzeigen aus. – F. K. bilden eine Übergangsstufe, die **Mesophase,** zw. dreidimensional geordneten Phasen (Kristalle) und isotropen Flüssigkeitsphasen. Die von den Kristallen bekannten Anisotropieeffekte wie Doppelbrechung treten auch an f. K. auf.

📖 Koswig, H. D.: *F. K. Eine Einführung in ihre Anwendung. Berlin [2]1990.*

flüssige Luft, Luft, die durch wiederholte Kompression mit Abkühlung auf Temperaturen unter ihrem Siedepunkt (–194,5 °C) gebracht und dadurch verflüssigt wird; wichtiges Kühlmittel und Ausgangsstoff für die Luftzerlegung.

Flüssiggas, bei der Verarbeitung von Erdgas und Erdöl gewonnenes, in Druckbehältern verflüssigtes Propan, Butan, Propylen, Butylen u. a.; findet Verwendung in der chem. Industrie, als Brenngas und Kraftstoff (Autogas).

Flüssigkeit, Materie im flüssigen Aggregatzustand, in dem die Atome oder Moleküle eng beieinander liegen, aber leicht gegeneinander verschiebbar sind. Eine F. nimmt daher (anders als Festkörper) die Form des Gefäßes an, behält aber (anders als Gase) ihr Volumen auch unter Druck bei. Ein charakterist. Merkmal von F. ist ihre Fähigkeit, Gefäßwände u. a. zu benetzen (→Benetzung). Im Unterschied zu Gasen können F. stabile Oberflächen annehmen; in Gefäßen bilden sie unter der Einwirkung der Schwerkraft eine ebene Oberfläche aus, während kleine F.-Tropfen infolge der Oberflächenspannung Kugelform annehmen. Außer bei **kristallinen F.** (→flüssige Kristalle) fehlt bei F. die Fernordnung der Kristalle. Bei **newtonschen F.** ist die Viskosität vom Spannungs- oder Deformationszustand unabhängig, im Ggs. zu **nichtnewtonschen F.** (→Fließen). Mit Ausnahme des flüssigen Heliums (→Suprafluidität) existiert in F. stets nur eine flüssige Phase.

Flüssigkeitsgetriebe, ein →Druckmittelgetriebe.

Flüssigkristallanzeige (engl. **l**iquid **c**rystal **d**isplay, Abk. LCD), bei elektron. Geräten eine Anzeigeeinheit aus →flüssigen Kristallen. Dabei befindet sich eine dünne (transparente) Schicht nemat. flüssiger Kristalle zw. zwei durchsichtigen leitenden Platten (Glasplatten mit Elektroden). Wird ein elektr. Feld angelegt, so ändert sich die Orientierung der Kristalle und damit deren opt. Eigenschaften, insbesondere die Transparenz der Schicht; bei bestimmten flüssigen Kristallen sind auch Farbänderungen möglich.

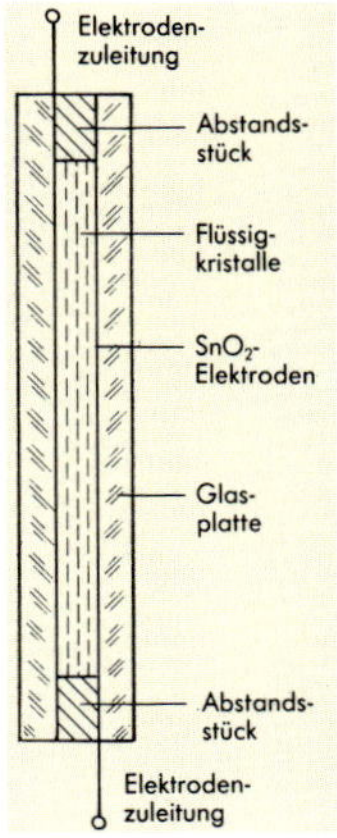

Flüssigkristallanzeige: Querschnitt durch eine Flüssigkristallzelle; auf den Innenseiten der Glasplatten befinden sich die durchsichtigen Elektroden aus Zinnoxid SnO_2

Flusskrebse (Astacidae), Familie der zehnfüßigen Krebse; leben am Grund von klaren, kalkreichen, nicht zu tiefen Gewässern und ernähren sich von Aas, Kleintieren und Wasserpflanzen. Während der Häutungen haben die Tiere einen weichen Panzer **(Butterkrebs). Krebsaugen (Krebssteine)** sind Kalkablagerungen im Magen, die zur Panzerhärtung verbraucht werden. Die Gliedmaßen des 1. Hinterleibringes der Männchen sind zu einem Begattungsorgan umgebildet; das Weibchen trägt die Eier und später die frisch geschlüpften Jungtiere an der Unterseite des Hinterleibs. Der **Edelkrebs (Europ. F.,** Astacus astacus) ist in weiten Teilen Mitteleuropas durch den **Amerikan. F.** (Oronectes limosus) ersetzt worden; daneben kommen **Steinkrebs** (Astacus torrentium), **Dohlenkrebs** (Astacus pallipes) und **Sumpfkrebs** (Astacus leptodactylus) vor.

Flussmittel, Gemischzusätze bei versch. Schmelzprozessen (Metallerzverhüttung, Keramikherstellung, Glasschmelzen), die das Schmelzen oder die Abscheidung bestimmter Stoffe erleichtern oder die Oxidation verhindern. Zu den F. gehören auch die Desoxidationsmittel und viele Löt- und Schweißhilfsmittel.

Flussmuscheln: Die Malermuschel kommt in mitteleuropäischen Seen und Fließgewässern vor; sie ist geschützt

Flussmuscheln (Unionidae), Familie weltweit verbreiteter, im Süßwasser lebender Blattkiemer (→Muscheln), u. a. die Malermuschel.

Flusspferde (Hippopotamidae), Paarhuferfamilie mit zwei dicken, plumpen, fast nackten, kurzbeinigen Arten mit breitem, flachem Kopf, kleinen Augen und Ohren sowie verschließbaren Nasenöffnungen. Die vierzehigen Füße haben Schwimmhäute. F. sind nicht wiederkäuende

Flusspferde: Zwergflusspferd (oben) und Nilpferd mit Jungtier

Pflanzenfresser, sie leben in Afrika südlich der Sahara. Das **Große F. (Nilpferd,** Hippopotamus amphibius) wird über 4 m lang und über 3 t schwer. Es lebt gesellig außerhalb des geschlossenen Regenwaldes. Paarung, Geburt und Säugen finden im Wasser statt. Das **Zwerg-F.** (Choeropsis liberiensis), bis zu 175 cm lang, 270 kg schwer, bewohnt geschlossene Waldgebiete einzeln oder paarweise in Sümpfen und Dickichten. Die Jungen werden an Land geboren.

Flussregelung, eine Art des Gewässerausbaus zur Verbesserung der Wasserstands- und Abflussverhältnisse und zur Herabsetzung der Fließgeschwindigkeit (→ Stauregelung).

Flusssäure, → Fluorwasserstoff.

Flussspat (Fluorit), kub. Mineral der chem. Zusammensetzung CaF_2, selten farblos, oft sehr unterschiedlich gefärbt, durchsichtig, häufig fluoreszierend; meist derb, auch in Würfeln. F. ist überwiegend hydrothermal auf Erzgängen entstanden, es wird zur Herstellung von Flusssäure und Fluor, für Email und Glasuren, als Flussmittel in der Metallurgie sowie in der opt. Ind. verwendet.

Flüstergewölbe (Flüstergalerie), Bez. für einen Raum, in dem an bestimmten Stellen geflüsterte Worte durch Reflexion des Schalls von meist gekrümmten Decken und Wänden an entfernten Stellen deutlich wahrgenommen werden können, während sie im übrigen Raum nicht zu hören sind.

Flut, period. Steigen des Meerwassers zw. Niedrigwasser und Hochwasser. (→ Gezeiten)

Fluten, das Auffüllen spezieller Schiffsräume oder Fluttanks mit Wasser zum Verändern des Tiefgangs oder beim Tauchen.

Flutkraftwerk, → Gezeitenkraftwerk.

Flutlicht, Beleuchtung eines Bauwerks, eines Sportplatzes u.a. mit Scheinwerfergruppen, die den Lichtstrom gut verteilen und blendfrei sind.

Flutwellen, sprunghafter Anstieg des Wasserspiegels als Auswirkung der Flut, v.a. im Mündungsbereich von Flüssen. Als F. werden auch langperiod. Meereswellen mit hoher Fortpflanzungsgeschwindigkeit bezeichnet (bei 4000 m Tiefe 700 km/h), die durch meteorolog. Ursachen (Wind- und Luftdruckschwankungen, → Sturmflut) oder → Seebeben auftreten (→ Tsunamis) und katastrophale Folgen haben können.

fluviatil (fluvial) [lat.], zum Fluss gehörig, vom Fluss gebildet.

fluvioglazial [lat.] (glaziofluviatil), durch Gletscherschmelzwasser entstanden, z.B. Sander in Nord-Dtl., Schotterfluren im Alpenvorland.

Fluxus [lat. »das Fließen«] *der,* Begriff der zeitgenöss. Kunst für Aktionen, bei denen ein oder mehrere Künstler (mit Akteuren) versuchen, aktive Veränderungs- und Wandlungsprozesse als Prinzipien der Realität sichtbar zu machen. Im Zusammenspiel von Musik, Theater und bildender Kunst sollen die Grenzen zw. den Künsten, aber auch zw. Künstlern und Publikum aufgehoben werden. Maßgeblich beteiligt an der F.-Bewegung waren N. J. Paik, J. Cage, J. Beuys sowie W. Vostell.

📖 *F., bearb. v.* T. KELLEIN, *Ausst.-Kat. Kunsthalle Basel, 1994.*

Fly-by ['flaɪ 'baɪ, engl.] *das* (Swing-by), Raumflugmanöver, bei dem die Freiflugbahn eines Raumflugkörpers bei Annäherung an einen Planeten geändert und dessen Gravitation und Bewegung genutzt wird. Dadurch können erhebl. Treibstoffeinsparungen und Flugzeitverkürzungen erzielt werden (z.B. Flugdauer zum Planeten Pluto direkt rd. 40 Jahre, mit F.-b.-Technik rd. sieben Jahre).

Fly-by-Wire ['flaɪ 'baɪ 'waɪə; engl. »Fliegen per Draht«] *das,* Übertragung der Steuersignale von

Flusspferde *gehen nachts an Land, um zu fressen. Ihre etwa sieben Zentimeter dicke Haut, die im Wasser die Wärmeabstrahlung verhindert, ist tagsüber an Land ein echtes Hindernis, da die isolierende Eigenschaft der Haut schnell für Überhitzung sorgt. So ziehen es die Dickhäuter am Tage vor, sich träge in Wasser, Schlamm und am Ufer zu bewegen. Nachts hingegen können sie behaglich meilenweit an Land herumspazieren und Nahrung aufnehmen. Flusspferde können übrigens nicht schwimmen. Selbst wenn sie ihre Lungen randvoll mit Luft gepumpt haben, sinken sie auf den Grund. Dort können sie dann bis zu fünf Minuten einhertrotten, ohne zum Luftholen auftauchen zu müssen.*

den Steuerorganen zu den Steuerflächen eines Flugzeugs durch elektr. Leitungen, die elektr. Impulse an die Stellmotoren einer kraftverstärkten Steuerung übertragen. Vorteile gegenüber mechan. Flugsteuersystemen sind Masseeinsparung, verminderter Platzbedarf sowie höhere Genauigkeit der Signalübertragung. I.w.S. auch Bez. für computergestützte Flugsteuersysteme.

Flyer ['flaɪə, engl.] *der,* Vorspinnmaschine, →Spinnerei.

Flying Dutchman ['flaɪɪŋ 'dʌtʃmən, engl.] *der, Segeln:* Zwei-Mann-Schwertboot, Länge 6,05 m, Breite 1,80 m, Tiefgang 1,10 m, Segelfläche 15 m²; olymp. Bootsklasse seit 1960.

Flying Dutchman

Flynn [flɪn], Errol, amerikan. Filmschauspieler, *Antrim (Nordirland) oder (nach eigenen Angaben) Hobart (Tasmanien) 20. 6. 1909, †Los Angeles (Calif.) 14. 10. 1959; stellte in Abenteuerfilmen und Western meist draufgänger. Helden dar (»Captain Blood«, 1935; »Robin Hood, der König der Vagabunden«, 1938; »Der Herr der sieben Meere«, 1940).

Errol Flynn

Fly River [flaɪ 'rɪvə], längster Fluss Neuguineas, 1120 km lang; entspringt im östl. Zentralgebirge, bildet im Mittellauf die Grenze zw. Indonesien und Papua-Neuguinea, mündet mit einer 80 km breiten Trichtermündung in den Golf von Papua; etwa 800 km schiffbar.

Flysch [flɪʃ] *das,* meist marines Sediment aus Sandsteinen, Mergeln, Schiefertonen und Kalksteinen; fossilarm, aber reich an Lebensspuren von Würmern und Strömungsanzeichen; als Abtragungsprodukt intrageosynklinaler aufsteigender Schwellen weltweit verbreitet. F. neigt zum Abrutschen (»Fließen«).

fm, Einheitenzeichen für **F**emto**m**eter, 1 fm = 10^{-15} m.

Fm, 1) chem. Symbol für →**F**er**m**ium.

2) Einheitenzeichen für →**F**est**m**eter.

FM, Abk. für **F**requenz**m**odulation.

Fo̱, Dario, italien. Dramatiker, Schauspieler, Regisseur und Theaterleiter, *Leggiuno-Sangiano (Prov. Varese) 24. 3. 1926; schrieb ab 1958 mit seiner Frau Franca Rame (*1929) volkstüml. Farcen; Gründer (1970) und Leiter des Theaterkollektivs »La Comune« in Mailand, mit dem er gesellschaftskrit. polit. Volkstheater realisiert (u.a. »Mistero buffo«, 1969; »Zufälliger Tod eines Anarchisten«, 1970; »Bezahlt wird nicht!«, 1974; »Ruhe! Wir stürzen ab«, 1991). Nobelpreis für Literatur 1997.

fob (f.o.b.), Abk. für **f**ree **o**n **b**oard, internat. Handelsklausel: Der Verkäufer trägt die Kosten und Gefahren für die Ware bis zu dem Zeitpunkt, zu dem die Ware im Verschiffungshafen tatsächlich über die Reling des Schiffes gebracht wird.

foc (f.o.c.), Abk. für **f**ree **o**f **c**harge, internat. Handelsklausel: kostenfrei, d.h., der Verkäufer hat alle anfallenden Kosten zu tragen.

Foch [fɔʃ], Ferdinand, frz. Marschall (seit 1918), *Tarbes 2. 10. 1851, †Paris 20. 3. 1929; führte zu Beginn des 1. Weltkrieges die 9. Armee, 1915/16 die Heeresgruppe Nord; 1917 zum Chef des Generalstabes ernannt, 1918 Oberkommandierender der Entente-Truppen, gab dem Krieg an der Westfront die entscheidende Wendung. Am 11. 11. 1918 erzwang er die bedingungslose Annahme der von ihm gestellten Waffenstillstandsbedingungen durch Dtl. – »Meine Kriegserinnerungen« (1931).

Fọck, Gorch, eigtl. Johann Kinau, Schriftsteller, *Finkenwerder (heute zu Hamburg) 22. 8. 1880, †(gefallen in der Seeschlacht) vor dem Skagerrak 31. 5. 1916; humor- und gemütvoller Erzähler in Hoch- und Plattdeutsch aus der Welt der Seefahrt (»Hein Godenwind«, 1912; »Seefahrt ist not!«, 1913).

Fock, 1) bei Dreimastsegelschiffen das unterste Rahsegel am **F.-Mast** (vorderen Mast).

2) beim Segelboot dreieckiges Segel vor dem Mast.

Fọcke, Henrich, Flugzeugkonstrukteur, *Bremen 8. 10. 1890, †ebd. 25. 2. 1979; Mitbegründer der 1924 gegr. F.-Wulf Flugzeugbau AG, Bremen, von der Schul-, Sport- und Verkehrsflugzeuge sowie Jagdflugzeuge und Bomber gebaut wurden. 1932–37 arbeitete er an der Entwicklung des ersten gebrauchsfähigen Hubschraubers (FW 61) und gründete dafür 1937 die Firma **F., Achgelis & Co.** in Delmenhorst; nach 1945 Hochschullehrer.

Focșani [fok'ʃanj], Hptst. des Bez. Vrancea, Rumänien, am Rande der Ostkarpaten, 100 900 Ew.; Zentrum eines Obst- und Weinbaugebietes; Möbel-, Bekleidungsindustrie.

Fọcus, Nachrichtenmagazin, gegr. 1993, wird vom Burdakonzern in München herausgegeben.

Föderalịsmus [frz., zu lat. foedus »Bündnis«, »Staatsvertrag«] *der,* ein Gestaltungsprinzip von Staaten, das der übergeordneten Gewalt nicht mehr Regelungsbefugnisse gegenüber nachgeordneten Gewalten einräumt, als im Interesse des Ganzen geboten ist. Typen des F. auf völkerrechtl. Grundlage (völkerrechtl. Staatenverbindungen) sind v.a. der **Staatenbund** (Konföderation, z.B. USA 1778–87, Dt. Bund 1815–66), aber auch Personal- und Realunion: Die Souveränität der Mitgl. bleibt unangetastet (keine gemeinsame Staatsgewalt), aber die Verbindung stellt ein völkerrechtl. Subjekt dar. Als dauerhafteste polit. Gestaltung des F. hat sich der F. auf staatsrechtl. Grundlage im **Bundesstaat** erwiesen, der aus Gliedstaaten zusammengesetzt ist, die teilweise Staatsgewalt behalten (z.B. USA, Schweiz, Dtl., Österreich). Die Gesamtstaatsvertretung nach außen liegt stets bei der Zentralgewalt.

📖 KILPER, H. *u.* LHOTTA, R.: *F. in der Bundesrep. Deutschland. Eine Einführung. Opladen 1996.* –

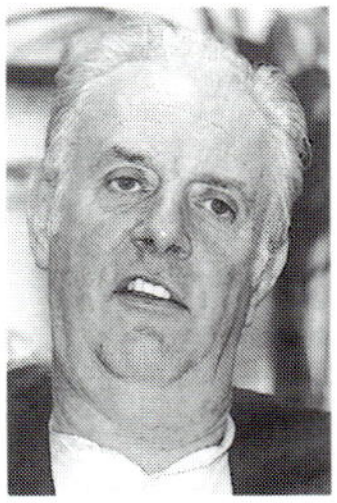

Dario Fo

LAUFER, H. *u.* FISCHER, T.: *F. als Strukturprinzip für die Europ. Union. Gütersloh 1996.* – REUTER, K.: *F. Grundlagen u. Wirkungen in der Bundesrep. Deutschland. Heidelberg* [5]*1996.*

Föderation [lat. »Bündnis«] *die,* Verbindung mehrerer unabhängig bleibender Staaten zu einem zeitlich und sachlich begrenzten Zweck (→Bündnis, →Konföderation).

Foerster ['fœ-], Friedrich Wilhelm, Pädagoge, *Berlin 2. 6. 1869, †Zürich 9. 1. 1966; lebte 1942–63 in New York; setzte sich als unerbittlicher polit. Ethiker und Pazifist bes. für Charakter-, Sexual- und polit. Erziehung ein.

Fogarasch (rumän. Făgăraş), Stadt im Bezirk Kronstadt, in Siebenbürgen, Rumänien, am Alt, 45 700 Ew.; chem., Nahrungsmittelind., Maschinenbau. – Burganlage mit Innenhof und vier oktogonalen Ecktürmen (ab 1300).

Fogarascher Gebirge, Teil der Südkarpaten, mit dem höchsten Gipfel Rumäniens (Moldoveanu, 2544 m ü. M.).

Fogazzaro, Antonio, italien. Schriftsteller, *Vicenza 25. 3. 1842, †ebd. 7. 3. 1911; schildert in seinen Erzählwerken (»Miranda«, Epos, 1874; »Malombra«, R., 1881; »Daniele Cortis«, R., 1885; »Fedele«, Nov., 1887; »Der Heilige«, R., 1906) humorvoll-realistisch Bürgertum und Provinzaristokratie; geriet als Vertreter eines liberalen Katholizismus in Konflikt mit der Kirche.

Robert W. Fogel

Fogel, Robert W. (William), amerikan. Volkswirtschaftler, *New York 1. 7. 1926; gilt als Erneuerer der wirtschaftsgeschichtl. Methodik; Prof. in Rochester (1968–75), Harvard (1975–81) und Chicago (seit 1981). F. erhielt 1993 mit D. C. North den Nobelpreis für Wirtschaftswissenschaften für seinen Beitrag zur Erneuerung der wirtschaftsgeschichtl. Forschung. F. ist Mitbegründer der neuen Wirtschaftsgeschichte (»New Economic History«, »Cliometrie«).

Foggara [arab.], in NW-Afrika Bez. für →Kanat.

Foggia ['fɔdʒa], **1)** Provinz in Apulien, Italien, 7189 km², (1995) 699 100 Einwohner.

2) Hptst. von 1), 155 800 Ew.; Mittelpunkt der agrarisch genutzten Ebene von F. und bed. Handelszentrum; Papier-, chem., Nahrungsmittelind., Dieselmotorenwerk in der Industrieagglomeration Incoronata. – 1731 zerstörte ein Erdbeben fast alle alten Bauten; die Kathedrale wurde im Barockstil neu errichtet.

Föhl, Carl, Volkswirtschaftler, *Krefeld 2. 8. 1901, †Koblenz 19. 2. 1973; Vertreter des Neokeynesianismus, gilt als Begründer der modernen kreislauf-, konjunktur- und verteilungstheoret. Forschung (»Geldschöpfung und Wirtschaftskreislauf«, 1937).

Fohlen (Füllen), Pferd bis zum 2. Lebensjahr.

Föhn [von lat. favonius »lauer Westwind«], warmer, trockener böiger Fallwind auf der Leeseite von Gebirgen, z. B. den Alpen; entsteht durch Luftdruckausgleich von einem Gebiet hohen Luftdrucks zu einem Gebiet tiefen Luftdrucks. Nach Überqueren des Gebirgskammes löst sich die Luvwolke entlang einer stationären Grenze auf, die von Lee her gesehen als mächtige Wolkenwand **(F.-Mauer)** erscheint.

Föhnkrankheit, Beeinträchtigung des körperl. Wohlbefindens bei Föhn; Ursache sind möglicherweise die Druckunterschiede der Luftfronten. Symptome: Reizbarkeit, Kopfschmerzen, Übelkeit, allg. Unlustgefühl, rasche Ermüdung; bei Föhn kommt es mitunter auch zu einem gehäuften Auftreten von Herz- und Kreislauferkrankungen.

Fohnsdorf, Gemeinde in der Steiermark, Österreich, an der oberen Mur, 9500 Ew.; der Glanzbraunkohlenbergbau (bis in eine Tiefe von 1200 m) wurde 1979 eingestellt, seither Elektroind., Maschinenbau.

Carl Philipp Fohr: Selbstbildnis (1816; Heidelberg, Kurpfälzisches Museum)

Fohr, Carl Philipp, Maler und Zeichner, *Heidelberg 26. 11. 1795, †Rom (im Tiber ertrunken) 29. 6. 1818; gehörte seit 1816 zu den Nazarenern, malte und zeichnete heimatl. und italien. Landschaften unter dem Einfluss J. A. Kochs, dessen strenge klass. Form er zu freiem romant. Ausdruck wandelte.

Föhr, eine der nordfries. Inseln, vor der Westküste von Schlesw.-Holst. im Wattenmeer gelegen, 82 km², 9800 Ew.; Hauptort ist Wyk auf Föhr; Hauptwirtschaftszweige sind die Grünlandwirtschaft und der Fremdenverkehr; Fährverbindung zum Festland (Dagebüll) und nach Wittdün auf Amrun.

Föhre, anderer Name der Waldkiefer, →Kiefer.

Foide, Kw. aus **F**eldspat**oide,** →Feldspatvertreter.

Foix [fwa], Hptst. des Dép. Ariège, Frankreich, in den Pyrenäen, an der Ariège, 10 400 Ew.; Handelszentrum, Eisenverarbeitung. – Burg (11.–15. Jh.; heute Museum). – Seit Anfang des 11. Jh. Sitz der Grafen von F., deren Gebiet 1484 an das Haus Albret fiel.

Fokalinfektion, die →Herdinfektion.

Fokin, Michail Michailowitsch (frz. Michel Fokine), russ. Tänzer, Choreograph und Tanztheoretiker, *Sankt Petersburg 25. 4. oder 5. 5. (?) 1880, †New York 22. 8. 1942; 1909–14 Chefchoreograph von Diaghilews »Ballets Russes« in Paris; strebte für das Ballett eine konzeptionelle Einheit von Musik, Malerei und Bewegung an. Auf seinen Ideen baute G. Balanchine auf.

Anthony Fokker

Fokker, Anthony Herman Gerard, niederländ. Flugzeugkonstrukteur, *Kediri (auf Java) 6. 4. 1890, †New York 23. 12. 1939; gründete 1912 eine Flugzeugfabrik bei Berlin und baute während des

1. Weltkriegs u. a. einsitzige Jagdflugzeuge. 1919 gründete er in Amsterdam die **Nederlandse Vliegtuigenfabriek F.,** in der viele bed. Verkehrsflugzeuge entstanden. Nach 1922 gründete F. in den USA mehrere Flugzeugwerke.

Fokus [lat. »Herd«] *der,* **1)** *Medizin:* Krankheitsherd (→Herd).

2) *Optik:* der →Brennpunkt.

Fokussierung, allg. die Vereinigung von parallelen oder divergierenden Strahlen in einem Punkt mittels geeigneter Vorrichtungen, die Einstellung eines opt. Systems auf beste Bildgüte; in der Teilchenoptik die Strahlführung geladener Teilchen durch elektr. und magnet. Felder.

Foldes, Andor, eigtl. Földes, amerikan. Pianist ungar. Herkunft, *Budapest 21. 12. 1913, †Herrliberg (bei Zürich) 9. 2. 1992; v. a. Bartók- und Beethoven-Interpret.

Folengo, Teofilo, Pseud. Merlin Cocai, italien. Dichter, *Mantua 8. 11. 1491 (1496?), †Campese (heute zu Bassano del Grappa) 9. 12. 1544; Meister der makkaron. Dichtung, parodierte in seinen Epen »Baldus« (vier Fassungen: 1517, 1521, 1539/40 und postum 1552) und »Zanitonella« (1519) die Ritterepen und Schäferidyllen.

Folge, *Mathematik:* Abbildung, durch die der Menge der natürl. Zahlen die Elemente $a_1, a_2, a_3, \ldots$ einer Menge M zugeordnet werden; Kurzschreibweise (a_n) oder $\langle a_n \rangle$. Die Elemente von M können reelle Zahlen, Funktionen, Punkte u. Ä. sein. Bei den **Zahlen-F.** unterscheidet man **arithmet. F.** mit dem allg. Bildungsgesetz $a_n = a_1 + (n-1) \cdot d$, z. B. die F. $1, 3, 5, 7, 9, \ldots$, und **geometr. F.** der Form $a_n = a_1 \cdot q^{n-1}$, z. B. $1, \frac{1}{2}, \frac{1}{4}, \frac{1}{8}, \ldots$ Folgen können auch rekursiv definiert sein, z. B. die →Fibonacci-Folge. In der Analysis untersucht man das Konvergenzverhalten und den →Grenzwert von F.; besondere Bedeutung haben die →Cauchy-Folgen.

Folgeeinrichtungen, Gesamtheit der kommunalen Einrichtungen, die für die Bev. bei der Erschließung neuer Wohngebiete notwendig sind: Verwaltung, Schulen, Krankenhäuser u. a.

Folgerecht, das Recht des Urhebers eines Werkes der bildenden Kunst, vom Erlös aus der Weiterveräußerung seines Werkes durch Kunsthändler oder Versteigerer einen Anteil von 5 % zu verlangen, falls der Erlös mindestens 100 DM beträgt.

Folgesatz, →Konsekutivsatz.

Foliant *der,* Buch im Folioformat; umgangssprachlich für: großformatiges Buch.

Folie [von lat. folium »Blatt«] *die,* flächiges, in sich homogenes, sich selbst tragendes und flexibles Gebilde mit einer Dicke zw. 2 µm und 1 mm. **Metall-F.,** i. d. R. Aluminium- und Zinn-F. (Stanniol), sind meist gewalzt und werden als Verpackungsmaterial, zum Belegen von Spiegeln u. a. verwendet. **Kunststoff-F.** erhält man durch Gießen, Kalandrieren oder Extrudieren. **Verbund-F.** werden durch Verkleben, Verschweißen oder Metallisieren im Hochvakuum (z. B. Aluminium und Kunststoff) hergestellt. **Schrumpf-F.** werden durch Recken bei hoher Temperatur und Abkühlung unter Spannung vorbehandelt; um das zunächst locker eingeschlagene Packgut legt sich diese F. beim Erwärmen eng an. F. werden für Verpackungen, Bautechnik, Landwirtschaft und für Auskleidungen im Apparatebau verwendet.

Folienpressen, buchbinder. Verfahren, bei dem eine Farbschicht von einer Folie oder die Folie selbst mithilfe einer Prägepresse bei konstantem Druck und gleich bleibender Temperatur auf die Unterlage (z. B. Bucheinbände) übertragen wird.

Foligno [fɔˈliɲo], Stadt in Umbrien, Italien, in der Prov. Perugia, 53 100 Ew.; Handels- und Industriestandort, Verkehrsknotenpunkt. – Mittelalterl. Stadtkern mit Dom (1133–1201), Palazzo Trinci (1389–1407; heute archäolog. Museum), Gemäldegalerie und Bibliothek.

Folkestone [ˈfəʊkstən], Hafenstadt und Seebad in der engl. Cty. Kent, an der Straße von Dover, 43 700 Ew.; Fährverkehr nach Boulogne-sur-Mer. Westlich von F. (bei Cheriton) Beginn des Eurotunnels unter dem Ärmelkanal.

Folketing [dän.] *das,* das dän. Parlament.

Folklore [engl.] *die,* die gesamte volkstüml. Überlieferung, z. B. Lied, Märchen, Sage, aber auch Tracht, Brauchtum, Volkswissen und -glaube; auch daraus geschöpfte Elemente von Musik und Dichtung. Außerhalb Dtl.s vielfach Bez. für den Gesamtbereich der Volkskunde.

Folkmusic [ˈfəʊkmju:zɪk, engl.] *die* (Kurzbez. Folk), 1) engl. Bez. für Volksmusik; 2) Bez. für eine populäre, oft vom Rock beeinflusste Musik (deshalb auch **Folkrock** gen.), die an Traditionen der engl., schott., ir. oder nordamerikan. Volksmusik (hier auch **Countrymusic** oder **Countryrock** gen.) anknüpft. (→Folksong)

Folksong [ˈfəʊksɔŋ, engl.], Parallelbegriff zum dt. →Volkslied. Bis um 1920 fand der Begriff F. nur als Terminus der angelsächs. Volksliedforschung Verwendung und bezeichnete das mündlich überlieferte, anonyme und variable Lied. In den 20er-Jahren setzte in den USA eine Kommerzialisierung der Volksmusiktradition (Schallplattenaufnahmen) ein. In den 30er-Jahren kam die Bewegung der Folkfestivals hinzu mit Sängern wie B. Ives, P. Seeger, W. Guthrie, später J. Baez, B. Dylan, A. Guthrie u. a. In der amerikan. F.-Bewegung sind Elemente der europ. Musik mit denen des Negrospiritual, der Hillbillymusic und der Countrymusic zusammengeflossen. Heute sind viele F. mit polit. und sozialen Bewegungen verknüpft. (→Protestsong)

Fon:
Gun, der Gott der Waffen und des Krieges, Eisen, Höhe 1,63 m (Paris, Musée de l'Homme)

Henry Fonda

Jane Fonda

Peter Fonda

Folkunger, schwed. Königsgeschlecht, das 1250–1363 in Schweden, 1319–87 in Norwegen und 1376–87 in Dänemark regierte.

Folkwang, Museum, Kunstmuseum mit einer Sammlung von Gemälden des 19. und 20. Jh., 1902 von Karl Ernst Osthaus (*1874, †1921) in Hagen gegr., 1929 von der Stadt Essen erworben und in einem Neubau mit den Beständen des Städt. Museum neu eröffnet (1984 erweitert).

Follen, Karl Theodor Christian, Schriftsteller und Politiker, *Romrod (Vogelsbergkreis) 4. 9. 1796, †(bei einem Schiffsbrand im Long Island Sound, N. Y.) 13. 1. 1840; ein Führer des radikalen Flügels der Burschenschaft. Wegen »demagog. Umtriebe« angeklagt, floh F. 1819 über Frankreich und die Schweiz in die USA; 1830–35 Prof. an der Harvard University, danach unitar. Prediger.

Follikel [lat. »kleiner Ledersack«] *der, Anatomie:* Bläschen, Säckchen, Balg, Knötchen; z. B. Haar-F. (Haarbalg), Lymph-F. (Lymphozytenansammlung); auch Kurzbez. für Eifollikel.

Follikelsprung, → Eierstock.

follikelstimulierendes Hormon, Abk. **FSH,** Geschlechtshormon des Hypophysenvorderlappens; stimuliert bei Frauen Wachstum und Reifung der Eifollikel und die Bildung von Östrogen, beim Mann erhöht es die Spermatogenese.

Folsäure (Pteroylglutaminsäure), Substanz aus der Gruppe der B_2-Vitamine, von großer Bedeutung im Zellstoffwechsel; findet sich in vielen Lebensmitteln (z. B. grüne Pflanzenblätter, Leber, Hefe), ist hitze- und lichtempfindlich; ihr Fehlen im Körper bewirkt Verzögerung der Zellteilung und v. a. eine Störung der Blutbildung.

Folsomkultur ['fəʊlsəm-], nach dem ersten Fundort Folsom (New Mexico) ben. prähistor. Bisonjägerkultur in Nordamerika (etwa 9000–8000 v. Chr.), gekennzeichnet durch steinerne Speerspitzen **(Folsomspitzen)** mit beidseitiger Auskehlung, Feuersteinmesser, Schaber, Knochengeräte. Nach einem anderen Fundort in Colorado wird die F. auch **Lindenmeierkultur** genannt. – Bild Nordamerika (Geschichte)

Folter, Zufügung phys. oder psych. Schmerzen zur Erzwingung einer Aussage. Die F. eines Verdächtigen, seltener die eines nicht aussagewilligen Zeugen, ist sehr alt; sie wurde vielfach im Strafprozess angewendet, seitdem zur Verurteilung das Geständnis des Verdächtigen verlangt wurde (v. a. im Inquisitionsprozess). Seit dem Ende des 15. Jh. erreichte die F. in den Hexenprozessen einen Höhepunkt. Zur Verhinderung des wahllosen Einsatzes der F. entwickelte erstmals die italien. Strafrechtswiss. des 14./15. Jh. Regeln, die z. T. von der Carolina (1532) übernommen wurden. Die F. wurde unter dem Einfluss der Aufklärung, als das Geständnis durch Zeugen- und Indizienbeweise ersetzt werden konnte, v. a. im 19. Jh. aus den Rechtsordnungen beseitigt. Sie ist jedoch bis heute weltweit eine Form polit. Verfolgung und Unterdrückung geblieben, bes. in Staaten, die totalitär oder von Militärdiktaturen regiert werden. – F.-Werkzeuge waren bis in die Neuzeit z. B. Daumenschrauben und span. Stiefel (zum Quetschen der Daumen oder Waden). Moderne F.-Methoden sind insbesondere die Zwangseinnahme von (u. U. die Aussagen beeinflussenden) Medikamenten, die Anwendung von Elektrizität, von Lärmgeräten, Nahrungsmittelbeschränkung, Schlafentzug oder Methoden des Psychoterrors.

📖 *Amnesty International: Jahresbericht. Frankfurt am Main 1971 ff.* – *F. Zur Analyse eines Herrschaftsmittels, hg. v.* J. P. Reemtsma. *Hamburg 1991.* – Peters, E.: *F. Geschichte der peinlichen Befragung. A. d. Amerikan. Hamburg 1991.* – Millett, K.: *Entmenschlicht. Versuch über die F. A. d. Amerikan. Hamburg 1993.* – *F. An der Seite der Überlebenden, hg. v.* S. Graessner *u. a. München 1996.*

Folz (Foltz), Hans, gen. der Barbierer, Meistersinger, *Worms um 1440, †Nürnberg Jan. 1513; reformierte den → Meistersang; lehrhafte Spruchdichtung, Fastnachtsspiel.

Fon (Dahome), Volksgruppe der → Ewe im S der Rep. Benin und im angrenzenden W-Nigeria, etwa 850 000 Menschen; Waldlandbauern. Die F. gründeten das Königreich Dahomey (→ Benin, Geschichte); aus dieser Zeit stammen hervorragende Metallarbeiten (Eisen, Bronze, Silber, Messing).

Fond [fɔ̃, frz.] *der,* **1)** *allg.:* Hintergrund (z. B. eines Gemäldes), Basis, Grundlage.

2) *Kochkunst:* Grundbrühe, auch Flüssigkeit, die beim Braten, Dünsten oder Kochen von Fleisch u. a. zurückbleibt; Grundlage für Soßen und Suppen.

3) *Kraftwagen:* hinterer Sitzraum im Pkw.

Fonda ['fɔndə], **1)** Henry, amerikan. Schauspieler, *Grand Island (Nebr.) 16. 5. 1905, †Los Angeles 12. 8. 1982, Vater von 2) und 3); Star des klass. Western. – *Filme:* »Früchte des Zorns« (1940), »Die zwölf Geschworenen« (1957), »Spiel mir das Lied vom Tod« (1968), »Am goldenen See« (1981) u. a.

2) Jane, amerikan. Filmschauspielerin, *New York 21. 12. 1937, Tochter von 1); trat auch durch politisch-soziales Engagement hervor. – *Filme:* »Der Reigen« (1964), »Klute« (1970), »Nora« (1973), »Das China Syndrom« (1978), »Am goldenen See« (1981), »Old Gringo« (1989) u. a.

3) Peter, amerikan. Filmschauspieler und -regisseur, *New York 23. 2. 1939, Sohn von 1); erfolgreich mit dem Film »Easy Rider« (1969).

Fondaco [italien., von arab. funduq »Unterkunft«] *der,* Handelsniederlassung fremder Kaufleute in den Mittelmeerländern z. B. das **F. dei Tedeschi,** in Venedig, das Kauf- und Lagerhaus der

Deutschen, 1228 erstmals genannt, 1806 geschlossen.

Fonds [fɔ̃, frz.] *der,* für bestimmte Zwecke gehaltene Geldmittel oder Vermögenswerte (Sondervermögen), die z.T. auch unter besonderer Verwaltung stehen. Beispiele sind Sondervermögen von Kapitalanlagegesellschaften (Investment-F., Immobilien-F.), Stiftungen, öffentl. Gebietskörperschaften und internat. Organisationen (Europ. Sozial-F., Internat. Währungs-F.). Die aus der dt. Vereinigung erwachsenen Probleme und Verpflichtungen ließen neben den »klassischen« F. oder Sondervermögen (z.B. ERP-Sondervermögen, Lastenausgleichsfonds) neue F. wie den Fonds Deutsche Einheit, den Kreditabwicklungsfonds, die Treuhandanstalt, den Erblastentilgungsfonds und das Bundeseisenbahnvermögen entstehen.

Fonds Deutsche Einheit [fɔ̃-], durch Ges. vom 25. 6. 1990 errichtetes Sondervermögen des Bundes, das bis 1995 die zentrale Finanzierungsquelle der neuen Bundesländer darstellte; Höhe 1990–94 insgesamt 160,7 Mrd. DM. Rd. 95 Mrd. DM des Fonds wurden durch Kreditaufnahme am Kapitalmarkt aufgebracht, der Rest durch Bund und Länder. Die jährl. Zins- und Tilgungszahlungen (rd. 9,5 Mrd. DM in etwa 20 Jahren) werden von Bund, alten Bundesländern und deren Gemeinden getragen.

Fondue [fɔ̃ dy; frz. »geschmolzen«] *das* oder *die,* ein Käse- oder Fleischgericht. Das **F. neuchâteloise** (aus der Schweiz) aus geschmolzenem Käse, Wein, Gewürzen wird warm mit Brotstückchen gegessen. Bei dem **F. bourguignonne** werden Rinderfiletwürfel in siedendem Öl gegart. Ein anderes **Fleisch-F.** ist das **F. chinoise** aus dünnen Rinderfiletscheiben mit vielerlei Gemüse.

Fontaine [fɔ̃'tɛn], Pierre François Léonard, frz. Baumeister, *Pontoise 20. 9. 1762, †Paris 10. 10. 1853; F. war Hofarchitekt Napoleons I. und begründete in Zusammenarbeit (1794–1814) mit C. Percier den Empirestil; u.a. Restaurierung von Schloss Malmaison (1802 ff.); Arc de Triomphe du Carrousel (1806–08) und die Fassadenfront des Louvre an der Rue de Rivoli (1806).

Fontainebleau [fɔ̃tɛn'blo], Stadt im frz. Dép. Seine-et-Marne, südöstlich von Paris, im Wald von F., 18 000 Ew. Europ. Inst. für Managementausbildung (→INSEAD); Militärsportschule, nat. Reitschule; Käseerzeugung, Maschinenbau. – Schloss (16.–18. Jh., mit Nationalmuseum; Sommersitz der frz. Könige und Napoleons I.) und Parkanlagen (u.a. von A. Le Nôtre) wurden von der UNESCO zum Weltkulturerbe erklärt. – Im Revokationsedikt von F. hob Ludwig XIV. 1685 das Edikt von Nantes auf (→Hugenotten).

Fontainebleau, Schule von [-fɔ̃tɛn'blo], Gruppe von Künstlern, die im 16. und zu Beginn des 17. Jh. an der Innenausstattung des Schlosses Fontainebleau arbeiteten. In der ersten Schule von F. waren Rosso Fiorentino, F. Primaticcio und N. Dell'Abbate richtungweisend; sie führten den italien. Manierismus in Frankreich ein. Die zweite Schule von F. nahm eher fläm. Einflüsse auf (T. du Breuil, M. Fréminet und A. Dubois).

Fontana, 1) Carlo, italien. Baumeister schweizer. Herkunft, *Bruciata (heute zu Monteggio, Tessin) 1634, †Rom 5. 2. 1714; prägte in seiner vielseitigen Tätigkeit als päpstl. Architekt den Stil des röm. Spätbarocks. Er verfasste weit verbreitete architekton. Abhandlungen und war von großem Einfluss auch auf dt. Barockbaumeister.

2) Domenico, italien. Baumeister schweizer. Herkunft, *Melide (Tessin) 1543, †Neapel 1607; verwirklichte im Dienst von Papst Sixtus V. dessen städtebaul. Planungen in Rom und vollendete mit G. Della Porta die von Michelangelo begonnene Kuppel der Peterskirche (1588–90).

3) Lucio, italien. Maler, Bildhauer, Keramiker, *Rosario (Argentinien) 19. 2. 1899, †Varese 7. 9. 1968; schuf Gegenstände und abstrakte Werke, v.a. aber monochrome Bilder, die er mit Durchlöcherungen oder Einschnitten versah. Er verstand sie als Raumkonzepte (»Concetti spaziale«).

Fontane, Theodor, Schriftsteller, *Neuruppin 30. 12. 1819, †Berlin 20. 9. 1898; stammte aus einer Hugenottenfamilie; war zuerst Apotheker; 1864, 1866 und 1870 Kriegsberichterstatter; 1870–89 Theaterkritiker bei der »Voss. Zeitung« in Berlin. F. begann mit Balladen im Stil des Spätrealismus; neben H. Heine gilt er als der bedeutendste dt. Feuilletonist (»Wanderungen durch die Mark Brandenburg«, Reisefeuilletons, 4 Bde., 1862–82; »Ein Sommer in London«, 1854). Eine Liebesgeschichte, die die soziale Struktur und die Geschichte Preußens zum Hintergrund hat, ist »Schach von Wuthenow« (1883). Erst im Alter schrieb er die in der damaligen märk. und bes. in der Berliner Gesellschaft des Adels und des Bürgertums spielenden großen realist. Romane, in de-

Fontainebleau
Stadtwappen

Theodor Fontane

»Irrungen, Wirrungen«

Ein gesellschaftskritischer Roman von Theodor Fontane mit dem Thema der unstandesgemäßen Liebe zwischen einem Adligen und einem bürgerlichen Mädchen, die gezwungen sind, ihr Glück gesellschaftlichen Vorurteilen zu opfern, trägt den Titel »Irrungen, Wirrungen«. Der Titel dieses Romans, in dem sich Fontane für damalige Verhältnisse freimütig mit sozialen und erotischen Problemen des späten 19. Jahrhunderts auseinandersetzte und entsprechend Anstoß erregte, wurde zum geflügelten Wort. Es dient auch heute noch dazu, Konfusionen, Fehlentwicklungen, verworrene Zustände unterschiedlichster Art zu benennen oder zu kommentieren.

Margot Fonteyn de Arias

nen er das Bild einer innerlich brüchigen Zeit entwarf, so in »Irrungen, Wirrungen« (1888), »Stine« (1890) und »Die Poggenpuhls« (1896) über die Fragwürdigkeit der Standeshierarchie, in »Effi Briest« (1895) über die lebenszerstörenden Folgen des Ehren- und Sittenkodexes seiner Zeit; in »Der Stechlin« (hg. 1899) vereint sich konservative Gesinnung mit sozialer Kritik. F. hat den dt. Roman aus der erstarrenden Tradition des Bildungsromans gelöst und auf die Höhe des europ. krit. Gesellschaftsromans geführt. Im Zurückdrängen der Handlung zugunsten des Dialogs und in der Ausbildung eines formbewussten Erzählens, für das leise Skepsis und Ironie typisch sind, wirkte er entscheidend auf die Entwicklung des Romans.

Theodor Fontane: Ausschnitt aus einem Gemälde (1883) und Autogramm

Ausgabe: Romane u. Erzählungen in acht Bänden, hg. v. P. Goldammer u.a. ([4]1993).

🕮 Jolles, C.: *T. F. Stuttgart u.a.* [4]*1993.* – Nürnberger, H.: *T. F. Reinbek 110.–113. Tsd. 1995.* – Reuter, H.-H.: *F., 2 Bde. Berlin u.a.* [2]*1995.* – Ohff, H.: *T. F. Leben u. Werk. München u.a.* [3]*1996.*

Fontäne [frz.] *die,* →Springbrunnen.

Fontanelle [mlat.-frz.], bindegewebig verschlossene Lücke zw. den noch unvollständig miteinander verwachsenen Anlagen der Schädelknochen neugeborener Säugetiere. Beim Menschen haben bes. in der Geburtshilfe die **große F.** (zw. Stirn- und Scheitelbeinanlagen) und die **kleine F.** (zw. Scheitelbeinanlagen und Hinterhauptbeinanlage) Bedeutung.

Fontanili, italien. Bez. für Quellen, bes. in der Poebene, wo am Rand der alpennahen eiszeitl. Schotterfluren in kräftigen Quellen Grundwasser austritt oder leicht zu erbohren ist.

Fontenay [fɔ̃t'nɛ], ehem. Zisterzienserabtei in Burgund, nordwestlich von Dijon im frz. Dép. Côte-d'Or; 1119 durch Bernhard von Clairvaux gegr., 1147 geweiht. Kirche und Kloster (12./13. Jh., z.T. im 15. Jh. erweitert) gelten in ihrer Anlage als Prototyp der Zisterzienserbaukunst und waren von weit reichender Wirkung. Die UNESCO erklärte die Abtei zum Weltkulturerbe.

Fontenelle [fɔ̃t'nɛl], Bernard Le Bovier de, frz. philosoph. Schriftsteller, *Rouen 11. 2. 1657, †Paris 9. 1. 1757; bereitete wie P. Bayle durch Kritik der Überlieferung und Popularisierung der Naturwiss. die Aufklärung vor, schrieb geistvolle »Gespräche im Elysium« (1683).

Fontevrault [fɔ̃tə'vro], Benediktinerabtei im Dorf F.-l'Abbaye, Dép. Maine-et-Loire, Frankreich, 1101 von Robert von Arbrissel als Doppelkloster gegr.; bed. roman. Kuppelkirche mit den Grabdenkmälern Heinrichs II. (Plantagenet) von England, seiner Frau Eleonore von Aquitanien und beider Sohn Richard Löwenherz (12./13. Jh.). Von den Klostergebäuden ist u.a. der 27 m hohe Küchenbau, ein Zentralbau mit 11 m Durchmesser, erhalten.

Fonteyn de Arias [fɔn'teɪn-], Dame (seit 1956) Margot, eigtl. Margaret Hookham, brit. Tänzerin, *Reigate 18. 5. 1919, †Panama 21. 2. 1991; Primaballerina assoluta des Royal Ballet, seit 1962 häufig mit R. Nurejew als Partner; tanzte alle großen klass. und kreierte zahlr. Ballette von F. Ashton. – Memoiren »Die zertanzten Schuhe« (1975).

Fonwisin, Denis Iwanowitsch, russ. Dramatiker, *Moskau 14. 4. 1745 (1744?), †Sankt Petersburg 12. 12. 1792; mit seinen satir. Komödien über den russ. Landadel (»Der Brigadier«, 1766; »Der Landjunker«, 1781) erster bed. Dramatiker Russlands.

Foochow [fudʒɔu], Stadt in China, →Fuzhou.

Food and Agriculture Organization ['fu:d ænd ægrɪ'kʌltʃə ɔ:gənaɪ'zeɪʃn, engl.], →FAO.

Foot [fʊt], Einheitenzeichen **ft,** Längeneinheit in Großbritannien und den USA: 1 ft = 12 inches = 0,3048 m.

Foot [fʊt], Michael, brit. Politiker und Journalist, *Plymouth 23. 7. 1913; Mitgl. der Labour Party, lange Zeit Wortführer ihres linken Flügels, war 1974–76 Arbeitsmin. und 1976–79 Führer des Unterhauses. Als Führer seiner Partei im Unterhaus

Fontenay

Das Kloster Fontenay entstand an der Stelle einer ehemaligen Einsiedelei. Hier entsprang eine Quelle, der heilkräftige Wirkungen zugeschrieben wurden. Von einer Quelle erhielt das Kloster auch seinen Namen (lateinisch fontana = Quelle). Eine Inschrift aus dem Jahre 1655 besagt in lateinischer Sprache: »Was siehst du dir an, du Reisender, den jede Verspätung ungeduldig macht? Du suchst den geheimnisvollen Namen dieses Hauses, das auf einer verborgenen Welle schwimmt. Nun, wisse denn, daß es in Wirklichkeit nicht dieses Haus ist, das schwimmt, sondern die Menschen, die darin wohnen. Wenn du auf der Flucht vor dieser verdorbenen Welt in dieses Haus schwimmen kommst, so wirst du seinen Namen erfahren – Fontenay.«

(1980–83) trat er für die sozialist. Umwandlung der brit. Gesellschaft ein.

Football, American [əˈmerɪkən ˈfʊtbɔːl, engl.] *der,* dem →Rugby ähnl. Ballspiel von zwei Mannschaften mit je elf Spielern und bis zu 34 (in Dtl. 39) Auswechselspielern, die einen eiförmigen Lederhohlball (396–424 g schwer) hinter die gegner. Endlinie tragen oder über die Torlatte treten sollen. Das Spielfeld ist ein auf einem ebenen Rasenplatz angelegtes Rechteck mit einer Länge zw. den Grund- oder Endlinien von 100 Yards (yd) und einer Breite von 50 Yards. Die amerikan. Maßangaben in Yards werden in Dtl. nicht umgerechnet, sondern es gilt 1 yd = 1 m. Parallel zu den Torlinien ist das Spielfeld in »Yardlines« im Abstand von je 5 Yards eingeteilt. – Die Spieldauer (reine Spielzeit) beträgt vier Viertelzeiten zu je 15 (in Dtl. 12) min mit einer Halbzeitpause von 20 (in Dtl. 15) min und je 1 min Pause zw. den übrigen Viertelzeiten. Das Stoppen des Ballträgers und das Blockieren seiner Mannschaftskameraden ist mit fast allen Mitteln erlaubt. Die Stürmer versuchen, den Weg für den Ballträger frei zu machen.

fop (f. o. p.), Abk. für engl. **f**ree **o**n **p**lane, internat. Handelsklausel: frei an Bord des Flugzeugs.

for (f. o. r.), Abk. für engl. **f**ree **o**n **r**ail, internat. Handelsklausel: Der Verkäufer hat Kosten und Gefahren bis zur Übergabe der Ware an die Eisenbahn zu tragen.

Foraminiferen [lat.] (Kammerlinge, Foraminiferas), seit dem Kambrium bekannte Ordnung mariner Urtierchen mit etwa 20 µm bis 15 cm großer, vielgestaltiger Schale aus Kalk (Kalkschaler) oder zusammengekitteten Sedimentteilchen (Sandschaler). F. finden sich in rezenten marinen Ablagerungen oft in sehr großer Zahl **(F.-Sand, Globigerinenschlamm)**, daneben sind sie z. T. wichtige Leitfossilien und Gesteinsbildner, bes. im Karbon und in der Kreide **(F.-Kalke).**

Forbach, 1) Gemeinde im Landkreis Rastatt, Bad.-Württ., Luftkurort im Murgtal, 5900 Ew.; Papierfabrik, Schwarzenbachtalsperre (Kraftwerk).

2) [frz. fɔrˈbak], Stadt in Lothringen, im Dép. Moselle, Frankreich, an der Grenze zum Saarland, 27400 Ew.; Steinkohlenbergbau, Kokerei, Metall verarbeitende, Baustoff- und Möbelindustrie. 1997 wurde der Steinkohlenbergbau eingestellt.

Forbush-Effekt [ˈfɔːbʊʃ-; nach dem amerikan. Geophysiker S. E. Forbush, *1904, †1984], Intensitätsabnahme der kosm. Strahlung 20–30 Stunden nach starken chromosphär. Eruptionen auf der Sonne um einige Prozente des Normalwertes.

Forchheim, 1) Landkreis im RegBez. Oberfranken, Bayern, 643 km², (1996) 109700 Einwohner.

2) Krst. von 1) in Bayern, Große Kreisstadt am Eingang der Fränk. Schweiz, 31000 Ew.; Textil-, Papier- und Metall verarbeitende Ind., Maschinenbau. – Dreischiffige got. Hallenkirche, ehem. bischöflich-bamberg. Residenz (14.–17. Jh.), zahlr. Fachwerkhäuser, u. a. das Rathaus (14.–16. Jh.). – Die 805 erstmals erwähnte karoling. Pfalz entwickelte sich zum Handels- und Stapelplatz; kam 1007 zum Bistum Bamberg, 1802 an Bayern.

Ford, 1) Aleksander, poln. Filmregisseur, *Lodz 24. 11. 1908, †Los Angeles 29. 4. 1980; emigrierte 1968 nach Israel, lebte zuletzt in den USA; Themen seiner Filme waren Probleme der Heranwachsenden und das Schicksal der polnisch-jüd. Bevölkerung. Filme: »Der achte Wochentag« (1958), »Sie sind frei, Dr. Korczak« (1973).

2) [fɔːd], Ford Madox, eigtl. F. M. Hueffer, engl. Schriftsteller und Kritiker, *Merton (heute zu London) 17. 12. 1873, †Deauville (Frankreich) 26. 6. 1939; gründete 1925 in Paris die Zeitschrift »Transatlantic Review«, um die er Schriftsteller wie E. Pound, Gertrude Stein, E. Hemingway und J. Joyce sammelte; sein ironisch-zivilisationskrit. Roman »Die allertraurigste Geschichte« erregte 1915 Aufmerksamkeit.

3) [fɔːd], Gerald Rudolph, 38. Präs. der USA (1974–77), *Omaha (Nebr.) 14. 7. 1913; Rechtsanwalt, Mitgl. der Republikan. Partei, 1965–73 Führer der Republikaner im Repräsentantenhaus; wurde 1973 Vizepräs., nach dem Rücktritt von R. Nixon am 9. 8. 1974 Präsident. F. bemühte sich, die durch die →Watergate-Affäre entstandene Kluft zw. Präsident und Kongress zu überwinden. In der Innenpolitik gemäßigt reformerisch orientiert, verband er in enger Abstimmung mit seinem Außenmin. H. A. Kissinger eine Politik militär. Stärke mit einer Politik der Entspannung. Bei den Präsidentschaftswahlen von Nov. 1976 unterlag er J. E. Carter.

4) [fɔːd], Harrison, amerikan. Filmschauspieler, *Chicago (Ill.) 13. 7. 1942; verbindet in Actionfilmen Eleganz und Komik; bekannt wurde er u. a. mit »Krieg der Sterne« (1977), weitere Rollen in »Apocalypse Now« (1979), »Das Kartell« (1994).

5) [fɔːd], Henry, amerikan. Industrieller, *Dearborn (Mich.) 30. 7. 1863, †Detroit 7. 4. 1947; konstruierte 1892 sein erstes Automobil und gründete 1903 die →Ford Motor Company, deren Präs. er bis 1919 und 1943–45 war. Weltruf erlangte F. durch die Herstellung des Serienwagens Modell T (»Tin Lizzie«), von dem 1908–27 mehr als 15 Mio. Wagen verkauft wurden. – Das Ziel seiner techn., wirtsch. und sozialpolit. Grundsätze **(Fordismus)** war, durch Massenfertigung (Arbeitsteilung, Rationalisierung durch Fließbandarbeit) möglichst gute Er-

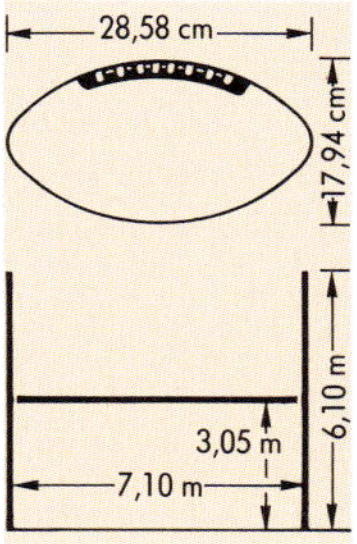

American Football: Maße von Ball (oben) und Tor

Gerald R. Ford

Henry Ford

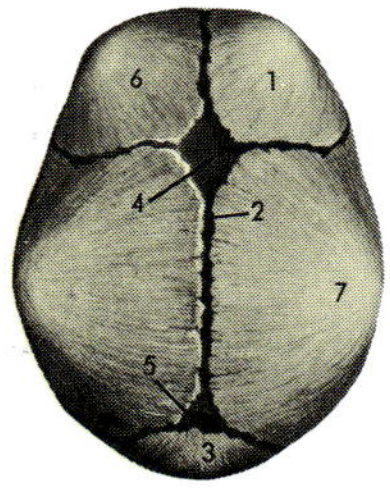

Fontanelle: Schädel eines Neugeborenen (von oben gesehen); 1 Stirnbein, 2 Scheitelbein, 3 Hinterhauptbein, 4 große und 5 kleine Fontanelle, 6 Stirnhöcker, 7 Scheitelhöcker

zeugnisse zu möglichst niedrigen Preisen zu produzieren. Mitbegründer der →Ford Foundation.

6) [fɔ:d], John, engl. Dichter und Dramatiker, getauft Islington (bei Exeter) 17. 4. 1586, † um 1640; schrieb Gedichte, Flugschriften, bühnenwirksame Tragödien und Tragikomödien, u.a. »Giovanni und Arabella« (1633).

7) [fɔ:d], John, eigtl. Sean Aloysius O'Fearna, amerikan. Filmregisseur, * Cape Elizabeth (Me.) 1. 2. 1895, † Palm Springs (Calif.) 31. 8. 1973; schuf über 130 Filme, bes. Western, »Ringo« (»Stagecoach«, 1939); »Früchte des Zorns« (1940); »Westlich St. Louis« (1950); »Der Sieger« (1952); »Der Mann, der Liberty Valance erschoß« (1961) u.a.

8) [fɔ:d], Richard, amerikan. Schriftsteller, * Jackson (Miss.) 16. 2. 1944; schildert die Desillusionierung von Menschen, die erfolglos dem Alltag einer mittelständ. Existenz zu entfliehen suchen; »Der Sportreporter« (1986); »Unabhängigkeitstag« (1996).

Förde [zu Furt], eine tief in das Festland eingreifende lang gestreckte Meeresbucht, aus subglazialen Schmelzwasserrinnen entstanden; bes. an der schleswig-holstein. Ostseeküste (Flensburger F., Kieler Förde).

Förderer, Walter Maria, schweizer. Architekt, * Nohl (Gem. Laufen-Uhwiesen; am Rheinfall) 21. 3. 1928; seine Bauten sind formal dem →Brutalismus verpflichtet. F. trat auch als Bildhauer und Schriftsteller hervor. – *Werke:* Hochschule für Wirtschafts- und Sozialwiss., St. Gallen (1959–63); Kirche Saint-Nicolas in Hérémence, Kt. Wallis, (1961–71); Heiligkreuzkirche in Chur (1966–69); Real- und Oberschule »Im Gräfler« in Schaffhausen (1971–74).

Förderhöhe, charakterist. Größe für Pumpen u.a., die man aus dem Energieunterschied an zwei Stellen in einem strömenden Medium erhält; z.B. Höhenunterschied zw. saugseitigem und druckseitigem Wasserspiegel einer Pumpe.

Walter Maria Förderer: Innenraum der Kirche Saint-Nicolas in Hérémence, Kanton Wallis, Schweiz (1961–71)

Fördermaschine, *Bergbau:* Einrichtung zum Heben und Senken von Lasten in Schächten (Förderung), besteht aus elektr. Antriebsmaschine und Treibmittel, die der Halterung des Förderseils und der Kraftübertragung von der Maschine auf das Seil dienen (z.B. Seiltrommeln oder gekerbte Scheiben). **Flur-F.** stehen neben dem Schacht, sie erfordern ein Fördergerüst über dem Schacht mit Seilscheiben zur Umlenkung der Förderseile. **Turm-F.** stehen auf einem Turm **(Förderturm)** über dem Schacht.

Fördermittel (Förderer), Maschinen und Geräte zum Transportieren von Schütt- und Stückgütern, Flüssigkeiten, auch Personen in geschlossenen Räumen, im Freien und unter Tage in Bergwerken. **Stetigförderer** transportieren in unablässiger Folge nur in einer Richtung. Viele **mechan. Stetigförderer** haben ein endloses, um je eine Trommelscheibe oder einen Kettenstern der Antriebs- und der Umkehrstation geführtes Zugmittel (z.B. Band, Gurt, Drahtseil oder Kette). Mit 1, 2 oder 3 Ketten als Zugmittel gibt es mechan. Stetigförderer in vielen Formen, z.B. als Gurt-, Trog-, Platten- und Kastenbandförderer, als Fahrtreppen, Becherwerke, Schaukel- und Kettenkratzerförderer, ferner als Kettenförderer zum Anhängen von Werkstücken oder dgl. sowie als Kettenbahnen, die Transportwagen über Mitnehmer an ihren Achsen vorschieben. Seil- und Seilschwebebahnen haben Seile als Zugmittel. Bei Kreisförderern läuft an Hängebahnschienen eine endlose Kette. Mechan. Stetigförderer ohne Zugmittel sind (für Stückgut) u.a. die Rollenförderer und für Schüttgut Schneckenförderer, geneigte feste Rutschen (gerade oder gewendelt) sowie Schüttelrutschen und Schwingförderer. Bei **pneumat. Stetigförderern,** zu denen auch die →Rohrpost gehört, wird das Fördergut entweder durch eine Schleuse in eine Druckleitung oder durch eine Düse in eine Saugleitung gebracht und von einem Gasstrom mitgenommen. Man verwendet sie vorwiegend für leichte, feinkörnige Medien (z.B. Feinkohle, Zement, Getreide, Holzspäne). **Hydraul. Stetigförderer** eignen sich für feinkörnige Stoffe, die mit einem von einer Pumpe erzeugten Wasserstrom durch Rohrleitungen gefördert werden. – **Unstetigförderer** bewegen meist Einzellasten diskontinuierlich, wobei Zeit und Richtung der Förderung frei wählbar sind. Dazu gehören Flur-F., Regalförderzeuge zum Ein- und Auslagern in Hochregallagern, Hebezeuge (Kran, Elektro-, Flaschenzug) zum vorwiegend senkrechten Fördern von Lasten, Seilbahnen, Hängebahnen und Aufzüge.

📖 *Grundlagen der Fördertechnik, bearbeitet v.* M. SCHEFFLER, *auf mehrere Bde. ber. Braunschweig u. a. 1994 ff.*

Fördertechnik, Teilgebiet des Maschinenbaus, befasst sich mit Entwicklung, Bau und Einsatz von Fördermitteln.

Förderturm, → Fördermaschine.

Forderung, *Recht:* der einer Person (Gläubiger) gegen eine andere (Schuldner) aufgrund eines Schuldverhältnisses zustehende Anspruch auf eine Leistung. Diese kann in einem Tun oder einem Unterlassen bestehen (§ 241 BGB).

Forderungsübergang, *Recht:* der Übergang einer Forderung aus dem Vermögen des urspr. Gläubigers in das eines anderen, entweder unmittelbar kraft gesetzl. Bestimmung oder richterl. Anordnung (Pfändung und Überweisung einer Forderung) oder durch die **Forderungsabtretung** (auch: **Abtretung, Zession**). Letztere ist die Übertragung der Forderung durch einen Vertrag (Zession) zw. dem bisherigen Gläubiger (Zedent) und dem neuen Gläubiger (Zessionar). Dieser tritt an die Stelle des Zedenten (§§ 398 ff. BGB). Soweit zw. altem Gläubiger und Schuldner nicht anders vereinbart, bedarf die Abtretung nicht der Zustimmung des Schuldners; allerdings kann dieser dem neuen Gläubiger gegenüber alles einwenden, was er bereits dem alten Gläubiger entgegen halten konnte. Beim Erwerb der Forderung gibt es keinen Schutz des guten Glaubens, da vom Zessionar erwartet werden kann, sich wegen der Forderung beim Schuldner zu erkundigen. Mit der Abtretung geht die Forderung mit allen Vorrechten und Belastungen (z.B Bürgschaften, Hypotheken) über. Der F. ist i. d. R. formlos gültig. Eine besondere Art des F. ist der **fiduziar. F.** (Sicherungsabtretung), die Übertragung einer Forderung auf einen Dritten, durch die dieser nach außen, bes. dem Schuldner gegenüber, vollberechtigter Gläubiger wird, während er im Innenverhältnis zu dem Zedenten in seinem Verfügungsrecht durch den Zweck der Sicherung beschränkt und nach Erreichung des Sicherungszwecks zur Rückübertragung verpflichtet ist (bes. im Kreditwesen). – In *Österreich* ist der F. ähnlich geregelt wie im dt. Recht (§§ 1392–1399 ABGB), im Wesentlichen übereinstimmend auch in der *Schweiz* (Art. 164–174 OR); die Forderungsabtretung bedarf hier stets der schriftl. Form.

Ford Foundation [fɔːd faʊnˈdeɪʃn] (Ford-Stiftung), größte Stiftung der Erde zur Förderung des Friedens, der Wiss. und des Erziehungswesens im Rahmen allg. humanitärer Zielsetzungen; gegr. 1936 von H. und Edsel Ford; Sitz: New York. Die F. F. besitzt rd. 13 % des Kapitals der → Ford Motor Company.

Ford Motor Company [ˈfɔːd ˈməʊtə ˈkʌmpənɪ], zweitgrößter Kfz-Produzent der Erde; gegr. 1919 unter Übernahme der 1903 von H. → Ford gegr. Firma gleichen Namens; Sitz: Wilmington (Del.), Hauptverwaltung: Dearborn (Mich.). Das Produktionsprogramm umfasst neben Pkw und Lkw auch Traktoren, Ausrüstungen für Raumfahrt und Rüstung, Glas-, Stahl- und elektron. Erzeugnisse. Zu den zahlr. Tochterges. gehört die **Ford-Werke AG,** Köln.

Foreign Office [ˈfɔrɪn ˈɔfɪs], traditioneller Name des brit. Außenministeriums, von einem Secretary of State for Foreign Affairs (Außenmin.) geleitet, wurde mit der Angliederung des Commonwealth Office (1968) in **Foreign and Commonwealth Office** offiziell umbenannt.

Forel, Auguste, schweizer. Psychiater, * Morges (Kt. Waadt) 1. 9. 1848, † Yvorne (Kt. Waadt) 27. 7. 1931; entdeckte den Ursprung des Hörnervs, lieferte wertvolle Beiträge zum Hypnotismus, war Vorkämpfer der Abstinenzbewegung und bemühte sich um die Reform des Strafrechts.

Forellen, zwei Arten von Lachsfischen der Gattung Salmo: 1) Die **Europäische F.** (Salmo trutta) in europ. Binnen- und Küstengewässern wird drei Unterarten zugeordnet: Die **Meer-** oder **Lachs-F.** (Salmo trutta trutta), bis 1 m lang, bewohnt als Meeresfisch die Küstenzonen von Portugal bis zum Weißen Meer; zur Laichzeit wandert sie in die Flüsse, um in deren Oberlauf abzulaichen. Frühestens nach einem Jahr wandern die Jungfische ins Meer. Die **See-F.** (Salmo trutta lacustris) bewohnt tiefere Seen der Alpen, Voralpen, Skandinaviens und Schottlands; sie wird maximal 140 cm lang. Die Jungtiere leben in Ufernähe, die geschlechtlich unentwickelten größeren Exemplare als **Schwebe-** oder **Mai-F.** in der Oberflächenzone, die geschlechtlich entwickelten Tiere als **Grund-F., Förche, Förne** oder **Rheinlanke** in Bodennähe der Seen. Die **Bach-F.** (Salmo trutta fario) ist ein Bewohner rasch fließender Gewässer, sie wird 25–50 cm lang und ist durch Nachzucht weit verbreitet. 2) Die in Nordamerika beheimatete **Regenbogen-F.** (Salmo gairdneri), ein 25–50 cm langer Süßwasserfisch mit meist rosa schillerndem Längsband, ist in Europa als Zuchtfisch eingeführt.

Forellenbarsch, Art der → Sonnenbarsche.

forensisch [lat., zu forum »Markt«], gerichtlich, die Gerichtsverhandlung betreffend, im Dienst der Rechtspflege stehend.

forensische Medizin, → Rechtsmedizin.

forensische Psychologie (Gerichtspsychologie), Teilbereich der angewandten Psychologie, der Aufgaben innerhalb der Gerichtspraxis wahrnimmt: Zeugenbegutachtung im Hinblick auf Glaubwürdigkeit, Feststellungen über strafrechtl. Verantwortlichkeit (Entwicklungsstand, Schuldfähigkeit), Probleme des Strafvollzugs (Resozialisierung), Ermittlung der Ursachen kriminellen Verhaltens.

Forest ['fɔrɪst], Lee De, amerikan. Funkingenieur, →De Forest, Lee.

Cecil Scott Forester

Forester ['fɔrɪstə], Cecil Scott, engl. Schriftsteller, *Kairo 27. 8. 1899, †Fullerton (Calif.) 2. 4. 1966; schrieb spannende Soldaten-, Marine- und Abenteuerromane, u. a. »Horatio Hornblower«, 11 Bde. (1937–64), »Nelson« (Biographie, 1944).

Forfaitierung [fɔrfɛ-, frz.] (engl. Forfaiting), Form der Exportfinanzierung, bei der der Exporteur eine Forderung, i. d. R. mit Wechsel unterlegt, an eine Bank oder Finanzierungsges. **(Forfaiteur)** verkauft. Der Forfaiteur übernimmt alle Risiken, da keine Rückgriffsmöglichkeiten auf den Verkäufer bestehen.

Forggensee, Stausee des Lech bei Füssen, 11,5 km lang, 15,3 km², 165 Mio. m³ Stauinhalt.

Forint *der,* Abk. **Ft,** Währungseinheit in Ungarn, 1 Ft = 100 Filler (f). →Währung, ÜBERSICHT.

Forkel, Johann Nikolaus, Musikforscher, *Meeder (bei Coburg) 22. 2. 1749, †Göttingen 20. 3. 1818; begründete die dt. Historiographie und Biographik der Musik.

Forlani, Arnaldo, italien. Politiker, *Pesaro 8. 12. 1925; Jurist, 1969–73 und 1989–92 polit. Sekretär der DC, war 1974–76 Verteidigungs- und 1976–79 Außenmin. sowie 1980–81 MinPräs. und 1983–86 stellv. MinPräs. In einem Korruptionsprozess 1993–95 wurde F. zu einer mehrjährigen Haftstrafe verurteilt.

Forleule (Kieferneule, Panolis flammea), Eulenschmetterling, dessen gestreifte Raupen zu den gefährlichsten Kiefernschädlingen gehören; sie vernichten die Maitriebe sowie ältere Nadeln und können Kahlfraß verursachen.

Forlì
Stadtwappen

Forlì, Hptst. der Provinz F.-Cesena, in der Romagna, am Rand des Apennin, 108 200 Ew.; Staatsarchiv, Museen und Gemäldegalerie; chem., Möbelind., Maschinen- und Karosseriebau. – F. steht auf dem röm. **Forum Livii** mit bed. Bauwerken der z. T. noch ummauerten Stadt (u. a. Palazzo del Podestà, 1459/60; roman. Kirche San Mercuriale; Zitadelle Rocca di Ravaldino, 1472–82).

Forlì-Cesena [-tʃ-], Provinz in der Emilia-Romagna, Italien, 2 376 km², (1995) 350 200 Einwohner.

Form [lat. forma »(äußere) Gestalt«], **1)** *Ästhetik:* äußere Gestalt, Ausdrucks- und Bedeutungsträger eines Kunstwerks in Abgrenzung zu Material und Bedeutungsgehalt.

2) *Drucktechnik:* die →Druckform.

3) *Fertigungstechnik:* Werkzeug, das ganz oder teilweise das Negativ eines zu fertigenden Werkstücks darstellt und zur Aufnahme des Werkstoffs dient, z. B. Gieß-F. für metall. Gussteile.

4) *Philosophie:* Zentralbegriff der Philosophie, insbes. der Metaphysik und Erkenntnistheorie. In Aristoteles' Stoff-Form-Metaphysik (Hylemorphismus) determiniert die F. (morphé) das Substrat, den Stoff, zu einem bestimmten Seienden; Seiendes ist Geformtsein, alles Werden Formempfangen, alles Vergehen Formverlieren. Dieser F.-Begriff hat über Augustinus, Thomas von Aquin und I. Kant Auswirkungen bis in die Moderne.

Form|aldehyd (Methanal), farbloses, stechend riechendes, stark reizendes Gas; seine etwa 40%ige, durch Methanol stabilisierte Lösung in Wasser, das **Formalin,** dient u. a. zum Desinfizieren. F. ist ein wichtiges chem. Zwischenprodukt, überwiegend durch Dehydrierung von Methanol in Gegenwart von Luft hergestellt. Der größte Teil wird zur Herstellung von Kunstharzen, bes. von Aminoplasten und Phenolharzen, zur Härtung von Casein, Leim, Gelatine u. a. verwendet. – F.-Dampf verursacht Entzündungen der Atemwege (MAK-Wert 1 ppm), auch besteht der Verdacht auf karzinogene und mutagene Wirkung. Deshalb wurden zulässige Höchstkonzentrationen festgelegt, z. B. dürfen Wasch-, Reinigungs- und Pflegemittel nicht mehr als 0,2% F., Spanplatten und daraus hergestellte Möbel nur noch 0,1 ppm F. enthalten.

Formaldienst, Teil des militär. Dienstes, der bestimmte Verhaltensformen des Soldaten (u. a. Grundstellung, Wendungen, Trageweise des Gewehres) und der Abteilungen (u. a. Marschordnung) regelt.

formalisierte Sprache, ein semantisch interpretierter Kalkül. Eine f. S. besteht aus einer Menge von Grundzeichen (Alphabet), Formregeln zum Aufbau von Ausdrücken an den Grundzeichen, Ableitungs- und Interpretationsregeln.

Formalisierung, 1) *Sprachwissenschaft:* Anwendung formalisierter Sprachen zur Beschreibung natürl. Sprachen (v. a. in der generativen Transformationsgrammatik). Grammatik wird in diesem Rahmen als ein mathemat. System verstanden, innerhalb dessen »wohlgeformte« Sätze nach expliziten Regeln erzeugt werden können.

2) *Wissenschaftstheorie:* die Verallgemeinerung einer Aussage unter Absehung von ihren konkretempir. Bezügen und i. w. S. der Aufbau einer formalisierten Sprache für ein bestimmtes Wissensgebiet innerhalb eines Formalismus.

Formalismus *der,* **1)** *allg.:* das Überbewerten des Formalen.

2) *Literaturwissenschaft:* zw. 1915 und 1928 im »Moskauer Linguistenkreis« (gegr. 1915) und in der »Gesellschaft zur Erforschung der poet. Sprache« (Opojas, gegr. 1916) entwickelte literaturwiss. Methode; Vertreter waren u. a. W. B. Schklowski, B. Eichenbaum, R. Jakobson, J. Tynjanow. In krit.

Auseinandersetzungen mit kontextgebundenen Interpretationsmodellen (Ideengeschichte, biograph., psycholog. und soziolog. Methode) und im analyt. Diskurs mit der russ. Avantgarde entstand die Neubestimmung des Gegenstandes der Literaturwissenschaft, die das spezifisch Literarische, die **Literarizität,** erforscht. In der ersten Phase konzentrierte sich das Interesse auf die innerliterar. Betrachtungsweise, das einzelne Verfahren und die als rezeptionsästhetisch angesehene Kategorie der »Verfremdung«; mit der späteren Öffnung zum Außerliterarischen konzipierten die Formalisten neue Interpretationsmethoden in der Theorie der Prosa, der Gattungsforschung, Märchenanalyse, Metrik und Filmtheorie. 1930 in der Sowjetunion unterdrückt, wurde der F. im sog. Prager →Strukturalismus und in der poln. integralen Literaturbetrachtung weiterentwickelt und zu einem theoret. Fundament des frz. Strukturalismus und der Nouvelle Critique.

📖 ERLICH, V.: *Russ. F. A. d. Engl. Neuausg. Frankfurt am Main 1987.* – HANSEN-LÖVE, A. A.: *Der russ. F. Wien* ²*1996.*

3) *Logik, Mathematik:* eine Theorie, deren Sätze durch ein Kalkül aus Axiomen gewonnen werden. Auch eine von D. Hilbert begr. Position der mathemat. Grundlagenforschung wird als F. bezeichnet. Hiernach ist, im Ggs. zum →Intuitionismus, eine mathemat. Theorie durch Erweis ihrer Widerspruchsfreiheit hinreichend begründet. Seit 1951 (Gödels Unvollständigkeitssatz) ist dieses Hilbert-Programm als gescheitert anzusehen.

4) *Politik:* abwertendes Schlagwort in der offiziellen Kunstkritik marxistisch-leninist. Parteien, in der Sowjetunion ideologisch definiert bes. von A. A. Schdanow, in der DDR von A. Abusch und A. Kurella, kennzeichnet die gegenüber dem politisch-ideolog. Gehalt überbewertete Art der Ausführung eines Kunstwerkes als Widerspruch zum →sozialistischen Realismus. Mit dem Ziel, »spätbürgerliche« kulturelle Traditionen zu überwinden, wurden z. T. alle Neuerungen in der Kunst als F. abgelehnt. Das Schlagwort des F. wurde bis in die 1960er-Jahre in der DDR benutzt.

Formalität, (behördl.) Vorschrift; Äußerlichkeit, Formsache.

Formalursache, der die →Form – die Gestalt, das Wesen, die Struktur – eines Seienden bestimmende Grund; neben Stoffursache (Causa materialis), Wirkursache (Causa efficiens) und Zweckursache (Causa finalis, →Finalität) eine der vier Ursachenarten in Aristoteles' Metaphysik.

Forman ['fɔːmən], Miloš, amerikan. Filmregisseur tschech. Herkunft, * Čáslav (bei Kutná Hora) 18. 2. 1932; drehte in der ČSSR die satir. Filmkomödien »Der schwarze Peter« (1963), »Die Liebe einer Blondine« (1965); seit 1968 in den USA, erfolgreich u. a. mit »Einer flog über das Kuckucksnest« (1975), »Hair« (1979), »Ragtime« (1981), »Amadeus« (1984), »Valmont« (1989) und »Larry Flynt – Die nackte Wahrheit« (1996).

Miloš Forman

Format *das,* **1)** *allg.:* a) Gestalt, Größe, Maß; b) stark ausgeprägtes Persönlichkeitsbild; c) besonderes Niveau.

2) *Drucktechnik, Verlagswesen:* Material- und Erzeugnisgröße (Länge × Breite, bei Büchern Breite × Höhe; →DIN-Formate).

Formatieren, *Datenverarbeitung:* Daten nach bestimmten Vorschriften zusammenstellen bzw. anordnen; Einteilung von plattenförmigen Datenspeichern (z. B. Disketten) in Sektoren, in denen die Informationen abgelegt werden. In der Textverarbeitung wird mit F. oftmals die Textgestaltung hinsichtlich des Zeilenumbruchs, der Absätze, Ränder u. Ä. verstanden.

Formation [lat.] *die,* **1)** *Botanik:* Pflanzengesellschaft mit einheitl. Ökologie und Physiognomie ohne Rücksicht auf die Artenzusammensetzung (z. B. Steppe, Nadelwald).

2) *Geologie:* 1) Bez. für genetisch zusammengehörende Gesteinsverbände (z. B. Erz-F.). In den USA u. a. Ländern auch Bez. für kleinere Schichtenfolgen; 2) frühere Bez. für →geologische Systeme.

3) *Militärwesen:* in einer bestimmten Situation von einer Truppe, einem Kriegsschiff- oder Militärflugzeugverband eingenommene Aufstellung, z. B. Gefechts-F. und Marschformation.

Formationstanz (Gruppentanz), *Tanzsport:* Wettbewerb mit acht Paaren je Mannschaft.

Formattrennmaschine, *Posttechnik:* Maschine, die Briefsendungen nach dem Format u. a. Merkmalen ordnet und trennt. (→Briefaufstellmaschine)

Formel [lat. formula] *die,* **1)** *allg.:* feststehender Ausdruck, feste Redewendung.

2) *Automobilsport:* →Rennwagen.

3) *Chemie:* →chemische Zeichensprache.

4) *Mathematik, Physik:* mithilfe von Symbolen (Buchstaben, F.-Zeichen) und mathemat. Verknüpfungszeichen in Form einer Gleichung dargestellte mathemat. oder physikal. Gesetzmäßigkeit, z. B. $(a+b)^2 = a^2 + 2ab + b^2$.

Formelsprache, *Informatik:* formale Sprache, mit deren Hilfe Formeln so umgesetzt werden, dass sie unmittelbar durch einen Computer ausgewertet werden können, z. B. die Programmiersprache FORTRAN. Urspr. Bez. für die in der Mathematik übl. Symbolsprache.

Formelzeichen, *Physik:* Buchstaben, die in Gleichungen (Formeln) physikal. Größen darstellen. Ein F. besteht i. Allg. aus einem lat. oder griech. Buchstaben, z. T. mit zusätzl. Zeichen wie Indizes (→Index), Strichen u. a. Eine Vereinheit-

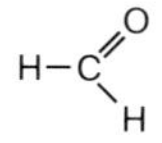

Formaldehyd

$H[-O-CH_2]_n-OH$

Paraformaldehyd
n = 8–100

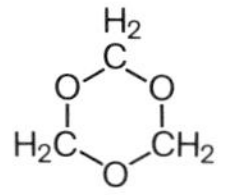

Trioxan

Formaldehyd

lichung der F. wird durch Normen und internat. Empfehlungen (z.B. der IUPAP) angestrebt.

Formenlehre, 1) *Musik:* die Lehre von den musikal. Formen wie Motette, Kantate, Arie, Lied, Sonate, Konzert, Rondo, Fuge u.a. nach ihrer äußeren Anlage und ihrem satztechn. Aufbau.

2) *Sprachwissenschaft:* die Lehre von den sprachl. Formen, →Morphologie.

Formentera, Insel der span. →Balearen, in der Gruppe der Pityusen, 115 km^2, 4200 Ew.; besteht aus zwei Kalkblöcken, denen lang gestreckte Badestrände vorgelagert sind, bis 192 m ü. M.; dürftige Garrigue-Vegetation, Seesalzgewinnung, Fischerei; Fremdenverkehr. Hauptort ist San Francisco Javier mit Wehrkirche (1738).

Formfaktor, *Physik:* experimentell gewonnener Korrekturfaktor, der ein noch unvollständiges theoret. Teilchenmodell so korrigiert, dass es die räuml. Verteilung einer Größe richtig wiedergibt. So beschreiben elektr. und magnet. F. die Verteilung der Ladung und des magnet. Moments in den Nukleonen; sie können aus der Winkelverteilung gestreuter Elektronen bestimmt werden.

Formiate [nlat.], die Salze und Ester der Ameisensäure.

Formicoidea [lat.], die →Ameisen.

Formierung, Erzeugung oder Veränderung von Oberflächenschichten durch elektr. Einwirkung, die bei elektrotechn. Bauelementen die Funktionsfähigkeit herbeiführt oder verbessert, z.B. bei Oxidkathoden.

Formmassen, pulver- oder granulatförmige Kunststofferzeugnisse, die innerhalb eines bestimmten Temperaturbereiches durch Druck spanlos zu Formteilen oder Halbzeug geformt werden können. Die aus F. hergestellten Werkstoffe heißen **Formstoffe.** – Nicht härtbare, thermoplast. F. **(Thermoplaste)** sind schmelzbar (z.B. Polyolefine, Polystyrol, Polyvinylchlorid, Polymethylmethacrylat, Polyamid, Polyacetal, Polyurethan, Polyäthylenterephthalat, Polycarbonat, Celluloseester). – Härtbare F. **(Thermodure, duroplast. F., duromere F.)** sind Gemische aus härtbaren Kunstharzen (Bindemittel), Füll- und Verstärkerstoffen. Der gehärtete Formstoff kann nicht wieder geschmolzen werden.

📖 *Kunststoff-Lexikon, hg. v.* K. STOECKHERT *u.* W. WOEBCKEN. *München u.a.* ^{8}*1992.*

Formosa [portugies. »die Wunderschöne«], **1)** früherer, aus dem Portugiesischen stammender Name der Insel →Taiwan, durch die **F.-Straße,** eine 380 km lange, an der engsten Stelle 135 km breite Verbindung des Ostchines. mit dem Südchines. Meer von der SO-Küste Chinas getrennt.

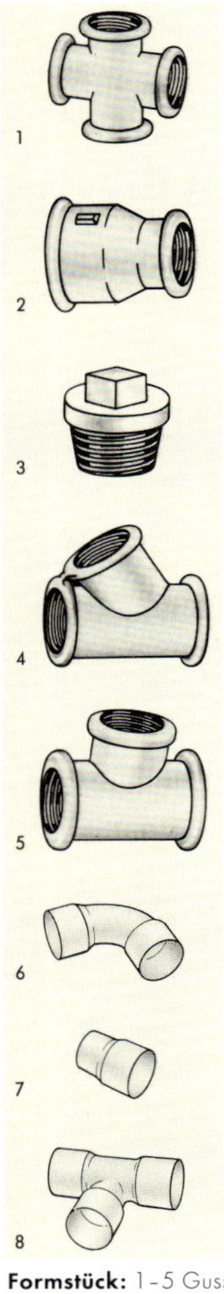

Formstück: 1–5 Gusseiserne Formstücke mit Gewindeanschluss (1 Kreuzstück, 2 Reduktionsmuffe, 3 Stopfen, 4 45°-T-Stück, 5 T-Stück); 6–8 Löt-Formstück aus Kupfer: 6 90°-Winkelstück, 7 Reduktionsmuffe, 8 T-Stück

2) Hptst. der argentin. Provinz F., am Paraguay, 153900 Ew.; Bischofssitz; Hafen.

Formsand, in der →Gießerei zur Herstellung von Gießformen gebrauchter feinkörniger Sand.

Formschluss, Art der Verbindung von Maschinenelementen, bei der Kräfte und Bewegungen senkrecht zur Berührungsebene durch die Form der an der Verbindung beteiligten Teile übertragen werden (Falze, Bolzen, Zahnräder).

Formschneider, Kunsthandwerker, der die zur Wiedergabe durch Holzschnitt bestimmte Zeichnung in den Holzstock schneidet.

Formsteine, von der übl. Form abweichende Mauer- oder Dachsteine zur Erzielung gestalter. Effekte (Ornamentsteine) oder besserer Verbundeigenschaften (Betonpflastersteine).

Formstück (Fitting), Verbindungsstück für Rohrleitungen, z.B. Muffe, Krümmer, Kniestück (Winkelstück), Abzweigstück (T-Stück), Kreuzstück, aus unterschiedl. Material, z.B. Stahl, Kupfer oder Kunststoff. F. besitzen entweder Gewindeanschluss oder werden eingeschweißt oder eingelötet.

Formularbuch (Formelsammlung), im MA. für den Gebrauch in Kanzleien bestimmte Mustersammlung von Urkunden und Briefen (z.B. »Liber diurnus« der päpstl. Kanzlei, 7.–9. Jh. in Gebrauch). Die F. gewannen große Bedeutung für die Entwicklung eines Kanzleistils und die rechtl. Kontinuität. Heute Zusammenstellung von Mustern rechtl. Schriftstücke (z.B. zur Klageerhebung).

Formularprozess, *röm. Recht:* die durch die →Prozessformel und deren Verwendung gekennzeichnete Verfahrensart des Zivilprozesses.

Formvorschriften, *Recht:* die Bindung eines Rechtsgeschäfts an vorgeschriebene Erklärungsmittel. Bei privaten Rechtsgeschäften gilt der Grundsatz der **Formfreiheit,** nur ausnahmsweise ist öffentl. Beglaubigung (die Echtheit der Unterschrift des Erklärenden unter seiner schriftl. Erklärung wird vom Notar oder einer anderen, landesrechtlich dafür vorgesehenen Stelle beglaubigt) erforderlich. Hiervon zu unterscheiden ist die amtl. Beglaubigung (bes. durch die Gemeindebehörde), deren Beweiskraft sich auf Zwecke der Verw. beschränkt. Weiter gibt es die notarielle Beurkundung (Aufnahme einer Niederschrift durch den Notar, die vor den Beteiligten verlesen, von ihnen genehmigt und unterschrieben wird, z.B. bei Grundstücksgeschäften) oder die Schriftform (Niederschrift der Erklärung mit eigenhändiger Unterschrift des Erklärenden). Da F. eine Schutzfunktion für die Beteiligten bezwecken, macht die Nichtbeachtung der gehörigen Form i.d.R. ein Rechtsgeschäft unwirksam.

Fornax [lat. »Ofen«] (Chemischer Ofen), Sternbild am Südhimmel.

Forsch, Olga Dmitrijewna, russ. Schriftstellerin, *Festung Gunib (Dagestan) 28. 5. 1873, †Leningrad (heute Sankt Petersburg) 17. 7. 1961; schrieb Erzählungen und histor. Romane, gestaltete v. a. Aspekte der russ. Revolution (Trilogie um A. N. Radischtschew »Die Kaiserin und der Rebell«, 1932–39).

Forschung, die Gesamtheit der systemat. Bemühungen um Erkenntnisse im Rahmen der →Wissenschaft. Nach dem F.-Anliegen werden unterschieden die **Grundlagen-F.,** die an der Vervollkommnung der Erkenntnisgrundlagen und der Theorien arbeitet, die **zweckfreie** oder **reine F.,** die sich unabhängig von jeder pragmat. äußeren Zielorientierung um die Ausweitung des Erkenntnisstands bemüht, und die **angewandte** oder **Zweck-F.,** die an der Lösung konkreter, prakt. Anliegen (auch **Projekt-F.**) durch zielgerichtete Auswertung und Anwendung von F.-Ergebnissen arbeitet; nach dem F.-Träger die **Hochschul-F.** (bes. Grundlagen-F.), die F. an staatl. Einrichtungen (bes. Bundes- und Landesforschungsanstalten, z. T. wiss. Museen, Bibliotheken) und an staatlich geförderten (hochschulfreien) Institutionen, bes. den Akademien der Wiss., der Max-Planck-Ges. u. a. F.-Anstalten, sowie durch Beteiligung des Bundes an internationalen Organisationen (z. B. EURATOM, CERN) und Einzelprojekten.

Einen wesentl. Bereich nimmt auch die F. in der gewerbl. Wirtschaft **(Industrie-F.)** ein, die die Aktivitäten auf den Gebieten F. und Entwicklung umfasst. **Entwicklung** bezeichnet dabei die Verwertung von F.-Resultaten, um zu neuen Verfahren, Materialien, Geräten u. a. zu gelangen. – Große Bedeutung besitzt die internat. Zusammenarbeit; u. a. sind die Fachverbände im »International Council of Scientific Unions« (Abk. ICSU, gegr. 1931, Sitz: Paris) zusammengeschlossen, in dem seit 1952 die dt. F. durch die Dt. Forschungsgemeinschaft und durch die Dt. Akademie der Wiss. vertreten ist.

Die F.-Ausgaben werden überwiegend von der Wirtschaft aufgebracht. Bei der staatl. F.-Förderung (durch Bund und Länder) überwiegt die Zuweisung von Mitteln im Rahmen von F.-Aufträgen. Private F.-Einrichtungen sind die Fritz-Thyssen-Stiftung, die Stiftung Volkswagenwerk, der Stifterverband für die dt. Wissenschaft e. V. u. a.

📖 BROCKHOFF, K.: *F. u. Entwicklung. Planung und Kontrolle.* München u. a. [4]*1994.* – KLODT, H.: *Grundlagen der Forschungs- u. Technologiepolitik.* München *1995.* – *Forschungsfreiheit. Ein Plädoyer der Dt. Forschungsgemeinschaft für bessere Rahmenbedingungen der F. in Dtl.* Weinheim u. a. *1996.*

Forschungsschiff, Schiff für Aufgaben der Meeresforschung mit Einrichtungen zum Einsatz ozeanograph., geophysikal. und meeresbiolog. Instrumente und Arbeitsmöglichkeiten (Labors) für Wissenschaftler.

Forschungszentrum Jülich GmbH, gegr. 1956 (seit 1968 GmbH), eine Großforschungseinrichtung der Bundesrep. Dtl., die sich v. a. mit Material-, Energie- und Umweltforschung sowie mit Grundlagenforschung zur Informationstechnik befasst; Sitz: Jülich.

Forschungszentrum Karlsruhe GmbH, Abk. **FZK,** gegr. 1956, früher Kernforschungszentrum Karlsruhe, eine Großforschungseinrichtung der Bundesrep. Dtl., Mitglied der →Hermann von Helmholtz-Gemeinschaft Deutscher Forschungszentren. Hauptarbeitsgebiet ist heute die Grundlagenforschung für umweltschonende Hochtechnologien (Umwelt, Energie, Mikrosystemtechnik/Medizintechnik), außerdem die Nukleartechnik (z. B. Materialforschung, Entsorgungstechnik, Stilllegung nuklearer Anlagen).

Forschung und Entwicklung, Abk. **F&E** (engl. Research and Development, Abk. R&D), die in der gewerbl. Wirtschaft erfolgende →Forschung.

Forseti, german. Gott der Gerechtigkeit, Sohn Baldurs. Sein Name bedeutet »Vorsitzender«; als solcher sprach er in Asgard bei Göttern und Menschen Recht.

Forßmann, Werner, Chirurg und Urologe, *Berlin 29. 8. 1904, †Schopfheim 1. 6. 1979; führte 1929 im Selbstversuch erstmals die →Herzkatheterisierung durch; erhielt 1956 mit A. Cournand und D. W. Richards den Nobelpreis für Physiologie oder Medizin.

Forst [von lat. foris »außerhalb«], im Ggs. zu dem vom Menschen unbeeinflussten Urwald ein Wirtschaftswald, der der Produktion von Holz, Harz, Waldfrüchten, Pilzen, Baumsaft u. a. dient. Von wachsender Bedeutung sind v. a. in dicht besiedelten Industrieländern die Erhaltung und Pflege von F. als Erholungswald für die Bev., als Schutzwald gegen Erosion und Lawinen im Gebirge oder als Wald, der die Umwelt nachhaltig positiv beeinflusst (Luftfilter, Wasserspeicher, Wind- und Lärmschutz, Klimaregulator).

Forst, Willi, eigtl. Wilhelm Froß, österr. Filmschauspieler und -regisseur, *Wien 7. 4. 1903, †ebd. 11. 8. 1980; als Regisseur bes. erfolgreich mit Musik- und Operettenfilmen: »Burgtheater« (1936), »Bel ami« (1939), »Wiener Blut« (1942) u. a.

Forstamt, →Forstverwaltung.

Forstbann, →Forstregal.

Forstberufe, Berufe in der Verwaltung, Bewirtschaftung und Pflege der Forsten; höherer Forstdienst: nach dem Studium der Forstwiss. (»Diplom-Forstwirt«) Forstrat; gehobener Forstdienst: Revierförster; mittlerer Forstdienst: Forstwirt; einfacher Dienst: Forsthüter, Revierjäger, Jagdaufseher.

Forstbetriebsarten, auf den Einzelbestand angewendete Methode der waldbaul. Behandlung: a) Hochwald-, b) Niederwald-, c) Mittelwaldbetriebe (Zwischenform von Hoch- und Niederwald).

Wieland Förster: »Einblick V. Brüste und Hand«, Sandstein (1978; Privatbesitz)

Forsteinrichtung, Zweig der Forstwiss. und der forstwirtsch. Tätigkeit, befasst sich mit der mittelfristigen Wirtschaftsplanung und Vollzugskontrolle forstl. Betriebe (Waldertragsregelung). – Grundlage der F. ist eine möglichst genaue Zustandserfassung (Inventur) des Forstbetriebes. Sie umfasst: Vermessung, Waldeinteilung u. a. Geplant wird v. a. anhand von Daten über Holzvorräte und Zuwachs. Einzelpläne regeln die Teilbereiche des Forstbetriebes (z. B. für den Wegebau und für landespfleger. Maßnahmen). Waldzustand und Planungsergebnisse werden im Betriebswerk (F.-Werk) zusammengefasst.

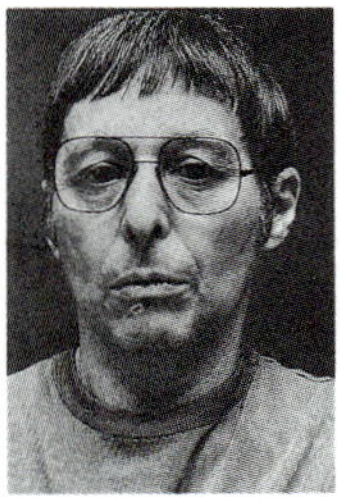

Wieland Förster

E.M. Forster

Forster, 1) ['fɔːstə] E. M. (Edward Morgan), engl. Schriftsteller, *London 1. 1. 1879, †Coventry 7. 6. 1970. Liberale Kulturtradition und engagierter Humanismus prägen seine Erzählungen und Romane (»Zimmer mit Aussicht«, 1908, verfilmt; »Howards End«, 1910, verfilmt), die in Variationen den Konflikt zweier Welten mit unterschiedl. Wertvorstellungen und Lebensauffassungen entwickeln (z. B. in »Auf der Suche nach Indien«, 1924); er schrieb auch das Libretto zu Brittens Oper »Billy Budd« (1951); wichtig für die Romanästhetik ist das krit. Werk »Ansichten des Romans« (1927).

2) Friedrich, eigtl. Waldfried Burggraf, Dramatiker, *Bremen 11. 8. 1895, †ebd. 1. 3. 1958; 1933–38 Schauspieldirektor in München; schrieb bühnenwirksame Schauspiele (»Der Graue«, 1931; »Robinson soll nicht sterben«, 1932), auch Märchenspiele, Lustspiele und Bearbeitungen älterer Stoffe.

3) Johann Georg, Naturforscher, Reiseschriftsteller und Politiker, *Nassenhuben (bei Danzig) 27. 11. 1754, †Paris 10. 1. 1794; begleitete mit seinem Vater Johann Reinhold F. (*1729, †1798) J. Cook auf dessen 2. Weltumsegelung (1772–75). Sein Bericht (»Reise um die Welt«, 2 Bde., 1777 engl., 1778–80 dt.) wurde Vorbild für eine neue literar. Form, den wissenschaftlich fundierten Reisebericht. 1779 wurde F. Prof. in Kassel, 1784 in Wilna, 1788 Bibliothekar in Mainz. Eindrücke einer gemeinsamen Reise mit A. von Humboldt (1790) fasste er in den »Ansichten vom Niederrhein, von Brabant, Flandern, Holland, England und Frankreich« (3 Tle., 1791–94) zusammen. Nach der frz. Eroberung von Mainz 1792 trat F. dem dt. Jakobinerklub (»Mainzer Klub«) bei, wurde 1793 dessen Präs. und Vizepräs. des »Rheinisch-Dt. Nationalkonvents«, in dessen Auftrag er im März 1793 in Paris über den Anschluss der Mainzer Rep. an Frankreich verhandelte.

📖 HARPPRECHT, K.: *G. F. oder Die Liebe zur Welt. Eine Biographie. Reinbek 1990. – Weltbürger – Europäer – Deutscher – Franke. G. F. zum 200. Todestag, hg. v.* R. REICHARDT *u.* G. ROCHE, *Ausst.-Kat. Universitätsbibliothek Mainz, 1994.*

4) Rudolf, österr. Schauspieler, *Gröbming (Steiermark) 30. 10. 1884, †Bad Aussee 26. 10. 1968; Charakterdarsteller, spielte in Wien und Berlin, später auch in Filmen (»Dreigroschenoper«, 1931; »Der träumende Mund«, 1932, u. a.) – Erinnerungen: »Das Spiel meines Lebens« (1967).

Förster, Berufs-Bez. für jemanden, der mit der Hege des Waldes und der Pflege des Wildes betraut ist.

Förster, Wieland, Bildhauer, Grafiker und Schriftsteller, *Dresden 12. 2. 1930; sucht in der Darstellung der menschl. Gestalt sinnl. und geistige Prozesse zu verdichten (»Große Neeberger Figur«, 1971/74); meisterhafte Radierungen und Zeichnungen sowie Bühnen- und Kostümausstattungen; schrieb u. a. »Sieben Tage in Kuks« (1985), »Labyrinth« (1988).

Forsterit [nach dem Naturforscher J. R. Forster, *1729, †1798] *der,* zur Gruppe der →Olivine gehörendes Mineral.

Förster-Nietzsche, Elisabeth, *Röcken (bei Lützen) 10. 7. 1846, †Weimar 8. 11. 1935; sammelte den Nachlass ihres Bruders F. Nietzsche und gründete das Nietzsche-Archiv in Weimar. Ihre Herausgabe der Werke Nietzsches wurde aufgrund nachgewiesener Manipulationen kritisiert.

Forstgarten, der →Kamp.

Forsthoff, Ernst, Staats- und Verwaltungsrechtler, *Duisburg 13. 9. 1902, †Heidelberg 13. 8. 1974; wurde 1933 Prof. in Frankfurt am Main, später an anderen Univ., ab 1943 in Heidelberg; war 1960–63 Präs. des Obersten Verfassungsger. der Rep. Zypern, entwickelte eine formale Theorie des Rechtsstaats. Seine Schriften aus der nat.-soz. Zeit sind z.T. umstritten.

Werke: Dt. Verfassungsgeschichte der Neuzeit (1940); Lb. des Verwaltungsrechts (1950); Rechtsstaat im Wandel (1964).

Forst (Lausitz) (sorb. Baršć), Krst. des Spree-Neiße-Kreises, Brandenburg, am Westufer der Neiße, 25500 Ew.; Rosarium, Tuchind., Maschinenbau; Eisenbahn- und (nahebei) Autobahnübergang nach Polen. – Nikolaikirche (15. Jh.). – Um 1265 gegr., erhielt im 14. Jh. Stadtrecht.

Forstpolitik, alle Maßnahmen des Staates, die im öffentl. Interesse zur Erhaltung, Mehrung und nachhaltigen Nutzung des Waldes getroffen werden. F. hat einen Ausgleich zu treffen zw. den Interessen der Forstwirtschaft und dem öffentl. Interesse mit dem Ziel der Erhaltung ausreichend großer und gesunder Wälder. Sie stützt sich auf gesetzliche Vorschriften, Verbote und Gebote zur Abwendung von Gefahren und Eingriffen in die Wälder und fördert den Aufbau neuer Wälder.

Forstrecht, die öffentlich-rechtl. Normen, die das Privateigentum am Wald wegen des Allgemeininteresses an der Erhaltung ausreichend großer und gesunder Wälder besonderen Bindungen unterwerfen und die dem Schutz, der Überwachung und Förderung der Forstwirtschaft dienen. Das F. ist bundeseinheitlich durch das als Rahmenges. angelegte Bundeswald-Ges. vom 2. 5. 1975 geregelt, das Maßnahmen zur Sicherung der Nutz-, Schutz- und Erholungsfunktion des Waldes vorsieht. Forstwirtschaftl. Zwecken dienen Zusammenschlüsse in privatrechtl. Form (Forstbetriebsgemeinschaften) oder in öffentlich-rechtl. Form (Forstbetriebsverbände als Körperschaften des öffentl. Rechts mit Zwangsmitgliedschaft), zusammengefasst in Forstwirtschaftl. Vereinigungen als privatrechtlich organisierten Dachverbänden. In *Österreich* wurde mit dem Forstges. vom 3. 7. 1975 eine umfassende Kodifikation des F. mit ähnl. Zielen erlassen. In der *Schweiz* liegt die Oberaufsicht über das F. beim Bund, das Schwergewicht der forstrechtl. Bestimmungen bei den Kantonen.

Forstregal, von den fränk. Königen seit dem 7. Jh. in Anspruch genommenes Verfügungsrecht über herrenloses Außenland. Das F. sicherte dem König das Monopol für Rodung und Jagd; er konnte jedem bei Strafe des Königsbanns die Benutzung bestimmter Wälder (Bannforsten) untersagen **(Forstbann).** Während des MA. ging das F. weitgehend an die Territorialherren über, auch für ihnen nicht gehörende Forsten. Das von den Fürsten z.T. über Gebühr in Anspruch genommene F. war in der frühen Neuzeit wesentl. Anlass zu Bauernaufständen. Im 19. Jh. wandelte es sich zur staatl. Forst- und Jagdhoheit, die dem Staat ein Aufsichtsrecht über Forst und Jagd gibt.

Forstschädlinge, pflanzl. und tier. Organismen, die das biolog. Gleichgewicht des Waldes empfindlich stören und großen wirtsch. Schaden verursachen können. Zu den tier. Schädlingen gehören u.a. Borkenkäfer, Kiefernspinner, Fichtenrüsselkäfer, Fichtenblattwespe. Pflanzl. F. sind v.a. Pilze, z.B. Zunderschwamm und Hallimasch.

Forstschutz, alle forstl. Maßnahmen zur Vorbeugung und zur Abwendung von schädigenden Einwirkungen auf den Wald. Man unterscheidet F. gegen Eingriffe des Menschen, gegen Forstschädlinge und gegen abiot. Einflüsse wie Sturm, Frost, Hitze, Schnee, Hagel, Eis. Besondere Bedeutung haben in Mitteleuropa Bekämpfungs- und Vorbeugungsmaßnahmen gegen die immissionsbedingten Waldschäden (→Waldsterben) erlangt.

Forstverwaltung, die Behördenorganisation zum Betrieb und zur Beaufsichtigung der Forstwirtschaft. In Dtl. wird die F. der bundeseigenen Forsten durch den Bundesmin. der Finanzen ausgeübt. In der staatl. F. der Länder sind oberste Instanz meist die **Länderministerien für Ernährung, Landwirtschaft und Forsten,** mittlere die **Oberforstdirektionen** oder **Bezirksregierungen,** untere die **Forstämter** (Revierförstereien). Sie bewirtschaften die Staatsforsten und führen i.d.R. die Aufsicht über die nicht im Staatseigentum stehenden Wälder. Gemeinden und Körperschaften verwalten, soweit nicht auch hier die staatl. F. tätig wird, ihre Waldungen selbst (z.B. Stadtforstämter), unterliegen aber insoweit der allg. Kommunal- und Körperschaftsaufsicht, die im Benehmen mit der staatl. F. ausgeübt wird. Auch Privatwälder können durch die staatl. F. bewirtschaftet werden (Beförsterung). Werden sie vom Eigentümer selbst verwaltet, so unterstehen sie der Betreuung und Aufsicht der staatl. F. oder – z.B. in Ndsachs. – der Landwirtschaftskammer.

In *Österreich* ist die F. Sache der Eigentümer, das Schwergewicht der Forstaufsicht liegt bei den Bezirken. In der *Schweiz* übt das Bundeamt für Forstwesen die Oberaufsicht aus, die Kantone sind verpflichtet, ihr Gebiet in Forstkreise, diese weiter in Reviere einzuteilen.

Forstwirtschaft, beschäftigt sich mit der wirtsch. Nutzung und Pflege sowie dem Anbau des Waldes. Die F. in Dtl. hat v.a. wirtsch., aber auch soziale (Erholungs-, Schutzwald) sowie angesichts zunehmender Umweltbelastung (→Waldsterben) wachsende Bedeutung für die Erhaltung des ökolog. Gleichgewichts. Für die Erfüllung vielfältiger Aufgaben (Mehrzweck-F.) wird moderne F. verstärkt nach ökolog. Grundsätzen und Erkenntnissen betrieben. Seit etwa 1980 haben Maßnahmen der Walderhaltung und des Forstschutzes in Mittel- und N-Europa und in Nordamerika besondere Bedeutung erlangt. Kennzeichen der F. sind die im Vergleich zu Landwirtschaft und Gartenbau sehr langfristigen Planungen, Maßnahmen und Auswirkungen. Zwischen Saat, Pflanzung und Ernte liegen oft mehr als 100 Jahre, sodass ein Nutzen erst kommenden Generationen möglich ist. Von Bedeutung ist die Einhaltung des Prinzips der Nachhaltigkeit, d.h., dass nicht mehr Holz geerntet wird, als jeweils nachwachsen kann. Die **Forstnutzung** richtet sich auf wirtsch. und arbeitstechnisch zweckmäßige Gewinnung, rohstoff- und marktgerechte Bereitstellung sowie volks- und betriebswirtsch. beste Verwertung von primären Produkten des Waldes. (→Forsteinrichtung)

Forsythie
(Höhe bis 3 m)

Geschichte: Das Nutzungsrecht am Wald stand zus. mit dem Jagdrecht dem König zu, der jedem die Benutzung bestimmter Wälder (Bannforsten) untersagen konnte (→Forstregal). Erst Anfang des 19. Jh. konnte sich unter Einfluss der stein-hardenbergschen Reform Privateigentum am Wald stärker entwickeln. – Während im MA. Jagd und ungeregelte Holznutzung überwogen, trat später in den Laubholzgebieten die Waldweide (Schweine) als extensive Nutzung in den Vordergrund. Eine regelrechte F. entstand in Dtl. um 1300.

📖 *Ökolog. Waldwirtschaft. Grundlagen – Aspekte – Beispiele, hg. v.* H. Graf Hatzfeldt. *Heidelberg* [2]*1996.*

Forstwirtschaftsrat, Deutscher F. e.V., Abk. **DFWR,** Verein, der die Interessen der Forstwirtschaft u.a. gegenüber Bundes- und Landesreg. vertritt, gegr. 1950.

Forstwissenschaft, Wiss. und Lehre von den biolog. Gesetzmäßigkeiten im Wachstum von Bäumen und Wäldern, der planmäßigen und nachhaltigen Nutzung von Holzerträgen, der Anwendung von Technik und Mechanisierung in der Forstwirtschaft sowie von der Auslotung aller rechtl. und gesetzl. Probleme bezüglich Mensch und Wald. – Die F. gliedert sich in forstl. Produktionslehre (Waldbau, Forstschutz, forstl. Arbeitslehre, Forstbenutzung, Wegebau, forstl. Transportwesen), forstl. Betriebslehre (Forsteinrichtung, forstl. Betriebswirtschaftslehre, Forstverwaltung) sowie Forst- und Holzwirtschaftspolitik, einschl. Forstgeographie, Forstgeschichte, Sozialwiss. Seit einigen Jahren hat die Erforschung der Waldschäden besondere Bedeutung erlangt. (→Waldsterben)

📖 Rittershofer, F.: *Waldpflege u. Waldbau. Für Studierende u. Praktiker. Freising 1994.*

Frederick Forsyth

Forsyth [fɔːˈsaɪθ], Frederick, engl. Schriftsteller, *Ashford (Cty. Kent) Aug. 1938; schreibt Polit- und Spionagethriller, u.a. »Der Schakal« (1971), »Die Akte Odessa« (1972), »No comebacks« (1982).

Forsythe [ˈfɔːsaɪθ], William, amerikan. Tänzer und Choreograph, *New York 30. 12. 1949; seit 1984 künstler. Direktor des Balletts der Städt. Bühnen Frankfurt am Main; schuf eigenwillige Choreographien (u.a. »Impressing the Czar«, 1988; »In the Middle, Somewhat Elevated«, 1992).

Forsythi|e [-tsiə und -tiə; nach dem engl. Botaniker W. Forsyth, *1737, †1804] *die* (Forsythia, Goldflieder), Gattung der Ölbaumgewächse; ostasiat. Sträucher mit gelben Blüten, die im Frühjahr vor dem Laub erscheinen. Mehrere Arten werden in vielen Sorten als Ziergehölze kultiviert.

Fort [fɔːr, frz.] *das, Militärwesen:* selbstständige geschlossene Befestigungsanlage kleiner bis mittlerer Größe, angelegt entweder als Einzelwerk zur Verteidigung von Hafeneinfahrten, strateg. wichtigen Geländepunkten und Verkehrswegen meist in Grenznähe (Sperr-F.) oder als vorgeschobenes Außenwerk einer großen →Festung (»detachiertes Fort«).

Fort [fɔːr], Gertrud von Le F., Schriftstellerin, →Le Fort.

Fortaleza [-ˈleza; portugies. »Festung«], Hptst. des brasilian. Bundesstaates Ceará, an der NO-Küste, 1,77 Mio. Ew.; zwei Univ., Erzbischofssitz; Ausfuhrhafen für Zucker, Baumwolle, Kaffee und Häute; Textilind.; Flughafen.

Fort-de-France [fɔːrdəˈfrɑ̃s], Hptst. des frz. Überseedép. Martinique, im W der Insel, 100 100 Ew.; Erzbischofssitz, Forschungsinst.; Industrieansiedlung Le Lamentin; Handelszentrum und Hauptausfuhrhafen, internat. Flughafen.

forte [italien.], Abk. **f,** musikal. Vortragsbezeichnung: laut, stark. **fortissimo,** Abk. **ff,** sehr laut. **forte fortissimo,** Abk. **fff,** mit allergrößter Lautstärke. **fortepiano,** Abk. **fp,** laut und sofort wieder leise. **mezzoforte,** Abk. **mf,** mittelstark.

fortgesetztes Delikt (fortgesetzte Handlung), von der Rechtsprechung aus prakt. Bedürfnissen entwickelte Form der strafrechtl. Handlungseinheit; danach ist ein f. D. die mehrfache, durch gleichartige Handlungen ausgeführte, von einem Gesamtvorsatz umfasste Verwirklichung desselben Straftatbestandes; sie wird rechtlich als eine einzige Deliktsverwirklichung betrachtet. Bei höchstpersönl. Rechtsgütern (Leben, Ehre) besteht ein f. D. nur, wenn sich die wiederholten Handlungen gegen dieselbe Person richten. Der Täter wird nur wegen einer Tat verurteilt, Anzahl und Schwere der Einzelakte sind bei der Strafzumessung zu berücksichtigen.

Forth [fɔːθ], Fluss in Schottland, 105 km lang, entspringt am Ben Lomond, mündet in den **Firth of Forth,** eine fjordartige, rd. 80 km lange Nordseebucht. Westlich von Edinburgh wird der Firth of F. seit 1890 von der 2,5 km langen Eisenbahnbrücke und seit 1964 von einer Straßenbrücke (Hängebrücke) überspannt.

FORTH [fɔ:θ, engl.], eine höhere →Programmiersprache, v.a. für Gerätesteuerungen. F.-Programme sind in ihrem Befehlsvorrat erweiterungsfähig, von großer Kompaktheit und laufen sehr schnell ab.

Fortis [lat.] *die, Phonetik:* ein mit stärkerer Artikulationsspannung gesprochener Konsonant, z.B. im Deutschen [p, k, s]; Ggs.: Lenis.

Fort Knox ['fɔ:t 'nɔks], Militärstandort in Kentucky, USA, südwestlich von Louisville; größtes amerikan. Golddepot.

Fort-Lamy [fɔ:rla'mi], bis 1973 Name von →N'Djamena.

fortlaufende Notierung (variable Notierung), *Börse:* →Kurs.

Fort McMurray [fɔ:t mək'mə:rɪ], Stadt in der Prov. Alberta, Kanada, am Athabasca, 33 700 Ew.; in zwei Tagebauen werden seit 1967 bzw. 1978 Ölsande abgebaut; Pipelines nach Edmonton.

Fortner, Wolfgang, Komponist, * Leipzig 12. 10. 1907, † Heidelberg 5. 9. 1987; schrieb Bühnen-, Orchester- und Kammermusikwerke in einem bis 1945 streng tonalen, von I. Strawinsky beeinflussten, später A. Schönberg nahe stehenden Stil.

Werke: Opern: In seinem Garten liebt Don Perlimplín Belisa (nach F. García Lorca, 1962); Elisabeth Tudor (1972); That time (nach S. Beckett, 1977); Ballette: Die weiße Rose (nach O. Wilde, 1951); Carmen (1971) u.a.

Fortpflanzung (Reproduktion), die Erzeugung von Nachkommen; durch F. wird i.d.R. die Zahl der Individuen erhöht (Vermehrung) und die Art erhalten. Man unterscheidet ungeschlechtl. und geschlechtl. F. Die **ungeschlechtl. F.** (asexuelle F., vegetative F., Monogonie) geht von Körperzellen des mütterl. Organismus (bei Einzellern von deren einziger Körperzelle) aus und vollzieht sich über mitot. Zellteilungen, wobei die Tochterzellen den gleichen Chromosomensatz und somit dasselbe Erbgut wie der mütterl. Organismus bzw. die Mutterzelle haben. Bei der **geschlechtl. F.** entsteht aus zwei geschlechtlich unterschiedl. Keimzellen durch deren Verschmelzung (→Befruchtung) und anschließender mitot. Teilung ein neues Individuum. Die geschlechtl. F. bedingt eine Neukombination der Erbanlagen. Geschlechtl. und ungeschlechtl. F. können bei derselben Tier- oder Pflanzenart miteinander abwechseln (→Generationswechsel). – Eine sog. eingeschlechtl. F. ist die **Jungfernzeugung** (Parthenogenese), bei welcher aus unbefruchteten Eizellen Nachkommen hervorgehen (z.B. bei Ameisen, Bienen, Wespen, Blattläusen, Stechapfel, Tabak, Reis).

📖 CULCLASURE, D. F.: *Anatomie u. Physiologie des Menschen, Bd. 10: Die F. des Menschen. A. d. Engl. Weinheim u. a.* [3]*1987, Nachdr. ebd. 1991.* – *F. Natur u. Kultur im Wechselspiel, hg. v.* E. VOLAND. *Frankfurt am Main 1992.* – HAUENSCHILD, C.: *F. u. Sexualität der Tiere. Mannheim u. a. 1993.*

Forth: Die 1883–90 von John Fowler und Benjamin Baker erbaute Eisenbahnbrücke über den Firth of Forth westlich von Edinburgh besaß seinerzeit die größte Spannweite

Fortpflanzungsgeschwindigkeit (Ausbreitungsgeschwindigkeit), *Physik:* →Geschwindigkeit, mit der sich a) eine physikal. Wirkung (Gruppengeschwindigkeit) oder b) die Phase einer Welle (Phasengeschwindigkeit) ausbreitet.

Fortpflanzungsorgane, →Geschlechtsorgane.

FORTRAN, Kw. aus engl. **For**mula **Tran**slator, eine problemorientierte →Programmiersprache für mathemat., naturwiss. und techn. Rechenprogramme. Durch Weiterentwicklung der 1954 veröffentlichten Sprache existieren heute verschiedene Versionen, z.B. FORTRAN II (1958) und FORTRAN 77 (1978).

Fortschreibung, statist. Errechnen eines Bestandes auf der Basis früherer Angaben, z.B. F. einer Volkszählung unter Berücksichtigung eingetretener Veränderungen (Geburten, Sterbefälle, Zu- und Wegzüge).

Fortschritt, die Aufeinanderfolge von Formen oder Zuständen in dem Sinn, dass die zeitlich späteren zugleich die wertmäßig höheren sind. Die Grundlage des F. wird einerseits in einer philosophisch (kosmologisch, metaphysisch, religiös) begründeten Gesetzmäßigkeit der Wirklichkeit, in mehr weltanschaul. Sicht auch oft in einer den Dingen selbst zugeschriebenen Tendenz gesehen **(F.-Glaube).** Andererseits wird der F. vor allem als durch menschl. Aktivität bewirkt verstanden, was ihn eigtl. vom Gedanken der Entwicklung unterscheidet. Letzterer wirkt in der Anschauung, dass schon die früheren Formen immanent die späteren enthalten (z.B. in der Geschichtsphilosophie des dt. Idealismus, bes. G. W. F. Hegels). Die marxsche Geschichtsanschauung dagegen sucht in ihrem F.-Begriff objektive Gesetzmäßigkeit der

Wolfgang Fortner

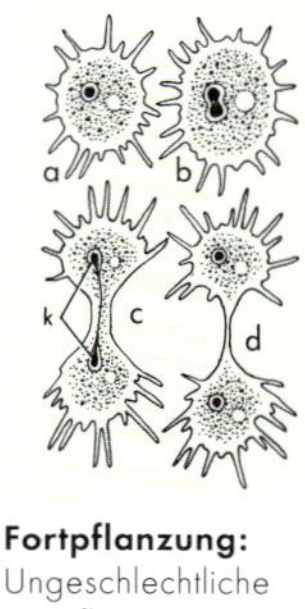

Fortpflanzung: Ungeschlechtliche Fortpflanzung einer Amöbe (a); an die Kernteilung (b/c) schließt sich die Durchschnürung des Zellplasmas an (c/d); k Zellkern

Forum 2): Blick auf das Forum Romanum von West nach Ost, im Vordergrund links die Säulen der Vorhalle des 42 v. Chr. neu erbauten Saturntempels

Gesellschaftsentwicklung mit der den F. bewirkenden menschl. Aktivität zu verbinden. – In der europ. Neuzeit wurde die Idee des F. zu einer vorherrschenden Leitidee der Geschichtsanschauung. Die Aufklärung setzte anstelle der christl. Geschichtstheologie die Lehre, dass die dem Menschen angeborene Vernunft die anfangs überlegenen Gegenkräfte der Barbarei, des Aberglaubens und der Gewalt schrittweise überwinden und schließlich zur vernunftgemäßen Gestaltung aller Verhältnisse führen werde. Die Denker des beginnenden industriellen Zeitalters (C. H. de Saint-Simon, A. Comte, H. Spencer u. a.) gaben der Idee des F. einen neuen Inhalt: Statt Aufklärung der Menschen und Veredlung der Sitten wurde nun der wissenschaftlich-techn. F. und die durch ihn ermöglichte Naturbeherrschung zum zentralen Thema: Die fortschreitende Humanisierung der Gesellschaft wurde als mit dem F. zwangsläufig verbunden gedacht. Das gegenwärtige Geschichtsbewusstsein betont eher die Gefährdung der Umwelt durch den techn. F. Für einen F. der Sittlichkeit, der Religion, der Kunst gibt es keinen verbindl. Wertmaßstab. (→Lebensqualität)

Forum - Plan der Kaiserforen

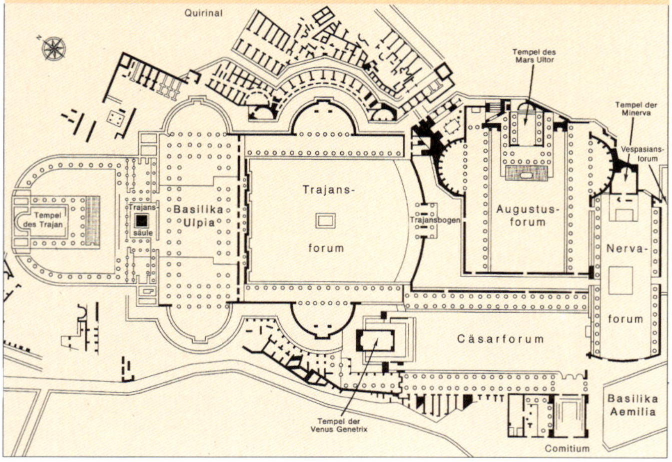

📖 Fetscher, I.: *Überlebensbedingungen der Menschheit. Ist der F. noch zu retten? Berlin 1991. – F. u. Gesellschaft, hg. v.* E.-L. Winnacker. *Stuttgart 1993. – F. wohin? Wissenschaft in der Verantwortung, Politik in der Herausforderung, hg. v.* H.-J. Fischbeck *u.* R. Kollek. *Münster 1994. – Ethik u. wissenschaftl. F., hg. v.* P. Mittelstaedt. *Bonn 1995.*

Fortschrittliche Volkspartei, dt. polit. Partei, entstand 1910 durch Zusammenschluss der Freisinnigen Volkspartei, der Freisinnigen Vereinigung und der v. a. in Südwest-Dtl. vertretenen Dt. Volkspartei (1868–1910); vertrat die Interessen von Banken und Exportind., Bildungsbürgertum, »neuem Mittelstand« und Gewerbe; bildete 1918 mit dem linken Flügel der Nationalliberalen Partei die Dt. Demokrat. Partei.

Fortuna [lat.], die röm. Göttin des Glücks, später der grch. Tyche gleichgestellt. Zum Zeichen ihrer Wandelbarkeit auf schwebender Kugel dargestellt, meist mit Steuerruder, Füllhorn, Kugel.

Fort Wayne [fɔ:t ˈweɪn], Stadt in NO-Indiana, USA, am Maumee River, 173 100 Ew.; Theater- und Kunstzentrum (1965–74 von L. I. Kahn); Handels- und Ind.mittelpunkt (Elektronikind., Fahrzeugbau). – Um 1680 als frz. Pelzhandelsstation gegründet.

Fort Worth [fɔ:t ˈwə:θ], Stadt in Texas, USA, westl. von Dallas, 459 100 Ew.; kulturelles Zentrum mit einigen exemplar. modernen Museumsbauten; Univ.; botan. und zoolog. Garten; bedeutendster Viehhandelsplatz der Südstaaten mit Vieh-, Getreide-, Baumwollbörse und Schlachthäusern, Nahrungsmittel-, Luftfahrtind.; Erdölraffinerien; Großflughafen.

Forum [lat.] *das,* **1)** *allg.:* Plattform; öffentl. Diskussion, Aussprache; Personenkreis für sachverständige Problemdiskussion.

2) in der Antike der Mittelpunkt jeder von den Römern gegr. Stadt; Zentrum für alle städt. Behörden und Regierungsorgane wie des Geschäftsverkehrs; Magistratsgebäude, Wandelgänge sowie zahlr. Tempel und z. T. Markthallen umgaben den Platz, auf dem Altäre, Statuen, Siegessäulen und Triumphbögen errichtet wurden.

Das **Forum Romanum** (der Stadt Rom) entstand im 6. Jh. v. Chr. durch Entwässerung einer urspr. sumpfigen Senke. Ausgrabungen (1803 ff.) legten v. a. Reste des kaiserzeitl. Baubestands frei sowie auch ältere Fundamente. Seit dem frühen 5. Jh. erfolgten Tempelgründungen: Tempel des

Saturn (497; neu erbaut 42 v. Chr.), des Castor und Pollux (484; zuletzt erneuert im 2. Jh. n. Chr.), der Concordia (367; mehrmals erneuert). In die Frühzeit gehörten auch die Regia, Sitz des Pontifex Maximus, und der Rundtempel der Vesta (zuerst Holzbauten, Steinbau 200 v. Chr., mehrmals erneuert), der das ewige Feuer auf dem hl. Staatsaltar barg. Zentrum des polit. Lebens war im NW das Comitium (Volksversammlungsplatz) mit der Curia (Tagungsort des Senats) und der Rednerbühne (Rostra). Aus dem 1. Jh. v. Chr. stammt die Basilica Julia (Gericht, Börse), aus dem 1. Jh. n. Chr. der Tempel für Antoninus Pius und Faustina, Triumphbogen des Titus 81 n. Chr., des Septimus Severus 203 n. Chr. Die **Kaiserforen** sind eine nördl. Erweiterung des zu klein gewordenen F. Romanum mit Cäsar-F. und dem Tempel der Venus Genetrix, Augustus-F. mit dem Tempel des Mars Ultor, die F. des Nerva und des Vespasian mit dem Tempel der Friedensgöttin (Pax) und das Trajans-F. mit der Basilika Ulpia und der Trajanssäule.

📖 BUCHNER, W. K.: *Zentrum der Welt. Das F. Romanum als Brennpunkt der röm. Geschichte. Gernsbach 1990.*

Forum Stadtpark (Grazer Forum), Grazer Künstlergruppe, die sich 1958 zusammenschloss und 1960 das Grazer Stadtpark-Café in ein modernes Kulturzentrum umwandelte; neben Lesungen finden Ausstellungen u. a. kulturelle Veranstaltungen statt; wurde zum Zentrum der jungen österr. Literatur (W. Bauer, Barbara Frischmuth, P. Handke u. a.); Publikationsorgan ist seit 1960 »manuskripte« (hg. von A. Kolleritsch).

Forza Italia, Parteienbündnis in → Italien (Geschichte).

forzando (forzato) [italien.], Abk. **fz.,** musikal. Vortragsbezeichnung: verstärkt, stark betont, → sforzato.

Fos, Golf von [- fɔs], Bucht an der frz. Mittelmeerküste, zw. Rhônemündung und Marseille, bis 11 km breit, durch eine Nehrung z. T. abgeriegelt, bis über 20 m tief. Wurde zum Schwerindustriezentrum ausgebaut mit Stahlind., Aluminiumhütte und petrochem. Ind.; Erdölhafen (Kanal zum Étang de Berre), Erdöl-, Erdgas- und Produktenleitungen bes. nach N (Karlsruhe, Genf u. a.). In dem Ort **Fos-sur-Mer** (9 000 Ew.) roman. Kirche und mittelalterl. Befestigungsanlagen.

Fosbury [fɔsberı], Richard (Dick), amerikan. Leichtathlet, *Portland (Oreg.) 6. 3. 1947; entwickelte den nach ihm benannten **F.-Flop,** eine (internat. bevorzugte) Hochsprungtechnik, bei der der Rücken beim Sprung der Latte zugekehrt ist.

Foscolo, Ugo, eigtl. Niccolò F., italien. Dichter und Literarhistoriker, *auf Zakynthos 6. 2. 1778, †Turnham Green (heute zu London) 10. 9. 1827; Patriot und Gegner Napoleons I. Als Vorläufer des Risorgimento erstrebte F. die Reinigung der italien. Sprache und Lit. von fremden Einflüssen. Sein Werk umfasst Tragödien, Sonette und Oden, das lyrisch-philosoph. »Gedicht von den Gräbern« (1807), den Briefroman »Die letzten Briefe des Jacopo Ortis« (1802) und literaturhistor. Studien.

Ugo Foscolo
(Ausschnitt aus einem zeitgenössischen Gemälde)

Foshan [-ʃ-], (Fatshan), Stadt in der chines. Prov. Guangdong, im Deltagebiet des Perlflusses, 303 200 Ew.; Textil- und chem. Ind.; traditionelles Zentrum der Seiden- und Porzellanindustrie. – Buddhist. Ahnentempel (11. Jh.).

Foss, Lukas, eigtl. L. Fuchs, amerikan. Komponist, Dirigent und Pianist dt. Herkunft, *Berlin 15. 8. 1922; war 1953–62 als Nachfolger A. Schönbergs Prof. für Komposition an der University of California in Los Angeles; zunächst stilistisch an P. Hindemith orientiert, seit 1960 Einbeziehung serieller und aleator. Techniken; u. a. Opern, Kantaten, Orchesterwerke, Kammermusik.

Fossa [madagass.], Art der → Schleichkatzen.

fossil [lat.], aus der erdgeschichtl. Vergangenheit stammend; Ggs. → rezent.

Fossilien [lat.], durch Fossilisation erhalten gebliebene Überreste von Tieren (auch von deren Lebensspuren) oder Pflanzen, die in erdgeschichtl. Vergangenheit gelebt haben. Neben Abdrücken und Steinkernen sind organ. Reste auch als Einschlüsse in Harz (Bernstein) und im Dauerfrostboden des arkt. Bereichs (Mammutleichen) erhalten. (→ Leitfossilien) – BILD Messel

📖 *F., bearb. v.* C. WALKER *u.* D. WARD. *A. d. Engl. Ravensburg 1994.*

Fossilisation [lat.] *die,* Vorgang der Bildung von Fossilien. Erhalten bleiben v. a. Hartteile von Tieren oder Pflanzen. Sie können eine Umkristallisation erfahren, d. h., die ursprüngl. Kalksubstanz kann durch Kieselsäure, Schwefelkies u. a. ersetzt werden. Werden Hohlräume abgestorbener Lebewesen mit Sediment ausgefüllt, so entstehen **Steinkerne,** bei denen der innere Abdruck der Schale zu sehen ist. Reste von Pflanzen finden sich in Form feinster Kohlehäutchen, Kriech- und Laufspuren als **Abdruck.**

Foster ['fɔstə], **1)** George Murphy (»Pops«), amerikan. Jazzmusiker (Bassist), *McCall (Id.) 19. 5. 1892, †San Francisco (Calif.) 6. 11. 1969; bed. Bassist des New-Orleans-Jazz.

Jodie Foster

2) Jodie, amerikan. Filmschauspielerin, *Los Angeles (Calif.) 19. 12. 1962; Charakterdarstellerin u. a. in »Schweigen der Lämmer« (1991), »Nell« (1994), »Familienfest und andere Schwierigkeiten« (1996; auch Regie).

3) Sir (seit 1990) Norman Robert, brit. Architekt, *Manchester 1. 6. 1935. Seine Bauten demonstrieren die ästhet. Dimension der Technik: u. a. Verwaltungsgebäude der Hongkong and Shanghai Banking Corp. in Hongkong (1979–86), Terminal des Flughafens in Stansted bei London (1991), »Mediathek« in Nîmes (1984–93), Hochhaus der Commerzbank-Zentrale in Frankfurt am Main (1992–97, ohne Antenne 258 m Höhe), Umbau des Reichstagsgebäudes in Berlin zum Dt. Bundestag (seit 1995); erhielt 1998 den Stirling-Preis. – BILD Hongkong

4) Stephen Collins, amerikan. Liederdichter und Komponist, *Lawrenceville (Pa.) 4. 7. 1826, †New York 13. 1. 1864; schrieb zahlr. volkstüml. amerikan. Lieder, darunter auch Songs für Minstrelshows (bekannt v. a. »Oh, Susanna«).

Foto-CD, Compactdisc, auf der Kleinbilddias und -negative gespeichert werden können. Die Bilder werden mithilfe spezieller Scanner abgetastet, in Bildpunkte zerlegt und digital auflösungs- und rasterunabhängig abgespeichert. F.-CDs sind auch für Anwendungen z. B. in der graf. Technik, für elektron. Publishingsysteme oder den Multimediabereich geeignet.

Fotografie

Der Blick aus dem Mansardenzimmer eines Hauses in Saint-Loup-de-Varennes bei Chalons-sur-Sâone wurde im Jahre 1826 von Joseph Nicéphore Niepce aufgenommen, der seither als Vater der Fotografie gelten darf. Das Bild hielt er fest auf einer mit Asphalt beschichteten Kupferplatte, die Belichtungszeit betrug acht Stunden.

Niepce, ein Erfinder und Tüftler, hatte sich zuvor mit der von Alois Senefelder entwickelten grafischen Technik der Lithografie, dem Steindruck, beschäftigt und versucht, die Bilder, die er reproduzieren wollte, auf Stein zu übertragen. 1816 gelang es ihm mithilfe der Camera obscura (der einfachsten Lochkamera, die bereits Leonardo da Vinci um 1500 beschrieb) und Silberchloridpapier, ein Negativ herzustellen, das allerdings mit Salpetersäure nur unzureichend fixiert war. Später experimentierte er mit in Dippelöl (ein ätherisches Tieröl) aufgelöstem »Judenpech« (Asphalt); diese schwarze Lösung hatte die Eigenschaft, bei Lichteinwirkung weiß und unlöslich zu werden. Niepce strich sie auf eine Kupferplatte, belichtete sie acht Stunden lang in einer Camera obscura, legte sie in ein Lösungsmittel (Lavendelöl) und setzte sie einer Säure aus, die die nun gelösten Stellen angriff. So erhielt er ein Reliefbild, das Fotografiegeschichte schreiben sollte.

Fotografie, Bez. für alle Verfahren, ein durch Licht (sichtbarer, aber auch nichtsichtbarer Spektralbereich, z. B. Infrarot, Ultraviolett) erzeugtes reelles Bild auf lichtempfindl. Schichten (Platte, Film, Papier) mithilfe opt. Systeme (→fotografische Apparate) festzuhalten. I. w. S. wird die Bez. auch für andere bildgebende Verfahren verwendet, z. B. für solche, bei denen ein elektrostat. Ladungsbild erzeugt (Elektro-F.) oder ein Magnetspeicher beeinflusst wird (Videographie).

Als fotograf. Materialien werden hauptsächlich die Silberhalogenide verwendet, da sie eine hohe Lichtempfindlichkeit und einen großen Verstärkungseffekt bei der Entwicklung aufweisen. Beim Silberhalogenidverfahren wird die auf einem Träger befindl. lichtempfindl. Schicht, die aus einer festen Suspension von feinsten Silberhalogenidkörnern in einem Schutzkolloid (Gelatine) besteht, (in einer Kamera) belichtet, wobei das Bild des Aufnahmegegenstands in der Schicht optisch abgebildet wird. Die einfallenden Lichtquanten spalten aus den Halogenidionen Elektronen ab, die Silberionen zu Silberatomen reduzieren können. Wenn eine bestimmte Mindestanzahl von benachbarten Silberatomen erreicht ist, spricht man von einem Entwicklungskeim, an dem der Entwickler angreifen und den ganzen Kristall zu metall., schwarzem Silber reduzieren kann (Überführung des unsichtbaren, »latenten« Bildes in ein sichtbares Bild). Man erhält eine negative Abbildung, das Negativ, das an den Stellen intensivster Belichtung die größte Schwärzung aufweist. Durch Herauslösen des unentwickelten (unbelichteten) Silberhalogenids (Fixieren) wird die Abbildung lichtunempfindlich und dauerhaft gemacht. Kopiert man das Negativ auf eine andere lichtempfindl. Schicht, erhält man eine positive Abbildung (Negativ-Positiv-Verfahren). Das im Positiv sichtbare Korn ist die Abbildung der Lücken zw. den Kornanhäufungen des Negativs.

Schwarzweißfotografie: Das Silberhalogenidverfahren, bei dem Schwarz-, Weiß- und Grautöne entstehen, liegt der Schwarzweiß-F. zugrunde. Je nach Art des Trägers für die lichtempfindl. Schicht unterscheidet man fotograf. Platten, Filme und Papiere. Glasplattenträger sind (bis auf spezielle Anwendungen) vom Film (Cellulosetriacetat, Polyethylenterephthalat) verdrängt worden. Platten und Filme weisen (sich in fotograf. Bädern lösende) Lichthofschutzschichten auf; Fotopapiere werden in verschiedenen Härtegraden (entsprechend den Kontrastverhältnissen des Negativs), Untergrundanfärbungen (weiß, elfenbein, chamois) und Oberflächen (glänzend, d. h. hochglanzfest, oder durch Stärkezusatz matt) geliefert. Aufnahmematerialien werden nach ihrer Empfindlichkeit und Körnigkeit eingeteilt in: niedrig empfindl., extrem feinkörnige, steil arbeitende sog. Dokumentenfilme (ISO 12/12°), niedrig empfindl., feinkörnige Filme normaler Gradation (ISO 25/15° bis ISO 50/18°), mittelempfindl. Filme (ISO 50/18° bis ISO 100/21°), hoch empfindl., sog. Highspeedfilme (ISO 200/24° bis ISO 400/27°), extrem hoch empfindl., relativ grobkörnige Filme mit flacher Gradation (ISO 800/30° und mehr).

Farbfotografie: Sammelbegriff für fotograf. Verfahren zur Herstellung von Abbildungen in (meist) natürl. Farben. Auch die Farb-F. arbeitet mit Silberhalogenidschichten. Die Farben entstehen als Nebenprodukte bei der Reduktion des

Silberhalogenids durch die Entwicklersubstanzen, das Silberbild wird ausgebleicht. Einen bestimmten Farbeindruck kann man auf verschiedene Weise erzeugen: Das additive Farbverfahren beruht auf der Mischung der drei Grundfarben Blau, Grün und Rot in verschiedenen Mengenverhältnissen. Grünes und rotes Licht addieren sich zu Gelb; Blau und Rot ergeben Purpur, Blau und Grün Blaugrün. Das subtraktive Verfahren beruht auf der Ausfilterung von Licht bestimmter Wellenlänge aus weißem Licht. Ein gelbes Filter z. B. absorbiert das blaue Licht einer weißen Lichtquelle und lässt Grün und Rot durch, die zus. Gelb ergeben. Die früher praktisch angewandten farbfotograf. Verfahren beruhten auf dem additiven Prinzip. Heute werden wegen der besseren Lichtausbeute subtraktive Verfahren bevorzugt. Hierfür verwendet man ein mehrschichtiges Material mit blauempfindl. Oberschicht, einer Gelbfilterschicht, grünempfindl. Mittelschicht und rotempfindl. Unterschicht (Agfacolor® 1936, Kodacolor® 1942). Bei den Verfahren mit Farbstoffaufbau enthalten die Schichten jeweils diffusionsfest eingelagerte Farbkuppler (auch Farbbildner, Farbkomponenten), die bei der Entwicklung mit einem Farbentwickler (p-Phenylendiaminderivate als Entwicklersubstanzen) einen Bildfarbstoff ergeben (chromogene Entwicklung). So wird z. B. in der rotempfindl. Schicht der komplementäre Blaugrünfarbstoff erzeugt. Man kann die Farbkuppler auch drei getrennten Farbentwicklungsbädern zugeben (Kodachrome-Umkehrverfahren®). Bei den Farbumkehrverfahren, die Diapositive ergeben, wird durch eine Schwarzweißerstentwicklung ein negatives Silberbild erzeugt. Nach Zweitbelichtung oder Verschleierung des restl. Silberhalogenids erfolgt die Zweitentwicklung mit einem Farbentwickler, sodass ein positives Farbbild resultiert. Beim Silberfarbbleichverfahren, einem Verfahren mit Farbstoffabbau, werden den Silberhalogenid-Emulsionsschichten lichtechte Azofarbstoffe zugefügt. Nach einer Schwarzweißentwicklung werden die Farbstoffe in einem Farbbleichbad selektiv an den Stellen mit Bildsilber zerstört (Cibachrome®). Der Dye-Transfer-Prozess ist ein von Kodak entwickeltes Kopierverfahren, nach dem von einem Negativ oder Diapositiv beliebig viele und lichtfeste Farbbilder hergestellt werden können.

Recht: Eine fotograf. Aufnahme ist ohne Rücksicht auf den Gegenstand der Aufnahme für den Fotografen rechtlich geschützt. Handelt es sich um Lichtbilder, die kein Merkmal einer individuellen Gestaltung aufweisen, genießen sie →Leistungsschutz (Schutzfrist: 25 Jahre, für Dokumente der Zeitgeschichte 50 Jahre nach Erscheinen oder Herstellung), sonst Urheberrechtsschutz (sog. Lichtbildwerke, Schutzfrist: 70 Jahre nach dem Tod des Urhebers). Fotografien einer Person sind als →Bildnis geschützt.

Geschichte: Bei frühen Abbildungsversuchen mit lichtempfindl. Silbersalzen (z. B. J. H. Schulze 1727, J. N. Niepce 1816) gelang es noch nicht, beständige Bilder zu erhalten. 1822 stellte Niepce unter Verwendung einer lichtempfindl. Asphaltschicht nach Auswaschen der unbelichteten Teile eine Kontaktkopie eines Kupferstiches her. 1826 gelang nach diesem Verfahren die erste befriedigende Kameraaufnahme. In der Folgezeit diente das Asphaltmuster als Ätzgrund für Kupfer- und Zinkplatten, von denen nach Einfärbung gedruckt wurde (Heliographie). 1835 entdeckte L. J. M. Daguerre, dass durch Jodbehandlung lichtempfindlich gemachte, versilberte Kupferplatten mit Quecksilberdampf entwickelt werden können. Die Fixierung mit Natriumchloridlösung gelang 1837; dieses Verfahren (Daguerreotypie) wurde 1839 in Paris bekannt gegeben. Die Herstellung einer Vielzahl von Positivkopien von einem Negativ gelang W. H. F. Talbot ab 1839: Ein in der Kamera auf Silberjodidpapier erzeugtes latentes Bild wurde mit Gallussäure und Silbernitrat entwickelt und mit Natriumthiosulfat fixiert. Das Papiernegativ wurde dann auf Silberchlorid- oder -bromidpapier kopiert (Calotypie, auch Talbotypie; 1841 patentiert). F. S. Archer stellte 1851 in London das »nasse Kollodiumverfahren« (Jodsilber-Kollodium-Verfahren) vor: Mit bromid- oder jodidhaltigem Kollodium (Cellulosenitratlösung) beschichtete Glasplatten wurden in Silbernitratlösung gebadet, noch nass belichtet und entwickelt. Dieses Verfahren wurde ab 1878 durch die Silberbromid-Gelatine-Trockenplatten abgelöst (1871 Erfindung von R. L. Maddox). Erst die Entdeckung der spektralen Sensibilisierung (1873) durch H. W. Vogel ermöglichte eine »farbrichtige« Wiedergabe in der Schwarzweiß-F. sowie die Farb-Fotografie.

Fotografie: Daguerreotypie

Künstlerische Fotografie: Spezielles Anwendungsgebiet der F., in dem das fotograf. Bild Ergebnis eines ästhetisch-schöpfer. Prozesses ist und neben seinem dokumentar. Gehalt subjektbezogene Aussagen über das Sujet enthält. In der 2. Hälfte des 19. Jh. wurde die künstler. F. an den Gestaltungs- und Formprinzipien der klass. bildenden Künste gemessen. Erst in den 20er- und 30er-Jahren des 20. Jh. erschlossen v. a. Fotografen, die sich an der Neuen Sachlichkeit orientierten, die der F. gemäßen Ausdrucksmittel für die künstler. Gestaltung. In der zeitgenöss. Kunst gewinnt die F. als eigenständiges Ausdrucksmittel immer größere Bedeutung. Wichtige Anwendungsbereiche der künstler. F. sind Porträt-, Landschafts-, Architektur-, Live-, Reportage- und Werbefotografie.

📖 SOLF, K. D.: *F. Grundlagen – Technik – Praxis. Neuausg. Frankfurt am Main 14.–15. Tsd. 1991.* – FREIER, F.: *DuMont's Lexikon der F. Technik – Geschichte – Fotografen – Kunst. Köln 1992.* – KOSCHATZKY, W.: *Die Kunst der Photographie. Technik, Geschichte, Meisterwerke. Köln 1994.* – *Die neue Enzyklopädie der F., bearb. v.* H. HENNINGES *u. a. Augsburg 1994.* – KRAUSS, R. H.: *Photographie als Medium. 10 Thesen zur konventionellen u. konzeptionellen Photographie. Ostfildern* ^{2}*1995.*

Fotografik, Form der künstler. Fotografie, in der mittels fotograf. Techniken bzw. durch gezielte Lichteinwirkung oder direkte Abbildung von Objekten auf lichtempfindl. Material **(Photogramm)** graf. Effekte erzielt werden. Bedeutende Photogramme schuf der Maler C. Schad (Schadographie), am Bauhaus L. Moholy-Nagy. Die gestalter. Vielfalt dieser Technik dokumentiert bes. M. Ray (Rayographie). Spezielle fotograf. Techniken werden angewendet bei Äquidensiten, zur Erzielung von »Gouache-Effekten« (Reduzierung von Ton- und Farbwerten auf plakative Stufungen) und bei der Fotomontage.

fotografische Apparate (fotografische Kameras), opt. Geräte zur Aufnahme fotograf. Bilder nach dem Vorbild der →Camera obscura. Sie bestehen prinzipiell aus einem lichtdichten Gehäuse mit Bildbühne und Transportvorrichtung für das lichtempfindl. Material, dem bilderzeugenden opt. System (→fotografische Objektive), dem Verschluss zur Steuerung der Belichtungszeit und der Visier- bzw. Bildbetrachtungseinrichtung (Sucher).

Kameratypen: **Großformatkameras,** Balgenkameras auf opt. Bank oder mit Laufboden für die verstellbare und schwenkbare Objektivstandarte und mit verstellbarem und schwenkbarem Kamerarückteil; im Baukastensystem zusammensetzbar; Aufnahmeformat 9×12 cm und größer. **Mittelformatkameras** für 62 mm breiten Rollfilm; urspr. Balgenkameras, heute meist starre Tubuskameras mit Zentral- oder Schlitzverschluss, v. a. ein- oder zweiäugige Spiegelreflexkameras. **Kleinbildkameras,** verbreitetster und hinsichtlich Objektivausstattung und Zubehör vielseitigster Typ, für 35-mm-Kinefilm in Kleinbildpatrone; Sucher- oder einäugige Spiegelreflexkameras, mit Schlitzverschluss und Wechselobjektiven, mit zunehmend aufwendiger elektron. Ausstattung, durch die wesentliche Kamerafunktionen automatisiert werden: Belichtungsautomatik, kontrastmessende Autofokussysteme, automat. Filmtransport, automat. Eingabe von Filmempfindlichkeit. Eine Neuentwicklung ist das →Advanced Photo System. **Kleinstbildkameras,** Miniaturkameras (Aufnahmematerial 8- und 16-mm-Schmalfilm in speziellen Kassetten); sehr populär sind die Pocketkameras, auch mit elektron. Vollautomatik. Neuartige Kleinstbildkameras sind die Disc-Kameras, deren Aufnahmematerial sich auf einer kreisförmigen Kunststoffscheibe befindet. Die große Schärfentiefe macht bei Kleinstbildapparaten eine Entfernungseinstellung überflüssig. Ein neuer Kameratyp ist die **Digitalkamera,** bei der die Bilder nicht analog auf einem Film, sondern in digitaler Form gespeichert werden. Das vom Objekt reflektierte Licht fällt dabei auf einen CCD-Sensor und wird in intensitätsabhängige elektr. Impulse gewandelt. Bei Scannerkameras werden die CCD-Sensoren

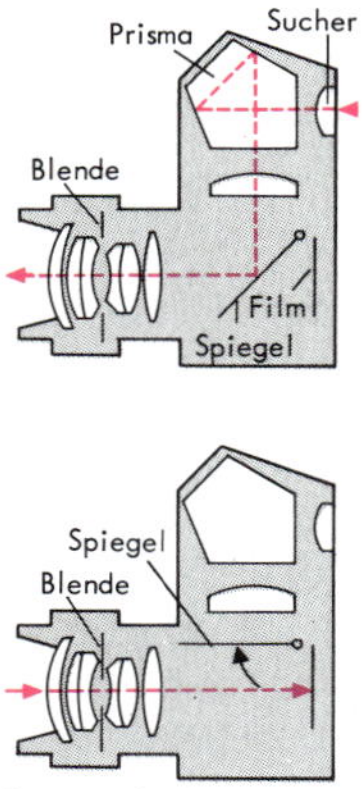

fotografische Apparate: Schnittzeichnung einer einäugigen Spiegelreflexkamera; Strahlengang vor der Aufnahme (oben) und Strahlengang während der Aufnahme

Fotografie

1

2

1 Hyppolyte Bayard, »Eigenfotografie als Ertrunkener«; Direkt-Positiv-Verfahren (um 1855) | **2** Julia Margaret Cameron, »Sir John Henschel« (1867)

3

4

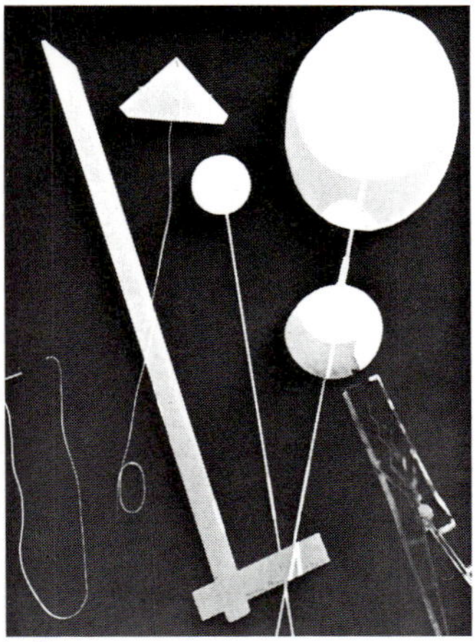

5

6

7

8

3 Eugène Atget, »Drachenhof in Paris« (um 1900) | **4** Karin Székessy, »Gelber Stuhl, rote Maske und zwei Mädchen« (1977) | **5** Man Ray, »Rayogramm« (1950) | **6** Baron de Meyer, »Teddie« (1912) | **7** Helmut Newton, »Manhattan at night« (1978) | **8** Robert Mapplethorpe, Fotografie aus der Serie »Lady« (1983)

von Schrittmotoren über die Bildfläche bewegt und das Bild zeilenweise aufgebaut (z.B. Still-Video-Kameras); Chipkameras arbeiten mit rechteckigen CCD-Chips, von denen sofort das komplette Bild digitalisiert wird. Ausgabegeräte Computer oder Fernseher.

Verschlussbauarten: Der **Zentralverschluss (Lamellenverschluss)** befindet sich meist innerhalb des Objektivs in der Nähe der Blendenebene oder als Hinterlinsenverschluss unmittelbar hinter dem Scheitel der Hinterlinse; seine Verschlusssektoren, mehrere schwenkbare Stahllamellen, geben die Öffnung von der Mitte beginnend frei und kehren nach Ablauf der Offenzeit in die Schließstellung zurück. Die Belichtungszeit setzt sich aus der eingestellten Offenzeit und jeweils der Hälfte der Öffnungs- und der Schließzeit zusammen. Die Bewegungsumkehr lässt als kürzeste Belichtungszeit nur 1/750 s zu. Der **Schlitzverschluss** läuft dicht vor dem Bildfenster ab; er besteht im Wesentlichen aus zwei »Vorhängen« (Lamellenpakete u.a.), von denen einer das Bildfeld zunächst abdeckt und

fotografische Apparate: Großformatkamera als zusammenklappbare Reisekamera, Plattenformat 13 × 18 cm (1870; Köln, Agfa Foto-Historama)

es bei der Belichtung freigibt, während der andere in einstellbarem zeitl. Abstand folgt und das Bildfeld wieder abdeckt. Beide Vorhänge bilden einen »Schlitz« variabler Breite. Es sind kurze Belichtungszeiten von 1/1000 bis 1/8000 s möglich. Da die Bildfläche aber streifenweise belichtet wird, kann eine Blitzsynchronisation nur erfolgen, wenn die Schlitzbreite gleich der entsprechenden Kantenlänge des Bildfensters (Volloffenzeit etwa 1/60 bis 1/125 s) oder die Brenndauer der Blitzquelle gleich der Gesamtablaufzeit ist.

Suchereinrichtungen: Die Bildeinstellung erfolgt nach zwei unterschiedl. Prinzipien: 1) Betrachten des reellen Bildes auf einer Mattscheibe, entweder am Bildort oder unter Zwischenschaltung eines Ablenkspiegels **(Spiegelreflexprinzip)** in einer zur Bildebene konjugierten Ebene. Der Spiegel kann sich im Strahlengang befinden und zur Aufnahme weggeklappt werden (einäugige Spiegelreflexkamera, Single-Lens-Camera, SL-Kamera); zur Bildbetrachtung kann auch ein separates opt. System verwendet werden (zweiäugige Spiegelreflexkamera). Die Einstellscheibe ist zur Erhöhung der Bildhelligkeit bei kleineren Formaten eine lichtsammelnde Fresnel-Linse oder eine mit einem äußerst feinen Prismenraster versehene Glasfläche. Zur Scharfeinstellung des Bildes sind Messkeile (Schnittbildindikator) und/oder ein zentr. Mikrospaltbildfeld vorgesehen. Da das Spiegelreflexbild waagerecht oberhalb des Bildraums aufgefangen wird, zeigt es das Aufnahmeobjekt aufrecht, aber seitenverkehrt; zur Bildumkehrung dient im Sucherschacht bes. bei Kleinbildkameras ein Pentadachkantprisma. 2) Direktes Betrachten des Motivs durch eine opt. Anordnung, die dem umgekehrten galileischen bzw. newtonschen Fernrohr entspricht (Newton-Sucher) und das Motiv schwach verkleinert zeigt, oder durch ein afokales System mit eingespiegelten Bildbegrenzungslinien **(Leuchtrahmensucher).** Die Scharfeinstellung muss über einen Entfernungsmesser erfolgen.

Belichtungsautomatik: Neben der **Programmautomatik,** bei der Zeit und Blende nach Programm geregelt werden, unterscheidet man **Blendenautomaten,** bei denen die Belichtungszeit von Hand vorgewählt werden muss, während sich die Blende automatisch einstellt, und **Zeitautomaten,** bei denen das Umgekehrte der Fall ist. Versch. Kameras lassen wahlweise alle Möglichkeiten zu. Die Leuchtdichte des Objekts wird bei Spiegelreflexkameras durch das Objektiv hindurch gemessen **(Belichtungsinnenmessung, Through-the-Lens-, TTL-Messung),** im Regelfall als ein über das ganze Bildfeld gemittelter Belichtungswert **(Integralmessung),** bei einigen Geräten auch (wahlweise) als Leuchtdichte eines begrenzten Objektdetails (**Selektivmessung;** für Aufnahmen bei extremen Kontrasten).

Spezialkameras: **Stereokameras** sind Tubuskameras mit zwei Objektiven und doppelter Bildbühne für die Stereofotografie; **Panoramakameras** besitzen ein während der Belichtung horizontal schwenkendes Weitwinkelobjektiv für Panoramaaufnahmen; **Superweitwinkelkameras** haben extrem kurze Brennweiten; **Luftbildkameras** haben ein auf unendlich eingestelltes Fixfokusobjektiv, ähnlich Kameras für photogrammmetr. Zwecke **(Messbildkameras); Rekorder** sind fest installierte Kameras für Überwachungszwecke (z. B. Schirmbildaufnahmen); **Reproduktionskameras** dienen der Druckformenherstellung.

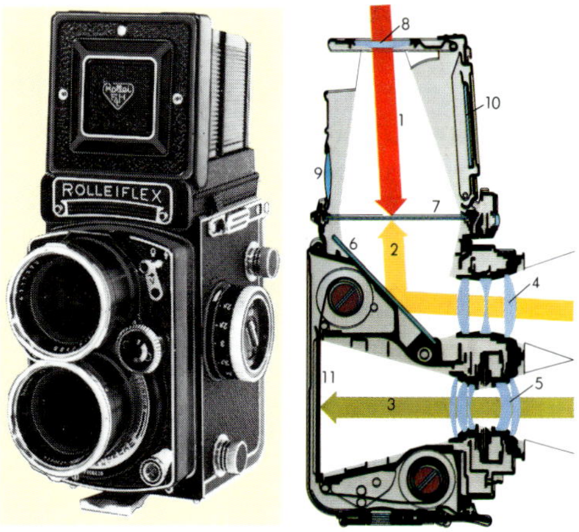

fotografische Apparate: Zweiäugige Spiegelreflexkamera Roleiflex mit Schnittzeichnung (rechts); 1 Einblick in den Lichtschacht, 2 Sucherbild-Strahlengang, 3 Bild erzeugender Strahlengang, 4 Sucherobjektiv, 5 Aufnahmeobjektiv, 6 Reflexspiegel, 7 Sucherbildebene, 8 und 9 Sucherokulare, 10 Reflexspiegel, 11 Bildebene

fotografische Objektive, an fotograf. Apparaten verwendete opt. Systeme. In der einfachsten Ausführungsform ist ein f. O. eine einzelne Linse (meist aus Glas, auch aus Kunststoff) oder ein Achromat mit einfacher Lochblende. Die Entfernung von der Filmebene bleibt bei Boxkameras immer gleich **(Fixfokusobjektiv).** Mittlere und hochwertige f. O. bestehen aus 3 bis 8 Linsen, um die Abbildungsfehler möglichst gering zu halten. Im f. O. befindet sich die verstellbare Irisblende, deren Einstellung am Blendenring vorgenommen wird, auf dem die Blendenzahlen angegeben sind. Sie sind so abgestuft, dass sich die zugehörigen Blendenöffnungen wie 1:2 verhalten, das heißt, jeweils die doppelte bzw. halbe Lichtmenge hindurchtreten lassen. Maßgeblich für die erste Blendenzahl ist das Öffnungsverhältnis bzw. die Lichtstärke des Objektivs, welches durch das Verhältnis der wirksamen Öffnung zur Brennweite gegeben ist (z.B. 18 mm : 50 mm = 1 : 2,8 oder kurz 2,8). Je größer die Lichtstärke, umso kürzer kann die Belichtungszeit sein. Das Scharfeinstellen für die Aufnahme erfolgt hauptsächlich durch einen Schneckengang, bei dessen Betätigung das gesamte Objektiv seinen Abstand zum Aufnahmematerial verändert, oder indem die Frontlinse ihren Abstand zu den übrigen Linsen ändert. Die Kamera ist in ihrer Grundausrüstung mit einem Standardobjektiv (Normalobjektiv) ausgestattet, das heißt, die Brennweite dieses Objektivs entspricht etwa der Negativdiagonalen. Hochwertige Kameras sind mit Wechselobjektiven versehen, das Standardobjektiv lässt sich durch einen Gewindeanschluss bzw. eine Bajonettfassung schnell gegen ein Objektiv anderer Brennweite auswechseln. F. O. mit anderer Brennweite sind nötig, wenn die Gegenstände entweder größer (längere Brennweite) oder kleiner (kürzere Brennweite) abgebildet werden sollen. Objektive mit längeren Brennweiten werden vorzugsweise für Fernaufnahmen benutzt; ist die Baulänge kürzer als die Brennweite, spricht man von einem **Teleobjektiv.** F. O. mit kürzeren Brennweiten werden vorzugsweise benutzt, wenn ein möglichst großer Ausschnitt im Bild erfasst werden soll **(Weitwinkelobjektiv).** – Das Licht wird beim Durchgang durch die Gläser in seinen Spektralanteilen nicht immer gleichmäßig absorbiert, sodass bei Farbaufnahmen leichte Farbstiche entstehen können. Objektive, die leicht bläul. Bilder ergeben, heißen Kaltzeichner, Warmzeichner ergeben Bilder mit gelbl. Farbstich. Mittels reflexionsmindernder Schichten auf dem Objektiv lässt sich die Farbabweichung korrigieren. – Spezialobjektive sind u.a.: für Fernaufnahmen Spiegelobjektive, die außer Linsen auch Spiegel zur Bilderzeugung aufweisen, mit Brennweiten von 500 bis 1000 mm und extrem kurzer Baulänge (etwa 1/3 der Brennweite); Fisheyeobjektive mit extrem weitem Bildwinkel von 180° und mehr; Weichzeichnerobjektive, deren scharfes Bild etwas überstrahlt ist, Varioobjektive (→Zoomobjektiv); Satzobjektive, die sich aus einzelnen Linsengliedern zu versch. Brennweiten kombinieren lassen.

📖 LANDT, A.: *Objektiv-Schule. Augsburg 1993.*

Fotokopie, Bez. für eine maßstabsgetreue Wiedergabe von Dokumenten, Buchseiten u.a. durch ein fotograf. →Kopierverfahren. Beglaubigte F. haben Urkundenwert.

Fotokopierlacke, Lacke mit polymeren Verbindungen, die bei Einwirkung ultravioletter Strahlung ihre Löslichkeit verlieren. F. dienen bes. zur Herstellung integrierter Schaltkreise.

Fotomontage [-ta:ʒə], das Zusammensetzen von Teilen versch. fotograf. Aufnahmen zu einem neuen Bild und nochmalige fotograf. Aufnahme; bes. in der Werbung. In der *Kunst* des 20. Jh. v.a. bei Buchausstattungen und Plakatgestaltung.

Fotorealismus (Hyperrealismus), Richtung der zeitgenöss. Kunst, für die eine reproduzierende, naturalist. Darstellung, die sich unmittelbar einer fotograf. Vorlage bedient, charakteristisch ist. Der F. entstand Ende der 1960er-Jahre in den USA; bekannt wurden in Europa v.a. die Blow-up-Porträts von Chuck Close (*1940) und die Arbeiten von H. Kanovitz.

📖 SAGER, P.: *Neue Formen des Realismus. Köln* [4]*1982. – F. Die Malerei des Augenblicks, bearb. v.* L. K. MEISEL. *Luzern 1989.*

Fotosatz (Filmsatz, Lichtsatz), *graf. Technik:* mittels Licht auf Film oder Fotopapier hergestellter Schriftsatz, wozu Film- oder Lichtsetzmaschinen (→Setzmaschine) verwendet werden.

Fötus, der →Fetus.

Foucauld [fu'ko], Charles Eugène Vicomte de, frz. Einsiedler und Missionar, *Straßburg 15. 9. 1858, †(ermordet) Tamanrasset (Algerien) 1. 12. 1916; Offizier; seit 1890 Trappist; wurde 1901 Priester, lebte 16 Jahre als Einsiedler unter den Tuareg, stellte das bisher beste Wörterbuch der Berbersprache zusammen. Seine Mission wird durch die →Kleinen Brüder und Schwestern Jesu fortgesetzt.

Foucault [fu'ko], **1)** Léon, frz. Physiker, *Paris 18. 9. 1819, †ebd. 11. 2. 1868; bewies 1850 und 1851 mithilfe eines Pendels die Umdrehung der Erde (→foucaultscher Pendelversuch), lieferte den Nachweis, dass sich das Licht in Wasser langsamer fortpflanzt als in Luft, untersuchte die elektr. Wirbelströme in Metallen.

2) Michel, frz. Philosoph und Schriftsteller, *Poitiers 15. 10. 1926, †Paris 25. 6. 1984; Schüler von L. Althusser; seit 1960 Prof. in Clermont-Ferrand und Paris, seit 1970 am Collège de France; vereinigte in seinem Denken Elemente des Struktura-

Léon Foucault
(Ausschnitt aus einem Stahlstich, um 1850)

Michel Foucault

lismus mit hermeneut. Ansätzen; schrieb »Wahnsinn und Gesellschaft« (1961); »Die Ordnung der Dinge« (1966); »Die Gesch. der Sexualität« (3 Bde., 1976–84).

📖 ERIBON, D.: *M. F. Eine Biographie. A. d. Frz. Frankfurt am Main 1993.* – FINK-EITEL, H.: *M. F. zur Einführung. Hamburg ³1997.*

foucaultscher Pendelversuch [fu'ko-], von L. Foucault durchgeführter Versuch (Pendellänge 67 m, Pendelmasse 28 kg) zum Nachweis der Erdrotation. Als Folge der in einem rotierenden Bezugssystem auftretenden →Coriolis-Kraft scheint sich die Schwingungsebene eines Pendels bei genügend großer Pendellänge und -masse langsam relativ zur Erdoberfläche zu drehen (im Raum bleibt die Schwingungsebene erhalten); die Drehung hängt von der geograph. Breite des Ortes auf der Erde ab.

Joseph Fouché
(Ausschnitt aus einem Stahlstich, um 1810)

Fouché [fu'ʃe], Joseph, Herzog von Otranto (seit 1809), frz. Politiker, *Le Pellerin (bei Nantes) 21. 5. 1759, †Triest 26. 12. 1820; wurde 1792 Mitgl. des Konvents und der Bergpartei, einer der Führer der Schreckensherrschaft von 1793/94, stimmte für die Hinrichtung König Ludwigs XVI. und war 1793 für etwa 1600 Todesurteile in Lyon verantwortlich. 1799–1802 und 1804–10 herrschte er als Polizeimin. Napoleons I. fast unumschränkt (Aufbau einer Geheimpolizei). Wegen geheimer Verhandlungen mit Großbritannien fiel er 1810 in Ungnade. 1814 schloss er sich den Bourbonen an; auch während der »Hundert Tage« von 1815, als ihn Napoleon I. wieder zum Polizeimin. machte, blieb er in heiml. Verbindung mit der Gegenseite und trat 1815 an die Spitze der provisor. Regierung in Paris. 1816 wurde er als »Königsmörder« dennoch verbannt. – »Mémoires«, 2 Bde. (1822–24). S. Zweig schrieb eine Biographie F.s (1930).

📖 ZWEIG, S.: *J. F. Bildnis eines polit. Menschen. Frankfurt am Main 461.–464. Tsd. 1994.*

Fouchet [fu'ʃɛ], Christian, frz. Politiker und Diplomat, *Saint-Germain-en-Laye 17. 11. 1911, †Genf 11. 8. 1974; Gaullist, 1954–58 mehrfach Minister, setzte sich für die europ. Einigung ein. Er entwickelte hierfür Vorstellungen **(F.-Pläne),** die aber an der Frage des brit. Beitritts zur EWG scheiterten.

Fougères [fu'ʒɛ:r], frz. Stadt in der Bretagne, Dép. Ille-et-Vilaine, 23 100 Ew.; Zentrum der frz. Damenschuhproduktion. – Burg (12.–15. Jh.) mit vollständig erhaltener Stadtummauerung.

Fouillée [fu'je], Alfred, frz. Philosoph, *La Pouëze (bei Angers) 18. 10. 1838, †Lyon 16. 7. 1912; vertrat einen von Platon und Kant ausgehenden evolutionist. Idealismus, der die Wirklichkeit auf das Wirken dynam. Ideenkräfte (idées-forces) zurückführt; auch als Völkerpsychologe bedeutsam.

Foul [faʊl, engl.] *das, Sport:* fahrlässiger oder absichtl. Regelverstoß im Zweikampf.

Foulard [fu'la:r, frz.] *der,* **1)** feines, leichtes, bedrucktes Gewebe aus Natur- oder Chemieseide.

2) Maschine zum Färben, Appretieren und Imprägnieren ausgebreiteter textiler Gewebe.

Fouliang, chines. Stadt →Jingdezhen.

Foumban [fum-], (Fumban), Stadt im südl. Adamaua, Kamerun, 60 000 Ew.; Kaffeehandel. Museum der Bamumkunst; Kunsthandwerk. – Palast des Sultans der Bamum (nach 1916, mit histor. Museum).

Friedrich de la Motte Fouqué
(Ausschnitt aus einem zeitgenössischen Stich)

Fouqué [fu'ke], Friedrich Heinrich Karl Baron de la Motte, Schriftsteller, *Brandenburg an der Havel 12. 2. 1777, †Berlin 23. 1. 1843; entstammte einer frz. Hugenottenfamilie; nahm an den Befreiungskriegen teil. In seinem umfangreichen Werk behandelte er das german. Heldentum und die ritterlich-höf. Standestugenden des MA; sein bedeutendstes Werk, die Märchennovelle »Undine« (1811), erfuhr zahlr. Neubearbeitungen, u. a. Opern von E. T. A. Hoffmann, A. Lortzing.

📖 SCHMIDT, ARNO: *F. u. einige seiner Zeitgenossen. Zürich 1993.*

Fouquet [fu'kɛ], **1)** (Foucquet) Jean, frz. Maler, *Tours (?) um 1415/20, †ebd. (?) um 1477/81; Hauptmeister der frz. Malerei des 15. Jh., hielt sich wohl zw. 1443 und 1447 in Rom auf, schuf, von der frz.-fläm. Überlieferung ausgehend und angeregt von der italien. Frührenaissance, v. a. Buchmalereien. Zu seinen bekanntesten Tafelbildern gehört das Diptychon (um 1450) aus der Kirche Notre-Dame in Melun.

📖 SCHAEFER, C.: *J. F. An der Schwelle zur Renaissance. Dresden u. a. 1994.*

2) (Foucquet), Nicolas, Vicomte de Vaux, Marquis de Belle-Isle, frz. Staatsmann, *Paris 27. 1. 1615, †Pinerolo 23. 3. 1680; war seit 1653 Finanz-Min. Er förderte die Künste und ließ Schloss Vaux-le-Vicomte erbauen, dessen Pracht den König kränkte. Diese Tatsache wie auch die Denunziation wegen Veruntreuung durch J. B. Colbert führte 1664 zu seiner Verurteilung zu lebenslanger Haft.

Fouquier-Tinville [fu'kje tɛ̃'vil], Antoine Quentin, frz. Revolutionär, *Hérouel (heute zu Foreste, bei Saint-Quentin, Dép. Aisne) 1746, †(hingerichtet) Paris 7. 5. 1795; als öffentlicher Ankläger des Revolutionstribunals seit 1793 war er für rund 2 400 Aburteilungen während der Schreckensherrschaft verantwortlich.

Fourastié [furas'tje], Jean, frz. Wirtschaftswissenschaftler und Soziologe, *Saint-Bénin-d'Azy (Dép. Nièvre) 15. 4. 1907, †Paris 25. 7. 1990; seit 1945 Prof. an der Sorbonne, beschäftigte sich bes. mit dem Zusammenhang zw. techn. Fortschritt und ökonom. und sozialer Entwicklung.

Fourier [furˈje], **1)** Charles, frz. Sozialphilosoph, *Besançon 7. 4. 1772, †Paris 10. 10. 1837; entwarf ein System des utop. Sozialismus in der Form kleiner, relativ selbstständiger Kommunen und der Aufteilung des Staatsgebiets in autonome Genossenschaftsgebiete. Seine Lehre wirkte auf Marx und Engels.

2) Jean Baptiste Joseph Baron de (seit 1808), frz. Physiker und Mathematiker, *Auxerre 21. 3. 1768, †Paris 16. 5. 1830; entwickelte die analyt. Theorie der Wärmeausbreitung und -leitung mithilfe von →Fourier-Reihen und **Fourier-Integralen,** führte den Begriff der physikal. Dimension und der **Fourier-Analyse** (→harmonische Analyse) ein.

Fourier-Reihe [furˈje-; nach J. Fourier] (trigonometrische Reihe), unendliche Funktionenreihe der Form

$$\frac{a_0}{2} + \sum_{n=1}^{\infty} (a_n \cos nx + b_n \sin nx),$$

deren Koeffizienten a_0, a_n, b_n (**Fourier-Koeffizienten** oder **-Konstanten**) durch eine integrierbare Funktion $f(x)$ der Periode 2π über die Formeln

$$a_0 = \frac{1}{\pi}\int_0^{2\pi} f(x)\,\mathrm{d}x, \quad a_n = \frac{1}{\pi}\int_0^{2\pi} f(x)\cos nx\,\mathrm{d}x,$$

$$b_n = \frac{1}{\pi}\int_0^{2\pi} f(x)\sin nx\,\mathrm{d}x$$

bestimmt werden und die deshalb genauer F.-R. der Funktion $f(x)$ heißt. Die Darstellung einer Funktion f als F.-R. **(Fourier-Entwicklung)** bedeutet eine Zerlegung von f in harmon. Teilschwingungen der Form $a_n \cdot \cos nx$ und $b_n \cdot \sin nx$, die als →harmonische Analyse oder **Fourier-Analyse** bezeichnet wird.

Fourier-Spektroskopie [furˈje-; nach J. Fourier], bes. im Infraroten angewandtes spektroskop. Verfahren hoher Nachweisempfindlichkeit. Aus der mit einem Interferometer registrierten örtl. Intensitätsverteilung (Interferogramm) der zu analysierenden Strahlung wird über Fourier-Analyse (→harmonische Analyse) das Spektrum errechnet.

Fourier-Synthese [furˈje-; nach J. Fourier] (harmonische Synthese), die Umkehrung der →harmonischen Analyse.

Fouta-Djalon [futadʒaˈlɔ̃] (Futa-Dschalon), stark zertaltes Bergland in Guinea, Westafrika, über 1200 m ü.M., z.T. mit Wäldern, meist mit Hochweiden bedeckt. Das Gebiet wird v.a. von Mandingo und Fulbe bewohnt.

Fowler [ˈfaʊlə], **1)** Alfred, brit. Astrophysiker, *Wilsden (heute zu Bingley, Cty. Yorkshire) 2. 3. 1868, †Ealing (heute zu London) 24. 6. 1940; untersuchte die Spektren von Sonne, Sternen und Kometen, in denen er zahlr. Spektrallinien und -serien identifizieren konnte.

2) Sir (seit 1890) John, brit. Ingenieur, *Sheffield 15. 7. 1817, †Bournemouth 20. 11. 1898; baute 1860–63 die unterird. Dampfeisenbahn in London, war später an der Elektrifizierung der Londoner Untergrundbahn beteiligt. 1883–90 baute er mit B. Baker die Firth-of-Forth-Brücke.

3) William Alfred, amerikan. Astrophysiker, *Pittsburgh (Pa.) 9. 8. 1911, †Pasadena (Ca.) 14. 3. 1995; erhielt für seine Studien der Kernreaktionen, die während der Sternentwicklung ablaufen und für die Bildung chem. Elemente im Kosmos bed. sind, zus. mit S. Chandrasekhar 1983 den Nobelpreis für Physik.

Joseph Baron de Fourier (Kupferstich)

Fowler-Flügel [ˈfaʊlə-], *Flugzeugbau:* als Flügel-Hinterkantenklappe ausgebildetes →Hochauftriebsmittel. Durch Vergrößerung der Profilwölbung (Klappenausschlag nach unten) und gleichzeitige Vergrößerung der Flügelfläche (Ausfahren der Klappe nach hinten) wird eine sehr wirksame Auftriebssteigerung erreicht.

William A. Fowler

Fowles [faʊlz], John, engl. Schriftsteller, *Leight-on-Sea (heute zu Southend-on-Sea) 31. 3. 1926; schrieb symbol- und allegorienreiche Romane: »Der Sammler« (1963), »Der Magus« (1965), »Die Geliebte des frz. Leutnants« (1969), »Die Grille« (1985).

Fox, 1) Charles James, brit. Politiker, *London 24. 1. 1749, †Chiswick (heute zu London) 13. 9. 1806; wurde 1770 Lord der Admiralität, war 1772–74 Schatzkanzler, 1782/83 und 1806 Außenmin.; neben E. Burke der Führer der Whigs im Unterhaus. Mit Burke trat er für eine Parlamentsreform, gegen den Sklavenhandel und für die Rechte der amerikan. Kolonien ein.

2) George, engl. Laienprediger, *Drayton (bei Corby, Cty. Northamptonshire) Juli 1624, †London 13. 1. 1691; urspr. Schuhmacher; verkündete aufgrund von Visionen, dass allein das »innere Licht« (die innerlich wahrgenommene Stimme Gottes) zum Heil führe; baute von 1652 an die Gemeinschaft der »Kinder des Lichts« auf, die von ihrer Umwelt den Spottnamen →Quäker erhielt.

George Fox

Foxterrier [engl.], lebhafte, anhängl., glatt- oder drahthaarige Hunderasse, Schulterhöhe etwa 39 cm; früher zur Fuchs- und Dachsjagd verwendet, heute v.a. als Begleithund gehalten.

Foxtrott [engl. »Fuchsgang«] *der,* Gesellschaftstanz in mäßig schnellem 4/4-Takt, entstand um 1910 in den USA, wurde um 1914 in Europa bekannt. Der langsame F., **Slowfox,** und der schnelle F., **Quickstep,** gehören zu den Standardtänzen.

Foyer [fwaˈje, frz. »Herd«] *das,* Wandelhalle (bes. im Theater), Vor-, Empfangshalle.

FOZ, Abk. für **F**ront-**O**ktan**z**ahl, →Oktanzahlen.

FPÖ, Abk. für →**F**reiheitliche **P**artei **Ö**sterreichs.

Fr, chemisches Symbol für **Fr**ancium.

Frack mit hellen Pantalons, Straßenkleidung um 1821 (oben) und schwarzer Frack mit weißer Weste

Fr., in der Schweiz gebräuchl. Abk. für den Schweizer →**Fr**anken.

Fra, Kurzform für **Frate** [italien. »Bruder«], Anrede und Bez. für Klosterbrüder in Italien.

Fra Angelico [-an'dʒɛːliko], italien. Maler, →Angelico.

Fra Bartolomeo, italien. Maler, →Bartolomeo.

Fracastoro, Girolamo, italien. Humanist und Arzt, *Verona 1483 (1478?), †Incaffi (heute zu Affi, Prov. Verona) 8. 8. 1553; beschrieb in seinem Lehrgedicht »Syphilis sive de morbo gallico« (1530), das für diese Krankheit namengebend wurde, die Symptome der Syphilis.

Fracht [ahd. freht »Lohn«, »Verdienst«], laut →Frachtvertrag zu befördernde Güter **(F.-Gut),** auch das Entgelt für den Transport von Gütern.

Frachtbrief, vom Absender auszustellende Begleiturkunde über eine Frachtsendung, aus der sich beweiskräftig Abschluss und Inhalt des Frachtvertrages ergeben (§ 426 HGB).

Frachtkosten, Teil der Logistikkosten eines Unternehmens, der für die Inanspruchnahme extern erbrachter Transportleistungen (z. B. Speditionsverkehr, öffentl. Verkehrsmittel) anfällt.

Frachtschiff (Frachter), Handelsschiff zum Transport von Gütern aller Art (Stückgut, Schüttgut, Container u. a.), heute meist Sammelbegriff für die **Trockenfrachter,** die im Unterschied zum Tanker feste Ladung befördern. F. sind überwiegend Motorschiffe, vereinzelt noch Dampf- oder schon Gasturbinenschiffe.

Frachtvertrag (Frachtgeschäft, Transportvertrag), der Werkvertrag über die entgeltl. Beförderung von Gütern zw. einem Absender und dem Frachtführer (§§ 425–452 HGB). Frachtführer ist, wer Güter gewerbsmäßig befördert (→Spediteur). Der F. ist zugleich ein Vertrag zugunsten Dritter (§ 328 BGB), da der Empfänger des Gutes daraus unmittelbar Rechte erwirbt. Er verpflichtet den Frachtführer, das Gut innerhalb der vereinbarten, übl. oder angemessenen Frist zum Bestimmungsort zu befördern und es dem Empfänger auszuliefern; im Gegenzug erwirbt der Frachtführer für seine Leistungen den Anspruch auf Zahlung des Frachtgeldes (auch bloß »Fracht« gen.). Für Verlust oder Beschädigung des Gutes sowie für Schäden infolge Versäumung der Lieferzeit hat der Frachtführer vertraglich einzustehen. Der Absender hat auf Verlangen des Frachtführers einen Frachtbrief zu erteilen. Der Empfänger wird durch Annahme des Gutes und des Frachtbriefs zur Zahlung nach Maßgabe des Frachtbriefs verpflichtet. Wegen seiner Forderungen aus dem F. steht dem Frachtführer ein gesetzl. Pfandrecht am Frachtgut zu. Für den Eisenbahn-, Post-, Luft-F. sowie den F. im Güterfernverkehr auf Kfz. gelten ergänzende Sonderbestimmungen. Während in *Österreich* die parallelen Bestimmungen des HGB gelten, ist in der *Schweiz* der F. im Obligationenrecht verankert.

Frack, im 18. Jh. bequemer, vorn verschließbarer bürgerl. Männerrock mit schräg weggeschnittenen Vorderschößen. Um 1880 erhielt der F. vorne die nahezu rechtwinklige Stutzung, die für ihn charakteristisch blieb. Der F., aus meist schwarzem Tuch, wird bei festl. Gelegenheiten als Gesellschaftsanzug getragen (zus. mit aufschlagloser Hose, weißer Weste, weißem Hemd mit Eckenkragen, weißem Querbinder). – Der F. als Berufskleidung von Musikern und Kellnern wird mit schwarzer Weste und schwarzem Querbinder getragen.

Fra Diavolo [italien. »Bruder Teufel«], eigtl. Michele Pezza, neapolitan. Freischärler, *Itri (bei Gaeta) 7. 4. 1771, †(hingerichtet) Neapel 11. 11. 1806; bekämpfte die napoleon. Herrschaft in Neapel; von den Franzosen gehängt. – Oper von D. Auber (1830).

Fraenger, Wilhelm, Kunsthistoriker und Volkskundler, *Erlangen 5. 6. 1890, †Potsdam 9. 11. 1964; verfasste Schriften und Aufsätze u. a. über H. Bosch, P. Bruegel, J. Ratgeb, M. Grünewald; Begründer und Hg. des »Jahrbuchs für histor. Volkskunde« (1925–37) und des »Jahrbuchs für Volkskunde« (1955 ff.).

Fraenkel, Ernst, Politologe, *Köln 26. 12. 1898, †Berlin (West) 28. 3. 1975; Rechtsanwalt, emigrierte 1938 in die USA, 1953 Prof. in Berlin; Verfechter des polit. →Pluralismus, widmete sich bes. dem Vergleich von Reg.systemen sowie Problemen des Völkerrechts und des demokrat. Prozesses. – *Werke:* Die repräsentative u. plebiszitäre Komponente im demokrat. Verfassungsstaat (1958); Das amerikan. Regierungssystem – eine polit. Analyse (1960); Dtl. u. die westl. Demokratien (1964); Reformismus u. Pluralismus (1973).

Fragebogen, Instrument der empir. Sozialforschung und der Psychologie zur Durchführung standardisierter Befragungen zu Meinungen, Verhaltensweisen, Persönlichkeitsmerkmalen; setzt sich zusammen aus **Identifikationsfragen** (Fragen zur Individualität der Erhebungseinheit), **Informationsfragen** (die eigentl. Fragen zur Sache) und **Kontrollfragen.**

Fragerecht, im Zivilprozess das Recht und die Pflicht des Gerichts, zur Aufklärung des Sachverhalts Fragen an die Parteien zu stellen. Bei Vernehmung von Zeugen, Sachverständigen und Parteien haben auch Anwälte und Parteien ein F.; über die Zulässigkeit von Fragen entscheidet das Ger. (§§ 139, 397 ZPO). Im Strafprozess haben Beisitzer, Staatsanwalt, Verteidiger, Geschworene und Schöffen das Recht, in der Hauptverhandlung Fragen an den Angeklagten, die Zeugen und Sachverständigen zu stellen; auch der Angeklagte hat ein

F. Ungeeignete oder nicht zur Sache gehörende Fragen kann der Vorsitzende zurückweisen (§§ 240 ff. StPO).

Fragesatz, ein Satz, der einen Sachverhalt infrage stellt (ÜBERSICHT Syntax).

Fragestunde, in Dtl. eine Einrichtung des Bundestags, die den Abg. die Möglichkeit gibt, kurze mündl. Auskunftsersuchen an die Bundesregierung zur mündl. oder schriftl. Beantwortung zu richten (im Unterschied zu den → Anfragen).

Fragewort, Interrogativpronomen, → Pronomen.

Fragezeichen, Satzzeichen, das einen Fragesatz im Deutschen beschließt und damit die Intonation beeinflusst (Satzzeichen).

Fragment [lat.] *das,* Bruchstück, übrig gebliebener Teil eines Ganzen; in der Literatur unvollendet gebliebenes oder bruchstückhaft überliefertes Werk, z. B. das Hildebrandslied, Muspilli. Unvollendete Dichtungen sind u. a. Gottfried von Straßburgs »Tristan«, Hölderlins »Der Tod des Empedokles«, H. von Kleists »Robert Guiskard«, G. Büchners »Woyzeck«, R. Musils »Der Mann ohne Eigenschaften«. Fragmentarisches wird auch bewusst als Lit. hervorgebracht, so von den Romantikern als Ausdruck des unendl. lebendigen Geistes, der in keine vollendete Form eingeschlossen werden könne; sie pflegten auch den Aphorismus unter dem Namen F. (F. Schlegel, Novalis, F. Schleiermacher). Auch für essayistische Arbeiten wurde der Name F. gebraucht.

Fragonard [fragɔ'na:r], Jean Honoré, frz. Maler, *Grasse 5. 4. 1732, †Paris 22. 8. 1806; malte in lichten, duftigen Farben galante Szenen, Interieurs und Landschaften, auch Zeichnungen, Radierungen und Illustrationen; neben F. Boucher und A. Watteau führender Meister des frz. Rokoko.

fraktale Geometrie, eine Geometrie, die im Ggs. zu den in der euklid. Geometrie behandelten Formen (Gerade, Kreis u. a.) komplexe Gebilde und Erscheinungen **(Fraktale)** darstellt, die ähnlich auch in der Natur vorkommen, z. B. Küstenlinien, Gebirgszüge, Polymere und versch. biolog. Strukturen. Fraktale sind selbstähnlich, d. h., jeder Ausschnitt einer fraktalen Figur ähnelt bei entsprechender Vergrößerung dem Gesamtobjekt. Sie weisen eine gebrochene (fraktale) Dimension auf, die z. B. für die Oberfläche eines fraktalen Gebirges zw. 2 und 3 (Dimension einer Ebene bzw. eines Körpers) liegt.

📖 MANDELBROT, B. B.: *Die f. G. der Natur. A. d. Engl. Neuausg. Basel u. a. 1991.*

Fraktion [frz., von lat. fractio »Bruch«] *die,* **1)** *Chemie:* → Fraktionierung.

2) *Politik:* die Vereinigung politisch gleich gesinnter Abg. eines Parlaments, die i. d. R. einer Partei, häufiger aber auch mehreren in ihrer grundsätzl. Zielrichtung gleich gerichteten Parteien angehören. Die F. besitzen das Recht zur Gesetzesinitiative. Zur Bildung einer F. ist eine bestimmte Zahl von Abg. notwendig (beim Bundestag 5 % seiner Mitgl.); nach ihrer Stärke bestimmt sich ihr Anteil in den Ausschüssen des Parlaments. Erreicht ein Zusammenschluss nicht F.-Stärke, kann er als **Gruppe** anerkannt werden. (→ Fraktionszwang)

Fraktionierung, *Chemie:* stufenweise Trennung eines Stoffgemisches in mehrere Teilgemische **(Fraktionen)**, z. B. durch Destillation, Extraktion oder Kristallisation.

Fraktionszwang, Verpflichtung der Abg. zur einheitl. Stimmabgabe entsprechend der Festlegung in der Fraktion. Die Ausübung von F. verstößt gegen den in Art. 38 Abs. 1 Satz 2 GG niedergelegten Grundsatz des freien Mandats, wird aber nicht als unzulässig angesehen. Bei Verstoß gegen den F. darf ein Abg. aus der Fraktion oder Partei ausgeschlossen werden, die Niederlegung des Mandats darf jedoch nicht erzwungen werden.

Fraktur [lat.] *die,* **1)** *Medizin:* der → Knochenbruch.

2) *Schriftwesen:* eine in Dtl. im 16. Jh. geschaffene Form der → gotischen Schrift, die jahrhundertelang in Dtl. gegenüber der → Antiqua den Vorrang behauptete; auch im poln., tschech., litauischen, schwed. und finn. Sprachbereich verbreitet. Sie entstand auf der Grundlage der → Bastarda als Teuerdankschrift (Entwurf von V. Rockner für den Druck des »Teuerdank«, 1517) und als »Dürerfraktur« (1522, 1525 ff.), der Schrift in Dürers Veröffentlichungen, von J. Neudörffer d. Ä. entworfen (geschnitten von Hieronymus Andreae). Charakteristika: »Elefantenrüssel« an verschiedenen Majuskeln (𝔄, 𝔅, 𝔐, 𝔑, 𝔓, 𝔎 u. a.) und »Entenfüßchen« an den Minuskeln, gebrochene Wirkung. Die F. verlor seit dem 19. Jh. zunächst in wiss. Werken, allg. im 20. Jh. ihre Bedeutung, obwohl gerade Anfang des 20. Jh. vorzügl. F.-Schriften geschnitten wurden, die sog. **dt. Schrift,** z. B. von Rudolf → Koch.

Fram [norweg. »vorwärts«], norweg. Polarforschungsschiff, benutzt von F. Nansen (im Europ. Nordmeer, 1893–96), O. Sverdrup (im Kanadisch-Arkt. Archipel, 1898–1902) und R. Amundsen (im Südpolargebiet, 1911/12).

Fra Mauro (Frater Maurus), Kamaldulensermönch und Kartograph aus Murano bei Venedig, †Venedig 1460; schuf 1457–59 eine kreisförmige

fraktale Geometrie: Das Schema zeigt die Erzeugung eines »Sierpinski-Teppichs«, eines Fraktals mit der fraktalen Dimension von aufgerundet 1,8928; man erhält die Figur, indem man die Fläche eines Quadrats in 9 gleiche Quadrate unterteilt, von diesen das mittlere entfallen lässt, mit den verbleibenden 8 Quadraten ebenso verfährt und diesen Prozess endlos fortsetzt; dadurch verschwindet die Fläche des Teppichs, während der Gesamtumfang der »Ränder« seiner Löcher gegen unendlich geht; die Selbstähnlichkeit der Figur zeigt sich darin, dass zum Beispiel derjenige Teil, der von dem linken oberen der ursprünglichen 9 Teilquadrate überdeckt wird, bei dreifacher Vergrößerung jeweils mit seinem Vorgänger deckungsgleich ist

Weltkarte (1,96 m Durchmesser), die durch Umfang des geograph. Wissens und Genauigkeit der Darstellung den Höhepunkt mittelalterl. Kartographie darstellt; ein von seinem Gehilfen 1460 angefertigtes Duplikat des verloren gegangenen Originals befindet sich in der Biblioteca Nazionale Marciana in Venedig.

Franche-Comté
Historisches Wappen

Frambösie [frz.] *die* (Framboesia tropica, Himbeerseuche), chron. syphilisähnl. Infektionskrankheit der Tropen, verursacht durch Treponema pertenue; zählt nicht zu den Geschlechtskrankheiten.

Franc [frã, frz.] *der,* → Franken.

Française [frã'sɛ:z, frz.] *die,* in Dtl. übliche Bez. für die im 18. Jh. in Frankreich aus dem engl. Countrydance hervorgegangene → Anglaise.

Jean Françaix

Françaix [frã'sɛ], Jean, frz. Komponist und Pianist, *Le Mans 23. 5. 1912, †Paris 25. 9. 1997; schrieb in neoklassizist., bisweilen persiflierendem Stil Opern, Ballette, Orchester-, Kammer-, Klavier- und Filmmusik.

France [-frãs], **La,** frz. Name von → Frankreich.

France [frãs], Anatole, eigtl. Jacques Anatole Thibault, frz. Schriftsteller, *Paris 16. 4. 1844, †Gut La Béchellerie (bei Tours) 12. 10. 1924; Erzähler, Essayist und Kritiker, der die humanist. Tradition der Aufklärung weiterführte. Die von ironisch-skept. Grundton geprägten Romane haben oft einen histor. Hintergrund (»Thais«, 1890; »Die Götter dürsten«, 1912), auch fantastisch-utop. Züge (»Der Aufruhr der Engel«, 1914). Erhielt den Nobelpreis für Literatur 1921.

Anatole France

France libre [frãs 'librə], → Freies Frankreich.

Francesca [fran'tʃeska], italien. Maler, → Piero della Francesca.

Francesca da Rimini [fran'tʃeska-], Tochter des Stadtherrn von Ravenna, wurde um 1275 mit Gianciotto Malatesta, Herr von Rimini, vermählt, der sie wegen ihrer Neigung zu seinem Bruder Paolo um 1284 zusammen mit diesem ermordete. Zuerst von Dante in der »Divina Commedia« dargestellt, später häufig in Literatur (P. Heyse, G. D'Annunzio, J. Keats), Kunst (A. Feuerbach) und Musik (S. W. Rachmaninow) behandelt.

Francescatti [frãsɛska'ti], Zino (eigtl. René), frz. Violinist, *Marseille 9. 8. 1902, †La Ciotat (Dép. Bouches-du-Rhône) 17. 9. 1991; trat bes. als Interpret virtuoser Violinmusik hervor.

Francesco di Giorgio Martini [fran'tʃesko di 'dʒɔrdʒo-], italien. Künstler und Baumeister, *Siena 23. 9. 1439, †ebd. 1501; einer der vielseitigsten Künstler der Frührenaissance, umfangreiche Tätigkeit als Festungsingenieur (Urbino, Kalabrien, Neapel), seit 1498 Leiter der Dombauhütte in Siena. Sein maler. Frühwerk kennzeichnet ein überfeinerter Linienstil, in seinem architekton. Hauptwerk, der Kirche Madonna del Calcinaio bei Cortona (1484/85 ff.), durchdringen sich Einflüsse von Brunelleschi und Alberti. Als Bildhauer, Bronzegießer und Medailleur gelangte er zu einer an Donatello geschulten plast. Durchgliederung.

Franche-Comté [frãʃkɔ̃'te] *die* (Freigrafschaft Burgund), histor. Provinz und Region in O-Frankreich, zw. oberer Saône und der schweizer. Grenze, umfasst die Dép. Haute-Saône, Doubs, Jura und Territoire de Belfort, 16 202 km², (1990) 1,1 Mio. Ew.; Hptst. ist Besançon. Die F.-C. hat Anteil am mittleren und nördl. frz. Jura, im äußersten N an den südl. Vogesen, im SW umfasst sie Teile der Bresse. Forstwirtschaft, Holzindustrie und Viehwirtschaft (mit Käseherstellung) dominieren; Industriezentren sind Montbéliard, Besançon, Belfort und Morez. – Die F.-C. teilte zunächst die Geschicke des Königreichs → Burgund; 1493 kam sie an das Haus Habsburg und wurde im Frieden von Nimwegen 1678 mit Frankreich vereint.

Franches-Montagnes [frãʃmɔ̃'taɲ, frz.], frz. Name der → Freiberge.

Franchise [frã'ʃi:zə; frz. »Freiheit« (von Abgaben)] *die,* zwischen Versicherungsunternehmen und Versicherungsnehmer vereinbarter Betrag (Selbstbeteiligung), bis zu dem der Versicherungsnehmer den Schaden selbst trägt (z. B. in der Güter-, Transport-, privaten Krankenversicherung).

Franchise ['fræntʃaɪz, engl. aus frz.] *das* (Franchising), System vertraglich geregelter vertikaler Kooperation zw. juristisch selbstständigen Unternehmen. Im Rahmen eines Dauerschuldverhältnisses überlässt der **F.-Geber** (mit weit reichendem Weisungs- und Kontrollrecht) dem **F.-Nehmer** gegen Entgelt bestimmte Rechte, z. B. auf Benutzung eines Firmennamens sowie Herstellung und Vertrieb eines Markenartikels und/oder Dienstleistungen. Darüber hinaus erhält der F.-Nehmer Unterstützung beim Aufbau und bei der Führung seines Unternehmens.

📖 BÜCHNER, H. *u.* KÄSTNER, G.: *Franchising. Landsberg am Lech 1995.*

Francia (Franzien), im frühen MA. Name des Siedlungsgebiets der Franken, seit dem 9. Jh. das Gebiet zw. Seine und Maas ein Teilreich des westfränk. Reichs, im Unterschied zu Neustrien; F. wurde zum Ausgangsgebiet der frz. Krondomäne und als »France« schließlich zum Gesamtnamen des frz. Staats.

Francia, Il [-'frantʃa], eigtl. Francesco Raibolini, italien. Maler, *Bologna um 1450, †ebd. 5. 1. 1517; war zunächst als Goldschmied tätig, schuf später anmutige Gemälde mit religiösen Themen.

Francis, 1) ['frɑ:nsɪs], James Bicheno, brit. Ingenieur, *Southleigh (bei Axminster, Cty. Devon) 18. 5. 1815, †Lowell (Mass.) 18. 9. 1892; lebte seit 1833 in Nordamerika, baute 1849 die **Francis-Turbine,** eine radial beaufschlagte, nach dem Überdruckprinzip arbeitende Wasserturbine.

2) ['frænsɪs], Sam, amerikan. Maler und Grafiker, *San Mateo (Calif.) 25. 5. 1923, †Santa Monica (Calif.) 4. 11. 1994; lebte 1950–57 in Paris, wichtiger Vertreter des abstrakten Expressionismus; seine stark farbige Malerei betont den Duktus des Farbauftrags in einer fleckenhaften Technik; auch Lithographien.

Francium *das,* chem. Symbol **Fr,** sehr seltenes radioaktives Element aus der 1. Gruppe des Periodensystems. Ordnungszahl 87, es sind 30 Isotope (^{201}Fr– ^{230}Fr) mit Halbwertszeiten von 0,09 µs bis 21,8 Min. bekannt. Das Alkalimetall F. ist chem. dem Cäsium ähnlich.

Franck, 1) [frãk], César, frz. Komponist dt.-belg. Herkunft, *Lüttich 10. 12. 1822, †Paris 8. 11. 1890; Kirchenmusiker ebd.; Oratorien, Opern, sinfon. Dichtungen, Sinfonie (d-Moll), Orgel-, Klavier- und Kammermusik. Seine zweite Schaffensperiode (ab etwa 1865) ist durch zahlr. Neuerungen, bes. die Chromatisierung der Harmonik und die Ableitung aller musikal. Gedanken eines zykl. Werkes aus dem Hauptthema, charakterisiert.

2) James, dt.-amerikan. Physiker, *Hamburg 20. 8. 1882, †Göttingen 21. 5. 1964; Prof. in Berlin, Göttingen, Baltimore (USA) und Chicago, bestätigte 1913 durch Untersuchungen über die Energieabgabe von Elektronen beim Zusammenstoß mit Gasatomen zus. mit G. Hertz **(F.-Hertz-Versuch)** die plancksche Quantenhypothese sowie die bohrsche Theorie der Spektrallinien. Dafür erhielten F. und Hertz 1925 den Nobelpreis für Physik.

3) Melchior, Komponist, *Zittau um 1580, †Coburg 1. 6. 1639; komponierte vielseitige geistl. und weltl. Vokalwerke. Seine Liedsätze sind eine wichtige Quelle für das dt. Volkslied, seine Tanzsätze Vorläufer der Orchestersuite.

4) Sebastian (Frank von Wörd), Theologe und Schriftsteller, *Donauwörth 20. 1. 1499, †Basel 1542 oder 1543; zunächst kath. Priester, dann prot. Prediger, lehnte das dogmat. Lehrgebäude des Luthertums ab; vertrat einen myst. →Panentheismus.

Francke, August Hermann, evang. Theologe und Pädagoge, *Lübeck 12.(?) 3. 1663, †Halle (Saale) 8. 6. 1727; von P. J. Spener beeinflusst; ein Hauptvertreter des Pietismus; 1689 Dozent in Leipzig, 1692 Pfarrer und Prof. für oriental. Sprachen in Halle; gründete die →Franckeschen Stiftungen.

Francke, Meister, Maler, *Hamburg (?) um 1380, †ebd. nach 1430; bed. Vertreter des →Schönen Stils; ausgehend von der burgund. Buchmalerei, der böhm. und niederländ. Malerei, schuf er Werke von tief leuchtender, harmonisch abgestimmter Farbigkeit. Um 1410 schuf er den »Barbara-Altar« für die Kirche von Nykyrko in Finnland (heute im Museum von Helsinki); sein Hauptwerk ist der »Thomas-Altar« (1424 ff.; heute Hamburg, Kunsthalle) mit Szenen aus dem Marienleben und dem Leben des hl. Thomas.

Franckenstein, Georg Arbogast Freiherr von und zu, bayer. kath. Politiker, *Würzburg 2. 7. 1825, †Berlin 22. 1. 1890; Gegner der Teilnahme Bayerns am Krieg 1870/71 und des Beitritts zum Dt. Reich, seit 1872 MdR (Zentrum). Seine **franckensteinsche Klausel** im Schutzzolltarifgesetz von 1879 bestimmte, dass von den Zolleinnahmen nur 130 Mio. RM jährlich dem Reich, der Überschuss dagegen den Bundesstaaten zufloss; sie wurde 1904 aufgehoben.

Franckesche Stiftungen, von A. H. Francke in Halle (Saale) gegr. Erziehungsanstalten. Ihren Ursprung haben die F. S. in der 1695 gegr. Armenschule mit Waisenhaus. 1696–98 folgten weitere Schulen. Den F. S. angeschlossen waren die Ostind. Missionsgesellschaft (1705) und die Cansteinsche Bibelanstalt (1710). Durch die F. S. wurde Halle zum Zentrum des Pietismus in Dtl.; heute v. a. Nutzung durch die Martin-Luther-Univ. Halle-Wittenberg (Forschung zu Pietismus und Aufklärung, Theologenkonvikt) und Gymnasium; 1992 als Stiftung wieder in die alten Rechte eingesetzt.

Franco, Itamar Augusto Cautiero, brasilian. Politiker, *Juiz de Fora 28. 6. 1931; 1974 erstmals in den Senat gewählt, war 1989–92 Vizepräs., 1992–94 Staatspräsident.

Franco Bahamonde, Francisco, span. General und Politiker, *Ferrol 4. 12. 1892, †Madrid 20. 11. 1975; schlug im Okt. 1934 den sozialistisch-syndikalist. Bergarbeiteraufstand in Asturien nieder. 1935 wurde er Generalstabschef. Nach dem Wahlsieg der Volksfront (Febr. 1936) verbannte ihn die Regierung nach den Kanar. Inseln. Von dort und von Spanisch-Marokko löste er im Juli 1936 den Militärputsch gegen die republikan. Regierung aus, der sich zum →Spanischen Bürgerkrieg ausweitete. Im Sept. 1936 ernannte ihn eine von den Aufständischen gebildete Junta zum Chef (Caudillo) des »Span. Staates« und zum Generalissimus, d. h. zum Oberbefehlshaber aller aufständ. Streitkräfte. Nachdem F. mit dt. und italien. Hilfe in dem von beiden Seiten mit großer Härte und Grausamkeit geführten Bürgerkrieg (bis März 1939) die republikanisch-sozialist. Regierung gestürzt hatte, bestimmte er bis zu seinem Tode die polit. Entwicklung in Spanien. Gestützt auf die Armee, die Einheitspartei der →Falange und die kath. Kirche, errichtete F. auf einer berufsständisch strukturierten Gesellschaftsordnung ein diktator. Reg.system, das alle Formen der Opposition, der freien Bildung von Parteien und der regionalen Autonomie unterdrückte. Nachdem F. mit dem Nachfolge-Ges. (1947) die Monarchie wieder eingeführt hatte, übernahm er die Funktion eines Re-

César Franck

James Franck

Francisco Franco Bahamonde

Robert Frank: »London, child running on street« (1952; New York, Museum of Modern Art)

genten und bestimmte 1969 Juan Carlos von Bourbon zu seinem Nachfolger und Anwärter auf den Thron.

📖 MARTIN, C.: *F. Eine Biographie. A. d. Frz. Graz u. a. 1995.*

André François-Poncet

François-Poncet [frɑ̃swapõ'sɛ], André, frz. Politiker und Diplomat, *Provins (Dép. Seine-et-Marne) 13. 6. 1887, †Paris 8. 1. 1978; war 1931–38 Botschafter in Berlin und 1938–40 in Rom; 1943–45 von den Deutschen interniert; 1949–53 Hochkommissar in der Bundesrep. Dtl., 1953–55 dort Botschafter, 1949–65 Präs. des Internat. Roten Kreuzes, 1955–60 des frz. Rats der Europ. Bewegung. Er schrieb: »Als Botschafter in Berlin« (1946), »Der Weg von Versailles bis Potsdam« (1948).

Françoisvase [frɑ̃'swa-], 1844 in Chiusi (Prov. Siena) von dem frz. Kupferstecher Alphonse François (*1811, †1888) gefundener und nach ihm benannter grch. Volutenkrater (Mischkrug), ein Hauptwerk der att. schwarzfigurigen Vasenmalerei um 560 v. Chr. (Florenz, Archäolog. Museum).

Franconia, latinisierte Form von → Franken.

Francs-tireurs [frɑ̃ti'rœ:r, frz.], → Franktireurs.

Franc-Zone [frɑ̃-], Währungsgemeinschaft zw. Frankreich und mehreren afrikan. Staaten (v. a. der westafrikan. und der zentralafrikan. Währungsunion). Die Währung dieser Staaten **(CFA-Franc)** steht in einem festen Wechselkurs zum frz. Franc.

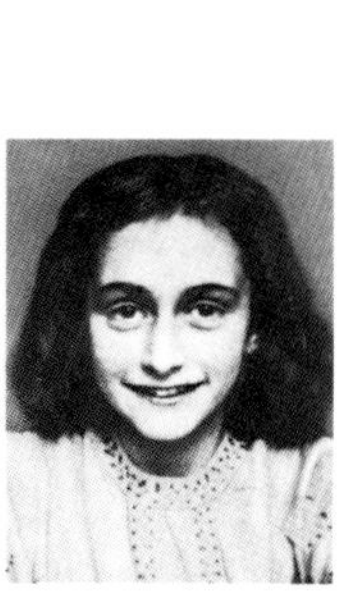

Anne Frank

Frank, 1) Adolf, Chemiker, *Klötze (Altmarkkreis Salzwedel) 20. 1. 1834, †Charlottenburg (heute zu Berlin) 30. 5. 1916; Gründer der dt. Kaliindustrie, entwickelte 1899 mit dem poln. Chemiker N. Caro (*1871, †1935) das **Frank-Caro-Verfahren** zur Gewinnung von Kalkstickstoff.

2) Anne, *Frankfurt am Main 12. 6. 1929, †KZ Bergen-Belsen März 1945; schrieb als Kind einer 1933 emigrierten und 1940 in Amsterdam untergetauchten dt.-jüd. Familie ein Tagebuch über ihr Leben im Hinterhausversteck 1942–44 (hg. 1946). Dessen mehrfach angezweifelte Authentizität wurde durch Untersuchungen des niederländ. Justizmin. 1986 bestätigt.

📖 GIES, M.: *Meine Zeit mit A. F. A. d. Amerikan. Tb.-Ausg. München ⁹1996.*

3) Bruno, Schriftsteller, *Stuttgart 13. 6. 1887, †Beverly Hills (Calif.) 20. 6. 1945; emigrierte 1933; handlungsreiche Romane und Novellen (»Polit. Novelle«, 1928; »Der Magier«, 1929), auch Lyrik und Lustspiele (»Sturm im Wasserglas«, 1930).

4) Hans, Politiker (NSDAP), *Karlsruhe 23. 5. 1900, †(hingerichtet) Nürnberg 16. 10. 1946; Rechtsanwalt, 1933–34 bayer. Justizmin. und 1934–45 Reichsmin., trug als Generalgouv. in Polen (1939–44) die Verantwortung für die nat.-soz. Besatzungspolitik, bes. für die Ermordung der Juden. 1946 wurde F. als einer der Hauptkriegsverbrecher zum Tod verurteilt.

5) Ilja Michailowitsch, sowjet. Physiker, *Sankt Petersburg 23. 10. 1908, †Moskau 22. 6. 1990; arbeitete über Photochemie, physikal. Optik, Kern- und Neutronenphysik; erhielt 1958 mit I. Tamm und P. Tscherenkow für die Entdeckung und Aufklärung des Tscherenkow-Effekts den Nobelpreis für Physik.

6) Leonhard, Schriftsteller, *Würzburg 4. 9. 1882, †München 18. 8. 1961; lebte 1933–50 als Emigrant in den USA; schrieb straff komponierte Romane (»Die Räuberbande«, 1914; »Das Ochsenfurter Männerquartett«, 1927); Lebenserinnerungen (»Links, wo das Herz ist«, 1952).

7) Robert, amerikan. Fotograf schweizer. Herkunft, *Zürich 9. 11. 1924. Seine Dokumentarfotografien von Amerika (»Les Américains«, 1958) wirkten stilbildend auf die nachfolgende Fotografengeneration.

Franke, Heinrich, Politiker (CDU), *Osnabrück 26. 1. 1928; Ingenieur, war 1965–84 MdB, 1982–84 parlamentar. Staatssekr. im Bundesministerium für Arbeit und Sozialordnung, 1984–93 Präs. der Bundesanstalt für Arbeit.

Franken, Währungseinheit in zahlr. Ländern (→ Währung, ÜBERSICHT) und in der → Franc-Zone, i. d. R. in 100 Centimes (C, c; in der Schweiz in 100 Rappen) unterteilt. F. hieß erstmals eine frz. Goldmünze (1 Livre zu 20 Sols; 3,885 g), von Johann dem Guten (1350–64) geprägt als Lösegeld (daher franc »frei«). 1575–1641 frz. Silbermünze, 14,888 g. Seit 1795 Einheit des frz. Währungssystems auf Dezimalbasis. – 1799 führte die Helvet. Republik den Schweizer F. ein.

Franken, histor. Landschaft in Bayern und Bad.-Württ., umfasst weite Teile der RegBez. Ober-, Mittel- und Unter-F. in Bayern sowie den Regionalverband F. in Baden-Württemberg. F. hat im Wesentl. Anteil am Schwäbisch-Fränk. Schichtstufenland (u.a. mit Steigerwald und Fränk. Alb) sowie an angrenzenden Landschaften wie Frankenwald und Spessart. Klimatisch begünstigt sind das westl. Steigerwaldvorland und das Schweinfurter Becken. Der Anbau von Getreide und Zuckerrüben verdrängt zunehmend den von Kartoffeln und Hackfrüchten; in günstigen Lagen, v.a. an Main **(Mainfranken)** und Tauber **(Tauberfranken),** Weinbau. Überregionale wirtsch. und kulturelle Bedeutung haben das Städtedreieck Nürnberg–Fürth–Erlangen sowie Würzburg und Schweinfurt. – Bis ins 6. Jh. war F. das Spannungsfeld zw. Thüringern und Alemannen. Seitdem wurde es in mehreren Vorstößen dem Fränk. Reich lose eingegliedert. Nach dem Sturz des fränkisch-thüring. Herzogtums mit Sitz in Würzburg wurde F. um 720 Königsland und von der fränk. Staatskolonisation erfasst (seitdem **Ostfranken** genannt). Da nach dem Zusammenbruch des Karolingerreichs das Herzogtum F. nicht erneuert werden konnte, wurde F. im MA. Reichsland; trotz der zunehmenden territorialen Zersplitterung galt die »Franconia« weiter als zusammengehöriger Raum, gefördert durch den seit 1340 erneuerten Landfriedensbund; im 16. Jh. Bildung des Fränk. Reichskreises. 1168–1803 besaßen die Bischöfe von Würzburg den Titel eines Herzogs von F.; 1803/06 kam F. überwiegend zu Bayern.

📖 DETTELBACHER, W.: *F. Kunst, Geschichte u. Landschaft. Köln [2]1995.*

Franken [»Freie« oder »Kühne«], ein german. Stammesverband, entstand durch den Zusammenschluss versch., zumeist am unteren und mittleren Rhein siedelnder Kleinstämme (u.a. Bataver, Brukterer, Chamaven, Chattuarier, Usipeter); erstmals historisch fassbar im 3. Jh., als fränk. Gruppen wiederholt nach Gallien vordrangen. Teile des fränk. Kernstammes der **Salier (salische F.)** vom Niederrhein setzten sich im 4. Jh. in Toxandrien (Nordbrabant) als Bundesgenossen Roms fest. Ferner dienten F. nach 360 als Söldner im röm. Heer und wurden in N-Frankreich und Belgien angesiedelt. Zw. Lüttich und Tournai kam es im 4./5. Jh. zu einer dauernden Siedlung sal. F., die unter der Herrschaft von Kleinkönigen aus der Dynastie der Merowinger standen. Zur gleichen Zeit wohnten **Rhein-F.** (fälschlich Ripuarier) am Niederrhein mit Königssitz in Köln.

Bis zu Childerich I. († 482) als Föderaten Roms dienend, waren salische F. wesentlich an dem Vorstoß nach N-Gallien (Ende 5. Jh.) beteiligt, der den Grund zur Bildung des →Fränkischen Reiches legte. Mit der Übernahme des kath. Christentums durch Chlodwig begann um 500 die Christianisierung. Nach der Vereinigung der einzelnen fränk. Herrschaften zum Fränk. Reich unter Chlodwig I. († 511) und der Unterwerfung von Alemannen, Thüringern, Hessen und Baiern breitete sich die fränk. Reichskultur in rechtsrhein. Gebiet aus.

Die seit dem 7./8. Jh. verstärkt einsetzende fränk. Kolonisation (Pfalzen, Klöster) in Süd-Dtl. ließ für die Lande am Main den Namen »Ost-F.« (»Main-F.«) aufkommen. Seit etwa 1200 gilt der F.-Name nur noch für dieses Gebiet. Eine einheitl. fränk. Mundart gibt es nicht. Der räuml. Weite fränk. Eroberung und Siedlung entspricht die Gliederung in viele Mundartgruppen. Ihr Anteil an der hochdt. Lautverschiebung trennt sie in versch. Mundarten. – An die alte Einheit fränk. Volkskultur erinnert nur noch wenig, u.a. das fränk. Gehöft mit mehreren um einen viereckigen Innenhof angeordneten Gebäuden.

📖 PIRLING, R.: *Römer u. F. am Niederrhein. Mainz 1986.* – SCHULZE, HANS K.: *Vom Reich der F. zum Land der Deutschen. Merowinger u. Karolinger. Neuausg. Berlin 1994. – Die F., Wegbereiter Europas, 2 Bde. Ausst.-Kat. Reiß-Museum Mannheim. Mainz 1996.*

Ilja Michailowitsch Frank

Frankenberg, 1) Stadt im Landkreis Mittweida, Sachsen, an der Zschopau, 16 100 Ew.; Fahrzeugbau, Textil-, elektrotechn., feinmechan. Industrie. – Nördlich der Stadt liegt auf einem Felsvorsprung das Schloss **Sachsenburg.** – 1292 nach Erzfunden als Bergstadt bezeugt.

2) F. (Eder), Stadt im Landkreis Waldeck-Frankenberg, Hessen, 18 900 Ew.; Holz-, Kunststoffind., Maschinenbau. – Liebfrauenkirche und Marienkapelle (1286–1380), ehem. Zisterzienserinnenkloster (1242 gegr.), Fachwerkrathaus (1509). – 1240 erstmals, 1294 als Stadt erwähnt.

Leonhard Frank

Frankenburg am Hausruck, Marktgemeinde im Bezirk Vöcklabruck, Oberösterreich, im Waldgebiet des Hausruck, 5 000 Ew. – Das sog. **Frankenburger Würfelspiel** löste den oberösterr. Bauernkrieg von 1625 aus: Um den Widerstand gegen die Rekatholisierungspolitik zu brechen, wurden 5 000 Bauern gefangen genommen, je zwei ihrer 36 Führer mussten um ihr Leben würfeln.

Frankenhausen, Bad, →Bad Frankenhausen/Kyffhäuser.

Franken

Der byzantinische Schriftsteller Agathias aus Myrina (Historien 1, 2) erkannte in der 2. Hälfte des 6. Jahrhunderts die germanische Herkunft der Franken nur noch an ihrer Tracht und ihrer Sprache:

»Sie (die Franken) dürften mit den – wie man früher sagte – Germanen identisch sein. ... Sie scheinen mir für ein Volk barbarischer Herkunft sehr gesittet und gebildet zu sein, und es gibt nichts, was sie (von uns) unterscheidet als der barbarische Charakter ihrer Tracht und Sprache.«

Frankfurt 1): Die in den Gründerjahren erbaute Alte Oper (1873–80) wurde nach Zerstörung 1981 wieder eröffnet

Frankenhöhe, der südl. Teil des fränk. Keuperberglandes, zw. Aisch und Jagst, bis etwa 550 m ü. M.

Frankenreich, das → Fränkische Reich.

Frankenstein, Titelfigur eines Romans (1818) von Mary Wollstonecraft-Shelley: F., Schöpfer eines künstlich hergestellten, aber beseelten Monsters wird von diesem getötet; zahlr. Verfilmungen.

Frankenstein in Schlesien, Stadt in Polen, → Ząbkowice Śląskie.

Frankenthal (Pfalz)
Stadtwappen

Frankenthal (Pfalz), kreisfreie Stadt in Rheinl.-Pf., in Rheinhessen, im Oberrhein. Tiefland, 48 600 Ew.; Stadtmuseum, im Rathaus Sammlung Frankenthaler Porzellans; Maschinenbau, Metall und Kunststoff verarbeitende Industrie. – Klassizist. Zwölfapostelkirche im Weinbrennerstil. – F., 772 erstmals erwähnt, erhielt 1577 Stadtrecht; von frz. Truppen 1689 zerstört. Niederländ. Kalvinisten (Glaubensflüchtlinge) brachten F. im 18. Jh. einen wirtsch. Aufschwung. Für die **Frankenthaler Porzellanmanufaktur** (1755–1800), arbeitete u. a. J. P. Melchior als Modellmeister.

Frankenwald, flachwelliges, stark bewaldetes Mittelgebirge, das ohne scharfe Grenze im NW in das Thüringer Schiefergebirge, im SO über die **Münchberger Hochfläche** (gehört zum F.) in das Fichtelgebirge übergeht; im Döbraberg 795 m ü. M.; Textil-, Holz-, Glas-, Elektro-, feinmechan. Ind.; Fremdenverkehr (Naturpark F., 972 km^2).

Frankenweine, aus im Maintal und seinen Seitentälern von Zeil bis Aschaffenburg angebauten Reben, v. a. Müller-Thurgau und Silvaner; gewonnene Weine z. T. auf → Bocksbeutel abgefüllt; sie sind säurereich, kräftig, erdig.

Frankfort ['fræŋkfət], Hptst. des Staates Kentucky, USA, am Kentucky River, 25 500 Ew.; Univ.; Whiskeyherstellung, elektron. Industrie.

Frankfurt, 1) Frankfurt am Main, kreisfreie Stadt im RegBez. Darmstadt, am unteren Main, mit 648 400 Ew. größte Stadt Hessens. F. liegt am Übergang vom Mainzer Becken zur Wetterau, 98 m ü. M., im Zentrum des Rhein-Main-Gebiets. F. ist Sitz des Europ. Währungsinstituts und mehrerer Bundesbehörden (Bundesamt für Ernährung und Forstwirtschaft, Dt. Bundesbank, Bundesrechnungshof, Bundesdisziplinargericht, Bundesanstalt für Flugsicherung, für landwirtsch. Marktordnung, Hauptverwaltung der Dt. Bundesbahn, Zentralstelle für Arbeitsvermittlung der Bundesanstalt für Arbeit, Amt für Verteidigungslasten, Inst. für Angewandte Geodäsie) sowie von Regionalbehörden; Sitz des Hess. Rundfunks. Fast alle großen dt. und viele ausländ. Banken sowie die wichtigste dt. Wertpapierbörse haben hier ihren Sitz; ferner Devisen- und Goldbörse, Immobilienbörse, Getreide- und Produktenbörse. Viele Wirtschafts- und Ind.verbände, Konsulate und Generalkonsulate, Handelsmissionen u. a. Organisationen sind in F. vertreten. Sitz des Börsenvereins des Dt. Buchhandels, zahlr. Verlage; Messen und Fachausstellungen, u. a. Internat. Buchmesse (größte der Welt), Internat. Pelzmesse, Internat. Automobil-Ausstellung, Frühjahrs- und Herbstmessen. F. ist auch der wichtigste Ind.standort des Ballungsgebietes am Untermain, führend sind chem., elektrotechn. Ind., Maschinenbau. Wichtigster Verkehrsknotenpunkt Dtl.s für Bahn und Straße, außerdem Flusshäfen, internat. Flughafen mit Luftfrachthafen. – Johann Wolfgang Goethe-Univ. (gegr. 1912), Philosophisch-Theolog. Hochschule Sankt Georgen, Staatl. Hochschule für bildende Künste (Städelschule), Hochschule für Musik und Darstellende Künste, Fachhochschulen, Akademie der Arbeit, Akademie für Welthandel, Inst. für Modeschaffen, Hessenkolleg, Dt. Buchhändlerschule. Max-Planck-Institute für europ. Rechtsgesch., für Biophysik, für Hirnforschung, Gmelin-Inst. für anorgan. Chemie, Paul-Ehrlich-Inst., Sigmund-Freud-Inst., Dt. Inst. für Internat. Pädagog. Forschung, Römisch-German. Kommission, Frobenius-Inst., Inst. für Information, Battelle-Inst. F. ist Sitz der → Deutschen Bibliothek, hat Stadt- und Univ.bibliothek mit Senckenbergischer Bibliothek und die Bibliothek des Freien Dt. Hochstifts; Goethe-Haus (mit Goethe-Museum), Senckenbergisches Naturhistor. Museum, Museen für Kunsthandwerk, Völkerkunde, Vor- und Frühgesch. Histor. Museum, Liebieghaus (alte Skulpturen), das Städelsche Kunstinst., Jüd. Museum, Museum für Moderne Kunst. Zu den am Mainufer schon bestehenden Museen (Museumsufer) kamen 1984 das

Architektur- und das Filmmuseum, 1990 das Dt. Postmuseum hinzu. Ferner hat F. Opern-, Schauspielhaus, Kammerspiel, mehrere Privattheater, zoolog. Garten (mit Exotarium), Palmengarten. Von den Sportanlagen haben bes. das Waldstadion, die Ballsporthalle Höchst, die Trabrennbahn Niederrad und die Eissporthalle Bedeutung.

Stadtbild: Der Siedlungskern von F. ist eine flache Erhebung rechts am Fluss, der Domhügel, der schon ein röm. Kastell getragen hatte. Die dort von den Karolingern errichtete Pfalz wurde in der otton. Zeit ummauert; in der Stauferzeit entwickelte sich planmäßig eine Stadt neben der Burg (Saalhof, um 1200). In die Stadt war Sachsenhausen von Anfang an einbezogen. Bauwerke der Altstadt sind St. Leonhard (13.–16. Jh.), St. Nikolai (13.–15. Jh.), der »Dom« St. Bartholomäus (13.–14. Jh.), Liebfrauenkirche (14./15. Jh.), ehem. Karmeliterkloster (13.–16. Jh., heute Museum). Die erweiterte Stadt F. erhielt 1333 neue Stadtmauern, erhalten ist der Eschenheimer Turm (1400–28). Innerhalb des neuen Stadtrings entstand u. a. die Katharinenkirche (urspr. 1344–46, dann neu errichtet 1678–81 in spätgot. Formen), in Sachsenhausen die Deutschordenskirche (14. Jh., Barockfassade 18. Jh.). Außer zahlr. Adelshäusern bestimmte der →Römer (1405) das Stadtbild. 1729/30 wurde die Hauptwache, 1789–1833 die Paulskirche errichtet. Im 19. Jh. wuchs F., nach Schleifung der Festungsanlagen (1805), von Promenaden und Grüngürteln umgeben, urspr. entlang den strahlenförmig verlaufenden Ausfallstraßen. Im 2. Weltkrieg wurde bes. der Kern der noch mittelalterl. Altstadt stark zerstört. Die Fassade des Römers (jüngst auch die Häuserzeile auf dem Römerberg), Leinwandhaus, Goethe-Haus, Paulskirche, Dom, Alte Oper u. a. wurden wieder aufgebaut. Zahlr. Neubauten bestimmen die »Skyline« von F., u. a. Verwaltungshochhäuser (u. a. Hochhaus der Commerzbank, mit 258,7 m Höhe höchster Büroturm Europas), Fernmeldeturm (1978, 331 m hoch), Messeturm (1990).

Geschichte: F. war zunächst röm. Militärlager, nach 110 röm. Zivilsiedlung **Nida.** Um 500 fränk. Königshof; der Name **Franconovurd** (Furt der Franken) ist seit 794 belegt. An der Stelle der karoling., später stauf. Pfalz entwickelte sich die Marktsiedlung, die noch vor 1200 Stadt wurde (eigene Stadtrechtsfamilie). Seit dem 12. Jh. war F. häufig Ort von Königswahlen (in der Goldenen Bulle 1356 reichsrechtlich festgesetzt), seit 1562 war der Dom auch Stätte der Kaiserkrönung. Die Stadt (seit 1372 reichsunmittelbar) entwickelte sich im 13. und 14. Jh. zum überregionalen Handels- und Messeplatz. Zu der seit dem 12. Jh. bezeugten Herbstmesse trat 1330 die Frühjahrsmesse; im 15.–17. Jh. war die Frankfurter →Buchmesse bedeutend (erneut seit 1949). 1535 schloss sich die Stadt dem luth. Bekenntnis an und wurde Mitgl. des Schmalkald. Bundes. 1792 und 1796 frz. besetzt, verlor F. seine reichsstädt. Freiheit 1806, war 1806–13 Sitz des Fürstprimas des Rheinbunds und wurde 1810 Hptst. des Großherzogtums F., 1813 Freie Stadt, erhielt 1816 eine Gesetzgebende Versammlung (bis 1866); seit 1815/16 Sitz des Dt. Bundestages, 1848/49 der Frankfurter Nationalversammlung. Durch die 1928 erfolgte Eingemeindung von Höchst (1355 Stadtrechte) und Fechenheim wuchs die Bedeutung als Ind.stadt. 1977 Eingemeindung von Bergen-Enkheim. Im 2. Weltkrieg wurde die Altstadt fast völlig zerstört.

Frankfurt 1) Stadtwappen

Frankfurt 1): Der derzeit höchste europäische Büroturm, das Hochhaus der Commerzbank (im Bild nach der Fertigstellung des Rohbaus 1996) überragt mit einer Höhe von 258,7 m den Messeturm (1990) im Hintergrund links um rund zwei Meter

📖 *F. a. M. Die Geschichte der Stadt in neun Beiträgen, hg. v. der Frankfurter Histor. Kommission. Sigmaringen ²1994.* – MACK, E.: *Von der Steinzeit zur Stauferstadt. Frankfurt am Main 1994.*

2) F. (Oder), kreisfreie Stadt in Brandenburg, am W-Ufer der Oder, 80 500 Ew.; Europa-Univ. Viadrina (1991 neu gegr.), Inst. für Halbleiterphysik; Kleist-Theater, Kleist-Gedenk- und Forschungsstätte; Halbleiterwerk, Baustoff-, Metall verarbeitende, Holz-, Nahrungsmittelind., Orgelbau; Grenzübergang nach Polen; Oderhafen. – Im 2. Weltkrieg wurde die Stadt zu über 90 % zerstört. Erhalten blieben die frühgot. Hallenkirche St. Nikolai (heute Friedenskirche) und die ehem. Franziskanerkirche (heute Konzerthalle). Inzwischen

Frankfurt 2) Stadtwappen

wieder aufgebaut wurden: das spätgot. Rathaus, z.T. die spätgot. Marienkirche. – Die wohl um 1226 auf dem westl. Oderufer gegr. dt. Marktsiedlung erhielt 1253 Magdeburger Stadtrecht; 1368 bis zum Anfang des 16. Jh. gehörte sie der Hanse an. 1506–1811 (erneut seit 1991) Univ.; 1952–90 Verwaltungssitz des gleichnamigen DDR-Bezirks. Seit 1945 bilden die östlich der Oder gelegenen Stadtteile, die Dammvorstadt, die zu Polen gehörende Gemeinde **Słubice.**

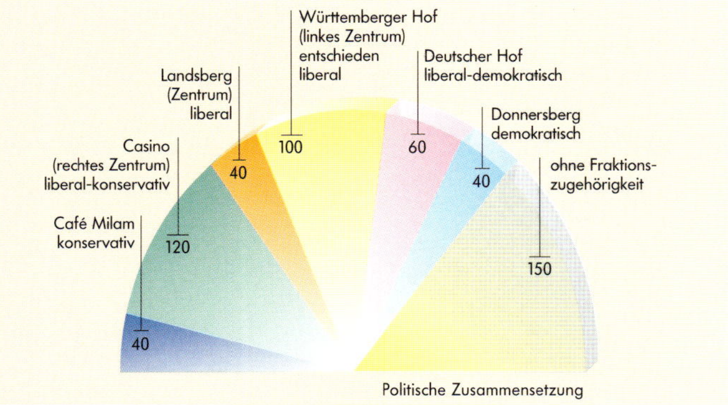

Zusammensetzung nach Berufen

46	Landwirte	18	Offiziere	94	Professoren
35	Kaufleute	11	Diplomaten	30	Lehrer
14	Fabrikanten	110	Richter/Staatsanwälte	39	Geistliche
4	Handwerker	115	höhere Verwaltungsbeamte	106	Advokaten
44	ohne Berufsangabe	21	Bürgermeister	23	Ärzte
		37	mittlere Beamte	10	Bibliothekare, Verleger, Buchhändler
				20	Schriftsteller
				35	sonstige Akademiker

Frankfurter Nationalversammlung: Verteilung der Abgeordneten nach Fraktionen (benannt nach dem jeweiligen Sitzungslokal) und nach Berufen

Frankfurter, Philipp, Schwankdichter, *um 1450, †Wien 1511; schrieb um 1470 den Schwankroman »Des pfaffen geschicht und histori vom kalenberg« (1473), der in über 2000 Versen umlaufendes Schwankgut verbindet, das an die wohl histor. Person eines verschlagenen Pfarrers geknüpft war.

Frankfurter Allgemeine (Frankfurter Allgemeine Zeitung für Deutschland, Abk. FAZ), in Frankfurt am Main seit 1949 erscheinende unabhängige, konservative, überregional verbreitete Tageszeitung in der Tradition der →Frankfurter Zeitung; Auflage (1996): 471000 (samstags 646000). Die FAZ-Wirtschaftsredaktion redigiert den im selben Verlag erscheinenden »Blick durch die Wirtschaft«. Zur FAZ-Verlagsgruppe gehört auch die Dt. Verlags-Anstalt, DVA.

Frankfurter Friede, am 10. 5. 1871 zw. Bismarck und J. Favre aufgrund des Vorfriedens von Versailles vom 26. 2. 1871 abgeschlossener Vertrag, beendete den Deutsch-Frz. Krieg 1870/71.

Frankfurter Fürstentag, im August 1863 durch Österreich einberufene Versammlung der dt. Monarchen und freien Städte zur Reform des Dt. Bundes; verlief ergebnislos.

Frankfurter Nationalversammlung, gesamtdt. verfassunggebendes Parlament, das 1848/49 in der Paulskirche zu Frankfurt am Main tagte; nach der Märzrevolution 1848 hervorgegangen aus freien Wahlen. Die am 18. 5. 1848 gebildete F. N. wollte eine gesamtdt. Verf. entwerfen und einen dt. Nationalstaat schaffen, der die preuß. und österr. Sonderinteressen bei Erhaltung der staatl. Vielfalt Dtl.s aufheben sollte (»dt. Frage«). Am 28./29. 6. 1848 schuf die F. N. mit der Wahl des Reichsverwesers Erzherzog Johann von Österreich eine provisor. Reg., der jedoch eine wirksame Exekutivgewalt fehlte. In der Septemberrevolution ließ die gemäßigt-liberale Mehrheit der F. N. einen Aufstand der radikalen Linken durch preuß. und österr. Truppen niederschlagen (18. 9. 1848) und verhalf so den alten Ordnungsmächten zum entscheidenden Erfolg. Während es der F. N. gelang, sich auf ein umfassendes Gesetz über die Grundrechte des dt. Volkes (27. 12. 1848) zu einigen, standen sich in der dt. Frage die Kleindeutschen (Erbkaiserliche, v. a. H. von Gagern), die den Ausschluss Österreichs befürworteten, und die in sich uneinheitl. Gruppe der Großdeutschen gegenüber. Am 28. 3. 1849 wurde schließlich der preuß. König Friedrich Wilhelm IV. zum Kaiser eines kleindt. Reiches gewählt (290 Stimmen bei 248 Enthaltungen). Mit seiner Weigerung, die Erbkaiserkrone anzunehmen, war die F. N. gescheitert. Die liberal geprägte Reichsverf. vom 28. 3. 1849 wurde nur von 28 kleineren Staaten, aber u. a. nicht von Preußen und Österreich anerkannt. Die Maiaufstände zur Durchsetzung der Verf. in Sachsen, Baden und der Rheinpfalz wurden niedergeschlagen.

📖 Best, H. u. Weege, W.: *Biograph. Hb. der Abgeordneten der F. N. 1848/49. Düsseldorf 1996.*

Frankfurter Rundschau, unabhängige, überregional verbreitete Tageszeitung sozialliberaler Richtung; gegr. 1945 in Frankfurt am Main; Auflage (1996): 202000 (samstags 304000).

Frankfurter Schule, Bez. für den Kreis von Sozial- und Kulturwissenschaftlern um M. Horkheimer und das 1930–59 von diesem geleitete Frankfurter »Inst. für Sozialforschung« (1933/34 in Genf, dann in New York; 1950 von Horkheimer und T. W. Adorno in Frankfurt wieder gegr.) sowie für die hier entwickelten, von K. Marx und S. Freud bestimmten soziologisch-philosoph. Lehren, die →kritische Theorie. Der F. S. standen u. a. W. Benjamin, H. Marcuse und E. Fromm nahe; die Denkansätze der jüngeren Generation haben v. a. J. Habermas und Alfred Schmidt (*1931) bestimmt. Die F. S. spielte bes. seit den 60er-Jahren eine Rolle auf gesellschaftskrit., wissenschaftstheoret. und pädagog. Ebene im Rahmen des Neomarxismus.

📖 WIGGERSHAUS, R.: *Die F. S. Tb.-Ausg. München* ⁴*1993.*

Frankfurter Zeitung, dt. Tageszeitung mit großem Feuilleton, Handels- und Börsenteil; 1856 von Leopold Sonnemann (*1831, †1909) gegr., Hauptorgan der Demokratie in SW-Deutschland, bis 1943 erschienen.

Frankiermaschine (Absenderfreistempler), Büromaschine zum Freimachen von Postsendungen durch einen Stempelabdruck, der Gebühr, Ort, Datum und Absenderfirma angibt.

Fränkische Alb (Frankenalb, Fränkischer Jura), Mittelgebirge in Franken, der östl. Teil des Schwäbisch-Fränkischen Schichtstufenlandes, durch das Ries von der Schwäb. Alb getrennt, aufgebaut aus flach gelagerten Jurakalken und -dolomiten, z. T. als Plattenkalk (→Solnhofen) ausgebildet. Im W erhebt sie sich über das Vorland mit einer bis zu 280 m hohen Stufe, vor der sich Zeugenberge finden (Hesselberg 689 m ü. M., Staffelberg 539 m ü. M.). Das Hochland ist infolge Verkarstung (Trockentäler, Dolinen; Tropfsteinhöhlen) sehr wasserarm. Die Altmühl durchbricht den südl. Teil. Im N bildet Dolomit die Felslandschaften der **Fränkischen Schweiz** (Wiesenttal) und der **Hersbrucker Schweiz** (Pegnitztal).

Fränkischer Jura, die →Fränkische Alb.

Fränkischer Reichskreis, einer der 1512 gebildeten zehn →Reichskreise des Dt. Reiches, bes. die Bistümer Würzburg, Bamberg, Eichstätt, die hohenzoller. Lande in Franken, die Grafschaft Henneberg, die Reichsstadt Nürnberg und die Gebiete der umliegenden kleineren Reichsstände.

Fränkische Schweiz, Teil der →Fränkischen Alb.

fränkisches Recht, →germanische Volksrechte.

Fränkisches Reich (Frankenreich, lat. Regnum Francorum), die bedeutendste german. Reichsbildung des frühen Mittelalters.

Die salischen →Franken siedelten seit dem 4. Jh. im südl. Belgien. Im 5. Jh. begründete die Dynastie der Merowinger eine Herrschaft mit dem Mittelpunkt Tournai. Der Sohn Childerichs, Chlodwig I., beseitigte 486 die Reste der Römerherrschaft in Gallien und seine fränk. Mitkönige (nach 508), zw. 483 und 507 eroberte er Teile des Ale-

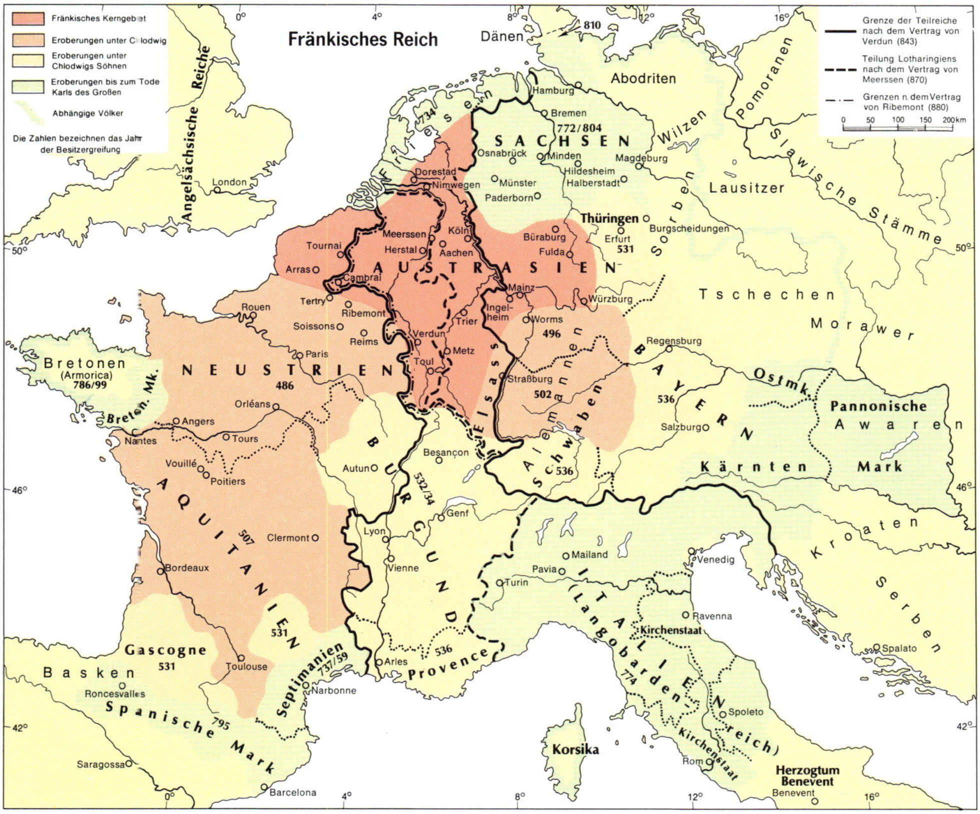

mannenlandes und des Westgotenreichs. Der Mittelpunkt des nun geschaffenen fränk. Einheitsreiches verlagerte sich nach N-Frankreich. Der Übertritt Chlodwigs zum christl.-kath. Glauben (wohl 496) schuf die Voraussetzung für die Integration der roman. Völker und die Grundlage für die Stellung der Kirche im MA. Bei Chlodwigs Tod (511) wurde das Reich unter seine vier Söhne aufgeteilt. Die Hauptorte waren Paris, Soissons, Orléans und Metz. 531 wurde Thüringen, 532–34 Burgund erobert, die alemann. Restgebiete und Bayern gerieten in polit. Abhängigkeit. Gegensätze zw. Königtum und Aristokratie und zw. →Austrasien und →Neustrien lockerten den Verband des Reichs. Nach dem Tod Dagoberts I. (639) verfiel die Macht der Merowingerkönige. Die polit. Macht übten →Hausmeier aus.

687 gewann der Hausmeier von Austrasien, der Karolinger Pippin der Mittlere, die Alleinherrschaft im F. R. Sein Enkel, Pippin III., setzte die Dynastie der Merowinger ab und machte sich 751 zum König der Franken, wobei die kirchl. Salbung das fehlende Geblütsrecht ersetzte. 754 übernahm er den Schutz des Papstes (Patricius Romanorum) und seines Besitzes (→Pippinsche Schenkung). Durch die Eingliederung der Stammesherzogtümer der Thüringer (um 700), Alemannen (730), Aquitanier (768) und Baiern (788) wurde die bedrohte Reichseinheit wiederhergestellt. Friesland wurde unterworfen, das Vordringen der Araber durch den Sieg Karl Martells bei Poitiers (732) aufgehalten. Die größte Ausdehnung erhielt das F. R. unter Karl d. Gr., der das Langobardenreich (774), die Sachsen (772–804), das Awarenreich (796) unterwarf und 795 südlich der Pyrenäen die Span. Mark begründete. Mit der Kaiserkrönung (800) erhielt Karl die Hoheit über Rom und den Kirchenstaat, die 812 auch von Byzanz anerkannt wurde.

Der Verfall des F. R. trat bald nach Karls d. Gr. Tod ein (→Straßburger Eide, 842). Im Vertrag von Verdun (843) wurde es unter die drei Söhne Ludwigs des Frommen aufgeteilt; der nördl. Teil des mittleren Gebietes kam in den Verträgen von Meerssen (870) und Ribemont (880) als Lotharingien an den östl. Reichsteil. Karl III. (885–87) vereinigte die Teilreiche noch einmal, dann vollzog sich die endgültige Trennung in das Westfränk. Reich (→Frankreich, Geschichte), das Ostfränk. Reich (→deutsche Geschichte), →Burgund und →Italien. In der Zeit der Auflösung war das F. R. starken Angriffen durch die Normannen und Sarazenen ausgesetzt. Die ostfränk. Karolinger starben 911, die westfränk. 987 aus.

Verfassung: Im F. R. wurden die institutionellen Anfänge fast aller mittelalterl. Staaten Europas geschaffen. Mit dem Erstarken des Königtums wurden Grafen als königl. Beamte eingesetzt, damit war – durch die Verbindung von Vasallentum und Vergabe von Landbesitz – das mittelalterl. Lehnswesen begründet. Jedoch bildeten die Freien noch den größten Teil des Volkes. Die Stellung des Königtums erwuchs aus dem german. Heerkönigtum, wurde aber durch die Übernahme röm. Einrichtungen wesentlich verändert und gestärkt. Die Mittelpunkte des F. R. bildeten die Pfalzen, von denen in karoling. Zeit Aachen, Ingelheim und Nimwegen die wichtigsten waren.

Wirtschaft: Sie war bäuerlich bestimmt, ihre Grundlage bildeten die Grundherrschaften mit der Fronhofverfassung. Im städtisch geprägten W und S hielten sich als antikes Erbe Fernhandel und Münzwesen. Im 8. und 9. Jh. entwickelte sich vom Rheingebiet aus ein Handel nach England und Skandinavien. Das Münzwesen wurde durch Pippin III. und Karl d. Gr. neu geordnet. Der Ansatz zur Bildung von Handelsplätzen (Wik) wurde durch die Normanneneinfälle gehemmt.

Kultur: Das hoch stehende Kunstgewerbe (→merowingische Kunst) vereinte spätantike, german. und östl. Einflüsse. Die Amts- und Schriftsprache war das Latein, in dem z.B. auch die weit über die fränk. Zeit hinaus vorherrschende Lex Salica (→germanische Volksrechte) abgefasst ist. Irisch-schott. Mönche verbreiteten das Christentum (Columban), später angelsächs. Missionare (Bonifatius). Karl d. Gr. knüpfte erneut an antikes Bildungsgut an (karoling. Renaissance), förderte in den Klosterschulen (Fulda) Wiss. und Künste. In der Baukunst (Aachen) ist byzantin. Einfluss unverkennbar (→karolingische Kunst).

Weltgeschichtliche Bedeutung: Durch die merowing. Reichsgründung verlagerte sich der polit. Schwerpunkt aus dem Mittelmeergebiet nach dem Norden. Hier wurden die Reste antiker Kultur erhalten und mit germanisch-christl. Vorstellungen zur abendländ. Kultur des MA. verschmolzen. Die polit. Einrichtungen des F. R. wurden gemeinsame Grundlage fast des ganzen abendländ. Europa.

📖 SCHNEIDER, R: *Das Frankenreich. München* [3]*1995.* – GEARY, P. J.: *Die Merowinger. Europa vor Karl dem Großen. A. d. Engl. München 1996.*

Frankl, Victor Emil, österr. Psychiater und Psychotherapeut, *Wien 26. 3. 1905, †Wien 2. 9. 1997; seit 1970 Prof. in San Diego (Calif.), Begründer der →Existenzanalyse und der Logotherapie.

Frankland ['fræŋklənd], Sir (seit 1897) Edward, brit. Chemiker, *Churchtown (bei Lancaster) 18. 1. 1825, †auf einer Reise in Norwegen 9. 8. 1899; Prof. in Manchester und London; entdeckte die metallorgan. Verbindungen und schuf den Valenzbegriff.

Benjamin Franklin

Franklin ['fræŋklın], **1)** Benjamin, amerikan. Staatsmann, Naturwissenschaftler und Schriftsteller, *Boston (Mass.) 17. 1. 1706, †Philadelphia (Pa.) 17. 4. 1790; urspr. Buchdrucker, gab seit 1729 in

Frankreich

Fläche: 543 965 km²
Einwohner: (1995) 57,981 Mio.
Hauptstadt: Paris
Verwaltungsgliederung: 96 Dép. in 22 Regionen
Amtssprache: Französisch
Nationalfeiertag: 14. 7.
Währung: 1 Französischer Franc (FF) = 100 Centimes (c)
Zeitzone: MEZ

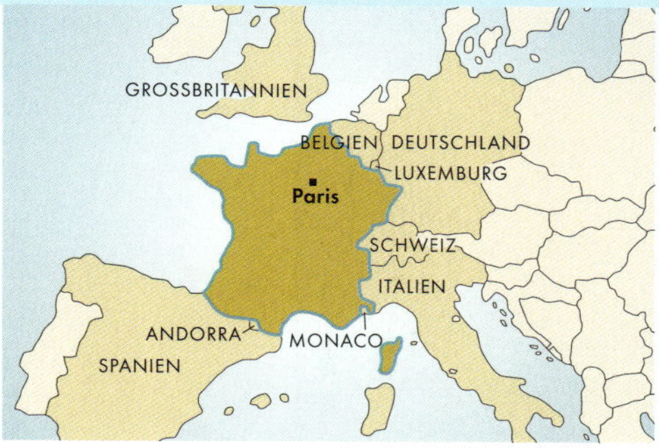

Philadelphia eine Zeitung und einen Almanach (»Poor Richard's Almanack«) heraus. Bekannt wurde F. als Erfinder des Blitzableiters (1752) und durch weitere physikal. Arbeiten (seit 1746, u.a. zur Theorie der Elektrizität, Wärmestrahlung). 1757–75 (mit Unterbrechungen) vertrat er Pennsylvania, zeitweilig auch andere Kolonien in London; 1776 Mitunterzeichner der Unabhängigkeitserklärung. Als amerikan. Gesandter in Frankreich (1776–85) erzielte er durch das frz.-amerikan. Bündnis und den Frieden von 1783 große Erfolge. F. hatte wesentl. Anteil an der Verf. von 1787; er war der bedeutendste Vertreter der Aufklärung in Amerika; schrieb u.a. eine Autobiographie (1771–90, 4 Tle., erste vollständige amerikan. Ausgabe 1868).

Ausgabe: Autobiographie, hg. v. H. FÖRSTER A.d. Amerikan. München ²1997.

2) Sir (seit 1829) John, brit. Seeoffizier und Polarforscher, *Spilsby (Lincolnshire) 16. 4. 1786, †King William Island 11. 6. 1847; unternahm 1819–22 und 1825–27 Expeditionen ins kanad. Arktisgebiet. Zur Suche nach der →Nordwestpassage brach F. im Mai 1845 mit zwei Schiffen auf, die letztmalig am 26. 7. 1845 im Lancaster Sound (nördlich von Baffin Island) gesehen wurden. Erst 1859 fand eine der zahlr. Suchexpeditionen auf King William Island Überreste und schriftl. Aufzeichnungen (bis 25. 4. 1848) der F.-Expedition, deren Teilnehmer alle ums Leben gekommen waren.

📖 BEATTIE, O. *u.* GEIGER, J.: *Der eisige Schlaf. Das Schicksal der F.-Expedition. A. d. Engl. Tb.-Ausg. München u. a.* ³*1996.*

Franklinstraße ['fræŋklın-; nach Sir J. Franklin] (engl. Franklin Strait), Meeresstraße im Kanadisch-Arkt. Archipel zw. der Halbinsel Boothia und Prince of Wales Island, 40–60 km breit.

franko [italien. franco »frei«], Handelsklausel, nach der der Verkäufer die Transportkosten bis zum vereinbarten Ort bezahlt.

Franko, Iwan Jakowytsch, ukrain. Schriftsteller, *Nagujewitschi (bei Drogobytsch) 27. 8. 1856, †Lemberg 28. 5. 1916; als polit. Journalist bed. Vertreter des ukrain. Geisteslebens seiner Zeit. Sein dichter. Werk umfasst alle literar. Gattungen.

frankoflämische Schule, →niederländische Musik.

Frankokanadier, die Einwohner →Kanadas frz. Abstammung; leben v.a. in der Prov. Quebec.

Frankreich (frz. La France, amtlich République Française; dt. Französische Rep.), Staat in Europa, grenzt im W an den Atlantik, im NW an den Ärmelkanal, im NO an Belgien und Luxemburg, im O an Dtl., die Schweiz und Italien, im S an das Mittelmeer und Spanien. Zu F. gehört die Insel Korsika. Zum Hoheitsgebiet gehören außerdem die überseeischen Dép. Guadeloupe, Französisch-Guayana, Martinique und Réunion, die Überseegebiete mit beschränkter Selbstverwaltung Wallis-et-Futuna, Französisch-Polynesien und Neukaledonien sowie die Collectivités Territoriales Saint-Pierre-et-Miquelon und Mayotte. Einen Sonderstatus haben die Terres Australes et Antarctiques Françaises (Adélieland, Crozetinseln, Kerguelen, Saint-Paul, Neu-Amsterdam) sowie die Îles Australes mit den größtenteils unbewohnten Inseln Bassas da India, Europe, Juan da Nova, Tromelin und die Îles Glorieuses, die von Réunion aus verwaltet (und von Madagaskar beansprucht) werden.

Staat und Recht: Nach der Verf. vom 4. 10. 1958 (mehrfach, v.a. durch das Referendum vom 7. 11. 1962, geändert) ist F. eine Republik, die durch einen Dualismus von parlamentar. und präsidialem Prinzip geprägt ist. Staatsoberhaupt ist der mit weitgehenden Vollmachten ausgestattete Präs. der Rep. (für sieben Jahre direkt gewählt). Er benennt und entlässt den Premiermin. und auf dessen Vorschlag die übrigen Kabinettsmitgl., führt den Vorsitz im Min.rat, kann Gesetzesvorlagen oder die Ratifizierung von Verträgen einer Volksabstimmung unterziehen und die Nationalversammlung auflösen. Er ist Oberbefehlshaber der Streitkräfte und ernennt mit Zustimmung der Reg. die höchsten Beamten. Die Exekutive liegt bei der Reg. mit dem Premiermin. an der Spitze. Sie ist dem Parla-

Staatswappen

F

Internationales Kfz-Kennzeichen

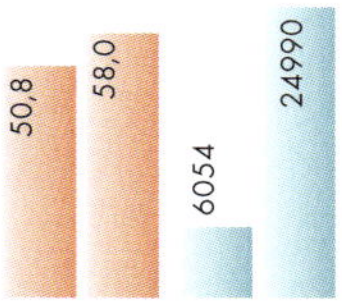

Bevölkerung (in Mio.)
Bruttosozialprodukt je Ew. (in US-$)

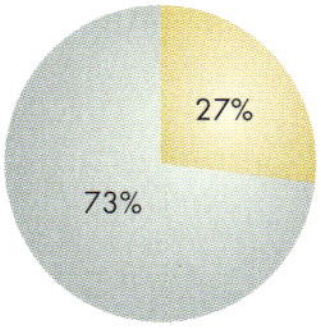

Stadt
Land
Bevölkerungsverteilung 1994

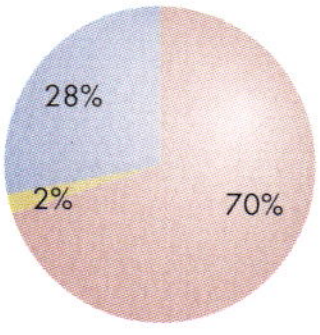

Industrie
Landwirtschaft
Dienstleistung
Bruttoinlandsprodukt 1993

Frankreich

| 1

| 2

| 3

| 4

| **1** Bocagelandschaft in der Bretagne an der Nordküste bei Locquénolé | **2** Die ehemalige Benediktinerabtei Mont-Saint-Michel auf dem 78 m hohen Felsen vor der normannischen Küste | **3** La Grande-Motte an der Mittelmeerküste, Languedoc | **4** Col du Tourmalet, mit 2 115 m der zweithöchste Straßenpass der Pyrenäen

ment verantwortlich und kann durch Misstrauensvotum zum Rücktritt gezwungen werden. Regierungsmitgl. dürfen dem Parlament nicht angehören. Das Parlament besteht aus zwei Kammern, der Nationalversammlung und dem Senat. Die 577 Mitgl. der Nationalversammlung werden für fünf Jahre im modifiziertem Mehrheitswahlsystem gewählt. Der Senat vertritt die Interessen der Gebietskörperschaften, seine 321 Mitgl. werden in den Dép. indirekt durch Wahlmänner für neun Jahre gewählt, wobei alle drei Jahre jeweils ein Drittel neu gewählt wird. Dem Verf.rat (Conseil Constitutionnel) gehören neun Mitgl. (je drei durch den Staatspräs. sowie die Präs. von Senat und Nationalversammlung bestimmt), ferner die ehemaligen Präs. der Rep. auf Lebenszeit an; Grundgesetze müssen, sonstige Gesetze können ihm zur Prüfung auf ihre Verfassungsmäßigkeit vorgelegt werden. Zwei weitere wichtige Staatsorgane sind der Staatsrat (Conseil d'État) als Beratungsgremium für die Reg. und zugleich oberstes Verwaltungsgericht sowie der Wirtschafts- und Sozialrat.

Einflussreichste Parteien sind die gaullistische Sammlungsbewegung für die Rep. (RPR), die Union für die Demokratie (UDF), die Sozialist. Partei (PS), die Kommunist. Partei (PCF). Zunehmend an Bedeutung gewinnen versch. Umweltschutzparteien, aber auch die rechtsextreme Nat. Front (FN). – Der Verw.aufbau in F. ist auch nach dem Dezentralisierungsges. von 1982 zentralistisch

| 5

| 6

| 7

| 8

| **5** Landschaft in den Westalpen, Département Haute-Savoie, Ostfrankreich | **6** Typischer Küstenabschnitt an der südfranzösischen Côte d'Azur | **7** Blick auf die wellige Landschaft der Champagne bei Langres, Département Haute-Marne | **8** Das idyllische Tal der Loire, geprägt durch zahlreiche Schlösser; im Bildhintergrund Schloss Sully-sur-Loire

geprägt. Die Spitze der Verw. bilden die Minister. Das frz. Mutterland ist in 22 Verw.regionen (gewählte autonome Gebietskörperschaften) und 96 Dép. (diese wiederum bestehen aus 324 Arrondissements, 3530 Kantonen und rd. 36000 Gemeinden) gegliedert. Als Vertreter der Zentralgewalt und Koordinator der verschiedenen nachgeordneten Behörden fungiert in den Dép. ein Präfekt.

Landesnatur: F. reicht vom Atlantik im NW und W bis zum Mittelmeer im S, im SW bis auf den Kamm der Pyrenäen (Pic de Vignemale 3298 m ü.M.), im SO auf den der Westalpen (Montblanc 4807 m ü.M.), im O bis in die Oberrhein. Tiefebene (Elsass), im NO bis zum Rhein. Schiefergebirge (Ardennen), im N bis zur Straße von Dover. Kernraum ist das Pariser Becken, ein Schichtstufenland, das sich zw. den alten Massiven der Ardennen und Vogesen im O, dem Zentralmassiv mit seinen Vulkankuppen im S und dem armorikan. Massiv im W erstreckt. Über die niedrige Schwelle von Poitou steht das Pariser Becken mit dem Aquitan. Becken (mit dem Sand- und Dünengebiet der Landes an der Küste des Golfs von Biscaya) in Verbindung. Der Mittelmeerküstensaum ist relativ schmal; von N her wird er über die Rhone-Saône-Furche, eine Senke zw. Zentralmassiv und Westalpen, erreicht. Diese Grabenzone, die durch die Burgund. Pforte mit dem Oberrheingraben verbunden ist, ist der südl. Teil der wichtigsten tekton. Leitlinie Europas (Mittelmeer-Mjösen-Zone) und bildet eine ausgezeichnete meridionale Verkehrsachse. Im O hat F. noch Anteil am Jura. Von den großen Strömen F.s münden die Seine in den Ärmelkanal, Loire und Garonne in den Atlant. Ozean, die Rhone ins Mittelmeer.

Die Reliefgestaltung macht das Land auf der W-Seite sehr offen, sodass sich der atlant. Klimatypus mit seinen Großwetterlagen weit nach O auswirken kann. Niederschläge fallen im W zu allen Jahreszeiten mit Maximum im Herbst und Winter, überwiegend in Form lang dauernder Nieselregen. Der Midi, Bereich des Mediterranklimas, weist Niederschlagsmaxima im Herbst und Frühjahr auf; der Sommer ist sehr trocken. Extremere Verhältnisse weisen Alpen und Pyrenäen, aber auch Jura, Zentralmassiv und Vogesen auf, in denen in über 1000 m Höhe der Schnee mehr als 100 Tage liegen bleibt. – Die Pflanzenwelt weist atlant., mitteleurop. und mittelmeer. Züge auf. In den Küstengebieten des W sind Heide (atlant. Heiden in der Bretagne) und Moore verbreitet, im mittelmeer. Bereich immergrüner Buschwald aus Hartlaubgewächsen (Macchie), der weitgehend zur Garrigue degradiert ist.

Bevölkerung: 70% der Bev. sind nach ihrer sprachl. Herkunft Franzosen; die frz. Sprache wird aber von fast allen Ew. als Muttersprache gesprochen, jedoch koexistieren in vielen Gebieten nichtfrz. Sprachen mit dem Französischen. Die okzitan. Sprache (»Langue d'oc«), früher von der aquitan. Küste bis zur italien. Grenze verbreitet, wird nur noch von wenigen Menschen gesprochen. Weitere sprachliche Minderheiten sind die →Bretonen (in der Bretagne westlich der Linie Vannes–Paimpol: knapp 1 Mio. Menschen), die Flamen (in Frz.-Flandern, um Dünkirchen, 400 000), die Katalanen im Roussillon (Dép. Pyrénées-Orientales, 200 000) sowie die →Basken im

Frankreich - Wirtschaft

äußersten SW (um Saint-Jean-de-Luz, 100000). Etwa 1 Mio. Menschen leben im dt. Sprachbereich (Elsass, O-Lothringen), 1 Mio. im italien. (Korsika, Gebiet um Nizza). Amts-, Schul- und Bildungssprache ist das Französische. Trotz vieler Einbürgerungen ist die Zahl der Ausländer hoch (1994: 3,6 Mio., v.a. Portugiesen, Algerier, Marokkaner, Italiener, Spanier). Die Bev.dichte ist mit 106 Ew./km² relativ gering. 73% der Bev. wohnen in Städten. Neben den Millionenstädten Paris (in der Agglomeration Paris leben etwa 20% aller Franzosen), Lyon und Marseille gibt es über 30 Großstädte.

Seit 1882 besteht die unentgeltl., bekenntnisfreie Volksschule; private kirchl. u.a. private Schulen sind zugelassen (überwiegend kath.), sie werden von rd. 17% der Schüler besucht. Allg. Schulpflicht besteht vom 6. bis 16. Lebensjahr. Mit Ges. vom 11. 7. 1975 wurde das Schulwesen neu gestaltet: Vorschule (École maternelle) für Kinder von 2 bis 6 Jahren (nicht obligatorisch), sechsjährige Primarschule (École élémentaire), Sekundarschule I (Collège) als Gesamtschule für alle 12- bis 16-Jährigen, die in zwei Stufen untergliedert ist, Sekundarschule II mit zwei Typen, dem allgemein bildenden Lyzeum (Lycée; Schulzeit drei Jahre), das im Rahmen eines differenzierten Systems zum Reifezeugnis (Baccalauréat) oder (mit Berufsqualifikation) zum Technikerdiplom führt, und dem berufsbildenden Lyzeum (Lycée professionnelle; zwei Jahre). Das Hochschulwesen (Enseignement supérieur) setzt sich aus den Univ. (Universités), den Spezialhochschulen (Grandes Écoles) und den Technolog. Univ.instituten (Instituts Universitaires de Technologie – Abk. IUT) zusammen. Es bestehen 70 staatl. Univ. (die älteste ist die →Sorbonne), ferner Univ.zentren, drei nat. polytechn. Institute sowie zahlr. andere Hochschulen.

Seit 1905 besteht eine strikte gesetzl. Trennung von Staat und Kirche. 76,3% der Bev. sind Katholiken, daneben 1,4% Protestanten sowie 4,5% Muslime (v.a. um Marseille und Paris).

Wirtschaft, Verkehr: F. ist ein hoch entwickelter Ind.staat mit einem traditionell starken, an Bedeutung gewinnenden Dienstleistungssektor. Die *Landwirtschaft* hat eine führende Stellung im EU-Raum; rd. 60% der Gesamtfläche werden landwirtsch. genutzt (58% für Ackerbau, 37% als Weideland und 5% für Obst- und Weinbau). An der Spitze stehen die Erzeugung von Getreide, Zucker, Molkereiprodukten, Wein und Fleisch. Spezialkulturen umfassen Obst, Gemüse, Kräuter sowie Duftblumen (Provence). Bedeutende Weinbaugebiete sind Burgund, die Champagne, das Bordelais, das Tal der Loire, das Elsass und (v.a. für einfache Weine) das Languedoc. Wälder (27% der Landesfläche) finden sich bes. in den Gebirgen (Vogesen u.a.) und den »Landes«. Der Holzeinschlag wird

Frankreich: Verwaltungsgliederung (Stand 1995)

Region Département	Fläche in km²	Ew. in 1000	Ew. je km²	Hauptstadt
Île-de-France	12011	10979	914	Paris
Paris	105	2105	20048	Paris
Seine-et-Marne	5915	1221	206	Melun
Yvelines	2284	1382	605	Versailles
Essonne	1804	1149	637	Évry
Hauts-de-Seine	176	1370	7784	Nanterre
Seine-Saint-Denis	236	1407	5962	Bobigny
Val-de-Marne	245	1214	4955	Créteil
Val-d'Oise	1246	1131	908	Cergy-Pontoise
Champagne-Ardenne	25606	1346	53	Châlons-en-Champagne
Ardennes	5229	290	55	Charleville-Mézières
Aube	6004	290	48	Troyes
Marne	8162	566	69	Châlons-en-Champagne
Haute-Marne	6211	200	32	Chaumont
Picardie	19399	1857	96	Amiens
Aisne	7369	536	73	Laon
Oise	5860	771	132	Beauvais
Somme	6170	550	89	Amiens
Haute-Normandie	12318	1785	145	Rouen
Eure	6040	547	91	Évreux
Seine-Maritime	6278	1238	197	Rouen
Centre	39151	2449	63	Orléans
Cher	7235	324	45	Bourges
Eure-et-Loir	5880	417	71	Chartres
Indre	6791	233	34	Châteauroux
Indre-et-Loire	6127	547	89	Tours
Loir-et-Cher	6343	312	49	Blois
Loiret	6775	616	91	Orléans
Basse-Normandie	17589	1414	80	Caen
Calvados	5548	638	115	Caen
Manche	5938	486	82	Saint-Lô
Orne	6103	290	48	Alençon
Bourgogne	31582	1622	51	Dijon
Côte-d'Or	8763	508	58	Dijon
Nièvre	6817	229	34	Nevers
Saône-et-Loire	8575	553	64	Mâcon
Yonne	7427	332	45	Auxerre
Nord-Pas-de-Calais	12414	3974	320	Lille
Nord	5743	2539	442	Lille
Pas-de-Calais	6671	1435	215	Arras
Lorraine	23547	2292	97	Metz
Meurthe-et-Moselle	5241	709	135	Nancy
Meuse	6216	193	31	Bar-le-Duc
Moselle	6216	1011	163	Metz
Vosges	5874	379	65	Épinal
Alsace	8280	1677	202	Straßburg
Bas-Rhin	4755	985	207	Straßburg
Haut-Rhin	3525	687	194	Colmar
Franche-Comté	16202	1106	68	Besançon
Doubs	5234	488	93	Besançon
Jura	4999	252	50	Lons-le-Saunier
Haute-Saône	5360	230	43	Vesoul
Territoire de Belfort	609	136	223	Belfort
Pays de la Loire	32082	3135	98	Nantes
Loire-Atlantique	6815	1086	159	Nantes
Maine-et-Loire	7166	725	101	Angers
Mayenne	5175	281	54	Laval
Sarthe	6206	519	84	Le Mans
Vendée	6720	524	78	La Roche-sur-Yon
Bretagne	27209	2859	105	Rennes
Côtes d'Armor	6878	539	78	Saint-Brieuc
Finistère	6733	852	127	Quimper
Ille-et-Vilaine	6775	833	123	Rennes
Morbihan	6823	636	93	Vannes

Frankreich: Verwaltungsgliederung (Fortsetzung; Stand 1995)

Region / Département	Fläche in km²	Ew. in 1 000	Ew. je km²	Hauptstadt
Poitou-Charentes	25 809	1 609	62	Poitiers
Charente	5 956	342	57	Angoulême
Charente-Maritime	6 864	534	78	La Rochelle
Deux-Sèvres	5 999	346	58	Niort
Vienne	6 990	387	55	Poitiers
Aquitaine	41 309	2 881	70	Bordeaux
Dordogne	9 060	390	43	Périgueux
Gironde	10 000	1 273	127	Bordeaux
Landes	9 243	318	34	Mont-de-Marsan
Lot-et-Garonne	5 361	309	58	Agen
Pyrénées-Atlantiques	7 645	591	77	Pau
Midi-Pyrénées	45 348	2 490	55	Toulouse
Ariège	4 890	136	28	Foix
Aveyron	8 735	265	30	Rodez
Haute-Garonne	6 309	987	156	Toulouse
Gers	6 257	174	28	Auch
Lot	5 217	157	30	Cahors
Hautes-Pyrénées	4 464	223	50	Tarbes
Tarn	5 758	342	59	Albi
Tarn-et-Garonne	3 718	206	55	Montauban
Limousin	16 942	715	42	Limoges
Corrèze	5 857	236	40	Tulle
Creuse	5 565	126	23	Guéret
Haute-Vienne	5 520	353	64	Limoges
Rhône-Alpes	43 698	5 570	127	Lyon
Ain	5 762	509	88	Bourg-en-Bresse
Ardèche	5 529	285	52	Privas
Drôme	6 530	433	66	Valence
Isère	7 431	1 076	145	Grenoble
Loire	4 781	746	156	Saint Étienne
Rhône	3 249	1 540	474	Lyon
Savoie	6 028	365	61	Chambéry
Haute-Savoie	4 388	616	140	Annecy
Auvergne	26 013	1 316	51	Clermont-Ferrand
Allier	7 340	349	48	Moulins
Cantal	5 726	155	27	Aurillac
Haute-Loire	4 977	207	41	Le Puy-en-Velay
Puy-de-Dôme	7 970	605	76	Clermont-Ferrand
Languedoc-Roussillon	27 376	2 239	82	Montpellier
Aude	6 139	309	50	Carcassonne
Gard	5 853	619	106	Nîmes
Hérault	6 101	853	140	Montpellier
Lozère	5 167	72	14	Mende
Pyrénées-Orientales	4 116	386	94	Perpignan
Provence-Alpes-Côte-d'Azur	31 400	4 479	143	Marseille
Alpes-de-Haute-Provence	6 925	139	20	Digne-les-Bains
Hautes-Alpes	5 549	119	21	Gap
Alpes-Maritimes	4 299	1 034	241	Nizza
Bouches-du-Rhône	5 087	1 802	354	Marseille
Var	5 973	890	149	Toulon
Vaucluse	3 567	495	129	Avignon
Corse	8 680	259	30	Ajaccio
Corse-du-Sud	4 014	125	31	Ajaccio
Haute-Corse	4 666	134	29	Bastia

intensiviert, für Möbelfertigung und Papierproduktion werden zusätzlich Holz und Holzprodukte importiert. Der Fischfang ist bed.; die größten Fischereihäfen liegen in der Bretagne (Lorient, Concarneau) und am nördlichsten Küstenabschnitt (Boulogne-sur-Mer); von Bedeutung sind außerdem die Austernbänke an der Westküste.

Der *Bergbau* fördert Eisenerz und Steinkohle (überwiegend aus Lothringen, mit rückläufiger Tendenz), Bauxit (Provence), Erdöl (um Parentis, südwestlich von Bordeaux), Erdgas (um Lacq), Kalisalze (bei Mülhausen), ferner Uran-, Blei- und Zinkerze sowie Steinsalz. Zu den führenden *Industriebranchen* zählt die Hüttenind., die neben Kupfer-, Blei-, Zink- und Aluminiumgewinnung v.a. auf die Eisen- und Stahlgewinnung ausgerichtet ist. Die wichtigsten Zweige der Investitionsgüterind. umfassen den Maschinen-, Fahrzeug- und Schiffbau, die Luft- und Raumfahrtind., die elektron. und elektrotechn. Ind. sowie die Rüstungsind., die Automobil- und Fahrradindustrie. Die wichtigsten Produktionsstätten liegen im Pariser Raum. Die bed. Flugzeugind. hat ihr Zentrum in Toulouse. Der Schiffbau ist v.a. auf die Standorte Nantes und Saint-Nazaire konzentriert und auf den Bau von Tankern und Containerschiffen spezialisiert. Zu den führenden Ind.zweigen zählt auch die chem. und kosmet. Industrie. Trotz struktureller Schwächen spielt die Textil- und Bekleidungsind. innerhalb Europas eine führende Rolle. Weitere wichtige Branchen sind die Nahrungs- und Genussmittelind., die Herstellung von Holz-, Leder- und Papierwaren. Von der in Kraftwerken installierten Leistung entfielen (1992) 55% auf Kernkraftwerke, rd. 24% auf Wasserkraftwerke und rd. 22% auf Wärmekraftwerke. An der Rance arbeitet ein Gezeitenkraftwerk.

F. ist ein klass. Fremdenverkehrsland. Hauptreisegebiete sind Paris, die Mittelmeerküste, die Seebäder der Normandie und Bretagne, das Loiretal, die Atlantikküste, Burgund und die Provence; in den Alpen moderne Wintersportstationen.

Außenhandel: Wichtigste Ausfuhrgüter sind Maschinen und Kraftfahrzeuge, Eisen und Stahl, chem. Produkte, Textilien, landwirtsch. Erzeugnisse, kosmet. Produkte, Waffen. Hauptimportwaren sind Maschinen und Fahrzeuge, mineral. Rohstoffe, elektrotechn. und elektron. Erzeugnisse sowie Konsumgüter. Die Haupthandelspartner sind die EU-Länder, die USA, die Schweiz, Japan und Schweden.

Das *Verkehrsnetz* ist gut ausgebaut und auf Paris ausgerichtet. Von insgesamt 812 000 km Straßen (1993) sind 8 000 km Autobahnen (meist gebührenpflichtig) und 29 000 km Nationalstraßen. Die staatl. Eisenbahnges. SNCF (»Société Nationale des Chemins de Fer Français«) betreibt (1992) 32 731 km. Weiter ausgebaut wird das Streckennetz der Hochgeschwindigkeitszüge (TGV). Von den rund 8 500 km Wasserwegen werden rd. 6 500 km genutzt (2 640 km natürl. Wasserwege; 3 880 km Kanäle). Die größte Bedeutung besitzen die Seine zw. Paris und Le Havre, die Rhone (v.a. unterhalb von Lyon) und der elsäss. Teil der Rhein-Rhone-

Verbindung. Wichtigste Seehäfen sind Marseille, Le Havre, Dünkirchen und Rouen. Die wichtigsten internat. Flughäfen liegen bei Paris (Orly, Le Bourget, »Charles-de-Gaulle« in Roissy-en-France) sowie bei Marseille. Führende nat. Luftverkehrsgesellschaft ist die »Air France«; den Binnenverkehr besorgt v.a. die »Air Inter«.

Geschichte

Vorgeschichte: → Westeuropa.

Mittelalter (843–1483): Durch die Teilung des → Fränkischen Reiches im Vertrag von Verdun 843 erhielt Karl der Kahle das Westfränk. Reich, das bis zur Schelde, den Argonnen, der Saône, den Cevennen und der Rhonemündung reichte. Die westfränk. Karolinger verloren zwar an Macht, doch blieb die Monarchie als einheitl. politische Größe bestehen. Die Normanneneinfälle zu Beginn des 10. Jh. schwächten die Zentralgewalt (911 Verlust der Normandie), das umstrittene Lothringen ging 925 an das Dt. Reich über. Diese Ostgrenze blieb mit geringfügigen Änderungen das ganze MA. hindurch die dt.-frz. Grenze. Auch als 987 die Kapetinger auf den Thron gelangten, blieb die Königsmacht zunächst noch sehr gering, erst allmählich setzte sich die Erblichkeit der Krone durch. Mit Ludwig VI. erstarkte das Königtum, das sich auf die Kirche (sakrale Legitimation) und das neu entstandene Bürgertum stützte. 1154 vereinigte das Haus Anjou-Plantagenet durch Erbschaft und Heirat mehr als die Hälfte des Landes mit England. Aber Philipp II. August eroberte seit 1202 alle engl. Besitzungen mit Ausnahme der Guyenne und der Gascogne; er erweiterte das unmittelbare Kronland, das kapeting. Francia mit der Hptst. Paris, durch die Angliederung mehrerer Herzogtümer und Grafschaften. Als Bundesgenosse des Staufers Friedrich II. schlug er 1214 bei Bouvines den welf. Kaiser Otto IV. und die Engländer. Als er 1209 in den Kampf gegen die südfrz. Albigenser eingriff, sicherte er das Languedoc für die Krone (Eroberung 1229 rechtlich abgesichert). Mit dieser polit. Machtentfaltung verband sich die geistige Führerstellung der frz. Nation im Europa des 12./13. Jh.; die frz. Kultur wurde erstmals vorbildhaft für Europa. Einen Höhepunkt seiner Macht erreichte das frz. Königtum unter Philipp IV., dem Schönen, der 1303 seinen Streit mit Papst Bonifatius VIII. siegreich durchfocht; das Papsttum musste 1309 für längere Zeit in den frz. Machtbereich nach Avignon übersiedeln. Zugleich drang F. in das Gebiet des Königreichs Burgund vor (Lyon, Provence, Dauphiné). Im Innern entstanden feste Zentralbehörden; 1302 wurden erstmals die Generalstände (États généraux) berufen, in denen neben Geistlichkeit und Adel das Bürgertum als »dritter Stand« (Tiers État) vertreten war.

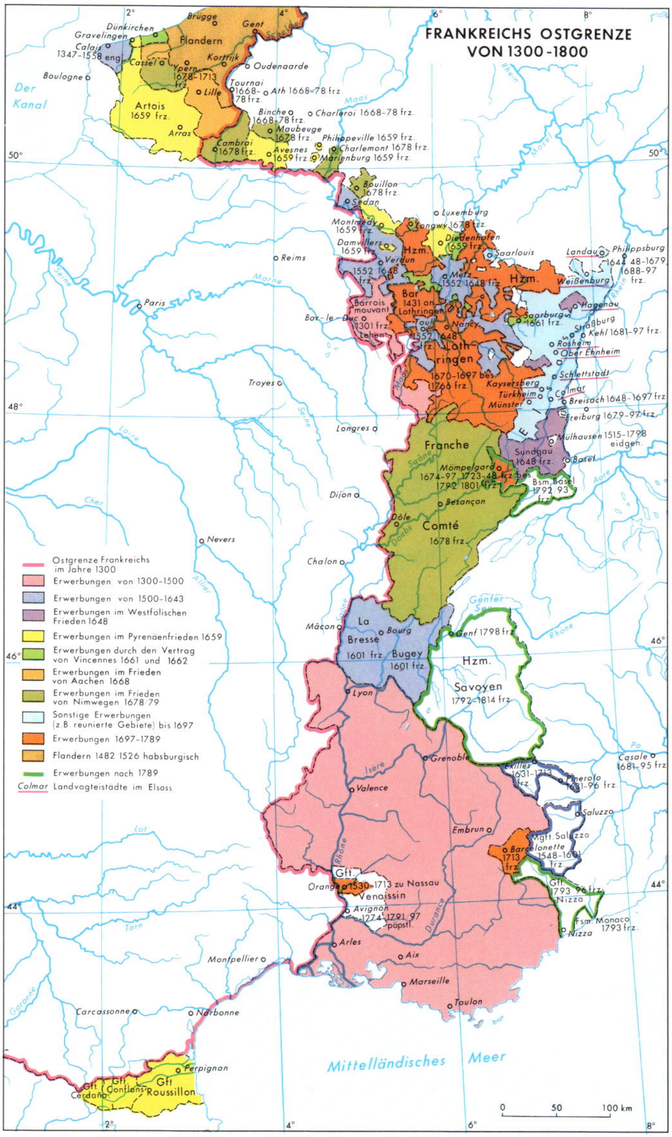

Als 1328 die Hauptlinie der Kapetinger ausstarb, fiel die Krone an die Linie Valois (Philipp VI.), obwohl auch der engl. König Eduard III. Plantagenet Ansprüche hatte und sie durchsetzen wollte; damit begann 1337/39 der Hundertjährige Krieg; die Valois mussten im Frieden von Brétigny 1360 Calais und das ganze südwestl. F. abtreten. Sie konnten zwar den größten Teil der verlorenen Gebiete zurückerobern, doch brachen heftige innere Kämpfe aus, in denen sich soziale Gegensätze (Bauernaufstand der Jacquerie) mit dem Streit zw. zwei Nebenlinien des Königshauses, den Herzögen von Orléans und Burgund, verknüpften. Diese schufen sich ein mächtiges frz.-dt. Zwischenreich, das sich mit England verbündete; 1415 wurden die Franzosen in der Schlacht von Azincourt schwer geschlagen. Paris und der größte Teil F.s wurden von den Engländern besetzt und Heinrich V. als König von Frankreich anerkannt. Das Eingreifen der Jeanne d'Arc brachte zwar noch nicht die Wende (Belagerung von Orléans 1428/29; Krönung Karls VII. in Reims 1429), stärkte aber den frz. Abwehrwillen, der 1435 zur Rückeroberung von Paris führte. Gleichzeitig führte Karl VII. wichtige innere Reformen durch; so legte er 1438 gegenüber dem Papsttum die »Gallikan. Freiheiten« gesetzlich fest; er leitete mit Unterstützung der Stände 1445 eine Heeresreform ein und konnte die besetzten Gebiete (außer Calais) zurückerobern (1453 Ende des Hundertjährigen Krieges). Ludwig XI. bekämpfte erfolgreich die großen Vasallen, v.a. aber Karl den Kühnen von Burgund. Nach dessen Tod (1477) fielen das Herzogtum Burgund (Bourgogne) und die Picardie an die frz. Krone.

Renaissance und Hugenottenkriege (1483–1598): Mit dem Eroberungszug Karls VIII. gegen Neapel 1494/95 griff F. in die europ. Machtkämpfe ein. Ludwig XII. verlor das Königreich Neapel 1503–05 an Spanien; dagegen eroberte er 1499 das Herzogtum Mailand. Franz I. bewarb sich 1519 um die dt. Krone, unterlag aber trotz päpstl. Unterstützung.

Frankreich (Geschichte): Ludwig XIV., zeitgenössisches Gemälde von Hyacinthe Rigaud

Seine vier Kriege gegen die spanisch-habsburg. Übermacht führten schließlich zum Rückzug der frz. Politik aus Italien. Im Inneren bereitete Franz den Absolutismus vor; er erlangte durch das Konkordat von 1516 entscheidenden Einfluss auf die frz. Kirche und baute die Verwaltung aus. 1532 kam als Letztes der ehem. selbstständigen Fürstentümer die Bretagne zur frz. Krone. Heinrich II. konnte 1552 Metz, Toul und Verdun in Besitz nehmen und 1558 Calais erobern. Etwa ab 1560 kamen mit den Religionskriegen gegen die →Hugenotten neue schwere Wirren über das Land. Die kath. Partei wurde dabei von Spanien, die prot. von England unterstützt. Die Hugenotten konnten, trotz des Massakers der Bartholomäusnacht (1572), die Stellung einer bewaffneten Minderheit behaupten. Nach dem Erlöschen des Hauses Valois bestieg 1589 ihr bisheriger Führer, der König von Navarra, als Heinrich IV. (aus der kapeting. Nebenlinie Bourbon) den Thron. Doch erlangte er erst 1593 durch seinen Übertritt zum Katholizismus die allg. Anerkennung; den Hugenotten gewährte er 1598 im Edikt von Nantes einen festen Rechtsstatus.

Absolutismus (1598–1789): Die Regierung Heinrichs IV. legte den Grund zum Wiederaufstieg des zerrütteten Landes. Gegenüber dem Hochadel, der in den Hugenottenkriegen wieder erstarkt war, setzte Kardinal Richelieu als leitender Minister Ludwigs XIII. den Absolutismus durch; nach der Eroberung von La Rochelle 1628 beseitigte er auch die polit. Sonderstellung der Hugenotten. Gegen Habsburg griff er 1635 erfolgreich in den Dreißigjährigen Krieg ein. Sein Nachfolger Kardi-

Die französischen Staatsoberhäupter (Könige: 843–1792 und 1814–48)

Karolinger	
Karl II., der Kahle	840/843–877 (875 Kaiser)
Ludwig II., der Stammler	877–879
Ludwig III.	879–882
Karlmann	879–884
Karl der Dicke	885–887 (881 Kaiser)
Robertiner	
Odo von Paris	888–898
Karolinger	
Karl III., der Einfältige	898–923
Robertiner	
Robert I. von Franzien	922–923
Haus des Boso	
Rudolf von Burgund	923–936
Karolinger	
Ludwig IV., der Überseeische	936–954
Lothar	954–986
Ludwig V.	986–987
Kapetinger (Robertiner)	
Hugo Capet	987–996
Robert II., der Fromme	996–1031
Heinrich I.	1031–1060
Philipp I.	1060–1108
Ludwig VI., der Dicke	1108–1137
Ludwig VII., der Junge	1137–1180
Philipp II. Augustus	1180–1223
Ludwig VIII., der Löwe	1223–1226
Ludwig IX., der Heilige	1226–1270
Philipp III., der Kühne	1270–1285
Philipp IV., der Schöne	1285–1314
Ludwig X., der Zänker	1314–1316
Johann I., das Kind	1316
Philipp V., der Lange	1317–1322
Karl IV., der Schöne	1322–1328
Haus Valois (Kapetinger)	
Philipp VI.	1328–1350
Johann II., der Gute	1350–1364
Karl V., der Weise	1364–1380
Karl VI., der Wahnsinnige	1380–1422
Karl VII., der Siegreiche	1422–1461
Ludwig XI., der Grausame	1461–1483
Karl VIII.	1483–1498
Ludwig XII. von Orléans	1498–1515
Franz I. von Angoulême	1515–1547
Heinrich II.	1547–1559
Franz II.	1559–1560
Karl IX.	1560–1574
Heinrich III.	1574–1589
Haus Bourbon (Kapetinger)	
Heinrich IV. von Navarra	1589–1610
Ludwig XIII.	1610–1643
Ludwig XIV.	1643–1715
Ludwig XV.	1715–1774
Ludwig XVI.	1774–1792
(Ludwig XVII., Dauphin)	
Erste Republik	
Nationalkonvent	1792–1795
Direktorium	1795–1799
Konsulat	1799–1804
Erstes Kaiserreich	
Napoleon I.	1804–1814 (1815)
Haus Bourbon (Kapetinger)	
Ludwig XVIII.	(1814) 1815–1824
Karl X.	1824–1830
Haus Orléans	
Louis Philippe	1830–1848
Zweite Republik (*Präsident*)	
Charles Louis Napoléon Bonaparte	1848–1851 (1852)
Zweites Kaiserreich	
Napoleon III.	1852–1870
Dritte Republik (*Präsidenten*)	
A. Thiers	1871–1873
M. E. P. M. Graf von Mac-Mahon	1873–1879
J. Grévy	1879–1887
M. F. S. Carnot	1887–1894
J. P. P. Casimir-Périer	1894–1895
F. Faure	1895–1899
É. Loubet	1899–1906
C. A. Fallières	1906–1913
R. Poincaré	1913–1920
P. Deschanel	1920
A. Millerand	1920–1924
G. Doumergue	1924–1931
P. Doumer	1931–1932
A. Lebrun	1932–1940
État Français (*Staatschef*)	
P. Pétain	1940–1944/45
Provisorische Regierung der Französischen Republik (*Präsidenten*)	
C. de Gaulle	1944/45–1946
F. Gouin, G. Bidault, L. Blum	1946–1947
Vierte Republik (*Präsidenten*)	
V. Auriol	1947–1954
R. Coty	1954–1959
Fünfte Republik (*Präsidenten*)	
C. de Gaulle	1959–1969
G. Pompidou	1969–1974
V. Giscard d'Estaing	1974–1981
F. Mitterrand	1981–1995
J. Chirac	seit 1995

nal Mazarin bezwang die ständisch-aristokrat. Unruhen der »Fronde« (1648–53). Im Westfäl. Frieden von 1648 erhielt F. die habsburg. Besitzungen im Elsass, Spanien musste im Pyrenäenfrieden von 1659 Roussillon und Artois abtreten.

Als nach Mazarins Tod 1661 Ludwig XIV. (1643–1715) selbst die Reg. übernahm, begann die Glanzzeit des frz. Absolutismus. Minister Colbert stärkte die finanziellen und wirtsch. Kräfte des Landes (→Merkantilismus), schuf eine mächtige Kriegsflotte und baute das frz. Kolonialreich (Kanada, Louisiane, Westindien) aus; Louvois machte das frz. Heer zur stärksten Kriegsmacht Europas. Durch den Devolutionskrieg von 1667/68 und den Holländ. Krieg 1672–79 gewann Ludwig XIV. das südl. Flandern und die Freigrafschaft Burgund; durch die »Reunionen« (Annexion Straßburgs 1681) rundete er seine Eroberungen ab. Gegenüber dem Papsttum vertrat er 1682 die Selbstständigkeit der »gallikan. Kirche«, während er die Hugenotten verfolgte und 1685 das Edikt von Nantes aufhob. Sein Hof in Versailles wurde das Vorbild der höfisch-aristokrat. Gesellschaft Europas. Aber Ludwig XIV. konnte gegen das Bündnis Österreichs und der Seemächte England und Holland die europ. Vormachtstellung nicht behaupten; das zeigte sich schon im Pfälz. Erbfolgekrieg 1688–97. Im →Spanischen Erbfolgekrieg setzten sich zwar die frz. Interessen durch, doch hatten die Kriege und die aufwendige Hofhaltung die Staatsfinanzen zerrüttet. Ludwig XV. setzte die kostspielige Kriegspolitik fort (→Polnischer Thronfolgekrieg, →Österreichischer Erbfolgekrieg); die schwersten Verluste, u.a. großer Teile der Kolonien, brachte die Teilnahme am →Siebenjährigen Krieg auf österr. Seite. Im Innern führte Ludwig XV. eine Reg. der Willkür und Verschwendung, die zunehmend von seinen Mätressen (u.a. Marquise von Pompadour, Gräfin Dubarry) beeinflusst wurde. Nach 1750 wuchs die Kritik an den Missständen der absoluten Monarchie, bes. an der sie stützenden kath. Kirche. Sie wurde formuliert von den Vertretern der Aufklärung (Montesquieu, Voltaire, Rousseau, Diderot u.a.), die jedoch kein einheitl. politisches Konzept vertraten. Bes. das wirtsch. aufstrebende Bürgertum (der dritte Stand) forderte Reformen, um – nach engl. Vorbild – an der polit. Macht teilzuhaben. Zur brennendsten Frage der Innenpolitik wurde die Zerrüttung der Staatsfinanzen, die durch die Teilnahme am nordamerikan. Unabhängigkeitskrieg gegen Großbritannien (1778–83) noch gesteigert wurde. Die Reformversuche der Finanzminister Ludwigs XVI. (Turgot, Necker, Calonne) scheiterten. Nach dem Staatsbankrott 1788 sollten die Generalstände, die seit 1614 nicht mehr getagt hatten, eine Lösung vorschlagen; sie traten am 5. 5. 1789 zusammen. Damit war die Bewegung ausgelöst, die zur Beseitigung des »Ancien Régime« führte.

Französische Revolution, Konsulat und Erstes Kaiserreich (1789–1815): Der dritte Stand erklärte sich am 17. 6. 1789 zur Nationalversammlung, Ludwig XVI. erkannte sie unter dem Druck der Pariser am 27. 6. an, am 9. 7. erklärte sie sich zur verfassunggebenden Nationalversammlung. Mit der Erstürmung der Bastille am 14. 7. begann der offene Aufstand. Die Nationalversammlung verkündete die »Menschenrechte«, schuf das neue Verwaltungssystem der Départements, beseitigte alle Standesvorrechte, zog das Kirchengut ein und gab dem Klerus eine Zivilverfassung. Der Fluchtversuch der königl. Familie am 21. 6. 1791 beschleunigte die Entwicklung. Zwar verkündete die Verf. vom 14. 9. 1791 die konstitutionelle Monarchie, doch strebten die polit. Klubs die Schaffung einer Rep. an. In der neu gewählten gesetzgebenden Nationalversammlung hatten die Girondisten die Führung. Sie setzten die Kriegserklärung an Österreich am 20. 4. 1792 durch, um der drohenden ausländ. Intervention zuvorzukommen. Damit begannen die →Französischen Revolutionskriege, die mit den innenpolit. Ereignissen in enger Wechselwirkung standen. Der Sturm der Volksmassen auf das Tuilerienschloss am 10. 8. 1792 eröffnete den Sturz der Monarchie, die der anstelle der Nationalversammlung berufene, aus allg. Wahlen hervorgegangene Nationalkonvent am 21. 9. förmlich abschaffte. Am 21. 1. 1793 wurde Ludwig XVI. hingerichtet. Die innere und äußere Notlage (Unruhen u. a. in der Vendée, der Bretagne und in Süd-F., militär. Rückschläge) führten zur Ausschaltung und Hinrichtung der Girondisten durch die Bergpartei (31. 5.–2. 6. 1793) und zur Schreckensherrschaft (Terreur) der Jakobiner. Zentrales Exekutivorgan mit weit reichenden Vollmachten wurde der Wohlfahrtsausschuss (mit Danton, Saint-Just, Robespierre), gegen die äußere Bedrohung organisierte L. Carnot ein allg. Volksaufgebot (Levée en Masse). Mit Unterstützung der →Sansculotten radikalisierte Robespierre die Revolution. Die Verwirklichung der demokrat. Verfassung vom 24. 6. 1793 wurde bis zu einem Friedensschluss ausgesetzt. Eine eigene Zeitrechnung wurde eingeführt, das Christentum durch einen Kult des »Höchsten Wesens« ersetzt. Nachdem Robespierre alle polit. Gegner liquidiert hatte (u. a. Danton und die Hébertisten), wurde er selbst gestürzt und hingerichtet (27. 7. 1794, nach dem Revolutionskalender 9. Thermidor). Damit war die Schreckensherrschaft zu Ende, und die gemäßigteren Republikaner hatten die Oberhand. Die Verf. vom 23. 9. 1795 gab die Reg. einem Direktorium von fünf Mitgliedern. Während die völlige Entwertung des Papiergeldes der Revolution, der Assignaten, zum Staatsbankrott führte, wurde der Krieg gegen die europ. Koalition siegreich beendet. F. behielt die österr. Niederlande und das linke Rheinufer, sein Einfluss erstreckte sich noch auf die in Holland, der Schweiz und Italien errichteten Tochterrepubliken. Eine 2. Koalition vertrieb jedoch im Feldzug von 1799 die Franzosen aus Italien. Napoleon Bonaparte stürzte durch den Staatsstreich vom 18. Brumaire (9. 11.) das Direktorium, die Konsulatsverfassung vom 13. 12. 1799 übertrug ihm die oberste Gewalt. Den Krieg brachte er durch die Friedensschlüsse von Lunéville (9. 2. 1801) und Amiens (27. 3. 1802) zum erfolgreichen Abschluss.

Frankreich (Geschichte): Napoleon Bonaparte als Kaiser der Franzosen, Gemälde von Jacques-Louis David (1820; Washington D. C., National Gallery of Art)

Im Innern schuf Bonaparte als Erster Konsul wieder eine feste Ordnung. Mit der kath. Kirche verständigte er sich durch das Konkordat vom 15. 7. 1801, und das frz. Recht wurde im Code Napoléon zusammengefasst. Gestützt auf eine Volksabstimmung, machte sich Bonaparte am 4. 8. 1802 zum Konsul auf Lebenszeit. Ein Senatsbeschluss erklärte ihn am 18. 5. 1804 zum erbl. Kaiser der Franzosen; er krönte sich selbst am 2. 12. 1804 in Gegenwart des Papstes Pius VII. in Paris. Am 18. 3. 1805 wurde Napoleon I. auch König von Italien. Die Ergebnisse der Großen Revolution wie die straff zentralist. Verwaltung, die allg. Wehrpflicht, die durch den Verkauf der Güter der Kirche und der adligen Emigranten geförderte Bildung eines selbstständigen und wohlhabenden Bauernstands und die bürgerl. Gesellschaftsordnung wurden im napoleon. Kaiserreich konsequent umgesetzt. Der Interessenkonflikt mit Großbritannien, aber auch der übersteigerte Machtwille Napoleons I. entlud sich in einer fast ununterbrochenen Folge neuer Kriege (→Napoleonische Kriege). 1805 besiegte Napoleon eine 3. europ. Koalition, 1806/07 Preußen und Russland, 1809 abermals Österreich. So konnte er seine Herrschaft immer weiter ausdehnen. Er gründete 1806, während das Dt. Reich sich auflöste, den von ihm abhängigen Rheinbund der dt. Mittel- und Kleinstaaten, 1807 das poln. Herzogtum Warschau und setzte in Holland, Neapel, dem neu geschaffenen Königreich Westfalen und in Spanien seine Brüder und Verwandten als Könige ein; der Papst wurde 1809 in frz. Gefangenschaft geführt; Piemont, Genua, Toskana und der Kirchenstaat, die Illyr. Provinzen, 1810 auch Holland und NW-Dtl. mit den Hansestädten wurden dem napoleon. Kaiserreich unmittelbar einverleibt. Nur Großbritannien behauptete nach der Vernichtung der frz. Flotte bei Trafalgar am 21. 10. 1805 die Seeherrschaft und unterstützte wirksam den großen span. Aufstand (seit 1808) gegen Napoleon; dieser suchte dagegen durch die Kontinentalsperre (seit 1806) den brit. Handel zu unterbinden. Den Wendepunkt der Laufbahn Napoleons bedeutete der Untergang seiner »Großen Armee« im russ. Feldzug 1812. Darauf erhob sich im Frühjahr 1813 Preußen und verbündete sich mit Russland und Großbritannien; auch Österreich schloss sich dieser 4. und größten Koalition gegen F. an. Die →Befreiungskriege führten zur völligen Niederlage des Kaisers, der am 6. 4. 1814 abdankte und nach Elba verbannt wurde, sowie zur Wiederherstellung (Restauration) des Königtums. Der 1. Pariser Friede (30. 5. 1814) beschränkte F. auf die Grenzen von 1792. Im März 1815 bemächtigte sich Napoleon noch einmal der Herrschaft, aber die »Hundert Tage« endeten mit seiner Niederlage bei Waterloo (18. 6.); er wurde nach Sankt Helena verbannt. Der 2. Pariser Friede (20. 11. 1815) bestimmte für F. die Grenzen von 1790.

Von der Restauration bis zum Zweiten Kaiserreich (1814/15–70): Der neue Bourbonenkönig Ludwig XVIII. erließ am 4. 6. 1814 eine Verfassung, die das Land in eine konstitutionelle Monarchie umwandelte, jedoch die gesellschaftspolit. Errungenschaften nicht rückgängig machte. Nach 1820, bes. aber ab 1824 unter Karl X., verstärkten sich restaurative Tendenzen. Umso entschiedener wurde die Gegnerschaft des bürgerl. Liberalismus. Die »Juliordonnanzen«, die das Industriebürgertum politisch entmachteten, gaben den Anlass zur Julirevolution von 1830, die Karl X. stürzte und den »Bürgerkönig« Louis Philippe von Orléans auf den Thron brachte. Herrschende Schicht wurde damit das Großbürgertum. Außenpolit. Erfolge (Eroberung Algeriens 1830–47) gingen einher mit der Verschärfung der sozialen Widersprüche im Inneren und der Unzufriedenheit der von der polit. Macht Ausgeschlossenen, die eine Rep. anstrebten. Die Februarrevolution 1848 stürzte das Bürgerkönigtum und proklamierte die »Zweite Republik«. Die radikalen Sozialisten konnten sich gegen die gemäßigten Republikaner nicht durchsetzen, ein Aufstand der Pariser Arbeiter wurde blutig niedergeschlagen. In direkter Wahl wurde im Dez. 1848 Louis Napoléon Bonaparte, Neffe Napoleons I., zum Präs. gewählt. Er geriet bald in Ggs. zum Parlament, erlangte nach dem Staatsstreich vom 2. 12. 1851 fast unbeschränkte Gewalt und wurde am 2. 12. 1852 als Napoleon III. zum Kaiser ausgerufen (durch Volksabstimmung bestätigt).

Das Zweite Kaiserreich stützte sich auf die Armee, begünstigte die kath. Kirche und betrieb eine aktive Wirtschafts- und Sozialpolitik. Es errang bald die führende Stellung unter den europ. Großmächten; im Bunde mit Großbritannien führte es den Krimkrieg 1853–56 gegen Russland; durch den Sieg über Österreich 1859 ermöglichte es die nat. Einigung Italiens, das dafür 1860 Savoyen und Nizza abtrat. Aber die Unternehmung gegen Mexiko 1861–67 war ein schwerer Misserfolg. In seiner Politik gegenüber den dt. Staaten suchte Napoleon III. v.a. eine gesamtdt. Einigung zu verhindern. Nach dem preuß. Erfolg von 1866 nahm er eine gegen Preußen und die dt. Reichsgründung gerichtete Bündnispolitik in Angriff, doch scheiterte der Versuch eines frz.-österr.-italien. Bündnisses an der →Römischen Frage. Inzwischen hatten die außenpolit. Fehlschläge die innere Gegnerschaft ansteigen lassen, sodass der Kaiser schließlich am 8. 5. 1870 den förml. Übergang zur konstitutionellen Monarchie vollzog. Kurz danach führte die Frage der hohenzollernschen Thronkandidatur in Spanien den →Deutsch-Französischen Krieg 1870–71 herbei; als Napoleon III. in Sedan in Gefangenschaft geriet, brach am 4. 9. 1870 in Paris die Revolution aus; L. Gambetta proklamierte die Republik.

Dritte Republik (1870–1940) und État Français (1940–44): Die von den Republikanern gebildete »Regierung der nat. Verteidigung« verweigerte die von Bismarck geforderte Abtretung Elsass-Lothringens und setzte den Krieg fort. Aber alle Versuche, die belagerte Hptst. zu befreien, endeten mit neuen Niederlagen; am 28. 1. 1871 fiel Paris. Die im Febr. 1871 gewählte Nationalversammlung mit einer monarchistisch-bonapartist. Mehrheit (Präs. A. Thiers) musste in Bordeaux der Abtretung Elsass-Lothringens im Versailler Vorfrieden (26. 2.) und Frankfurter Frieden (10. 5.) zustimmen. Teils aus patriot. Protest dagegen, teils aus sozialem Widerstand kam es zum Aufstand der Pariser →Kommune, deren radikal linke Führung ein sozialist. städt. Selbstverwaltungsmodell anstrebte. Ende Mai warfen Regierungstruppen den Aufstand nieder (»blutige Woche«).

Wirtschaftlich und gesellschaftlich war die Dritte Republik eine Fortsetzung des Zweiten Kaiserreichs. Thiers' Nachfolger Mac-Mahon vertrat die monarchistisch-klerikalen Kreise, er versuchte sogar, die Monarchie wieder einzuführen. Die Verf.änderung von 1875 und der Wahlsieg der Republikaner 1876 festigten endgültig den Parlamentarismus. Durch eine expansive Kolonialpolitik in N-Afrika und Indochina gewann F. außenpolitisch seine Großmachtrolle und Bündnisfähigkeit zurück, geriet jedoch in offenen Gegensatz zu Großbritannien (→Faschodakrise 1898/99). Die ökonomische Krise (»Große Depression«) Mitte der 1880er-Jahre schwächte die Republikaner und stärkte die Monarchisten und Bonapartisten. Besonders populär wurde General Boulanger, der als Wortführer einer antiparlamentarisch-nationalistischen Bewegung das Land an den Rand eines Staatsstreichs brachte. Weitere innenpolitische Erschütterungen riefen der Bestechungsskandal um den Bau des →Panamakanals und die →Dreyfusaffäre hervor.

George Benjamin Clemenceau
(Ausschnitt aus einem Gemälde von Édouard Manet, 1879/80; Paris, Louvre)

Gegen die nationalistisch-klerikalen Strömungen wandten sich v.a. die Radikalsozialisten als Vertreter des mittleren Bürgertums, die von den Sozialisten unter J. Jaurès unterstützt wurden. Eine Koalition aus diesen beiden Parteien stellte bis 1914 die Reg.: Die Kabinette Waldeck-Rousseau (1899–1902), Combes (1902–05) und Clemenceau (1906–09) setzten die »Laiengesetze« durch; die kirchl. Schulen wurden beseitigt, die Klöster aufgehoben und die Trennung von Staat und Kirche herbeigeführt. Die frz. Außenpolitik wurde zunehmend vom Gegensatz zu Dtl. geprägt. Die Marokkokrise 1905 hatte den Chauvinismus wieder belebt, er verbreitete sich nun von der äußersten Rechten (M. Barrès) aus auch unter den gemäßigten Republikanern. Poincaré, im Jan. 1912 zum MinPräs. berufen und als Symbolfigur des Revanchegedankens 1913 zum Staatspräs. gewählt, baute die gegen das Dt. Reich gerichtete Bündnis- und Rüstungspolitik noch weiter aus (frz.-russ. Bündnis und Entente cordiale). Im Sommer 1914 brach der 1. →Weltkrieg aus.

Raymond Poincaré

F. gewann im Versailler Vertrag 1918 Elsass-Lothringen. Es erhielt ferner als Mandatsgebiete Syrien und Libanon, von den dt. Schutzgebieten den überwiegenden Teil von Kamerun sowie Osttogo, außerdem die Saargruben und den Hauptanteil der dt. Reparationen zugesprochen. Dem frz. Sicherheitsbedürfnis dienten die militär. Bündnisse, die es mit Belgien, Polen, Tschechoslowakei, Jugoslawien und Rumänien abschloss (→Kleine Entente). Dadurch wurde F. wieder zur stärksten Festlandsmacht und erlangte gleichzeitig eine starke Stellung im Völkerbund. Poincaré (1922–24 MinPräs.) nutzte die Nichterfüllung der Reparationsforderungen durch Dtl. als Vorwand zur Besetzung des Ruhrgebiets (1923). Im Mai 1924 kam das »Linkskartell« unter dem Radikalsozialisten Herriot zur Regierung. Er leitete eine Verständigungspolitik gegenüber dem Dt. Reich ein, die jedoch keinen vollständigen Ausgleich brachte, da die Politik der Weimarer Republik auf die Revision des Versailler Vertrags zielte. Durch die Weltwirtschaftskrise war F. 1932 gezwungen, der Einstellung der dt. Reparationen (Konferenz von Lausanne) und der prinzipiellen Gleichberechtigung des Dt. Reiches auf dem Rüstungssektor zuzustimmen. Im Inneren verschärften sich die sozialen Spannungen, die Kabinette wechselten häufig. Diese Krise des parlamentar. Systems begünstigte die Entwicklung des Links- und Rechtsradikalismus. V.a. die rechtsextremist. Bewegungen (u.a. Croix-de-feu) lösten Unruhen (Paris, Febr. 1934) und den Rücktritt des Kabinetts Daladier aus. Außenpolitisch suchte F. die Verständigung mit der Sowjetunion (Beistandspakt 1935), Italien und Großbritannien (Stresafront 1935). Zu einer Aktion gegen die dt. Wiederbesetzung des entmilitarisierten Rheinlandes (7. 3. 1936) war F. ebenso wenig bereit wie Großbritannien. Die innenpolit. Instabilität führte im Frühjahr 1936 zu einem Wahlerfolg der »Volksfront«, zu der sich Radikalsozialisten, Sozialisten und Kommunisten zusammengeschlossen hatten. Ihre von L. Blum geleitete Regierung beschloss weit reichende soziale Reformen; im span. Bürgerkrieg ließ sie sich vom Prinzip der Nichteinmischung leiten. Das im April 1938 unter Daladier gebildete bürgerl. Kabinett tolerierte den Anschluss Österreichs an Dtl. und beteiligte sich am Münchener Abkommen. Den Angriff Hitlers auf Polen beantwortete F. trotz ungenügender Rüstung zus. mit Großbritannien mit der Kriegserklärung an das Dt. Reich (3. 9. 1939). Der frz. Widerstand brach nach sechswöchigem Kampf zusammen (22. 6. 1940 Waffenstillstand Marschall Pétains, 2. →Weltkrieg), der größere Teil F.s wurde von der dt. Wehrmacht besetzt; mit dem Rücktritt des Kabinetts Reynaud endete die Dritte Republik.

Philippe Pétain

Im unbesetzten F. wurde unter Pétain als Staatschef und Laval als leitendem Min. eine autoritäre Reg. gebildet (État Français, seit 1. 7. 1940 Sitz in Vichy), die nach der Begegnung Pétains mit Hitler (Montoire 24. 10. 1940) mit Dtl. zusammenzuarbeiten versuchte. In London bildete de Gaulle eine Exilreg., die bes. in N-Afrika Fuß fasste. Im Innern entfaltete sich eine Widerstandsbewegung (Résistance, Maquis), die bes. nach der Landung der Alliierten in N-Afrika (8. 11. 1942) an Schlagkraft gewann; am 11. 11. 1942 wurde die bisher freie Zone von dt. Truppen besetzt. Im Juni 1943 bildete de Gaulle in Algier das »Nat. Befreiungskomitee«, das sich unter seiner Führung am 3. 6. 1944 als »Provisor. Reg. der frz. Republik« etablierte. Die Invasion der Briten und Amerikaner in der Normandie (6. 6. 1944) und an der Mittelmeerküste führte zum Zusammenbruch des Vichy-Regimes und befreite F. von der dt. Besetzung (25. 8. Einzug de Gaulles und der Alliierten in Paris). Die provisor. Regierung musste den Mandatsgebieten Syrien und Libanon am 1. 1. 1944 ihre Unabhängigkeit zugestehen. 1945 nahm F. an der Besetzung Dtl.s und Österreichs teil, das Saargebiet gliederte es am 12. 2. 1946 aus seiner Besatzungszone als autonomes Gebiet aus.

Vierte Republik (1944–58) und Fünfte Republik: Am 21. 10. 1945 wurde aufgrund einer Volksbefragung die 1. gesetzgebende Nationalversammlung, am 2. 6. 1946 die 2. gewählt. Chef der provisor. Regierung war Nov. 1945 bis Jan. 1946 General de Gaulle; er trat zurück, als er seine Vorstellungen von einer starken Exekutive in der neuen Verf. nicht durchsetzen konnte. Am 24. 12. 1946 trat die Verf. der Vierten Rep. offiziell in Kraft; gleichzeitig wurde das Kolonialreich zur Frz. Union (→französische Kolonien) umgestaltet. Bis 1947 wurden die Reg. im Wesentlichen von Sozialisten, Kommunisten und Volksrepublikanern getragen (u. a. Verstaatlichungen, Modernisierungspläne für die Wirtschaft); Gegensätze u. a. in der Indochina- und der Finanzpolitik führten 1947 zum Ausschluss der Kommunisten durch MinPräs. Rama-

Charles de Gaulle

Frankreich - Verwaltungsgliederung

dier. Seit 1953 bildeten die Parteien der Mitte (Sozialisten, Volksrepublikaner, Radikalsoziale, Unabhängige) die Regierung. Die innenpolit. Auseinandersetzungen standen unter dem Eindruck der Spaltung der Kriegskoalition in ein westl. und ein östl. Lager und der Erstarkung der Bundesrep. Dtl. Außenpolitisch suchte F. als eine der Hauptmächte anerkannt zu werden und als Gründungsmitgl. der Vereinten Nationen (1945) eine vermittelnde Stellung zw. den Weltmächten einzunehmen. Unter Außenmin. Schuman (1948–52) und seinen Nachfolgern setzte sich F. für die Stärkung der Sicherheit W-Europas und für die europ. Zusammenarbeit ein: Gründungsmitgl. der OEEC (1948), des Europarats und der NATO (1949), der Montanunion (1951), WEU (1955), EWG und Euratom (1957). Seine ostasiat. Interessen vertrat F. ab 1954 in der SEATO. 1956 wurde die das frz.-dt. Verhältnis belastende Saarfrage gelöst. Die innenpolit. Zustände blieben weiterhin labil (bis 1958: 26 Kabinette), die Finanzkrise verschlimmerte sich durch den Misserfolg im Suezkanalkonflikt und die Kriege in Indochina und Algerien. Der vergebl. Versuch, Algerien als Teil F.s zu erhalten und den Aufstand der alger. nationalen Befreiungsfront (FLN) niederzuschlagen, löste dort den Putsch der frz. Streitkräfte und das Eingreifen General de Gaulles aus. Am 29. 5. 1958 beauftragte Staatspräs. Coty de Gaulle mit der Reg.bildung, die Nationalversammlung stimmte am 1. 6. seiner Reg.übernahme zu. Damit endete die Vierte Republik.

François Mitterrand

Mit der Verf. der Fünften Rep. (in Kraft seit dem 4. 10. 1958) stärkte de Gaulle die Exekutivgewalt, bes. die des Präsidenten. Seine Persönlichkeit bestimmte die polit. Entwicklung F.s bis 1969. Nach scharfen Auseinandersetzungen mit den Anhängern eines »frz. Algerien« (→OAS 2) wurde im Abkommen von Évian-les-Bains (18. 3. 1962) die alger. Unabhängigkeit anerkannt. Bereits 1958 war die Frz. Union in die →Französische Gemeinschaft umgewandelt worden. Der angestrebten Rolle einer selbstständigen Großmacht F. diente die Entwicklung einer eigenen Atomstreitmacht (Force de frappe) und die Lösung aus der militär. Integration der NATO. Im Sinne eines »Europa der Vaterländer« suchte de Gaulle die europ. Integrationspolitik auf ihre wirtsch. Ziele zu reduzieren. 1963 schlossen de Gaulle und K. Adenauer den →Deutsch-Französischen Vertrag. Seit Mitte der 1960er-Jahre bemühte sich die frz. Außenpolitik um eine Annäherung an die Ostblockstaaten. Im Inneren kulminierten im Mai 1968 soziale Unzufriedenheit, als Studentenunruhen und ein Generalstreik den Bestand der Fünften Rep. infrage stellten. Nach einer Abstimmungsniederlage bei einem Referendum trat de Gaulle am 28. 4. 1969 zurück.

Sein Nachfolger G. Pompidou leitete – unter Beibehaltung der Prinzipien des Gaullismus – eine Reformpolitik ein (nach außen durch Befürwortung des Beitritts Großbritanniens zu den EG, nach innen durch ein Regionalisierungsprogramm). Der Regierungsmehrheit (Gaullisten, unabhängige Republikaner und eine Fraktion der bürgerl. Mitte) stand 1972 die »Linksunion« (Sozialisten, linke Radikalsozialisten, Kommunisten) gegenüber, die von dem Sozialisten F. Mitterrand geführt wurde. Nach dem Tod Pompidous (1974) wurde V. Giscard d'Estaing, der Führer der Unabhängigen Republikaner, Staatspräsident. Er bemühte sich u.a. um eine Steuer- und Regionalreform und suchte Inflation und Arbeitslosigkeit zu bekämpfen und die Wirtschaft zu modernisieren.

Die Präsidentschaftswahlen 1981 gewann F. Mitterrand; die folgenden Parlamentswahlen brachten gleichfalls einen Sieg der Linksparteien. Gestützt auf die Reg. Mauroy, der neben Sozialisten und Linksradikalen auch Kommunisten angehörten, suchte Mitterrand mit einem Verstaatlichungs- und Dezentralisierungsprogramm Staat und Gesellschaft neu zu formen. Der 1984–86 amtierenden Regierung des Sozialisten L. Fabius gehörten die Kommunisten nicht mehr an. In der Außenpolitik kooperierte Mitterrand wieder enger mit den USA, auch verbesserte er die Beziehungen zur Sowjetunion. Bei den Parlamentswahlen 1986 erreichten die Gaullisten (RPR) und die Parteien der bürgerl. Mitte (UDF) die Mehrheit, sodass der Präs. mit ihnen zusammenarbeiten musste (»Cohabitation«); Premiermin. wurde der Gaullist J. Chirac. Mit großer Mehrheit wählte die Bev. 1988 Mitterrand erneut zum Staatspräs., der zunächst M. Rocard (1988–91), später Edith Cresson (1991–92) und P. Bérégovoy (1992–93) zu Premiermin. berief. Bei einem Referendum im Sept. 1992 stimmte nur eine knappe Mehrheit der Bev. für die Ratifizierung des Vertrages von Maastricht. Nachdem die bürgerl. Parteien (RPR und UDF) bei den Wahlen von 1993 eine große Mehrheit errungen hatte, berief Mitterrand den Gaullisten E. Balladur zum Premierminister. Bei den Präsidentschaftswahlen von 1995 setzte sich J. Chirac als Kandidat der Rechten durch. Der von ihm eingesetzte Premiermin. A. Juppé und die hinter ihm stehenden Parteien verloren jedoch bei der Umsetzung des Regierungsprogramms schnell an Ansehen (bes. aufgrund des strengen Sparkurses), sodass bei vorgezogenen Neuwahlen 1997 nunmehr die Sozialisten eine starke Mehrheit in der Nationalversammlung erreichten. Neuer Premiermin. an der Spitze einer Koalitionsregierung aus Sozialisten, Kommunisten und Grünen wurde der Sozialist Lionel Jospin.

📖 BRAUDEL, F.: *F.,* 3 *Bde. A. d. Frz. Stuttgart 1989–90.* – *Gesch. F.s, hg. v.* J. FAVIER, *6 Bde. in 7 Tlen. A. d. Frz. Stuttgart 1989–95.* – HAUPT, H.-G.: *Sozialgesch. F.s seit 1789. Frankfurt am Main ²1990.* – SCHULIN, E.: *Die Französische Revolution. München ³1990.* – BRÜCHER, W.: *Zentralismus u. Raum. Das Beispiel F. Stuttgart 1992.* – ITIN, M.: *Grundrechte in F. Zürich 1992.* – LOTH, W.: *Gesch. F.s im 20. Jh. Neuausg. Frankfurt am Main 1992.* – VOSS, J.: *Deutsch-frz. Beziehungen im Spannungsfeld von Absolutismus, Aufklärung u. Revolution. Bonn u. a. 1992.* – *F. Politik, Gesellschaft, Wirtschaft, hg. v.* G. HAENSCH *u.* H. J. TÜMMERS. *München ²1993.* – MIDDELL, M. *u.* HÖPEL, T.: *Einführung in die frz. Gesch. 1500–1945. Leipzig 1993.* – FURET, F. *u.* RICHET, D.: *Die Französische Revolution. A. d. Frz. Tb.-Ausg. Frankfurt am Main 12.–13. Tsd. 1993.* – HAENSCH, G.: *Kleines F.-Lexikon. München ³1994.* – HÜBNER, U. *u.* CONSTANTINESCO, V.: *Einführung in das frz. Recht. München ³1994.* – SCHUNCK, P.: *Gesch. F.s. Von Heinrich IV. bis zur Gegenwart. München u. a. 1994.* – SILVERMAN, M.: *Rassismus u. Nation. Einwanderung u. die Krise des Nationalstaats in F. A. d. Engl. Hamburg 1994.* – BRÜNE, S.: *Die frz. Afrikapolitik. Baden-Baden 1995.* – *F. Eine illustrierte Gesch., bearb. v.* C. JONES. *A. d. Engl. Frankfurt am Main u. a. 1995.* – *F. im europ. Staatensystem der frühen Neuzeit, hg. v.* R. BABEL. *Sigmaringen 1995.* – MABILEAU, A.: *Kommunalpolitik u. -verwaltung in F. A. d. Frz. Basel u. a. 1995.* – *F. verstehen. Eine Einführung mit Vergleichen zu Deutschland, Beiträge v.* E. U. GROSSE *u.* H.-H. LÜGER. *Darmstadt ⁴1996.* – HAUSMANN, F.-R.: *Französ. Mittelalter. Stuttgart u. a. 1996.* – WEISENFELD, E.: *Gesch. F.s seit 1945. Von de Gaulle bis zur Gegenwart. München ³1997.*

Franktireurs [frãti'rœ:r; frz. »Freischärler«] (Francs-tireurs), in den Napoleon. Kriegen entstandene Bez. für frz. Infanteriesoldaten. Seit dem Dt.-Frz. Krieg 1870/71 nannte man F. die bewaffneten Zivilisten, die hinter der Front dt. Truppen bekämpften; so auch im 1. Weltkrieg in Belgien.

Francs-Tireurs et Partisans français hieß 1940–45 die militär. Organisation der frz. Résistance.

Fransenflügler, die →Blasenfüße.

Františkovy Lázně ['frantjiʃkɔvi 'la:znjɛ], tschech. Stadt, →Franzensbad.

Frantz, Justus, Pianist, *Hohensalza 18. 5. 1944; v. a. Interpret von Werken der Wiener Klassik und der Romantik; trat auch als Duopartner von C. Eschenbach auf; organisierte 1986–94 alljährlich das Schleswig-Holstein-Musikfestival; gründete 1994 mit der »Philharmonie der Nationen« ein eigenes, vom Festival unabhängiges Orchester.

Franz (frz. François), Herrscher:

Hl. Röm. Reich: **1) F. I.,** Kaiser (1745–65), als Herzog von Lothringen (1729–35) und Großherzog von Toskana (1737–65) **F. Stephan,** *Nancy 8. 12. 1708, †Innsbruck 18. 8. 1765, Großvater von 2); musste Lothringen infolge des Poln. Thronfolgekrieges abtreten, erhielt dafür die Toskana (1737); heiratete 1736 Maria Theresia und wurde damit der Stammvater des Hauses Habsburg-Lothringen; blieb als Mitregent (seit 1740) und Kaiser ohne politischen Einfluss.

2) F. II., Kaiser (1792–1806), als Kaiser von Österreich (1804–35) **F. I.,** *Florenz 12. 2. 1768, †Wien 2. 3. 1835, Neffe Josephs II., Enkel von 1), Großvater von 5); musste als Folge der Französischen Revolutionskriege (1792–1802) schwere Gebietsverluste hinnehmen; proklamierte 1804 das Kaiserreich Österreich, legte am 6. 8. 1806 angesichts der inneren Auflösung des Reiches (v. a. →Rheinbund) die Röm. Kaiserkrone nieder und erklärte das Hl. Röm. Reich als erloschen. Nach 1809 suchte er sich Napoleon I. zu nähern und stimmte 1810 der polit. Heirat seiner Tochter Marie Louise mit ihm zu. In den Befreiungskriegen schloss er sich – zunächst geheim (1813) – dem preußisch-russ. Bündnis an; er berief den Friedenskongress von 1814/15 nach Wien. Nach 1815 richtete sich seine Politik, geleitet von Metternich, gegen alle nat. und liberalen Bestrebungen.

Frankreich: **3) F. I.,** König (1515–47), aus der Seitenlinie Orléans-Angoulême des Hauses Valois, *Cognac 12. 9. 1494, †Rambouillet 31. 3. 1547; eroberte durch seinen Sieg über die Schweizer bei Marignano 1515 das Herzogtum Mailand und schloss mit Papst Leo X. das für Frankreich vorteilhafte Konkordat von 1516 ab. 1519 bewarb er sich vergeblich um die dt. Kaiserkrone und kämpfte danach in vier Kriegen gegen Habsburg (1525/26 in span. Gefangenschaft). Er trat der Ausbreitung der Reformation mit Entschiedenheit entgegen. F. gilt als Wegbereiter des frz. Absolutismus. Sein Mäzenatentum verschaffte den geistigen Bestrebungen der Renaissance Eingang in Frankreich.

Justus Frantz

📖 TREFFER, G.: *F. I. von Frankreich (1494–1547). Herrscher u. Mäzen. Regensburg 1993.*

Österreich: **4) F. I.,** →Franz 2).

Österreich-Ungarn: **5) F. Joseph I.,** Kaiser (1848 bis 1916), König von Ungarn (1867–1916), *Schloss Schönbrunn (heute zu Wien) 18. 8. 1830, †ebd. 21. 11. 1916, Neffe von Ferdinand I., Enkel von 2), Onkel von 6), ⚭ 1854 mit →Elisabeth 3); trat 1848 nach Abdankung seines Onkels die Reg. an. Er hob die Verf.zugeständnisse von 1849 auf (1851) und regierte im absolutist. Sinn (Zentralismus, klerikale Kirchenpolitik). Die Niederlagen im Sardinisch-Französisch-Österr. Krieg (1859) leiteten eine Wende zu konstitutionellen Formen ein (Oktoberdiplom 1860, Februarpatent 1861). Der Verlust der Vorherrschaft in Dtl. nach dem Dt. Krieg 1866 zwang zur Verständigung mit Ungarn; der

Franz Joseph I.,
Kaiser von Österreich und König von Ungarn

Ausgleich von 1867 schuf eine Realunion von Österreich und Ungarn. Seitdem orientierte er sich an der dualist. Verfassung. Grundlage seiner Außenpolitik waren seit 1866 →Zweibund und →Dreibund, wobei er die Spannungen mit Russland (Balkanfrage) nicht erkannte. Seine Fehleinschätzung der Kräfteverhältnisse trug mit zu der Konstellation bei, die in den 1. Weltkrieg mündete.

Franz Ferdinand, Erzherzog von Österreich

🕮 PALMER, A.: *F. Joseph I. Kaiser von Österreich u. König von Ungarn. A. d. Engl. München u. a. 1995.*

6) F. Ferdinand, Erzherzog, *Graz 18. 12. 1863, †(ermordet) Sarajevo 28. 6. 1914, Neffe von 5); wurde durch den Tod des Kronprinzen Rudolf (1889) und seines Vaters, Erzherzog Karl Ludwig, (1896) Thronfolger; seit 1913 Generalinspekteur der Armee. Nach seiner Auffassung war die habsburg. Monarchie nur durch einen föderalist. (Trialismus) und liberaldemokrat. Staatsumbau (u. a. allg. Wahlrecht für Ungarn) zu retten. Seine Ermordung durch den serb. Nationalisten G. Prinčip war der äußere Anlass zum 1. Weltkrieg.

🕮 WEISSENSTEINER, F.: *F. Ferdinand. Der verhinderte Herrscher. München u. a. 1994.*

Franz von Assisi

Aus dem »Sonnengesang« des heiligen Franziskus – Worte des absoluten Gehorsams nach dem Beispiel Christi Jesus Christus:

»Laudato si', mi Signore, per sora nostra morte coporale, da la quale nullu homo vivente po'skappare ...«

(Gelobt seist Du, mein Herr, für unsere Schwester, den leiblichen Tod, der kein lebender Mensch entkommen kann).

Franz, Heilige: **1) F. von Assisi** (Franziskus), eigtl. Giovanni Bernardone, italien. Ordensstifter, *Assisi 1181 oder 1182, †ebd. 3. 10. 1226; stammte aus einer wohlhabenden Kaufmannsfamilie. Nach Krankheit und Bekehrungserlebnissen lebte er seit 1208 als Bettler und Wanderprediger und widmete sich der Pflege der Aussätzigen. 1209 schlossen sich ihm die ersten Gleichgesinnten an. Die schnell wachsende Anhängerschaft verband F. von Assisi zum »Orden der Minderen Brüder« (→Franziskaner) und verpflichtete sie in einer ersten, auf Texten des N. T. basierenden Regel zu einem Leben in Armut und Buße im Dienst an den Menschen und an der Kirche. F. trat 1220 von der Leitung des Ordens zurück (Rückzug auf den Monte Alverno, dort 1224 Stigmatisation). Seine Frömmigkeit ist bestimmt durch Einfühlsamkeit und Gebet, weniger durch theolog. Gelehrsamkeit. Als Beispiel kann neben seinen Gebeten bes. der »Sonnengesang« (1224; gilt als erstes Zeugnis italien. Lyrik; volkstüml. Sprache) dienen. Bereits 1228 heilig gesprochen, Tag: 4. 10.

🕮 HOLL, A.: *Der letzte Christ. F. von Assisi. Frankfurt 1989.* – DIETERICH, V.-J.: *F. von Assisi Reinbek 1995.* – FRUGONI, C.: *F. von Assisi. Die Lebensgeschichte eines Menschen. A. d. Italien. Zürich u. a. 1997.*

2) F. von Paula (F. von Paola), italien. Ordensstifter, *Paola (bei Cosenza) um 1436 (1416?), †Schloss Plessis-lès-Tours 2. 4. 1507; gründete den Orden der Minimen (Paulaner), 1519 heilig gesprochen, Tag: 2. 4.

3) F. von Sales, frz. Ordensstifter, *Schloss Sales (bei Annecy) 21. 8. 1567, †Lyon 28. 12. 1622; gründete 1610 mit Jeanne Françoise de Chantal (*1572, †1641) den Orden der Salesianerinnen; vertrat anstelle asket. Weltabgewandtheit eine christl. Frömmigkeit im alltägl. Leben; behandelte aufgrund eigener Gotteserfahrung auch myst. Fragen (»Abhandlung von der Gottesliebe«); 1665 heilig gesprochen (Tag: 24. 1.), 1877 zum Kirchenlehrer erklärt.

4) F. Xaver, eigtl. Francisco de Jassu y Xavier (Javier), span. kath. Theologe, Jesuit, *Schloss Javier (bei Sangüesa, Prov. Navarra) 7. 4. 1506, †auf Shangchuan (bei Kanton) 3. 12. 1552; Mitbegründer des Jesuitenordens; 1541 als päpstl. Legat im Auftrag des portugies. Königs Johann III. in Indien; unternahm von dort Missionsreisen nach Ceylon, Malakka und Japan. 1622 heilig gesprochen (Tag: 3. 12.), Patron der kath. Mission.

Franz, 1) Günther, Historiker, *Hamburg 23. 5. 1902, †Stuttgart 22. 7. 1992; arbeitete v. a. zur Agrargesch. (»Gesch. des Bauernstandes«, 1970) und zur Gesch. des dt. Bauernkrieges (»Der dt. Bauernkrieg«, 1933, ^{12}1984); editierte daneben Quellen und fachl. Bücherkunden.

2) Robert, eigtl. R. F. Knauth, Komponist, *Halle (Saale) 28. 6. 1815, †ebd. 24. 10. 1892; hinterließ über 350 Lieder mit Klavierbegleitung und Bearbeitungen von Werken J. S. Bachs und G. F. Händels im Stil seiner Zeit.

3) Wolfgang, Wirtschaftswissenschaftler, *Nassau 7. 1. 1944; Prof. u. a. in Konstanz; befasst sich v. a. mit Arbeitsmarkt- sowie empir. Wirtschaftsforschung und Makroökonomie; seit 1994 Mitgl. des Sachverständigenrates zur Begutachtung der gesamtwirtsch. Entwicklung und seit 1997 Leiter des Zentrums für Europ. Wirtschaftsforschung (ZEW, Mannheim).

Franzband, Abk. für **franz**ösischer Ein**band,** handgebundener Ganzledereinband mit direkt am Falz angesetzten Pappdeckeln; **Halbfranz** ist ein entsprechender Halbledereinband.

Franzbranntwein, kampferhaltige alkohol. Lösung; durchblutungsfördernd und hautreizend; Massage- und Einreibemittel bei Muskelschmerzen und gegen Wundliegen.

Franzensbad (tschech. Františkovy Lázně), Stadt im Westböhm. Gebiet, Tschech. Rep., 448 m ü. M., nördlich von Eger, 4800 Ew.; Heilbad mit Mineralquellen, auch Mooranwendungen. – 1791 wurde F. (nach Kaiser Franz II. benannter) Kurort; 1865 Stadt.

Franzilen, → Francia.

Franziskaner, die Mitglieder des »Ordens der Minderen Brüder«, die nach der 1223 von Papst Honorius III. bestätigten Regel des Franz von Assisi leben. Sie gehören zu den sog. Bettelorden; zu ihrer Ordenstracht zählt braunes Habit mit Kapuze, weißer Strick als Gürtel, oft auch Sandalen. Philosoph.-theolog. orientieren sich die F. besonders an der platon.-augustin. Tradition: Sie betonen Wille und Liebe gegenüber Intellekt und Erkennen, wenn es um den Weg zu Gott geht, denn die Liebe vereinige uns inniger mit Gott als der Glaube (Duns Scotus). Der Orden breitete sich rasch in Europa aus, trotz der internen Auseinandersetzungen zw. den Spiritualen (1318 verurteilt), später den Observanten, die auf wörtl. Regelbefolgung drangen, und den Konventualen, die eine Angleichung an die älteren Orden erstrebten (1517 dann Trennung). Heute umfassen die F. drei voneinander unabhängige Orden: **Franziskaner** (lat. Ordo Fratrum Minorum, Abk. OFM); nach den Jesuiten der zweitgrößte Orden (Ende 1994 weltweit 18067 Mitgl.) der kath. Kirche, an seiner Spitze steht der auf 12 Jahre gewählte Generalmin.; er ist bis heute in Seelsorge, Schule, Wiss. und Mission tätig. Die **Konventualen** (OFM Conv), auch Minoriten gen., zählen 4516 Mitgl., die **Kapuziner** (OFM Cap), eine im 17. Jh. entstandene Reformgruppe, 11088. – Der weibl. Zweig (Zweiter Orden) geht auf die hl. Klara von Assisi zurück. Er bildet eine kontemplativ ausgerichtete Ordensgemeinschaft **(Klarissen)** mit (1992) 11000 Mitgl.; sein Reformzweig sind die Klarissen-Kapuzinerinnen (2800). Um die F. haben sich auch franziskan. Laiengemeinschaften (→ Dritter Orden) gebildet.

📖 Feld, H.: *Franziskus von Assisi u. seine Bewegung. Neuausg. Darmstadt 1996.*

Franz-Josef-Land [nach dem österr. Kaiser Franz Joseph I.] (russ. Semlja Franza-Iossifa), Gruppe von 191 unbewohnten (außer Geophysikal. Observatorium und Polarstationen) Inseln im Nordpolarmeer, östlich von Spitzbergen, zu Russland, 16090 km²; die größten sind Alexandra-, Georg-, Wilczekland und die Graham-Bell-Insel; fast alle Inseln (bis 620 m ü. M.) sind eisbedeckt. Auf der Rudolfinsel liegt bei 81° 49' n. Br. der nördlichste Punkt Russlands. F.-J.-L. wurde 1873 von der österr.-ungar. Nordpolarexpedition entdeckt.

Franz Joseph I., österr. Kaiser, → Franz, Herrscher.

Franzobel (eigtl. Franz Stefan Griebl), österr. Schriftsteller, * Vöcklabruck 1. 3. 1967; schreibt in der Tradition der experimentellen Dichtung (»Musenpresse«, 1994; »Krautflut«, 1995); 1996 erschien sein Drama »Beuschelgeflecht«; erhielt 1995 den Ingeborg-Bachmann-Preis.

Franzos, Karl Emil, österreich. Schriftsteller, * Czortków (heute Tschortkiw, Gebiet Ternopol) 25. 10. 1848, † Berlin 28. 1. 1904; Wiederentdecker der Werke G. Büchners; schrieb aus liberaler Sicht Kulturbilder und Erzählungen aus der Welt des osteurop. Judentums.

Franzose, *Technik:* Schraubenschlüssel mit verstellbarer Maulweite.

Franzosen, den Romanen zugehörendes Volk, das Staatsvolk Frankreichs mit frz. Muttersprache. Neben den vorindogerman. Ligurern im SO, den Iberern im SW und den grch. Siedlungen an der Südküste bilden die Gallier den Grundstock des frz. Volkes. Die Römer drangen zuerst 125 v. Chr. im S ein und hatten hier auch später einen größeren Einfluss auf die Bev. als in den übrigen Teilen Galliens. Seit dem 3. Jh. kamen die salischen Franken von NO her ins Innere Galliens bis an die Loire. Der Einfluss der Franken bewirkte die Trennung in Nord- und Südfranzosen. Unterschiede in Sprache, Sitte und Wesensart sind bis heute geblieben. Der innere Zusammenhalt wurde bes. in der Revolution von 1789 gefestigt.

Französisch-Äquatorialafrika (frz. Afrique Équatoriale Française, Abk. AEF), 1910–58 frz. Gebiet in Zentralafrika, 2,5 Mio. km², (1958) fast 5 Mio. Ew., Verw.sitz Brazzaville; umfasste die Gebiete Gabun, Mittelkongo (heute Rep. Kongo), Ubangi-Schari (heute Zentralafrikan. Rep.) und Tschad. – Seit 1842 setzten sich die Franzosen an der Küste von Gabun fest. Die Entwicklung zur großen Kolonie 1875–85 kam v. a. durch den Grafen de Brazza zustande, der mit Brazzaville 1880 die Verwaltungszentrale und spätere Hptst. (seit 1904) von F.-Ä. schuf. Der Versuch J.-B. Marchands, ein zusammenhängendes Kolonialreich zu gründen, scheiterte am Widerstand H. H. Kitcheners (→ Faschodakrise). Aus mehreren Kolonien entstand 1910 F.-Ä. Ende 1958 wurden die einzelnen Gebiete Staaten der → Französischen Gemeinschaft, 1960 souverän.

Französische Bulldogge, kräftige, gedrungen aussehende Haushunderasse mit kurzem, stumpfnasigem Gesicht und kurzer Behaarung; Schutz- und Begleithund.

Französische Gemeinschaft (frz. Communauté Française), durch die frz. Verf. vom 4. 10. 1958 anstelle der → Französischen Union geschaffene staatsrechtl. Verbindung der Frz. Republik mit den autonom gewordenen Kolonialgebieten Dahomey (heute Benin), Elfenbeinküste, Gabun,

Kongo, Madagaskar, Mauretanien, Niger, Obervolta (heute Burkina Faso), Tschad, Senegal, Sudan (heute Mali) und Zentralafrikan. Republik; hinzu kamen die UN-Treuhandgebiete Kamerun und Togo. Nach der Entlassung der Gebiete in die Unabhängigkeit (1960) bildete die Frz. Republik 1960 mit Gabun, Kongo-Brazzaville, Madagaskar, Senegal, Tschad und der Zentralafrikan. Republik auf völkerrechtl. Grundlage eine neue (zweite) F. G., die formell bis heute besteht.

französische Kolonien. Das frz. Kolonialreich entstand im Wesentlichen durch zwei Expansionswellen im 17. und im 19. Jh. Ende des 17. Jh. erstreckte sich das frz. Einflussgebiet in Amerika auf einen Teil der Antillen (u. a. Guadeloupe, Martinique, den westl. Teil von Haiti), auf Guayana, das Mississippibecken (Louisiane), Neufundland und Teile Kanadas (→Akadien), in Afrika auf die Küste Senegals und die Insel Réunion. Durch die Niederlagen im Span. Erbfolgekrieg und im Siebenjährigen Krieg verlor Frankreich alle Besitzungen auf dem amerikan. Festland. Die Expansion begann erneut 1830 mit der Eroberung von Algier. Bis zu den 1860er-Jahren erweiterten die Franzosen ihre Einflusssphäre in West- und Mittelafrika sowie in Ozeanien (u. a. Tahiti, Neukaledonien). Mit der Eroberung von Cochinchina 1858–62 und dem Protektorat über Kambodscha begann die frz. Herrschaft über Indochina. Nach 1870 wurden diese verstreuten Besitzungen durch Neuerwerbungen bes. in Afrika (Tunesien, Marokko, Kongogebiet, Sudan, Madagaskar) zu einem riesigen Kolonialreich ausgeweitet. 1919 erhielt Frankreich auch die Herrschaft über die ehem. dt. Kolonien Togo und Kamerun, aus dem sich auflösenden Osman. Reich das Völkerbundsmandat über Syrien und den Libanon. Das frz. Kolonialreich hatte damit seine größte Ausdehnung.

Obwohl nach dem Vorbild des Commonwealth 1946 die Französische Union gegr. wurde (seit 1958 →Französische Gemeinschaft), die die Kolonialherrschaft lockern sollte, begann mit der frz. Niederlage im Indochinakrieg (1946–54) der Zerfall des frz. Kolonialreichs; viele f. K. wurden in den Jahren 1956–60 selbstständig. Der Algerienkrieg (1954–62) erschütterte auch das Mutterland schwer, er endete mit der Unabhängigkeit Algeriens. Die noch verbliebenen Gebiete gelten heute entweder als Teil des Mutterlandes (Überseedépartements) oder – mit beschränkter Selbstverwaltung – als Überseeterritorien (→Frankreich).

📖 Fuchs, G. *u.* Henseke, H.: *Das frz. Kolonialreich. Berlin 1988.*

französische Kunst. Die Geschichte der f. K. setzt um die Jahrtausendwende ein, als die Kunst des westfränk. Reiches im Ggs. zu den vorhergehenden, eher übernationalen Charakter aufweisenden künstler. Leistungen (→merowingische Kunst, →karolingische Kunst) mit spürbar eigenständigen Erscheinungsformen hervortrat. Die f. K. kam um 1100, zunächst bes. in der Architektur und der Plastik, zu ihrer vollen Entfaltung und bestimmte dann wesentlich die Entwicklung der Kunst in Europa mit.

Mittelalter

Baukunst: Der roman. Kirchenbau entwickelte sich seit Beginn des 11. Jh. bei ausgeprägten regionalen Unterschieden stilbildend für die architekton. Prinzipien der Epoche: Doppelturmfassade, Staffelchor oder Chor mit Umgang und Kapellenkranz (z. B. Saint-Martin in Tours, 997–1015). Gewölbebauten, meist mit tonnengewölbtem Mittelschiff, traten in Süd- und Mittelfrankreich auf. Das Vorherrschen des Tonnengewölbes ging, wie viele dekorative Formen, auf spätantike Überlieferungen zurück, die in Aquitanien gebauten Kuppelkirchen (Saint-Front in Périgueux) auf byzantin. Vorbilder. Die in den roman. Kirchen der Normandie (Saint-Étienne in Caen) durchgebildete Gliederung der Innenwände in Emporen, Laufgänge vor den Obergaden und Dienste entsprach bereits got. Bauvorstellungen. In der Gotik übernahm die f. K. die führende Rolle innerhalb der europ. Kunst. Das Ursprungsland der Gotik war die Île-de-France, wo seit Mitte des 12. Jh. die Abteikirche in Saint-Denis, die Kathedralen in Sens, Senlis, Noyon, Laon und Paris richtungweisend wurden. Zur klass. Vollendung der Hochgotik reifte der Stil in der ersten Hälfte des 13. Jh. in den Kathedralen in Chartres, Soissons, Reims und Amiens. Bald setzte die Gotik sich auch in anderen Landschaften Frankreichs durch, meist in vereinfachten, regional abgewandelten Formen. Die Spätgotik lebte bis in das 16. Jh. fort (→Flamboyantstil). Neben den sakralen traten die profanen Bauaufgaben seit dem 14. Jh. stärker hervor (Stadtbefestigungen, bes. von Carcassonne; Papstpalast in Avignon u. a.).

Bildhauerkunst: Aus dem frühen MA. sind Goldschmiedearbeiten und Elfenbeinschnitzereien erhalten. Die frz. monumentale Bauplastik übernahm in der Romanik eine führende Rolle. Das Hauptwerk der nordfrz. Plastik der Zeit ist das um 1145 ausgeführte dreitorige Westportal der Kathedrale in Chartres. Aus der starren Gebundenheit der Gewände- und Tympanonfiguren lösten sich erstmals got. Skulpturen. Seit Beginn des 13. Jh. zeigte sich, obwohl idealisiert im Ausdruck, eine frische vollplast. Körpermodellierung bei zunehmend realistisch geprägten Proportionen und betont höf. Anmut: die Fassadenskulpturen von Notre-Dame in Paris, die Bildwerke der Querschiffportale der Kathedrale in Chartres und der Skulpturenschmuck der Kathedralen in Reims und Amiens. Die nach Lebenstreue strebende bildnishafte Grabplastik gewann im 14. Jh. an Bedeutung (Saint-Denis). Jenseits der internat. Gotik bildeten um 1400 die Skulpturen des in Burgund tätigen Niederländers C. Sluter einen Höhepunkt wirklichkeitsnaher und monumentaler Gestaltung. Kostbarste kleinplast. Werke schließlich schuf die zu neuer Blüte entwickelte Elfenbeinschnitzerei.

Malerei: Nach der an spätantike Überlieferungen anknüpfenden Malerei der karoling. Zeit formte sich in der Romanik eine zunehmend eigenständige frz. Malerei. Die Wandmalerei zeichnete sich bes. im Poitou und in Burgund durch hervorragende Leistungen aus (Doppelkapelle in Berzé-la-Ville). Die Emailkunst erlangte v. a. im Limousin (Limoges) sowie im Gebiet von Maas und Mosel, wo Nikolaus von Verdun an der Wende zur Gotik entscheidenden Einfluss besaß, höchste Bedeutung. In der Gotik wies die Glasmalerei mit den Fenstern der Kathedralen in Chartres, Le Mans, Bourges und der Sainte-Chapelle in Paris Werke von ungewöhnl. künstler. Vollendung auf. Die got. Buchmalerei fand in Paris zu Zeiten der Hofkunst Ludwigs IX. ihren ersten Höhepunkt (Bible moralisée, Ludwigspsalter). Mit den Arbeiten von J. Pucelle in der ersten Hälfte des 14. Jh. (Brevier de Jeanne de Belleville) sowie von Jacquemart de Hesdin und der Brüder von Limburg um die Jahrhundertwende (Stundenbücher des Herzogs von Berry) entstanden weitere Meisterwerke. Das auf Seide in Grisaille gemalte Parament von Narbonne (Louvre), der von J. Bandol aus Brügge entworfene Bildteppich der Apokalypse (Angers, Museum) sowie andere in Arras (Arazzi) und Tournai gearbeitete Bildteppiche gehören ebenfalls zu den wichtigsten Zeugnissen der frz. got. Kunst. Als sich im 15. Jh. eine realist. Darstellungsweise ausbreitete, bestimmten S. Marmion, J. Fouquet und die Schule von Avignon mit N. Froment und E. Quarton die frz. Malerei.

Renaissance und Manierismus

Baukunst: Die Architektur der seit der Wende zum 16. Jh. sich ausbreitenden Renaissance wandte sich bes. dem Schlossbau zu, urspr. unter starker Mitwirkung von italien. Künstlern (Leonardo da Vinci u. a.), bes. zu Zeiten Franz' I. (Loire-Schlösser Blois und Chambord sowie Fontainebleau u. a.). Mit P. Lescot (West- und Südflügel des Louvre) und mit P. Delorme (Tuilerien in Paris) fand um die Mitte des 16. Jh. die frz. Spielart der klass. Renaissance ihren reinsten Ausdruck. Im Kirchenbau wurden got. Formen mit Renaissanceelementen verbunden (Saint-Eustache in Paris).

Bildhauerkunst: Wegbereiter zur Zeit der Renaissance wurden die Italiener F. Laurana, G. Mazzoni, A. und J. Juste (Grabmal Ludwigs XII. in Saint-Denis). Ein Zentrum italienisch-frühmanierist. Bildhauerei bildete Schloss Fontainebleau mit den richtungweisenden Stuckdekorationen F. Primaticcios. J. Goujon (»Fontaine des Innocents« in Paris) und G. Pilon (Grabmal Heinrichs II. in Saint-Denis) verarbeiteten den italien. Einfluss zu einem Stil frz. Prägung.

Malerei: In der Renaissance verwarfen die durch Franz I. nach Fontainebleau berufenen italien. Maler (G. B. Rosso, F. Primaticcio) den nüchternen Realismus von F. Clouet und Corneille de Lyon; das manierist. Vokabular der Schule von →Fontainebleau bestimmte dann jahrzehntelang den offiziellen Geschmack.

Barock, Rokoko und Klassizismus

Baukunst: Das 17. Jh. brachte die Vollendung der klass. frz. Schlossbaukunst. Nachdem der von J. Lemercier, L. Le Vau und C. Perrault fortgeführte Bau des Louvre eingestellt worden war, beanspruchte zu Zeiten Ludwigs XIV. das unter der Leitung von L. Le Vau und J. Hardouin-Mansart entstehende Schloss von Versailles, Ausdruck höchster polit. Repräsentanz und Macht (Louis-quatorze-Stil), alle künstler. Kräfte. Repräsentative Wirkung erstrebten auch die Stadtpalais (Hôtels) und Schlösser des Adels (Maisons-Laffitte von F. Mansart, Vaux-le-Vicomte von L. Le Vau). Vom Geist einer erhabenen Tektonik erfüllt, nahm der Kirchenbau einen neuen Aufschwung (Kirche der Sorbonne, Invalidendom in Paris). Der dem Louis-quatorze-Stil folgende Régencestil lockerte die schweren Formen und leitete zum Louis-quinze-Stil, dem frz. Rokoko, über. Innenräume von heiter beschwingter Eleganz wurden eingerichtet (Ovaler Salon im Hôtel Soubise, Paris, von G. Boffrand); im Außenbau aber, auch dem der Kirchen, wurde eher ernste, strenge Haltung bewahrt. Der Klassizismus setzte nach der Mitte des 18. Jh. ein. Er reichte vom Louis-seize-Stil (Petit Trianon, Versailles; Panthéon, Paris) über den Sonderstil der →Revolutionsarchitektur (C.-N. Ledoux, É.-L. Boullée) bis zum →Empirestil unter Napoleon I. (C. Percier, P. F. L. Fontaine).

Bildhauerkunst: Die Bildhauer des 17./18. Jh. bedienten sich sowohl der klassizist. als auch der barocken Formensprache. Zu den wichtigsten Aufgaben gehörten neben Porträtbüsten, Grabmonumenten und Denkmälern Figuren für die königl. Schlösser und Gärten (P. Puget, A. Coysevox, F. Girardon, die Brüder N. und G. Cousteau, E. Bouchardon). Der Klassizismus gelangte im Werk von J.-B. Pigalle und E.-M. Falconet zum Durchbruch, zu seiner reifen Form im Schaffen von J.-A. Houdon und P.-J. David d'Angers. Hervorragende Leistungen finden sich in Porträtbüsten.

französische Kunst

| **1** Mittleres Westportal (»Königsportal«) der Kathedrale Notre-Dame in Chartres (um 1145-55) | **2** Claude Monet, »Felder im Frühling« (1887; Stuttgart, Staatsgalerie) | **3** Jean-Antoine Houdon, »Der Winter« (1783-85; Montpellier, Musée Fabre) | **4** Claude Lorrain, »Einschiffung der Königin von Saba« (1648; London, National Gallery) | **5** Jules Hardouin-Mansart, Invalidendom in Paris (1677-1706)

Malerei: Auf die frz. Malerei zu Beginn des 17. Jh. wirkte zunächst noch die Schule von Fontainebleau nach. Die frz. Grafik erreichte einen Höhepunkt mit dem Werk J. Callots. In der Malerei kamen verstärkt italien. Einflüsse zur Geltung (v. a. Caravaggio), die u. a. von dem lange Jahre in Italien tätigen S. Vouet nach Frankreich vermittelt wurden. Zu seinen Schülern gehörten E. Le Sueur und P. Mignard, ferner auch C. Le Brun (Apollogalerie im Louvre, Spiegelgalerie in Versailles), dessen Stil, wie ihn auch H. Rigaud und S. Vouet vertraten, die »Akademie« als verbindlich erklärte. Die Darstellungsmöglichkeiten reichten ferner in ihrer ganzen Breite von G. de La Tour über die Brüder Le Nain zu P. de Champaigne. Neben diesen Malern erschienen N. Poussin und Claude Lorrain mit klassisch-heroischen Landschaften sowie mytholog. und religiösen Motiven als hervorragende Meister ihrer Zeit. Im Rokoko entwickelte sich die frz. Malerei zu neuem Glanz. Vorbildlich für das

| 6

| 7

| 8

| **6** Renaissanceschloss Azay-le-Rideau im Loiretal (1518–27)
| **7** Niki de Saint Phalle und Jean Tinguely, Brunnenanlage auf der Place Igor Stravinski in Paris (1983)
| **8** Jean Nouvel, Wohnhaus Nemausus in Nîmes (1987)

18. Jh. entwickelten bes. A. Watteau, J.-B. S. Chardin, F. Boucher und J. H. Fragonard im Spannungsfeld einer locker-anmutigen Formensprache und einer realistisch gestimmten Bildwelt die entscheidenden Stilelemente. Als Pastellmaler wurden bes. J. B. Perronneau und M. Q. La Tour bekannt. J.-M. Vien wurde mit seinen Historienbildern richtungweisend für J.-L. David, der in seinen Werken den Klassizismus in ein polit. Programm umsetzte. Seine maßvolle, beherrschte Kunst charakterisierte das Bild der Revolutionszeit und des Ersten Kaiserreichs.

19. und 20. Jahrhundert

Baukunst: Restauration und Zweites Empire begünstigten den Historismus (städtebaul. Neugestaltung von Paris, Grand Opéra in Paris). Um die Mitte des 19. Jh. wurde Frankreich wegweisend in der Entwicklung von Eisen- und Stahlkonstruktionen (Bibliothèque Sainte-Geneviève, Paris, von H. Labrouste, 1843–50; Eiffelturm, Paris, 1889). Weitere architekton. Leistungen wurden um 1900 mit dem Beitrag zur Art nouveau (→Jugendstil; H. Guimard) und mit der Einführung des Stahlbetonbaus (A. Perret) geschaffen. Nach T. Garnier und E. Freyssinet traten dann in der 1. Hälfte des 20. Jh. bes. R. Mallet-Stevens, A. Lurçat und, als der bedeutendste frz. Architekt seiner Zeit, der gebürtige Schweizer Le Corbusier hervor. Auf seinen Ideen aufbauend, hat die frz. moderne Architektur seit 1955 einen Stil ausgeprägt, an dem v. a. M. Lods, B.-L. Zehrfuss, J. Prouvé und D. Perrault beteiligt waren bzw. sind. Individuellere Gestaltungen u. a. bei E. Aillaud, F. Spoerry, R. Simounet, R. Schweitzer und J. Nouvel. Viele bed. architekton. Leistungen entstehen heute, v. a. in Paris, unter Mitwirkung international tätiger Architekten.

Bildhauerkunst: Die Plastik tradierte im 19. Jh. das klassizistisch-realist. Formengut. Romant. Züge traten in den Werken von F. Rude, A.-L. Barye und J.-B. Carpeaux hervor. A. Rodin und A. Maillol führten bei gegensätzlicher Formensprache gemeinsam an der Schwelle zur Moderne die frz. Plastik auf einen neuen Höhepunkt. Anhaltend richtungweisend zeigten sich die plastischen Ausdrucksmöglichkeiten im 20. Jh. v. a. in dem Werk von H. Matisse, R. Duchamp-Villon, H. Laurens und A. Beaudin sowie mit nach Paris gezogenen Künstlern wie P. Picasso, C. Brâncuşi, H. Arp, O. Zadkine, A. Giacometti. Bedeutend für die Entwicklung der kinet. Kunst wurde der »Groupe de Recherche d'Art Visuel«. Ferner sind G. Richier und H.-G. Adam sowie César, J. R. Ipoustéguy, A. und P. Poirier, J.-M. Bertholin zu erwähnen.

Malerei: Deutlicher noch als die Bildhauerkunst stand die Malerei bis weit ins 19. Jh. hinein im Spannungsfeld zw. Klassizismus (J. A. Ingres), romant. Strömungen (E. Delacroix), Historienmalerei und Symbolismus (G. Moreau). Gesellschafts- und Sozialkritik trat v. a. in der Grafik zutage (G. Doré, H. Daumier). Landschaft wurde neu, realistisch, erfasst (G. Courbet; die Freilichtmaler der Schule von Barbizon). Die Freilichtmalerei, bes. das Werk C. Corots, bereitete den Impressionismus vor, für den Licht und Farbe eine besondere Bedeutung gewannen (C. Monet, A. Renoir, A. Sis-

französische Literatur: Illustration zum »Rosenroman« von Guillaume de Lorris, Miniatur aus einer Handschrift des 14. Jh. (Wien, Österreichische Nationalbibliothek)

ley, C. Pissarro u.a.). Eine Verfestigung der Konturen trat wieder ein bei H. de Toulouse-Lautrec und der Schule von Pont-Aven (mit P. Gauguin). Grundlegende Erneuerungen der bildner. Mittel brachten zu Beginn des 20. Jh. der Fauvismus (→Fauves) mit expressiv farbiger und bes. der →Kubismus (der von P. Picasso in Anknüpfung an die Malerei P. Cézannes begründet wurde) mit formal zeichenhafter Gegenstandsdarstellung. Unter wachsender Beteiligung ausländ. Künstler wurde Paris zum Zentrum des →Surrealismus. 1931 wurde dort die an den Konstruktivismus anschließende Gruppe »Abstraction Création« gegründet, die u.a. zur Op-Art überleitete. Die »Zweite Schule von Paris« (→École de Paris) wurde um die Jahrhundertmitte zum Mittelpunkt der informellen Kunst, bes. des Tachismus, bis jüngst die »Schule von Nizza« mit dem v.a. Grenzbereiche der Malerei betretenden Nouveau Réalisme (→Realismus) Beachtung fand. Vertreter der modernen Malerei in Frankreich waren u.a. neben G. Braque, F. Léger und H. Matisse, P. Picasso und J. Gris sowie A. Modigliani, M. Chagall, M. Ernst, J. Miró neben A. Masson, G. Rouault, R. Delaunay, M. Duchamp und J. Villon, ferner H. Hartung und Wols neben E. Lascaux, A. Beaudin, E. de Kermadec, J. Dubuffet, J. Bazaine, N. de Staël, Y. Klein, M. Raysse, S. Hadengue u.a. In den 70er-Jahren wirkte die »stille Avantgarde« der →Spurensicherung und subjektiven Wiss. (C. Boltanski, A. und P. Poirier, Jean Le Gac), daneben eine theoretisierende Richtung der analyt. Malerei (L. Cane). In den 80er-Jahren überwiegt die Orientierung an der expressionist. Tradition der Fauves. Im Bereich der multimedialen Künsten arbeiten Paul-Armand Gette, Françoise Quardon und Catherine Beaugard. Daneben entstand Anfang der 1980er-Jahre eine »Straßenkunst«, die einige Parallelen zur amerikan. Graffiti-Art aufweist. Die »Pochoiristen« (Schablonenkünstler), die meist mit Pseudonymen signieren, eignen sich den öffentlichen Raum an; als Väter dieser Richtung gelten Ernest Pignon-Ernest und Gérard Zlotykamien.

📖 *Reclams Kunstführer Frankreich, 5 Bde. Stuttgart* $^{1-2}$*1975–87.* – Oursel, R.: *Romanisches Frankreich, 2 Bde. A. d. Frz. Würzburg 1991–93.* – Millet, C.: *L'art contemporain en France. Paris* ^{3}*1994.* – Prinz, W. *u.* Kecks, R. G.: *Das frz. Schloß der Renaissance. Form u. Bedeutung der Architektur, ihre geschichtl. u. gesellschaftl. Grundlagen. Berlin* ^{2}*1994.* – *Frz. Impressionismus 1860–1920, bearb. v.* P. H. Feist. *Köln 1995.* – *Die got. Architektur in Frankreich 1130–1270, bearb. v.* D. Kimpel *u.* R. Suckale. *Studienausg. München 1995.*

französische Literatur, die Literatur Frankreichs und die frz.-sprachige Literatur Belgiens. Vgl. auch →schweizerische Literatur, →kanadische Literatur.

Mittelalter (Alt- und mittelfrz. Literatur): Die ältesten Zeugnisse einer Literatur in frz. Sprache stammen aus dem kirchlich-religiösen Bereich; neben Übersetzungen aus dem Lateinischen stehen erste Neuschöpfungen in der Volkssprache: die »Eulaliasequenz« (881), die »Passion Christi« (10. Jh.), das »Alexiuslied« (Mitte des 11. Jh.). Sehr früh entstand in Frankreich die Großform der mittelalterl. weltl. Dichtung, das Heldenepos (Chanson de Geste; →Geste). Die Chansons de Geste spiegeln durch ihre Behandlung histor. Themen (Karlszyklus um Karl den Gr., u.a. mit dem »Rolandslied«, dem Wilhelmszyklus um Wilhelm von Orange, dem Kreuzzugszyklus um Gottfried von Bouillon u.a.) die großen Probleme der Zeit, die Kreuzzüge und Auseinandersetzungen zw. Zentral- und Territorialgewalten.

Um die Mitte des 12. Jh. brachte die höf. Kultur als neue Gattungen den Versroman bzw. die Verserzählung hervor. Bevorzugt waren nun die aus der Antike überlieferten Stoffe (»Alexanderroman«, »Trojaroman«) und die Sagen um König →Artus. Vorbildhaft, nicht nur für Frankreich, wirkte auf dem Gebiet des höf. Romans Chrétien de Troyes. Um die Wende vom 11. zum 12. Jh. entwickelte sich in S-Frankreich die Troubadour-Dichtung, die in strengen Formen die Liebe zu einer unerreichbaren Dame pries (u.a. Marcabru, Wilhelm IX. von Aquitanien, Bernart de Ventadorn). Im N Frankreichs nahmen die Trouvères diese Tradition auf (u.a. Chrétien de Troyes, Thi-

französische Literatur: François Rabelais

baut IV de Champagne, Gace Brulé, später Guillaume de Machaut). Höf. Ursprungs ist auch der allegorisch verschlüsselte Rosenroman, der von Guillaume de Lorris um 1236 verfasste »Roman de la rose«, dessen einige Jahrzehnte später entstandene Fortsetzung (von Jean de Meung) den Verfall der höf. Ideale bezeugt. In den Städten blühte die Dichtung im 13. Jh. auf; neben Balladen und Tanzliedern (Virelai, Rondel) entstanden v.a. die satir. Fabliaux und die ersten dramat. Werke, geistl. Mirakel-, Passions- und Mysterienspiele (Rutebeuf, »Das Mirakelspiel von Theophilus«), auch schon weltl. Stücke (Adam de la Halle, »Le jeu de Robin et de Marion«). Im 14./15. Jh. waren bes. allegor. Spiele beliebt (Moralités), die derb-kom. Soties und die satir. Farces (»Maistre Pierre Pathelin«). Die Literatur dieser Zeit litt unter dem Hundertjährigen Krieg; viele Dichter waren in die Parteienkämpfe einbezogen (A. Chartier, Charles d'Orléans, Christine de Pisan). Zu einem kulturellen Zentrum wurde der Hof von Burgund (Schule der Rhétoriqueurs, die besonderen Wert auf dichter. Virtuosität legte). Überragende Bedeutung erlangte der außerhalb aller gesellschaftl. Bindungen lebende F. Villon, dessen Lyrik aus unmittelbarer persönl. Erfahrung schöpft.

16. Jahrhundert (Renaissance): Durch das Eingreifen der frz. Könige in die Machtkämpfe in Oberitalien seit dem Ende des 15. Jh. wurde die Kultur der italien. Renaissance in Frankreich bekannt; die Humanisten (G. Budaeus, J. Amyot) übersetzten Werke der Antike. Die konfessionellen Auseinandersetzungen, die in der 2. Hälfte des 16. Jh. in die Religionskriege mündeten, beeinflussten schon Jahrzehnte vorher das literar. Leben: Margarete von Navarra, Schwester Franz' I., (bekannt v.a. durch die Novellensammlung »Das Heptameron«, hg. 1559; nach dem Vorbild des »Decamerone« von Boccaccio) sympathisierte mit den Hugenotten; der Lyriker C. Marot, der in ihrem Dienst stand, musste aus konfessionellen Gründen das Land verlassen. An Marot knüpften die Dichter der →Pléiade an, die erstmals die frz. Sprache und Dichtung als der antiken ebenbürtig betrachteten (P. de Ronsard, J. Du Bellay u.a.). Neben Paris war Lyon Zentrum der Literatur (Lyoner Dichterschule mit Louise Labé). Keinerlei Schule gehörte F. Rabelais an, dessen satirisch-fantast. Romanfolge »Gargantua und Pantagruel« (1532–52) humanist. Gelehrsamkeit mit unbegrenzter Fabulierfreude verbindet. Inhaltl. und formale Neuerungen brachte M. Eyquem de Montaigne mit seinen »Essays« (1580–95), die bes. in der Moralistik des 17. Jh. nachwirkten.

17. Jahrhundert (Klassik): Mit der Berufung F. de Malherbes an den Hof (1605) begann eine neue Periode der frz. Literatur. Er forderte jene Klarheit der Sprache und Strenge der Form, die für die frz. Klassik kennzeichnend werden sollten. Richelieu, seit 1624 Erster Min. Ludwigs XIII., setzte auf dieser Grundlage Sprache und Literatur bewusst ein, um die absolute Monarchie zu stärken. Er förderte die Gründung der Académie française (1635) als Instrument zu ihrer Normierung. Die Literatur sollte den Verhaltenskodex (»bienséance«) der absolutistischen Gesellschaft propagieren. Gefordert waren dabei Wahrscheinlichkeit (»vraisemblance«) der Handlung sowie die Einhaltung der drei Einheiten (Einheit der Zeit, des Ortes und der Handlung). Der Académie française wurde die Rolle des Kunstrichters übertragen. In den Jahrzehnten 1640–80 erreichte die frz. Klassik ihre höchste Blüte in den Tragödien von P. Corneille und J. Racine, in den Komödien von Molière, in den Fabeln von J. de La Fontaine; die Regeln der

Jean Racine (Ausschnitt aus einem Kupferstich von George Vertus aus der 1. Hälfte des 18. Jh. nach einer zeitgenössischen Vorlage)

französische Literatur: Molière, Gemälde von Pierre Mignard (um 1665), darunter das Autogramm Molières

Poetik wurden von N. Boileau-Despréaux 1674 zusammengefasst. Eine wichtige Rolle bei der Formulierung der moral. und ästhet. Normen spielten die Pariser Salons, bes. die der Marquise de Rambouillet und der Mademoiselle de Scudéry. Lyrik und Roman hatten nur untergeordnete Bedeutung. Dennoch waren Romane zur Unterhaltung sehr beliebt: die Schäferromane (H. d'Urfé, Madeleine de Scudéry), die fantast. Reiseromane Cyrano de Bergeracs und Marie-Madeleine de La Fayettes »Prinzessin von Clèves« (1678), der erste psycholog. Roman. Ein scharfer Kritiker der Salongesellschaft war F. de La Rochefoucauld mit seinen brillanten Aphorismen (»Maximen und Reflexionen«, 1665), die mit den Betrachtungen von J. de La Bruyère, J. F. P. de Retz und L. de Saint-Simon Höhepunkte der moralist. Literatur darstellen. Die Sprache der Prosa prägten wesentlich auch die Philosophen R. Descartes und B. Pascal.

Bis zum Ende des 17. Jh. hatte die antike Literatur unbestrittene Vorbildfunktion. Die Behauptung C. Perraults (heute bes. bekannt durch seine Märchensammlung), dass die moderne Kultur der antiken ebenbürtig, wenn nicht sogar überlegen sei, rief deshalb 1687 eine große Auseinandersetzung (»Querelle des anciens et des modernes«) hervor, die die Intellektuellen in zwei Lager spaltete und das Aufklärungszeitalter ankündigte.

18. Jahrhundert (Aufklärung): Die ersten Werke mit aufklärer. Gedankengut erschienen vor dem Hintergrund absolutist. Willkürherrschaft und scheiternder innenpolit. Reformansätze (die für die letzten Reg.jahre Ludwigs XIV. kennzeichnend waren), die bedeutendsten schon Ende des 17. Jh. (P. Bayle, F. Fénelon, B. de Fontenelle). Gemeinsam war diesen belletrist. und philosoph. Werken die Kritik an religiösen Dogmen und kirchl. Institutionen, an den Rechtspraktiken, an den Missständen des höf. Lebens. Das tradierte Wertesystem wurde mit dem Maßstab der Vernunft infrage gestellt. Der Kanon der klass. f. L. galt nicht mehr. Zwar schrieb Voltaire noch Tragödien nach dem formalen Muster des 17. Jh., doch verherrlichten sie den Gedanken der Toleranz, v. a. aber hielten bürgerl. Helden ihren Einzug auf der Bühne, nicht – wie bei Molière – um lächerlich gemacht zu werden, sondern um die bürgerl. Tugenden zu würdigen und bürgerl. Leben realistisch zu schildern (Schauspiele von D. Diderot). Die Komödien P. C. de Marivaux' lebten aus der Analyse psychologisch nuanciert angelegter Figuren. Immer wichtiger wurde der Roman, so in der Frühaufklärung die Werke von A.-R. Lesage, Marivaux, A.-F. Prévost d'Exiles. Auch der Staatstheoretiker Montesquieu wurde mit einem Roman berühmt, mit den »Pers. Briefen« (1721), in denen er polit., moral. und philosoph. Kritik artikuliert. Voltaire, der für seine philosoph. Essays ebenfalls die beliebte Briefform nutzte, schuf Romane und Erzählungen, die in unterhaltsam-satir. Art die absolutist. Gesellschaft kritisieren (berühmt bes. »Candide oder Die beste Welt«, 1759). Um die Mitte des 18. Jh. gewann diese Kritik an Schärfe. Das Erscheinen des 1. Bandes der »Encyclopédie« (→Enzyklopädisten) leitete den Höhepunkt der Aufklärung ein. Das literar. Leben in Frankreich war nun bestimmt von Zensur, Verboten, auch Verfolgungen (verstärkt ab 1757 nach einem Attentat auf Ludwig XV.). Die meisten Werke erschienen anonym, mit fingiertem Verlagsort oder im Ausland. Die Autoren waren vielseitig: Philosophie, Kunstkritik, Naturwissenschaften wurden in unterhaltsamer Art, oft in belletrist. Werke eingestreut, geboten (bes. ausgeprägt bei D. Diderot). Folgenreich bis weit ins 19. Jh. war das Werk J.-J. Rousseaus, das der Fortschrittsgläubigkeit der Aufklärung widersprach und im »Gesellschaftsvertrag« (1762) das Ideal einer bürgerlich-demokrat. Gesellschaft darstellte. Für das Theater hatte Diderot die Theorie des bürgerl. Trauerspiels entwickelt, an die G. E. Lessing anknüpfte. Wenige Jahre vor der Revolution kündigte sich in P. A. C. de Beaumarchais' »Die Hochzeit des Figaro« (1785) das Ende des Ancien Régime auf der Bühne an. Der Roman erschloss in der 2. Hälfte des Jh. neue Dimensionen lyr. Natur- und Gefühlsdarstellung (Rousseau, »Die neue Heloise«, 1761; J. H. Bernardin de Saint-Pierre, »Paul und Virginie«, 1788); andererseits konnte er auch die Praktiken der (korrumpierten) Gesellschaft des Ancien Régime (P. A. F. Choderlos de Laclos) und eine Psychopathologie des Bösen nachzeichnen (Marquis de Sade). Während der Revolution bis in die ersten Jahre des Kaiserreichs dominierten Publizistik und an röm. Vorbild geschulte Rhetorik. Die Lyrik, in der Aufklärung bedeutungslos, gestaltete nun patriot. Themen in klassizist. Formen (A.-M. Chénier).

19. Jahrhundert: In den Werken der Madame de Staël, die erstmals versuchte, die dt. Kultur den Franzosen nahe zu bringen, und in denen F. R. de Chateaubriands wurde zu Beginn des 19. Jh. das neue Lebensgefühl sichtbar, das die nächsten Jahrzehnte der f. L. bestimmte: Subjektivismus, gefühlsbetontes Naturerleben, Kulturmüdigkeit; der Klassik (»Classicisme«) wurde die Romantik (»Romantisme«) gegenübergestellt. Sammelpunkt der Romantiker war der Kreis (»Cénacle«) um C. Nodier, später V. Hugo, in Paris. Die Lyrik wurde jetzt zum wichtigen Medium, um das neue Weltverständnis zu artikulieren (A. de Lamartine, A. de Vigny, V. Hugo, A. de Musset). Eine Neuorientierung vollzog sich auch auf der Bühne. Nach Hugos Grundlegungen (Vorrede zum Drama »Cromwell«, 1827) wurden die Regeln der frz. Klassik für nichtig erklärt; u. a. war nicht mehr das Idealtypische, sondern das Individuelle gefordert. Daneben eroberte nach 1830 das Boulevardtheater die Bühnen (erfolgreiche Autoren u. a.: E. Scribe, E. Labiche, A. Dumas d. J., später G. Feydeau). Dramen, Romane und Novellen griffen oft histor., vielfach nat. Stoffe auf (Vigny, P. Merimée, Hugo), der histor. Abenteuerroman in der Nachfolge Sir W. Scotts hatte seine ersten Erfolge (E. Sue, A. Dumas d. Ä.). Die unteren Volksschichten wurden für die Literatur entdeckt (Hugo, George Sand). In den 1840er-Jahren ging der literar. Einfluss der Romantik zurück. Eine Sonderstellung nahm schon ein Jahrzehnt früher Stendhal ein, dessen Romane (»Rot und Schwarz«, 1830; »Die Kartause von Parma«, 1839) chronikartig außergewöhnl. Charaktere mit größter psycholog. Genauigkeit schildern. In H. de Balzacs Zyklus »Die menschl. Komödie« (1829–54) erreichte die kritische realist. f. L. ihren Höhepunkt. Die objektivierende Darstellung G. Flauberts (»Madame Bovary«, 1857) war von großer Bedeutung für die Moderne.

Seit der Julirevolution 1830, verstärkt seit dem Staatsstreich Napoleons III., als sich viele Schriftsteller vom öffentl. Leben zurückzogen, wurde dem sozialen Engagement das Prinzip des →L'art pour l'art entgegengesetzt. Das Prinzip der zweckfreien Schönheit verfolgten in ihrer Lyrik u. a. T. Gautier, C. M.-R. Leconte de Lisle, T. de Banville. Die Anhänger dieser Richtung sammelten sich in der Gruppe der →Parnassiens. Die Kunstauffassung des »L'art pour l'art« vertrat auch C. Baudelaire, der mit den formstrengen Gedichten »Die Blumen des Bösen« (1857) der Kunst eine neue Welt erschloss und zum Vorläufer des Symbolismus wurde. In der Prosa setzten sich dagegen – anknüpfend an Flaubert und beeinflusst vom Positivismus – Detailgenauigkeit und Orientierung an der sozialen Wirklichkeit durch. É. Zola verwirklichte dieses Konzept des Naturalismus in seinem Zyklus »Die Rougon-Macquart« (1871–93). G. de Maupassants Novellen verbinden höchste psycholog. Einfühlung mit naturalist. Genauigkeit.

französische Literatur: Marcel Proust, Pinselzeichnung von Sebastien de Doba (1896)

Gegen Ende des 19. Jh. wurde die Lyrik der Parnassiens vom →Symbolismus abgelöst: freier Vers, assoziative Klangwirkungen und die Evozierung zeichenhaft verborgener Seins- und Bewusstseinsschichten bestimmen die Dichtungen P. Verlaines, A. Rimbauds, S. Mallarmés und des jungen P. Valéry. Das Lebensgefühl war von Dekadenz gekennzeichnet. M. Maeterlinck schrieb symbolistisch inspirierte Dramen; auch in der Prosa wurde die Wendung ins Innere des Bewusstseins vollzogen (J. K. Huysmans), daneben auch die Welt des Exotisch-Fantastischen erschlossen (P. A. de Villiers de l'Isle-Adam, P. Loti). Die realist. Erzähltradition führten A. France und R. Rolland fort. Die polit. Polarisierung am Ende des 19. Jh. (→Dreyfusaffäre) ergriff auch die Schriftsteller. É. Zola trug mit seinem offenen Brief »Ich klage an« (1898) entscheidend zur Wiederaufnahme des Prozesses bei, ihn unterstützten u. a. A. France, A. Gide, R. Rolland; die klerikal-nationalist. Bewegung wurde u. a. von C. Mauras und M. Barrès angeführt.

20. Jahrhundert: Mit der Gründung der »Nouvelle Revue Française« (1909) erhielt die zeitgenöss. f. L. ein wichtiges Forum jenseits ideolog. Bindungen. Hier erschienen die Werke von P. Claudel, A. Gide, M. Proust, P. Valéry, später die von A. Malraux und Saint-John Perse. Der 1. Weltkrieg führte in der Literatur zum Bruch mit den gesellschaftl. und künstler. Traditionen. Die unmittelbare Erfahrung des Krieges schilderte H. Barbusse in »Das Feuer« (1916), in vielfältiger Brechung spiegeln sich u. a. Kriegs- und Nachkriegswirklichkeit auch im →Surrealismus. Schon 1896 war mit A. Jarrys »König Ubu« ein Stück uraufgeführt worden, das die herkömml. dramat. Strukturen sprengte. Seine Techniken nahm G. Apollinaire auf, die Leitfigur der künstler. Avantgarde der 20er-Jahre (u. a. mit A. Breton, P. Éluard, L. Aragon). Neben den surrealistisch inspirierten Werken erschienen zw. den Weltkriegen z. T. sehr umfangreich angelegte, traditionell erzählte Romane oder Romanzyklen, u. a. von J. Romains, R. Martin du Gard, R. Rolland, Sidonie-Gabrielle Colette. Am folgenreichsten war M. Prousts Romanzyklus »Auf der Suche nach der verlorenen Zeit« (1913–27), dessen neuartige Struktur und Erzähltechniken dem Roman weltliterarisch neue Per-

Stendhal

Honoré de Balzac (Daguerreotypie von Félix Nadar, 1842)

Paul Valéry

Colette

spektiven eröffneten. Seit dem Ende des 19. Jh. hatten sich kath. Schriftsteller um eine humanist. Erneuerung der Literatur bemüht (P. Claudel); diesen →Renouveau catholique führten im 20. Jh. G. Bernanos, J. Green, F. Mauriac in psycholog. Romanen fort. Betonter Individualismus kommt in den Romanen von A. Gide, A. Malraux und H. de Montherlant zum Ausdruck. Die Dramatik dieser Zeit vertraten u. a. J. Giraudoux und J. Anouilh mit konventionell gebauten Stücken sowie J. Cocteau, der eine Synthese vieler Stilformen versuchte.

Jean Genet

Der aufkommende Faschismus und der span. Bürgerkrieg spiegelten sich in der f. L. seit Mitte der 30er-Jahre. Z. Z. der dt. Besetzung schlossen sich viele Autoren der →Résistance an (u. a. Éluard, Aragon, J.-P. Sartre, A. Camus). In der Literatur der Résistance waren v. a. publizist. Lyrik, Essay und Drama (Sartre, »Die Fliegen«, 1943) wichtig. Während und nach dem 2. Weltkrieg beherrschte das Konzept der →Existenzphilosophie die Literatur. Verwirklicht wurde es u. a. in den Romanen, Essays und Dramen von Sartre, Camus und Simone de Beauvoir. Bed. formale Neuerungen gingen in den 50er-Jahren von der f. L. aus: in der Dramatik u. a. durch E. Ionesco, S. Beckett (→absurdes Theater) und J. Genet, in der Prosa durch den →Nouveau Roman. Dessen Vertreter stellten in unterschiedl. Weise die überkommenen Elemente des Romans infrage (M. Butor, A. Robbe-Grillet, Nathalie Sarraute, C. Simon, z. T. Marguerite Duras u. a.); die Technik des Nouveau Roman nutzten J. Le Clézio und G. Perec für ihre zivilisationskrit. Anliegen. Das breite Spektrum der Lyrik wurde u. a. von H. Michaux, R. Char, F. Ponge, Y. Bonnefoy, M. Deguy, D. Roche und J. Roubaud geprägt. Im Allg. verstärkten sich nach den Ereignissen vom Mai 1968 wieder die gesellschaftskrit. Züge der f. L., v. a. auf dem Theater (A. Gatti, z. T. F. Arrabal), das sich in den 80er-Jahren durch Autoren wie M. Vinaver und B.-M. Koltès sowie dank der innovativen Inszenierungen von Regisseuren wie P. Chéreau, Ariane Mnouchkine (»Théâtre du Soleil«) und R. Planchon weiterentwickelte. Auch entstand eine spezif. Frauenliteratur (u. a. Monique Wittig, Christiane Rochefort, Chantal Chawaf, Marie Cardinal, Hélène Cixous). Sprachspiele und -experimente und die Problematisierung des Zusammenhangs zw. Sprache und Realität kennzeichnen u. a. die Werke von Ponge und R. Queneau. Parallel dazu wird die große erzähler. Tradition der f. L. fortgeführt, oft mit autobiograph. oder histor. Hintergrund, so bei Marguerite Yourcenar, M. Tournier, P. Modiano. – Die f. L. der Gegenwart begleitet eine bed. Literaturkritik. Sie setzt sich, angeregt u. a. von G. Bataille, M. Blanchot und G. Bachelard, mit der Reflexion über Sprache auseinander. In den 60er-Jahren beherrschte der Strukturalismus die literaturwiss. Analyse (»Nouvelle Critique«: R. Barthes, T. Todorov u. a.). Im Zeichen der Postmoderne durchdrangen theoret. Reflexion über das Schreiben und fiktionale Literatur einander (J. Derrida, P. Sollers, Julia Kristeva, H. Cixous). Die theoret. Reflexion über das Schreiben prägt auch die fiktionale Literatur der 80er-Jahre (F. Bon, J.-L. Benoziglio, J.-P. Toussaint, J. Échenoz u. a.), die mit stilist. Kunstfertigkeit Zeitphänomene wie etwa die multikulturelle Gesellschaft oder den beherrschenden Einfluss der Medien verarbeitet und mit der Wirklichkeit ebenso spielt wie mit überkommenen literar. Formen. Seit Beginn der 90er-Jahre sind in der Romanliteratur einige neue Tendenzen zu erkennen: Man wendet sich wieder dem Leser zu, erzählt überschaubare Geschichten, deren Botschaft auch eine »Moral« enthält (Le Clézio, H. Guibert, D. Fernandez u. a.) und stellt frauenspezif. Probleme dar (Marie N'Diaye, Sylvie Germain, Annie Ernaux, Claude Tardat).

Nathalie Sarraute

Marguerite Duras

Marguerite Yourcenar

In den ehem. frz. Besitzungen entwickelte sich seit dem Ende der Kolonialherrschaft im Spannungsfeld zw. Zugehörigkeit zur frz. Kultur und Suche nach eigener Identität eine Literatur in frz. Sprache: in Algerien (Kateb Yacine, M. Dib, M. Mammeri, M. Feraoun, Assia Djebar, R. Boudjedra u. a.), in Tunesien (A. Memmi u. a.) und in Marokko (D. Chraibi, T. Ben Jelloun u. a.). Eine bed. frz.sprachige Literatur entstand in Schwarzafrika und in der Karibik unter dem Einfluss der →Négritude. (→schwarzafrikanische Literaturen, →karibische Literatur)

Französische Literatur in Belgien: Die belg. Literatur frz. Sprache gehört – unabhängig von der Gründung des selbstständigen Staates Belgien (1830) – bis in die Gegenwart zum Bestand der f. L. Zwar waren und sind Schriftsteller aus Belgien in der Wahl ihrer Stoffe oft heim. Traditionen verpflichtet (C. de Coster), doch folgen sie den großen literar. Strömungen Frankreichs. Bekannte belg. Autoren des Symbolismus sind A. Mockel, É. Verhaeren, M. Maeterlinck und G. Rodenbach, den Naturalismus vertrat C. Lemonnier, zu den Surrealisten gehörte F. Hellens. Erfolgreiche Dramatiker waren (im Umkreis des Expressionismus) F. Crommelynck und M. de Ghelderode. In viele Sprachen übersetzt wurden die psychologisch fundierten Kriminalromane von G. Simenon. Die Vielseitigkeit der neueren belg. Literatur mit ihren Widersprüchen und ihrer Infragestellung der eigenen Identität zeigt sich im Roman u. a. bei A. Bosquet de Thoran, C. Detrez, P. Mertens, J.-P. Otte und F. Weyergans, in der Lyrik u. a. bei J. Crickillon, C. Hubin und J.-P. Verheggen, im Drama u. a. bei J. de Decker, P. Willems und J. Louvet.

📖 *Das frz. Theater vom Barock bis zur Gegenwart, hg. v.* J. von Stackelberg, *2 Bde. Düsseldorf 1968.* – Kukenheim, L. *u.* Roussel, H.: *Führer durch die f. L. des Mittelalters. A. d. Frz. Berlin 1969.* – Schoell, K.: *Das frz. Drama seit dem Zweiten Weltkrieg, 2 Bde. Göttingen 1970.* – *Die frz. Lyrik von Villon bis zur Gegenwart, hg. v.* H. Hinterhäuser, *2 Bde. Düsseldorf 1975.* – *Der frz. Roman vom Mittelalter bis zur Gegenwart, hg. v.* K. Heitmann, *2 Bde. Düsseldorf 1975.* – *F. L. des 19. Jh., hg. v.* W.-D. Lange, *3 Bde. Heidelberg 1979–80.* – *F. L. in Einzeldarstellungen, hg. v.* P. Brockmeier *u. a., 3 Bde. Stuttgart 1981–82.* – Engler, W.: *Geschichte des frz. Romans von den Anfängen bis Marcel Proust. Stuttgart 1982.* – Grimm, J.: *Das avantgardist. Theater Frankreichs 1895–1930. München 1982.* – Pabst, W.: *Frz. Lyrik des 20. Jh. Theorie u. Dichtung der Avantgarden. Berlin 1983.* – Pollmann, L.: *Gesch. der f. L. der Gegenwart (1880–1980). Darmstadt 1984.* – Blüher, K. A.: *Die frz. Novelle. Tübingen 1985.* – Kirsch, F. P.: *Epochen des frz. Romans. Darmstadt 1986.* – *Die frz. Lyrik, hg. v.* D. Janik. *Darmstadt 1987.* – Lope, H.-J.: *Frz. Literaturgeschichte. Heidelberg u. a.* ³*1990.* – Stackelberg, J. von: *Kleine Geschichte der f. L. München 1990.* – *Literatur u. Theater im gegenwärtigen Frankreich, hg. v.* K. Schoell. *Tübingen 1991.* – Engler, W.: *F. L. im 20. Jh. Tübingen u. a. 1993.* – Engler, W.: *Lexikon der f. L. Stuttgart* ³*1994.* – *Frz. Literaturgeschichte, hg. v.* J. Grimm. *Stuttgart u. a.* ³*1994.*

Französische Literatur in Belgien: Bibliographie des écrivains français de Belgique 1881–1960, bearb. v. J.-M. Culot, *auf mehrere Bde. ber. Brüssel 1958 ff.* – Burniaux, R. *u.* Frickx, R.: *La littérature belge d'expression française. Paris* ²*1980.* – *Lettres françaises de Belgique. Dictionnaire des œuvres, hg. v.* R. Frickx *u.* R. Trousson, *auf mehrere Bde. berechnet. Paris 1988 ff.*

französische Musik. Die Kunstmusik entwickelte sich in Frankreich auf der Grundlage der christl. liturg. Gesänge (gallikan. Liturgie). Die ältesten Lehrwerke einer geregelten Mehrstimmigkeit stammen aus dem 9. Jh.; älteste Musikdenkmäler sind die Organa der Schule von Saint-Martial in Limoges (12. Jh.). Die Kunst der Organa erreichte um 1200 mit den Meistern Leoninus und Perotinus Magnus in Paris ihren Höhepunkt (Notre-Dame-Schule). Aus dem Organum entstand durch Unterlegung versch. Texte unter die einzelnen Stimmen die das 13. Jh. kennzeichnende Gattung der Motette. Die weltliche einstimmige Liedkunst der provenzal. Troubadours und der nordfrz. Trouvères gipfelt in den Singspielen des Adam de la Halle († um 1306). Die freiere Mehrstimmigkeit der → Ars nova griffen vor allem P. de Vitry († 1361) und G. de Machault († 1377) mit Motetten und Balladen auf. Im 15. Jh. verlagerte sich das Zentrum der f. M. nach Nordosten (Zeit der »Niederländer«). Eine wichtige Gattung der weltl. Musik des 15. und 16. Jh. ist das mehrstimmige Chanson. Die Messekomposition, die nun im Vordergrund stand, bediente sich häufig der Melodien volkstüml. Chansons, ebenso die nach wie vor gepflegte Motettenkomposition. Nach J. Ockeghem, der u. a. mit Messen hervortrat, galt Josquin Desprez mit seinen Messen und Motetten als bedeutendster Musiker seiner Zeit. Die frz. Josquin-Schüler J. Mouton und C. Janequin sowie C. Goudimel führten die Gattung der Chansons im 16. Jh. mit ihren A-cappella-Chansons auf den Höhepunkt. Eine hohe Blütezeit erlebte die f. M. im 17. Jh. v. a. unter Ludwig XIV. Es herrschten die weltl. Gatt. Ballett und Oper vor, deren erster Meister der aus Italien stammende J.-B. Lully war. Die Ouvertüren und Tanzstücke seiner Opern sind die ersten bed. Zeugnisse der Orchestermusik. Daneben entwickelte sich eine reich verzierte Klaviermusik, in der die Suite ausgebildet wurde, v. a. durch J. Chambonnières und F. Couperin. Der überragende Meister des 18. Jh. war J.-P. Rameau; er wies der Klaviermusik neue Wege und schuf die Grundlage der neuzeitl. Harmonielehre. Die frz. Oper führte er zu einem Höhepunkt. Sein Nachfolger war (mit seinen in frz. Sprache geschriebenen Opern) der Deutsche C. W. Gluck, dessen Opernerneuerung sich in Paris gegen die damals herrschenden Italiener durchsetzte. Angeregt von der italien. Opera buffa, entstand nach 1750 die frz. komische Oper (Opéra comique): J.-J. Rousseau, F. A. Philidor, P. A. Monsigny, v. a. A. E. M. Grétry. Der aus Florenz stammende L. Cherubini verschmolz Elemente der ernsten und der kom. Oper. An ihn schlossen sich als Komponisten von »Revolutions-« oder »Schreckensopern« F.-J. Gossec, J. F. Lesueur und É. N. Méhul an. Im 19. Jh. schuf H. Berlioz die Programmsinfonie und einen Orchesterklang mit reichen Klangschattierungen. Hauptvertreter der Instrumentalmusik des 19. Jh. sind C. Saint-Saëns, der Lütticher C. Franck, dessen Schüler V. d'Indy, ferner G. Fauré. Zu Weltgeltung gelangten die kom. Opern von F. A. Boieldieu, D. F. E. Auber, J. F. Halévy, F. Herold, A. Adam und die »großen« Opern von G. Rossini, Auber, Halévy, G. Meyerbeer, später Saint-Saëns. In der 2. Hälfte des 19. Jh. brachten C. Gounod, A. Thomas, dann bes. G. Bizet, später J. Massenet wieder eine Verschmelzung von heiterer, lyr. und ernster dramat. Oper. Daneben entfaltete sich die Operette: J. Offenbach, A. C. Lecocq. Ende des 19. Jh. entwickelte C. Debussy den Impressionismus mit einem vielfältigen Klangfarbenspektrum. Dem Impressionismus gehörten ferner P. Dukas, M. Ravel und A. Roussel an. Ravel bereitete (um 1920) auch den Neoklassizismus vor, dessen

Hauptrepräsentant der damals in Frankreich lebende I. Strawinsky wurde. Die Groupe des Six (D. Milhaud, A. Honegger, F. Poulenc, G. Auric, L. E. Durey, Germaine Tailleferre) knüpfte an die leichte Musik der Music Hall, Jazz u.a. an, zerfiel aber bald wieder. In Abkehr von spätromant. Traditionen zeigen die Werke E. Saties eine klare, einfache Satztechnik. Seit der Mitte des 20. Jh. ging der Neoklassizismus zurück, während sich Einflüsse der Zwölftonmusik auszuwirken begannen (R. Leibowitz). O. Messiaen, der zus. mit A. Jolivet, Daniel-Lesur und Y. Baudrier 1936 die Gruppe »Jeune France« (Junges Frankreich) bildete, trat mit eigenwilligen, teils mystisch, teils exotisch geprägten Werken hervor. P. Schaeffer und P. Henry experimentierten, inspiriert von E. Varèse, mit Geräuschen und elektron. Klangerzeugung in der Musique concrète (→konkrete Musik). I. Xenakis benutzte seit 1955 bevorzugt mathemat. Verfahren beim Komponieren (→stochastische Musik). Wichtigster Vertreter der →seriellen Musik ist P. Boulez, dessen gesamtes Musikschaffen richtungsweisend wirkte; nach neuen Ausdrucksmitteln suchen auch die in seinem Umkreis experimentierenden Komponisten G. Amy, A. Louvier und P. Mestral. Vertreter der →Aleatorik oder der improvisierten Realisation sind P. Capdenat, G. Grisey, P. Mariétan, J.-Y. Bosseur und L. Ferrari.

📖 BOYER, J.: *Kurzgefaßte Geschichte der f. M. Wiesbaden 1953.* – ECKART-BÄCKER, U.: *Frankreichs Musik zw. Romantik u. Moderne. Regensburg 1965.* – DUFOURCQ, N.: *La musique française. Paris 1970.* – ROSTAND, C.: *La musique française contemporaine. Paris ^{4}1971.* – PAILLARD, J. F.: *La musique française classique. Paris ^{3}1973.* – HIRSBRUNNER, T.: *Die Musik in Frankreich im 20. Jh. Laaber 1995.* – GERVINK, M.: *Die musikalisch-poet. Renaissancebestrebungen in Frankreich u. ihre Bedeutung für die Entwicklung einer nationalen frz. Musiktradition. Frankfurt am Main u. a. 1996.*

René Descartes (Ausschnitt aus einem Gemälde von Frans Hals, 1655; Paris, Louvre)

Jean-Jacques Rousseau (Pastell von Quentin de la Tour, 1753)

französische Philosophie. An ihrem Beginn steht die Frühscholastik der karoling. Hofschule des 9. Jh. in Paris, deren Höhepunkt Abälards Werke bezeichnen. Er erklärte, wirkl. Wissen gebe es nur vom Einzelding. Ihm entgegen betonte Bernhard von Clairvaux die myst. Schau als Quelle der Erkenntnis. Von seinen Gedanken war die Schule von St. Viktor beeinflusst, die sich neben der älteren, christlich-platon. Schule von Chartres herausbildete. In der Epoche der Hochscholastik (13. Jh.) erlangte die Pariser Univ. v.a. mit Albertus Magnus und Thomas von Aquin zentralen europ. Rang. Sie wurde Forum für die Auseinandersetzungen zwischen augustinisch-platon. Philosophie, dem Averroismus und der christlich beeinflussten Aristotelesauslegung. In der Nachfolge des herrschenden Nominalismus standen J. Buridan und Nikolaus von Oresme, die Vorläufer einer mechanist. Naturauffassung.

Aus den Religionskämpfen des 16. Jh. ging eine neue philosoph. Haltung der Skepsis und Toleranz hervor, die ihren Hauptvertreter in M. de Montaigne fand. Die folgenreichste philosoph. Leistung des 17. Jh. waren der absolute Zweifel des R. Descartes, der erst vor der Unbezweifelbarkeit des Selbstbewusstseins und Gottes Halt machte, und seine hierauf aufbauende Zweisubstanzenlehre. Darüber hinaus wurde sein Denken nach dem Vorbild der mathemat. Wissenschaften für die europ. Philosophie bis zu I. Kant maßgebend. N. Malebranche und die Okkasionalisten bildeten seine Lehre weiter; P. Gassendi, der einen dynam. Mechanismus begründete, war sein bedeutendster Gegner. B. Pascal betonte – in Auseinandersetzung mit Descartes – die Grenzen der Vernunft und des mathemat. Wissenschaftsideals. Die konkrete tägl. Erfahrung und die Natur machte er zur Grundlage für das mathemat. Denken. Die »Logik der Vernunft« ergänzte er durch die »Logik des Herzens«.

Die frz. Aufklärung entwickelte sich bis hin zu Sensualismus, radikalem Materialismus (J. O. de La Mettrie) und Atheismus. Hauptrepräsentanten waren P. Bayle und Voltaire, der sich an I. Newton und der Gesellschaftskritik J. Lockes orientierte, während J. O. de la Mettrie das materialist. Weltbild von T. Hobbes übernahm. Nach engl. Vorbild schuf Montesquieu eine neue, auf dem Gedanken freiheitl. Verfassung beruhende Staatslehre (Gewaltenteilung). Die →Enzyklopädisten, an ihrer Spitze D. Diderot und J.-B. d'Alembert verbreiteten den Geist der Aufklärung über Frankreichs Grenzen hinaus. Gegen die Alleinherrschaft der Vernunft forderte schließlich der Genfer J.-J. Rousseau zur Rückkehr zu natürl. Menschlichkeit auf und entwickelte die radikaldemokrat. Lehre vom Gesellschaftsvertrag, die geistige Grundlage der Frz. Revolution wurde; ihre Philosophie im Geist des unbegrenzten Fortschritts der Menschheit entwarf M. J. A. Condorcet. Die Gruppe der Ideologen (Destutt de Tracy, J. G. Cabanis [*1757, †1808], P. P. Royer-Collard [*1763, †1845]) radikalisierte den Sensualismus der Aufklärung. Aufklärung und Revolution folgte eine restaurative Staatsphilosophie (bes. J. M. de Maistre), der jedoch bald die frühsozialist. Gedanken von C. H. Saint-Simon und P. J. Proudhon entgegentraten. Der psycholog. Ansatz F. P. Maine de Birans (*1766, †1824) leitete über zum →Spiritualismus, einer Hauptströmung der f. P. bis in die Gegenwart. Durch V. Cousin (*1792, †1867) fand die dt. idealist. Philosophie in Frankreich Eingang. A. Comte wurde zu einem der Begründer des →Positivismus. Vertreter des neukantian. Idealismus waren C. B. Renouvier (*1815, †1903) und É. Boutroux (*1845, †1921). H. Bergson kristallisierte ihre Gedanken zu einer vitalistisch-intuitionist. Philosophie, die den positivistisch-pragmatisch verengenden Strömungen entgegenstand.

Gegen Bergson wandten sich die Neuthomisten J. Maritain und É. Gilson. Als Exponenten des frz. Existenzialismus (→Existenzphilosophie) gelten J.-P. Sartre, M. Merleau-Ponty und A. Camus. Zu neuem Gemeinschaftsgefühl suchte G. Marcel durch einen christl. Existenzialismus, E. Mounier (*1905, †1950) durch eine personalist. Philosophie zu führen. Der anthropolog. →Strukturalismus von C. Lévy-Strauss wirkte auf die marxist. Richtung in der F. P. (L. Althusser). A. Glucksmann, B.-H. Lévy (*1949), J.-M. Benoist (*1942) vertreten die Konzeption einer antimarxist., antiideolog., oft als »Nouvelle Philosophie« bezeichneten, gesellschaftlich-politisch orientierten Denkrichtung; die rechtskonservative »Neue Rechte« repräsentiert A. de Benoist. Geprägt durch die Hegelrezeption A. Kojèves und beeinflusst durch Nietzsche, setzten sich J. Lacan, M. Foucault, G. Deleuze, G. Guattari und J. Derrida mit Psychoanalyse, Psychiatrie und gesellschaftskritischen Theorien auseinander. Aus feminist. Perspektive, u. a. anknüpfend an S. de Beauvoir, analysieren É. Badinter und L. Irigaray kritisch die Philosophiegeschichte und entwerfen Modelle alternativer Ethik und Wissenschaft.

📖 SAUER, E. F.: *Frz. Philosophen von Descartes bis Sartre. Bonn 1976.* – ALTWEGG, J. *u.* SCHMIDT, AUREL: *Frz. Denker der Gegenwart. 20 Porträts. München* ²*1988.* – TAURECK, B.: *F. P. im 20. Jh. Analyse, Texte, Kommentare. Reinbek 1988.* – *Postmoderne u. Dekonstruktion. Texte frz. Philosophen der Gegenwart, hg. v.* P. ENGELMANN. *Stuttgart 1991, Nachdr. 1993.* – KÜHN, R.: *Frz. Reflexions- u. Geistesphilosophie. Profile u. Analysen. Frankfurt am Main 1993.*

Französische Revolution, bes. die Große Revolution 1789 bis 1799, →Frankreich (Geschichte).

Französische Revolutionskriege, die Kriege zw. dem revolutionären Frankreich und den europ. Koalitionen 1792 bis 1802; Fortsetzung fanden sie in den →Napoleonischen Kriegen, mit diesen zus. auch **Koalitionskriege** genannt.

Der Krieg Frankreichs gegen die 1. Koalition (1792–97). Das revolutionäre Frankreich erklärte am 20. 4. 1792 Österreich, auf dessen Seite sich sofort das verbündete Preußen stellte, den Krieg. Ein preuß. Heer unter dem Herzog von Braunschweig drang im Sommer 1792 bis in die Champagne vor, mit der Kanonade von Valmy (20. 9.) begann der Vormarsch der Franzosen: A. P. de Custine eroberte Mainz (21. 10., Gründung der →Mainzer Republik), C. F. Dumouriez besiegte die Österreicher bei Jemappes (6. 11.) und besetzte die österr. Niederlande. Savoyen und Nizza wurden ebenfalls besetzt. Während sich durch den Anschluss Großbritanniens, der Generalstaaten und Spaniens 1793 die 1. Koalition vergrößerte, gewannen die Preußen Mainz zurück (23. 7.). Die Briten besetzten Toulon, mussten aber kapitulieren (18. 12.); hierbei zeichnete sich Napoléon Bonaparte zum ersten Mal aus. Inzwischen gelang es L. Carnot, kriegstüchtige Heere auf der Grundlage der allg. Wehrpflicht aufzustellen. J. P. Jourdan eroberte durch den Sieg bei Fleurus (26. 6. 1794) die österr. Niederlande, C. Pichegru im Winter 1794/96 die Generalstaaten, J. V. Moreau das ganze linke Rheinufer. Preußen schloss am 5. 4. 1795 den Baseler Frieden, schied somit aus den F. R. aus unter Verlust seiner linksrhein. Besitzungen an Frankreich. Eine Demarkationslinie (17. 5.) neutralisierte Nord-Dtl. und den Fränk. Reichskreis. Österreich setzte den Krieg fort. Die Entscheidung führte Bonaparte 1796 in Oberitalien herbei. Der König von Sardinien musste auf Savoyen und Nizza verzichten (15. 5.). Im Kampf um die Festung Mantua besiegte Bonaparte die Österreicher bei Castiglione (5. 8.), Bassano (8. 9.), Arcole (15.–17. 11. 1796) und Rivoli (14. 1. 1797); Mantua musste sich am 2. 2. ergeben. Durch seinen Vorstoß gegen Wien erzwang Bonaparte den Vorfrieden von Leoben (18. 4. 1797). Im Frieden von →Campoformio (17. 10. 1797) schied Österreich aus dem Krieg aus. Nur Großbritannien blieb im Krieg. Im Seekrieg allerdings waren die Franzosen den Briten unterlegen; als Bonaparte, um die brit. Herrschaft in Indien zu bedrohen, seine »Ägypt. Expedition« unternahm, errang der brit. Admiral Nelson den entscheidenden Sieg bei Abukir (1. 8. 1798).

Der Krieg der 2. Koalition gegen Frankreich (1798–1801/02). Die Ausdehnungspolitik der Frz. Republik führte bereits 1798 zur Bildung einer 2. europ. Koalition, an deren Spitze der russ. Kaiser Paul I. trat; ihr schlossen sich Österreich, Großbritannien, die Türkei, Portugal, Neapel und der Kirchenstaat an. Am Oberrhein schlug Erzherzog Karl im Frühjahr 1799 die Franzosen mehrfach, in Italien siegten die Verbündeten unter dem russ. General A. W. Suworow. Aber im Dez. schied Russland aus der Koalition aus. In Frankreich stieg der aus Ägypten zurückgekehrte Napoleon Bonaparte zum Ersten Konsul auf und wandte sich im Frühjahr 1800 nach Oberitalien, wo er die Österreicher bei Marengo (14. 6.) besiegte; inzwischen drang J. V. Moreau mit der Rheinarmee nach Bayern vor und siegte bei Hohenlinden (3. 12.) über den Erzherzog Johann. Darauf schloss Österreich den Frieden von Lunéville (9. 2. 1801), der Frankreich den Besitz des linken Rheinufers und die Vorherrschaft in Italien bestätigte. Nun folgte auch

Jean-Paul Sartre

André Glucksmann

Großbritannien, das noch 1801 die Franzosen aus Ägypten verdrängt hatte, mit dem Frieden von Amiens (27. 3. 1802).

📖 DEWORA, V. J.: *»Ehrendenkmal«. Quellen zur Geschichte der Koalitionskriege 1792–1801, hg. v.* M. EMBACH. *Trier 1994.*

Französische Schweiz (Welsche Schweiz, La Suisse Romande), die Gebiete der Schweiz, in denen die frz. Sprache vorherrscht; insbes. die Kt. Genf, Waadt, Neuenburg, Jura, das untere Wallis, der größte Teil des Kt. Freiburg sowie Teile des Kt. Bern.

Französisches Nationalkomitee (frz. Comité National Français, Abk. CNF), polit. Organ des Freien Frankreich, gegr. 1941 in London von General de Gaulle, ging 1943 im **Französischen Komitee der Nationalen Befreiung** auf, das 1944 in eine von de Gaulle geführte **Provisorische Regierung der Französischen Republik** umgewandelt wurde.

französische Sprache, eine der →romanischen Sprachen; entwickelte sich aus dem Volkslatein nördlich der Loire. Sie wird von rd. 100 Mio. (davon rd. 56 Mio. in Frankreich) gesprochen; in Europa (außer in Frankreich) v.a. in Belgien (bes. Wallonien), in der frz. Schweiz, in Luxemburg, Monaco; außerhalb Europas in Kanada und in den ehem. frz. Kolonialgebieten. In der Entwicklung der f. S. werden drei Perioden unterschieden: Altfranzösisch (9.–14. Jh.), Mittelfranzösisch (14.–16. Jh.) und Neufranzösisch (seit dem 16. Jh.).

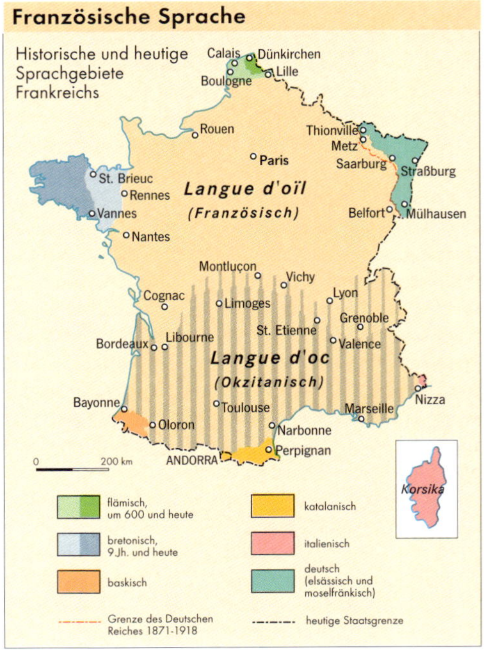

Altfranzösisch und Mittelfranzösisch: Die nördlich der Loire gesprochene Variante des Lateins unterschied sich von derjenigen südlich dieser Linie durch den stärkeren Einfluss kelt. Substratsprachen. Seit der Entstehung german. Reiche auf gall. Boden wurde die sprachl. Differenzierung zw. dem N und dem S noch gefördert. Die fränk. Sprache wirkte nördlich der Zone zw. Loire, Somme und Maas auf das Galloromanische ein, was sich v.a. im Wortschatz und im phonolog. System auswirkte. Im Fränk. Reich existierten »lingua theotisca« (dt. Sprache) und »lingua rustica romana« (galloroman. Sprache) rd. 3 Jh. nebeneinander. Bereits im 7./8. Jh. waren der N und der S des heutigen Frankreich linguistisch deutlich unterschieden; im N entstand die »langue d'oïl«, die Ausgangsbasis des heutigen Französisch, im S die »langue d'oc«, die okzitan. oder provenzalische Sprache (»oïl« und »oc« sind die jeweiligen Formen der Bejahungspartikel). Zw. N und S bildete sich eine sprachl. Übergangszone, das Frankoprovenzalische, heraus. Die ersten schriftsprachl. Zeugnisse in altfrz. Sprache sind die altfrz. Eidesformeln in den »Straßburger Eiden« (842) und die »Eulaliasequenz« (881). Eine allgemein verbindl. Schriftsprache gab es in der altfrz. Periode noch nicht; es bestanden versch., z.T. auch literarisch bedeutsame Dialekte, darunter das Normannische (mit der in England gesprochenen Variante des →Anglonormannischen), das Champagnische, das Pikardische, das Burgundische, Lothringische und Wallonische sowie das Franzische, die Mundart der Île-de-France.

Neufranzösisch: Im 16. Jh. setzte mit Bestrebungen zur Normierung der f. S. in Grammatik, Wortschatz, Phonetik und Orthographie die theoret. Auseinandersetzung mit ihr ein. In der Orthographie behauptete sich die etymologisierende (an der i.d.R. lat. Wortherkunft orientierte) Richtung gegenüber der phonetischen (einer der Aussprache entsprechenden Schreibung). Die f. S. der Gegenwart besitzt 16 Vokale, darunter 4 Nasalvokale und die gerundeten vorderen Vokale [y], [ø] und [œ]. Bes. im gesprochenen Französisch ist ein Rückgang (und Schwund) der vokal. Oppositionen (z.B. [œ̃] und [ɛ̃]) zu beobachten. Die Reduktion des lautl. Inventars im Lauf der sprachgeschichtl. Entwicklung hatte den Verlust des Zweikasussystems und die kompensator. Verwendung des Artikels (auch aufgrund der phonetisch meist ident. Singular- und Pluralformen), in der Verbalflexion (wo die Unterscheidung durch die Suffixe phonetisch nur noch z.T. realisiert wird) die Markierung der Verbformen durch das Personalpronomen zur Folge. Die Betonung liegt auf der letzten Silbe eines Wortes oder einer Sprecheinheit. Die f. S. hat zwei Genera (Maskulinum und Femininum), zwei

Modi (Indikativ und Konjunktiv, »Subjonctif«) und drei Zeitstufen (Präsens, Imperfekt und Futur); das Tempussystem weist differenzierte Formen zur Bez. abgeschlossener und nicht abgeschlossener Handlungen auf. In der Syntax setzt sich umgangssprachlich (auch im Fragesatz) die Folge Subjekt – Prädikat – Objekt durch.

📖 Wolf, H. J.: *Frz. Sprachgeschichte. Heidelberg u. a.* ^{2}*1991.* – Geckeler, H. *u.* Dietrich, W.: *Einführung in die frz. Sprachwissenschaft. Berlin 1995.*

Französische Union (frz. Union Française), eine Staatengemeinschaft, geschaffen durch die frz. Verfassung vom 27. 10. 1946, bestand aus Frankreich und den →französischen Kolonien, versuchte nach dem Vorbild des (brit.) Commonwealth die Kolonialherrschaft durch aufgelockerte polit. Formen zu ersetzen. 1958 wurde sie durch die →Französische Gemeinschaft abgelöst.

französische Weine, die auf knapp 1 Mio. ha Rebfläche in Frankreich erzeugten Weine (jährlich etwa 65 Mio. hl). Der Anbau erfolgt schwerpunktmäßig im Languedoc-Roussillon (fast die Hälfte der frz. Weinproduktion), im Großraum Bordeaux und im Loiretal sowie im südl. Rhônetal, im Elsass und in der Champagne.

📖 Dumay, R.: *F. W. Der neue Weinführer. A. d. Frz. München* ^{14}*1991.*

Französisch-Guayana (frz. Guyane Française), frz. Überseedép. an der NO-Küste Südamerikas, zw. Surinam im W (Grenzfluss Maroni) und Brasilien im O und S, 91 000 km^2, (1994) 132 500 Ew., Hptst. ist Cayenne. F.-G. gehört zum Bergland von Guayana, das hier, von vielen Flüssen stark zerschnitten, nur noch Höhen bis 700 m ü. M. erreicht. Der bis 40 km breiten Küstenebene sind die Îles du Salut, zu denen die Teufelsinsel gehört,

Französische Weine

Weinbauregionen in Frankreich

vorgelagert. Das Klima ist tropisch mit hohen Niederschlägen. Etwa 90% der Fläche sind von trop. Regenwald bedeckt, an der Küste sind Mangrovesümpfe verbreitet. Mehr als die Hälfte der Bev. (Kreolen, Schwarze, Asiaten) lebt in der Hptst., eine geringe Zahl von Indianern an der Küste und im Landesinnern, Buschneger (→Maron) am Río Maroni. Amtssprache ist Französisch, Umgangssprache eine frz. Kreolsprache. Rd. 90% der Bev. sind römisch-katholisch. – In der Wirtschaft spielen neben dem Anbau für den Eigenbedarf lediglich der Zuckerrohranbau, die Krabbenfischerei (für den Markt in den USA) und der Holzeinschlag eine gewisse Rolle; Holzreichtum (bes. Harthölzer) und Bodenschätze (Bauxit, Gold, Tantalit) werden wegen der geringen Erschließung noch wenig genutzt. – Nordwestlich von Cayenne entstand seit 1967 Kourou als Sitz des frz. Raumforschungszentrums und einer Raketenabschussbasis. – Die Küste wurde 1599 von Spaniern entdeckt, 1604 von Franzosen besiedelt, endgültig 1816 frz., 1852/54–1948 Sträflingskolonie (Teufelsinsel, Cayenne); seit 1946 frz. Überseedépartement.

Französisch-Indien (frz. Établissements Français dans l'Inde), die ehem. frz. Niederlassungen in Indien: die Hafenstädte Pondicherry, Karikal, Yanam an der O-Küste, Mahe an der W-Küste und Chandernagore im Gangesdelta; seit dem Pariser Frieden (1763) Restbesitz eines seit 1674 (Gründung von Pondicherry) gebildeten Kolonialgebiets, das unter Statthalter J. F. Dupleix (1742–54) seinen größten Umfang erreichte; Chandernagore kam 1950, die übrigen Besitzungen 1954 zur Ind. Union.

Französisch-Indochina, →Indochina.

Französisch-Polynesien (frz. Polynésie Française), frz. Überseeterritorium in Polynesien, umfasst über 100 Inseln im O-Pazifik; die Inseln sind über eine Meeresfläche von fast 4 Mio. km^2 verteilt; etwa 4000 km^2, (1994) 216600 Ew.; Hptst. ist Papeete auf Tahiti; zu F.-P. gehören die Gesellschafts- und Marquesas-, Tuamotu-, Tubuai- und Gambierinseln. Etwa 65% der Bev. sind Polynesier, 30% Europäer und Europolynesier, 5% Chinesen. Die Hauptexportgüter der meist vulkan. Inseln sind Kopra, Kokosöl, Perlmutt, Vanille und Kaffee. Der Fremdenverkehr gewinnt zunehmend an Bedeutung (Bora Bora, Moorea). – Gesellschafts- und Marquesasinseln wurden 1842 frz., die Übrigen 1880; seit 1958 Überseeterritorium.

Französisch-Somaliland, →Djibouti.

Französisch-Sudan, bis 1958 Gebiet Französisch-Westafrikas, →Mali.

Französisch-Westafrika (frz. Afrique Occidentale Française, Abk. AOF), 1895–1958 frz. Generalgouvernement bzw. Föderation von Territorien der →Französischen Union, umfasste Dahomey (heute Benin), Elfenbeinküste, Frz.-Guinea (heute Guinea), Frz.-Sudan (heute Mali), Mauretanien, Niger, Obervolta (heute Burkina Faso) und Senegal.

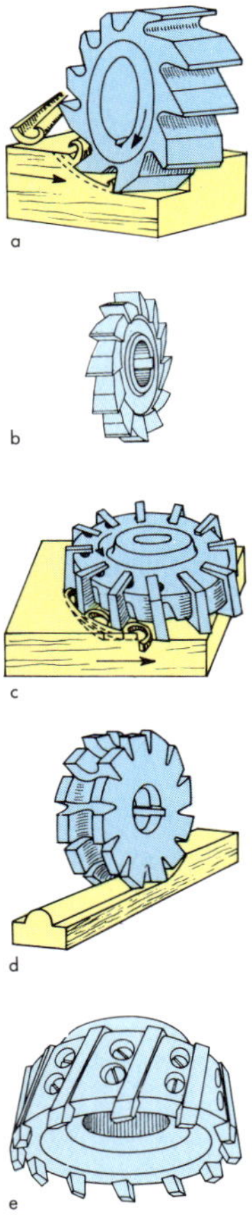

Fräser:
a Walzenfräser;
b Scheibenfräser;
c Stirnfräser;
d Formfräser;
e Messerkopf

Frasassi-Höhle (italien. Grotte di F.), große Tropfsteinhöhle bei Fabriano (Prov. Ancona) in den Marken, Italien; 1971 entdeckt.

Frascati, Stadt in Latium, Prov. Rom, Italien, am NW-Hang der Albaner Berge, 20100 Ew.; Kernforschungszentrum, Europ. Raumforschungsinst.; Weinerzeugung; Fremdenverkehr. – Seit der Antike Sommeraufenthalt der Römer, viele Villen (meist 16./17. Jh.) mit wertvollen Kunstschätzen; die berühmteste ist die Villa Aldobrandini, die 1598–1603 von Giacomo Della Porta (von C. Maderna vollendet) für Papst Klemens VIII. aus dem Hause Aldobrandini gebaut wurde (weitere sind Villa Falconieri, Villa Mondragone u.a.). In der Nähe die Ruinen der röm. Villenstadt Tusculum.

Frasch-Verfahren [fræʃ-; nach dem amerikan. Chemiker H. Frasch, *1851, †1914], in den USA entwickeltes Verfahren zur Schwefelgewinnung aus tief gelegenen Lagerstätten ohne vorherigen bergmänn. Abbau; der durch ein Rohr eingeleitete überhitzte Wasserdampf verflüssigt den Schwefel, der mittels Druckluft durch ein weiteres Rohr zutage gefördert wird, wo er erstarrt.

Fräsen, Verfahren der spanenden Formgebung mit ein- oder mehrschneidigem, rotierendem Werkzeug (Fräser) bei kontinuierlicher Vorschubbewegung des Werkstücks.

Fraser ['freɪzə] *der,* Fluss im westl. Nordamerika, Kanada, 1368 km lang, entspringt in den Rocky Mountains, durchschneidet das **F.-Plateau,** durchbricht die Coast Mountains, mündet bei Vancouver in die Georgiastraße; Lachsfischerei.

Fräser, spanabhebendes Werkzeug mit geometrisch bestimmter Schneide zum Fräsen. Als Schneidmaterial wird meist Hartmetall oder Schnellarbeitsstahl verwendet, aber auch stoßunempfindliche Mischkeramiken und polykristalliner Diamant oder Bornitrid.

Frashëri ['fraʃəri], Naim, alban. Lyriker und Epiker, *Frashër (bei Përmet) 25. 5. 1846, †Konstantinopel 20. 10. 1900; bed. Vertreter der alban. nat. Bewegung; verfasste in alban. Sprache Lyrik, u.a. »Viehzucht und Landbau« (1886), Epen, Schulbücher und Übersetzungen.

Fräsmaschine, Werkzeugmaschine zur Herstellung von Plan- und Formflächen durch spanende Bearbeitung mittels Fräsern. Die wichtigsten Arten sind Konsol-F. (als Senkrecht-, Waagerecht-, Universal-F.), Bett-F. (als Ein- und Zweiständerausführung) und Sonder-F. (z.B. Gewinde-, Nuten-, Nachform-F.).

Frater [lat. »Bruder«] *der,* im frühen Mönchtum Selbstbez. der Mönche; heute Bez. für die Laienmönche im Unterschied zu den Priestermönchen.

Fraternité [frz.] *die,* Brüderlichkeit, programmat. Schlagwort der Frz. Revolution (→Liberté, Égalité, Fraternité).

Frau [ahd. frouwa »Herrin«], weibl. erwachsener Mensch. Die geschlechtsspezif. körperl. Merkmale der F. sind v.a. geprägt durch die biolog. Funktion der Fortpflanzung. Diese biolog. Merkmale werden in versch. Gesellschaften unterschiedlich sozial überformt. Ebenso differiert die Wesensdefinition der F. je nach geograph. Raum, histor. Epoche sowie Gesellschafts- und Kulturtypus.

In den frühgeschichtl. Kulturen nahm die F. z.T. eine herausragende Stellung ein, z.B. in China, allem Anschein nach auch im östl. Mittelmeerraum. Im antiken Griechenland ging im 7./6. Jh. v. Chr. mit der Ablösung der bäuerl. Sippengemeinschaft durch eine merkantile Stadtkultur eine zunehmende Abwertung des weibl. zugunsten des männlich-patriarchal. Prinzips einher, jedoch ging von gebildeten Hetären oft namhafter geistiger und polit. Einfluss aus. Grundlage des röm. Gemeinwesens bildete der durch die autokrat. Gewalt des (männl.) Familienoberhaupts geprägte Familienverband. Gesellschaftlich genoss jedoch die Römerin eine wesentlich höhere Wertschätzung als die griech. F. Die frühchristl. und mittelalterl. Kirche und Theologie bestimmten die Rolle der F. v.a. in den Extremen der vom Weg des Heils abbringenden Verführerin Eva und der jungfräul. Mutter Maria. Thomas von Aquin begründete die Gehorsamspflicht der F. gegenüber dem Mann aus der von Aristoteles übernommenen Auffassung von der physiolog. Minderwertigkeit der F. Erst im 13. Jh. erlangte die F. ihre Anerkennung als Rechtssubjekt, Zugang zu Handel und gewerbl. Produktion. Erneute Abhängigkeit und Unfreiheit brachten die Umwälzungen des 15. und 16. Jh., einerseits durch die Annahme des röm. Rechts und die Entdeckung des antiken (Haus-)Frauenideals in der Renaissance, andererseits durch den Hexenwahn. Humanismus, Reformation und Gegenreformation, die bed. Anteil an der Schaffung des neuzeitl. Menschenbildes hatten, haben die Theorie von der grundsätzlichen weibl. Inferiorität nicht wesentlich modifiziert. Demgegenüber war der Typus der philosophisch gebildeten F., des »Blaustrumpfs« und der »Gelehrten«, zumindest ideell in das auf Vernunft begründete egalitäre Menschenideal der Aufklärung einbezogen. Aufgrund der wirtsch. Umwälzung durch die Industrialisierung im 19. Jh. drangen F. allmählich in alle gesellschaftl. Bereiche vor und organisierten sich in Bewegungen, die die privatrechtl. Gleichstellung der F. und ihre Selbstständigkeit im öffentl. Leben erstrebten. Inzwischen ist in allen industrialisierten Ländern die Gleichstellung von F. und Mann verfassungsmäßig verankert, faktisch wird die F. v.a. im Berufs- und Familienleben jedoch weiterhin benachteiligt. (→Frauenarbeit, →Frauenbewegung)

Frau

»Ich muß gestehen, daß mich eine Art von Fieberfrost befällt, wenn man mich in Gesellschaft einer Dame gegenüber oder an die Seite setzt, die große Ansprüche an Schöngeisterei, oder gar an Gelehrsamkeit macht.« So schreibt Adolf Knigge 1788 in seinem Buch »über den Umgang mit Menschen« und stand mit seiner Meinung nicht allein. Erst 100 Jahre später durften die ersten Frauen in Deutschland promovieren, und noch heute, 200 Jahre nach Knigge, sind nur knapp 6% der Professuren in Deutschland mit Frauen besetzt.

📖 *Geschichte der Frauen, hg. v.* G. Duby *u.* M. Perrot, *5 Bde. A.d. Ital. Frankfurt am Main u.a. 1993–95.* – Ennen, E.: *Frauen im Mittelalter. München [5]1994.* – Wesel, U.: *Der Mythos vom Matriarchat. Über Bachofens Mutterrecht u. die Stellung von Frauen in frühen Gesellschaften vor der Entstehung staatl. Herrschaft. Frankfurt am Main [7]1994. – F. in den Religionen, hg. v.* M. Klöcker *u.* M. Tworuschka. *Weimar u.a. 1995.*

Frau

Seit wann dürfen sich auch ledige Fräulein »Frau« nennen?

Offiziell dürfen sie das seit dem 6.2.1955. An diesem Tag gab das Bundesinnenministerium an die Obersten Bundesbehörden den Erlass heraus, demzufolge sich unverheiratete Frauen auch »Frau« nennen können beziehungsweise »im amtlichen Verkehr mit »Frau« angeredet werden«.

Vom 12. bis zum 18. Jahrhundert waren die vom mittelhochdeutschen »vrouwe« abgeleitete Verkleinerungsform »vrouwelin« adligen Jungfrauen vorbehalten. Erst gegen Ende des 19. Jahrhunderts setzte sich die Anrede für alle ledige Frauen durch. Auf die Dauer aber war das unhaltbar, denn es fehlte der allgemeine Gebrauch von »Männlein«, und die Titulierung »Herrchen« ist von vornherein begrenzt.

Frauenarbeit, i.e.S. die gegen Entgelt geleistete Arbeit der Frauen, i.d.R. als (außerhäusl.) Erwerbstätigkeit, i.w.S. auch die von Frauen (unentgeltlich) erbrachten häusl. und pfleger. Tätigkeiten für die Familie oder in der eheähnl. Lebensgemeinschaft (Hausarbeit).

Bis zur Industrialisierung bestand F. überwiegend aus landwirtsch. Arbeit sowie der Eigenproduktion grundlegender Güter wie Nahrung, Kleidung u.a. (Subsistenzwirtschaft). Mit der Industrialisierung verbreitete sich die Heimarbeit (Hausindustrie) sowie die Manufaktur- oder Verlagsarbeit und in deren Gefolge die Fabrikarbeit. In den

Hausindustrien waren die Frauen zu billigster Akkordarbeit gezwungen, und in der Industrie (v.a. in der Textilindustrie, auch in Bergbau und Hüttenwesen) entstand ein (verglichen mit Männern noch schlechter bezahltes) Frauenproletariat. Im letzten Drittel des 19. Jh. waren Frauen häufig als Dienstbotinnen, Kontoristinnen, Verkäuferinnen sowie im Postwesen eingesetzt.

Der Wert der von Frauen geleisteten Arbeit im Haushalt, in der Kindererziehung und in der Pflege und Betreuung von Kranken und Alten wird für die Industrieländer auf 25–40% des Bruttosozialprodukts geschätzt. Weltweit nehmen Frauen rd. ein Drittel aller bezahlten Arbeitsplätze ein. Während die Frauenerwerbstätigkeit in den afrikan. Entwicklungsländern, Teilen von Südamerika und Südostasien sowie in arabischen u.a. islam. Staaten bes. gering ist, ist sie in den Industriestaaten sowie in den ehemals sozialist. Ländern und China stark ausgeprägt. In den letzten Jahrzehnten sind in den meisten Ländern immer mehr Frauen erwerbstätig geworden. Dabei ist aber zu berücksichtigen, dass durch eine gleichzeitige Zunahme der (weit überwiegend von Frauen geleisteten) Teilzeitarbeit das Arbeitsvolumen nicht im gleichen Maße gestiegen ist wie die Zahl der Arbeitsplätze. Folgende Faktoren bestimmen das Ausmaß der bezahlten F. wesentlich: Familienstand, Kinderzahl, Teilzeitbeschäftigungsmöglichkeiten, die Notwendigkeit, das eigene bzw. das Familieneinkommen zu erhöhen, das Streben nach wirtsch. Unabhängigkeit, das Bedürfnis nach einer von der Familie losgelösten berufl. Betätigung sowie der Anspruch, den erlernten Beruf (nach einer »Familienpause« wieder) ausüben zu können.

Obwohl die Einkommensdifferenzen zw. Männern und Frauen verringert wurden, sind diese nach Angaben der Internat. Arbeitsorganisation (ILO) noch immer hoch. Die geringeren Verdienste für F. beruhen neben direkter Lohndiskriminierung auf dem Umstand, dass Frauen tariflich niedriger eingestuft sind, weniger Überstunden bei insgesamt kürzeren Wochenarbeitszeiten leisten, weniger Tarifzuschläge erhalten und kürzere Betriebszugehörigkeiten als Männer aufweisen. Außerdem steigen Frauen seltener in leitende Positionen auf als Männer. Infolge einer ungünstigeren Qualifikationsstruktur von Frauen (Konzentration auf ein kleine Zahl von »Frauenberufen«) und geringerem Interesse von Arbeitgebern an der Einstellung von Frauen sind sie von Arbeitslosigkeit stärker betroffen als Männer.

Rechtl. Regelungen: Unterschieden werden Gesetze, die spezielle Arbeitsschutzvorschriften für Frauen enthalten, Gesetze, die die Vereinbarkeit von Familien und Beruf fördern, und solche, die (auch) der berufl. Gleichstellung dienen. Mit dem Arbeitszeitrechts-Ges. von 1994 wurden die bisherigen Beschäftigungsverbote und -einschränkungen (insbesondere das Nachtarbeitsverbot) für Frauen und die Hausarbeitstagsregelung aufgehoben. Das Beschäftigungsverbot für Frauen im Bergbau wurde beibehalten. Der speziellen Situation erwerbstätiger Frauen tragen Rechnung u.a. das Mutterschutz-Ges. (→Mutterschutz) und das Bundeserziehungsgeld-Ges. (→Erziehungsgeld, →Erziehungsurlaub). Mit dem Zweiten Gleichberechtigungs-Ges. von 1994 wurde die geschlechtsspezif. Stellenausschreibung verboten und mit dem Beschäftigtenschutz-Ges. der Schutz der Beschäftigten vor sexueller Belästigung am Arbeitsplatz geregelt. 1994 wurde der Gleichberechtigungsartikel (Art. 3. Abs. 2, GG) konkretisiert durch die Ergänzung: »Der Staat fördert die tatsächl. Gleichberechtigung von Frauen und Männern und wirkt auf die Beseitigung bestehender Nachteile hin.« Der gesetzl. Anspruch eines Kindes vom vollendeten 3. Lebensjahr an auf einen Kindergartenplatz soll v.a. die F. von Müttern erleichtern. Viele der genannten Regelungen wurden durch das Recht der EG bzw. die Rechtsprechung des Europ. Gerichthofes ausgelöst.

In *Österreich* enthalten das Frauennachtarbeits-Ges. und das Gleichbehandlungs-Ges. einschlägige Bestimmungen. Ferner erfolgte 1990 eine Angleichung des Rechts an die Normen der EG. In der *Schweiz* konkretisiert das Gleichstellungs-Ges. von 1995 den seit 1981 geltenden Verfassungsanspruch von Mann und Frau auf gleichen Lohn für gleiche Arbeit und verbietet mittelbare und unmittelbare Benachteiligung von Frauen im Beruf.

📖 *Frauenerwerbsarbeit. Forschungen zu Geschichte u. Gegenwart, hg. v.* K. HAUSEN. *München u.a. 1993.* – SCHMIDT, MANFRED G.: *Erwerbsbeteiligung von Frauen u. Männern im Industrieländervergleich. Opladen 1993.* – STIEGLER, B.: *In Zukunft wieder Reservearmee? Frauen u. demograph. Wandel. Bonn 1993.* – *Arbeitsmarkt für Frauen 2000. Ein Schritt vor oder ein Schritt zurück?, hg. v.* P. BECKMANN *u.* G. ENGELBRECH. *Nürnberg 1994.* – ASSIG, D. *u.* BECK, A.: *Frauen revolutionieren die Arbeitswelt. Das Handbuch zur Chancengerechtigkeit. München 1996.*

Frauenarzt (Gynäkologe), Arzt für Frauenheilkunde und Geburtshilfe.

Frauenbewegung, organisiertes Eintreten der Frauen für ihre Interessen und gegen Benachteiligung auf ökonom., sozialem, polit. und kulturellem Gebiet; entstand im Zusammenhang mit den sozialen und erzieher. Reformbewegungen seit dem Ende des 18. Jh., zuerst im hoch industrialisierten Westeuropa.

Während der Frz. Revolution erschienen zahlreiche Veröffentlichungen zu den Rechten der

Frau. In dieser Zeit bildeten sich in Frankreich revolutionäre Frauenklubs (ähnlich in Dtl. um 1848). Die mit der industriellen Revolution verbundenen sozialen Umwälzungen gaben der F. nach 1850 in vielen Ländern neue Impulse. 1865 wurde der Allgemeine Dt. Frauenverein (ADF) gegründet, der sich v.a. mit Frauenarbeit und Frauenbildung beschäftigte. Die sozialist. Deutung der Frauenemanzipation (A. Bebel, Clara Zetkin) betonte, dass die Befreiung des Proletariats auch die Befreiung der Frau bedeute. Das Hauptanliegen der frühen F., das Frauenwahlrecht, wurde schließlich zu ganz unterschiedl. Zeitpunkten erreicht: z.B. in Finnland 1906, Russland 1917, Dtl. 1918, USA 1920, Großbritannien 1928, Frankreich 1944, Schweiz 1971. Im 1. Weltkrieg nahm die Frauenarbeit und damit die Integration der Frau in Politik und Gesellschaft zu. Einen starken Rückschritt brachte in Dtl. die nat.-soz. Ideologie von der Rolle der Frau als Gattin und Mutter. – Trotz Frauenwahlrecht und verfassungsrechtl. Gleichstellung ist bis heute die volle Integration der Frauen in das polit., soziale und kulturelle Leben nicht verwirklicht (z.B. Benachteiligung bei der Entlohnung, geringe Vertretung in den Parlamenten). So entstand in jüngerer Zeit eine neue, radikalere F., auch unter der Bez. **Feminismus** (z.B. in den USA »Women's Lib«). In der Bundesrep. Dtl. entwickelten sich nach 1968 aus der Studentenbewegung – v.a. auch im Zusammenhang mit dem Kampf um die Abschaffung des §218 (Verbot des Schwangerschaftsabbruchs) – alternative Frauengruppen, die im Kampf gegen das gesellschaftl. System z.T. auch gegen die individuelle und gesellschaftl. Männerherrschaft kämpfen (radikal feminist. Gruppen), z.T. in anderen polit. Organisationen mitarbeiten. In vielen Großstädten wurden →Frauenhäuser eingerichtet. In den 80er-Jahren engagierte sich die autonome F. vielfach in der Ökologie-, Antiatomkraft- und Friedensbewegung sowie bei den Grünen. Der F. ist es gelungen, Frauenanliegen gesamtgesellschaftlich stärker in den Blick zu rücken. Um dem Anliegen der F. ein weltweites Forum zu bieten, rief die UNO die →Weltfrauenkonferenz ins Leben (4. Weltfrauenkonferenz 1995).

📖 Schenk, H.: *Die feminist. Herausforderung. 150 Jahre F. in Deutschland. München [6]1993.* – Gerhard, U.: *Unerhört. Die Geschichte der dt. F. Reinbek 20.–22. Tsd. 1995.* – *Geschichte der dt. F., hg. v.* F. Hervé. *Beiträge v.* W. Buchholz-Will *u.a. Köln [5]1995.* – G. Lerner: *Frauen u. Geschichte, 2 Bde. A. d. Engl. Studienausg. Frankfurt am Main u.a. 1995.* – *Das Weiberlexikon, hg. v.* F. Hervé *u.a. Tb.-Ausg. München 1996.*

Frauenburg, Stadt in Polen, →Frombork.

Frauenfarn (Athyrium), Gattung der Farne; heimisch der **Wald-F.** (Athyrium filix-femina) mit bis 1 m langen, zart gefiederten Wedeln, deren Unterseite längl. Sporangienhäufchen aufweist.

Frauenfeld, Hptst. des Kt. Thurgau, Schweiz, zu beiden Seiten der Murg, 19000 Ew.; Zuckerfabrik, Schleif- und Schmirgelwarenerzeugung, Maschinenbau, Stahlindustrie; traditionelle Pferderennen. – Schloss (Bergfried 13. Jh., spätere Umbauten; z.T. in Fachwerkbauweise, mit Museum), Laurentiuskirche mit kostbaren Glasgemälden (14. Jh.). – 1331 wurde F. Stadt.

Frauenförderung, Maßnahmen zur Verbesserung der Gleichberechtigung der Frauen im Arbeitsleben. Ziele der F. wie Schaffung von Arbeitsplätzen (insbesondere auch in leitenden Positionen), Entlohnungsgerechtigkeit, Vereinbarkeit von Beruf und Familie, werden häufig in **Frauenförderplänen** festgehalten. Die Durchsetzung der F. ist die Aufgabe von **Frauenbeauftragten,** die es in Betrieben und im öffentl. Dienst gibt.

Frauenforschung (feministische Wissenschaft), Ende der 60er-Jahre in den USA entstandener Wissenschaftsansatz, der die weibl. Bedürfnisse, Sichtweisen und Interessen in den Vordergrund von Forschung und Lehre stellt. Anliegen der F. sind u.a., vergessene oder verdrängte kulturelle und wiss. Leistungen von Frauen in versch. Disziplinen aufzuarbeiten, die polit. Arbeit der Frauenbewegung wissenschaftlich zu fundieren und ganzheitl. und personenzentrierte Erkenntniswege sowie Kollegialität und Gruppensolidarität in den Wissenschaftsbetrieb einzubringen.

📖 *Frauen leben Widersprüche. Zwischenbilanz der F., Beiträge v.* S. Metz-Göckel *u.* E. Nyssen. *Weinheim u.a. 1990.* – *F. in universitären Disziplinen, hg. v.* U. Pasero *u.* F. Braun. *Opladen 1993.* – *Weibl. Moral. Die Kontroverse um eine geschlechtsspezif. Ethik, hg. v.* G. Nunner-Winkler. *Tb.-Ausg. München 1995.*

Frauenhandel (Mädchenhandel), nach dem internat. Abkommen vom 4. 5. 1910 und anderen Abkommen das Anwerben, Verschleppen oder Entführen minderjähriger weibl. Personen, um der Unzucht anderer Vorschub zu leisten, sowie von volljährigen Frauen zum gleichen Zweck mittels Täuschung, Drohung, Missbrauch des Ansehens oder anderer Zwangsmittel. Die Abkommen verpflichten die Staaten, F. unter Strafe zu stellen, in Dtl. verwirklicht gemäß §§180b, 181 StGB mit Höchstfreiheitsstrafen von fünf bzw. zehn Jahren. Es gilt das Weltrechtspflegeprinzip (Strafbarkeit unabhängig vom Ort der Tat). →Menschenhandel.

Frauenhaus, autonome oder von gemeinnützigen Organisationen unterstützte Einrichtung, in der Frauen, die von Männern körperlich und seelisch misshandelt wurden, vorübergehend (mit ihren Kindern) wohnen können und Beratung und

Hilfe erfahren. Die Gründung von F. geht auf Initiativen der Frauenbewegung zurück.

Frauenheilkunde, die → Gynäkologie.

Fraueninsel, Insel im → Chiemsee.

Frauenkrankheiten, Sammelbez. für alle geschlechtsspezif. Erkrankungen der Frau, u.a. Erkrankungen der Geschlechtsorgane und der Brustdrüsen sowie deren Auswirkungen; auch durch Geschlechtshormone bedingte Störungen.

Frauenlob (eigtl. Heinrich von Meißen), mittelhochdt. Lyriker, *Meißen um 1250/60, †Mainz 29. 11. 1318; hielt sich an vielen Höfen im Norden und Osten des dt. Sprachgebiets auf; er galt als einer der 12 alten Meister; in seinen Tönen (→ Ton, Literatur) ist bis zum Ende der Meistersingergesellschaften gedichtet worden; überliefert sind Minnelieder und Leiche im manierist. Stil.

Frauenmantel: Gemeiner Frauenmantel (Höhe 15–50 cm)

Frauenmantel (Sinau, Alchemilla), Gattung der Rosengewächse mit kleinen, gelbgrünen Blüten und rundl. gefalteten Blättern; auf feuchten Wiesen der **Gemeine F.** (**Marienmantel,** Alchemilla vulgaris), der in der Volksmedizin Verwendung findet, und auf Weiden und Geröll der **Alpen-F.** (**Silbermantel,** Alchemilla alpina) mit bis zum Grund geteilter Blattspreite.

Frauenquote, Regelung, die vorsieht, dass in bestimmten Funktionen oder Positionen Frauen in einer angemessenen Zahl vertreten sein müssen. Die Umsetzung einer F. bedeutet z.B., dass beim Vorliegen gleicher Qualifikationen Frauen männl. Mitbewerbern so lange vorgezogen werden, bis der mit der F. festgelegte Wert erreicht ist. Nach einem Urteil des Europ. Gerichtshofs vom 17. 10. 1995 dürfen Frauen allerdings nicht automatisch und nicht mit absolutem Vorrang gleich qualifizierten männl. Mitbewerbern vorgezogen werden; lediglich Förderpläne, die die Fähigkeit von Frauen für die Konkurrenz auf dem Arbeitsmarkt verbessern, sind mit europ. Recht vereinbar.

Frauenraub, gewaltsame Entführung eines Mädchens gegen oder mit dessen Willen zur Eheschließung, heute noch verbreitet bei Naturvölkern; im *Brauchtum* häufig nur Symbol für die Trennung von der Verwandtengruppe, mitunter auch scherzhafter Teil der Hochzeitsfeier (»Brautraub«: Verstecken der Braut).

Frauenschuh (Cypripedium), Orchideengattung mit bauchiger, pantoffelähnl. Blütenlippe. Die einzige mitteleurop. Art, der **Rotbraune F.** (Cypripedium calceolus), wächst in Wäldern; geschützt, nach der Roten Liste stark gefährdet.

Frauenverbände, Interessenverbände von Frauen, entwickelten sich bes. seit der Industrialisierung, ausgelöst einerseits durch das Bewusstwerden der Unterprivilegierung der Frauen in der Ausbildung, in sozialer und polit. Hinsicht, andererseits durch ein starkes sozialpolit. Engagement v.a. von Frauen mittelständ. Herkunft. Um die Jahrhundertwende beschäftigten sich in den USA zahlreiche F. mit Friedenspolitik, Ausbildung und Beruf sowie dem Schutz von Minderheiten. In den meisten europ. Ländern setzten sich seit etwa 1850 F. für die Lösung sozialer Fragen (z.B. Schutz lediger Mütter, Abschaffung der Prostitution), das Frauenwahlrecht und die Gleichberechtigung ein. – Es bestehen nationale Dachverbände (Deutschland: Dt. Frauenrat, Österreich: Bund österr. Frauenvereine, Schweiz: Bund schweizer. Frauenorganisationen). Neben der Tätigkeit der F. innerhalb der Frauenbewegung gibt es organisierte Aktivitäten für die Verbesserung der Position der Frau in der Gesellschaft, u.a. in den Parteien und Gewerkschaften.

📖 *Handbuch deutscher Frauenorganisationen, hg. vom Deutschen Frauenrat. Bonn 1994.*

Fräulein [mhd. Verkleinerungsform von Frau], seit dem 12. Jh. Bez. und Anrede für die Jungfrau adligen Standes. Bis ins 18./19. Jh. war Töchtern adliger und reicher bürgerl. Familien die Anrede »gnädiges F.« vorbehalten, seit dem 19. Jh. schließlich generell geltende Anrede der unverheirateten Frau. Heute wird die Bez. F. nur noch beschränkt verwendet und meist durch »Frau« ersetzt.

Fraunhofer, Joseph von (seit 1824), Physiker und Glastechniker, *Straubing 6. 3. 1787, †München 7. 6. 1826; wurde 1819 Prof. und 1823 Konservator des Physikal. Kabinetts der Bayer. Akademie der Wiss.; entwickelte opt. Geräte (Mikroskope, Refraktoren u.a.) hoher Güte durch neuartige Methoden zur Herstellung und Bearbeitung von opt. Linsen. Er erfand das Beugungsgitter und untersuchte damit die Spektren von Planeten und Fixsternen; dabei entdeckte er (unabhängig von W. H. Wollaston) im Sonnenspektrum die als **fraunhofersche Linien** bezeichneten dunklen Absorptionslinien, mit denen man die in der Sonnenatmosphäre enthaltenen Elemente bestimmen kann. – F. verhalf mit seinen Arbeiten der Wellentheorie des Lichts zum endgültigen Durchbruch.

📖 PREYSS, C. R.: *J. v. F. Optiker – Erfinder – Pionier. Weilheim i. OB 1989.*

Fraunhofer-Gesellschaft zur Förderung der angewandten Forschung e.V., Abk. **FhG,** gemeinnützige Ges. für angewandte und anwendungsorientierte Forschungsarbeiten v.a. auf dem Gebiet der Natur- und Ingenieurwissenschaften; gegr. 1949, Sitz: München; unterhält (1997) 47 Forschungsinstitute und -einrichtungen.

Frazer ['freɪzə], Sir (seit 1914) James George, brit. Ethnologe, *Glasgow 1. 1. 1854, †Cambridge 7. 5. 1941; urspr. klass. Philologe; erforschte religionsgeschichtl. Fragen der Antike und des Orients aus ethnologisch-soziolog. Sicht; schrieb u.a. »Der goldene Zweig« (2 Bde. 1890).

J. RIZZI